J. RIZZI

DER BROCKHAUS IN FÜNFZEHN BÄNDEN

DER BROCKHAUS

in fünfzehn Bänden

Neunter Band

M – Nar

F.A. BROCKHAUS
Leipzig · Mannheim

Redaktionelle Leitung: Marianne Strzysch, Dr. Joachim Weiß

In Band 15 ist die Redaktion vollständig genannt.

Einbandgestaltung: James Rizzi

Einbandtypographie: Jürgen Sauerhöfer

Herstellung: Günter Schwab

Typographische Konzeption: Norbert Wessel

Satz: Bibliographisches Institut & F. A. Brockhaus AG
(PageOne Siemens Nixdorf)
und Mannheimer Morgen Großdruckerei
und Verlag GmbH

Druck: Neue Stalling GmbH, Oldenburg

Bindearbeit: Großbuchbinderei Lachenmaier, Reutlingen

Papier: 120 g/m² holzfrei, mattgestrichen, chlorfrei
der Papierfabrik Aconda Paper S. A., Spanien

Die Deutsche Bibliothek – CIP-Einheitsaufnahme
Der **Brockhaus**: in 15 Bänden /
[red. Leitung: Marianne Strzysch; Joachim Weiß]. –
Leipzig; Mannheim: Brockhaus.
Bd. 9. M – Nar. – 1999
ISBN 3-7653-2359-4

ISBN für das Gesamtwerk 3-7653-2350-0
Band 9: 3-7653-2359-4

Printed in Germany

M

Altsemitisch | Altgriechisch | Römische Kapitalschrift | Unziale und karoling. Minuskel

m, M, 1) Konsonant (→ Laut); der 13. Buchstabe des dt. Alphabets. Bilabialer Nasallaut.

2) Abk. für **m**ännlich, **M**askulinum.

3) M. oder **M,** Abk. für den lat. Namen **M**arcus, auch für **M**agister, **M**onumentum u.a.; im Französischen für **M**onsieur, im Englischen für **M**aster und **M**ember.

Druckschriftenvarianten des Buchstabens **M**

4) *Einheitenzeichen:* **m** für → Meter, ^{m} für die → Größenklasse der scheinbaren Helligkeit eines Sterns.

5) *Formelzeichen: m* für → Masse; ***M*** für → Magnetisierung, → Drehmoment und → Mach-Zahl.

6) *Vorsatzzeichen:* **m** für → Milli; **M** für → Mega, hieran angelehnt in der Datenverarbeitung mit der Bedeutung $2^{20} = 1\,048\,576$ (→ Byte).

M′, Kurzschreibung für engl. → Mac.

mA, Einheitenzeichen für **M**illi**a**mpere ($1\,\text{mA} = {}^1/_{1000}$ → Ampere).

Ma, *Ma,* Formelzeichen für die → Mach-Zahl.

MA., Abk. für **M**ittel**a**lter.

M. A., Abk. für lat. **M**agister **A**rtium, engl. **M**aster of **A**rts, → Magister.

Mäander [nach dem Fluss M.] *der,* **1)** *Geomorphologie:* halb- bis fast vollkreisförmige Flussschlingen in ebenen Talauen oder in bis mehrere 100 m tief eingeschnittenen Talwindungen. Kennzeichnend sind flache Gleitufer (Gleithänge) und gegenüberliegende steile Prallufer (Prallhänge). **Freie Fluss-M.** (Talboden-M., Wiesen-M.), durch die Dynamik des Fließvorgangs entstanden, verändern sich ständig (Altwasserarme). Unter den **Tal-M.** sind nur wenige aus (in die Erdoberfläche eingesenkten) Fluss-M. entstanden; die weit geschwungenen, hohen Hänge sind das Ergebnis sehr lang andauernder Hangabtragung und nicht kurzfristiger Flusslaufveränderung wie bei Fluss-M. Sie treten v.a. dort auf, wo Flüsse ihr normales Längsprofil (gegenüber härterem Gestein, Krustenbewegungen, Schicht- und Oberflächenneigungen) zu erhalten oder (gegenüber eiszeitl. Talverschüttungen) wiederherzustellen trachten.

2) *Kunst:* Ornamentband, das aus einer regelmäßig rechtwinklig gebrochenen, fortlaufenden Linie gebildet wird; verwandt ist das als »laufender Hund« bezeichnete fortlaufende Spiralmotiv oder Wellenband. Der M. tritt bereits in der Steinzeit auf, dann in der geometr. Kunst der Griechen.

Mäander *der,* Fluss in der Türkei, → Menderes.

Maar *das,* durch vulkan. Gasexplosionen entstandene, rundl., trichterförmige Vertiefung der

Mäander 1): Freie Flussmäander der Wümme in Norddeutschland

Erdoberfläche; oft von einem Wall aus Lockermaterial umgeben; z.T. mit Wasser gefüllt. Vorkommen u.a. in der Eifel und in der Schwäb. Alb.

Maar in der Eifel

Maas *die* (frz. Meuse), Fluss in W-Europa, 950 km lang. Die M. entspringt am Fuß des Plateaus von Langres (O-Frankreich), fließt nordwärts durch Lothringen und die Ardennen, erreicht bei Givet Belgien, ist zw. Lüttich und Maastricht z.T. Grenzfluss zw. Belgien und den Niederlanden; südlich von Nimwegen biegt sie nach W um und läuft längs des südl. Rheinarms Waal in die Trichtermündung »Hollands Diep«; sie mündet zus. mit dem Rhein im Rhein-M.-Delta in die Nordsee. Große Teile der M. sind kanalisiert, Kanäle verbinden sie mit anderen Flüssen, davon rd. 330 km Wasserstraßen für Schiffe bis 2000t.

Lorin Maazel

Maass, 1) Edgar, Schriftsteller, *Hamburg 4. 10. 1896, †Paterson (N.J.) 6.1.1964, Bruder von 2); lebte seit 1926 vorwiegend in den USA; schrieb dokumentar. und biograph. Romane (»Verdun«, 1936; »Der Traum Philipps II.«, 1944; »Der Fall Daubray«, 1957, auch u.d.T. »Eine Dame von Rang«).

2) Joachim, Schriftsteller, *Hamburg 11. 9. 1901, †New York 15. 10. 1972, Bruder von 1); histor. und Zeitromane (»Bohème ohne Mimi«, 1930; »Die unwiederbringliche Zeit« 1935; »Ein Testament«, 1939; »Kleist, die Fackel Preußens«, Essay, 1957).

Maastricht [niederländ. -'trɪxt], Hptst. der Prov. Limburg, Niederlande, an der Maas, 118300 Ew.; Univ., Konservatorium, Museen; Zement-, Porzellanfabriken, chem. Ind., Herstellung elektrotechn. Erzeugnisse, Maschinenbau; Champignonzucht; Handelszentrum; Verkehrsknotenpunkt. – St.-Servatius-Kirche (im 6. Jh. gegr., im Wesentl. im 11.–13. Jh. erbaut), roman. Liebfrauenkirche (11. Jh., Chor Anfang 13. Jh.), spätgot. St.-Johannes-Kirche, Rathaus (1659–64), zahlr. Bürgerhäuser (17.–18. Jh.). – M., das röm. **Traiectum ad Mosam** (»Überfahrt an der Maas«), stand ab 1284 unter der gemeinsamen Herrschaft der Herzöge von Brabant und der Fürstbischöfe von Lüttich. 1632 wurde es von Friedrich Heinrich von Nassau-Oranien für die nördl. Niederlande erobert.

Maastricht
Stadtwappen

📖 *M. Schnittpunkt von Kulturen u. Sprachen in Europa, hg. v.* J. J. M. Timmers. *Heerlen 1990.*

Maastrichter Verträge, →Europäische Union.

Maat [niederdt., von mat »Kamerad«], frühere Bez. für einen Gehilfen z.B. des Steuermanns; heute Bez. für einen Unteroffizier der dt. Marine.

Maazel [mɑ:zl], Lorin, amerikan. Dirigent, *Neuilly-sur-Seine 6. 3. 1930; 1965–71 in Berlin Generalmusikdirektor der Dt. Oper und 1965–75 Chefdirigent des Radio-Symphonie-Orchesters, 1972–82 auch Chefdirigent und künstler. Leiter des Cleveland Orchestra; 1982–84 Direktor der Wiener Staatsoper, 1988–96 Musikdirektor des Orchesters von Pittsburgh, daneben seit 1993 Leiter des Sinfonie-Orchesters des Bayer. Rundfunks.

Mabuse, fläm. Maler, →Gossaert, Jan.

Mac [mæk, gälisch »Sohn«], Abk. **M', Mc,** unbetonte Vorsilbe ir. und schott. Familiennamen.

Mac [mæk], Kw. für **Mac**intosh, Personalcomputer der Firma Apple mit dem Betriebssystem MacOS, das eine graf. Benutzeroberfläche aufweist. Das System MacOS basiert auf der Fenstertechnik (→Windows) und bietet u.a. eingeschränkten Mehrprogrammbetrieb (Multitasking) und Anschlussmöglichkeiten an lokale und globale Netze. M.-Computer sind v.a. verbreitet in den Bereichen Grafikbearbeitung, Lay-out und Satz sowie Multimedia.

MacArthur [mə'kɑ:θə], Douglas, amerikan. General, *Little Rock (Ark.) 26. 1. 1880, †Washington (D.C.) 5. 4. 1964; ab 1941 Oberbefehlshaber der alliierten Streitkräfte im SW-Pazifik im Krieg gegen Japan; war nach Entgegennahme der Kapitulation Japans (1945) dort Chef der Besatzungstruppen und wurde 1950 Oberbefehlshaber der UN-Streitkräfte im Koreakrieg; 1951 von Präsident Truman entlassen, um eine eigenmächtige Ausweitung des Krieges auf das chines. Staatsgebiet zu verhindern.

Macau (Macao, chines. Aomen), Territorium an der S-Küste Chinas, unter portugies. Verw., rd. 65 km westlich von Hongkong, 16,9 km², (1995) 410000 Ew.; umfasst eine 6,05 km² große Halbinsel mit der Stadt M. sowie die ihr vorgelagerten Inseln **Taipa** (3,78 km²) und **Coloane** (7,09 km²). Amtssprachen sind Portugiesisch und Chinesisch. Die Wirtschaft wird vom Fremdenverkehr (Spielkasinos, Hunderennen, Grand-Prix-Rennen), Handel (v.a. Transit- und Goldhandel), Ind.produktion (Textil- und Bekleidungsind., Streichhölzer, Feuerwerkskörper, Tabakwaren, Fischkonserven u.a.)

und Hochseefischerei bestimmt. Zahlungsmittel ist die Pataca (Pat.) = 100 Avos. – M. ist durch Fährverkehr (Tragflügel- und Motorboote) und Hubschrauber mit Hongkong verbunden. – 1557 von den Portugiesen als Handelsniederlassung gepachtet; ab 1575 Bischofssitz. Nach 1842 verlor M. durch die rasche Entwicklung Hongkongs für den Chinahandel an Bedeutung. 1849 Besetzung der Inseln Taipa und Coloane durch Portugal. 1887 erkannte China in einem Vertrag die Oberhoheit Portugals über M. an, das 1951 portugies. Überseeprovinz wurde; erhielt 1976 als »Territorium von M.« volle innere Autonomie. 1987 wurde ein portugiesisch-chines. Abkommen paraphiert, nach dem M. 1999 an China zurückgegeben wird.

📖 HABERZETTL, P. *u.* PTAK, R.: *M. Geographie, Geschichte, Wirtschaft u. Kultur. Wiesbaden 1995.*

Macaulay [mə'kɔːlɪ], **1)** Dame (seit 1958) Rose, engl. Schriftstellerin, *Rugby 1. 8. 1881, †London 30. 10. 1958; griff in ihren kulturkrit., meist satir. Romanen Fortschrittsglauben und Kulturoptimismus der engl. Gesellschaft an (»Irrwege«, 1926; »Tante Dot, das Kamel und ich«, 1956).

2) Thomas Babington, Baron M. of Rothley (seit 1857), brit. Politiker und Historiker, *Rothley Temple (Cty. Leicestershire) 25. 10. 1800, †Kensington (heute zu London) 28. 12. 1859; seit 1830 liberales Mitgl. des Unterhauses, 1834–38 Kolonialbeamter in Indien, 1839–41 Kriegsminister. In seinem Hauptwerk (»Geschichte von England seit dem Regierungsantritt Jakobs II.«, 10 Bde., 1849–61) vertrat er die Ansicht, dass die Revolution von 1688 die Grundlage der polit. Freiheit in England gelegt habe.

Macbeth [mæk'beθ], König von Schottland (1040–57), ⚔ bei Lumphanan (Grampian Region) 15. 8. 1057; besiegte und tötete seinen Vorgänger Duncan I.; fiel im Kampf gegen Duncans Sohn Malcolm III.; Drama von Shakespeare (um 1608), Oper von Verdi (1847, 2. Fassung 1865).

MacBride [mək'braɪd], Séan, ir. Politiker, *Paris 26. 1. 1904, †Dublin 15. 1. 1988; Rechtsanwalt, Mitgl. der Republikan. Partei, 1948–51 Außenmin., 1970–73 Präs. von Amnesty International, 1973–76 UN-Kommissar für Namibia, erhielt 1974 mit E. Satō den Friedensnobelpreis.

Mạcchie [-kiə] *die,* im Mittelmeergebiet verbreitete Gebüschformation mit niedrigen Bäumen und Sträuchern (1–5 m hoch), durch Abholzung entstandenes Degradationsstadium des immergrünen Steineichenwaldes mit Steineiche, Ölbaum, Myrte u. a. Bei noch stärkeren menschl. Eingriffen (z. B. regelmäßiges Abbrennen) entsteht eine baumlose, offene Vegetationsform, die **Garigue.**

MacDiarmid [mək'dɪəmɪd], Hugh, eigtl. Christopher Murray Grieve, schott. Lyriker, *Langholm (Dumfries and Galloway) 11. 8. 1892, †Edinburgh 9. 9. 1978; trat für die Wiederbelebung einer eigenständigen schott. Literatur und für die Unabhängigkeit von England ein.

Douglas MacArthur

Macdonald [mək'dɔnəld], Ross, eigtl. Kenneth Millar, amerikan. Schriftsteller, *Los Gatos (Calif.) 13. 12. 1915, †Santa Barbara (Calif.) 11. 7. 1983; schrieb Detektivromane aus dem Milieu der amerikan. Westküste mit der Gestalt des Detektivs Lew Archer.

MacDonald [mək'dɔnəld], James Ramsay, brit. Politiker, *Lossiemouth (Moray) 12. 10. 1866, †(auf einer Seereise nach Südamerika) 9. 11. 1937; Mitbegründer und 1911–14 parlamentar. Führer der Labour Party, Premiermin. 1924 (erstes Labourkabinett) und 1929–35, bildete zur Zeit der Weltwirtschaftskrise 1931 gegen den Widerstand seiner Partei eine Koalitionsregierung (National Government).

Séan MacBride

Macdonnellkette [mək'dɔnl-] (Macdonnell Ranges), Gebirgssystem in Zentralaustralien, etwa 400 km lang, im Mount Zeil 1511 m hoch.

MacDowell [mək'daʊəl]; Edward, amerikan. Komponist, *New York 18. 12. 1860, †ebd. 23. 1. 1908; einer der bedeutendsten amerikan. Komponisten spätromant. Richtung; verwendete Motive der indian. Musik; schrieb sinfon. Dichtungen, Orchestersuiten, Klaviermusik, Lieder.

Maceió [mase'jo], Hptst. des Staates Alagoas, Brasilien, 628 400 Ew.; Erzbischofssitz; Univ.; u. a. Nahrungsmittel-, Textil-, Zuckerind.; Hafen.

James MacDonald

Macerata [matʃe'raːta], **1)** Provinz in der Region Marken, Italien, 2774 km², (1995) 297 900 Einwohner.

2) Hptst. von 1), südlich von Ancona, 42 700 Ew., Univ.; Handelszentrum, Musikinstrumentenbau.

Mạch, Kurz-Bez. für →Mach-Zahl.

Mạch, Ernst, österr. Physiker und Philosoph, *Chirlitz-Turas (bei Brünn) 18. 2. 1838, †Vaterstetten (Kr. Ebersberg) 19. 2. 1916; Prof. in Graz, Prag und Wien; vervollkommnete die Stroboskopie (Aufnahme von Luftwellen), erforschte die Bewegung von Körpern mit Überschallgeschwindigkeit (→Mach-Kegel, →Mach-Zahl). M. untersuchte die Absorptionslinien in Sternspektren, bestätigte 1860 experimentell den Doppler-Effekt und schlug dessen Anwendung zur Messung der Geschwindigkeit weit entfernter kosm. Objekte vor (→Rotverschiebung). Seiner Erkenntnistheorie zufolge sind allein die Sinnesempfindungen die »Elemente« der Wirklichkeit (Empiriokritizismus); er verwarf die Atomistik und das Kausalitätsprinzip. M. formulierte das wissenschaftstheoret. Prinzip der Denkökonomie (alles ist so einfach wie möglich zu erklären); er wirkte auf den Neopositivismus (Wiener Kreis); seine Philosophie bereitete die Relativitätstheorie vor und beeinflusste W. Heisenbergs Deutung der Quantentheorie.

Ernst Mach
(zeitgenössische Lithographie)

Werke: Die Mechanik in ihrer Entwicklung (1883); Die Analyse der Empfindungen (1886); Die Prinzipien der Wärmelehre (1896); Erkenntnis und Irrtum (1905).

📖 *E. M. – Werk u. Wirkung, hg. v.* R. HALLER *u.* F. STADLER. *Wien 1988.* – GRIESER, D.: *Köpfe. Portraits der Wissenschaft. Wien 1991.*

Mácha ['ma:xa], Karel Hynek, tschech. Dichter, *Prag 16. 11. 1810, †Litoměřice 5. 11. 1836; Vertreter der tschech. Romantik; in seiner Lyrik offenbaren sich Weltschmerz und tiefgründige Deutung des Daseins. Sein Hauptwerk ist die lyrisch-ep. Dichtung »Der Mai« (1836).

Machado de Assis [ma'ʃadu di-], Joaquim Maria, brasilian. Schriftsteller, *Rio de Janeiro 21. 6. 1839, †ebd. 29. 9. 1908; schrieb psychologisierende Romane und Erzählungen in kunstvoller Erzähltechnik mit nachsichtiger Ironie und melanchol. Humor (»Die nachträgl. Memoiren des Bras Cubas«, R., 1881; »Dom Casmurro«, R., 1899).

Machado y Ruiz [ma'tʃaðo i 'rru̯iθ], Antonio, span. Lyriker, *Sevilla 26. 7. 1875, †Collioure (Dép. Pyrénées-Orientales) 22. 2. 1939; Freund von R. Darío; im Span. Bürgerkrieg Republikaner, starb auf dem Weg ins Exil; schrieb neben Theaterstücken und Essays v.a. Lyrik (»Soledades«, 1903, erweitert 1907; »Campos de Castilla«, 1912).

Machala [ma'tʃala], Hptst. der Prov. El Oro, Ecuador, 144200 Ew.; TU; Bananenexport über den benachbarten Hafen **Puerto Bolívar.**

Machandelbaum [niederdt. »Wacholder«], der Gemeine →Wacholder.

Macharski, Franciszek, poln. kath. Theologe, *Krakau 20. 5. 1927; seit 1979 Erzbischof von Krakau und Kardinal.

Machatschek, Fritz, Geograph, *Wischau (heute Vyškov, Südmähr. Gebiet) 22. 9. 1876, †München 25. 9. 1957; machte sich bes. um die Geomorphologie und Eiszeitforschung verdient; schrieb »Geomorphologie« (1919) und »Das Relief der Erde« (2 Bde., 1938–40).

Machatschkala (bis 1921 Petrowsk-Port), Hptst. von Dagestan innerhalb der Russ. Föderation, Hafen am Kasp. Meer, 317500 Ew.; Univ. (1957 gegr.) u.a. Hochschulen, geistl. muslim. Zentrum; Maschinenbau, Erdöl-, Textil-, Nahrungsmittelind.; Flughafen. – 1844 gegründet.

Machault [ma'ʃo], Guillaume de, frz. Dichter und Komponist, *in der Champagne (Reims?) zw. 1300 und 1305, †Reims 13. 4. 1377; bereiste als Sekretär Johanns von Böhmen Europa; sein lyr. Werk wurde z.T. von ihm selbst vertont; histor. Dichtung, Versromane (»Livre dou voir dit«, um 1363; »Le jugement dou Roy de Navarre«, 1349). Überliefert sind mehr als 140 Kompositionen (Motetten, eine Messe, Lais, Balladen, Rondeaux und Virelais).

Antonio Machado y Ruiz

Samora Machel

Machel [ma'ʃɛl], Samora, Politiker in Moçambique, *Xilambewe (Distr. Gaza) 29. 9. 1933, †(Flugzeugabsturz) bei Komatipoort (Südafrika) 19. 10. 1986; wurde 1970 Präs. der FRELIMO, 1975 auch Staats- und Regierungschef.

Machern, Gemeinde im Muldentalkreis, Sachsen, östlich von Leipzig, 5800 Ew.; Schloss (urspr. Wasserburg des 16. Jh., mehrfach verändert), Schlosspark seit 1760 als Landschaftspark im engl. Stil angelegt mit künstl. Burgruine, klassizist. Pavillon und Mausoleum.

Machete [ma'tʃetə, span.] *die,* →Haumesser.

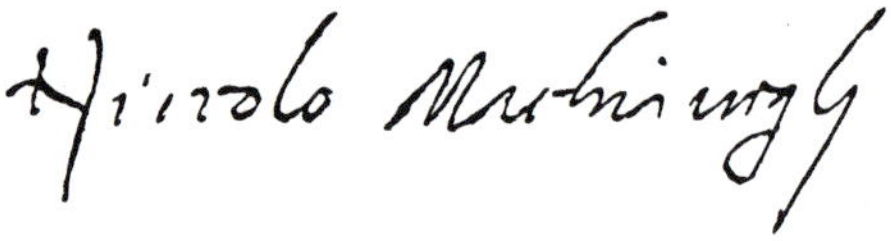

Niccolò Machiavelli: Ausschnitt aus einem anonymen Gemälde (undatiert; Florenz, Palazzo Vecchio), darunter Autogramm

Machiavelli [makja'vɛlli], Niccolò, italien. polit. Schriftsteller, *Florenz 3. 5. 1469, †ebd. 22. 6. 1527; war 1498–1512 Kanzler des Rats der Zehn in Florenz und in diplomat. Mission oft im Ausland, worüber er pointierte Berichte (»Legazioni«) schrieb. Nach Rückkehr der Medici und dem Sturz der Rep. verlor er sein Amt und lebte seit 1513 nur noch seinen schriftsteller. Arbeiten. M. ging von einem pessimist. Menschenbild aus; er formte den Begriff der Staatsräson vor, verwarf die Vorstellung des christl. Tugenden verpflichteten Herrschers und sah in der Macht ein konstituierendes Element der Politik (→Machiavellismus). Seine polit. Schriften sind zwei Staatsformen gewidmet: den Republiken (»Betrachtungen über die ersten zehn Bücher des Livius«, 1531) und den Fürstentümern (»Il principe«, dt. »Der Fürst«, 1532, entstanden 1513). »Il principe« wurde zu einem bis in das 18. Jh. hinein grundlegenden Traktat der Fürstenerziehung. M. schrieb auch Novellen, Gedichte und Komödien (»Mandragola«, zw. 1518 und 1520, gilt als das originellste Lustspiel der Renaissance) sowie eine »Geschichte von Florenz«, 1532.

FINK, H.: *M. Eine Biographie. München 1988.* – BARINCOU, E.: *N. M. Aus dem Frz. Reinbek 37.–39. Tsd. [4]1993.* – MARCU, V.: *M. Die Schule der Macht. Neuausg. München 1994.*

Machiavellismus [mak-] *der,* die polit. Lehre N. → Machiavellis, insbes. die Rechtfertigung einer von sittl. Normen losgelösten Machtpolitik, wie sie die Gegner Machiavellis bes. aus seinem »Il principe« herauszulesen glaubten (→ Antimachiavell); danach: polit. Skrupellosigkeit.

Machismo [ma'tʃɪsmo; zu span. macho »männlich«] *der,* durch starke Überlegenheitsgefühle und Herrschaftsansprüche gegenüber der Frau gekennzeichnete Einstellung des Mannes; bes. ausgeprägt in den lateinamerikan. Gesellschaften.

Mach-Kegel [nach E. Mach], die von der Spitze eines mit Überschallgeschwindigkeit v bewegten Körpers ausgehende kegelförmige Kopfwelle. Für den halben Öffnungswinkel α des Kegels **(Mach-Winkel)** gilt: $\sin\alpha = c_S/v = 1/Ma$, wobei c_S die Schallgeschwindigkeit im umgebenden Medium und *Ma* die → Mach-Zahl ist.

Mach-Meter *das,* Instrument zur Messung der → Mach-Zahl, hauptsächlich verwendet im Überschallflug, in dem für die Flugzeugführung die Kenntnis der temperatur- und damit höhenabhängigen Mach-Zahl wichtig ist.

Machorka [russ.] *der,* aus Bauerntabak (→ Tabak) hergestellter, stark nikotinhaltiger Pfeifen- und Zigarettentabak.

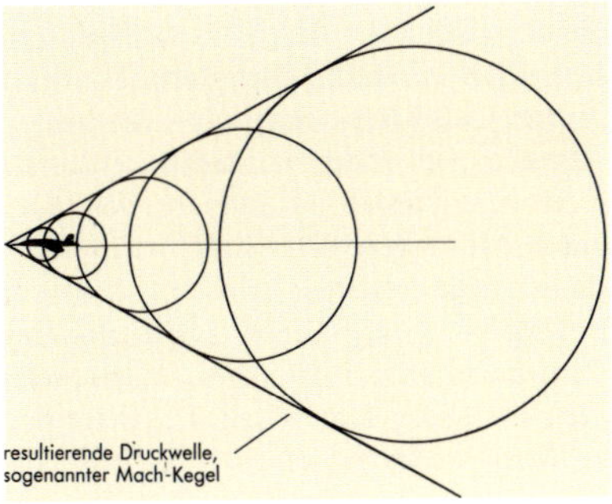

Mach-Kegel: Bei Überschallgeschwindigkeit entstehende Druckwellen bilden den Mach-Kegel

Macht, die Summe von Einflussmöglichkeiten in polit., wirtsch. und sozialer Hinsicht; in der *Soziologie* die Chance, in einer sozialen Beziehung den eigenen Willen auch gegen Widerstreben durchzusetzen (M. Weber). Grundlagen von M. können sein: phys. oder psych. Überlegenheit, Wissensvorsprung, höhere Informiertheit oder Organisationsfähigkeit, das Ausnutzen von Herrschaftsstrukturen und Angst bei den Unterworfenen. In allen auf Demokratie und bestimmte Grundrechte der Menschen ausgerichteten Gesellschaften wird die M.-Ausübung durch Recht, Gesetz, Verfassung und öffentl. Kontrolle zu institutionalisierter und damit anerkannter und kalkulierbarer → Herrschaft. Daneben findet man, v. a. in totalitären Systemen, Mechanismen der Beeinflussung (polit. Propaganda; → Manipulation), die vom Einzelnen als M.-Ausübung nicht mehr durchschaut werden können. Kein Gesellschaftssystem mit komplexer Sozialorganisation verzichtet auf M.-Mittel staatl. Gewalt (Gerichte, Polizei, Militär, Strafanstalten), um die innere Ordnung und die äußere Sicherheit des politisch-sozialen Systems zu gewährleisten. Neben den polit. und ökonom. M.-Strukturen in Staat, Wirtschaft und Gesellschaft bestimmen M.-Positionen die zwischenmenschl. Beziehungen in allen Lebensbereichen (in Ehe, Familie, Beruf, Kirche u. a.).

Als verursachend für die Entstehung von M.-Strukturen im sozialen (polit., kulturellen, religiösen) Leben wurde ein genereller **M.-Trieb** (Machiavelli, Nietzsche; Geltungstrieb in der Psychologie A. Adlers) oder ein Antrieb zur Erringung von M. (Verhaltensforschung) ebenso angesehen wie die Tatsache, dass sich die Komplexität sozialer Verhältnisse nur durch M.-Ausübung reduzieren und steuern lasse. Die Gründe für die M.-Ausübung und ihre Erscheinungsformen müssen jedoch nach Situation und historisch-gesellschaftl. Entwicklungsstand differenziert werden. Eine positive Wertung erfährt M. zumeist, wenn sie eine gerechte Ordnung anstrebt.

M. in der Demokratie, hg. v. M. T. GREVEN. *Baden-Baden 1991.* – POPITZ, H.: *Phänomene der M. Tübingen [2]1992.* – BRZEZINSKI, Z.: *M. u. Moral. A. d. Amerikan. Hamburg 1994.* – KRAMER, R.: *Ethik der M. Berlin 1994.* – MANN, M.: *Geschichte der M., 2 Bde. Frankfurt am Main 1994.* – CANETTI, E.: *Masse u. M. Sonderausg. Frankfurt am Main 1996.*

Mächtiges Häuflein, → Gruppe der 5.

Mächtigkeit, 1) *Geologie* und *Bergbau:* die Dicke einer Gesteinsschicht oder einer Lagerstätte.

2) *Mathematik:* (Kardinalzahl) Verallgemeinerung des Begriffs der Anzahl in der → Mengenlehre. Bei einer endl. Menge ist die M. gleich der Anzahl ihrer Elemente. Zwei beliebige Mengen *A* und *B* werden als **gleichmächtig, äquivalent** oder von **gleicher M.** ($A \sim B$) bezeichnet, wenn es eine umkehrbar eindeutige Abbildung zw. den Elementen von *A* und *B* gibt.

Machu Picchu ['matʃu 'piktʃu], Ruinenstätte einer festungsartigen Stadtanlage (um 1450) aus der Zeit der Inkakultur (1440–1532) in Peru, nordwestlich von Cuzco, 2450 m ü. M. auf einem terrassierten Felssporn über dem Urubambatal gelegen.

Machu Picchu: Die Ruinen der um 1450 in über 2300 m Höhe zwischen dem Huayana Picchu (rechts) und dem Machu Picchu errichteten Inkasiedlung nordwestlich von Cuzco wurden erst zu Beginn des 20. Jh. entdeckt

Der Komplex umfasst Tempel, Paläste, eine monumentale Sonnenuhr und Hunderte von künstlich angelegten Ackerbauterrassen. M. P., das den Konquistadoren unbekannt blieb, wurde erst 1911 entdeckt; die UNESCO erklärte M. P. zum Weltkulturerbe.

Shirley MacLaine

Mach-Zahl [nach E. Mach], Kurzbez. **Mach,** Formelzeichen *Ma*, in der Luftfahrt auch *M*, das Verhältnis der Geschwindigkeit υ eines Körpers zur Schallgeschwindigkeit c_S im umgebenden Medium: $M = \upsilon/c_S$. Da die Schallgeschwindigkeit in Luft in Bodennähe bei einer Temperatur von 15 °C etwa 340 m/s beträgt, bedeutet $M = 0{,}5$ eine Geschwindigkeit von 170 m/s oder etwa 600 km/h (0,5 Mach); $M1$ = eine Geschwindigkeit von 340 m/s oder etwa 1200 km/h (1 Mach). Die Angabe der Geschwindigkeit durch die M.-Z. berücksichtigt, dass c_S sich z.B. mit der Temperatur ändert.

August Macke: »Mit gelber Jacke« (1913; Ulm, Ulmer Museum)

Mack, Heinz, Objektkünstler, *Lollar (bei Gießen) 8. 3. 1931; gründete 1958 mit O. Piene und G. Uecker die Künstlergruppe Zero; schuf Lichtreliefs und z.T. motorisch bewegte Plastiken aus reflektierenden Metallen und Industrieglas (»Lichtdynamos«); u.a. »Sahara-Projekt« (1968), »Wasserwolke« für die Olymp. Spiele in München (1972), »Skulptur für den Himmel« (1976), Glasobelisk für die Fassade des Europa-Centers in Berlin (1987).

Macke, August, Maler, *Meschede 3. 1. 1887, ⚔ bei Perthes-les-Hurlus (Dép. Marne) 26. 9. 1914; lernte an der Düsseldorfer Akademie, kurze Zeit auch bei L. Corinth in Berlin, empfing entscheidende Eindrücke von der jungen frz. Malerei (Kubismus, Fauvismus) in Paris und schloss sich 1911 dem →Blauen Reiter an. Durch F. Marc und R. D. Delaunay beeinflusst, fand er einen eigenen Stil, indem er gegenständlich, wenn auch stark vereinfachend, mit starken, leuchtkräftigen Farben v.a. Menschen auf der Straße und in Parklandschaften malte. Im Frühjahr 1914 entstanden auf einer Tunisreise mit P. Klee Aquarelle, in denen das Licht zum eigenwertigen Medium wird.

📖 Bitter, R. von: *A. M. München* [2]*1995.*

Mackeben, Theo, Komponist, *Preußisch Stargard (heute Starogard Gdański) 5. 1. 1897, †Berlin 10. 1. 1953; schrieb Opern, Operetten, Orchesterwerke, Konzerte, v.a. aber Bühnen- und Filmmusiken, u.a. zu »Bel ami« (1939), »Der große Zapfenstreich« (1952).

Mackensen, 1) August von (seit 1899), preuß. Generalfeldmarschall (seit 1915), *Haus Leipnitz (Kr. Wittenberg) 6. 12. 1849, †Burghorn (heute zu Habighorst, bei Celle) 8. 11. 1945; im 1. Weltkrieg Oberbefehlshaber der 9. und 11. Armee, eroberte Ende 1915 Serbien, 1916/17 Rumänien, war dort bis Kriegsende Militärgouverneur. M. wurde 1933 zum preuß. Staatsrat ernannt.

2) Fritz, Maler, *Greene (heute zu Kreiensen) 8. 4. 1866, †Bremen 12. 5. 1953; malte stimmungsvolle Bilder der norddt. Landschaft und ihrer Bewohner in Worpswede, wo er der 1889 von ihm mitgegründeten Künstlerkolonie angehörte.

Mackenzie [məˈkenzɪ] *der,* Strom in NW-Kanada (Gesamtlänge 4241 km). Hauptquellflüsse sind Athabasca und Peace River. Der dem Athabascasee entfließende Slave River, der kurz nach seinem Ausfluss den Peace River aufnimmt, mündet in den Großen Sklavensee. Nach dem Austritt aus diesem See heißt der Strom M., er nimmt von links den Liard River, von rechts den Abfluss des Großen Bärensees auf und mündet mit einem rasch wachsenden Delta in das Nordpolarmeer. Schifffahrt ist in den Sommermonaten auf 2000 km bis Fort Smith möglich.

Mackenzie [mə'kenzɪ], Sir (seit 1952) Edward Montague Compton, engl. Schriftsteller, *West Hartlepool (bei Durham) 17. 1. 1883, †Edinburgh 30. 11. 1972; schrieb v.a. humorist. Unterhaltungsromane (»Das Whisky-Schiff«, 1947), Reisebücher und Schauspiele.

Mackintosh ['mækɪntɔʃ], Charles Rennie, schott. Architekt und Designer, *Glasgow 7. 6. 1868, †London 10. 12. 1928; entwickelte eine spezifisch schott. Variante des Jugendstils, insbesondere durch seine Inneneinrichtungen; zu den realisierten Projekten gehört der Bau der Kunstakademie in Glasgow (1897–99 und 1907–09).

Mackmurdo [mək'mə:dəʊ], Arthur Heygate, brit. Architekt, Designer und Zeichner, *London 12. 12. 1851, †Wickham Bishops (Cty. Essex) 15. 3. 1942; trug wesentlich zur Herausbildung des Jugendstils in England bei; gründete eine Werkstatt für Inneneinrichtung, die an die Ideen des Arts and Crafts Movement anknüpften.

MacLaine [mə'kleɪn], Shirley, eigtl. S. MacLean Beatty, amerikan. Schauspielerin, *Richmond (Va.) 24. 4. 1934; u.a. kom. Charakterrollen. Filme u.a.: »Das Mädchen Irma la Douce« (1962), »Zeit der Zärtlichkeit« (1983), »Grüße aus Hollywood« (1990), »Tess und ihr Bodyguard« (1994); schrieb mehrere autobiograph. Bücher.

MacLean [mə'kli:n], Alistair, eigtl. Ian Stuart, schott. Schriftsteller, *Glasgow 21. 4. 1922, †München 2. 2. 1987; schrieb tatsachenberichtähnliche Abenteuer- und Agentenromane, u.a. »Die Männer der Ulysses« (1955), »Die Kanonen von Navarone« (1957), »Eisstation Zebra« (1963), »Der Santorin-Schock« (1986).

Arthur Mackmurdo: Titelblatt zu seinem Buch »Wrens city churches« (1883)

MacLeish [mə'kli:ʃ], Archibald, amerikan. Schriftsteller, *Glencoe (Ill.) 7. 5. 1892, †Boston (Mass.) 20. 4. 1982; schrieb neben formstrengen, von E. Pound und T. S. Eliot beeinflussten Gedichten ein geschichtsphilosoph. Epos der Eroberung Mexikos (»Conquistador«, 1932) und polit. Essays

Charles Mackintosh: »Vollmond im September« (1893; Glasgow, School of Art)

über die Aufgabe des Dichters in der demokrat. Gesellschaft.

Macleod [mə'klaʊd], John James Rickard, kanad. Physiologe brit. Herkunft, *Cluny (bei Dunkeld, Perth and Kinross) 6. 9. 1876, †Aberdeen 16. 3. 1935; für seine Beteiligung an dem 1921 von F. G. Banting und C. H. Best geführten Nachweis, dass Insulin den Blutzuckerspiegel senkt, erhielt er 1923 (mit Banting) den Nobelpreis für Physiologie oder Medizin.

John Macleod

Mac-Mahon [makma'ɔ̃], Maurice Marquis de, Herzog von Magenta (seit 1859), frz. Marschall und Politiker, *Schloss Sully (bei Autun) 13. 6. 1808, †Schloss La Forêt (Dép. Loiret) 17. 10. 1893; entschied 1859 die Schlacht von Magenta; im Dt.-Frz. Krieg geriet er bei Sedan 1870 in Gefangenschaft; 1871 schlug er die Pariser Kommune nieder; 1873 wurde er 2. Präs. der 3. Rep.; musste wegen seiner monarchist. Einstellung 1879 abdanken.

Macmillan [mək'mɪlən], Harold, Earl (seit 1984), brit. Politiker, *London 10. 2. 1894, †Chelwood Gate (Cty. East Sussex) 29. 12. 1986; wurde 1921 Teilhaber des Verlags M. & Co. Ltd.; Konservativer, vertrat 1942–45 das brit. Kriegskabinett im alliierten Hauptquartier in NW-Afrika. 1954/55 war er Verteidigungs-, 1955 Außenminister und 1955–57 Schatzkanzler. Als Premiermin. (1957–63) konnte M. das durch die Sueskrise (1956) belastete britisch-amerikan. Verhältnis verbessern.

Harold Macmillan

MacMillan [mək'mɪlən], Sir (seit 1984) Kenneth, schott. Tänzer, Choreograph und Ballettdi-

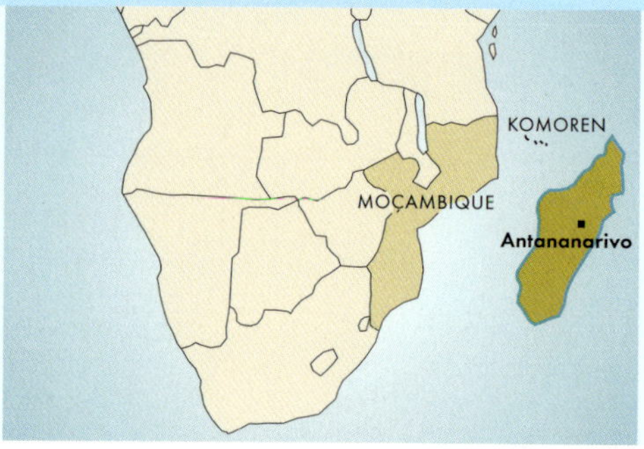

Madagaskar

Fläche: 587041 km²
Einwohner: (1995) 14,763 Mio.
Hauptstadt: Antananarivo
Verwaltungsgliederung: 6 Provinzen
Amtssprachen: Malagasy und Französisch
Nationalfeiertage: 26. 6. und 14. 10.
Währung: 1 Madagascar-Franc (FMG) = 100 Centimes (c)
Zeitzone: MEZ +2 Std.

Staatswappen

RM

Internationales Kfz-Kennzeichen

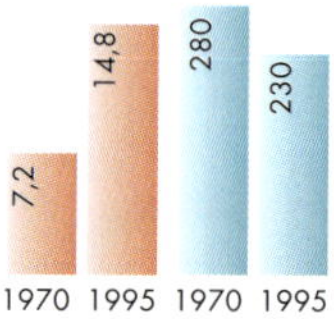

Bevölkerung (in Mio.) Bruttosozialprodukt je Ew. (in US-$)

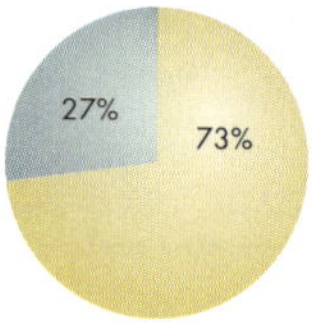

Bevölkerungsverteilung 1995

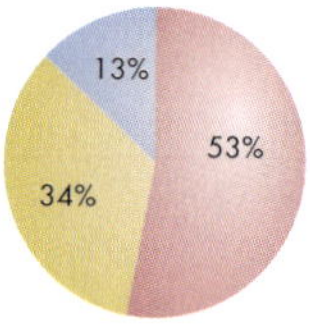

Bruttoinlandsprodukt 1995

rektor, *Dunfermline 11. 12. 1929, †London 29. 10. 1992; war 1970–77 Leiter des Londoner Royal Ballet, weiterhin dessen Chefchoreograph; seit 1984 auch Artistic Associate beim American Ballet Theatre.

Mâcon [maˈkɔ̃], Hptst. des frz. Dép. Saône-et-Loire, in Burgund, an der Saône, 38400 Ew.; Maschinen-, Apparate- und Motorradbau; Weinhandel (Weinmesse für das Mâconnais).

Mac Orlan [makɔrˈlɑ̃], Pierre, eigtl. P. Dumarchais, frz. Schriftsteller, *Péronne (Dép. Somme) 26. 2. 1882, †Saint-Cyr-sur-Morin (Dép. Seine-et-Marne) 28. 6. 1970; sein abenteuerl. Leben spiegelt sich in seinen Romanen »Alkoholschmuggler« (1925), »Hafen im Nebel« (1927), »Der Anker der Barmherzigkeit« (1941).

Macpherson [məkˈfɔːsn], James, schott. Dichter, *Ruthven (bei Inverness) 27. 10. 1736, †Belville (bei Inverness) 17. 2. 1796; Vertreter der Vorromantik; gab die 1760–63 veröffentlichten Dichtungen (u. a. »Fragments of ancient poetry«) als Übersetzung gälischer Lieder des Sängers Ossian aus; die von F. G. Klopstock und den Dichtern des Göttinger Hains und des Sturm und Drang begeistert aufgenommenen eleg. Dichtungen wirkten auf die romant. Dichtung und die bildende Kunst.

Macquarie-Inseln [məˈkwɔrɪ-], austral. Inselgruppe im Südpolarmeer, 230 km²; vulkan. Ursprungs, Tundrenvegetation; Naturschutzgebiet; Forschungs- und Wetterstation. – 1810 entdeckt.

Macrọbius, Ambrosius Theodosius, lat. Schriftsteller Anfang des 5. Jh. n. Chr.; verfasste einen neuplaton. Kommentar zu Ciceros »Somnium Scipionis« (»Scipios Traum«) sowie die unvollständig erhaltenen »Saturnalia« in sieben Büchern, die in Form von Tischgesprächen bei einem Saturnalienfest grammat., philosoph. und literaturgeschichtl. Ausführungen enthalten.

Macụmba [Bantu »Baum«, unter dem religiöse Versammlungen abgehalten werden] *die,* synkretist. Kult in Brasilien, der afrikan., christl. und indian. Elemente vereinigt; mit ekstat. und spiritist. Praktiken.

MAD, Abk. für **M**ilitärischer **A**bschirm**d**ienst.

Madách [ˈmɔdaːtʃ], Imre, ungar. Dichter, *Alsósztregova (heute Dolná Strehová, bei Lučenec, Mittelslowak. Gebiet) 21. 1. 1823, †ebd. 5. 10. 1864; stellte in der dramat. Dichtung »Die Tragödie des Menschen« (1861) an Szenen der abendländ. Historie seine desillusionierende Geschichtsphilosophie dar.

Madagạskar (amtlich malagasy Repoblikan'i Madagasikara, frz. République de Madagascar), Inselstaat im W des Ind. Ozeans, von der O-Küste Afrikas durch den 400 km breiten Kanal von Moçambique getrennt; umfasst die Insel M. (viertgrößte Insel der Erde) und einige Nebeninseln.

Staat und Recht: Nach der Verf. vom 19. 8. 1992 (durch Referendum gebilligt) ist M. eine präsidiale Republik. Staatsoberhaupt ist der mit weitgehenden exekutiven Kompetenzen ausgestattete Präs. (direkt gewählt); er ist Oberbefehlshaber der Streitkräfte und ernennt den Min.Präs. Die Legislative liegt bei der Nationalversammlung (137 Abg., für fünf Jahre gewählt). Seit Okt. 1991 fungiert bis zur Neuwahl des aufgelösten Parlaments die Hohe Staatsbehörde als oberstes Legislativorgan. Neben der beherrschenden Partei »Avantgarde der madagass. Revolution« (AREMA) formierte sich das »Komitee der lebendigen Kräfte« (CFV), ein Bündnis oppositioneller Gruppierungen und Parteien unterschiedl. polit. Richtungen.

Landesnatur: Die 1580 km lange, bis 580 km breite Insel M. ist überwiegend ein gebirgiges Hochland, das nach O steil, nach W allmählich zu den Küsten abfällt. Die O-Küste ist eine fast gerade, lagunenreiche Ausgleichsküste. Auf eine schmale Küstenebene folgt der Steilanstieg zum Hochland (800–1600 m ü. M.), das von vulkan. Massiven überragt wird; höchste Erhebung ist der Maromokotro im Tsaratananamassiv mit 2886 m ü. M. Die westl. Küstenebene ist stärker gegliedert. Alle Küsten werden weithin von Korallenriffen begleitet. – Das Klima ist tropisch, jedoch differenziert nach Höhe und Lage zum SO-Passat. Die

O-Seite hat ganzjährig Niederschläge. Der im Regenschatten liegende Hauptteil von M. hat eine winterl. Trockenzeit (April–Okt.) und eine sommerl. Regenzeit. Der SW ist Trockengebiet. – Die natürl. Pflanzen- und Tierwelt weist zahlr. endem. Arten auf; das Naturschutzgebiet Tsingy de Bemaraha gehört zum UNESCO-Welterbe. Der im O, an der NW-Küste und in höheren Gebirgslagen urspr. trop. Regenwald wurde durch Brandrodung und Wanderfeldbau auf ein Zehntel seines einstigen Areals reduziert. Im Hochland sind Savannen verbreitet, im SW findet sich Dornstrauchsavanne.

Bevölkerung: Rd. 98% sind →Madagassen, die jedoch in eine Vielzahl von Ethnien zerfallen, daneben Komorer, Franzosen, Inder, Chinesen. Die Bev.dichte ist am größten im klimatisch begünstigten Hochland und an einigen Punkten der O-Küste. – Schulpflicht besteht vom 7. bis 15. Lebensjahr; die Univ. von Antananarivo (gegr. 1961) wurde 1988 dezentralisiert; es wurden (nach Fachbereichen) sechs Regionalzentren gebildet. – Knapp die Hälfte der Bev. gehört Naturreligionen an, 51% sind Christen, 5% Muslime.

Madagaskar: Wasserreisanbau auf Schwemmlandböden im zentralen Hochland des Inselstaates

Wirtschaft, Verkehr: Die ökonomische Grundlage bildet die Landwirtschaft, in ihr sind über drei Viertel der Erwerbstätigen überwiegend in Familienbetrieben beschäftigt. Angebaut werden Reis (Grundnahrungsmittel), Mais, Kartoffeln, Maniok, Zuckerrohr, Gemüse, für den Export (80% der Exporteinnahmen) v.a. Kaffee, Vanille, Gewürznelken, Pfeffer, Erdnüsse, Tabak, Sisal. Der Waldbestand ist nach Übernutzung stark reduziert. Von den vorhandenen Bodenschätzen werden Chromerze, Graphit, Glimmer, Phosphate, Edelsteine abgebaut; die Vorkommen von Bauxit, Eisenerz und Kohle werden bisher wenig genutzt. Der Energiebedarf wird zu zwei Dritteln durch Wasserkraftwerke gedeckt. Die Ind. verarbeitet v.a. landwirtsch. Erzeugnisse; weitere Bereiche sind Textil-, Leder-, Baustoff-, Metall-, Papier- und chem. Ind. sowie eine Erdölraffinerie. Haupthandelspartner sind Frankreich, USA, Dtl. und Japan. – Das Verkehrsnetz umfasst zwei Eisenbahnlinien von zus. 1095 km Länge sowie 49555 km Straßen, davon 5401 km befestigte. Bedeutung hat die Küsten- und Lagunenschifffahrt, bes. auf dem 700 km langen Pangalaneskanal entlang der O-Küste; größte Seehäfen sind Toamasina (O-Küste) und Mahajanga (W-Küste). Ein wichtiges Beförderungsmittel ist der Luftverkehr; internat. Flughafen Ivato bei Antananarivo.

Geschichte: Im 16. Jh. errichteten Portugiesen und Franzosen Küstenstützpunkte. Um diese Zeit bestanden mehrere einheim. Staaten, u.a. das Königreich **Merina,** das Anfang des 19. Jh. die gesamte Insel unterwarf. 1885 wurde M. frz. Protektorat, 1896 Kolonie. 1940 schloss sich die Verw. von M. der Vichy-Regierung an; 1942 eroberten brit. und südafrikan. Truppen M. und übergaben es 1943 dem Freien Frankreich. Die im Rahmen der Frz. Union 1946 gewährte Autonomie enttäuschte;

1947 kam es zu einem gewaltsam unterdrückten Aufstand; seit 1957 beschränkte innere Autonomie, 1958 selbstständige Rep. innerhalb der Frz. Gemeinschaft, 1960 wurde M. unabhängig. Bis 1972 beherrschte die Sozialdemokrat. Partei unter P. Tsiranana das polit. Leben; nach schweren Unruhen verhängte General Ramanantsoa das Kriegsrecht, übergab jedoch 1975 die Regierungsgewalt an R. Ratsimandrava. Nach dessen Ermordung (1975) übernahm ein Militärrat die Regierung. Unter Präs. D. Ratsiraka (1975–93) schlug M. einen sozialist. Kurs ein. 1981, 1982 und 1986/87 kam es zu schweren Unruhen. Im Kampf gegen Ratsiraka bildete sich 1991 eine Oppositionsbewegung, organisiert im Rahmen des Comité des Forces Vives (CFV; dt. »Komitee der lebendigen Kräfte«), die unter Führung A. Zafys eine Gegenregierung bildete. Mit Demonstrationen und Aufrufen zum Generalstreik suchte diese das sozialist. Staats- und Gesellschaftssystem zugunsten einer pluralist. Demokratie (mit einem marktwirtschaftl. System) abzuschaffen. Auf der Grundlage einer Einigung zw. Regierung und CFV (31. 10. 1991) arbeitete ein »Nat. Forum« eine Verf. aus, die am 19. 8. 1992 von der Bev. angenommen wurde. Bei den Präsidentschaftswahlen (1992/93) unterlag in der Stichwahl im Febr. 1993 Ratsiraka seinem Herausforderer Zafy, der am 2. 3. als erster Präs. der Dritten Republik vereidigt wurde. Bei den Parlamentswahlen errang das ihn unterstützende CFV die Mehrheit. Zafy gelang es in den folgenden Jahren jedoch nicht, bei wachsendem Widerstand in der Bev. (z.B. Proteste gegen wirtschaftl. Strukturanpassungen) einen Kurs der Erneuerung durchzusetzen, vielmehr wurde er im Sommer 1996 vom Parlament wegen des Überschreitens seiner Kompetenzen des Amtes enthoben. Bei den Präsidentschaftswahlen im Nov./Dez. 1996 setzte sich Ratsiraka bei der Stichwahl im Dez. 1996 durch.

📖 Hess, U.: *M. Naturparadies im Süden. Luzern 1991.* – *M. Mensch u. Natur im Konflikt, hg. v.* A. Bittner. *Basel 1992.*

Salvador de Madariaga y Rojo

Mädchenauge
(Höhe 30–100 cm)

Madagạskarpalme, Bez. für einige Arten der Gatt. Pachypodium; zu den Hundsgiftgewächsen gehörende, stammsukkulente, bedornte Pflanzen mit Schopf aus Laubblättern; urspr. auf Madagaskar beheimatet; Zimmerpflanze.

Madagạssen (Madegassen, Malagasy), die einheim. Bev. von Madagaskar mit austrones. Sprache (Malagasy). Anthropologisch sind die M. eine Mischgruppe, wobei das negride Element überwiegt. Größte Gruppe der rd. 11 Mio. M. sind die Merina, die wie die Betsileo im Hochland wohnen. An der O-Küste leben die Betsimisaraka, im N die Tsimihety, an der W-Küste die Sakalava, im SO die Antaisaka, an der S-Küste die Antandroy. – Indones. Kulturzüge finden sich v.a. im Ackerbau (Nassreis auf Terrassen), in der Fischerei, im Handwerk (Textil- und Metalltechnik), im Hausbau und in der Schifffahrt (Auslegerboot). Viehhaltung und Hackbau westl. Stämme weisen wie der Ahnenkult auf afrikan. Züge.

Madariaga y Rojo [maðaˈrjaɣa i ˈrrɔxo], Salvador de, span. Schriftsteller und Diplomat, *La Coruña 23. 7. 1886, †Muralto (bei Locarno) 14. 12. 1978; arbeitete ab 1922 für den Völkerbund in Genf, war 1928–31 Prof. für span. Lit. in Oxford, 1931 span. Botschafter in Washington, 1932 in Paris; entwickelte sich im Exil in England (seit 1936) zum einflussreichen Vertreter westeurop. Kultur und Liberalität; schrieb in span., engl. und frz. Sprache Lyrik, Dramen, Romane (»Das Herz von Jade«, 1942), Essays, histor. Werke. – *Weitere Werke:* »Spanien, Wesen und Wandlung« (1930); »Kolumbus« (1940); »Simón Bolívar« (2 Bde., 1951).

Mädchen|auge (Schöngesicht, Coreopsis), Gattung der Korbblütler, v.a. in Amerika und im trop. Afrika; Kräuter mit meist vielen, aber auch einzeln stehenden Blütenköpfchen, häufig mit gelben Strahlen- und bräunl. Röhrenblüten.

Mädchenbildung, ein z.T. bis ins 20. Jh. hineinreichendes Konzept eines speziellen Bildungswesens für Mädchen, das sich in den Bereich der Frauenbildung hinein fortsetzt; fast immer auf die häusl. Rolle und eine angebl. intellektuelle Minderbegabung der Frau zugeschnitten. Das höhere Mädchenschulwesen wurde in Dtl. nach 1870 v.a. auf Betreiben der Frauenbewegung stärker ausgebaut; 1908 wurde in Preußen das Lyzeum eingerichtet, auf das eine Frauenfachschule, ein Lehrerinnenseminar und (selten) eine Studienanstalt aufbaute. Seit 1923 führte das Oberlyzeum für Mädchen zur allg. Hochschulreife. Es hieß ab 1938 Oberschule für Mädchen, nach 1945 meist Mädchengymnasium. Ende der 1960er-Jahre setzte sich im öffentl. Schulwesen die →Koedukation durch, sie erfüllte jedoch nicht die in sie gestellten Erwartungen, dass Mädchen dadurch gleiche Bildungschancen erhielten. Beim Vergleich der Schullaufbahnen von Mädchen in koedukativen und in reinen Mädchenschulen ergab sich, dass sie in reinen Mädchenschulen anspruchsvollere Kurse wählten und diese mit besserem Erfolg abschlossen. Begleitende Untersuchungen des Unterrichts in koedukativen Klassen ergaben, dass Beiträge von Mädchen von vornherein schlechter bewertet wurden als die von Jungen (Tests mit Stimmvertauschung), auch, dass Jungen häufiger das Wort erteilt und ihr Durchsetzungsverhalten gebilligt wird. Das Vorurteil, dass Mädchen in naturwiss. und techn. Fächern nicht Schritt halten könnten, macht bes. auf diesem Gebiet Maßnahmen nötig; Versuche mit nicht koedukativem Computerunterricht waren sehr ermutigend.

MITSCHERLICH, M.: *Über die Mühsal der Emanzipation. Tb.-Ausg. Frankfurt am Main 1994.* – KREIENBAUM, M. A.: *Erfahrungsfeld Schule. Koedukation als Kristallisationspunkt. Weinheim ²1995.*

Mädchenhandel, →Frauenhandel, →Menschenhandel.

Made, die fußlose Larve der Bienen, Fliegen u.a. Insekten; mit ausgebildeter bis z.T. völlig rückgebildeter Kopfkapsel.

made in ... ['meɪd ɪn -; engl. »hergestellt in«], von Großbritannien 1887 eingeführte Herkunftsbez. für Waren zum Schutz der heim. Industrie. Das Ziel, ausländ., bes. deutsche Erzeugnisse zu diskriminieren, wurde allerdings nicht erreicht. Später wurde diese Herkunftsbez. auch von anderen Staaten angewendet. Nach den Einfuhrvorschriften versch. Länder ist diese Kennzeichnung in Verbindung mit dem Namen des Herstellungslandes obligatorisch; ein Missbrauch gilt als unlauterer Wettbewerb. Nach dem 2. Weltkrieg wurde die Herkunftsbez. **made in Germany** zu einem Markenzeichen (west)deutscher Erzeugnisse.

Madeira [ma'de:ra, portugiesisch »Holz«], **1)** Hauptinsel der gleichnamigen Inselgruppe (zu der noch die Insel Porto Santo und weitere Inseln gehören) im östl. Atlant. Ozean, die den portugies. Distrikt Funchal von 794 km² mit (1993) 254200 portugiesischsprachigen Ew. bildet; Hauptort ist Funchal. Die Insel M. ist ein junger Schildvulkan, bis 1861 m ü.M., am Rand stark zerschnitten, mit steiler Kliffküste; die Südflanke ist trocken, die Nordabdachung und Höhenregion immerfeucht. Intensiver Anbau (mit kompliziertem Bewässerungssystem) von Zuckerrohr, Weizen, Bananen, Ananas, Frühgemüse, Obst, Blumen, Wein; Fischfang, Rinderzucht; Herstellung von Stickereien, bed. ganzjähriger Fremdenverkehr. – M. war schon den Phönikern bekannt und wurde 1419 von den Portugiesen besiedelt. 1807–14 war es britisch.

DAHLE, W.: *M. Kultur u. Landschaft auf Portugals »Blumeninsel« im Atlantik. Köln ⁶1993.*

2) Rio M., rechter und größter Nebenfluss des Amazonas in Brasilien, entsteht aus dem Zusammenfluss von Río Mamoré und Río Beni, mündet 150 km östlich von Manaus, 3200 km lang.

Madeiraweine [ma'de:ra-], auf Madeira aus versch. Reben (15 zugelassene Sorten) erzeugte gespritete Likörweine von goldbrauner Farbe, feinem Bukett und schöner Fülle.

Mädelegabel, Berg in den Allgäuer Alpen, 2645 m ü.M., liegt bei Oberstdorf, auf der Grenze zw. Bayern und Tirol.

Madenhacker (Buphaginae), aus zwei Arten bestehende Unterfamilie der Stare; gesellig lebende Vögel in Savannengebieten südl. der Sahara, lesen von Großsäugern Hautparasiten ab.

Madenwurm (Enterobius vermicularis), weltweit verbreiteter weißl. Fadenwurm, der häufig im Dick- und Blinddarm des Menschen schmarotzt, bes. bei Kindern; Männchen 2–6 mm, Weibchen bis 13 mm lang. Die Ansteckung erfolgt oral durch Selbstinfektion (Juckreiz, After-Finger-Mund-Weg), verunreinigte Wäsche bzw. Nahrungsmittel oder durch Rückwanderung von im After ausschlüpfenden Larven in den Dickdarm. Die Eier werden außerhalb des Darms im Bereich des Afters, meist nachts abgelegt. Starker Befall führt zur Darminfektion **(Enterobiasis, Oxyuriasis)** mit Juckreiz, Analekzem und Mastdarmentzündung. Die Behandlung erfolgt medikamentös mit Piperazinderivaten (Wurmmittel).

Madeira 1): Steilküste im Süden der Hauptinsel

Maderna, Bruno, italien. Komponist und Dirigent, *Venedig 21. 4. 1920, †Darmstadt 13. 11. 1973; leitete 1958–67 das Internat. Kammerensemble Darmstadt, ab 1972 Chefdirigent von Radio Mailand; schrieb Orchester- und Kammermusik in Zwölftontechnik und elektron. Musik (u.a. »Syntaxis«, 1957), Opern »Hyperion II« (1964), »Von A bis Z« (1970), »Satyricon« (1973) und Vokalmusik.

Bruno Maderna

Maderno (Maderna), **1)** Carlo, italien. Baumeister, *Capolago (bei Lugano) 1556, †Rom 30. 1. 1629; der führende Architekt Roms zw. Vignola und Bernini, Schule bildend seine frühbarocke zweigeschossige Fassade von Santa Susanna in Rom (vollendet 1603). Ab 1603 Bauleiter der Peterskirche, die er mit Langhaus (1612–24), Vorhalle und Fassade (1607–12) vollendete.

2) Stefano, italien. Bildhauer, *Bissone (bei Lugano) 1576, †Rom 17. 9. 1636; seine Liegefigur der hl. Cäcilia gehört zu den großartigen Marmorbildwerken des italien. Barock (1599; Rom, Santa Cecilia); auch Kleinbronzen mit antiken Motiven.

Mädesüß (Filipendula), Gattung der Rosengewächse in der nördl. gemäßigten Zone; Stauden mit weißl. oder purpurfarbenen Blüten in Trichterrispen (Spirren). Eine in Dtl. häufige Art ist das

50–150 cm hohe, gelblich weiß blühende, stark duftende **Echte M.** (Filipendula ulmaria) auf feuchten Wiesen und an Ufern.

Madrid 2)
Stadtwappen

Madhya Pradesh ['madja -'deʃ], größter Bundesstaat →Indiens. – Das in mehrere Fürstentümer gegliederte Gebiet geriet im 18. Jh. unter die Herrschaft der Marathen. In der brit. Kolonialzeit wurden aus Fürstenstaaten die Verwaltungseinheiten »Central India« (1854) und »Central Provinces« (1861) gebildet; diese lagen im Wesentlichen innerhalb der 1956 gezogenen Grenzen von Madhya Pradesh.

Madie [span.] *die* (Madia), Gattung der Korbblütler im westl. Nordamerika und in Chile; Kräuter mit kleinen Blütenkörbchen aus Zungen- und Röhrenblüten. Die wichtigste Art ist die **Öl-M.** (Madia sativa), auch in S-Europa angebaut, deren Früchte das als Speise- und Brennöl verwendete **Madiöl** liefern.

Madison ['mædɪsn], Hptst. von Wisconsin, USA, 191 300 Ew.; Staatsuniv., Versuchsanstalt für Forstwirtschaft; Handelszentrum, Sitz vieler Versicherungen. – Wurde 1836 gegründet.

James Madison
(zeitgenössischer Stahlstich)

Madison ['mædɪsn], James, 4. Präs. der USA (1809–17), *Port Conway (Va.) 16. 3. 1751, †Montpelier (Va.) 28. 6. 1836; als einer der Führer der Unabhängigkeitsbewegung war M. maßgeblich an der Ausarbeitung der amerikan. Verf. von 1787 beteiligt, zu deren Durchsetzung er mit A. Hamilton und J. Jay »The Federalist« schrieb. Als Abg. (1789–97) betrieb er die Erweiterung der Verf. um den Grundrechtskatalog. M. war 1801–09 Außenmin.; als Präs. führte er 1812–14 den wenig erfolgreichen Krieg mit Großbritannien um Kanada.

Madjaren, die →Magyaren.

Madonie, Bergkette im N Siziliens, bis 1979 m ü. M., vorwiegend aus Kalkstein.

Madonna

Madonna [italien. »meine Herrin«], Bez. für Maria, die Mutter Jesu. (→Marienbild)

Madonna, eigtl. M. Louise Veronica Ciccone, amerikan. Popsängerin und Songschreiberin, *Bay City (Mich.) 16. 8. 1958. M. trägt ihre Songs in provozierendem Outfit in erot. Bühnenshows und Musikvideos vor; spielte auch in Filmen, u. a. »Desperately Seeking Susan« (1984), »Body of Evidence« (1993).

Madras [nach der Stadt M.] *der,* grobfädiger Gardinenstoff mit meist andersfarbiger Figurenmusterung.

Madras, Hptst. des Bundesstaates Tamil Nadu, S-Indien, an der Koromandelküste, 3,8 Mio. Ew.; kath. Erzbischofssitz, Univ., TH, Kunsthochschule, Musikakademie, Lederforschungsinstitut, Bibliotheken, Museen und Kunstgalerien; Fahrzeugbau, Metall-, elektrotechn., Textil- u. a. Ind.; Filmstudios; wichtiger Seehafen, internat. Flughafen. – M. entwickelte sich aus dem 1639/40 von der engl. Ostind. Kompanie gegründeten Fort Saint George, 1746–48 und 1758 frz. besetzt.

Madreporaria [italien.], wiss. Name der →Steinkorallen.

Madrid [span. ma'ðrið], **1)** autonome Region (Comunidad de M.) in Zentralspanien, 8 028 km², (1991) 4,948 Mio. Einwohner.

2) Hauptstadt von Spanien und von 1), 3,041 Mio. Ew.; im Zentrum des Landes, auf Terrassen oberhalb des Manzanares, 650 m ü. M.; größte Stadt der Iber. Halbinsel; polit., kultureller, Finanz-, Handels- und Verkehrsmittelpunkt Spaniens. Sitz des Königs und der obersten Reg.behörden; Erzbischofssitz. M. hat vier Univ., Akademien, Kernforschungsinst., islam. Kulturzentrum, Nationalbibliothek, mehr als 50 Museen (u. a. Prado, Archäolog. Museum, Centro de Arte Reina Sofia, Samml. Thyssen-Bornemisza im Palais Villahermosa), Oper, Theater; Sitz zahlr. Großbanken, internat. Börse; Observatorium, botan. und zoolog. Garten. Älteste Industriezweige waren die ehem. königl. Teppich- und Porzellanmanufakturen, heute dominieren Maschinen-, Fahrzeug-, Flugzeugbau, Metallerzeugung und -verarbeitung, Elektro-, Chemie-, Textil-, Nahrungs- und Genussmittel-, Papier- und Druck-, Baustoffind.; internat. Messen; vier Kopfbahnhöfe, U-Bahn, internat. Flughafen (Barajas).

Madrid 2): Der Palacio de Congresos aus dem Jahre 1970 wurde zehn Jahre später mit einer farbigen Wandkeramik nach einem Entwurf von Joan Miró versehen

Stadtbild: Die histor. Altstadt ist von Bauten des 17.–19. Jh. geprägt. Mittelpunkt ist die Plaza Puerta del Sol, die über die Calle del Arenal mit dem Königspalast verbunden ist (1738–64, Entwurf F. Juvara, Fresken von Tiepolo; mit Armería, größte Waffensamml. Europas). Südlich die Neue Kathedrale La Almudena (1883 begonnen); im NW der Parque de la Montaña mit dem Nubiertempel von Debaud (4. Jh. v. Chr., beim Bau des Assuanstaudammes abgetragen und 1970 hier aufgestellt). Zur Altstadt gehören ferner die arkaden-

Madrid 2): Die arkadengesäumte Plaza Mayor (links) aus dem frühen 17. Jh. liegt im Zentrum der Metropole; das Cervantesdenkmal wurde 1927 auf der Plaza España errichtet, die beiden Hochhäuser Edificio España (links) und Torre de Madrid stammen aus der Francoära

gesäumte Plaza Mayor (1617), die Jesuitenkirchen San Isidro el Real (1626–64) und San Francisco el Grande (1776–85), das Kloster Descalzas Reales (gestiftet 1554, heute Museum). Am Ufer des Manzanares die Kirche San Antonio de la Florida (1792–98) mit Fresken von Goya (hier auch seine Grabstätte). Schwerpunkt der Stadtgestaltung wurde der O-Rand mit der Prachtallee Paseo del Prado (1775–82), dem Museo del → Prado, dem Parque del Retiro und dem Triumphbogen Puerta de Alcalá (1764–78); Wahrzeichen M.s ist der Kybelebrunnen auf der Plaza de la Cibeles (18. Jh.). Im NW wurde die Plaza de España mit dem Cervantesdenkmal (1927) angelegt. Als N-S-Zentralachse entwickelte sich der Boulevard Paseo de la Castellana. Im N-Bereich zahlr. moderne Bauten, u. a. Nuevos Ministerios (1940–42), Torre de M. (1967), Hochhaus España (1953), IBM-Gebäude (1966–68), Bankinter (1974–76), Bankunión (1972–75), Adriatica de Seguros (1979), Glasturm des Banco de Bilbao (1979/80), Multifunktionskomplex AZCA (1979/80), Palacio de Congresos (1970; Entwurf der Wandkeramik von Miró, 1980). – Nordwestlich von M. liegt der → Escorial.

Geschichte: M. wurde 939 als maur. Festung erwähnt, endgültig 1083 von León erobert, von Philipp II. 1561 zum Reg.sitz erhoben (offiziell 1606). Seit dieser Zeit galt M. als Zentrum des span. Weltreiches. Am 2. 5. 1808 erhob sich M. gegen die napoleon. Truppen, damit begann der span. Freiheitskampf. Im Span. Bürgerkrieg konnte sich die republikan. Reg. M. bis zum 28. 3. 1939 behaupten.

📖 *Reclams Kunstführer Spanien, Bd. 1:* NOEHLES-DOERK, G.: *M. u. Zentralspanien. Stuttgart 1986.* – HOPPE, I.: *Moderne Architektur M. 1900–1992. Berlin 1990.* – OEHRLEIN, J.: *M. Das Insider-Lexikon. München 1993.* – *Die Sammlungen des Prado. Malerei vom 12.–18. Jh., übers. v.* H. BRANG *u. a. Köln 1995.*

Madrid [maˈðrið], Juan, span. Schriftsteller, *Málaga 12. 5. 1947; neben M. Vázquez Montalbán wichtigster Autor eines eigenständigen span. Kriminalromans der Zeit nach Franco (u. a. »Ein freundschaftl. Kuß«, 1980; »Ein Geschenk des Hauses«, 1986); auch Kurzgeschichten.

Madrider Abkommen, Kurz-Bez. für zwei Nebenabkommen zur → Pariser Verbandsübereinkunft.

Madrid Hurtado [maˈðrið urˈtado], Miguel de la, mexikanischer Politiker, *Colima 12. 12. 1934; 1972–82 Min. im Präsidialamt, 1982–88 Staatspräsident.

Madrigal [italien.] *das,* seit Anfang des 14. Jh. in Italien bezeugte volkssprachl. Gattung gesungener Lyrik; das ältere M. bei F. Petrarca ist ein höf. Liebesgedicht von strengem Versbau. Das jüngere M. des 16. Jh. ist einstrophig aus 6–13 Versen, Sieben- und Elfsilber frei mischend. In Dtl. erschien das M. seit dem 16. Jh. und war bes. bei den Anakreontikern und Romantikern beliebt.

Madrigal: Anfang eines zweistimmigen Madrigals von Giovanni da Cascia

2 B 15/9 E D C B A

In der italien. *Musik* des 14. Jh. (Trecento) das ein-, zwei-, seltener dreistimmige weltl. Kunstlied (bed. Komponisten waren z. B. F. Landini, Iacopo da Bologna, Giovanni da Cascia); im 16. Jh. als Hauptgattung der klassisch-italien. Vokalpolyphonie das kunstvolle mehrstimmige (meist fünfstimmige) Chorlied auf weltl. Dichtungen mit oder ohne Instrumentalbegleitung (a cappella), das in feingliedriger Durcharbeitung den Sinn des Textes ausdeutet. Hauptvertreter sind die (häufig niederländ.) Meister in Oberitalien J. Arcadelt, A. Willaert, C. de Rore, A. Gabrieli, L. Marenzio, Don C. Gesualdo, C. Monteverdi, Palestrina; in Dtl. O. di Lasso, P. de Monte, H. L. Hassler, J. H. Schein, H. Schütz; in England, wo das M. lange lebendig blieb (1741 Gründung der Madrigal Society), W. Byrd, O. Gibbons, T. Morley, J. Dowland. Unter dem Eindruck der Gegenreformation entstanden geistl. M. Das 20. Jh. erlebte eine Renaissance des M.-Gesangs. Neue M. schrieben u. a. P. Hindemith, E. Pepping, C. Orff.

Madura, Insel vor der N-Küste Javas, Indonesien, 4481 km², 2,7 Mio. Ew.; Hauptort ist Pamekasan; bis 471 m ü. M.; Anbau v. a. von Mais; Salzgewinnung, Fischerei.

Madurai (bis 1949 Madura), Stadt in Tamil Nadu, Indien, 952000 Ew.; kath. Erzbischofssitz; Univ.; Baumwoll-, Zucker-, Tabakindustrie. – Eines der ältesten Kulturzentren S-Indiens mit einer von vier Tortürmen überragten, 260×220 m großen Tempelstadt (1623–60).

Maebashi [-ʃi], Stadt auf Honshū, Japan, Hptst. der Präfektur Gumma, 287900 Ew.; Univ.; Mittelpunkt der Seidenindustrie.

Maecenas, Gaius, röm. Ritter, *um 70 v. Chr., †Rom 8 v. Chr.; aus etrusk. Geschlecht, Vertrauter des Kaisers Augustus, Gönner von Vergil, Properz und Horaz. Nach ihm nennt man einen freigebigen Förderer von Kunst und Wissenschaft **Mäzen.**

Maekawa, Kunio, japan. Architekt, *Niigata 14. 5. 1905, †Tokio 26. 6. 1986; studierte in Tokio und Paris, war 1928–30 Mitarbeiter von Le Corbusier. M. wirkte richtungweisend auf die moderne Architektur Japans. In Köln errichtete er 1977 das Museum für Ostasiatische Kunst.

Maes [mɑ:s] (Maas), Nicolaes, holländ. Maler, *Dordrecht Jan. 1634, begraben Amsterdam 24. 12. 1693; Schüler Rembrandts, dessen Helldunkelmalerei er übernahm; bibl. und mytholog. Darstellungen, Genrebilder (v. a. häusl. Szenen).

Maestà [italien. »Majestät«] *die,* bes. in der italien. Kunst des 13. und 14. Jh. die Darstellung der thronenden, von Engeln und Heiligen umgebenen Madonna. Im Typus der M. ist auch das Kölner »Dombild« von S. Lochner gestaltet (Dreikönigsaltar, um 1442).

maestoso [maɛs-, italien. »majestätisch«], musikal. Vortragsbez.: feierlich, meist verbunden mit einer Tempovorschrift (z. B. lento m., allegro m.).

Maestro [italien.] *der,* Meister; in Italien inoffizieller Titel für Komponisten, Dirigenten, Lehrer an Konservatorien.

Maeterlinck [frz. mɛtɛr'lɛ̃:k, niederländ. 'ma:tərlɪŋk], Maurice, belg. Schriftsteller frz. Sprache, *Gent 29. 8. 1862, †Orlamonde (bei Nizza) 6. 5. 1949; M.s Werk gehört zu den wesentl. Zeugnissen des →Symbolismus, bes. seine handlungsarmen, düster-pessimist. Dramen, u. a. »Prinzessin Maleine« (1889), »Pelleas und Melisande« (1892, Oper von Debussy, 1902). Das Märchenspiel »Der blaue Vogel« (1909) nimmt traditionelle dramat. Formen auf. Seine essayist. Naturbetrachtungen, u. a. »Das Leben der Bienen« (1901), »Das Leben der Ameisen« (1930), verkünden eine Allbeseeltheit der Natur. 1911 erhielt er den Nobelpreis für Literatur.

Maurice Maeterlinck: Holzstich (um 1900)

Mäeutik [grch. »Hebammenkunst«] *die,* von Sokrates im Gespräch geübtes Verfahren, durch Fragen den Schüler zur Erkenntnis zu führen.

Maffay, Peter, eigtl. P. Alexander Makkay, Rocksänger und Komponist, *Kronstadt (Rumänien) 30. 8. 1949; lebt seit 1963 in der Bundesrep. Dtl.; sang zunächst Schlager, fügte seinem Stil dann auch Rockelemente hinzu. Erfolgreich u. a. mit dem Liederzyklus »Tabaluga«.

Maffei, Francesco Scipione, italien. Gelehrter und Dramatiker, *Verona 1. 6. 1675, †ebd. 11. 2. 1755; schrieb kulturhistor. und archäolog. Studien; übersetzte Teile der »Ilias« und »Aeneis« und verfasste das Trauerspiel »Merope« (1714), das ein europ. Erfolg wurde und die Entwicklung des eigenständigen italien. Dramas einleitete.

Mafia [italien. »Anmaßung«, »Überheblichkeit«] *die,* kriminelle Vereinigung, entstanden Anfang des 19. Jh. auf Sizilien als Gegengewalt zur Staatsmacht, hat ihren Ursprung in bewaffneten Gefolgschaften der Grundbesitzer (in Neapel →Camorra). Nach Gründung des italien. Staates 1860 entwickelte sich die kriminelle Subkultur der

M.; sie war v.a. durch ein bestimmtes Sozialverhalten (v.a. durch Omertà, »Schweigen«) bestimmt, weniger durch straffe Organisation. Mussolini drängte seit 1926 die M. zurück. Nach der amerikan. Besetzung Siziliens konnte sie ihre Macht ausbauen; sie stützt sich – nun als einheitl. Organisation operierend – auf Korruption bei der Vergabe öffentl. Aufträge, auf internat. Drogen- und Waffenschmuggel. Durch Geldwäsche wird die kriminelle Herkunft der Gewinne verschleiert. Die Bekämpfung der M. gehört inzwischen zu den wichtigsten Zielen der italien. Gesellschaft, worauf die M. zunehmend mit Terror reagiert, der z.B. 1992 unter den hohen Justizbeamten drei Todesopfer forderte. – Erstmals reagierte die italien. Reg. mit einer Härte, die zu Ermittlungserfolgen führte: Hochrangige Mafiosi wurden verhaftet und verurteilt, ihre Verbindungen zu bed. Politikern, z.B. G. Andreotti, aufgedeckt und diese angeklagt. – In den Anfängen steckt jedoch der Kampf gegen neue kriminelle Banden, den Stiddari (von »stidda«, sizilianisch für »Stern«, nach dem auf den Arm tätowierten Erkennungszeichen), die im Bereich der Schutzgelderpressung sowie des Drogenzwischenhandels operieren.

Ende des 19. Jh. kam die M. mit der Einwanderung von Italienern auch in die USA (hier zumeist **Cosa Nostra** oder auch **The Syndicate** genannt). Unter ihren lokalen Führern (z.B. Al Capone in Chicago, Charles »Lucky« Luciano und Vito Genovese in New York) bildete sie seit etwa 1920 den Kern des dortigen organisierten Verbrechens (u.a. beim Alkoholschmuggel zur Zeit der Prohibition, bei Rauschgifthandel und Prostitution, Wett- und Glücksspielen). Zwischen den einzelnen Gangs (sog. »Familien« unter einem »Don« oder »Paten«) fanden immer wieder blutige Rivalitätskämpfe statt (bekannt v.a. das Massaker am Sankt-Valentins-Tag, 14. 2. 1929 in Chicago). Zum Ausbau ihrer Macht und zur Absicherung ihrer kriminellen Aktivitäten durchsetzte die M. auch zunehmend legale Bereiche (z.B. die Lokalpolitik). Umgangssprachlich werden auch andere Formen der → organisierten Kriminalität als M. bezeichnet.

📖 Sterling, C.: *Verbrecher kennen keine Grenzen. Die internationale M. übernimmt die Macht. A. d. Engl. Tb.-Ausg. München 1996.*

Mafia, zu Tansania gehörige Koralleninsel im Ind. Ozean, vor der Mündung des Rufuji, 435 km², 23 000 Ew.; Hauptort: Kilindoni.

Mafikeng ['mæfɪkɪŋ] (bis 1980 Mafeking), Hptst. der Prov. Nord-West, Rep. Südafrika, nahe der Grenze zu Botswana, 1280 m ü.M., 10 800 Ew.; liegt in einem ausgedehnten Landwirtschaftsgebiet (Rinderzucht, Milchwirtschaft, Maisanbau); Eisenbahnwerkstätten an der Kap-Kairo-Bahn.

Mafioso *der,* Mitgl. der → Mafia.

mafisch [aus Ma(gnesium) und lat. f(errum) »Eisen«], Bez. für die dunklen Minerale (z.B. Biotit, Pyroxene) in magmat. Gesteinen sowie für diese Gesteine selbst, wenn solche Minerale überwiegen; Ggs.: → felsisch.

Mafra, Stadt in Portugal, 45 km nordwestlich von Lissabon, 5 900 Ew. – Die gewaltige Klosteranlage (40 000 m²) mit Palast wurde 1717–30 von einem dt. Baumeister in süddt. Barockform erbaut.

mag, Abk. für **mag**nitudo (→ Größenklasse).

Magadan, Hptst. des Gebiets M. in NO-Sibirien, Russland, Hafen am Ochotsk. Meer, 152 000 Ew.; Straße zum Kolymagoldgebiet; Bergwerksausrüstungsbau, Fischverarbeitung.

Magalhães [maɣa'ʎãiʃ], Fernão de (span. Fernando de Magallanes, auch Magellan), portugies. Seefahrer, *Sabrosa (bei Vila Real) um 1480, † auf der Philippineninsel Mactan (bei Cebu) 27. 4. 1521; zunächst in portugies., seit 1517 in span. Diensten. Sein von Karl V. gebilligter Plan, die Molukken auf dem Westweg zu erreichen, führte zur ersten Weltumsegelung. Er verließ am 20. 9. 1519 mit fünf Schiffen Sanlúcar de Barrameda, entdeckte im Okt. 1520 die nach ihm benannte → Magellanstraße und segelte in den Pazif. Ozean. Am 6. 3. 1521 erreichte er die Ladronen (Marianen), am 16. 3. die Lazarusinseln (Philippinen), wo er im Kampf mit den Eingeborenen fiel. Sein Nachfolger J. S. → Elcano setzte die Fahrt über den Ind. Ozean fort und kehrte vom Kap der Guten Hoffnung am 6. 9. 1522 nach Spanien zurück.

📖 Bufe, P.: *Die erste Weltumsegelung. Ferdinand Magellan u. Sebastian del Cano. Berlin 1987.* – Zweig, S.: *Magellan. Der Mann u. seine Tat. Wien u. a. ¹⁴1996.*

Magaloff, Nikita, schweizer. Pianist russ. Herkunft, *Sankt Petersburg 21. 2. 1912, † Vevey 26. 12. 1992; studierte Komposition bei S. S. Prokofjew; geschätzt v.a. als Chopin-Interpret.

Magazin [italien. magazzino »Vorratsraum«, »Lagerraum«] *das,* **1)** *allg.:* Lager, Räumlichkeiten zum Aufbewahren des Fundus oder Bestandes (in Bibliothek, Theater, Museum).

2) *Publizistik:* unterhaltende oder polit. Zeitschrift, z.B. als → Nachrichtenmagazin; period., mit gleich bleibendem Titel von einem Moderator dargebotene Sendung des Hörfunks oder Fernsehens mit polit., wirtschaftl. oder gesellschaftl. Inhalten **(Magazinsendung).**

3) *Waffenwesen:* Patronenkammer in Mehrladewaffen.

Magdalena, Heilige, → Maria Magdalena.

Magdalena, Río *der,* größter Fluss in Kolumbien, 1550 km lang, entspringt 3500 m ü.M. in der Zentralkordillere, bricht in Stromschnellen und Fällen nach NO durch, tritt bei Barrancabermeja in die feuchtheißen Niederungen ein, nimmt links den Río Canca auf und mündet in vielarmigem Delta in das Karib. Meer.

Magdalénien [magdalen'jɛ̃] *das,* Stufe der →Altsteinzeit, ben. nach der frz. Fundstätte La Madeleine (Dép. Dordogne). Das M. bildet den Höhepunkt und Abschluss der altsteinzeitl. Kulturentwicklung in Mittel- und Westeuropa (etwa 15 000 bis um 10 000 v. Chr.). Aus dieser Zeit stammen die meisten Werke der paläolith. Kleinkunst und zahlr. Felsbilder (→Altamira, →Lascaux).

Magdeburg 2): Die Doppelturmfassade des auf das frühe 13. Jh. zurückgehenden gotischen Magdeburger Doms wurde 1520 vollendet

Magdeburg, 1) RegBez. in Sa.-Anh., 11 349 km², (1996) 1,25 Mio. Ew.; umfasst die kreisfreie Stadt M. und die Landkreise Altmarkkreis, Salzwedel, Aschersleben-Staßfurt, Bördekreis, Halberstadt, Jerichower Land, Ohrekreis, Quedlinburg, Schönebeck, Stendal, Wernigerode.

Magdeburg 2) Stadtwappen

2) Hauptstadt von Sa.-Anh. und Verw.sitz von 1), 251 000 Ew.; kreisfreie Stadt an der mittleren Elbe am Ostrand der Magdeburger Börde; Univ. (seit 1993), FH, Inst. für Gewässerforschung, für Neurobiologie, für Automation und Kommunikation, Staatsarchiv, kulturhistor. Museum, Kulturpark Rothehorn (mit Stadthalle), zoolog. Garten, Galopprennbahn; Schwermaschinenbau (Walzwerkausrüstungen, Dieselmotoren, Chemieanlagen, Ausrüstungen für den Braunkohlenbergbau und die Braunkohlenverarbeitung), Messgerätebau, Nahrungsmittel- und chem. Industrie. M. ist ein bed. Knotenpunkt des Eisenbahn- und Straßenverkehrs sowie ein bed. Binnenhafen am Schnittpunkt von Elbe, Elbe-Havel- und Mittellandkanal (mit Schiffshebewerk M.-Rothensee). – M. wurde am 16. 1. 1945 stark zerstört. Der **Magdeburger Dom,** 1209 ff. an der Stelle eines otton. Baus errichtet, wurde wiederhergestellt. Die dreischiffige Querhausbasilika mit Chorumgang, Kapellenkranz und Doppelturmfassade (erst 1520 vollendet) besitzt eine bed. Bauplastik (u. a. kluge und törichte Jungfrauen, um 1245) und erzbischöfl. Grabdenkmäler (Bronzeplatten der Erzbischöfe Friedrich von Wettin und Wichmann sowie die Bronzetumba des Erzbischofs Ernst von P. Vischer d. Ä., 1495). Vom Kloster »Unser Lieben Frauen« (gegr. um 1019) ist der Kreuzgang zum größten Teil erhalten, die roman. Kirche (um 1064 begonnen, nach Brand 1188 wieder aufgebaut, 1220–40 eingewölbt; heute Konzerthalle) ist wieder aufgebaut, ebenso die Stiftskirche St. Sebastian (12.–15. Jh.). Erhalten sind die klassizist. Nikolaikirche (1821–24, Entwurf K. F. Schinkel) und das barocke Rathaus (1691–98). Das Standbild des »Magdeburger Reiters« aus der Zeit um 1240 steht auf dem »Alten Markt« (Original im Museum). – Erstmals 805 als bed. Handelsplatz gen.; nach 937 stiftete Otto I., d. Gr., das Moritzkloster und errichtete 968 das Erzbistum M.; Verleihung des Marktrechts 965. Das 1188 erstmals kodifizierte →Magdeburger Recht gewann v. a. im 13. Jh. weiteste Verbreitung. Bei der Eroberung durch Tilly 1631 niedergebrannt; fiel 1680 an Brandenburg; 1815–1944 Hptst. der preuß. Prov. Sachsen; 1952–90 war M. Hptst. des gleichnamigen DDR-Bezirks.

📖 *Der M.er Dom – eine otton. Gründung u. stauf. Neubau, hg. v.* E. Ullmann. *Leipzig 1989.* – Buchholz, I. *u. a.: M. Ein histor. Führer. Magdeburg 1994.*

3) ehem. Erzbistum, 968 als kirchl. Zentrum für die Gebiete östl. der Elbe gegr.; ihm unterstanden die Bistümer Brandenburg, Havelberg, Meißen (bis 1399), Merseburg, Posen (bis um 1000), Zeitz und ab 1420 Lebus; Erzstift und weltl. Territorium fielen 1680 an Brandenburg.

Magdeburger Börde, das fruchtbare Löss-Schwarzerde-Gebiet in Sa.-Anh., westl. der Elbe zw. Bode und Ohre; etwa 930 km²; Weizen-, Zuckerrüben- und Gerstenanbau.

Magdeburger Halbkugeln, zwei hohle, evakuierte und durch den Luftdruck aneinander gepresste Halbkugeln, die Otto von →Guericke 1654 in Magdeburg erfand, um die von der Atmosphäre ausgeübten Kräfte zu demonstrieren.

Magdeburger Recht, das verbreitetste dt. Stadtrecht des MA., 1188 erstmals kodifiziert. Es beherrschte nicht nur die Städte des Erzstifts Magdeburg (u. a. Halle) und der östl. Reichsgebiete (mit z. T. Böhmen und Mähren), sondern galt auch in Städten Polens, Ungarns und Russlands. So erlangte sein Schöffenstuhl, der Rechtsmitteilungen und Schöffensprüche in die Städte des M. R. sandte, eine im Rechtsleben Ost-Dtl.s und Osteuropas überragende Bedeutung. Das M. R. galt in der Form des gemeinen Sachsenrechts partiell bis 1899, in Polen bis ins 20. Jh. hinein.

Magdeburger Zenturilen, Kurz-Bez. der von Magdeburger Lutheranern erarbeiteten Kirchengesch. (8 Bde., erschienen in Basel 1559–74); →Kirchengeschichtsschreibung.

Magellan [engl. mə'gelən], 1989 gestartete amerikan. Venussonde. M. erreichte im August 1990 eine Umlaufbahn um die Venus und kartierte ca. 99% der Oberfläche, ab September 1992 wurden Messungen des Gravitationsfeldes durchgeführt. Am 12. 10. 1994 riss der Funkkontakt ab.

Magellan, portugies. Seefahrer, →Magalhães.

Magellansche Wolken, die beiden nach ihrem Entdecker →Magalhães benannten nächsten Galaxien, die am südl. Himmel mit bloßem Auge sichtbar sind. Die in den Sternbildern Dorado und Mensa liegende **Große M. W.** ist etwa 160 000 Lichtjahre, die im Sternbild Tucana befindliche **Kleine M. W.** etwa 185 000 Lichtjahre (Unsicherheit ±10%) von der Erde entfernt; dem Auge erscheinen sie unter rd. 6° und 3° Durchmesser. Die M. W. enthalten zahlr. Sterne, Sternhaufen, Nebel und Gebiete interstellarer Materie. Im Ggs. zur Großen M. W. zeigt die Kleine M. W. (die aus zwei auf gleicher Sichtlinie liegenden Wolken unterschiedl. Radialgeschwindigkeit besteht) eine gleichförmigere Verteilung ihrer Sterne. Die beiden M. W. stehen unter dem Einfluss der Gravitationswirkung des Milchstraßensystems (→lokale Gruppe); wegen ihrer Nähe zum Sonnensystem und der Auflösbarkeit in Einzelobjekte (Cepheiden, Riesen, Novae) zählen sie zu den Hauptobjekten extragalakt. Forschung.

Magdeburger Halbkugeln: Die von Otto von Guericke 1654 erfundenen Originale mit Luftpumpe (München, Deutsches Museum)

Magellanstraße, 600 km lange Meeresstraße zw. dem südamerikan. Festland und Feuerland, von F. de →Magalhães 1520 entdeckt, wichtige

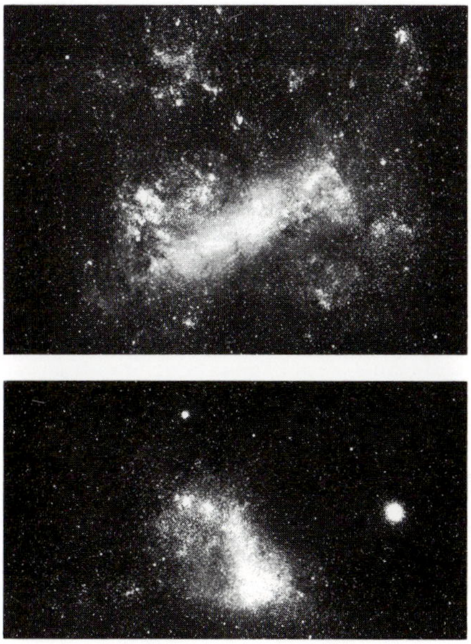

Magellansche Wolken (von oben): Die Große Magellansche Wolke ist etwa 160 000 Lichtjahre, die Kleine Magellansche Wolke rund 185 000 Lichtjahre von der Erde entfernt

Schifffahrtsstraße. Seit 1881 chilenisches Hoheitsgebiet.

Magelone, Gestalt der provenzal. Sage, im 15. und 16. Jh. auch des frz. und dt. Volksbuchs. Der Stoff behandelt die Geschichte von der Liebe, der Trennung und dem Wiedersehen von M. und ihrem Geliebten, dem Grafen Peter von Provence.

Magen (Ventriculus, Stomachus, Gaster), erweiterter, meist muskulöser Abschnitt des Verdauungskanals, der auf die Speiseröhre folgt. In ihm wird die aufgenommene Nahrung gespeichert und durch den M.-Saft so weit aufbereitet, dass sie als Speisebrei (Chymus) in den Zwölffingerdarm, den ersten Teil des Dünndarms, weitergeleitet werden kann. Erweiterungen, die vor dem eigentl. M. liegen und in denen Nahrung nur gesammelt, durch Speichel enzymatisch aufbereitet oder mechanisch zerkleinert wird, werden Vor-M. genannt, z. B. Honig-M. der Bienen, Pansen, Netz- und Blätter-M. beim Wiederkäuer-M. (→Wiederkäuer), Kropf der Vögel. Bei Insekten wird oft der ganze Mitteldarm als M. bezeichnet. – Der M. des Menschen ist c-förmig, etwa 20 cm lang und hat ein Fassungsvermögen von 1,6–2,4 Liter. Man unterscheidet den **M.-Mund** (Kardia), den **M.-Grund** (Fundus), den **M.-Körper** (Korpus) und den **M.-Pförtner** (Pylorus). Die **M.-Wand** ist 2–3 mm stark und besteht aus vier Schichten. Die innerste **(M.-Schleimhaut)** besitzt drei Drüsenarten, die Schleim, Enzyme und das Hormon Gastrin bilden. Letzteres regt die Drüsen im M.-Körper zu verstärkter Salzsäuresekretion an. Der von der M.-Schleimhaut abgesonderte **M.-Saft** ist eine wasserklare, saure, verdauungsfördernde und keimtötende Flüssigkeit mit von den Schleimdrüsen abgesondertem, alkal., in Salzsäure unlösl. Schleim, Salzsäure und den Verdauungsenzymen Kathepsin und Pepsin. Dieser M.-Schleim kann die Salzsäure binden, sodass ihm eine wichtige Schutzfunktion gegen die Selbstverdauung der M.-Schleimhaut zukommt. Bereits in Ruhe sondert der M. geringe Mengen von Verdauungssäften ab. Diese Ruhesekretion von rd. 10 cm^3 je Stunde kann nach Nahrungsaufnahme bis auf 1000 cm^3 je Stunde ansteigen.

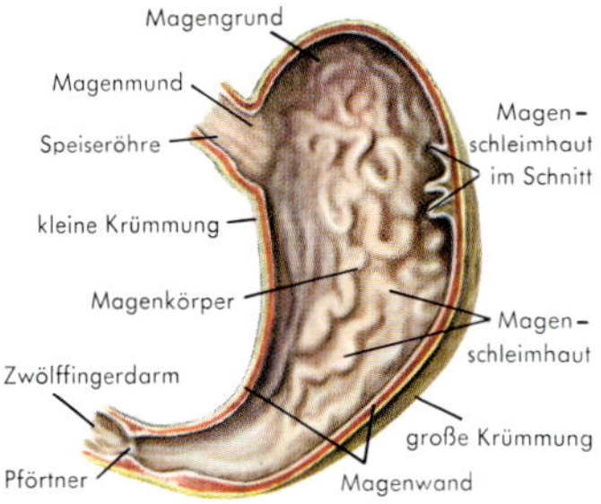

Magen: Längsschnitt durch einen menschlichen Magen

Magen|ausheberung, Entleerung des Magens durch Ansaugen des Inhalts mittels eines durch den Mund über die Speiseröhre eingeführten Schlauches.

Magenbitter, mit Kräutern hergestellter, verdauungsfördernder Trinkbranntwein.

Magenbremsen (Magenfliegen, Gasterophilidae), Familie der Fliegen; am verbreitetsten ist die **Pferde-M.** (Gasterophilus intestinalis), 1,5 cm lang, bräunlich gelb, stark behaart. Das Weibchen legt die Eier an den Haaren der Wirtstiere ab. Die ausschlüpfenden Larven gelangen durch Lecken in den Magen, verlassen den Wirt durch den Darm und verpuppen sich in der Erde. Die Larven verursachen Verdauungsstörungen.

Magen-Darm-Katarrh, eine →Darmentzündung.

Magendurchbruch (Magenperforation), der Durchbruch eines Magengeschwürs durch die Magenwand, meist in die freie Bauchhöhle; mit plötzlich einsetzenden heftigen Schmerzen, Erbrechen, Bauchdeckenspannung und Schocksymptomen; erfordert sofortige Operation.

Magengeschwür (Ulcus ventriculi), tiefer in der Magenschleimhaut gelegener Defekt; charakteristisch für M. ist eine hohe Selbstheilungsrate, aber auch eine große Rückfallneigung (über 60% der Fälle); das mehrfache Wiederauftreten (Rezidiv) wird als **Ulkuskrankheit** bezeichnet. Die Ursachen des M. sind unbekannt. Die Entstehung wird begünstigt durch Disposition, Nikotin, Alkoholmissbrauch, schleimhautschädigende Medikamente wie Acetylsalicylsäure, Phenylbutazon, zytostatische Mittel, Corticoide **(Steroidulkus)** und psych. Einflüsse **(Stressulkus),** oft verbunden mit starker Besiedlung der Magenschleimhaut mit dem Bakterium Helicobacter pylori. Symptome sind Druck- und Völlegefühl, Übelkeit, Nüchternschmerz (aber auch Beschwerden nach Nahrungsaufnahme), Magenkrämpfe, Unverträglichkeit von Fett, Fleisch, Gebratenem, Geräuchertem und Kaffee. Zu den Komplikationen des M. gehören der →Magendurchbruch und die akute Magenblutung, die sich in Bluterbrechen und Blutstuhl äußert. Sie kann durch endoskop. Blutstillung mit Fibrin-Kleber beseitigt werden.

Die *Behandlung* besteht in Allgemeinmaßnahmen (Rauchverbot, nach Möglichkeit Absetzung schädigender Medikamente, Vermeidung unverträgl. Speisen), Anwendung von Säure bindenden Mitteln, Filmbildnern, die wie kolloidales Wismut eine schützende Chelatbildung auf dem M. bewirken und auch gegen Helicobacter pylori wirksam sind; bei chron. M. kann eine chirurg. Entfernung (Magenresektion) erwogen werden.

Magenkatarrh, die →Magenschleimhautentzündung.

Magenkrebs (Magenkarzinom), bösartige, von der Schleimhaut des Magens ausgehende Geschwulst. M. kommt bevorzugt bei Männern vor, mit einem Häufigkeitsgipfel zw. dem 5. und 6. Lebensjahrzehnt. Die Ursachen sind weitgehend unbekannt; u.a. spielen wahrscheinlich Umweltfaktoren und Essgewohnheiten eine Rolle. Charakteristisch ist die Entstehung des M. im Gefolge einer stark fortgeschrittenen Magenschleimhautentzündung und das gehäufte Auftreten bei perniziöser Anämie. Nach einem Frühstadium (Heilungsaussichten bei Frühoperation über 90%), kommt es zu geschwürigem Zerfall und/oder infiltrierendem Wachstum mit Tochtergeschwülsten. Die Erkrankung wird gewöhnlich erst im fortgeschrittenen Stadium erkannt. Nach leichtem Druck- und Völlegefühl kommt es zu Müdigkeit, Appetitlosigkeit, Gewichtsverlust, brennenden oder ziehenden Schmerzen, Widerwillen gegen bestimmte Speisen (bes. Brot und Fleisch), Übelkeit und zu wiederholtem Erbrechen. Die *Behandlung* besteht in einer partiellen oder vollständigen operativen Entfernung des Magens (→Magenoperationen).

📖 DELBRÜCK, H.: *M. Rat u. Hilfe für Betroffene u. Angehörige. Stuttgart u. a. ²1997.*

Magenmittel (Stomachika), Mittel, die den Appetit und die Verdauung anregen und fördern; hauptsächlich →Bitterstoffe.

Magenoperationen, chirurg. Eingriffe zur Eröffnung des Magens **(Gastrotomie).** Die M. wird zur Entfernung von Fremdkörpern oder kleineren Geschwülsten durchgeführt, auch zur Anlage einer äußeren Magenfistel zwecks künstl. Ernährung **(Gastrostomie).** Die **Magenresektion** als Teilentfernung des unteren Magenabschnitts dient der Behandlung von konservativ unbeeinflussbaren Magen- und Zwölffingerdarmgeschwüren und begrenztem Magenkrebs. Nach den von T. Billroth (erste erfolgreiche Resektion 1881) entwickelten Methoden wird zur Wiederherstellung der Magenfunktion der Restmagen entweder mit dem Zwölffingerdarm (Billroth I) oder dem obersten Abschnitt des Dünndarms (Billroth II) verbunden, nach der heute eher verwendeten Technik von C. Roux mit dem Dünndarm über eine Y-förmig angefügte Dünndarmschleife. Die Totalentfernung **(Gastrektomie)** wird bei fortgeschrittenem Magenkrebs durchgeführt unter Bildung eines Ersatzmagens aus Dünndarm-, seltener Dickdarmschleifen.

Magenperforation, der →Magendurchbruch.

Magenpförtnerkrampf (Pylorospasmus), anhaltende krampfbedingte Verengung (Pylorusstenose) des Magenpförtners aufgrund neurolog. Einflüsse, benachbarter Geschwülste oder Geschwüre.

Magenresektion, →Magenoperationen.

Magenschleimhaut|entzündung (Magenkatarrh, Gastritis), Rötung und Schwellung der Magenschleimhaut; akute Formen entstehen z.B. durch direkte bakterielle und chem. Wirkungen oder Alkoholmissbrauch. Kennzeichen sind Magenschmerzen, Übelkeit, Völlegefühl, Erbrechen. Die chron. M. ist nur durch feingewebl. Schleimhautuntersuchung (Biopsie) erkennbar, sie führt häufig zu Oberbauchdruck, Appetitlosigkeit und Speisenunverträglichkeit. Die Schleimhautentzündung von Magen und Dünndarm (Enteritis) heißt **Gastroenteritis.** Die *Behandlung* der akuten M. beschränkt sich auf Allgemeinmaßnahmen (zeitweilige Nahrungsenthaltung, Teetrinken, krampflösende Mittel) und den Ausschluss schädigender Ursachen; bei stressbedingter M. ist eine vorbeugende Gabe von Säure bindenden Mitteln möglich.

Magensenkung, eine →Eingeweidesenkung.

Magenspiegelung, die →Gastroskopie.

Magenspülung, wiederholtes Auswaschen des Magens z.B. mit physiolog. Kochsalzlösung mithilfe eines Magenschlauchs; v.a. bei akuten Vergiftungen.

Magenta [ma'dʒɛnta], Stadt in der Lombardei, Prov. Mailand, Italien, 23 800 Ew. – Hier besiegten am 4. 6. 1859 die Franzosen und Piemontesen unter Marschall MacMahon die Österreicher, die daraufhin die Lombardei räumten.

Magẹnta, purpurrote Farbe im →Farbendruck.

Mạgerøy [-rœj] (Magerö), nördlichste Insel Norwegens, 288 km², mit dem →Nordkap und dem nördlichsten Punkt Europas (→Knivskjelodden).

Magersucht, konstitutionell, organisch oder seelisch bedingte Neigung zur Abmagerung, z.B. bei Unterfunktion der Hypophyse **(Simmond-Krankheit),** auch infolge psychogener Verweigerung einer ausreichenden Nahrungsaufnahme bes. bei jungen Mädchen (→Pubertätsmagersucht).

Maggia ['maddʒa] *die,* Fluss im Kt. Tessin, Schweiz, 56 km lang, entspringt in den nördl. Tessiner Alpen, wird im Oberlauf zum Naret- und Sambucosee gestaut (Kraftwerke), mündet bei Locarno in einem Delta in den Lago Maggiore.

Maggi̱d [hebr. »Erzähler«] *der,* jüd. volkstüml. Wanderprediger. Maggidim wirkten im 16.–19. Jh. v.a. in den ostjüd. Gemeinden.

maggiore [mad'dʒo:re; italien. »größer«], *Musik:* Bez. für Dur, Durakkord, Durtonart (mit der »großen« Terz); als Satzüberschrift zeigt **Maggiore** den Durteil eines in einer Molltonart stehenden Stückes (z.B. Marsch, Rondo) und bei einem in Dur stehenden Stück den Wiedereintritt der Haupttonart nach dem mit →minore bezeichneten Mollteil an.

Mạghreb [arab. »Westen«] *der,* der westl. Teil der arabisch-muslim. Welt (umfasst im Kern Tunesien, Algerien und Marokko, i.w.S. auch Libyen und Mauretanien).

Maghrebi̱nisch, Zweig der →arabischen Sprache, v.a. in N-Afrika.

Mạghreb-Union (Union der Arabischen Maghreb-Staaten), durch den Vertrag von Marrakesch am 17. 2. 1989 gegründete Gemeinschaft der nordafrikan. Staaten Algerien, Libyen, Marokko, Mauretanien und Tunesien zur Zusammenarbeit auf wirtsch., kulturellem und wiss. Gebiet. Der Abbau der Zollschranken zw. den Mitgl.ländern im Jahr 1995 schuf die Voraussetzung für einen gemeinsamen Markt. An der Spitze der M.-U. steht der Rat der Staatsoberhäupter, dessen Vorsitz alle sechs Monate wechselt; der Konsultativrat (zehn Mitgl. pro Land) dient als gemeinsames Parlament. Im Sept. 1991 wurde beschlossen, die gemeinsamen Institutionen (Bank, Gerichtshof, Univ.) und Führungsgremien auf die Mitgl.länder zu verteilen; Sitz des Generalsekretariats ist Rabat.

Magi̱e [lat. magia »Zauberei«] *die,* zusammenfassende Bez. für Praktiken, durch die der Mensch seinen eigenen Willen in einer Weise auf die Umwelt übertragen und das Tun, Wollen und Schicksal anderer Menschen bestimmen will, die nach naturwiss. Betrachtungsweise irrational erscheint. Das der M. zugrunde liegende mag. Denken vertraut auf eine den mag. Handlungen, Worten und Dingen innewohnende, automatisch wirkende Kraft. Misserfolge werden aus Nichtbeachtung des richtigen mag. Rituals oder aus Gegenzauber erklärt. M. ist charakteristisch für Naturreligionen; auch im altoriental. und hellenist. Kulturkreis stark verbreitet, wird die M. von der Bibel und in der Folge von der christl. Kirche als Aberglaube verurteilt. – Hinsichtlich der Zielsetzung ihrer Anwendung wird unterschieden zw. der **schwarzen M.,** die eine Schädigung, und der **weißen M.,** die einen Nutzen für Einzelne oder Gruppen erzielen will.

📖 LÉVI, E.: *Geschichte der M. Basel* [4]*1994.* – KIECKHEFER, R.: *M. im Mittelalter. A. d. Engl. Tb.-Ausg. München 1995.*

Magi|er, nach Herodot urspr. eine Sippe des medischen Reiches, deren Angehörige priesterl. Aufgaben in der altiran. Religion und später im →Parsismus wahrnahmen; im Hellenismus Bez. für die Menschen, die über Wissen und Können der →Magie verfügten; bei Matth. 2,1ff. die »Weisen (Sterndeuter) aus dem Morgenland«.

Maginotlini|e [maʒiˈno:-], ein nach dem frz. Politiker André Maginot (*1877, †1932) benannter Befestigungsgürtel im frz. Grenzgebiet gegen Dtl., erbaut 1929–32. Die M. wurde 1940 von den dt. Truppen zunächst unter Verletzung der belg. und niederländ. Neutralität umgangen, dann durch bewegl. Kriegführung ausgeschaltet.

magische Kerne, *Kernphysik:* →magische Zahl.

magischer Realismus, 1) *bildende Kunst:* in den 1920er-Jahren entstandene Bez. für eine Darstellungsweise, die durch äußerste Akribie bzw. überscharfe Wiedergabe der Wirklichkeit unter Auslassung von Nebensächlichem, durch einen stat. Bildaufbau und mit perspektiv. Mitteln eine mag. Wirkung erzeugt. Sie entwickelte sich unter dem Einfluss der →Pittura metafisica. Der Begriff wurde zunächst auf Werke der verist. Richtung der →Neuen Sachlichkeit bezogen (G. Schrimpf, C. Mense, A. Kanoldt, F. Radziwill u. a.), dann auch auf die Malerei ähnlich vorgehender Künstler, v. a. in den USA (u. a. I. Albright und A. Wyeth), schließlich auch auf Werke der →Wiener Schule des fantastischen Realismus und des Fotorealismus sowie der naiven Malerei.

magischer Realismus 1): Andrew Wyeth, »Christinas Welt« (1948; Privatbesitz)

📖 FLUCK, A.: *»M. R.« in der Malerei des 20. Jh. Frankfurt am Main u. a. 1994.*

2) *Literatur:* 1) Strömung nach dem 2. Weltkrieg, die dadurch gekennzeichnet ist, dass Wirklichkeit als Symbol oder Chiffre für eine andere (mag.) Wirklichkeit erscheint; dazu zählen u. a. Werke von H. Kasack (»Die Stadt hinter dem Strom«, 1947), E. Langgässer, E. Kreuder, H. E. Nossack, W. Warsinsky und J. Daisne. 2) Begriff, der die »magisch-realist.« Struktur der gebrochenen Zeit (Neben- und Ineinander verschiedenster Zeit- und Wirklichkeitsebenen) der (v. a. fantast.) lateinamerikan. Literatur im 20. Jh. kennzeichnet (u. a. M. Á. Asturias, A. Roa Bastos, A. Carpentier, J. Cortázar, J. Rulfo, G. García Márquez).

📖 SCHEFFEL, M.: *M. R. Die Geschichte eines Begriffs u. ein Versuch seiner Bestimmung. Tübingen 1990.*

magisches Quadrat, quadrat. Zahlenschema mit n^2 Feldern, die mit den natürl. Zahlen 1, 2, …, n^2 so belegt sind, dass die Summe S_n der Zahlen der waagerechten, senkrechten und der beiden diagonalen Reihen gleich ist: $S_n = \frac{1}{2}\,n\,(n^2+1)$.

magisches Vieleck, bildl. Ausdruck für die konjunkturpolit. Ziele Vollbeschäftigung (hoher Beschäftigungsstand), Preisstabilität (Geldwertstabilität) und außenwirtsch. Gleichgewicht im Sinne von Leistungsbilanzgleichgewicht **(mag. Dreieck)** sowie angemessenes, stetiges Wirtschaftswachstum **(mag. Viereck)** und gerechte Einkommens- bzw. Vermögensverteilung **(mag. Fünfeck).** Die »Magie« besteht darin, dass die Ziele aufgrund der wechselseitigen Abhängigkeit gesamtwirtsch. Variablen nicht gleichzeitig und vollständig zu erreichen sind (Zielkonflikt). In der Wirtschaftspolitik wird demzufolge versucht, realist. Zielgrößen zu formulieren und polit. Schwerpunkte zu setzen (Zielhierarchie).

magische Zahlen, bestimmte Anzahlen von Protonen *(Z)* und Neutronen *(N)* in Atomkernen, bei denen die Kerne bes. stabil sind: Z oder N = 2, 8, 20, 28, 50, 82; N = 126, gegebenenfalls Z = 114 und 126, N = 184. – Das Verhalten derartiger **mag. Kerne** (viele stabile Isotope, große Bindungsenergie, hohe Kernanregungsenergie, Maxima der Elementenhäufigkeit u. a.) lässt sich mit dem Schalenmodell (→ Kernmodelle) erklären: Die m. Z. kennzeichnet den Abschluss einer Schalenstruktur. **Doppelt mag. Kerne,** für die Protonen- und Neutronenzahl magisch sind (z. B. $^{4}_{2}He$, $^{16}_{8}O$, $^{208}_{82}Pb$), sind noch stabiler als einfach magische.

Magister [lat.] *der,* alter Universitätsgrad (M. Artium Liberalium »Meister der freien Künste«), der die Lehrberechtigung einschloss; seit dem 16. Jh. auf die artist. (philosoph.) Fakultät beschränkt. In Großbritannien als Univ.abschluss tradiert als Master of Arts (M. A.) und Master of Science (M. Sc.; M. S.), ebenso in den USA qualifizierende Titel (neben anderen »Master's Degrees« in zahlr. Fachrichtungen). In Österreich blieb der M.-Grad erhalten für Pharmazeuten und ist seit 1966 allg. eingeführt (gleichgestellt mit Diplom und Lizenziat). In der Bundesrep. Dtl. wurde der **M. Artium** (M. A.) als berufsqualifizierender Univ.abschluss für geisteswiss. Fächer 1960 allg. eingeführt.

Magistrat [lat.] *der,* **1)** *allg.:* Amt, Behörde; schweizer. für Mitgl. der Reg. bzw. der ausführenden Behörde.

2) *Geschichte:* (lat. Magistratus) im antiken Rom der ordentl. senator. Beamte (Konsul, Prätor, Zensor, Volkstribun, Ädil, Quästor) mit einjähriger Amtszeit, auch dessen Amt. Seit 180 v. Chr. war eine Reihenfolge in der Bekleidung der Ämter gesetzlich festgelegt (»Cursus honorum«). Die M. wurden von den Komitien bzw. den Volksversammlungen gewählt, in der Kaiserzeit z. T. vom Kaiser ernannt, im 1. Jh. n. Chr. vom Senat. Sie waren während ihres Amtsjahres nicht absetzbar und nicht rechenschaftspflichtig.

3) *Verwaltungsrecht:* der städt. Gemeindevorstand bei Magistratsverfassungen (→ Gemeinde); in österr. Stadtgemeinden die unterste Verwaltungsbehörde (Bezirksverwaltungsbehörde).

Maglemosekultur, Jäger- und Fischerkultur (7./6. Jt. v. Chr.) der Mittelsteinzeit in S-Skandinavien, O-England und im nördl. Mitteleuropa, ben. nach dem Fundort Maglemose, einem Moor bei Mullerup an der W-Küste von Seeland (Dänemark); kennzeichnend sind u. a. Mikrolithe, Kern- und Scheibenbeile aus Feuerstein, Tierplastiken aus Bernstein.

Magma [grch.] *das,* natürlich vorkommende glühend-flüssige, vorwiegend silikat. Gesteinsschmelze in der Erdkruste und im oberen Erdmantel, die in erstarrtem Zustand die magmat. Gesteine bildet. Nach der stoffl. Zusammensetzung unterscheidet man saure (granit., über 66 % SiO_2), intermediäre (52–66 % SiO_2) und bas. (basalt., unter 52 % SiO_2) M. Die Erstarrung eines tief liegenden M. beginnt nach der **liquidmagmat. Phase** bei etwa 1200 °C. Bei der **Frühkristallisation** (bis 900 °C) und bei der **Hauptkristallisation** (bis etwa 600 °C) kristallisieren zunächst die kieselsäureärmeren Silikate, dann die Hauptmasse der gesteinsbildenden Minerale aus. Die flüchtigen Bestandteile reichern sich in der Restschmelze an. In der **Restkristallisation** folgt auf die pegmatitisch-pneumatolyt. die hydrothermale Phase. Mit der Kristallisation ist die Bildung von → Erzlagerstätten verbunden. Das M. kann auch durch Aufnahme von Nebengestein (Syntexis) stark verändert werden **(syntekt. M.).**

magmatische Gesteine (Magmatite, Erstarrungsgesteine, Eruptivgesteine, Massengesteine), bei der Erstarrung von Magmen gebildete Gesteine, die als → Plutonite in der Erdkruste sehr langsam oder als → Vulkanite an der Erdoberfläche sehr schnell erstarren. Zw. beiden liegen die → Ganggesteine. Nach der chem. Zusammensetzung unterscheidet man saure, bas. und intermediäre magmat. Gesteine.

Magmatismus *der,* die das Magma betreffenden Vorgänge und Erscheinungen.

Magna Charta (M. C. Libertatum) [-k-; lat. »große Urkunde der Freiheiten«] *die,* das wichtigste engl. Grundgesetz. Die M. C. wurde König Johann I. ohne Land am 15. 6. 1215 von Adel und Geistlichkeit abgenötigt und erhielt 1225 unter Heinrich III. ihre endgültige Fassung. Die meisten der 63 Art. betrafen das Lehnsrecht und wandten sich v. a. gegen die maßlose Fiskalisierung der Lehnspflichten. Einige Vorschriften erstreckten sich auch auf andere Bereiche, z. B. Schutz der Bauern, Bestimmungen zugunsten der Kaufleute,

16	3	2	13
5	10	11	8
9	6	7	12
4	15	14	1

magisches Quadrat in Albrecht Dürers Kupferstich »Melancolia« (1514) mit der Summe 34 für n^2 = 16 Elemente

Rechtsschutzgarantie für Freie, und lassen das Bestreben erkennen, den Widerstand gegen die Krone auf eine möglichst breite Grundlage zu stellen. Die M. C. wurde im Laufe der Zeit zur wichtigsten Grundlage des engl. Verfassungsrechts.

Magna Charta

Neben zahlreichen anderen Regelungen enthält die Magna Charta libertatum von 1215 auch eine Bestätigung der kommunalen Freiheiten:

»Und die City of London soll alle ihre alten Freiheiten und das Recht zur freien Zollerhebung sowohl zu Land als auch zu Wasser haben. Außerdem gewähren wir, dass alle anderen Citys, Boroughs, Towns und Häfen alle ihre Freiheiten und das Recht zur freien Zollerhebung haben sollen.«

Engl. Verfassungsgeschichte, Bd.: Mittelalter, bearb. v. K. KLUXEN. *Darmstadt 1987.* – HOLT, J. C.: *Magna Carta. Cambridge* [2]*1992, Nachdr. ebd. 1994.*

magna cum laude [lat.], mit großem Lob (→Doktor).

Magnago [maɲˈɲa:go], Silvius, Südtiroler Politiker, *Meran 5. 2. 1914; Mitgl. der Südtiroler Volkspartei; 1961–89 Landeshauptmann der Prov. Bozen, war maßgeblich beteiligt an den Verhandlungen zur Südtirolfrage.

Anna Magnani

Magna Graecia [- ˈgrɛ:-], →Großgriechenland.

Magnani [maɲˈɲa:ni], Anna, italien. Film- und Bühnenschauspielerin, *Alexandria (Ägypten) 7. 3. 1908, †Rom 26. 9. 1973; verkörperte oft den »Typ der Frau aus dem Volk« und gilt als eine der bedeutendsten Schauspielerinnen des italien. Films: »Rom – offene Stadt« (1945), »Die tätowierte Rose« (1956), »Mamma Roma« (1962).

Magnasco [maɲˈɲaskɔ], Alessandro, gen. Il Lissandrino, italien. Maler, *Genua 1667, †ebd. 12. 3. 1749; stellte kleinfigurige Genreszenen und Capricci in bühnenhaften Räumen, meist Landschaften, dar.

Magnesit: Kristallmagnesit

Magnat [lat.] *der,* **1)** *allg.:* Großgrundbesitzer; Inhaber (branchenbeherrschender) wirtsch. Macht.

2) *Geschichte:* früher in Ungarn und Polen Angehöriger des hohen Adels bzw. geistl. und weltl. Würdenträger; bildeten im ungar. Reichstag die **Magnatentafel.**

Magnelli [maɲˈɲɛlli], Alberto, frz. Maler italien. Herkunft, *Florenz 1. 7. 1888, †Meudon 20. 4. 1971; Autodidakt. Bes. beeinflusst von P. Picasso und F. Léger, malte er zunächst abstrakt. 1918 ging er zu stark vereinfachten gegenständl. Darstellungen, nach 1930 wieder zur völligen Abstraktion über.

Magnesia [nach der grch. Landschaft M.] *die* (Magnesiumoxid), MgO, →Magnesium.

Magnesia, 1) im Altertum thessal. Küstenlandschaft an der O-Küste Mittelgriechenlands mit der Halbinsel M. (ngrch. **Magnissia**).

2) M. am Mäander, im Altertum eine grch. Stadt in Karien, Kleinasien, mit ion. Artemistempel (dt. Ausgrabungen von 1891–93).

3) M. am Sipylos, heute das türk. →Manisa.

Magnesit [grch.] *der* (Bitterspat), weißes bis gelbl. trigonales Mineral der chem. Zusammensetzung $MgCO_3$, kommt oft zus. mit Dolomit, Kalkspat oder Siderit vor, dient zur Herstellung von Magnesiumoxid und feuerfesten Steinen.

Magnesium [grch.] *das,* chem. Symbol **Mg,** metall. Element aus der 2. Hauptgruppe des Periodensystems (Erdalkalimetall). Ordnungszahl 12, relative Atommasse 24,305, Dichte 1,74 g/cm³, Schmelzpunkt 650 °C, Siedepunkt 1107 °C. – Das Leichtmetall lässt sich ziehen und walzen; es glänzt silberweiß, überzieht sich an der Luft mit einer dünnen Oxidhaut (Passivierung) und verbrennt mit strahlend weißem Licht **(M.-Licht)** zu M.-Oxid; in der Natur ist es in Form seiner Verbindungen weit verbreitet. Am Aufbau der Erdrinne ist M. mit 1,95 Gewichts-% beteiligt. Vorkommen als Magnesit, Dolomit, Carnallit, Kieserit in natürl. Salzsolen, Meerwasser; M.-Silikate sind: Olivin, Hornblende, Serpentin, Talk, Speckstein, Asbest, Meerschaum u. a.

Gewinnung: M. wird durch Schmelzflusselektrolyse von wasserfreiem M.-Chlorid, $MgCl_2$, bei etwa 700 °C gewonnen. Das an den Graphitanoden entstehende Chlor wird zur Gewinnung von M.-Chlorid wieder verwendet. In geringem Umfang erhält man M. auch durch therm. Reduktion von M.-Oxid mit Ferrosilicium bei etwa 1200 °C im Vakuum. – M. hat als Legierungsbestandteil (von Aluminium, Zink u. a.) bes. im Flugzeugbau große Bedeutung. Es dient als Reduktionsmittel bei der techn. Darstellung von Metallen; in der Pyrotechnik u. a. für Blitzlichter, Feuerwerkskörper.

Biolog. Bedeutung: M. ist als unentbehrl. Spurenelement in Körpersäften (Blut 2–3 mg%) und Zellen enthalten, ist Aktivator beim Zuckerabbau und Bestandteil von Enzymen. Die Erhöhung der M.-Konzentration im Blut setzt die Erregbarkeit von Nerven und Muskeln herab und kann zur Lähmung führen (Winterschlaf von Säugetieren). Bei den Pflanzen ist M. im Chlorophyll enthalten und wichtig für die →Assimilation des Kohlenstoffs.

Verbindungen: **M.-Oxid (gebrannte Magnesia,** früher Bittererde), MgO, ein lockeres, in Wasser fast unlösl. weißes Pulver (in der Natur Periklas), besitzt die hohe Schmelztemperatur von 2800 °C; es kann zu sehr hitzebeständigen keram. Geräten oder Steinen (Magnesitsteine) verarbeitet werden. M.-Oxid geht mit Wasser langsam in das sehr schwer lösl. weiße **M.-Hydroxid,** $Mg(OH)_2$, über (Mineral Brucit). M.-Oxid und -Hydroxid sind milde Neutralisationsmittel für Säuren. **M.-Carbonat,** $MgCO_3$ (Mineral Magnesit), ist ein weißer, in Wasser fast unlösl., durch Säuren jedoch zersetzbarer Stoff. In Wasser mit viel Kohlendioxid bildet es das etwas leichter lösliche **M.-Hydrogencarbonat,** $Mg(HCO_3)_2$, das z.T. die natürl. Härte des Wassers verursacht. M.-Hydroxidcarbonat (Magnesia alba) wird als schneeweißes, sehr lockeres Pulver aus M.-Salzlösungen durch Soda gefällt; es wird verwendet in Zahnpulvern, Streu- und Putzpulvern, in Pudern, zum Neutralisieren von Säuren, z.B. von Magensäure, und als Füllstoff in techn. Produkten. **M.-Chlorid,** $MgCl_2$, ein farbloses, in Wasser leicht lösl. Salz, dient zur Gewinnung von elementarem M.; es kristallisiert aus Lösungen als M.-Chlorid-Hexahydrat, $MgCl_2 \cdot 6\,H_2O$; wasserfreies Chlorid wird aus M.-Oxid, Kohle und Chlor oder durch Erhitzen von **M.-Ammoniumchlorid,** $NH_4Cl \cdot MgCl_2 \cdot 6\,H_2O$, hergestellt. Ein Doppelsalz mit Kaliumchlorid ist →Carnallit. Aus einer konzentrierten Lösung von M.-Chlorid und pulverförmigem M.-Oxid erhält man als anfangs plast., dann erhärtende Mischung $MgCl_2 \cdot 5\,Mg(OH)_2 \cdot 7\,H_2O$, **Magnesiazement** (Sorelzement), einen Magnesiumoxidchlorid-Kitt. **M.-Fluorid,** MgF_2, ein farbloses, schwer lösl. Salz, wird auf Glaslinsen, z.B. bei fotograf. Apparaten, als Antireflexbeschichtung aufgedampft. **M.-Sulfat,** $MgSO_4$, bildet versch. Hydrate, u.a. das Mineral Kieserit, $MgSO_4 \cdot 1\,H_2O$, und das Epsomit (Bittersalz), $MgSO_4 \cdot 7\,H_2O$; es dient zum Appretieren oder als Flammschutzmittel für Textilien, als Beize in der Färberei, als Abführmittel (M. sulfuricum). **M.-Phosphate** sind neben den entsprechenden Calciumverbindungen in Phosphoriten und Knochenasche enthalten. **M.-Perchlorat,** $Mg(ClO_4)_2$, ist sehr hygroskopisch und wird als wirksames Trockenmittel für Gase im Laboratorium verwendet. **M.-Hexafluorosilikat,** $MgSiF_6$, ein weißes wasserlösl. Salz, dient als Härtungsmittel für Beton und zur Holzkonservierung. Künstl. **M.-Silikat** ist in Wasch- und Bleichmitteln enthalten: sie sind in der Natur weit verbreitet, z.B. Olivin, $(Mg,Fe)_2SiO_2$, Enstatit, $Mg_2[Si_2O_6]$, Serpentin, $Mg_6[(OH)_8 \| Si_4O_{10}]$.

Magnet [grch. líthos magnḗtēs »Stein aus Magnesia«] *der,* Quelle eines M.-Feldes. Man unterscheidet zw. →Elektromagneten, deren M.-Feld durch stromdurchflossene Spulen erzeugt wird, und **Dauer-(Permanent-)M.,** die ihr Feld ohne äußere Erregung beliebig lange behalten. Jeder M. hat einen magnetisch positiven **(Nordpol)** und einen magnetisch negativen M.-Pol **(Südpol),** in deren Umgebung die magnet. Feldstärke bes. hoch ist (→Magnetismus). Zw. den Polen zweier Magnete wirken Kräfte: Gleichnamige Pole stoßen sich ab, ungleichnamige ziehen sich an. Die einfachste und älteste Ausführung ist der **Stab-M.;** dieser stellt den Grenzfall des völlig offenen magnet. Kreises dar und besitzt demzufolge das größtmögliche Streufeld und die größte →Entmagnetisierung. In Anwendungen, bei denen es darauf ankommt, die Entmagnetisierung klein zu halten, benutzt man Anordnungen mit stärker geschlossenem magnet. Kreis, wie sie durch **Hufeisen-M.** (mit und ohne Polschuhe) gegeben sind. M. werden z.B. als Kompassnadel, in Lautsprechern, Mikrofonen, zur Erzeugung elektr. Energie in kleinen Generatoren (z.B. Fahrraddynamos) zur Übertragung von Drehmomenten (magnet. Kupplung) sowie zur Bremsung von Drehbewegungen (Brems-M. in Elektrizitätszählern) verwendet. Zur Magnetisierung der Dauer-M. benutzt man starke magnet. Felder oder Stromstoßgeneratoren; steigt die Temperatur des Materials über die →Curie-Temperatur, gehen die ferromagnet. Eigenschaften verloren. Große Bedeutung haben auch →supraleitende Magnete zur Erzeugung sehr hoher Feldstärken und →magnetische Flüssigkeiten.

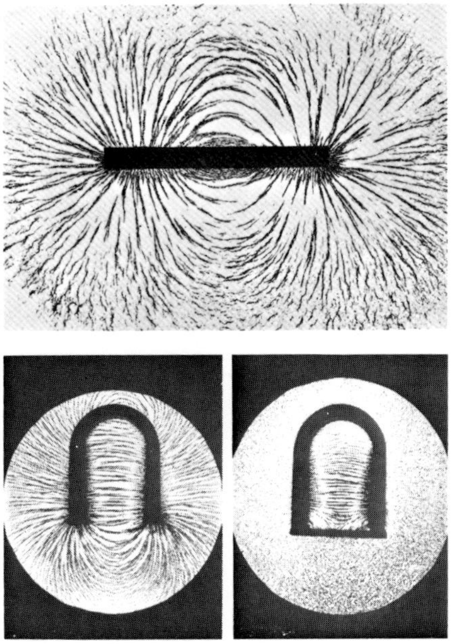

Magnet: Die magnetischen Feldlinien eines Stabmagneten (oben) sowie eines Hufeisenmagneten ohne (unten links) und mit Polschuh wurden mit Eisenfeilspänen sichtbar gemacht

Magnetbahn, →Magnetschwebebahn.

Magnetband, bandförmige Informationsträger zur Aufzeichnung, Speicherung, Wiedergabe und Löschung von Audio- und Video- (Tonband, Videoband) oder Datensignalen. Auf einem Kunststoffträger (z.B. aus Polyester, Polyvinylchlorid, früher meist Acetylcellulose) sind eine oder mehrere magnetisierbare Schichten aufgebracht. M. werden meist in Kassetten aufbewahrt.

Erwünscht sind für M. gute Wickeleigenschaft, hohe Reiß- und Abriebfestigkeit, geringe Neigung zu Aufladungen und gute magnet. Eigenschaften. In Japan wurde das Digitaltonband **DAT** (Abk. für engl. Digital-Audio-Tape) entwickelt. Bei ihm erfolgt die Aufnahme der Schallsignale in digitalisierter Form. Das digitale Aufnahmeverfahren gewährleistet, dass bei mittels DAT hergestellten Kopien von ebenfalls digitalen Tonträgern (z.B. CD) deren Tongüte voll erhalten bleibt.

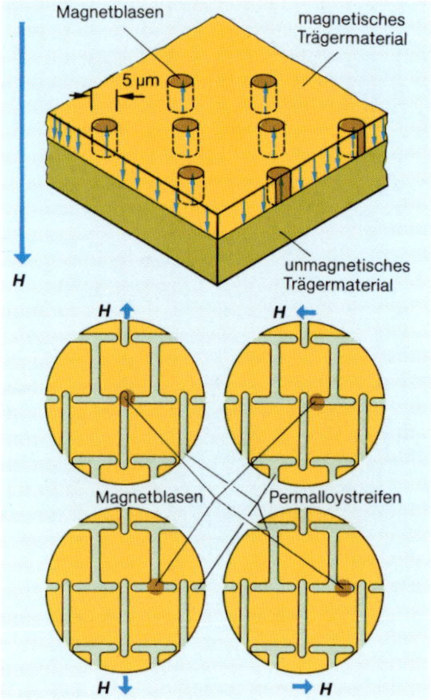

Magnetblasenspeicher: Aufbau eines Magnetblasenspeichers in einem vertikalen Magnetfeld mit der magnetischen Feldstärke ***H*** (oben) und Darstellung des durch ein rotierendes Magnetfeld bewirkten Blasentransports auf gekreuzten Metallstreifen aus Permalloy

Magnetbandspeicher, Externspeicher zur Speicherung großer Datenmengen (Massen-, Tertiärspeicher) mit sequenziellem Zugriff. Er besteht v.a. aus drei Funktionseinheiten: dem →Magnetband als eigtl. Speichermedium, dem Magnetbandgerät (Laufwerk) und der Magnetbandsteuerung. Das Magnetbandgerät enthält die gesamte Mechanik und Elektronik zur exakten Bewegung des Magnetbandes sowie den Magnetkopf zum Beschreiben und Lesen des Bandes.

Magnetbildverfahren, →magnetische Bildaufzeichnung.

Magnetblasenspeicher (engl. bubble memory), magnet. Speicher für elektron. Datenverarbeitungsanlagen. Der M. besteht aus einem unmagnetischen Trägermaterial (Granat), auf dem eine dünne, mit Eisen dotierte Granatschicht (magnet. Trägermaterial) durch →Epitaxie abgeschieden wurde. In dieser Schicht können durch Anlegen eines äußeren Magnetfeldes kleine, magnetisierte Bereiche von einigen Mikrometern Durchmesser **(Magnetblasen)** gespeichert und durch aufgedampfte weichmagnet. Schaltkreise aus Permalloymetall bewegt werden. Diese Magnetblasen lassen sich durch den Feldgradienten eines rotierenden Magnetfeldes (Feldlinien parallel zur Schichtebene) entlang bestimmten, durch gekreuzte Metallstreifen aus →Permalloy auf dem magnet. Trägermaterial festgelegten Wegen verschieben. Weitere Permalloystreifen, in denen die Magnetblasen beim Vorbeiwandern kleine Änderungen des elektr. Leitwerts verursachen, dienen zum Auslesen der Information. Die Existenz einer Blase auf einem bestimmten Platz im Speicher wird als binäre »1«, das Fehlen als »0« interpretiert. Wegen ihrer hohen Zuverlässigkeit (die gespeicherten Informationen bleiben auch bei Ausfall der Versorgungsspannungen erhalten) und ihrer Verschleißfreiheit ist der Einsatz von M. bei hohen Anforderungen an die Betriebssicherheit vorteilhaft, z.B. zur Speicherung von Messdaten in Raumfahrzeugen.

Magnetdiode, Halbleiterdiode, die zw. der p- und der n-leitenden Zone (→Halbleiter) eine breite, undotierte Zone aufweist (pin-Struktur, i: Abk. von engl. »intrinsic«, eigenleitend). Durch ein senkrecht zum Stromfluss einwirkendes Magnetfeld wird der Durchlassstrom der Diode gesteuert; Sensor für Mess- und Steueraufgaben.

Magnet|eisenstein, der →Magnetit.

Magnetfalle, Magnetfeldanordnung, in der Hochtemperaturplasmen über längere Zeit zusammengehalten werden können. In der M. können sich die Ladungsträger nur längs der magnet. Feldlinien frei bewegen, während sie senkrecht dazu kreisförmige Bahnen ausführen. Feldanordnungen mit starker Zunahme des magnet. Feldes an den Enden werden als **magnet. Flasche (magnet. Spiegel)** bezeichnet.

Magnetfeld, Raumgebiet (das auch Materie enthalten kann), in dem jedem Punkt die magnet. Feldstärke ***H*** und die magnet. Flussdichte ***B*** zugeordnet sind. Ursache von M. sind Permanentmagneten (→Magnet) oder bewegte elektr. Ladungen.

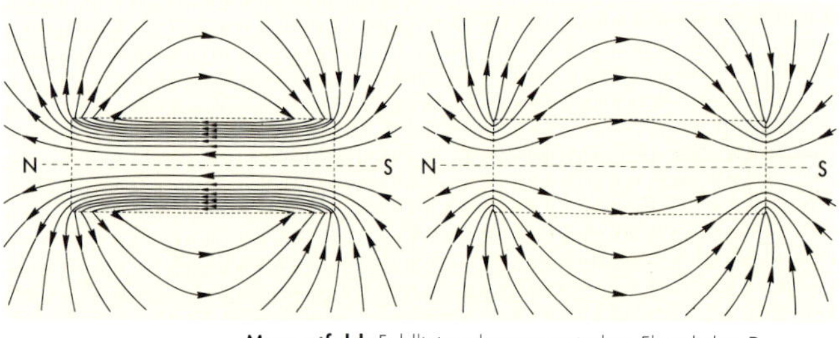

Magnetfeld: Feldlinien der magnetischen Flussdichte ***B*** (links) und der magnetischen Feldstärke ***H*** eines stabförmigen Permanentmagneten; N Nordpol, S Südpol

Sie treten als **magnetostat.** oder, verknüpft mit zeitlich veränderlichen elektr. Feldern (→Induktion), als **elektromagnet. Felder** auf. Wie alle Vektorfelder (→Feld) können M. durch Feldlinien veranschaulicht werden. – M. können auch von Sternen, Planeten (z.B. Jupiter, Erde) oder durch die Bewegung ionisierter Gase im interplanetaren und interstellaren Raum ausgehen. Im Sonnensystem verfügt die Sonne über ein allg. M. sowie über starke lokale M., z.B. in den Sonnenflecken.

Magnetfeldbehandlung, Anwendung niederfrequenter elektromagnet. Felder zur Heilungsförderung u.a. bei Knochenbrüchen und Neuralgien; die Wirkungsweise (vermutlich durch Wärmeentfaltung) ist ungeklärt.

magnetische Aufzeichnung, Sammelbez. für Verfahren zur Aufnahme, Speicherung und Wiedergabe von Schallereignissen (→Magnettonverfahren, →Schallaufzeichnung), sichtbaren Vorgängen (→magnetische Bildaufzeichnung) oder von Daten (→Magnetspeicher) durch Magnetisierung eines geeigneten Trägers.

magnetische Bildaufzeichnung (Magnetbildverfahren), Abk. **MAZ,** in der Fernseh- und Videotechnik Verfahren der magnet. Aufzeichnung von sichtbaren Vorgängen. Bei der m. B. von Videosignalen werden meist Quer- oder v.a. Schrägspurverfahren angewendet. Die **Schrägspurverfahren** konnten sich vielfach bei den Aufzeichnungsanlagen in den Fernsehanstalten und bei fast allen Videorecordern im semiprofessionellen und privaten Bereich (z.B. VHS-System, Video 2000, Betasystem) durchsetzen. Das Magnetband enthält hierbei schräg liegende Spuren (Spurwinkel 6° gegenüber der Laufrichtung des Bandes, Spurbreite 49 µm) mit den Videosignalen (ein Halbbild pro Schrägspur) und schmale Randspuren mit den Ton- sowie Synchron- oder Kontrollsignalen in Längsschrift. Das Band läuft an der sich drehenden, etwas schräg stehenden Kopftrommel vorbei. Diese trägt i.d.R. zwei Videoköpfe, die bei jeder Umdrehung zwei Halbbilder, d.h. pro Sekunde 50 Halbbilder (Fernsehnorm), aufzeichnen. Kopf und Band bewegen sich unterschiedlich schnell, aber in derselben Richtung. Um Einwirkungen der beiden in zwei benachbarten Spuren gespeicherten Halbbildsignale zueinander zu vermeiden und um eine bessere Trennung dieser Teilsignale bei der Abtastung durch die beiden Köpfe zu erreichen, stellt man die Spaltwinkel der beiden Videoköpfe jeweils um +6° für den ersten Kopf und um −6° für den zweiten Kopf in bezug zur mittleren Spurlinie gegeneinander ein. Die Tonsignale werden im Längsspurverfahren aufgezeichnet, wodurch die Tonqualität entsprechend begrenzt ist. Älter ist das **Querspurverfahren,** das 1956 von der amerikan. Firma Ampex (Ampexverfahren) vorgestellt wurde. Bei ihm rotiert ein mit vier jeweils um 90° versetzten Videoköpfen besetztes Kopfrad mit 250 Umdrehungen pro Sekunde, wobei das Videosignal in nebeneinander liegende Querspuren aufgezeichnet wird (1000

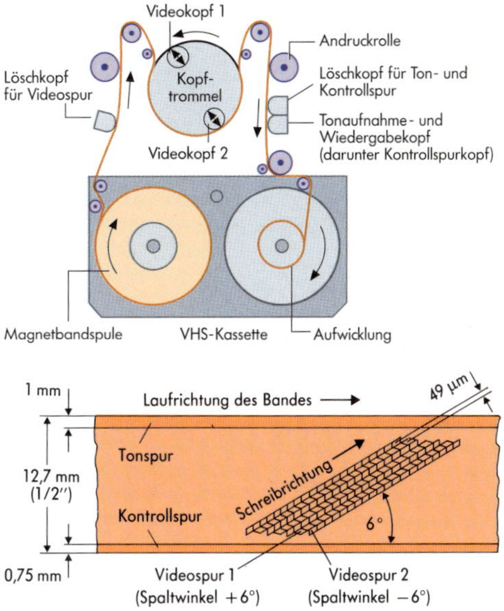

magnetische Bildaufzeichnung (von oben): Anordnung von Kassette und Kopftrommel bei einem Schrägspurverfahren (VHS-System); Lage der Video-, Kontroll- und Tonspuren beim VHS-System

Spuren pro Sekunde). Drei weitere Spuren werden in Längsmagnetisierung aufgezeichnet: eine Tonsignalspur, eine Cuespur (Regiespur) sowie eine Steuerspur, auf der ein internes systembedingtes Synchronisiersignal aufgezeichnet wird. Das Laufwerk einer magnet. Bildaufzeichnungsanlage hat Ähnlichkeit mit einem Magnettonaufnahmegerät: Während der Aufzeichnung wird das Band zunächst zu einem Löschkopf für die Video- und Steuerspur und anschließend zum Kopfradsystem geführt. Dahinter befindet sich der Aufnahme- und Wiedergabeblock für die Steuerspur. Es folgen Löschköpfe sowie Mehrspurköpfe für Ton- und Kontrollspuren. Die eigentl. Speicherung der Videosignale erfolgt nach demselben Prinzip wie beim →Magnettonverfahren. Da die Lösung vieler Aufgaben bei der Verarbeitung von Videosignalen jedoch nur mithilfe der Digitaltechnik möglich wurde (z.B. Bildspeicher, elektron. Schnittverfahren, digitale Trickeffekte), durch den gemischten analogen und digitalen Betrieb aber laufende Signalumwandlungen erforderlich sind, bemüht man sich um die digitale Speicherung der Videosignale auf dem Magnetband. 1985 wurde hierfür eine internat. Norm vereinbart. Nach dieser wird eine getrennte Codierung des Farbbildsignals (Komponentencodierung) vorgenommen, die einzelnen Komponenten werden jeweils Analog-digital-Wandlern getrennt zugeführt und auf parallelen Wegen verarbeitet oder nacheinander übertragen. Der Standard sieht neben den digitalen Videospuren auch die Aufzeichnung von vier digitalen Tonspuren vor. Über nichtmagnet. Bildaufzeichnungsverfahren →Bildplatte, →Film.

magnetische Doppelbrechung, →Magnetooptik.

magnetische Feldkonstante, →Permeabilität.

magnetische Feldstärke, Formelzeichen $\boldsymbol{H}$, neben der magnet. Flussdichte $\boldsymbol{B}$ ein Feldvektor des magnet. Feldes. Die m. F. wird mithilfe des Durchflutungsgesetzes (→Durchflutung) definiert; SI-Einheit ist Ampere/Meter (A/m).

magnetische Flasche, eine →Magnetfalle.

magnetische Flussdichte (magnetische Induktion), Formelzeichen $\boldsymbol{B}$, neben der magnet. Feldstärke $\boldsymbol{H}$ ein Feldvektor des magnet. Feldes. Er wird durch die Kraftwirkung auf bewegte elektr. Ladungen bzw. auf elektr. Ströme definiert (→Lorentz-Kraft); SI-Einheit ist das Tesla (T). $\boldsymbol{H}$ und $\boldsymbol{B}$ sind im Vakuum proportional zueinander, $\boldsymbol{B} = \mu_0 \cdot \boldsymbol{H}$ (μ_0 magnet. Feldkonstante), in Materie tritt ein Beitrag der →Magnetisierung hinzu.

magnetische Flüssigkeit (Ferrofluid), Suspension ferro- oder ferrimagnetischer Teilchen von etwa 10 nm Durchmesser in einer Trägerflüssigkeit (z.B. Wasser). Die Koagulation der Teilchen wird durch einen Belag (z.B. Ölsäure) auf ihrer Oberfläche verhindert. Durch ein magnet. Feld können die Teilchen ausgerichtet und in Richtung des Feldgradienten bewegt werden, wobei ihre Bewegung auf die gesamte Flüssigkeit übertragen wird. Verwendet werden m. F. bes. zur reibungsarmen Abdichtung schnell rotierender Wellen und zur Dämpfung von Oberschwingungen in Lautsprechern.

magnetische Kernresonanz, die →Kernspinresonanz.

magnetische Monopole, *Physik:* →Monopol.

magnetische Polarisation, →Magnetisierung, →Polarisation.

magnetischer Fluss (magnetischer Induktionsfluss), das über eine Fläche A erstreckte Integral Φ der magnet. Flussdichte $\boldsymbol{B}$:

$$\Phi = \int_A \boldsymbol{B} \cdot \mathrm{d}\boldsymbol{A}$$

Werden die Feldlinien von der Fläche senkrecht geschnitten, vereinfacht sich das Integral zu dem Produkt $\Phi = \boldsymbol{B} \cdot A$; SI-Einheit ist das Weber (Wb).

magnetischer Spiegel, eine →Magnetfalle.

magnetisches Moment, das magnet. Dipolmoment eines Magneten, i.e.S. eines atomaren Systems. Ein m. M. ist in manchen Substanzen permanent vorhanden (Elementarmagnete) und wird durch Magnetfelder in allen Substanzen induziert. Nach der →Quantenmechanik sind m. M. in atomaren Systemen stets an die Existenz von Drehimpulsen gekoppelt. Alle Elementarteilchen und Atomkerne, die einen von null verschiedenen Spin besitzen, verfügen auch über ein m. M., dessen Dipolachse in der Spinrichtung liegt. Die m. M. von Proton, Neutron und Atomkernen lassen sich nach der Atomstrahlresonanzmethode oder durch NMR-Spektroskopie bestimmen. Das m. M. der Atome setzt sich v.a. aus den m. M., die mit den Bahndrehimpulsen und Spins der Elektronen in der Hülle verknüpft sind, zusammen.

Magnetit: derbes Aggregat mit kleinen Kristallen

magnetische Stürme (erdmagnetische Gewitter), rasche zeitl. Schwankungen des erdmagnet. Felds; entstehen durch erhöhte Ströme elektrisch geladener Teilchen, die von der Sonne ausgestoßen werden (Sonnenwind).

magnetische Werkstoffe, die →Magnetwerkstoffe.

Magnetisierung *die,* Zustandsänderung eines in ein Magnetfeld gebrachten Stoffes und Bez. für die diesen Prozess kennzeichnende physikal. Größe $\boldsymbol{M}$; SI-Einheit A/m. Ein Stoff wird magnetisiert durch das Ausrichten permanenter magnet. Momente (→Paramagnetismus, →Ferromagnetismus) oder durch die Induktion magnet. Momente (→Diamagnetismus) durch ein Magnetfeld. Als **spontane M.** wird die bei Ferro- und Ferrimagnetika ohne Einwirkung eines Magnetfeldes innerhalb der →Weiss-Bezirke vorliegende parallele Ausrichtung der magnet. Momente bezeichnet. Zwischen magnet. Flussdichte $\boldsymbol{B}$ und magnet. Feldstärke $\boldsymbol{H}$ gilt: $\boldsymbol{B} = \mu_0(\boldsymbol{H}+\boldsymbol{M}) = \mu_0\boldsymbol{H}+\boldsymbol{J}$ (μ_0 magnet. Feldkonstante); $\boldsymbol{J}$ ist die (ebenfalls den magnet. Zustand kennzeichnende) magnet. Polarisation, es gilt $\boldsymbol{J} = \mu_0 \cdot \boldsymbol{M}$. (→Hysterese)

Magnetismus *der,* die Lehre vom →Magnetfeld und dem Verhalten der Stoffe und Körper in ihm; Bez. auch für das Vermögen bestimmter Körper, auf andere Körper (v.a. Eisen) Kräfte auszuüben (→Magnet). Am längsten bekannt ist die Ausrichtung einer horizontal frei drehbar aufgehängten Kompassnadel, die sich, abgesehen von der Deklination, in die N-S-Richtung einstellt (→Erdmagnetismus); der Nordpol weist nach N, der Südpol nach S. Für die Kraft, die zwei isoliert gedachte Pole aufeinander ausüben, gilt wie bei elektr. Ladungen das Coulomb-Gesetz (→Coulomb). Quantitativ beschrieben wird der M. durch die Angabe der Magnetfelder außerhalb magnet. Körper und/oder durch die Angabe der →Magnetisierung in ihrem Inneren. Qualitativ kann das magnet. Feld durch Feldlinien (→Feld) veranschaulicht werden, deren Dichte dem Betrag der Feldgrößen (magnet. Feldstärke, magnet. Flussdichte) proportional und deren Richtung gleich der der Feldgrößen ist.

Elektr. und magnet. Erscheinungen, mit deren Erzeugung sich der **Elektro-M.** befasst, beeinflussen sich wechselseitig: Jeder sich zeitlich ändernde elektr. Strom erzeugt durch sein Magnetfeld in einem Leiter elektr. Spannungen oder Ströme; auch im zeitlich konstanten Magnetfeld wird in bewegten Leitern eine Spannung induziert (→Induktion); auf bewegte Ladungen wird im Magnetfeld eine Kraft, die →Lorentz-Kraft, ausgeübt. Schnell veränderl. Magnetfelder sind immer mit elektr. Feldern gekoppelt; beide pflanzen sich gemeinsam als →elektromagnetische Welle im Raum fort. Der M. ist damit Gegenstand der Elektrodynamik (→maxwellsche Theorie) sowie der Theorien der Materie, insbesondere der Festkörper- und Atomphysik. Danach wird jeder M. durch die Bewegung elektr. Ladungen in der Elektronenhülle der Atome sowie durch die mit den Eigendrehimpulsen der atomaren Bausteine (→Spin) verknüpften magnet. Momente verursacht. Auf den Bahndrehimpuls der Elektronen geht der →Diamagnetismus zurück, der allen Substanzen zu eigen ist; er wird in vielen Stoffen durch den viel stärkeren →Paramagnetismus überdeckt, der auf dem Vorhandensein permanenter magnet. Dipolmomente infolge unvollständig besetzter Elektronenschalen beruht. In paramagnet. Festkörpern können geordnete magnet. Strukturen auftreten, die zu →Ferromagnetismus, →Antiferromagnetismus oder →Ferrimagnetismus führen.

Der M. und seine Phänomene sind in den verschiedensten techn. und wiss. Bereichen von großer Bedeutung, z.B. für die Stromerzeugung mit elektr. Generatoren, für elektr. Antriebe und Transformatoren, als Magnetspeicher in der Datenverarbeitung, ferner in der Spektroskopie, Plasmaphysik sowie in Teilchenbeschleunigern zur Fokussierung und Führung von Teilchenstrahlen.

Ein Einfluss des Magnetfeldes der Erde oder in ihrer Stärke vergleichbarer Magnetfelder auf Lebewesen **(Bio-M.)** konnte in einigen Fällen nachgewiesen werden, z.B. die Magnetfeldorientierung von Thunfischen, Vögeln und Delphinen. Auch Bienen richten sich beim Wabenbau nach dem Erdmagnetfeld.

📖 Heber, G.: *Einführung in die Theorie des M.* Wiesbaden 1983. – Purcell, E. M.: *Elektrizität u. M. Aus dem Engl.* Braunschweig u. a. [4]1989.

Magnetit *der* (Magneteisenstein), kub. Mineral der chem. Zusammensetzung Fe_3O_4, schwarz, matt oder mit mattem Metallglanz; Kristalle werden von Magneten angezogen, derbe Massen wirken selbst wie Magnete. M. ist ein wichtiges, verbreitetes und mit 72,4% Eisen das eisenreichste Eisenerz. Bei Verwitterung geht er vorwiegend in Limonit über. Entstehung magmatisch, kontaktpneumatolytisch oder sedimentär.

Magnetkarte, Kunststoffkarte mit einem als Datenträger dienenden Magnetstreifen zur Aufnahme bestimmter Kenndaten, die von einem M.-Leser erfasst und einem Computer zur Verarbeitung zugeführt werden. Im Bankwesen und Einzelhandel wird die M. u.a. als →Kreditkarte zur Vereinfachung des Zahlungsverkehrs eingesetzt. Eine Weiterentwicklung ist die →Chipkarte.

Magnetkies (Magnetopyrit, Pyrrhotin), ferromagnet. hexagonales Mineral, FeS, braun, metallisch glänzend und undurchsichtig; nur zus. mit →Pentlandit wirtschaftlich wichtig. M. kommt in Tiefengesteinen der Gabbrofamilie in Reinform nur in Eisenmeteoriten vor.

Magnetkies: kugeliges Kristallaggregat

Magnetochemie, Teilgebiet der physikal. Chemie, das die dia- oder paramagnet. Stoffeigenschaften zur Lösung von chem. Problemen nutzt.

Magnetograph *der,* Gerät, das zeitl. Veränderungen des erdmagnet. Felds als **Magnetogramm** aufzeichnet.

Magnetohydrodynamik, Abk. **MHD,** Theorie der Strömungsvorgänge in elektrisch leitenden Flüssigkeiten, Gasen (speziell Plasmen) unter Einwirkung magnet. Felder, wobei das vorliegende Medium unter Vernachlässigung der atomaren Struktur als Kontinuum behandelt wird; Anwendung z.B. bei MHD-Generatoren, für die gesteuerte Kernfusion und die Theorie kosm. Plasmen.

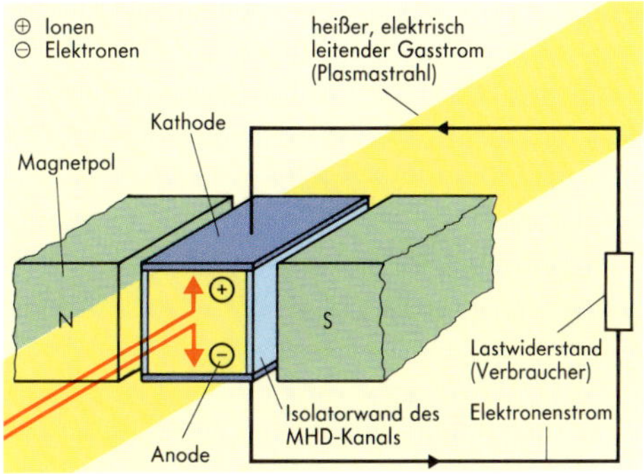

magnetohydrodynamischer Generator: Darstellung des Prinzips; im Plasmastrahl wird durch das Magnetfeld zwischen den beiden Magnetpolen (N und S) ein elektrischer Strom induziert, der über die Elektroden zum Verbraucher und zurück fließt

magnetohydrodynamischer Generator (MHD-Generator, MHD-Wandler), noch im Forschungsstadium befindl. Energiewandler für die direkte Umwandlung von Wärme in elektr. Energie und umgekehrt. Der m. G. arbeitet nach dem faradayschen Induktionsgesetz (→Induktion). Der metall. Leiter einer herkömml. Gleichstrommaschine wird durch einen teilweise ionisierten und damit elektrisch leitenden Gasstrom (Plasma aus Elektronen, Ionen, ungeladenen Gasmolekülen und -atomen) ersetzt, der in einer Brennkammer erzeugt und mit hoher Temperatur und großer Geschwindigkeit durch den Kanal des m. G. gepresst wird. Senkrecht zur Strömungsrichtung liegt das Magnetfeld und um 90° zu diesem und zur Strömungsrichtung versetzt ein Paar Elektroden, zw. denen, ähnlich wie beim Hall-Effekt, durch Einwirkung der Lorentz-Kraft auf die geladenen Teilchen im Magnetfeld eine elektr. Spannung entsteht. Werden die Elektroden über einen Lastwiderstand (Verbraucher) verbunden, ist der Energieverlust des Plasmastroms als elektr. Energie nutzbar. Für den Gasstrom werden Erdgas, Verbrennungsgase und Edelgase mit Zusätzen von Cäsium und Kalium verwendet. M. G. sind in Kombination mit einer Gasturbine für Großkraftwerke geeignet (Wirkungsgrad 50–60 %).

magnetohydrodynamische Wellen, durch Kopplung von mechan. und elektromagnet. Kräften gebildete Wellen in einem Plasma, auf die ein Magnetfeld einwirkt; neben longitudinalen treten auch transversale Wellen **(Alfvén-Wellen)** auf.

magnetokalorischer Effekt, eine durch Änderung der Magnetisierung ohne Wärmeaustausch mit der Umgebung (adiabatisch) erzeugte Temperaturänderung. Der m. E. wird bei allen Stoffen außer den rein diamagnet. beobachtet. Um tiefste Temperaturen erreichen zu können, ist die **adiabat. Entmagnetisierung** paramagnet. Stoffe von Bedeutung. Sie beruht darauf, dass sich diese beim Magnetisieren erwärmen und beim Entmagnetisieren abkühlen. Damit können Temperaturen im Bereich von 10^{-3} K bzw. 10^{-6} K bei Elektronen- bzw. Kernspinsystemen erreicht werden.

magnetomechanische Effekte, die →gyromagnetischen Effekte.

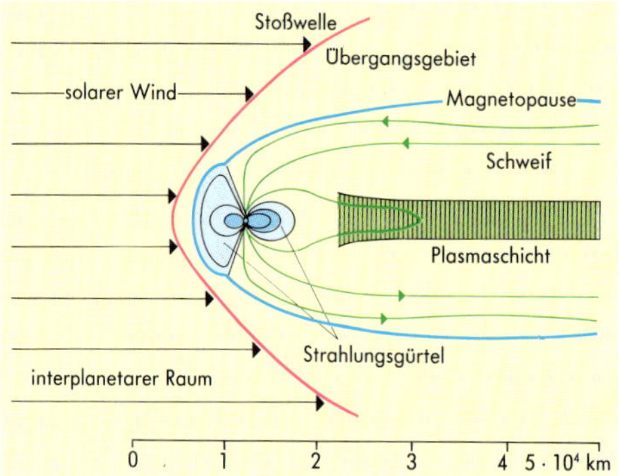

Magnetosphäre: Aufbau der Magnetosphäre; die Erde wird durch den kleinen Kreis inmitten der Strahlengürtel dargestellt

Magnetometer *das,* Gerät zur Messung von Magnetfeldern, v.a. des erdmagnet. Feldes. Die Messmethoden beruhen z.B. auf dem Vergleich von Drehmomenten von Magnetstäben (Torsions-M., magnet. Feldwaage), von Induktionswirkungen an bewegten Spulen, der magnet. Ablenkung von Elektronen oder auf der Messung der Larmor-Frequenz v.a. von Protonen (Protonen-M.).

Magneton [frz.] *das,* physikalische Konstante, als deren Vielfaches häufig magnet. Momente im atomaren und subatomaren Bereich angegeben werden: Das **bohrsche M.** μ_B ist definiert durch $\mu_B = e\hbar/2m_e \approx 9{,}2740 \cdot 10^{-24}\,\mathrm{Am}^2$ (e Elementarladung, $\hbar = h/2\pi$, h plancksches Wirkungsquantum, m_e Ruhemasse des Elektrons); es ist nach klass. Rechnung genau gleich dem magnet. Moment eines (spinlos gedachten) Elektrons, das mit dem Bahndrehimpuls $\hbar$ auf einer Kreisbahn umläuft. Auch mit dem Eigendrehimpuls (Spin) $\hbar/2$ des Elektrons ist ein magnet. Moment verknüpft, das in guter Näherung mit dem bohrschen M. übereinstimmt. Das **Kern-M.** μ_N dient als Einheit der magnet. Momente von Atomkernen und ist um das Massenverhältnis Proton/Elektron kleiner als das bohrsche M., $\mu_N = 5{,}05079 \cdot 10^{-27}\,\mathrm{Am}^2$.

Magnetooptik, Gebiet der physikal. Optik, das den Einfluss magnet. Felder auf die Emission, Absorption und Ausbreitung elektromagnet. Wellen in stoffl. Materie behandelt. Hierzu gehören: 1) die Drehung der Polarisationsebene des Lichtes unter dem Einfluss eines Magnetfeldes, das parallel zur Ausbreitungsrichtung der elektromagnet. Wellen gerichtet ist **(Faraday-Effekt),** 2) die Erscheinung, dass in einem zur Ausbreitungsrichtung senkrechten magnet. Feld versch. polarisiertes Licht sich unterschiedlich schnell fortpflanzt (**magnet. Doppelbrechung,** →Cotton-Mouton-Effekt, →Majorana-Effekt), 3) der magnetoopt. →Kerr-Effekt und 4) der →Zeeman-Effekt.

magnetooptischer Speicher, magnet. Speicher, der wie ein →Magnetblasenspeicher aus Schichten von Granulat und Eisen aufgebaut ist. Ein- und Ausgabe der Informationen erfolgen mit einem Laserstrahl. Mittels eines Strahlablenkers werden mit einem fokussierten Laserstrahl seriell die Speicherplätze angewählt, deren Temperatur dabei durch Lichtabsorption für etwa 1 µs um 20 bis 30 °C ansteigt, sodass sich die Magnetisierung der Domäne nach dem äußeren Feld der Spule neu ausrichten kann. Beim Auslesen der gespeicherten Daten wird der Faraday-Effekt genutzt, d.h., die Polarisationsebene eines durch die Speicherschicht tretenden Lichtstrahls wird je nach Magnetisierungsrichtung versch. gedreht. Der m. S. eignet sich als Datenspeicher und als löschbare, wieder bespielbare Bildplatte in der Videotechnik.

Magnetopause, →Magnetosphäre.

Magnetopyrit, das Mineral →Magnetkies.

Magnetosphäre, der Teil der hohen Atmosphäre, in dem die physikal. Vorgänge v.a. durch die Wirkung des erdmagnet. Feldes auf die elektrisch geladenen Teilchen (Elektronen, Ionen) des kosm. Plasmas, bes. des Sonnenwindes (solarer Wind), bestimmt sind. In ihr liegen die Strahlungsgürtel (Van-Allen-Gürtel). Ihre Grenze gegen den interplanetar. Raum **(Magnetopause)** ist auf der Sonnenseite geschlossen, auf der Nachtseite läuft sie in einem Schweif aus. – An der Magnetopause heben sich der Druck des Sonnenwinds und des aus dem Inneren stammenden erdmagnet. Feldes gerade auf. Vor der M. bildet sich im Sonnenwind eine stehende Stoßwelle aus; zwischen dieser und der Magnetopause befindet sich das sog. Übergangsgebiet; dort sind die örtl. Variationen des Magnetfeldes größer und unregelmäßiger als vor der Stoßfront. In der Mitte des Magnetosphärenschweifs existiert eine neutrale Schicht, ein flaches Gebiet, das durch die unvermittelte Richtungsänderung des Magnetfeldes gekennzeichnet ist. Die Feldstärke sinkt hier auf einen sehr kleinen Wert ab. In der Umgebung der neutralen Schicht beobachtet man eine größere Plasmaansammlung mit einer Dicke von 5 bis 10 Erdradien (Plasmaschicht), in die die neutrale Schicht (500 bis 5 000 km dick) eingebettet ist. I.w.S. der Raum um einen Himmelskörper, in dem dessen Magnetfeld wirkt.

Magnetostatik, die Lehre von den zeitlich unveränderl. Magnetfeldern, die von Permanentmagneten oder zeitlich konstanten Strömen erzeugt werden.

Magnetostriktion *die,* die Änderung der geometr. Abmessungen eines (insbesondere ferromagnet.) Körpers unter dem Einfluss von Magnetisierungsprozessen. Sie ist entweder eine forminvariante Volumenänderung **(Volumen-M.)** oder eine volumeninvariante Gestaltsänderung **(Joule-Effekt).** Die M. wird bei der techn. Erzeugung von Ultraschall und der Messung schnell veränderl. Kräfte ausgenutzt.

Magnetplattenspeicher, ein Magnetschichtspeicher, dessen Speichermedium eine oder mehrere Magnetplatten sind (z.B. Diskette, Harddisk). In Festplattenspeichern sind die Platten fest in die Laufwerke montiert, bei Wechselplattenspeichern können ganze Plattenstapel oder auch nur einzelne Platten (z.B. eine Diskette) ausgewechselt werden. Magnetplatten können pro Oberfläche etwa 200 bis 800 Spuren enthalten (d.h. konzentr. Kreise, auf denen die Daten aufgezeichnet werden), die in einheitlich adressierbare Sektoren eingeteilt werden. M. gehören heute zur Grundausstattung aller Rechenanlagen. Sie haben Kapazitäten von etwa 1 Megabyte bis zu einigen 10 Gigabyte. M. haben verhältnismäßig große Speicherkapazität und kleine Zugriffszeit. Sie stehen daher mit dem Arbeitsspeicher der Rechenanlage und ggf. dem Magnetbandspeicher im engen Datenaustausch.

Magnetpol, → Magnet.

Magnetron *das,* eine selbsterregte Senderöhre für Mikrowellen (Magnetfeldröhre) im Frequenzbereich von 1 bis 30 GHz. Eine zylindr. Kathode ist ringförmig von einem Anodenblock umgeben, der mit seinen in gleichmäßigem Winkelabstand eingefrästen Schlitzen und Bohrungen eine in sich geschlossene Verzögerungsleitung aus gekoppelten Hohlraumresonatoren bildet (z.B. Vielschlitz-M.).

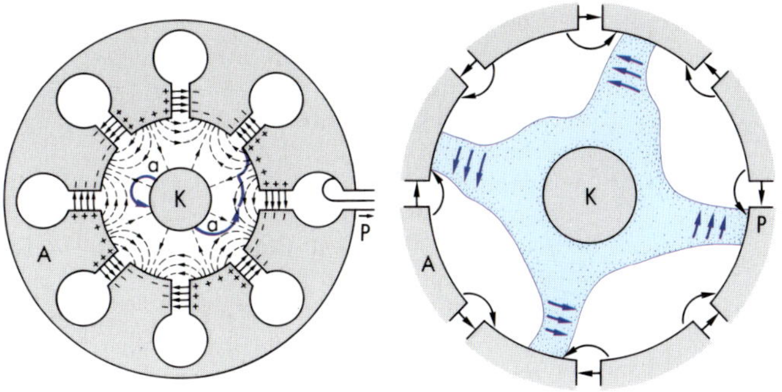

Magnetron: Augenblicksverlauf des Wechselfeldes in einem Vielschlitzmagnetron (links) und Konfiguration der Elektronenwolke; A Anodenblock, K Kathode, a Elektronenbahnen, P ausgekoppelte Leistung

Die Anordnung befindet sich in einem zur Zylinderachse parallelen homogenen Feld eines Permanentmagneten. Aus der Kathode austretende Elektronen bewegen sich im Wechselwirkungsraum unter dem kombinierten Einfluss des elektrischen Kathoden-Anoden-Feldes und dem Magnetfeld auf zykloidenähnl. Bahnen um die Kathode. Die an der Anode umlaufende elektromagnet. Welle wird durch einen Aussortiervorgang verstärkt: Die von der Welle gebremsten Elektronen erfahren eine schwächere ablenkende Kraft durch das Magnetfeld und landen schließlich streifend auf der Anode. Die von der Welle beschleunigten Elektronen werden dagegen wegen ihrer höheren Geschwindigkeit durch das Magnetfeld auf die Oberfläche der Kathode zurückgelenkt. Durch kleine Änderungen des Magnetfeldes und der Kathodenhochspannung lässt sich die Ausgangsfrequenz geringfügig ändern, in einem weiteren Bereich (10%), jedoch langsamer, durch mechan. Abstimmen des Resonanzraumes. M. werden als **Impuls-M.** v.a. in der Radartechnik, z.T. auch für Linearbeschleuniger verwendet. **Dauerstrich-M.** mit einer Frequenz von 2,45 GHz und Wirkungsgraden von ca. 70% stellen den meistverwendeten Röhrentyp dar, der v.a. zur industriellen Mikrowellenerwärmung (bis 6 kW), in Mikrowellengeräten im Haushalt (0,7–1,6 kW) und zur medizin. Diathermie (200 W) verwendet wird. Ein Nachteil des M. ist seine relativ geringe Betriebslebensdauer (etwa 5 000 Stunden).

Magnetscheider, Gerät zur Trennung magnet. Stoffe von unmagnet. aus Gemischen wie Mineralen, Erzen, Chemikalien und Schlacken mithilfe von Elektro- oder Permanentmagneten. M. beruhen darauf, dass viele Feststoffe (ferromagnet. und paramagnet.) durch Magnete verschieden stark angezogen werden, während andere unbeeinflusst bleiben. Elektro-M. werden gebaut als Schwach-M., z.B. Trommelscheider, für leicht magnetisierbares Gut wie Magnetit; Stark-M., z.B. Walzenscheider, für schwach magnetisierbares Haufwerk, z.B. viele arme Eisenerze; Bandscheider, bes. starker M., für schwierigste, feinkörnige Haufwerke, z.B. Zinnerze. M. können auch mit Permanentmagneten bestückt sein.

Magnetschichtspeicher, Bez. für →Magnetspeicher, bei denen die Daten in einer dünnen (höchstens einige tausendstel mm) magnetisierbaren, auf einen Träger (Trommel, Platte, Folie) aufgebrachten Schicht enthalten sind, die mechanisch an einem Magnetkopf vorbeigeführt wird.

Magnetschriftleser, *Datenverarbeitung:* Gerät zum Abtasten von Belegen mit standardisierten, magnetisch auswertbaren Schriftzeichen. Die meist aus eisenoxidhaltiger Farbe bestehenden Zeichen werden vor dem Lesen magnetisiert und sodann mit einem Magnetkopf abgetastet, in dessen Kopfspule eine Spannung induziert wird, die von der Änderung der Magnetisierung abhängt. Man unterscheidet analoge und digitale Magnetschriften, bei denen die Zeichen aufgrund des zeitl. Verlaufs des Lesesignals bzw. durch eine induzierte Impulsfolge identifiziert werden.

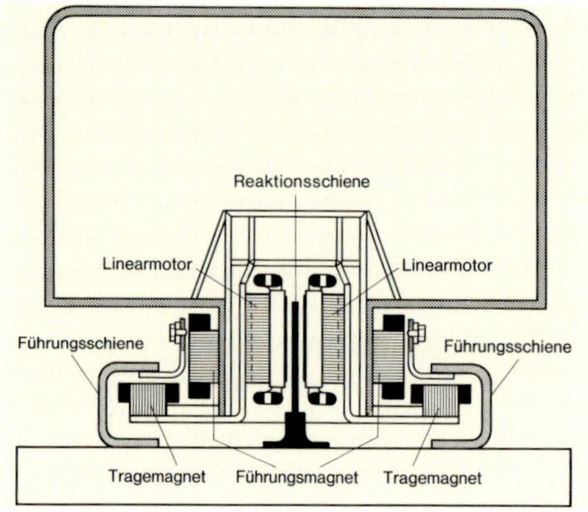

Magnetschwebebahn: Schema des elektromagnetischen Schwebesystems (EMS) mit Führungsschienen

Magnetschwebebahn (Magnetschienenbahn, Magnetbahn), räderlose Bahn, die mithilfe von Magnetfeldern an oder auf eisernen Fahrschienen schwebend entlanggeführt wird. Es können Fahrgeschwindigkeiten bis zu 500 km/h erreicht werden. Man unterscheidet **elektrodynamische** und **elektromagnetische Schwebesysteme** (EDS bzw. EMS). Das EDS nutzt die physikal. Gesetzmäßigkeit, nach der bei der Bewegung eines Magnetfeldes über einem elektr. Leiter in diesem Strom erzeugt wird, der wiederum ein Magnetfeld aufbaut, das dem erzeugenden Magnetfeld entgegengesetzt ist und somit zu abstoßenden Kräften führt (»magnet. Fliegen«). Dies setzt eine Mindestgeschwindigkeit voraus, sodass Fahrzeuge auf Rädern anfahren und halten müssen. Der Schwebevorgang ist selbststabilisierend und verlangt keine aufwendigen Regeleinrichtungen. Aufwendig dagegen sind die Magnete, deren Feldstärken sich nur mit supraleitenden Magnetspulen erzeugen lassen. Dieses Prinzip wird in Japan beim Magnetic Levitation U-shape (MLU) angewendet. Beim EMS besteht das Trag- und Führungssystem in seiner einfachen Form aus Elektromagneten, beidseitig über die gesamte Fahrzeuglänge angebrachten Tragemagneten (Längsflussmagnete) sowie seitlich angebrachten Führungsmagneten (Querflussmagnete) zur berührungsfreien Spurführung, die auf Anziehung gegenüber ferromagnet. Ankerschienen (Führungsschienen, Reaktionsschiene) am Fahrweg arbeiten (»anziehendes« Prinzip). Zum einwandfreien Tragen und Führen muss durch eine Regelung das Gleichgewicht zw. Anziehungskraft der Magnete und den Fahrzeugkräften und somit ein Luftspalt zwischen den Fahrzeugmagneten und den Ankerschienen von 10 mm ± 2 mm hergestellt werden. Bei den Hochgeschwindigkeits-M. dient als Antrieb und Bremse ein →Linearmotor, dessen aktives Motorteil fahrwegseitig installiert ist. Der in Dtl. entwickelte →Transrapid beruht auf der EMS-Technik.

🕮 REUBER, C.: *Berührungsloses Transportsystem mit Synchron-Linearantrieb. Aachen 1996.*

Magnetspeicher, Speichersysteme, bei denen die remanente Magnetisierung ferro- oder ferrimagnet. Stoffe zur Aufzeichnung von Informationen benutzt wird. Während bei Analogspeichern eine eindeutige Zuordnung zw. Remanenz und Signal durch Ausnutzung der idealen Magnetisierungskurve gewährleistet sein muss, genügen bei Digitalspeichern die beiden remanenten Zustände bistabiler magnet. Elemente für die Darstellung von Dualzahlen. Heute werden v.a. →Magnetblasenspeicher und →Magnetschichtspeicher verwendet (→Magnetkarte, →Magnetbandspeicher, →Magnetplattenspeicher).

🕮 *Magnet. Informationsspeicher in der Daten-, Audio- u. Videotechnik, bearb. v.* J. HACK *u.* W. BERGHOF. *Ehningen 1990.*

Magnetspektrometer, Gerät zur Messung der Impulsverteilung (Energieverteilung) von Strahlen geladener Teilchen (α-, β-Teilchen, Ionen), das die je nach Impuls (Energie) versch. starke Ablenkbarkeit der Teilchen durch ein Magnetfeld ausnutzt. M. werden verwendet, um Art, Energie und Anzahl der Produkte von Kernstreuprozessen und Kernreaktionen unter versch. Winkeln mit möglichst hoher Präzision zu bestimmen. Die Experimente liefern Informationen über die Reaktionsmechanismen und die Kernstrukturen.

Magnet|tonverfahren, magnet. Aufzeichnungsverfahren für Schallereignisse mithilfe eines zumeist bandförmigen, magnetisierbaren Zeichenträgers. Auf diesen wird über einen Aufzeichnungskopf (Magnetkopf) ein verstärktes Tonsignal (Aufzeichnungsverstärker) übertragen und gespeichert. Im Kopfkern entstehen aus den Tonsignalen magnet. Feldlinien, die entsprechend dem Takt der Schallschwingungen in Stärke und Richtung wechseln. Am Kopfspalt treten die Feldlinien in das vorbeilaufende, zuvor mittels Löschkopf entmagnetisierte Magnetband über und bewirken in der Magnetschicht eine örtlich unterschiedlich starke Magnetisierung der dort eingelagerten Kristalle. Bei der Wiedergabe wird das Magnetband am Wiedergabekopf entlanggeführt. Die um die Kristalle herum aufgebauten kleinen Magnetfelder durchströmen den Kopfkern und induzieren in der Kopfspule elektr. Schwingungen, die von der wechselnden Magnetisierung abhängig sind. Diese Schwingungen werden verstärkt (Wiedergabeverstärker) und mit einem Lautsprecher in Schall zurückverwandelt. Das M. findet Verwendung beim Rundfunk, Tonfilm, in der Phono- (Tonband, Kassettenrecorder) und Videotechnik.

Magnetwerkstoffe, Werkstoffe mit besonderen magnet. Eigenschaften. Festkörper können aufgrund der kristallinen Fernordnung stark magnetisch sein (→Ferromagnetismus). Neben den ferromagnet. Werkstoffen bilden die ferrimagnet. Werkstoffe (→Ferrit) eine zweite technisch wichtige Gruppe der M. – Man unterscheidet zw. **weichmagnet. Werkstoffen,** die leicht magnetisierbar und entmagnetisierbar sind (Anwendung z.B. für Transformatorenkerne und Elektromagnete) und **hartmagnet. Werkstoffen (Dauer-M.,** Anwendung zur Herstellung von Permanentmagneten z.B. in Mikrofonen, Messinstrumenten).

Magnifikat [lat.] *das,* Lobgesang Marias, der Mutter Jesu, anlässlich ihres Besuches bei Elisabeth (Lk. 1, 46–55); ben. nach dem ersten Wort der lat. Übersetzung des Textes (Magnificat anima mea Dominum »Meine Seele preist den Herrn«); wird in der kath. Kirche täglich in der Vesper gebetet oder gesungen; vielfach vertont, so von L. Senfl, G. Palestrina, O. di Lasso, H. Schütz, J. S. Bach, in neuerer Zeit von H. Kaminski und W. Burkhard.

Magnifizenz [lat. »Herrlichkeit«] *die,* traditioneller Titel der Univ.rektoren und der evang. Landesbischöfe.

Magnissia, die Halbinsel →Magnesia.

Magnitogorsk, Industriestadt im Gebiet Tscheljabinsk, Russland, am O-Hang des S-Urals, am Ural-Fluss, 440 500 Ew.; Hochschule für Bergbau und Metallurgie; einer der wichtigsten Standorte der russ. Eisenhüttenind.; Bau von Bergbau- und Hüttenausrüstungen, Textil- u.a. Industrie; Ausgangspunkt der südsibir. Eisenbahn.

Magnitude [lat.] *die,* Zeichen **M,** messbare Größe zur physikal. Kennzeichnung der Erdbebenstärke, →Richter-Skala.

magnitudo, Abk. mag oder ^{m}, die →Größenklasse eines Gestirns.

Magnoli|e [nach dem frz. Botaniker P. Magnol, *1638, †1715] *die* (Magnolia), Gattung der Magnoliengewächse in O-Asien, im Himalaja und in Nord- und Mittelamerika; sommer- oder immergrün; z.T. beliebte Zierbäume und -sträucher, z.B. **Stern-M.** (Magnolia stellata), bis zu 3 m hoher Strauch mit weißen Blüten; **Tulpen-M.** (Magnolia soulangiana) mit weißen bis rosafarbenen Blüten.

Magnolie: Tulpenmagnolie (Höhe bis zu 6 m)

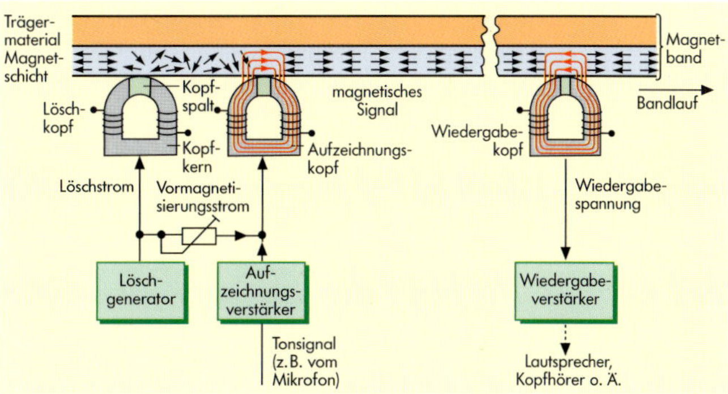

Magnettonverfahren: schematische Darstellung des Lösch-, Aufzeichnungs- und Wiedergabevorgangs

Magnoliophytina, →Bedecktsamer.

Magnonen, →Quasiteilchen zur Beschreibung der Elementaranregung von gekoppelten Elektronenspins in ferro-, antiferro- oder ferrimagnet. Festkörpern, die sich als Spinwellen im Kristall ausbreiten.

Magnus, Kurt, Verwaltungsjurist, Rundfunkpionier, *Kassel 28. 3. 1887, †Wiesbaden 20. 6. 1962; baute mit H. Bredow von 1923 an die dt. Rundfunkgesellschaften auf. 1930–33 Vorstandsvors. der »Reichs-Rundfunk-GmbH«, ab 1945 im Hess. Ministerium für Wirtschaft und Verkehr, Mitgründer und bis 1962 Vorstands-Mitgl., zuletzt Präs. des Goethe-Instituts, München.

Magnus-Effekt [nach dem Chemiker und Physiker H. G. Magnus, *1802, †1870], die Mitnahme der Stromfäden einer Gas- oder Flüssigkeitsströmung durch einen senkrecht zur Strömung stehenden, rotierenden Zylinder. Aus der ungleich-

René Magritte: »Der Untergang des Hauses Usher« (undatiert; Privatbesitz)

mäßigen Stromfädendichte ergibt sich eine unsymmetr. Geschwindigkeits- und damit Druckverteilung, aus der eine Kraft (Quer- oder Auftrieb) auf den Zylinder senkrecht zur Strömung und senkrecht zur Zylinderachse resultiert. Der M.-E. spielt eine Rolle bei rotierenden, fliegenden Körpern (Tennisbälle). Ein Anwendungsversuch als Schiffsantrieb ist der Flettner-Rotor.

Magot [frz.] *der* (Berberaffe, Macaca sylvana), stummelschwänziger Makakenaffe, Boden- und Felsenbewohner NW-Afrikas und Gibraltars.

Magritte [ma'grit], René, belg. Maler, *Lessines (Hennegau) 21. 11. 1898, †Brüssel 15. 8. 1967. Von G. De Chirico beeinflusst, wurde er einer der bedeutendsten Vertreter des veristischen Surrealismus, der die banalen Dinge des Alltags, naturalistisch im Detail, durch irreale Zusammenfügungen verfremdet und in neue Zusammenhänge stellt; schuf Tafel-, Wandbilder, Collagen und Fotografien; auch Skulpturen.

Magyaren [madʒ-] (Madjaren, Magyarok), die Ungarn, ein dem finnougr. Sprachkreis zugehöriges Volk im mittleren Donautiefland und in dessen Randgebieten. – Die M. sind aus der Gegend zw. Ural und Wolga im 9. Jh. in das Kerngebiet des heutigen Ungarn eingewandert. Die landnehmenden M. assimilierten bald die im Karpatenbecken sesshaft gebliebenen Stammesreste (Germanen, Slawen, Dakoromanen). Bis zum Ende des 19. Jh. blieben die M. im alten Ungarn in der Minderheit. Durch die Assimilierung von Nichtmagyaren **(Magyarisierung)**, bes. nach 1848, vergrößerte sich der Anteil der M. erheblich. Im heutigen Ungarn sind über 90% der Bev. M. (etwa 10 Mio.); Gruppen von M. leben außerdem im S der Slowakei (etwa 300 000), in Rumänien (→Rumänienungarn), in Slawonien und der Wojwodina (zus. etwa 500 000).

📖 Balassa, I. *u.* Ortutay, G.: *Ungar. Volkskunde. A. d. Ungar. München 1982.*

Mahabharata *das,* Sanskritepos, neben dem Ramayana das bedeutendste ind. Erzählwerk. Es besteht aus 18 Büchern und einem Anhang und ist in 107 000 Zweizeiler zu je 32 Silben gegliedert. Es handelt von den Kämpfen innerhalb einer Dynastie, zw. den Kaurava und den Pandava. Die Handlung wird durch Episoden unterbrochen, u. a. durch die Erzählung »Nala und Damayanti« und das Lehrgedicht →Bhagavadgita. Erwähnt wird das M. schon im 4. Jh. v. Chr., seine endgültige Form fand es spätestens im 4. Jh. n. Chr. Auffallend ist die Symbiose von Hinduismus und Buddhismus.

Mahadeva [Sanskrit » großer Gott«], Beiname ind. Götter, insbes. des →Shiva.

Mahagoni [wohl karib.] *das,* Bez. für Edelhölzer der Zedrachgewächse mit guten techn. Eigenschaften; rotbraun mit Goldglanz. Das **Westind. M.** (Swietenia mahagoni) ist fast ausgerottet. Zum Welthandel gehören das **Festland-, Honduras-, Tabasco-** oder **Nicaragua-M.** (Swietenia macrophylla) als »Echtes« oder Amerikan. M. Andere Hölzer, z. B. Khaya, Sapelli, werden als Afrikan. M. bezeichnet.

Mahajana [Sanskrit »Großes Fahrzeug«] *das* (Mahayana), Schulrichtung des →Buddhismus.

Mahabharata: Ausschnitt des indischen Epos auf einer im 18. Jh. in Gwalior geschaffenen illustrierten Schriftrolle aus Seidenpapier mit einer Gesamtlänge von etwa 77 Metern (München, Bayerische Staatsbibliothek)

Mahajanga, Hafen- und Provinzhptst. an der NW-Küste von Madagaskar, 122 000 Ew.; kath. Bischofssitz; Zementwerk, Nahrungsmittelindustrie.

Mahalla el-Kubra, Stadt in der Prov. Gharbija, Unterägypten, 385 000 Ew.; Zentrum der ägypt. Baumwollverarbeitung, Nahrungsmittelindustrie; Bahnknotenpunkt.

Mahanadi [məˈhaːnədɪ] *die,* Fluss in Indien, 900 km lang, entspringt an der W-Flanke der Ostghats, mündet unterhalb Cuttack in den Golf von Bengalen. Oberhalb Cuttacks liegt der Hirakuddamm (Bewässerung, Kraftwerk 270 MW).

Maharadscha [Sanskrit »großer König«] *der* (Maharaja), ind. Herrschertitel, Großfürst. – **Maharani** *die,* Titel der Frau eines Maharadschas.

Maharashtra [-ʃtra], Bundesstaat an der W-Küste von →Indien. Zentrum ist Bombay; etwa die Hälfte der Ew. sind Marathen.

Mahatma [Sanskrit »große Seele«], in Indien Ehrentitel für geistige Lehrer (M. →Gandhi).

Mahaweli *der,* mit 332 km längster Fluss von Sri Lanka. Das gigant. M.-Projekt, in den 1960er-Jahren begonnen, Beendigung für die 90er-Jahre geplant, soll der Bewässerung neuer Anbaugebiete im trockenen N sowie der Energiegewinnung dienen (15 Talsperren, 15 Wasserkraftwerke).

Mahdi [ˈmaxdi; arab. »der auf den richtigen Weg Geführte«], eigtl. Mohammed Ahmed, islam. Führer im Sudan, *bei Dongola (N-Sudan) 12. 8. 1844, †Omdurman 22. 6. 1885; sah sich als der vom Propheten verheißene M., führte den nach ihm ben. **M.-Aufstand** gegen die ägypt. Regierung an und eroberte 1883 Kordofan, 1885 Khartum.

Mahdi, al- [ˈmaxdi, auch ˈmaːdi; arab. »der Rechtgeleitete«] *der,* von den Muslimen (seit dem 8. Jh.) am Ende der Zeiten erwarteter Welt- und Glaubenserneuerer, der überall auf der Welt den Islam aufrichten und die Gerechtigkeit wiederherstellen wird; bei den Schiiten der verborgene 12. Imam, der am »Ende der Zeit« als M. wiederkehren wird. Die M.-Würde wurde wiederholt von religiösen Führern des Islam beansprucht.

Mähdrescher, Standarderntemaschine für alle dreschbaren Körnerfrüchte, die im Prinzip aus der Kombination einer →Mähmaschine und einer →Dreschmaschine besteht. Das mithilfe von bis über 7 m breiten Schneidwerken (z. B. Messerbalkenschneidwerk) geschnittene Gut gelangt über Fördereinrichtungen (z. B. Querförderschnecke, Kettenschrägförderer) in die Dreschtrommel, wo zw. Trommelschlagleisten und Dreschkorb das Korn ausgedroschen wird. Das Korn fällt aus dem Dreschkorb erst auf Siebe, wo es unter Druckwind aus einem Gebläse gereinigt wird, und anschließend in den Korntank. Die Spreu wird ausgeblasen, das Stroh in Ballenform abgeworfen oder klein geschnitten ausgestreut. Der klass. M. lehnt sich bezüglich Dreschwerk, Schüttler und Reinigung eng an die Dreschmaschine an.

Die ersten M. setzte man Ende des 19. Jh. in den USA ein. In Europa wurden 1936 die ersten M. vorgestellt; der endgültige Durchbruch mit völliger Verdrängung der Mähbinder und Dreschmaschinen erfolgte in den 1950er-Jahren.

Mahé [maˈe], **1)** größte Insel der →Seychellen im Ind. Ozean.

2) Seebad und Fischereihafen an der SW-Küste Indiens, 9600 Ew. – 1725–1954 frz. Besitzung, seither Teil des ind. Territoriums Pondicherry.

Mahfus [max-], Nagib, ägypt. Schriftsteller, *Kairo 11. 12. 1911; behandelt in seinen Romanen, Erzählungen und Drehbüchern die intellektuellen und sozialen Probleme des ägypt. Kleinbürgertums (»Die Midaq-Gasse«, R., 1947), der ägypt. Jugend in ihrem Kampf für die Rechte der Arbeiterschaft und der Frauen in der islamisch geprägten ägypt. Gesellschaft; bes. bekannt seine in der Tradition des krit. Realismus stehende Romantrilogie »Zwischen den Palästen« (1956), »Palast der Sehnsucht« (1960) und »Zuckergäßchen« (1957) sowie »Die Kinder unseres Viertels« (1960). Als aufgeklärter Verteidiger eines besonnenen Fortschritts wendet er sich gegen betont traditionelle polit. und religiöse Instanzen, was ihn in Gegensatz zu fundamentalist. Gruppierungen innerhalb der islam. Welt brachte. 1988 Nobelpreis für Literatur.

📖 FÄHNDRICH, H.: *N. Machfus. München 1991.*

Nagib Mahfus

Mahdi

Mahican [məˈhiːkən], →Mohikaner.

Mahiljoŭ, Stadt in Weißrussland, →Mogiljow.

Mah-Jongg [-dʒɔŋ, chines. »Spatzenspiel«] *das* (Ma-Jongg), urspr. chines. Spiel für vier Personen mit 136 bis 144 dominoartigen Spielsteinen. Ziel ist es, die in versch. Serien aufgeteilten Spielsteine zu bestimmten »Spielbildern« zusammenzustellen.

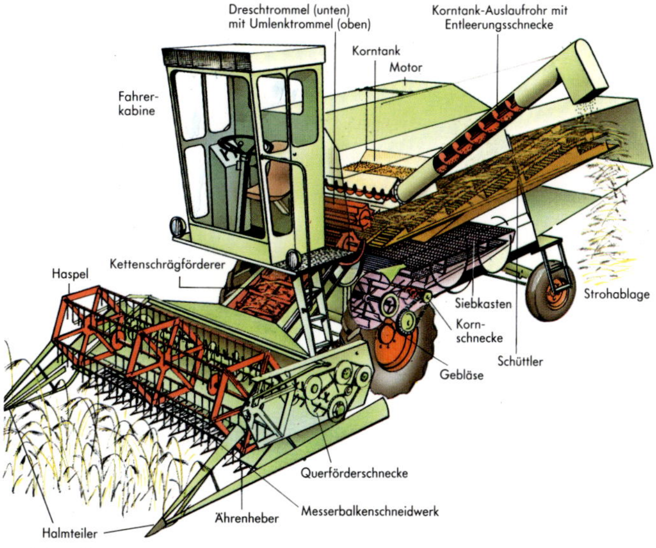

Mähdrescher

Mahl, german. Gerichtsversammlung (→Ding); **Mahlstatt,** der Gerichts- und Versammlungsplatz.

Mahler, Gustav, österr. Komponist und Dirigent, *Kalischt (Kaliště, Böhmen) 7. 7. 1860,

† Wien 18. 5. 1911; 1897–1907 zunächst Kapellmeister, bald künstler. Direktor der Wiener Hofoper, 1898–1901 auch Leiter der Wiener Philharmoniker; 1907 ging er als Kapellmeister an die Metropolitan Opera in New York und übernahm 1909

Gustav Mahler auf einer Fotografie um 1900, darunter sein Autogramm

zusätzlich die musikal. Direktion der New York Philharmonic Society. M. war ein um höchste Werktreue bemühter Dirigent; viele seiner Interpretationen wurden maßstabsetzend. In seinen Kompositionen stehen neben traditioneller Diatonik polyphone und fugierte Passagen, chromat. Stimmführung bis an die Grenzen zur Atonalität. Mit der engen Verbindung von Lied- und sinfon. Werk schuf M. eine Musik von hochgradiger Sprachfähigkeit, die den Anbruch der Moderne auf spätromant. Fundus hörbar macht und kompositionstechnisch zum Anknüpfungspunkt für die Komponisten um A. Schönberg wurde.

Gustav Mahler: Entwurf zum »Adagio« (1910) der unvollendeten 10. Symphonie, Autograph

Werke: 10 Sinfonien (die letzte unvollendet); Das Lied von der Erde (Tenor, Alt, Orchester); Orchesterlieder; Lieder (u. a. »Kindertotenlieder«, »Lieder eines fahrenden Gesellen«).

📖 EGGEBRECHT, H. H.: *Die Musik G. M.s. Neuausg. München u. a. 1986.* – DANUSER, H.: *G. M. u. seine Zeit. Laaber ²1996.*

Mahler-Werfel, Alma, geb. Schindler, amerikan. Künstlerin österr. Herkunft, * Wien 31. 8. 1879, † New York 11. 12. 1964; seit 1902 ⚭ mit G. Mahler, dessen Werke sie herausgab. 1915 heiratete sie W. Gropius, 1929 F. Werfel, mit dem sie 1940 nach New York emigrierte. Zeitgeschichtlich und biographisch interessant sind ihre Erinnerungen »Mein Leben« (1960).

Mähmaschine, landwirtsch. Maschine zum Mähen bes. von Gras, Grünfutter u. a.; heute meist als Anbaugerät für den Schlepper. Das Mähwerk besteht aus dem Mähbalken und dem Messer mit dreieckförmigen Messerklingen. Beim Kreiselmäher (Scheiben- oder Tellermäher) rotieren Trommeln mit schwenkbaren Messerklingen.

Mahmud [maxˈmuːt; arab. »der Gepriesene«] (Mahmut), Sultane des Osman. Reiches: **1) M. I.** (1730–54), * Konstantinopel 2. 8. 1696, † ebd. 13. 12. 1754; führte 1735–39 mit Russland Krieg und eroberte Belgrad und die Kleine Walachei zurück, verlor Asow endgültig an Russland.

2) M. II. (1808–39), * Konstantinopel 20. 7. 1784, † ebd. 1. 7. 1839; löste 1826 die Janitscharen auf und reformierte das Heer (u. a. durch H. von Moltke); musste 1829 die Unabhängigkeit Griechenlands anerkennen. Die 1830er-Jahre waren geprägt von dem Konflikt mit Mehmed Ali, der Ägypten vom Osman. Reich trennen wollte und dem er 1833 die Herrschaft über Syrien überlassen musste.

Mähne, bei Säugetieren verstärkter Haarwuchs an Kopf, Hals bis Schultern und Bauch.

Mähnenrobbe, ein Säugetier, → Robben.

Mähnenschaf (Mähnenspringer, Ammotragus lervia), wiederkäuender Paarhufer N-Afrikas; Männchen mit langem Haarbehang an Halsunterseite und Brust; beide Geschlechter haben mächtige, sichelartig nach hinten geschwungene Hörner; gute Springer und Kletterer.

Mähnenwolf, ein Raubtier, Art der → Hunde.

Mahnung, *bürgerl. Recht:* die Aufforderung des Gläubigers an den Schuldner, eine fällige Leistung zu erbringen. Leistet der Schuldner trotz Fälligkeit auf eine M. nicht, so kommt er in Schuldnerverzug (§ 284 BGB), doch unterbricht die M. nicht die Verjährung (→ Abmahnung). – Dieselben Grundsätze gelten nach *österr.* (§§ 1334, 1417 ABGB) und *schweizer.* Recht (Art. 102 OR).

Mahnverfahren, ein vereinfachtes Verfahren im Zivilprozess (§§ 688 ff. ZPO), bei dem dem Schuldner ohne Anhörung des Schuldners und ohne gerichtl. Prüfung der Rechtmäßigkeit der beanspruchten Leistung auf Antrag des Gläubigers **(Mahnantrag)** vom Amtsgericht ein **Mahnbescheid** (früher: Zahlungsbefehl) zugestellt wird; nur zulässig bei Ansprüchen auf Geldzahlung, wobei Nebenforderungen gesondert von der Hauptforderung aufzuführen sind. Bei Ansprüchen aus

Verbraucherkrediten sind Besonderheiten zu beachten. Der Schuldner kann entweder gegen den Bescheid binnen zwei Wochen bei Gericht Widerspruch erheben, sodass der Gläubiger mündl. Verhandlung beantragen muss, oder er muss erfüllen, andernfalls wird auf Antrag des Gläubigers der Mahnbescheid für vollstreckbar erklärt **(Vollstreckungsbescheid)** und von Amts wegen zugestellt. Gegen den Vollstreckungsbescheid ist Einspruch innerhalb von zwei Wochen möglich, andernfalls kann der Gläubiger die Zwangsvollstreckung betreiben. – In *Österreich* ist das M. durch §§448ff. ZPO ähnlich geregelt. Das Gericht hat bei Klagen auf eine Geldleistung von nicht mehr als 100000 S einen Zahlungsbefehl zu erlassen. Die Einspruchsfrist beträgt 14 Tage. In der *Schweiz* kann der Gläubiger einer Geldforderung beim örtlich zuständigen Betreibungsamt (kein Gericht) ein Betreibungsbegehren einreichen, das auf Erlass eines Zahlungsbefehls gerichtet ist. Wird weder erfüllt noch Rechtsvorschlag erhoben, kann der Gläubiger die Fortsetzung der Zwangsvollstreckung verlangen.

Mahón [maˈɔn] (katalan. Mao), Hauptstadt der span. Baleareninsel Menorca, 23000 Ew.; Naturhafen; Textil-, Nahrungsmittelind.; Flugplatz, Fährverbindungen mit Barcelona, Valencia, Palma de Mallorca.

Mahonie [nach dem amerikanischen Gärtner B. McMahon, *1775, †1816] *die* (Mahonia aquifolium), immergrüner, zu den Berberitzengewächsen gehörender Zierstrauch aus Nordamerika, mit gelben Blüten und blauen Beeren.

Mahonie:
Mahonia aquifolium
(Höhe bis zu 1 m)

Mahr (Mar), im Volksglauben ein Nachtgeist, der den Albdruck (→Alb) verursacht.

Mähren [nach der March] (tschech. Morava), histor. Gebiet in Mitteleuropa, zw. Böhmen und der Slowakei, heute der östl. Landesteil der Tschech. Republik, gegliedert in den Nordmähr. und den Südmähr. Bezirk; erstreckt sich zw. der Böhmisch-Mähr. Höhe im NW, den Ostsudeten im NO und den Karpaten im SO. Den Kern des

Mähnenschaf
(Schulterhöhe
etwa 1 m)

Landes bildet das 180–250m hohe Becken der March und Thaya. Nach N hat M. über die flache Mähr. Pforte (310m ü.M.) zw. den Sudeten und Karpaten Verbindung zur Oder. Die fruchtbaren Tieflandbecken sind dicht besiedelt. Bodenschätze sind Steinkohle, Braunkohle, Eisen, Blei, Zink, Erdöl und Erdgas; wichtige Industriezweige Eisen-, Nahrungsmittel-, Textil-, chem., Lederind.; Zentren sind Brünn, Ostrau und Olmütz.

Geschichte: Bis in die Mitte des 1.Jh. v.Chr. von Kelten, danach von german. Stämmen (Quaden, Heruler, Rugier und Langobarden) besiedelt; etwa im 6.Jh. Einwanderung slaw. Stämme. Das im 9.Jh. gegr. →Großmährische Reich leistete durch die Slawenmission von →Kyrillos und Methodios einen wichtigen Beitrag zur Christianisierung Europas, es zerfiel 906 mit dem Ungarnansturm. Um 1020 fiel M. an Böhmen; 1182 zur Markgrafschaft erhoben; durch die dt. Ostsiedlung Anwachsen der dt. Bevölkerung; kam 1311 an die Luxemburger (1349–1411 luxemburg. Sekundogenitur) und 1423 (endgültig 1526) an die Habsburger; ab 1490 Personalunion mit Böhmen; Hauptstadt bis 1641 Olmütz, dann Brünn; wurde 1849 österr. Kronland; 1918 Teil der Tschechoslowakei (1918–49 als **Land M.** [ab 1928 **M.-Schlesien**] eigene Verwaltungseinheit).

Mährische Brüder, die →Böhmischen Brüder.

Mährisch-Ostrau, ehem. Name von →Ostrau.

Mai [lat.] (früher Wonnemond), der 5. Monat des Jahres, 31 Tage. – Im Volksglauben gilt der M. als Beginn der Sommerzeit. In Mitteleuropa wird über **M.-Brauchtum** ab 1200 berichtet (Formen des Frühlingsbegrüßens in M.-Feiern, M.-Riten). Grüne Zweige und Bäumchen (Maien), die während der seit dem 13. Jh. bezeugten Feier des M.-Begrüßens als Schmuckmaien dienten oder als Ehren- oder Liebesmaien verschenkt wurden, sind die histor. Vorläufer des **M.-Baums** der Gemeinde, ein bis auf den Wipfel entasteter, geschmückter und in die Erde gerammter Baum. Erstmals zu Anfang des 16.Jh. in Franken als Orts-, Tanz-, Wirtsbaum (Zeichen des Ausschanks), Rechtsbaum (Markt-, Kirchweih-, Friedensschutz) erwähnt, seit dem 18.Jh. in typ. Form (mit Bildzeichen der Gewerke im Ort). In der Walpurgisnacht wurde mancherorts am M.-Feuer das M.-Lehen abgehalten, wobei junge Mädchen versteigert oder das M.-Brautpaar bestimmt wurden. – Aus den Traditionen der Arbeiterbewegung wurde der 1. Mai zum Feiertag (→Erster Mai).

Maia, *grch. Mythos:* Bergnymphe, eine der →Plejaden, durch Zeus Mutter des Hermes.

Benedetto da Maiano: Büste des Pietro Mellini (1474; Florenz, Museo Nazionale del Bargello)

Maiano, 1) Benedetto da, italien. Bildhauer und Baumeister, *Maiano (heute zu Fiesole) 1442, †Florenz 27. 5. 1497, Bruder und Schüler von 2); griff zunächst den Reliefstil L. Ghibertis und die verfeinerte, dekorative Linienführung von Desiderio da Settignano auf (Marmorkanzel in Santa Croce, Florenz) und schuf realist. Porträtbüsten. Mit seinem Spätwerk wurde er zum Wegbereiter Michelangelos. Als Baumeister lieferte er die Pläne für den Palazzo Strozzi in Florenz.

Maiglöckchen (Höhe bis zu 20 cm)

2) Giuliano da, italien. Baumeister, *Maiano (heute zu Fiesole) 1432, †Neapel 17. 10. 1490, Bruder von 1); 1477–90 Dombaumeister in Florenz. M. verbreitete die florentin. Frührenaissance in der Toskana und bis nach Neapel, baute in Siena den Palazzo Spannocchi (1473 ff.), in Faenza den Dom (1474–86). Er entwarf die – später veränderte – Porta Capuana in Neapel (1484–88).

Maidstone ['meɪdstn], Verw.sitz der Cty. Kent, SO-England, 72 300 Ew.; Gartenbauversuchsanstalt, Mittelpunkt des Hopfenhandels, Getreide- und Obstmarkt; u. a. Brauereien, Maschinenbau.

Maiduguri, Hauptstadt des Bundesstaates Bornu, Nigeria, südwestlich des Tschadsees, 296 300 Ew.; kath. Bischofssitz; Univ. (gegr. 1975); landwirtsch. Handelszentrum, Kfz-Montagewerk; Eisenbahnendpunkt, Flugplatz.

Maier, 1) Hans, Politikwissenschaftler, *Freiburg im Breisgau 18. 6. 1931; Prof. in München, war 1970–86 bayer. Staatsmin. für Unterricht und Kultus, 1976–88 Präs. des Zentralkomitees der dt. Katholiken; zahlreiche Schriften.

2) Reinhold, Politiker (FDP), *Schorndorf 16. 10. 1889, †Stuttgart 19. 8. 1971; Rechtsanwalt, 1932/33 MdR (DDP), war 1945–52 Min.Präs. von Württ.-Baden, 1952/53 von Baden-Württ., 1957–59 MdB und 1957–60 Bundesvorsitzender der FDP.

Maier-Leibnitz, Heinz, Physiker, *Esslingen 28. 3. 1911; seit 1980 ⚭ mit E. Noelle-Neumann, Prof. in Heidelberg und an der TU München, 1967–71 Direktor des Inst. Laue-Langevin in Grenoble, 1974–79 Präs. der Dt. Forschungsgemeinschaft; Arbeiten zur Festkörper-, Atom- und Kernphysik, bes. Neutronenstreuung.

Maiestas Domini [lat. »Herrlichkeit des Herrn«], Darstellung der Macht und Herrlichkeit des erhöhten Christus. In der karoling. Zeit bildete sich die gültig bleibende Darstellungsform heraus, die Christus in einer Mandorla thronend und von den Evangelistensymbolen umgeben zeigt. Weiteres BILD Christusbild

Maifeld, fränk. Volksversammlung, →Märzfeld.

Maifeld, Teil der Eifel zw. der unteren Mosel und der Stadt Mayen; bis über 300 m hohes Hügelland mit guten Böden und mildem Klima.

Maifisch, eine Art der →Alsen.

Maigesetze, →Kulturkampf.

Maiglöckchen (Convallaria majalis), staudiges Liliengewächs in schattigen Wäldern und Gebü-

Maiestas Domini: Miniatur aus einer lothringischen Handschrift des »Lothar-Evangeliars« (849–851; Paris, Bibliothèque Nationale)

Mailand 2): Der ab 1386 errichtete Dom Santa Maria Nascente, der erst zu Beginn des 19. Jh. vollendet wurde, gehört zu den eindrucksvollsten Baudenkmälern der Gotik (links); die 1867–77 entstandene fünfgeschossige Ladenpassage Galleria Vittorio Emanuele II. stellt einen Höhepunkt der Architektur des späten 19. Jh. dar

schen, mit weißen, stark duftenden Blüten in Trauben und roten Beeren; geschützt; in Gärten als Zierpflanze. Alle Teile der Pflanzen sind giftig.

Maihofer, Werner, Jurist und Politiker (FDP), *Konstanz 20. 10. 1918; Prof. in Saarbrücken und Bielefeld, war als Verfechter eines sozialen Liberalismus maßgeblich an der Ausarbeitung der Freiburger Thesen der FDP beteiligt; 1972–80 MdB; 1974–78 Bundesinnenminister.

Maikäfer (Melolontha), Gattung der Blatthornkäfer; 2–3 cm große Käfer mit braunen Flügeldecken und rotbraunem bis schwärzl. Halsschild; die Fühler besitzen lamellenartig verlängerte Endglieder. Die Käfer ernähren sich von Laub, ihre weißl. Larven **(Engerlinge)** durch Wurzelfraß. Die Engerlinge haben eine Entwicklungszeit von 3–5 Jahren. In Mitteleuropa kommen drei Arten vor: **Feld-M.** (Melolontha melolontha), **Wald-** oder **Rosskastanien-M.** (Melolontha hippocastani) und der vom Aussterben bedrohte **Melolontha pectoralis.**

Maikop, Hauptstadt der Teilrep. Adygien innerhalb der Russ. Föderation, am N-Rand des Großen Kaukasus, 149 000 Ew.; Nahrungsmittel-, Holzind., Maschinenbau; Erdöl- und Erdgasförderung. – Der 1895 bei M. ausgegrabene, über 10 m hohe Kurgan, ein Fürstengrab aus der 2. Hälfte des 3. Jt. v. Chr. mit reichen Beigaben, wurde namengebend für die M.-Kultur (→ Kuban).

Maikow, Apollon Nikolajewitsch, russ. Dichter, *Moskau 4. 6. 1821, †Sankt Petersburg 20. 3. 1897; formstrenge Gedichte und Dramen nach antikem Vorbild; bed. seine neuruss. Versfassung des »Igorlieds«; Übersetzer von Goethe und H. Heine.

Mailand (italien. Milano), **1)** Provinz in der Lombardei, Italien, in der Poebene zw. Tessin und Adda, 1983 km², (1995) 3,721 Mio. Einwohner.

2) Hauptstadt der Region Lombardei und von 1), 1,311 Mio. Ew., die zweitgrößte Stadt Italiens, in der nördl. Poebene an der Olona, 100–130 m ü. M.; wirtsch. und kultureller Schwerpunkt N-Italiens, wichtiger Verkehrsknotenpunkt. M. ist Sitz eines Erzbischofs, hat eine staatl., eine kath. Universität, Handelshochschule, Polytechnikum, Kunst-, Musikakademie, wiss. Institute, große Kunstsammlungen und Bibliotheken, Theater (Teatro alla → Scala, Piccolo Teatro). M. ist die wichtigste Industriestadt Italiens; das Schwergewicht liegt auf den Metall verarbeitenden Betrieben und im Maschinenbau (Kfz, Flugzeuge, Eisenbahnfahrzeuge, Motoren, Generatoren, Maschinen aller Art), Textil- und Bekleidungsind., chem. Ind. (in der Nähe vier Raffinerien), Baugewerbe, Elektro-, Gummi-, Nahrungsmittel-, Papier- und Möbelind.; Druckereien und Verlage, Börse, bed. internat. Messen. M. liegt am Schnittpunkt der wichtigen norditalien. Eisenbahnen, Autobahnen, Straßen und Kanäle; zwei internat. Flughäfen (Linate, Malpensa).

Mailand 2) Stadtwappen

Stadtbild: Von der röm. Siedlung ist nur wenig erhalten. Die mittelalterl. Stadtbefestigung wurde im 16./17. Jh. durch eine bastionsartige Mauer ersetzt, beiderseits des Castello Sforzesco beginnend (ehem. Residenzfestung F. Sforzas, Neubau seit 1450; im 19. Jh. restauriert; heute Museo Civico). Zentrum von M. ist der got. Stadtkern mit dem Dom Santa Maria Nascente (1386–1858). Zu den ältesten Kirchen gehören der Zentralbau von San Lorenzo Maggiore (um 350/70 gegr., im 12. und 16. Jh. erneuert), Sant' Ambrogio (im 4. Jh. gegr., im 11./12. Jh. neu erbaut), Sant' Eustorgio (im 4. Jh. gegr., jetziger Bau 12./13. Jh.; Portinari-Kapelle von Michelozzo, 1462–68), Santa Maria delle Grazie (Neubau der Kirche 1465 ff.; UNESCO-Weltkulturerbe. – Im Refektorium des ehem. Klosters das »Abendmahl« von Leonardo da Vinci). Zahlr. Paläste und Profanbauten, u. a. Palazzo Marino (1558; jetzt Rathaus). Zw. Piazza della Scala und Piazza del Duomo die fünfgeschossige Ladenpas-

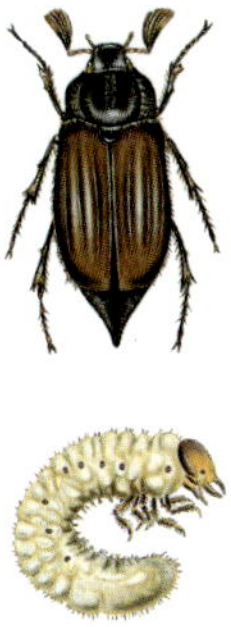

Maikäfer: Feldmaikäfer (Größe 20–30 mm) und dessen Engerling (Länge bis zu 48 mm)

sage Galleria Vittorio Emanuele II. (1867–77). Beispielhaft für den Jugendstil ist das Teatro Trianon. M. ist Zentrum der modernen italien. Architektur, des Designs und der Mode.

Geschichte: Das antike **Mediolanum,** eine Gründung der kelt. Insubrer, wurde 222 v.Chr. von den Römern erobert. Von M. aus erfolgte 313 die Gleichstellung des christl. Kults mit den heidn. Religionen (→Toleranzedikt von Mailand). Die Kirche von M. gewann unter Bischof →Ambrosius eine gewisse Eigenständigkeit. 569 von Langobarden erobert, kam M. 774 an das Fränk. Reich. Mitte des 11. Jh. erlangte die Stadt kommunale Selbstständigkeit. Als Haupt der lombard. Städtebünde trat M. den stauf. Kaisern entgegen (1162 von Friedrich Barbarossa zerstört). Das Adelsgeschlecht der Visconti gewann 1277 die Stadtherrschaft, 1395 den Herzogstitel und unterwarf den größten Teil der Lombardei. Ihm folgte 1450 die Familie Sforza. 1499–1512, 1515–21 und 1524/25 war das Herzogtum M. in frz. Hand, kam durch Kaiser Karl V. 1535 an Spanien. Seit 1714 gehörte es zu Österreich, 1797–1815 zum napoleon. Italien. 1859 verlor Österreich M. an Sardinien-Piemont.

📖 JOHN, N.: *M. München [3]1996.*

Mailbox ['meɪlbɔks, engl.], *Datenverarbeitung:* ein elektron. »Briefkasten«, in dem Nachrichten für Benutzer eines Teilnehmersystems hinterlegt werden können. M. sind i.Allg. benutzerspezifisch adressierbar, der Zugang ist über Kennwörter gesichert. In Kommunikationsnetzen sind M. eine Dienstleistung zur Hinterlegung von Nachrichten auch bei Abwesenheit des Adressaten.

Norman Mailer

Mailer ['meɪlə], Norman, amerikan. Schriftsteller, *Long Branch (N. Y.) 31. 1. 1923; schrieb »Die Nackten und die Toten« (1948), einen zu einer krit. Sicht auf die amerikan. Gesellschaft ausgeweiteten Kriegsroman; polit. Engagement u.a. gegen den Vietnamkrieg. M. entwickelte die Form der Nonfictionromane, die Elemente der Reportage und Fiktion miteinander verbindet (»Heere aus der Nacht«, R., 1968; »Gnadenlos«, R., 1979). Sein umfangreiches Werk umfasst neben weiteren Romanen (»Frühe Nächte«, 1983; »Harte Männer tanzen nicht«, 1984; »Das Epos der geheimen Mächte«, 2 Bde., 1991) Dramen und Gedichte; er schrieb »Marylin Monroe. Eine Biographie« (1973) und »Picasso. Porträt des Künstlers als junger Mann. Eine interpretierende Biographie.« (1996). M. drehte auch Filme, in denen er selbst mitwirkte.

Norman Mailer

bewarb sich 1969 um die Nominierung zum demokratischen Kandidaten für das Bürgermeisteramt von New York. Dabei trat er mit der bemerkenswerten Devise an (wörtlich): »Schluss mit der ganzen Scheiße!« Sein originelles Programm beinhaltete u. a. Forderungen nach Anerkennung der Stadt als 51. Bundesstaat der USA und nach völliger Dezentralisierung des Behördenapparats. Mailer landete auf Platz vier bei fünf Kandidaten.

Mailing ['meɪlɪŋ, engl.], →Werbebrief.

Aristide Maillol: »Die Nacht« (1913; New York, Metropolitan Museum of Art)

Maillard-Reaktion [ma'ja:r-, nach dem frz. Biochemiker Louis Camille Maillard, *1878, †1936], Reaktion von reduzierenden Zuckern mit Aminosäuren, Peptiden oder Proteinen bei Temperatur über ca. 155 °C. Die M.-R. läuft beim Backen oder Braten ab und führt zu Verbindungen, die als Aromastoffe und braune Pigmente (»Melanoide«) in Lebensmitteln Bedeutung haben.

Maillet [ma'jɛ], Antonine, kanad. Schriftstellerin frz. Sprache, *Buctouche (New Brunswick) 10. 5. 1929; repräsentiert die Literatur Akadiens, der frankophonen Sprachinseln in der Atlantikprovinz; schrieb u.a. »La Sagouine« (Monologe, 1971), »Pélagie-la-Charrette« (R., 1979), »Bären leben gefährlich« (R., 1990).

Maillol [ma'jɔl], Aristide, frz. Bildhauer und Grafiker, *Banyuls-sur-Mer (Dép. Pyrénées-Orientales) 8. 12. 1861, †ebd. 27. 9. 1944; schuf, angeregt von P. Gauguin, anfangs v.a. Wandteppiche. Nach Kleinplastiken in Holz und Ton wandte er sich der Bronze- und Steinplastik zu. In seinen Skulpturen, v.a. weibl. Akte von heiterer Gelassenheit, zielt er auf eine klass. Statuarik unter Vereinfachung der Formen. Dem impressionist. Oberflächenreiz der Figuren Rodins wird eine klare, in sich geschlossene Plastizität gegenübergestellt. Als Grafiker schuf er mit einfachen, sich meist auf die Umrisslinie beschränkenden Mitteln v.a. Holzschnittillustrationen auch zu Werken antiker Autoren (Vergil, Longos).

Maimon, Salomon, eigtl. S. ben Josua, Philosoph, *Nieśwież (Weißrussland) 1753, †Nieder Siegersdorf (heute Podbrzezic Dolne, Wwschaft Zielona Góra) 22. 11. 1800; kritisierte Kants Begriff des »Dings an sich« als hinter den »Erscheinungen« stehende und sie verursachende Gegenstände und lehnte die Trennung von Sinnlichkeit und Verstand ab, wodurch er u. a. auf J. G. Fichte wirkte.

Maimonides, Moses, eigtl. Rabbi Mose ben Maimon, gen. Rambam, jüd. Philosoph und Arzt, *Córdoba 30. 3. 1135, †Fustat (Alt-Kairo) 13. 12. 1204; der maßgebliche jüd. Gesetzeslehrer des MA., bes. durch die zusammenfassende Darstellung des jüd. Gesetzes in der »Mischna Thora«. Sein »Führer der Unschlüssigen« sucht einen Ausgleich zw. aristotel. Philosophie und jüd. Glaubenslehre; dieses zentrale Werk der mittelalterlichen jüd. Religionsphilosophie wirkte auch auf die christl. Scholastik (Thomas von Aquin).

Main *der,* bedeutendster Nebenfluss des Rheins, 524 km lang, davon 384 km schiffbar. Die beiden Quellflüsse **Weißer M.** (vom Fichtelgebirge) und **Roter M.** (vom O-Rand der Fränk. Alb) vereinigen sich südwestlich von Kulmbach. Dann umfließt der »Ober-M.« den N der Fränk. Alb. Von Bamberg an nimmt der M. den Weg zw. Steigerwald und Hassbergen, bildet vom Schweinfurter Becken bis etwa Gemünden das »M.-Dreieck«, an dem Würzburg liegt, und trennt hierauf im »M.-Viereck« (Lohr bis Aschaffenburg) den Spessart vom Odenwald. Als »Unter-M.« durchfließt er den N des Oberrhein. Tieflands (im Rhein-M.-Ballungsgebiet mit Frankfurt am Main) und mündet bei Mainz. – Von der Mündung aufwärts bis nach Bamberg ist der M. Teil des →Rhein-Main-Donau-Großschifffahrtsweges.

Mainardi, Enrico, italien. Violoncellist, *Mailand 19. 5. 1897, †München 10. 4. 1976; Solist und Kammermusiker (u. a. Duo mit M. Reger); komponierte Violoncellokonzerte, Kammermusik und Lieder.

Mainau, Insel im Überlinger See, dem nordwestl. Teil des Bodensees, Bad.-Württ., 0,4 km² groß, mit dem Festland durch eine Brücke verbunden. Der üppige Pflanzenwuchs (z. T. subtrop. Pflanzen) wird in Gartenanlagen als Blumen- und Pflanzenschau (mit Schmetterlingshaus) gezeigt; Fremdenverkehr. – Die M. gehörte 1272–1805 dem Dt. Orden (Barockschloss, 1739–46); fiel 1805 an Baden; 1853–1928 im Besitz der Großherzöge von Baden, seit 1928 des schwed. Königshauses. Der jetzige Besitzer, Graf L. Bernadotte, machte M. 1932 zur internat. Begegnungsstätte.

Mainburg, Stadt im Landkreis Kelheim, Niederbayern, 13 000 Ew.; Mittelpunkt des Hallertauer Hopfengebiets mit Hopfenmuseum und Hopfenaufbereitung; Baggerfabrik, Brauerei.

Salomon Maimon: Punktierstich (um 1790)

Main-Donau-Kanal, der →Ludwigskanal. (→Rhein-Main-Donau-Großschifffahrtsweg)

Maine [meɪn], Abk. **Me.,** nordöstlichster Bundesstaat der USA, 86 156 km², (1994) 1,24 Mio. Ew.; Hptst. ist Augusta. Umfasst große Teile der Rumpfgebirgslandschaft der nördl. Appalachen mit einzelnen Höhenrücken, reich an Wäldern, Seen und Flüssen. Anbau von Hafer, Mais, Buchweizen, Kartoffeln. Bed. Viehzucht, Fischerei, Forstwirtschaft. Papier-, Holzstoff-, Schuh- und Textilindustrie. Fremdenverkehrsgebiet für die Großstädte der Ostküste. Haupthafen: Portland. – Um 1497/98 gelangte G. Caboto an die Küste des heutigen M., das von Indianern der Algonkin-Sprachfamilie bewohnt war. 1622 wurde das zw. England und Frankreich umstrittene Gebiet Eigentümerkolonie von Sir Fernando Gorges; nach 1630 ständige Besiedlung durch Engländer. Ab 1677 gehörte M. zu Massachusetts; 1820 als 23. Staat in die Union aufgenommen.

Maine [mɛn], **1)** *die,* kurzer rechter Nebenfluss der unteren Loire, entsteht aus dem Zusammenfluss von Sarthe und Mayenne bei Angers.

Mainau: Die Luftaufnahme zeigt die Insel Mainau mit dem 1739–46 erbauten Barockschloss und den Gartenanlagen

Mainz 1) Stadtwappen

2) histor. Gebiet in NW-Frankreich, umfasst im Wesentlichen die Dép. Mayenne und Sarthe. Hauptort ist Le Mans. – Die Grafschaft M. war im 11. Jh. zw. den Herren von Anjou und der Normandie umstritten, kam 1110 durch Heirat endgültig zu Anjou und fiel 1481 an die frz. Krone.

Maine de Biran [mɛndəbiˈrã], eigtl. Marie François Pierre Gonthier de Biran, frz. Philosoph und Politiker, *Bergerac 29. 11. 1766, †Paris 16. 7. 1824; Mitgl. der Gesetzgebenden Kammer (1809) und der Restaurationskammer 1814/15, vertrat einen Voluntarismus, später eine myst. Metaphysik.

Mainz 1): Blick auf den sechstürmigen Dom Sankt Martin und Stephan mit einem der Domplätze im Vordergrund; die zum großen Teil aus dem 13. Jh. stammende Kirche wurde nach Zerstörung im Zweiten Weltkrieg originalgetreu wieder hergestellt

Maine-et-Loire [mɛneˈlwa:r], Dép. in W-Frankreich, 7166 km², (1995) 725000 Ew.; Hptst. ist Angers.

Mainframe [ˈmeɪnfreɪm] *der,* engl. Bez. für →Großrechner.

Main-Kinzig-Kreis, Landkreis im RegBez. Darmstadt, Hessen; 1398 km², (1996) 402400 Ew.; Krst. ist Hanau.

Mainland [ˈmeɪnlənd], 1) (auch Pomona), Hauptinsel der Orkneyinseln, 492 km², 14300 Ew.; Hauptort ist Kirkwall. Bed. prähistorische Denkmäler, z. B. die Steinkreise Stones of Stenness.

2) größte der Shetlandinseln, rd. 940 km²; Hauptort ist Lerwick (7900 Einwohner).

Mainlinie, die durch den Main angedeutete Scheidelinie zw. N- und S-Dtl.; war Südgrenze des Norddt. Bundes.

Main-Spessart, Landkreis im RegBez. Unterfranken, Bayern; 1322 km², (1996) 131700 Ew.; Krst. ist Karlstadt.

Maintal, Stadt im Main-Kinzig-Kr., Hessen, zw. Frankfurt am Main und Hanau, 38200 Ew.; Bundesfachschule für Klima- und Kältetechnik; feinmechan., Metall und Kunststoff verarbeitende sowie Nahrungsmittelind., Maschinenbau.

Main-Tauber-Kreis, Landkreis im RegBez. Stuttgart, Bad.Württ.; 1305 km², (1996) 136900 Ew.; Krst. ist Tauberbischofsheim.

Main-Taunus-Kreis, Landkreis im RegBez. Darmstadt, Hessen; 222 km², (1996) 214500 Ew.; Krst. ist Hofheim am Taunus.

Maintenon [mɛ̃tˈnɔ̃], Françoise d'Aubigné, Marquise de, 2. Gemahlin Ludwigs XIV., *Niort 27. 11. 1635, †Saint-Cyr 15. 4. 1719; übernahm 1669 die Erziehung der Kinder Ludwigs XIV. und der Montespan, erlangte die Gunst des Königs und förderte seine klerikale Politik. 1684 wurde sie mit Ludwig heimlich getraut. In Saint-Cyr gründete sie 1686 ein Institut für mittellose adlige Töchter.

Mainz, 1) Hauptstadt von Rheinl.-Pf., kreisfreie Stadt am linken Rheinufer gegenüber der Mainmündung, 184800 Ew.; M. ist Sitz der Landesregierung, des Landtags, des ZDF; kath. Bischofssitz (seit dem 4. Jh.); Johannes-Gutenberg-Univ. (1477 gegr., 1797 erloschen, 1946 wieder eröffnet), Akademie der Wissenschaften und der Literatur, Max-Planck-Inst. für Chemie (Otto-Hahn-Inst.), Max-Planck-Inst. für Polymerforschung, Priesterseminar, kirchl. Bildungsstätten; Fachhochschulen; Landesmuseum, Römisch-German. Zentralmuseum, Gutenberg-Museum (Weltmuseum der Druckkunst) u. a.; Staatstheater. Die Ind. umfasst Glaserzeugung, Herstellung von elektron. Datenverarbeitungsanlagen, Maschinenbau, chem., feinmechan., Zementind., Druckereien und Verlage, Wein- und Sektkellereien; Rheinhäfen.

Stadtbild: Nach den schweren Zerstörungen im 2. Weltkrieg wurde der Mainzer Dom (St. Martin und Stephan), eine doppelchörige romanische Pfeilerbasilika mit zwei Vierungstürmen und vier Chorflankentürmen, wieder hergestellt. Vom 1009–36 errichteten otton. Bau sind die O-Türme und N-Wand des W-Querschiffs erhalten; um 1100 Neubau von O-Chor und Langhaus unter Kaiser Heinrich IV., 1137 Vollendung der Doppelkapelle St. Gotthard, W-Bau und Einwölbung 1190/95, bis 1319 Anbau der got. Seitenkapellen; westl. Chorturm (1767). Bed. Ausstattung: Willigis-Bronzetüren (vor 1011), Grabmäler der Erzbischöfe (13.–18. Jh.). Im 1410 vollendeten Domkreuzgang und den angrenzenden Kapitelräumen das bischöfl. Dom- und Diözesanmuseum (v. a. Lettnerfragmente des →Naumburger Meisters, 1239; Domschatz). Wieder aufgebaut wurden St. Stephan (Hallenkirche, 14. Jh., Kreuzgang 1499 vollendet; im Chor Glasfenster von M. Chagall, 1978 ff.; BILD Chagall), St. Quintin (um 1288 bis gegen 1330), Evang. Johanniskirche (um 900, Chor um 1320, spätere Umbauten), Karmeliterkirche (14. Jh.), St. Peter (Neubau 1752–56); St. Ignaz

(1763–74) und die Augustinerkirche (1768–72). Die Profanbauten wurden im Innern z.T. umgebaut: ehem. kurfürstliches Schloss im Renaissancestil (1627–78 und 1687–1752; heute Römisch-German. Zentralmuseum), ehem. Deutschordenskommende (1730–37; heute Landtag), Schönborner (1668), Jüngerer Dalberger (1715–18), Erthaler (1734–43), Eltzer (1742/43), Osteiner (1747–52) und Bassenheimer Hof (1750–55). Reste der mittelalterl. Stadtbefestigung (Eiserner Turm; Holzturm); modernes Rathaus (A. Jacobsen, O. Weitling, 1971–74); Theaterneubau (Klaus Möbius, 1997). Im Barockpalais »Zum röm. Kaiser« (1653–64) befindet sich das Gutenberg-Museum (Erweiterungsbau 1960–62).

Geschichte: Die urspr. kelt. Siedlung wurde 13 v.Chr. als röm. Militärlager gegründet (44 n.Chr. als **Mogontiacum** erstmals bezeugt). Der Wiederaufstieg der Stadt nach der Völkerwanderungszeit vollzog sich unter den Bischöfen bzw. Erzbischöfen von M.; 1244–1462 freie Stadt, Haupt des Rhein. Städtebunds, 1462–1798 kurmainz. Residenz und Landstadt; 1792/93 →Mainzer Republik; zw. dem 15. und 18.Jh., später verstärkt unter frz. Herrschaft (1798–1814) zur Festung ausgebaut (1815–66 dt. Bundesfestung); kam 1816 zu Hessen-Darmstadt; seit 1950 Hptst. von Rheinland-Pfalz. – Um 1450 erfand J. →Gutenberg in M. den Buchdruck.

📖 BAUMANN, H.: *Mainzer Daten-Kaleidoskop. Eine Sammlung von über 6300 bemerkenswerten Ereignissen aus der 2000-jährigen Mainzer Geschichte. Mainz 1992.*

2) ehem. Erzbistum und geistl. Kurfürstentum; das seit 346 bezeugte Bistum wurde 746 von Bonifatius übernommen und 781/782 zum Erzbistum erhoben. Der Erzbischof von M. war zugleich Erzkanzler des Hl. Röm. Reiches und später Kurfürst. Bis zur Mitte des 14.Jh. umfasste die größte Kirchenprov. der Christenheit 14 Bistümer. Als Reichsfürsten besaßen die Erzbischöfe Gebiete am Mittelrhein, in Hessen, Thüringen (v.a. Erfurt, Eichsfeld) sowie das Oberstift (Aschaffenburg). Nach 1803 (Säkularisation) wurde das Erzstift aufgelöst.

3) Bistum, nach der Aufhebung des Erzbistums M. 1821 als Suffragan von Freiburg im Breisgau wieder errichtet.

Mainz-Bingen, Landkreis im RegBez. Rheinhessen-Pfalz, Rheinl.-Pf.; 606 km^2, (1996) 189 400 Ew.; Hptst. ist Ingelheim am Rhein.

Mainzer Republik, der während der frz. Besetzung 1792/93 zwischen Landau und Bingen ausgerufene erste dt. Freistaat. Nach der Kapitulation von Mainz im 1. Koalitionskrieg (21. 10. 1792) wurde auf Betreiben des Mainzer Jakobinerklubs, insbesondere Georg Forsters, der **Rheinisch-Deutsche Nationalkonvent** gewählt, der am 17. 3. 1793 die Republik ausrief und am 21. 3. 1793 ihren Anschluss an Frankreich beschloss. Während Forster darüber in Paris verhandelte, eroberten preuß. und österr. Truppen das Gebiet von Mainz und am 23. 7. 1793 Mainz zurück.

Maiordomus [mlat.] *der,* →Hausmeier.

Maipo, tätiger Vulkan in den Anden, an der chilenisch-argentin. Grenze, 5290 m ü.M.

Maiquetía [-ke-], Handelsstadt im karib. Küstengebiet Venezuelas, 120 200 Ew.; Textil-, Schuh-, Glas-, chem. Industrie; Badeort; Hafen, internat. Flughafen für Caracas.

Mais: Die Maiskolben sind bis kurz vor der Reife von großen Hüllblättern umgeben

Mais [span. maíz, aus indian.] (Kukuruz, Türkischer Weizen, Welschkorn, in den USA Corn, Zea), Gattung der Süßgräser mit der einzigen, nur als Kulturform bekannten Art **Zea mays;** Heimat Mittel- und Südamerika; bis 2 m hohe Pflanze mit einhäusigen Blüten, männl. Blüten in Rispen, weibl. Blüten in von Hüllblättern (Lieschen) umgebenen Kolben; Früchte **(M.-Körner)** in Längszeilen am M.-Kolben. M. ist eine der wichtigsten, heute weltweit verbreiteten Kulturpflanzen der (wärmeren) gemäßigten Zone. Die zahlr. Varietäten und Formen werden in folgenden Großgruppen zusammengefasst: **Weich-M. (Stärke-M.)** mit mehligen Körnern, v.a. zur Gewinnung von Stärke und Alkohol sowie als Futtermittel; **Puff-M. (Perl-M., Reis-M.)** mit stark wasserhaltigen Kör-

Mais: Anbau und Erzeugung der Hauptproduzentenländer

Land	Fläche (in 1 000 ha)			Ernte (in Mio. t)		
	1990	1994	1995	1990	1994	1995
USA	27 094	29 508	26 304	201,5	256,6	187,3
China	21 087	20 575	22 851	87,3	103,6	112,3
Brasilien	11 395	13 745	13 997	21,3	32,3	36,3
Mexiko	7 439	7 853	7 500	14,8	19,2	16,2
Frankreich	1 549	1 660	1 656	9,0	12,9	12,8
Argentinien	1 626	2 421	2 512	5,0	10,2	11,4
Rumänien	2 470	2 990	3 060	6,8	9,3	9,9
Indien	5 900	6 000	6 000	9,5	10,5	9,8
Italien	768	910	941	5,9	7,5	8,5
Kanada	1 040	955	1 000	7,0	7,0	7,3
Welt	129 116	131 528	136 245	475,4	569,6	514,5

Lothar de Maizière

nern, v.a. zur Herstellung von M.-Flocken; **Zucker-M.,** unreife Kolben als Gemüse; **Zahn-M. (Pferdezahn-M.)** mit eingedrückten Körnern (wichtige Welthandelsform); **Hart-M. (Stein-M.)** zur Herstellung von M.-Stärke und Traubenzucker. In Mitteleuropa wird M. meist als Futterpflanze in versch. Form verwendet (Silo-M., Grün-M., Körner-M.). – 1994 betrug die Welternte von Körner-M. 569557000 t. Erzeugerländer sind v.a. die USA, China und Brasilien.

Geschichte: Bereits in vorkolumbian. Zeit war der M.-Anbau fast über den ganzen amerikan. Kontinent verbreitet (Kultivierung im Tal von Tehuacán, Mexiko, bereits um 5000 v.Chr.). Nach Europa kam der M. erst nach der Entdeckung Amerikas.

📖 LÜTKE ENTRUP, N. *u.* ZERHAUSEN, P.: *M. u. Umwelt. Hamburg 1993.*

Maische, ein zucker- und stärkehaltiges flüssiges Gemisch als Grundlage alkohol. Gärprozesse bei der Bier-, Branntwein- und Weinherstellung.

Maiskleie, bei der Maisverarbeitung anfallendes Futtermittel (3–9% Fett, 7–14% Rohprotein).

Maisonette [mɛzɔ'nɛt, frz. »Häuschen«] *die,* zweigeschossige Wohnung innerhalb eines größeren Hauses.

Maisons-Alfort [mɛzɔ̃zal'fɔ:r], Gemeinde im Dép. Val-de-Marne, Frankreich, im Winkel zw. Seine und Marne, 51100 Ew.; staatl. Veterinärschule, Inst. für Viehzucht und Veterinärmedizin in den Tropen; Kunststoff-, Metall-, Nahrungsmittel-, pharmazeut. Industrie.

Maisons-Laffitte [mɛzɔ̃la'fit], Stadt im frz. Dép. Yvelines, 22600 Ew., unterhalb von Paris am linken Ufer der Seine; Metall verarbeitende Industrie. – Das Schloss, 1642–51 von F. Mansart erbaut, ist Nationalmuseum. – Pferderennbahn.

Maistre [mɛstr], **1)** Joseph Marie Comte de, frz. Philosoph, *Chambéry 1. 4. 1753, †Turin 26. 2. 1821, Bruder von 2); 1802–17 sardin. Gesandter in Sankt Petersburg; war ein Hauptvertreter des gegenrevolutionären Royalismus und des polit. Klerikalismus. – *Werke:* Betrachtungen über Frankreich (1797); Vom Papst (1819).

2) Xavier Comte de, frz. Schriftsteller, *Chambéry 8. 11. 1763, †Sankt Petersburg 12. 6. 1852, Bruder von 1); schrieb u.d.T. »Die Reise rund um mein Zimmer« (1794) humoristisch-satir. Idyllen.

Maitreya [Sanskrit »der Liebende«], im Mahajana-Buddhismus der erwartete zukünftige Buddha.

Maiwürmer (Meloe), Gattung der Ölkäfer im westl. Europa und N-Afrika; bis 48 mm lange Käfer mit verkürzten Flügeldecken und fehlenden Hinterflügeln.

Maizière [mɛ'zjɛ:r], **1)** Lothar de, Jurist und Politiker (CDU), *Nordhausen 2. 3. 1940, Neffe von 2); seit 1986 Vizepräs. der Synode der Evang. Kirchen in der DDR; wurde im Dez. 1989 Vors. der CDU/DDR. Von Nov. 1989 bis April 1990 war er stellv. Min.Präs. und Min. für Kirchenfragen. Als Min.Präs. der DDR (April bis Okt. 1990) förderte er maßgeblich den Prozess der Vereinigung der beiden dt. Staaten. Ab dem 1. 10. 1990 war er stellv. Vorsitzender der CDU sowie ab dem 3. 10. 1990 Bundesmin. ohne Geschäftsbereich und MdB. Am 17. 12. 1990 trat er (endgültig am 6. 9. 1991) wegen der Vorwürfe einer angebl. Tätigkeit als informeller Mitarbeiter des Ministeriums für Staatssicherheit (MfS) zurück.

2) Ulrich de, General, *Stade 24. 2. 1912, Onkel von 1); 1960–62 Kommandeur der Schule für innere Führung in Koblenz, 1962–64 der Führungsakademie der Bundeswehr in Hamburg, war 1964–66 Inspekteur des Heeres und 1966–72 Generalinspekteur der Bundeswehr.

Wladimir Majakowski: Agitationstafel zur Volksaufklärung (»ROSTA-Fenster«); Übersetzung des Textes: 1) Schlagen wir das weiße Pack nicht zu Klump 2) kommt das weiße Pack neu auf die Beine 3) Schlagen wir einen Herren und falten die Hände 4) streckt Wrangel die Hand nach dem Arbeiter aus 5) Ist das Rotbanner noch nicht ehern gehegt, wird unser Gewehr nicht weggelegt

Wladimir Majakowski

Majakọwski, Wladimir Wladimirowitsch, russ. Schriftsteller, *Bagdadi (bei Kutaissi, Georgien) 19. 7. 1893, †(Selbstmord) Moskau 14. 4. 1930; Hauptvertreter des russ. Futurismus, wandte sich in frühen Werken leidenschaftlich gegen die bürgerl. Gesellschaft; nach der Oktoberrevolution warb er in der Zeitschrift →LEF, durch Lesungen, Agitationsgedichte für den Kommunismus und das Sowjetsystem und verherrlichte in Schauspielen (»Mysterium buffo«, 1918) und Poemen (»150 000 000«, 1921; »Wladimir Iljitsch Lenin«, 1925) die Revolution, geißelte aber auch in Satiren und utopisch-satir. Komödien (»Die Wanze«, 1928) Sowjetbürokratie und Spießertum. 1919–22 gestaltete er Agitationstafeln zur Volksaufklärung (»ROSTA-Fenster«). M.s Dichtung zeichnet sich durch neuartige Wortbehandlung, Verwendung der Sprache des Alltags und der Technik, durch Neigung zum Paradoxen und Grotesken aus und ist geprägt von der Spannung zw. »lyrischer« Subjektivität und dem Willen zu polit. Agitation.

📖 THUN, N.: *M. Maler u. Dichter. Tübingen 1993.*

Majapahit [madʒa'pahɪt], letztes vorislamisches indones. Großreich (1293 bis etwa 1520), entstanden in O-Java, dehnte sich im 14. Jh. auf die Halbinsel Malakka und den gesamten indonesischen Archipel aus; zerfiel nach 1389.

Majdanek, Stadtteil von Lublin (Polen). – Im damaligen Dorf M. befand sich 1943/44 ein nat.-soz. Konzentrations- und Vernichtungslager; von den rd. 500 000 Insassen wurden 250 000, nach anderen Schätzungen 360 000 Menschen, zumeist Juden, umgebracht; heute Gedenkstätte.

Majdanpek, Bergbauort in Jugoslawien, im Serb. Erzgebirge, 9 500 Ew.; Abbau von Kupfererz, Pyrit und Gold; Kupferschmelze, Düngemittelindustrie.

Majestät [zu lat. maiestas »Größe«, »Würde«] *die,* **1)** Hoheit, Erhabenheit, Herrlichkeit.

2) Titel und Anrede für Kaiser und Könige.

Majestätsbrief, Böhmischer, Urkunde Rudolfs II. vom 9. 7. 1609, die allen Ständen Böhmens freie Religionsausübung zusicherte.

Majestätsverbrechen (Majestätsbeleidigung), im röm. Recht polit. Verbrechen gegen den Staat bzw. den Kaiser; seit der fränk. Zeit jedes gegen den König und das Reich (Land) gerichtete Verbrechen. In Dtl. sind die Verunglimpfung des Bundespräs. (§ 90 StGB) und die Beleidigung ausländ. Staatsoberhäupter oder diplomat. Vertreter (Gesandtenbeleidigung, § 103 StGB) bes. unter Strafe gestellt. – In *Österreich* wird u. a. die Beleidigung des Bundespräs. nach §§ 115, 117 StGB als einfache Beleidigung bestraft. Die *Schweiz* kennt nur die Beleidigung eines ausländ. Staatsoberhauptes oder Diplomaten (Art. 296, 297 StGB) als Delikt.

Majolika [nach der Insel Mallorca] *die,* die →Fayence.

Major [von lat. maior »größer«, »älter«] *der,* unterster Dienstgrad der Stabsoffiziere (Heer und Luftwaffe).

Major ['meɪdʒə], John, brit. Politiker, *Merton (heute zu London) 29. 3. 1943; Bankkaufmann, Konservativer, ab 1979 Mitgl. des Unterhauses, 1989 kurzzeitig Außenmin., 1989–90 Schatzkanzler, war 1990–97 Führer der Konservativen und Premierminister.

John Major

Majoran [mlat.] *der* (Majoana hortensis), Gewürz- und Heilpflanze der Familie Lippenblütler, aus dem östl. Mittelmeergebiet, mit weißen bis hellrötl. Blüten in köpfchenförmigen Scheinähren. Bes. die Blätter enthalten äther. Öle. Am bekanntesten ist der weiß blühende, 20–50 cm hohe **Echte M.** (Majorana hortensis).

Majoran:
Echter Majoran
(Höhe 20–50 cm)

Majorana-Effekt [nach dem italien. Physiker Q. Majorana, *1871, †1957], Doppelbrechung kolloidaler Lösungen im Magnetfeld.

Majorat [lat.] *das,* das Ältestenrecht; Erbfolgeordnung, die dem ältesten Sohn das Vorzugsrecht auf das Erbgut gewährt, bes. üblich bis zur Auflösung des →Fideikommisses; Ggs. Minorat. M. bezeichnet auch das Erbgut **(M.-Gut)** selbst. (→Seniorat)

Majordomus *der* (Maiordomus), →Hausmeier.

Majorität [lat.] *die,* Mehrheit, Mehrzahl.

Majuskel [lat.] *die,* Großbuchstabe (Versal). Die röm., nur Großbuchstaben verwendende M.-Schrift, die Capitalis, wurde in der Renaissance Grundlage der Großbuchstaben für die Antiqua.

MAK, →MAK-Wert.

Makadamdecke [nach dem schott. Straßenbauer J. L. McAdam, *1755, †1836], heute nicht mehr verwendeter bituminöser Straßenbelag.

Makaken [portugies. aus indian.] (Macaca), Gattung meerkatzenartiger Affen. Die M. sind stämmig, haben Gesäßschwielen, alte Männchen Überaugenwülste. Die **Javaneraffen** und die **Schweinsaffen** leben in Südasien, die **Hutaffen** und der kurzschwänzige **Rhesusaffe** in Vorderindien, der **Magot** in NW-Afrika und Gibraltar.

Makalla (Al-M., Mukalla), Stadt an der S-Küste der Arab. Halbinsel, Jemen, Haupthafen von Hadramaut, 154 000 Ew.; Univ.; Fischerei, Fischkonserven- und Fischmehlfabrik, Bootsbau.

Makalu ['mækəlu:], Berg im Himalaja, östl. des Mount Everest, 8 463 m ü. M., 1955 Erstbesteigung.

Makame [arab. »Unterhaltung in einer Gesellschaft«] *die,* oriental. (bes. arab.) Dichtungsform in gereimter Prosa mit eingestreuten Versen. Von Hamadhani (10./11. Jh.) zuerst benutzt, erlangte die M. bei Hariri (11./12. Jh.) klass. Form. Von hier drang sie durch Charismi in die hebr. Literatur ein. F. Rückert übertrug die M. des Hariri ins Deutsche (»Verwandlungen des Abu Seid ...«, 1826–37).

Makanin, Wladimir Semjonowitsch, russ. Schriftsteller, *Orsk (Gebiet Orenburg) 13. 3. 1937; zunächst Mathematiker; Vertreter der »Stadtprosa«; schreibt nüchtern und ironisch-distanziert

Hans Makart: »Kleopatra auf dem Nil« (1874/75; Stuttgart, Staatsgalerie)

über alltägl. Geschehnisse in der Großstadt, u.a. die Romane: »Alte Bücher oder das Porträt einer jungen Frau« (1976), »Der Mann aus der ‚Suite'« (1982), »Der Wunderheiler« (1983), »Der Nachzügler« (1988), »Das Schlupfloch« (1991).

Makapansgat [-'xat], Kalkhöhlen in der Nordprovinz, Rep. Südafrika; Fundort von →Australopithecinen; steinzeitl. Werkzeuge.

Makarenko, Anton Semjonowitsch, ukrain. Pädagoge, *Belopolje (Gebiet Sumy) 13. 3. 1888, †Moskau 1. 4. 1939; entwickelte eine Erziehung zum Kollektiv; widmete sich bes. der Resozialisierung verwahrloster Jugendlicher (in Arbeitskolonien) und schrieb u.a. »Der Weg ins Leben« (1931–35).

Makarios III.

Makarios III., eigtl. Michail Muskos, orth. Theologe und Politiker auf Zypern, *Pano Panagia 13. 8. 1913, †Nikosia 3. 8. 1977; seit 1950 Erzbischof von Zypern, als Ethnarch politischer Führer der Anschluss-(Enosis-)Bewegung an Griechenland, 1956/57 von der brit. Behörde nach den Seychellen verbannt, verfolgte als erster Präs. der Rep. Zypern (1960–77) eine Politik der Unabhängigkeit und Neutralität. Nach einem Putsch hielt er sich von Juli bis Dez. 1974 im Ausland auf.

Makart, Hans, österr. Maler, *Salzburg 28. 5. 1840, †Wien 3. 10. 1884; als tonangebender Maler der Gründerzeit schuf er in neubarockem Stil effektvolle Gemälde histor. und allegor. Inhalts nach dem Vorbild der venezian. Maler. Seine auf dekorativen Prunk gerichtete Kunst beeinflusste Theater, Mode, Wohnkultur und Kunsthandwerk der 70er- und 80er-Jahre des 19. Jh. **(Makart-Stil).**

Miriam Makeba

Makasar (Makassar), Stadt in Indonesien, →Ujung Pandang.

Makasaren (Makassaren), jungindones. Volksstamm im SW von Celebes; etwa 2,5 Mio. Menschen; betreiben Landwirtschaft, Schifffahrt und Handel. Seit dem 17. Jh. Muslime, haben sie Reste des alten Animismus bewahrt.

Makasarstraße (Makassarstraße), 140 km breite Meeresstraße zw. Borneo und Celebes.

Makeba, Miriam, südafrikan. Sängerin, *Prospect (bei Johannesburg) 4. 3. 1932; wirkte in dem Antiapartheidfilm »Come back Africa« (1959) mit; in den 60er-Jahren mit Songs wie »Pata Pata« und »The Click Song« internat. bekannt (»Königin des afrikan. Chansons«). Seit 1959 im Exil, gab sie 1991 erstmals wieder ein Konzert in Südafrika.

Makedonen, ein nordwestgrch. Stamm im Gebiet von Edessa, der von den übrigen Hellenen der Antike nicht zu den Griechen gerechnet wurde. Nicht identisch mit den heutigen Makedoniern.

Makedoni|en (Mazedonien, amtlich makedon. Republika Makedonija; dt. Rep. M.), Binnenstaat in SO-Europa, auf der Balkanhalbinsel, grenzt im N an Jugoslawien, im O an Bulgarien, im S an Griechenland, im W an Albanien.

Staat und Recht: Nach der neuen Verf. vom Nov. 1991 ist M. eine souveräne Republik. Staatsoberhaupt ist der Präs.; die Exekutive liegt bei der Reg. unter Vorsitz des Min.Präs., die Legislative beim Einkammerparlament (Sobranje; 120 Abg.). Einflussreichste Parteien sind Innere Makedon. Revolutionäre Organisation – Demokrat. Partei der makedon. Nat. Einheit (IMRO-DPMNE), Sozialdemokrat. Bund M.s (SDSM), Demokrat. Alternative (DA), Partei für Demokrat. Prosperität M.s (PDP), Demokrat. Partei der Albaner (DPA).

Landesnatur: M. ist ein im Einzugsbereich des Vardar liegendes Gebirgsland zw. den Gebirgssystemen der Dinariden im W und der Rhodopen im O; höchste Erhebungen sind im NW Korab (2764 m ü.M.) und Šar planina (2747 m ü.M.); dazwischen liegen das Becken von Skopje, die Pelagonija und das Strumicabecken. Im SW sind die Einbruchsbecken von Ohrid- und Prespasee erfüllt, die nur z.T. zum Staat M. gehören. Das Land ist stark erdbebengefährdet. Das Klima ist kontinental mit heißen, trockenen Sommern, im S mediterran beeinflusst. In den Beckenlandschaften fallen meist weniger als 500 mm Niederschlag im

Makedonien

Fläche: 25 713 km²
Einwohner: (1995) 2,163 Mio.
Hauptstadt: Skopje
Amtssprache: Makedonisch
Nationalfeiertag: 8. 9.
Währung: 1 Denar (Den) = 100 Deni
Zeitzone: MEZ

Jahr. Über ein Drittel der Fläche M.s ist bewaldet; die natürl. Steppe der Beckenlandschaften wurde weitgehend in Ackerland umgewandelt.

Bevölkerung: Trotz seiner geringen Größe ist M. ein Vielvölkerstaat. 66,5% (1994) der Bev. sind Makedonier, 22,9% Albaner, 4% Türken, 2,3% Sinti und Roma und 2% Serben; die restl. 2,3% sind Kroaten, Montenegriner, Bulgaren, Aromunen u.a. Die alban. Minderheit im W des Landes fordert mehr Rechte. – Es besteht Schulpflicht vom 8. bis 16. Lebensjahr. Univ. gibt es in Skopje und Bitola; 1994 wurde in Tetovo eine (nicht anerkannte) alban. Univ. gegründet. – Zwei Drittel der Bev. sind Christen (Mitgl. der makedon. orth. Kirche), 25–30% sind Muslime.

Wirtschaft, Verkehr: Im früheren Jugoslawien war M. die wirtschaftlich am wenigsten entwickelte Republik. Wichtigster Wirtschaftszweig ist die Landwirtschaft; ein Viertel des Landes ist Ackerland, ein Viertel sind Wiesen und Weiden. In den fruchtbaren Beckenlandschaften, bes. in der Pelagonija und den Flussniederungen, meist mit künstl. Bewässerung, werden Weizen, Mais, Roggen, Tabak, Kartoffeln, Zuckerrüben, Baumwolle, Reis und Mohn angebaut; Bedeutung haben auch Obst- und Weinbau sowie extensive Schafzucht, Rinder- und Geflügelhaltung. M. ist reich an Bodenschätzen; es werden Braunkohle, Eisen-, Kupfer-, Blei-, Zink-, ferner Chrom-, Antimon- und Molybdänerz gefördert. Neben der traditionellen Tabak-, Textil- und Nahrungsmittelind. v.a. Metall verarbeitende und chemische Industrie. Wichtigste Ind.standorte sind Skopje, Bitola und Prilep. Exportiert werden v.a. Agrarprodukte und Erze. – M. ist Transitland nach Griechenland (u.a. Eisenbahnlinie Belgrad–Skopje–Saloniki); das Straßennetz umfasst rd. 10 600 km; internat. Flughäfen gibt es in Skopje und Ohrid.

Geschichte: 1945/46–91 war M. Bundesstaat Jugoslawiens. Aus den Parlamentswahlen im Nov./Dez. 1990 ging die IMRO-DPMNE als stärkste Gruppe hervor, gefolgt von SDSM und PDP. Im Jan. 1991 wählte das Parlament K. Gligorov (SDSM) zum Staatspräs. (1994 wieder gewählt). Am 8. 9. 1991 stimmte die Bev. in einem Referendum mit 74% für die staatl. Unabhängigkeit Makedoniens. Mit Wirkung vom 19. 11. 1991 konstituierte sich M. als unabhängiger Staat. Bei den Wahlen 1994 wurde der SDSM stärkste Partei, da die IMRO die Wahl boykottiert hatte. Nach den Wahlen 1998 übernahm die Allianz aus IMRO und DA die Reg. (in Koalition mit der PDP). – Der Kosovokonflikt verschärfte ethn. Spannungen (bes. 1999 Massenzustrom von Kosovoalbanern).

Da Griechenland in der Verwendung der Bez. »M.« irredentist. Ansprüche auf die gleichnamige grch. Prov. befürchtete, wurde M. 1993 unter dem Namen »Frühere Jugoslaw. Republik Mazedonien« in die UNO aufgenommen. In einem Interimsabkommen mit Griechenland (13. 9. 1995) verzichtete M. auf die Verwendung bestimmter Symbole, die an die Dynastie Alexanders des Großen (z.B. der »Stern von Vergina«) erinnern. Um ein Übergreifen des Bürgerkrieges in Bosnien und Herze-

Makedonien: Der Ohridsee im Südwesten grenzt an Albanien (Hintergrund); im Vordergrund liegt die auf das 10. Jh. zurückgehende und im 15./16. Jh. umgebaute Erzengelkirche

Staatswappen

MK

Internationales Kfz-Kennzeichen

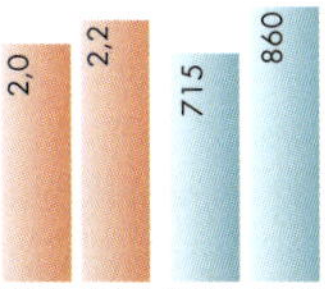

1991 1995 Bevölkerung (in Mio.)
1994 1995 Bruttosozialprodukt je Ew. (in US-$)

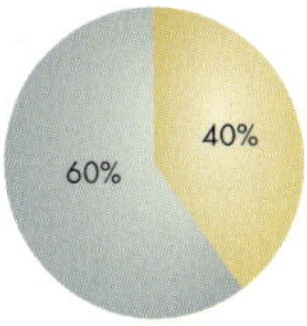

■ Stadt
■ Land

Bevölkerungsverteilung 1995

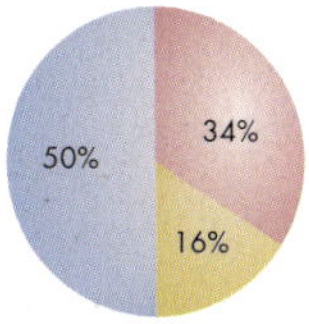

■ Industrie
■ Landwirtschaft
■ Dienstleistung

Bruttoinlandsprodukt 1994

gowina auf M. zu verhindern, wurde dort im Dez. 1992 ein Kontingent UN-Blauhelmsoldaten stationiert (etwa 1000 Mann). 1995 wurde M. Mitgl. des Europarates.

📖 LIBAL, W.: *Mazedonien zw. den Fronten. Junger Staat mit alten Konflikten. Wien u. a. 1993.* – VASIČ, R.: *Die Sicheln im Zentralbalkan (Vojvodina, Serbien, Kosovo u. Mazedonien). Stuttgart 1994.* – HÖSCH, E.: *Geschichte der Balkanländer von der Frühzeit bis zur Gegenwart. München ^{3}1995.*

Makedoni|en (Mazedonien), **1)** histor. Großlandschaft in SO-Europa, an der Griechenland, die Rep. M. und Bulgarien Anteil haben; ein Schollenland, in dem bis 2900 m hohe Gebirgszüge größere Becken voneinander trennen. Die größten Städte sind Saloniki, Skopje, Bitola, Prilep und Serrä.

Geschichte: Das antike M. war in histor. Zeit von einem den Griechen verwandten Stamm, den Makedonen, besiedelt und gliederte sich in Nieder-M. (um den Thermaischen Golf), Ober-M. zw. den Flüssen Axios (Vardar) und Halikamon (Aliakmon), das Axiostal und Ost-M. (Gebiet zw. Axios und Strymon und die Philippi-Ebene); Hauptstadt war Aigai, seit dem 5./4. Jh. v. Chr. Pella. Staatsform war die Monarchie mit Heeresversammlung und Adelsgefolgschaft. König Archealos (413–399) legte den Grund zur Großmachtstellung M.s und zog grch. Gelehrte und Künstler an seinen Hof. Die polit. Entwicklung endete mit der Vorherrschaft des **Makedon. Reiches** in Griechenland

Makedonien 1): Thrakische Münze mit dem Porträt von Alexander dem Großen (um 300 v. Chr.)

unter Philipp II. (359–336) und Alexander d. Gr. (336–323). Von 321 bis 297 unter der Dynastie des Antipater und ab 276 v. Chr. unter der der Antigoniden verlor M. seine Vorrangstellung in den Makedon. Kriegen an Rom. Im 1. Makedon. Krieg 215–205 musste Philipp V. auf ein Bündnis mit Karthago verzichten. Die im 2. Makedon. Krieg 200–197 erworbenen Eroberungen mussten 197 wieder abgetreten werden. Der 3. Makedon. Krieg war ein Präventivkrieg Roms (171–168) und endete mit der Zerschlagung von M. in vier selbstständige Staaten; ab 146 v. Chr. war M. röm. Provinz. 395 n. Chr. kam es an das Oström. Reich (Byzanz; bis 9. Jh. und 11./12. Jh.), im 9./10. Jh. und ab etwa 1230 stand es unter bulgar., Ende des 13. bis Ende des 14. Jh. unter serb. Herrschaft. Nach 1371 (Schlacht an der Maritza) kam es zur schrittweisen Eroberung durch die Türken (1389: Schlacht auf dem Amselfeld; 1392 Besetzung Skopjes), M. wurde Teil des Osman. Reiches. Die Bemühungen der Bulgaren, sich vom Osman. Reich zu lösen, schlossen die Makedonen ein. So sprachen die Großmächte M. im Frieden von San Stefano (1878) zunächst Bulgarien zu, nach dem Berliner Kongress des gleichen Jahres musste es aber beim Osman. Reich verbleiben. Unterstützt von der bulgar. Einheitsbewegung entstand eine nat. Freiheitsbewegung (1893 Gründung der IMRO) und es kam 1903 zum antitürk. Ilindenaufstand (Eliastag-Aufstand). Die **makedonische Frage,** die zu Auseinandersetzungen mit grch. Bev.teilen im S des Landes und mit serb. im N führte, gab 1912 den Anstoß zum 1. und 2. Balkankrieg. Nach der bulgar. Niederlage fiel 1913 der größte Teil von M. an Serbien (sog. Vardar-M.) und Griechenland (sog. Ägäis-M.), Bulgarien erhielt einen kleinen Teil im O. Im 1. Weltkrieg besetzte es ganz M., verlor aber 1919

Makedonien unter Philipp II.

(Vertrag von Neuilly-sur-Seine) alle Gebiete bis auf einen kleinen Teil (Pirin-M.). In den 20er-Jahren gab es z.T. blutige Aufstände zur Erlangung der Unabhängigkeit M.s, die von der IMRO getragen wurden. Im 2. Weltkrieg besetzte Bulgarien wiederum fast ganz M., ein Teil wurde von dt. Truppen besetzt; bis Ende 1944 hatten jugoslaw. Partisanen M. befreit. Kommunist. Pläne für ein unabhängiges M. nach 1945 scheiterten; Vardar-M. wurde 1945/46 jugoslaw. Bundesstaat.

📖 Errington, M.: *Geschichte M.s von den Anfängen bis zum Untergang des Königreiches. München 1986.* – Sfetas, S.: *Makedonien u. interbalkanische Beziehungen 1920–1924. München 1992.*

2) (ngrch. Makedonia) der grch. Teil von 1), gegliedert in die Verwaltungs- und Planungsregionen → Ostmakedonien und Thrakien, → Zentralmakedonien und → Westmakedonien.

Makedoni|er (Mazedonier), den Bulgaren nahe stehende südslaw. Bev. mit eigener Sprache in SO-Europa; etwa 1,6 Mio. Menschen.

makedonische Literatur. Zentrale Gatt. der m. L., die nach Anläufen in der 2. Hälfte des 19. Jh. erst im Laufe des 20. Jh. und v. a. nach Schaffung einer offiziellen makedon. Schriftsprache (1944) eine besondere Pflege erfuhr, war nach 1945 die Lyrik; sie war an der Volkspoesie orientiert und nahm allmählich Stilmittel der europ. Moderne auf (B. Koneski, A. Šopov, S. Janevski). In Prosadichtungen wurde u. a. der makedon. Widerstandskampf gestaltet. In der heutigen, histor. Themen zugeneigten m. L. überwiegen realist. Stilprinzipien; vertreten wird sie u. a. von P. Andrejevski, K. Čašule, V. Kostov, D. Solev, J. Strezovski, G. Todorovski, V. Urošević.

📖 Drugovats, M.: *Contemporary Macedonian writers. A. d. Serbokroat. Skopje 1976.*

makedonische Sprache, jüngste slaw. Literatursprache; rd. 1,4 Mio. Sprecher in Makedonien (Amtssprache), weitere in Teilen SO-Albaniens, N-Griechenlands und SW-Bulgariens. Die m. S. ist eine südslaw. Sprache, die dem Serbokroatischen nahe und dem Bulgarischen nächstverwandt ist. Die zahlr. Dialekte werden in eine westl. und eine östl. Gruppe geteilt, wobei die zentralen Dialekte der westl. Gruppe die Grundlage der Literatursprache bilden. In der weitgehend phonet. Schreibung wird ein kyrill. Alphabet verwendet.

Makejewka (ukrain. Makijiwka), Industriestadt im Donezbecken, Ukraine, 430 000 Ew.; Steinkohlengruben, Hütten-, Stahl- und Röhrenwalzwerk, Kohlechemie-, Zementindustrie.

Make or buy ['meɪk ɔː 'baɪ; engl. »machen oder kaufen«] *das,* Entscheidungsalternative zw. der Eigenfertigung (Eigenproduktion) von Sachgütern, Dienstleistungen und Produktionsfaktoren und der Beschaffung bei Dritten (Fremdbezug).

Make-up [meɪk 'ʌp; engl. to make up »herrichten«] *das,* kosmet. Verschönerung des Gesichts (Haut, Augenbereich, Lippen). Hauttönungen werden als Puder (auf das mit Hautcreme behandelte Gesicht) oder als Pudercreme (Basis z. B. Wasser-Puder-Öl) aufgetragen.

Makijiwka, ukrain. Stadt, → Makejewka.

Makimono [japan.] *das,* japan. Bez. für eine → Querrolle.

Makis, *Zoologie:* → Lemuren.

Makkabäer (auch Hasmonäer), nach Judas Makkabäus ben. jüd. Geschlecht, kämpfte seit 167 v. Chr. gegen die Seleukidenherrschaft, später gegen Ägypten und errang die Herrschaft über das jüd. Volk (→ Juden [Geschichte]). Die Herrschaft der M. dauerte bis 37 v. Chr.; der letzte M. wurde 30 v. Chr. von Herodes I., d. Gr., hingerichtet.

Makkabäerbücher, vier zw. dem Ende des 1. Jh. v. Chr. (1. Makk.) und dem 1. Jh. n. Chr. (4. Makk.) verfasste Bücher, von denen die beiden ersten zu den apokryphen (evang. Bibelwiss.) bzw. → deuterokanonischen Büchern (kath. Bibelwiss.) des A. T. gezählt werden. Inhalt des 1. und 2. Makk. sind die Kämpfe der Juden gegen die Seleukiden unter Führung der Makkabäer um die Wiederherstellung des jüd. Staates. Inhalt der beiden letzten (nicht dem Kanon zugerechneten) M. ist die Verfolgung der alexandrin. Juden unter Ptolemaios IV. (3. Makk.) und die Verfolgung und das Martyrium der sieben Makkabäerbrüder (4. Makk.).

makkaronische Dichtung, kom. Dichtung, deren Wirkung auf der spieler. Verschmelzung zweier Sprachen beruht, wobei die eine v. a. das grammat. und syntakt. Grundgerüst liefert, dem das Wortmaterial der anderen Sprache angepasst ist. Nach Vorläufern in der Spätantike hatte diese scherzhafte Gelehrtendichtung ihre Blütezeit im Humanismus des 15./16. Jh. (v. a. in Italien). Grundlage war das Lateinische, durchsetzt mit Elementen der westeurop. Volkssprachen. Beispiel: »Totschlago vos sofortissime nisi vos benehmitis bene!« (von B. Freiherr von Münchhausen).

Makler [mnd. mekelen »Geschäfte vermitteln«] (Mäkler), Gewerbetreibender, der Gelegenheiten zum Abschluss von Verträgen nachweist und Verträge vermittelt (§§ 652 ff. BGB). Zivil-M. vermitteln im Ggs. zum → Handelsmakler Nichthandelsgeschäfte (z. B. über Grundstücke, Wohnungen, Darlehen; Ehevermittlung). Im Börsenbereich tätige M. heißen freie oder Privat-M. im Unterschied zum amtlich bestellten, vereidigten Kurs-M. (Sensal), der bei der Feststellung der Börsenkurse sowie bei der Vermittlung von Börsengeschäften mitwirkt und kein sonstiges Handelsgewerbe betreiben darf. Das Rechtsverhältnis des M. zum Auftraggeber wird durch den **M.-Vertrag** bestimmt. Danach ist der Auftraggeber nicht verpflichtet, das ihm angebotene Geschäft anzunehmen. Er kann auch Dienste anderer M. beanspruchen oder sich selbst um einen Abschluss bemühen. Das gilt nicht, wenn dem M. ein Alleinauftrag erteilt wurde. Anspruch auf Entgelt hat der M. nur, wenn infolge seiner Tätigkeit der Vertrag rechtsgültig zustande gekommen ist. Immobilien-M. und Baubetreuer bedürfen der Erlaubnis (Gewerbezulassung) nach § 34c GewO. – Das *österr.* ABGB enthält keine besondere Regelung des M.-Vertrages, es gelten die Bestimmungen über Bevollmächtigung und Geschäftsführung und über den Werkvertrag. Das *schweizer.* Recht stimmt im Wesentlichen mit dem deutschen überein (Art. 412–418 OR).

Mako *die,* hochwertige, langfaserige ägypt. oder sudanes. Baumwolle von gelbl. Naturfarbe.

Makonde, Bantuvolk in SO-Tansania und in Moçambique. Die etwa 1,5 Mio. M. leben meist als Hackbauern; berühmt ist ihre Holzschnitzkunst, auch für den Touristenmarkt. Viele M. arbeiten in den Städten der ostafrikan. Küste.

Makoré [afrikan.] *das,* rotbraunes trop. Hartholz des westafrikan. Baumes Tieghemella heckelii; Verwendung u. a. für Parkett, im Möbelbau.

Makramee [italien., zu arab. miqram »bestickter Schleier«] *das,* Knüpftechnik, bei der Fäden zu dekorativen Mustern und Fransen verknotet werden; in den arab. Ländern seit dem 13. Jh. bekannt; in den 1960er-Jahren Neubelebung der Technik (mit dickem Schnurmaterial).

Makrelen [niederländ.] (Scombridae), Familie der M.-Fische. Die etwa 50 cm lange **Europ. M.** (Scomber scombrus) ist ein geschätzter Speisefisch; er kommt im Sommer zum Laichen beiderseits des Atlant. Ozeans in Küstennähe. Die nah verwandte **Mittelmeer-M.** (Scomber japonicus) bevorzugt trop. und subtrop. Gewässer und tritt nur gelegentlich nördlich des Ärmelkanals auf.

Makrelen: Europäische Makrele

makro... [grch.], groß..., lang...

Makrobefehl (engl. macro instruction), *Datenverarbeitung:* in einer Programmiersprache, v. a. einer Assembliererersprache, der Aufruf einer in einer **Makrodefinition** niedergelegten Folge von Anweisungen. Bei den Makrodefinitionen handelt es sich um häufig benötigte Befehlsfolgen, die entweder bereits in einer zu der verwendeten Programmiersprache gehörenden **Makrobibliothek** enthalten sind oder vom Programmierer für Zwecke des jeweiligen Programms formuliert werden. Die Funktion von M. ist ähnlich derjenigen des Aufrufs von Unterprogrammen.

Makrofotografie, fotograf. Technik für Aufnahmen im Nahbereich mit brennweitenverkürzenden (Vorsatzlinsen) oder auszugsverlängernden (Zwischentuben, Balgengerät) Mitteln.

Makrokinetik, Lehre vom zeitl. Ablauf chem. Reaktionen unter Berücksichtigung des Stoff- und Wärmetransports. M. spielt bei der Übertragung chem. Reaktionen in den techn. Maßstab eine große Rolle.

Makrokosmos, Weltall, Universum; Gegenbegriff zu Mikrokosmos.

Makromoleküle, Riesenmoleküle mit Molekularmassen ab etwa 10 000 g/mol, deren Atome durch kovalente Bindungen verknüpft sind. M. können linear (Kettenmoleküle, Fadenmoleküle), verzweigt oder räumlich vernetzt sein. Enthalten sie mehrere Ketten, die sternförmig von einer Verzweigung ausgehen, spricht man von Kugelmolekülen. Makromolekulare Stoffe, die aus den gleichen Strukturelementen bestehen, heißen **Polymere** oder **Hochpolymere.** Aus M. bestehen z. B. Cellulose, Proteine und Nucleinsäuren sowie die Kunststoffe.

Makroökonomik (Makroökonomie, Makrotheorie), Teilgebiet der Volkswirtschaftslehre, das sich mit der Analyse gesamtwirtsch. Zusammenhänge unter Berücksichtigung des Verhaltens von zusammengefassten Wirtschaftseinheiten (z. B. alle privaten Haushalte, alle Unternehmen, Staat) befasst. Aufbauend auf der volkswirtsch. Gesamtrechnung werden mit Größen wie Volkseinkommen, Konsum, Sparen und Investitionen gesamtwirtsch. Zusammenhänge in makroökonom. Modellen zu erklären versucht. Teilbereiche der M. sind u. a. Konjunktur-, Wachstums-, Geld-, Verteilungs-, Einkommens- und Beschäftigungstheorie. Während die traditionelle M. Arbeitslosigkeit durch zu hohe Reallöhne oder zu geringe effektive Nachfrage erklärt, geht die **neue M.** von Preis- und Lohnstarrheiten aus, die zur »Nichträumung von Märkten« bei »falschen« Preisen führen (Ungleichgewichtstheorie).

📖 RITTENBRUCH, K.: *Makroökonomie, 2 Tle. München u. a.* [4–9]*1995.* – MANKIW, N. G.: *M. Aus dem Amerikan. Wiesbaden* [2]*1996.*

Makrophagen [grch.], zur Phagozytose (Aufnahme von belebten und unbelebten Substanzen) befähigte Bindegewebszellen, die sich aus dem Zellverband lösen und zu frei bewegl. Zellen werden können.

Makrophysik, die klass. Teilgebiete der Physik (Mechanik, Strömungslehre, Elektrodynamik, Thermodynamik, Akustik, Optik u. a.), die die Medien als strukturlose Kontinua behandeln und ihre Eigenschaften und Wechselwirkungen rein phänomenologisch durch Parameter (z. B. Druck und Temperatur) oder Materialkonstanten (z. B. Leitfähigkeit, Elastizität, Brechzahl u.a.) beschreiben. Im Ggs. dazu beschäftigt sich die **Mikrophysik** mit den Eigenschaften der Elementarteilchen sowie der Aufklärung der atomaren und subatomaren Strukturen und Wechselwirkungsprozesse (u.a. Elementarteilchen-, Kern-, Atom-, Molekül-, Festkörperphysik).

Makropoden [grch.] (Großflosser, Macropodus), Gattung der →Labyrinthfische; wegen ihrer Farbenpracht und Brutpflege beliebte Zierfische für Warmwasseraquarien.

Makua, Bantustamm in SO-Tansania, Malawi und im nördl. Küstengebiet von Moçambique. Die meisten der rd. 6,85 Mio. M. sind Hackbauern mit Kleintierhaltung.

Makulatur [mlat., zu lat. maculare »beflecken«] *die,* fehlerhafte, beschmutzte, zerrissene oder anderweitig nicht mehr benötigte Druckerzeugnisse.

MAK-Wert [MAK: Abk. für **m**aximale **A**rbeitsplatz**k**onzentration], Grenzwert einer Konzentration gas-, dampf- oder staubförmiger Substanzen, die als noch erträglich (nicht gesundheitsschädlich) am Arbeitsplatz bei achtstündiger Arbeit angesehen werden kann. Sie wird bei 20°C und 1013 mbar gemessen und in ppm (d.h. cm^3 Gas je m^3 Luft) oder mg/m^3 (d.h. mg Substanz je m^3 Luft) angegeben. MAK-Werte (z.Z. für etwa 500 Substanzen) werden vom Bundesministerium für Arbeit und Sozialordnung jährlich veröffentlicht. Der BAT-Wert (Abk. für biolog. Arbeitsstofftoleranzwert) gibt die höchstzulässige Menge eines über die Lunge und/oder andere Körperoberflächen in nennenswertem Maße in den Organismus eintretenden Arbeitsstoffs an. (→TRK-Werte)

Mal, Fleck, Zeichen, Kennzeichnung, z.B. Wund-, Mutter-M., Grenzstein, -pfahl, Markierung innerhalb eines Spielfeldes.

Mal., Abk. für →**Mal**eachi (A.T.).

Malabaren (Malayali), ind. Volk an der Malabarküste, Staatsvolk von Kerala; etwa 30 Mio. Menschen; sprechen eine dravid. Sprache (→Malayalam).

Malabarküste, schmaler Küstenstreifen an der SW-Küste Indiens (Bundesstaaten Kerala und Karnataka), trop. Monsunklima; landwirtsch. Erzeugnisse sind Kopra, Tee, Kokosnüsse, Pfeffer; in den Dünensanden finden sich Rutil und Zirkon; wichtigster Hafen ist Cochin.

Malabo (bis 1973 Santa Isabel), Hptst. von Äquatorialguinea, an der N-Küste der Insel Bioko, 38000 Ew.; wichtigster Hafen des Landes (ehem. Vulkankrater); internat. Flughafen.

Mal|absorption, Störung der Aufnahme von Nahrungsstoffen über die Darmschleimhaut (v.a. des Dünndarms) in das Blut- und Lymphgefäßsystem. Ursache ist häufig die Schleimhautschädigung des Darmes durch Infektion, auch allerg. Vorgänge. (→Zöliakie)

Malachias, in der Vulgata für →Maleachi.

Malachit [zu grch. maláchē »Malve«] *der,* monoklines Mineral der chem. Zusammensetzung $Cu_2[(OH)_2|CO_3]$, smaragd- bis schwärzlich grün; meist nierig-traubig mit glaskopfartiger Oberfläche (Grüner Glaskopf) und achatartiger Bänderung. M. entsteht in der Oxidationszone von Kupfererzen meist zus. mit anderen Kupfermineralen; verwendet als Schmuckstein.

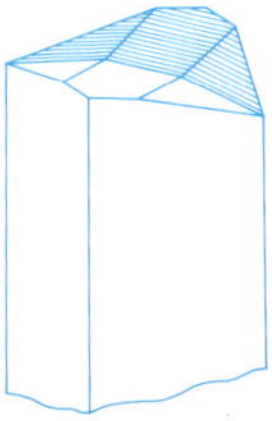

Malachit: schematische Darstellung der Kristallform und angeschliffener Schmuckstein

Malachitgrün, grüner, wasserlösl. Triphenylmethanfarbstoff; wurde zum Färben von Naturfasern und Papier sowie zur Herstellung von grünen Lackfarben verwendet. In der Mikroskopie dient M. zur Färbung von pilzinfizierten Pflanzengeweben und Bakterien.

Maladeta [-'ðeta] *die* (Montes Malditos, frz. Maladetta), höchster Gebirgsstock der Zentralpyrenäen, Spanien/Frankreich, mit steil aufragenden Gipfeln, im Pico de Aneto 3404 m ü.M.

mala fide [lat.], *Recht:* in böser Absicht. (→guter Glaube)

Malaga *der,* süßer bis trockener, hellgelber bis dunkelbrauner gespriteter Likörwein aus der Umgebung von Málaga, der aus den Rebsorten Pedro Ximénez und Muskateller gekeltert wird.

Málaga, 1) Provinz Spaniens, in Andalusien, 7276 km^2, (1991) 1,16 Mio. Einwohner.

2) Hptst. von 1), an der Costa del Sol, an der Mündung des Guadalmedina, 560500 Ew.; Bischofssitz; Univ., Kunstakademie, Hochschule für Musik und für darstellende Kunst; Museen, Theater; Eisen-, Zucker-, Textilind., Konservenfabriken, Schiffbau, Erdölraffinerie; wichtiger Export- und Importhafen, Fährverbindungen mit Melilla, Ceuta, Tanger und Genua; internat. Flughafen. – Über der Altstadt mit Renaissancekathedrale (1528–1783, über ehem. Hauptmoschee) und den Ruinen der Alcazaba (maur. Burg aus dem 8.–13. Jh.) erhebt sich der von der alten Zitadelle gekrönte Gibralfaro (130 m); Kirchen El Sagrario und Santiago el Mayor (15.–16. Jh.), entstanden aus ehem. Moscheen. – Von den Phönikern gegr. (Malaca), gehörte M. 571–711 zum westgot. Reich, dann Blütezeit unter arab. Herrschaft, 1487 von den Spaniern erobert.

Málaga 2) Stadtwappen

Malagasy, 1) Eigenbez. der →Madagassen.

2) die Sprache der Madegassen, gehört innerhalb der austrones. Sprachfamilie zu den westmalaiopolynes. Sprachen (→malaiopolynesische Sprachen). Die zahlr. Dialekte lassen sich in eine W- und eine O-Gruppe einteilen; seit 1820 ist der Merina-Dialekt (auch Hova) offizielle Schriftsprache.

Malaien, 1) (Eigenbez. Orang Melayu, d.h. »umherschweifende Menschen«), Volk in SO-Asien, v.a. in Indonesien, W-Malaysia, S-Thailand und Singapur; etwa 20 Mio. Angehörige. Die indones. Kultur (→Indonesier) wurde durch ind., seit dem 13. Jh. islam. Einflüsse verändert. Heute sind fast alle M. sunnit. Muslime.

2) früher Bez. für alle →Indonesier.

3) in Malaysia Bez. für die hier lebende, ethnisch zu den Indonesiern zählende Bev. (etwa 10 Mio.).

Bernard Malamud

Malaiische Halbinsel (Halbinsel Malakka), Halbinsel in SO-Asien, durch die Malakkastraße von Sumatra getrennt, 1500 km lang, an der schmalsten Stelle (Isthmus von Kra) 40–50 km breit; von mehreren Gebirgsketten durchzogen (im Tahan 2190 m ü. M.); v. a. von Malaien (Jungindonesiern) bewohnt. Das Klima ist trop.-immerfeucht im S und monsunal-wechselfeucht im Norden. $^2/_3$ des Landes sind mit trop. Regenwald bedeckt. Reiche Zinnerzvorkommen. Haupthäfen: Singapur und George Town. Der nordwestl. Teil gehört zu Birma, der nordöstl. und mittlere zu Thailand, der S zu Malaysia.

Malaiischer Archipel (Australasien, Insulinde), die zw. Hinterindien und Neuguinea liegende Inselwelt: Große und Kleine Sundainseln, Molukken und Philippinen. Das Klima ist tropisch. Pflanzen- und tiergeographisch bildet der M. A. ein wichtiges Übergangsgebiet mit Mischungen von asiat. und austral. Formen. Staatlich gehört der größte Teil zu Indonesien. Sabah und Sarawak im N von Borneo gehören zu Malaysia, Brunei ist ein unabhängiges Sultanat.

Malaiischer Bund, →Malaysia (Geschichte).

malaiische Sprache, innerhalb der austronesischen Sprachfamilie zu den →malaiopolynesischen Sprachen gehörende Sprache, die v. a. im Bereich der Straße von Malakka sowie in weiteren Dialekten entlang der S- und W-Küste Borneos, im südlichsten Thailand und im Merguiarchipel Birmas verbreitet ist. Älteste Zeugnisse (Inschriften des Reiches Srivijaya in O-Sumatra) stammen aus dem 7. Jahrhundert. Seit dem 16. Jh. sind umfangreiche literar. Texte belegt (islam.-malaiische Literatur, →indonesische Literatur). Formen der m. S. sind heute Amtssprachen in Indonesien, Malaysia, Singapur und Brunei.

Curzio Malaparte

malaiopolynesische Sprachen, Bez. für alle austrones., außerhalb Taiwans gesprochenen Sprachen. Zu den m. S. gehören die westmalaiopolynes. Sprachen – die m. S. der Philippinen und W-Indonesiens, Chamorro (Marianen einschl. Guam), Palau, die malaiische Sprache, die Chamsprachen, Maduresisch und Malagasy – und die zentralostmalaiopolynes. Sprachen, unterteilt in die zentralmalaiopolynes. Sprachen (Kleine Sundainseln, beginnend im O Sumbawas, sowie die südl. und zentralen Molukken einschl. der Aruinseln und der Sulainseln) und die ostmalaiopolynes. Sprachen (S-Halmaheras, westl. Neuguinea und Ozeanien).

Malakka, 1) (Halbinsel M.) die →Malaiische Halbinsel.

2) Gliedstaat und Stadt in Malaysia, →Melaka.

Malakkastraße, Meeresstraße zw. Sumatra und der Malaiischen Halbinsel, schmalste Stelle 67 km breit, wichtige Verbindung zw. Ind. und Pazif. Ozean.

Malamud ['mæləməd], Bernard, amerikan. Schriftsteller, *New York 26. 4. 1914, †ebd. 18. 3. 1986; bed. Vertreter des jüdisch-amerikan. Romans; behandelt das Thema menschl. Entfremdung in einer gefühlskalten Umgebung und die Bewahrung von moral. Integrität und Humanismus; verfasste Kurzgeschichten (»Rembrandts Hut«, 1973) und Romane (»Der Gehilfe«, 1957; »Der Fixer«, 1966; »Die Mieter«, 1971; »Die Leben des William Dubin«, 1979).

Malan [mə'laŋ], Daniel François, südafrikan. Politiker, *Riebeek (Kapprovinz) 22. 5. 1874, †Stellenbosch 7. 2. 1959; Nationale Partei, 1924–33 Innenmin., vertrat als Min.Präs. (1948–54) die Politik der →Apartheid.

Malang, Stadt in O-Java, Indonesien, 450 m ü. M. am Fuß des Semeru, 650 300 Ew.; kath. Bischofssitz; Univ., landwirtsch. Forschungsinstitut; Zentrum eines Agrargebietes; Herstellung von Zigaretten, Tonwaren u. a.; nahebei Luftwaffenbasis.

Valente Malangatana: Ausschnitt aus dem Gemälde »Für die enthauptete Frau war das Geschenk eine Kaktusblüte« (1981; Maputo, Nationalmuseum)

Malangatana, Valente Ngwenya, moçambiquan. Maler und Grafiker, *Marracuene (bei Maputo) 1936; gestaltet an afrikan. Bildtraditionen anknüpfende Werke von expressiv-dynam. Farbgebung und unter Verwendung von Mythen und Symbolen der Volkskultur.

Malapane *die* (poln. Mała Panew), rechter Nebenfluss der Oder, 132 km, entspringt südlich von Tschenstochau, durchfließt den 20 km² großen Turawa-Stausee, mündet unterhalb von Oppeln.

Malaparte, Curzio, eigtl. Kurt Erich Suckert, italien. Schriftsteller und Journalist, *Prato 9. 6. 1898, †Rom 19. 7. 1957; Sohn einer Italienerin und eines Deutschen; war u. a. 1928–31 Leiter der Tageszeitung »La Stampa«, wurde 1933 wegen seiner polit. Haltung auf die Lipar. Inseln verbannt; im 2. Weltkrieg Kriegsberichterstatter; erregte Aufsehen durch seine dynamisch geschriebenen, polem. Kriegs- bzw. Nachkriegsromane (»Kaputt«, 1944; »Die Haut«, frz. 1949, italien. 1950), in denen er in expressionist. Szenen Bilder menschlicher Erniedrigung darstellt.

Malaria [von italien. mala aria »schlechte Luft«] *die* (Sumpffieber, Wechselfieber), v.a. in wärmeren Ländern vorkommende meldepflichtige Infektionskrankheit, wird durch Arten der zu den Sporentierchen gehörenden Gatt. Plasmodium hervorgerufen und von M.-Mückenarten übertragen. Die unreifen Sporenformen (Sporozoiten, Sichelkeime) der M.-Erreger gelangen beim Stich mit dem Speichel der Mücken in den menschl. Organismus und reifen v.a. in der Leber heran. Während dieser ein- bis sechswöchigen Phase (Inkubationszeit) treten keine Krankheitserscheinungen auf. Die ausgereiften M.-Erreger (Schizonten) teilen sich ungeschlechtlich in Merozoiten und werden ins Blut ausgeschwemmt. In den roten Blutkörperchen (Erythrozyten) entwickeln sie sich wiederum zu Schizonten (Blutplasmodien), die sich durch ungeschlechtl. Teilung zu jeweils 8–12 Merozoiten vermehren. Schließlich kommt es zur Zerstörung der Erythrozyten und damit zum Fieberanfall. Die frei gewordenen Merozoiten dringen in neue Erythrozyten ein, in denen sich diese Entwicklung nach einem bestimmten Rhythmus wiederholt. Nach 4–5 solcher Vermehrungszyklen entstehen in den Erythrozyten Geschlechtsformen (Gametozyten), die sich im menschl. Körper nicht weiter vermehren können. Man unterscheidet drei M.-Formen: Die **M. tertiana (Dreitagefieber;** Erreger: Plasmodium vivax und ovale) kommt auch in gemäßigten Zonen vor; Fieberanfall jeweils nach einem fieberfreien Tag. – **M. quartana** (Erreger: Plasmodium malariae); Fieberanfall alle 72 Stunden. – Bei der **M. tropica** (Erreger: Plasmodium falciparum), der eigtl. und auch gefährlichsten M. aller warmen Länder, treten die Fieberattacken in unregelmäßigen Abständen auf. Die gelegentlich tödl. Krankheit beginnt meist uncharakteristisch grippeartig mit Kopf- und Gliederschmerzen und nachfolgendem unregelmäßigem Fieber. Als Begleiterscheinungen treten Blutarmut, Milz- und Leberschwellung bzw. -schäden, Gewichtsabnahme, auch Herzmuskelschäden auf. – Zur *Behandlung* dienen die Arzneimittel Chloroquin, Mefloquin, auch Chinin oder eine Kombination von Pyrimethamin und Sulfadoxin. Die M.-Bekämpfung erfolgt durch Mückenvernichtung (Gewässersanierung, Insektizide) und individuelle Vorbeugung (Moskitonetze, prophylakt. Arzneimitteleinnahme). – Da der Erreger der M. tropica v.a. gegen Chloroquin in vielen Teilen der Erde jetzt resistent ist, wird häufig dazu geraten, wirksamere Medikamente einzunehmen, wenn akut eine fieberhafte, malariaverdächtige Erkrankung auftritt. Ein getesteter Impfstoff verhindert zwar nicht die Infektion, schützt aber in vielen Fällen vor dem Auftreten der Symptome. Die Weltgesundheitsorganisation will damit Massenimpfungen durchführen. Nach anfängl. Zurückdrängung ist M. weltweit wieder in stetiger Zunahme begriffen.

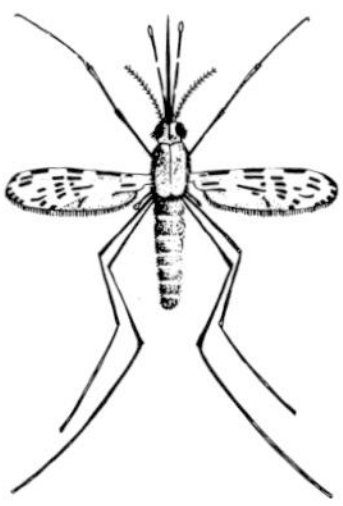

Malaria: Weibchen der Malariamücke (Körperlänge 5 mm)

Mälarsee (schwed. Mälaren), See in Schweden, erstreckt sich von Stockholm 120 km weit nach W, bis 65 km breit, bis 60 m tief, 1140 km^2 Wasserfläche. Die 1260 Inseln mit 200 Schlössern und Herrensitzen umfassen 410 km^2. Sein kurzer Abfluss (Norrström) mündet bei Stockholm in die Ostsee.

Malaspinagletscher, einer der größten Vorlandgletscher der Erde, an der S-Küste Alaskas, USA, 113 km lang, 2200 km^2 groß.

Malate, Salze und Ester der →Apfelsäure.

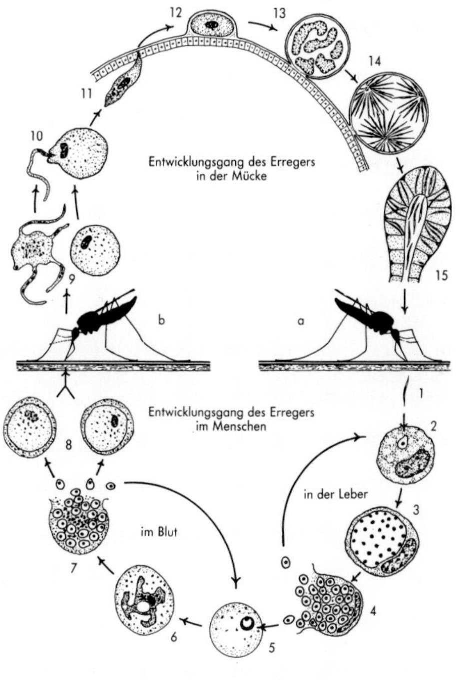

Malaria: schematische Darstellung des Entwicklungsgangs eines Malariaerregers (a stechende, b saugende Fiebermücke); 1 Sichelkeim im Blut des Menschen, 2–4 Entwicklung in Leberzellen, 5–7 Entwicklung in roten Blutkörperchen, 8 männliche (links) und weibliche Geschlechtsformen in Blutkörperchen, 9 Fortentwicklung der männlichen (links) und weiblichen Gametozyten im Darm der Mücke, 10 Befruchtung, 11 Eindringen der beweglichen befruchteten Eizelle in die Darmwand, 12 einkerniges Stadium, 13 vielkerniges Stadium, 14 Bildung der Sichelkeime, 15 in die Speicheldrüse der Mücke eingewanderte Sichelkeime

Malawi

Fläche: 118 484 km²
Einwohner: (1995) 11,184 Mio.
Hauptstadt: Lilongwe
Verwaltungsgliederung: 3 Regionen
Amtssprache: Englisch
Nationalfeiertag: 6. 7.
Währung: 1 Malawi-Kwacha (MK) = 100 Tambala (t)
Zeitzone: MEZ +1 Std.

Staatswappen

MW

Internationales Kfz-Kennzeichen

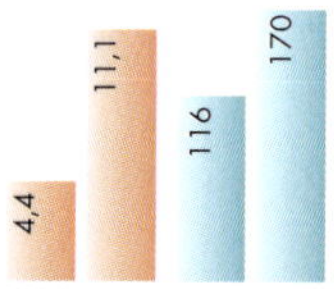

Bevölkerung (in Mio.)

Bruttosozialprodukt je Ew. (in US-$)

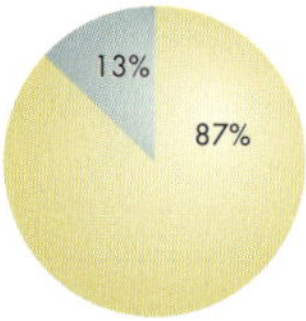

■ Stadt
■ Land

Bevölkerungsverteilung 1995

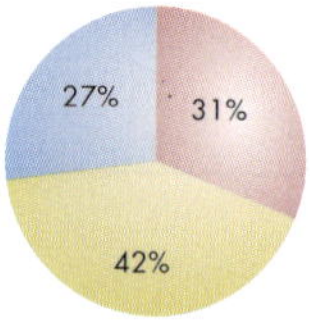

■ Industrie
■ Landwirtschaft
■ Dienstleistung

Bruttoinlandsprodukt 1995

Malatẹsta, italien. Adelsfamilie, beherrschte Rimini und Teile des Kirchenstaates, Parteigänger der Guelfen. Um 1275 wurde →Francesca da Rimini mit Gianciotto M. verheiratet. Sigismondo M. (*1417, †1468) beteiligte sich als Condottiere u. a. am Streit um die Nachfolge der Visconti in Mailand (1439). 1461 wurde er von Pius II. besiegt und gebannt, zog dann für Venedig gegen die Türken. Pandolfo M. (*1475, †1534) verkaufte 1503 Rimini den Venezianern.

Malạtya, Hptst. der Prov. M. im östl. Zentralanatolien, Türkei, 1080 m ü. M., in einer fruchtbaren Euphratebene, 276 700 Ew.; Univ.; Verarbeitung von Agrarprodukten (Baumwolle, Tabak, Obst). – Nahebei, auf dem Arslan Tepe, die Reste der spätheth. und assyr. Stadt Milid.

Malạwi (amtlich engl. Republic of M.), Staat im südl. O-Afrika, grenzt im N und NO an Tansania, im O, S und SW an Moçambique, im W an Sambia.

Staat und Recht: Nach der Verf. vom Mai 1994 ist M. eine präsidiale Rep. mit Mehrparteiensystem. Staatsoberhaupt und Reg.chef ist der für fünf Jahre gewählte Präs. Die Gesetzgebungsbefugnis liegt bei der Nationalversammlung (177 auf fünf Jahre gewählte Abg.); 1999 soll als zweite Kammer ein Senat errichtet werden. Die Reg. als Spitze der Exekutive wird vom Präs. ernannt. Wichtigste Parteien: United Democratic Front (UDF), Malawi Congress Party (MCP), Alliance for Democracy (AFORD).

Landesnatur: M. erstreckt sich von N nach S auf rd. 840 km Länge westlich und südlich des im Ostafrikan. Graben gelegenen →Malawisees. Es überwiegen 1200–1400 m ü. M. gelegene Hochebenen, die von Gebirgsmassiven überragt werden (Mlanjemassiv im S bis 3000 m ü. M.). Das trop. Klima wird durch die Höhenlage und die große Wasserfläche beeinflusst; Regenzeit Nov.–April, jährl. Niederschläge im Hochland 800–1300 mm, in den Gebirgen bis 3000 mm. In der Vegetation herrschen Trockenwälder vor.

Bevölkerung: Fast ausschließlich Bantuvölker: Tonga, Nyanja, Chewa (stärkste Volksgruppe) und Tumbuka, seit Mitte des 19. Jh. auch Ngoni, Yao u. a.; etwa 7000 Europäer, rd. 10 000 Asiaten (Inder); über 1 Mio. Flüchtlinge aus Moçambique. Jährl. Bev.-Wachstum 4,5 %. Etwa 700 000 Malawier arbeiten im Ausland. Es besteht keine allg. Schulpflicht (Grundschulbesuch zw. 6. und 13. Lebensjahr, Analphabetenquote etwa 44 %). Die Univ. in Zomba (gegr. 1964) hat Außenstellen in

Malawi

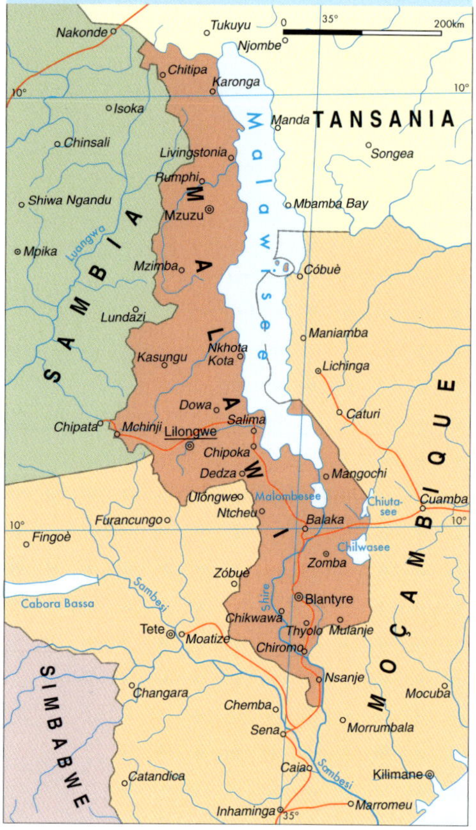

Blantyre und Lilongwe. – Viele Einwohner sind Anhänger der Stammesreligionen, über 75 % sind Christen, 12 % Muslime.

Wirtschaft, Verkehr: Haupterwerbszweig ist die Landwirtschaft (rd. 90 % Landbev.); für den Eigenbedarf werden v.a. Mais, Maniok, Hülsenfrüchte, Kartoffeln, Gemüse angebaut, für den Export Tabak, Tee, Zuckerrohr, Erdnüsse. Viehwirtschaft v.a. im Norden (Rinder, Schweine, Schafe, Ziegen, Geflügel). Bedeutung haben Holznutzung (36 % Waldfläche) und Fischerei. M. ist arm an Bodenschätzen; Kohleabbau seit 1985. 85 % des gesamten Landes gehören den Stämmen, 3 % gehören Unternehmen (größtenteils Plantagen), 12 % befinden sich in Staatsbesitz. Die Ind. ist wenig entwickelt, vorwiegend Verarbeitung landwirtsch. Erzeugnisse (Zucker- und Äthanolfabrik). Rd. 90 % der Exportgüter sind landwirtsch. Produkte. Haupthandelspartner sind Großbritannien u.a. EU-Länder sowie die Rep. Südafrika. – Das Verkehrsnetz besteht aus 789 km Eisenbahnlinien und 13 600 km Straßen (davon 25 % befestigt); die Binnenschifffahrt hat Bedeutung für den Transport. Internat. Flughafen: Kamuzu bei Lilongwe, für den Inlandsverkehr Chileka bei Blantyre.

Geschichte: D. Livingstone entdeckte 1859–63 den Njassasee (Malawisee) und erforschte die umliegenden Gebiete. 1891 wurde im heutigen M. das Protektorat British Central Africa errichtet, das 1907 den Namen Njassaland erhielt. 1953 wurde die von Weißen beherrschte Zentralafrikan. Föderation mit N- und S-Rhodesien (heute Sambia und Simbabwe) gebildet. Ende der 50er-Jahre formierte sich aktiver Widerstand der Schwarzen, an dessen Spitze H. K. Banda trat. Bei den ersten allg. Wahlen 1961 errang die 1959 gegr. Malawi Congress Party unter Führung Bandas (seit 1963 Premiermin.) den Sieg. Nach Auflösung der Föderation 1963 wurde M. 1964 unabhängig, zunächst als Monarchie unter brit. Krone, seit 1966 als Republik innerhalb des Commonwealth. Unter Führung des diktatorisch regierenden Staatspräs. Banda (1971 auf Lebenszeit gewählt) betreibt M. eine westlich orientierte Politik, die das Land in scharfen Gegensatz zu den anderen schwarzafrikan. Staaten brachte. In den Parlaments- und Präsidentschaftswahlen im Mai 1994 unterlagen Präs. Banda und die frühere Einheitspartei MCP. Neuer Staatspräs. wurde B. Muluzi, dessen Partei, die United Democratic Front (UDF), die stärkste Fraktion im neuen Parlament stellt. Zus. mit der Alliance for Democracy (AFORD) bildet sie eine Koalitionsregierung. Im Innern steht sie vor der Aufgabe, die polit. (auch ethnisch-regionalen) Gegensätze auszugleichen, nach außen die Isolierung M.s angesichts der früheren Unterstützung des südafrikan. Apartheidsystems zu überwinden.

Malawi: Landschaft am Nordrand des Gebirgsmassivs Mlanje

📖 LIENAU, C.: *M. Geographie eines unterentwickelten Landes. Darmstadt 1981.* – ERHARD, A.: *M. Agrarstruktur u. Unterentwicklung. Innsbruck 1994.*

Malawisee (Njassasee, engl. Lake Nyasa), drittgrößter See in Afrika, 472 m ü. M., 30 800 km², 550 km lang, bis 706 m tief; liegt im **Njassagraben,** dem südlichsten Teil des Ostafrikan. Grabensystems, mit im NO fast 3 000 m hohen Wänden. Der M. entwässert durch den Shire zum Sambesi; Fischerei. Der Nationalpark M. wurde von der UNESCO zum Welterbe erklärt.

Malaya, der auf der Malaiischen Halbinsel gelegene W-Teil Malaysias.

Malayalam, eine der 15 ind. Nationalsprachen mit rd. 30 Mio. Sprechern; gehört zu den dravid. Sprachen und weist zahlr. Sanskritformen auf; dem Tamil verwandt. (→ indische Schriften)

Malayali, ind. Volk, → Malabaren.

Malawisee

1859 »entdeckte« der englische Forscher und Missionar David Livingstone im südöstlichen Afrika einen großen See und fragte nach alter Forscherart die Eingeborenen nach dessen Namen. Die antworteten »njassa«. Dass »njassa« kein Name ist, sondern in der Bantusprache »Gewässer« heißt, fiel Livingstone nicht weiter auf. Und so wurde der See zum »Njassasee« und das Land am Südteil des Ostafrikanischen Grabens 1907 zum »Njassaland«. 1964 wurde das Missverständnis ausgeräumt, als »Njassaland« als »Malawi« unabhängig wurde und man auch gleich den »Njassasee« in »Malawisee« umtaufte. Der Name Malawi geht auf ein vorkoloniales Bantureich zurück.

Malaysia (amtlich Bahasa Malaysia: Persekutuan Tanah M., engl. Federation of M.), Bundesstaat in SO-Asien; **West-M.** (Malaya) umfasst den S-Teil der → Malaiischen Halbinsel einschl. vorgelagerter Inseln und grenzt im N an Thailand, im S an Singapur; **Ost-M.,** bestehend aus → Sarawak

Malaysia

Fläche: 329 758 km²
Einwohner: (1995) 20,14 Mio.
Hauptstadt: Kuala Lumpur
Verwaltungsgliederung: 13 Gliedstaaten und 2 Bundesterritorien
Amtssprache: Bahasa Malaysia
Nationalfeiertag: 31. 8.
Währung: 1 Malays. Ringgit (RM, $) = 100 Sen (c)
Zeitzone: MEZ +6 Std. 30 Minuten

Staatswappen

MAL

Internationales Kfz-Kennzeichen

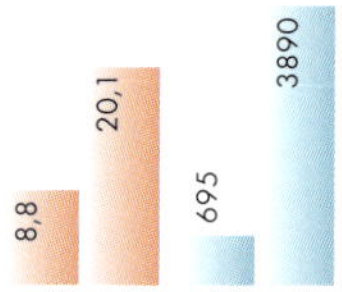

Bevölkerung (in Mio.)
Bruttosozialprodukt je Ew. (in US-$)

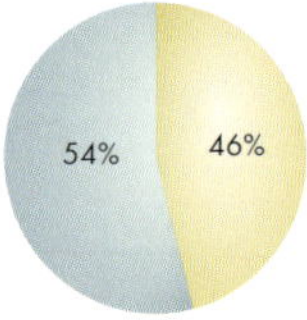

Stadt
Land
Bevölkerungsverteilung 1995

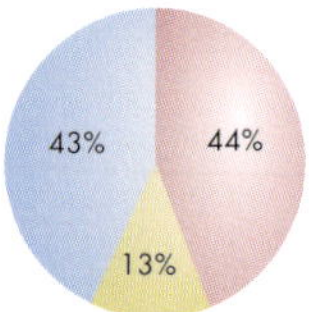

Industrie
Landwirtschaft
Dienstleistung
Bruttoinlandsprodukt 1995

und →Sabah, nimmt den N-Teil der Insel →Borneo ein und grenzt an Indonesien und Brunei.

Staat und Recht: Der Bundesstaat M. ist nach der Verf. von 1963 (novelliert 1983) eine parlamentar. Wahlmonarchie. Staatsoberhaupt und oberster Inhaber der Exekutive ist der von den erbl. Fürsten auf fünf Jahre aus ihrer Mitte gewählte König. Er ernennt das Kabinett unter Vorsitz des Min.Präs., das dem Parlament verantwortlich ist. Die Legislative liegt beim Zweikammerparlament, bestehend aus Senat (69, überwiegend vom König ernannte Mitgl.) und Repräsentantenhaus (192 Abg., auf fünf Jahre gewählt). Verf.änderungen und andere Grundsatzfragen bedürfen der Zustimmung durch die Konferenz der Herrscher (Fürsten und Gouv. der Gliedstaaten). Einflussreichste polit. Kraft ist die (1996) aus 14 Parteien bestehende Nationale Front (Barisan Nasional), die von der Vereinigten Nationalorganisation der Malaien (UMNO) dominiert wird. Die Gliedstaaten verfügen über eine eigene Verf. sowie Legislativ- und Exekutivorgane.

Landesnatur: Etwa 60% von M. sind gebirgig, daneben ausgedehnte Sumpf- und Flussebenen. Sabah besitzt mit dem Kinabalu (4101 m ü. M.) den höchsten Berg SO-Asiens. M. liegt in den inneren, ganzjährig von feuchtwarmen Luftmassen bestimmten Tropen, mit Einfluss des winterl. NO-Monsuns bes. im NO der Malaiischen Halbinsel; in den Gebirgen bis über 6000 mm Jahresniederschlag; trop. Regenwald (fast 60% der Landesfläche).

Bevölkerung: Rd. 59% sind Malaien, 31% Chinesen, 10% Inder und Pakistaner. Die zu den Indonesiern (Jungindonesier) zählenden Malaien, größtenteils erst in den letzten Jahrhunderten aus Indonesien eingewandert, erheben seit der Unabhängigkeit den polit. Führungsanspruch, sie werden durch die Reg. systematisch gefördert und im öffentl. Dienst bevorzugt eingestellt. In den Städten dominieren noch die Chinesen. 81% der Gesamtbev. leben in West-M. auf rd. 40% der Staatsfläche. Bes. dicht besiedelt ist die W-Küste der Malaiischen Halbinsel (Zinnabbau und Kautschukplantagen). Die Geburtenrate ist in allen Gliedstaaten hoch (1990: 3%). – 9-jährige allg. Schulpflicht; es gibt unterschiedl. Schulsysteme für die versch. ethn. Gruppen; sieben Universitäten. – Dem Islam gehören 55% der Bev. an (Sunniten); rd. 6% Christen (v. a. in Sabah und Sarawak). Die Inder sind überwiegend Hindus, die Chinesen Konfuzianer, Taoisten und Buddhisten.

Wirtschaft, Verkehr: Das Schwellenland M. ist eines der sich am schnellsten entwickelnden Länder Asiens. Dabei gilt die verarbeitende Ind. (Elektronik, Chemie, Holz- und Bauwirtschaft, Fahrzeugbau) als der dynamischste Wirtschaftszweig. Hauptindustriestandorte sind der Raum um Kuala Lumpur und George Town auf Pinang; eines der größten Ind.unternehmen ist das Stahlwerk in Prai. Entwicklungsschwerpunkte liegen in der Exportorientierung von Ind.betrieben mit ausländ. Beteiligung (z. B. Kfz-Herstellung mit japan. Hilfe). Nur etwa 13% der Gesamtfläche werden landwirtsch. genutzt, wobei auf Plantagen 35% der kultivierten Fläche entfallen. M. ist in der Kautschuk-, Palmöl- und Pfefferproduktion weltführend; exportorientiert sind auch Kokospalmen-, Kakao- und Ananaskulturen. Der Inlandsbedarf an Lebensmitteln kann nicht völlig im Land gedeckt werden, u. a. Reis wird eingeführt. Die Holzgewinnung hat sich in den letzten Jahren vervielfacht; es besteht ein Exportverbot für 16 trop. Holzarten. Bedeutung hat auch die Fischerei. Die wichtigsten Bodenschätze sind Zinnerz (in West-M.) und Erdöl sowie Erdgas (auf Borneo, auch Offshorebohrungen); abgebaut werden auch Bauxit, Kupfer- und Eisenerz. Ethnisch-kulturelle und landschaftl. Attraktionen begünstigen den Fremdenverkehr. Die Handelsbilanz ist seit 1970 fast ununterbrochen positiv. Haupthandelsgüter sind Erdöl, Erzeugnisse der Elektroind., Holz, Kautschuk, Palmöl, Zinn und Erdgas. Japan, Singapur und die USA sind die wichtigsten Handelspartner. – Das Schienennetz ist in West-M. 2080 km, in Ost-M. 140 km lang. Das Straßennetz hat eine Gesamtlänge von 57 500 km, davon 40 000 km in West-M. In Sarawak sind die Flüsse von großer Bedeutung für den Personen- und Güterverkehr. Wichtigste Häfen: Kelang, George Town, Johor Baharu, Kuantan, Bintulu, Kota Kinabalu. Kuala Lumpur, George Town, Kota Kinabalu, Johor Baharu und Kuching haben internat. Flughäfen.

Geschichte: Die in den ersten Jahrhunderten n.Chr. entstandenen kleinen malaiischen Reiche wurden von der ind. Kultur geprägt (Buddhismus). Das Gebiet der Malaiischen Halbinsel gehörte bis ins 6. Jh. zum Einflussbereich des Staates Funan; zw. dem 7. und 14. Jh. befand es sich zunächst unter loser Oberherrschaft des indonesischen Großreiches Srivijaya, dann unter der Majapahits. Um 1400 begründete Paramesvara, ein aus Sumatra geflüchteter Fürst von Palembang, das spätere Sultanat Malakka mit der gleichnamigen Hptst. (→Melaka), die er zu einem wichtigen Umschlagplatz im W-O-Handel ausbaute. Er förderte die Ausbreitung des Islam. Unter Paramesvaras Nachfolgern breitete sich die Herrschaft des Sultanats bis an die N-Grenze des heutigen M. aus. 1511 eroberten die Portugiesen Malakka (Ausbau der Stadt zur Festung, Verlegung der Hptst. des Sultanats nach Johore), 1641 fiel M. an die Niederländer. 1786 schloss die brit. Ostind. Kompanie mit dem Sultan von Kedah einen Pachtvertrag über die Insel Pinang (Penang); 1795 besetzten die Briten Malakka (seit 1824 vertraglich in brit. Besitz); 1819 entstand eine brit. Handelsniederlassung auf Singapur. Die zu den **Straits Settlements** (»Siedlungen an der Wasserstraße«) zusammengefassten brit. Besitzungen Singapur, Malakka und Pinang wurden 1867 Kronkolonien. Zw. 1873 und 1888 gliederte Großbritannien die Sultanate Perak, Selangor, Pahang

Malaysia: Reisfelder auf der Insel Pinang im Westen des Landes

und Negri (Negeri) Sembilan in ein System von Protektoraten (1895 in die **Federated Malay States** unter einem Generalresidenten umgewandelt). Johore (Johor) wurde größere Autonomie zugestanden (1885 Schutzvertrag). 1909 erzwang Großbritannien von Siam die Abtretung der Sultanate Kedah, Perlis, Kelantan und Trengganu (Terengganu), die mit Johore die **Unfederated Malay States** bildeten. 1941–45 war M. von Japan besetzt. Nach Wiederinbesitznahme durch Großbritannien (1945) wurden die Straits Settlements aufgelöst und mit den unter brit. Protektorat stehenden Federated sowie Unfederated Malay States 1946 zur **Malaiischen Union (Malayan Union)** vereinigt, die 1948 in den **Malaiischen Bund (Federation of Malaya)** umgewandelt wurde; dabei erhielt Singapur einen Sonderstatus. Am 31. 8. 1957 erlangte der Malaiische Bund im Rahmen des

Malaysia

Malcolm X

Nicolas Malebranche (Ausschnitt eines zeitgenössischen Kupferstichs)

Commonwealth die Unabhängigkeit. Gegen den Widerstand v.a. Indonesiens schloss er sich 1963 mit Singapur, Sarawak und Sabah zur Föderation M. zusammen. Innenpolitische Probleme (1964 schwere Zusammenstöße zw. Malaien und Chinesen in Singapur) und außenpolit. Spannungen (Konfrontation mit Indonesien) führten 1965 zum Austritt Singapurs aus der Föderation. 1967 war M. Mitbegründer der ASEAN. 1969 ausgebrochene blutige Unruhen zw. Malaien und Chinesen in Kuala Lumpur u.a. Städten führten zur Verhängung des Ausnahmezustandes (bis 1971).

Stärkste polit. Kraft wurde das von der UMNO beherrschte Parteienbündnis »Nat. Front«, bei den Wahlen zum Bundesparlament als polit. Basis der Reg.politik stets bestätigt (1995 hoher Wahlsieg). Unter Min.Präs. Datuk Seri Mahatir Mohammed (UMNO), seit 1981 im Amt, entwickelte sich M. zu einem der führenden Schwellenländer der Welt. 1993 setzte die Regierung Verf.änderungen durch, die die traditionellen Privilegien der Sultane beschnitten. 1997/98 wurde auch M. von der asiat. Wirtschaftskrise erfasst. V.a. in der Auseinandersetzung um den weiteren Wirtschaftskurs kam es zu einem Machtkampf zw. dem zunehmend undemokratisch regierenden Mahatir Mohammed und dem Finanzmin. sowie Vizepremier Dato' Seri Anwar Ibrahim, der 1998 entlassen, später verhaftet und 1999 trotz starker Proteste verurteilt wurde. 1999 wurde der Sultan von Selangor, Salahuddin, König von Malaysia. M. bekennt sich zur Bewegung der blockfreien Staaten.

📖 VENNEWALD, W.: *Chinesen in M. Polit. Kultur u. strateg. Handeln. Hamburg 1990.* – MARR, B. u. MARR, R.: *M., Singapore, Brunei. Kunst- u. Reiseführer mit Landeskunde. Stuttgart u.a. 1991.* – ROLF, A.: *M. u. Singapur. Köln ³1992.* – CUBITT, G. u. PAYNE, J.: *M. Tiere u. Pflanzen der Inselwelt. A. d. Engl. Augsburg 1994.*

Malaysia, Verwaltungsgliederung (Stand 1993)

Landesteil Gliedstaat	Fläche in km²	Ew. in 1000	Ew. je km²	Hauptstadt
Westmalaysia				
Johor	18986	2106,7	111	Johor Baharu
Kedah	9426	1412,0	150	Alor Setar
Kelantan	14943	1221,7	82	Kota Baharu
Melaka	1650	583,4	354	Melaka
Negeri Sembilan	6643	723,9	109	Seremban
Pahang	35965	1056,1	29	Kuantan
Pinang	1031	1141,5	1107	George Town (Pinang)
Perak	21005	2222,4	106	Ipoh
Perlis	795	187,6	236	Kangar
Selangor	7956	1981,2	249	Shah Alam
Terengganu	12955	752,0	58	Kuala Terengganu
Kuala Lumpur[1]	243	1231,5	5068	
Ostmalaysia				
Labuan[1]	91	54,3[2]	597	Victoria
Sabah	73711	1736,9[2]	24	Kota Kinabalu
Sarawak	124449	1648,2[2]	13	Kuching
Malaysia	329758	18059,4	55	Kuala Lumpur

[1] Bundesterritorium. – [2] 1990

Mạlbork, Stadt in Polen, →Marienburg.

Mạlchen, anderer Name für den →Melibocus.

Malchịn, Stadt im Landkreis Demmin, Meckl.-Vorp., zw. Kummerower See und **Malchiner See** ($13,7\ km^2$), 9200 Ew.; Nahrungsmittelindustrie, Metallverarbeitung. – Erhalten sind zwei Tore der mittelalterlichen Stadtbefestigung, Stadtkirche (14. Jh.). – Entstand nach 1200; 1236 erstmals als Stadt bezeugt.

Mạlchow [-ço], Stadt im Landkreis Müritz, Meckl.-Vorp., am Fleesensee (Mecklenburg. Seenplatte), 7800 Ew.; Holz-, Textilindustrie. – Ehem. Nonnenkloster (gegr. 1298) und Fachwerkhäuser (18./19. Jh.). – M. ist seit 1235 Stadt.

Malcolm X ['mælkəm 'eks], eigtl. Malcolm Little, amerikan. Bürgerrechtler, *Omaha (Nebr.) 19. 5. 1925, †(ermordet) New York 21. 2. 1965; schloss sich im Gefängnis (1946–52) den →Black Muslims an, gründete 1963 die auf unmittelbare polit. Aktion gerichtete »Organization of Afro-american Unity«. Seine Autobiographie »Der schwarze Tribun« (1965; mit A. Haley) gilt als Klassiker der afroamerikan. Selbstdarstellung.

📖 PERRY, B.: *M. X. Ein Mann verändert Amerika. A. d. Amerikan. Hamburg 1993.*

Malczewski [mal'tʃɛfski], Antoni, poln. Dichter, *Knjaginin (Wolynien) 3. 6. 1793, †Warschau 2. 5. 1826; Romantiker; schrieb das an Byron orientierte Versepos »Maria« (1825), war wegweisend für die romant. »ukrain. Schule«.

Maldigestiọn [lat.] *die,* Störung der Verdauung; verursacht v.a. durch einen Mangel an Verdauungsenzymen und Gallenflüssigkeit oder durch Allergien gegenüber versch. Nahrungsmitteln (z.B. Eiereiweiß). Wichtigstes Kennzeichen sind ständig wiederkehrende Durchfälle.

Maleạchi, in der Vulgata Malachias, Prophet des A.T. Das in der 2. Hälfte des 5. Jh. v. Chr. verfasste Buch M. (→Kleine Propheten) enthält die Ankündigung des baldigen Gerichts und die Betonung der Treue Gottes zu Israel.

Malebranche [mal'brãʃ], Nicolas (Nicole) de, frz. Philosoph, *Paris 6. 8. 1638, †ebd. 13. 10. 1715; Oratorianer; suchte den cartesian. Dualismus von Leib und Seele als ein von Gott geleitetes Nebeneinandergeschehen zu erklären (→Okkasionalismus). Anknüpfend an Lehren Platons und Augustinus' erklärte M. die Erkenntnis der Wahrheit, Wahrnehmungen und Vorstellungen durch die Teilhabe des menschlichen Geistes an den göttl. Ideen, nach denen Gott alles geschaffen habe. – *Werk:* Von der Erforschung der Wahrheit (1674/75).

Malec ['malɛts], Ivo, frz. Komponist kroat. Herkunft, *Zagreb 30. 3. 1925; seit 1955 in Paris; wurde

Malediven

Fläche: 298 km²
Einwohner: (1995) 254 000
Hauptstadt: Male
Verwaltungsgliederung: 20 Verwaltungsbezirke
Amtssprache: Divehi
Nationalfeiertage: 26. 7. und 11. 11.
Währung: 1 Rufiyaa (Rf) = 100 Laari (L)
Zeitzone: MEZ +4 Std.

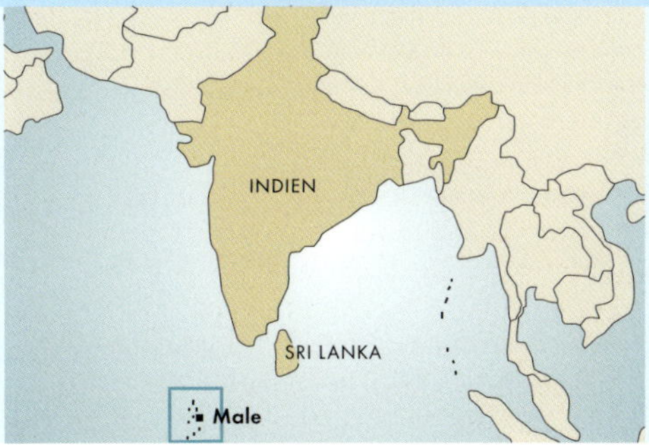

1960 Mitgl. der Groupe de Recherches musicales der ORTF und 1972 Prof. für Komposition am Pariser Konservatorium. Komponierte Orchesterwerke (u.a. »Sigma«, 1963), Kammermusik, Vokalwerke, elektroakust. Musik (»Week-End«, 1982), Ballett-, Schauspiel- und Filmmusik.

Malediven (amtlich Divehi: Divehi Rajjeyge Jumhuriyya), Inselstaat im Ind. Ozean, südwestlich des ind. Subkontinents, umfasst die gleichnamige Inselgruppe.

Staat und Recht: Nach der Verf. von 1968 sind die M. eine präsidiale Rep., Staatsoberhaupt und Reg.chef ist der Präs. (auf fünf Jahre direkt gewählt). Das Einkammerparlament (48 Abg., davon acht ernannt) wird für fünf Jahre gewählt. Parteien existieren nicht.

Landesnatur: Die dem M.-Rücken aufsitzende Inselgruppe (760 km lang, 130 km breit) besteht aus 19 Atollen mit rd. 2 000 Koralleninseln und Eilanden, die selten mehr als 2,5 m ü.M. aufragen; zwei Atollgruppen liegen südlich des Äquators. 215 Inseln sind bewohnt. Es herrscht trop. Monsunklima (SW- und NO-Monsun) mit hoher relativer Luftfeuchtigkeit; durchschnittlich 30 °C, 1 900 mm Niederschlag im Jahr. BILD S. 62

Bevölkerung: Die Malediver sind ein Mischvolk arabisch-ind. und malaiischer Abstammung. Sie sprechen die dem Altsinghalesischen verwandte Sprache Divehi. Mehr als 1/4 der Bev. lebt in der Hptst. Male. Der Islam ist Staatsreligion. Die Analphabetenquote ist gering (rd. 7 %). Unterrichtssprachen sind Divehi und Englisch.

Wirtschaft, Verkehr: Traditionelle Wirtschaftsgrundlage ist der Fischfang (v.a. Thunfisch und Bonito) und die Bereitung von »Maledive fish«, einer Art Trockenfisch, der v.a. nach Japan ausgeführt wird. Wichtige Kulturpflanzen: Kokospalmen, Bataten, Maniok, Kürbisse sowie trop. Früchte (Papayas, Mangos). Das Handwerk stellt Kokosmatten, Seile, Lackarbeiten und Schnitzereien her; Textilfabrik auf der Insel Gan. Der Tourismus ist heute der wichtigste Erwerbszweig (1994: 279 700 Besucher; v.a. Tauchsportler). – Wichtigstes Verkehrsmittel ist das Schiff, regelmäßige Schiffsverbindung mit Colombo (Sri Lanka); Seehafen: Male, internat. Flughafen: Hulule.

Geschichte: Die von Ceylon und S-Indien aus besiedelten M. wurden im 12. Jh. durch Araber islamisiert. Um 1150 wurde ein Sultanat errichtet. Im 16. Jh. scheiterte ein Kolonisierungsversuch der Portugiesen (1573 vertrieben). 1645 stellte sich das Sultanat unter den Schutz der Niederländer auf Ceylon; 1887 wurde es brit. Protektorat (gemeinsam mit der brit. Kronkolonie Ceylon verwaltet). 1948 erhielt es innere Selbstverwaltung. 1965 wurde das Sultanat unabhängig, 1968 in eine Republik umgewandelt. 1988 wurde mit ind. Hilfe ein Putschversuch ausländ. (tamil.) Söldner niedergeschlagen. Präs. M. Abdul Gayoom (seit 1978) wurde 1995 zum dritten Male wieder gewählt.

📖 EIBL-EIBESFELDT, I.: *Die M. Paradies im Ind. Ozean. München ⁴1991.* – MARSHALL, P. *u.a.: Reise durch die M. A.d. Engl. Hannover 1992.*

Maleinatharze [lat.], sehr helle, licht-, wärme- und oxidationsbeständige Kunstharze, die aus Harzsäuren (z.B. Abietinsäure), Maleinsäureanhydrid und mehrwertigen Alkoholen (z.B. Glycerin) hergestellt werden. M. werden aus Lösungen appliziert und trocknen schnell durch; sie dienen v.a. als Lackrohstoffe.

Maleinsäure [lat.], farblose, kristalline, in Wasser leicht lösl. ungesättigte Dicarbonsäure, die bei raschem Erhitzen unter Wasserabspaltung in das zykl. →Maleinsäureanhydrid übergeht, aus dem die Säure umgekehrt durch Lösen in Wasser wieder erhalten werden kann. Bei längerem Erhitzen auf 150 °C sowie bei UV-Bestrahlung isomerisiert die M. zur stabileren →Fumarsäure. M. wird v.a. zur Herstellung von Polymeren, Kunstharzen (→Maleinatharze) und M.-Estern verwendet.

Maleinsäureanhydrid, farblose, kristalline Verbindung, die durch katalyt. Oxidation von Benzol oder Butenen hergestellt wird. M. dient v.a. zur Herstellung von ungesättigten Polyesterharzen (Duroplaste, →Kunststoffe), Malein- und Fu-

Staatswappen

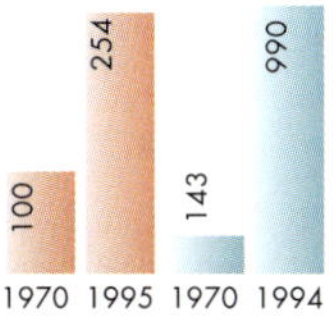

Bevölkerung (in Tausend) | Bruttosozialprodukt je Ew. (in US-$)

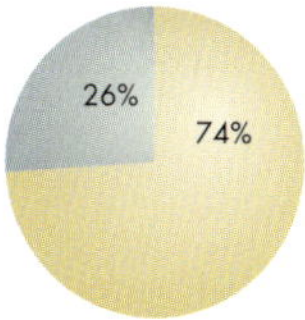

Stadt
Land
Bevölkerungsverteilung 1993

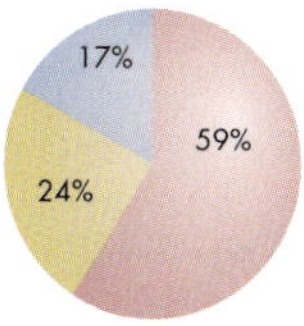

Industrie
Landwirtschaft
Dienstleistung
Bruttoinlandsprodukt 1992

Malediven: Atollinseln im Indischen Ozean

marsäure sowie zur Modifizierung von →Alkydharzen.

Malenkọw, Georgi Maximilianowitsch, sowjet. Politiker, *Orenburg 8. 1. 1902, †Moskau 14. 1. 1988; 1934–39 Chef der Abteilung »Leitende Parteiorgane« des ZK der KPdSU(B), als enger Vertrauter Stalins an der Großen →Tschistka beteiligt, 1939–53 Sekr. des ZK, ab 1946 Mitgl. des Politbüros, übernahm nach Stalins Tod 1953 kurzzeitig die Führung der Partei. 1953–55 war er Min.Präs.; 1957 als »Parteifeind« aller Ämter enthoben.

Georgi Malenkow

Malẹnte, Großgemeinde im Kr. Ostholstein, Schlesw.-Holst., in der Holstein. Schweiz, mit Kneipp-Heilbad **Bad M.-Gremsmühlen,** 10 600 Ew.; elektrotechn. Ind., Gerätebau, Glasbläserei; zwei mittelalterl. Feldsteinkirchen.

Maler (lat. Pictor, Malerstaffelei), Sternbild des südl. Himmels.

Malẹrba, Luigi, eigtl. L. Bonardi, italien. Schriftsteller, *Berceto (Prov. Parma) 11. 11. 1927; 1963 Mitbegründer des »Gruppo '63«; schreibt einfallsreiche, oft komisch-satir. und absurd-groteske Romane (»Die Schlange«, 1966; »Tagebuch eines Träumers«, 1981; »Das grch. Feuer«, 1990; »Die fliegenden Steine«, 1992; »Die nackten Masken«, 1995), Erzählungen, Hör- und Fernsehspiele sowie Kinderbücher; auch Drehbuchautor.

Malerbuch vom Berge Ạthos, Handbuch der byzantin. Malerei; zw. 1701 und 1733 auf dem →Athos von dem Mönchsmaler Dionysios von Furna (*um 1670, †1745/46) verfasst. Der Urtext geht auf alte Überlieferungen zurück. Das Buch mit Anleitungen zur Maltechnik, zur Ikonographie und zur Anordnung der Bilder im Kirchenraum erlangte bes. in der 2. Hälfte des 18. und der 1. Hälfte des 19. Jh. in O-Europa große Bedeutung.

Malerei, im Unterschied zu den dreidimensionalen Künsten Plastik und Architektur und zur Zeichnung und Grafik die vorrangig von der Farbe bestimmte Flächengestaltung, die aber auch räumlich-illusionistisch angelegt sein kann (insbesondere eine abendländ. Erscheinung). Nach Art des Bildträgers unterscheidet man v. a. Wand-, Tafel- und Buch-M. Die →Wandmalerei tritt am frühesten auf; sie hat ihren Ursprung in Kult und Mythos, so die altsteinzeitl. Felsbilder und die M. in oriental. Hochkulturen; bei ihnen handelt es sich hauptsächlich um Leimfarben-M. Auch die Technik der →Freskomalerei wird schon früh verwendet, um dann nach langem Gebrauch einer Mischtechnik aus Fresko- und Secco-M. von den Malern der Renaissance bevorzugt zu werden. Die Wand- bzw. →Deckenmalerei wird seit dem 17. Jh. mit Kalkkaseinfarben ausgeführt. Von der antiken →Tafelmalerei haben sich v. a. Mumienporträts erhalten, die in →Enkaustik gemalt sind. Die antike Tradition der Tafel-M. setzt sich in den byzantin. →Ikonen fort, während im westl. Abendland die Wand-M. und →Buchmalerei führend waren, die wie die Ikonen ausschl. der Vergegenwärtigung religiöser Inhalte dienten. Seit dem 12. Jh. kommt das Tafelbild als Altarbild auf, es wurde als →Temperamalerei auf Holztafeln ausgeführt. Wie auch in der Buch-M. wurden die Hintergründe vergoldet (mit Blattgold belegt); darin verdeutlicht sich das Bestreben mittelalterl. M., die Figuren in ihren geistigen Beziehungen zu einer übersinnl. Sphäre darzustellen. Erst im 15. Jh., in dem das Tafelbild die Vormachtstellung erhält, die es bis in die Gegenwart behält, wird durch die veränderte Einstellung zur Diesseitigkeit der Goldgrund verdrängt. Giotto gilt als eigentl. Erfinder des Tafelbilds (als

Kasimir Malewitsch: »Acht rote Rechtecke« (nach 1914; Amsterdam, Stedelijk Museum)

Mali

Fläche: 1 240 192 km²
Einwohner: (1995) 10,795 Mio.
Hauptstadt: Bamako
Verwaltungsgliederung: 8 Regionen, Hauptstadtdistrikt
Amtssprache: Französisch
Nationalfeiertag: 22. 9.
Währung: 1 CFA-Franc = 100 Centimes (c)
Zeitzone: MEZ –1 Std.

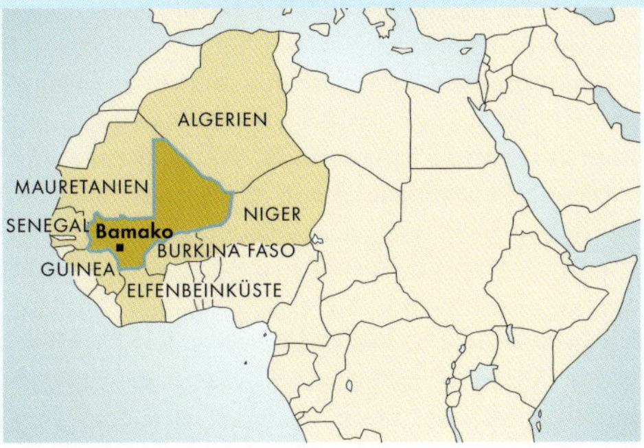

kompositionell in sich geschlossene Einheit). Im 15. Jh. kommt als Bildträger die in Holzrahmen gespannte Leinwand auf; als Farbträger eine Mischtechnik von Tempera- und Ölfarben. Die schon seit Giotto einsetzende Entwicklung der Erfassung körperl. und räuml. Realität wird durch neue Mittel (Zentralperspektive in der Renaissance, reine →Ölmalerei im 17. Jh. in den Niederlanden) ausgebaut. Neben religiösen werden seit dem 16. Jh. zunehmend weltl. Themen dargestellt. Porträt, Genre, Stillleben und Landschaft werden zu neuen Gattungen der M. Im 20. Jh. wird mit der abstrakten M. als Reaktion auf eine immer komplexere anonyme Wirklichkeit eine reine Kunstwelt aufgebaut, Farbe, Linie und Fläche sind autonome Gestaltungsmittel. Nach 1945 erhält die M. durch Einbeziehung fremder Materialien, Verwendung neuer Malfarben (Acryl- und Dispersionsfarben) sowie Experimentieren mit Mischformen und Übergängen (Objekte, Environments, Installationen) zu anderen Kunstgattungen neue Akzente. Neben erneuter Aufnahme abbildender Tendenzen (Pop-Art, Neuer Realismus) entwickelt sich seit Ende der 60er-Jahre ein Pluralismus der Stile und Techniken. (→Aquarellmalerei, →Gouachemalerei)

📖 GERICKE, L. *u.* SCHÖNE, K.: *Das Phänomen Farbe. Berlin ²1973. – Kindlers Malerei-Lexikon, hg. v.* K. FASSMANN, *15 Bde. Neudr. München u. a. 1985.* – WEHLTE, K.: *Werkstoffe u. Techniken der M. Ravensburg ⁶1992.* – DOERNER, M.: *Malmaterial u. seine Verwendung im Bilde. Stuttgart ¹⁸1994.*

Maler Müller, Schriftsteller und Maler, →Müller, Friedrich.

Malermuschel (Unio pictorum), bis 9 cm lange Süßwassermuschel mit zungenförmigem Umriss; im Bestand stark gefährdet.

Maléter ['mɔleːteːr], Pál, ungar. General, *Eperjes 4. 9. 1917, †(hingerichtet) Budapest 16. 6. 1958; seit 1952 im Generalstab der ungar. Volksarmee, war einer der Führer des Aufstandes von 1956 und Verteidigungsmin. in der Regierung unter I. Nagy; wurde 1989 rehabilitiert.

Malewitsch, Kasimir Sewerinowitsch, russ. Maler und Kunsttheoretiker, *Kiew 23. 2. 1878, †Leningrad (heute Sankt Petersburg) 15. 5. 1935; orientierte sich zunächst an den Fauves, Kubisten und Futuristen; ab 1912 gelangte er in seinen Werken zur reinen Gegenstandslosigkeit, die er mit dem Begriff →Suprematismus definierte (Manifest »Vom Kubismus zum Suprematismus«, 1915; 1920 veröffentlicht). Konsequent formulierte er eine abstrakte Kunstsprache, die auf geometr. Formen und reinen Farben basiert. Nach 1917 forcierte er seine konstruktivist. Kunst als Entsprechung zum revolutionären und techn. Zeitalter. Ab 1918 lehrte er in Moskau. 1927 ging er nach Berlin, kehrte 1929 in die UdSSR zurück. M. schuf auch Modelle einer utop. Architektur, Bühnenbilder und -kostüme, Plakate und Porzellan.

📖 STEINMÜLLER, G.: *Die suprematist. Bilder von K. M.: Malerei über Malerei. Bergisch Gladbach 1991.*

Malgrund, *Maltechnik:* →Grundierung.

Malherbe [ma'lɛrb], François de, frz. Dichter und Literaturtheoretiker, *in oder bei Caen 1555, †Paris 16. 10. 1628; wurde 1605 von König Heinrich IV. an den frz. Hof berufen, forderte gegenüber den Freiheiten der →Pléiade Strenge in der Versbildung sowie Reinheit, Klarheit und Allgemeinverständlichkeit der Sprache; Wegbereiter für die Ästhetik der frz. Klassik.

Staatswappen

RMM
Internationales Kfz-Kennzeichen

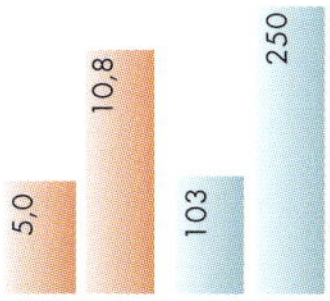

Bevölkerung (in Mio.)   Bruttosozialprodukt je Ew. (in US-$)

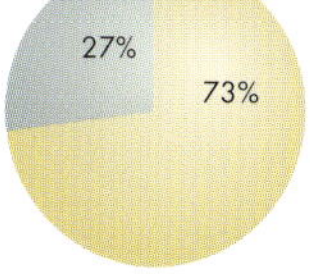

Bevölkerungsverteilung 1995

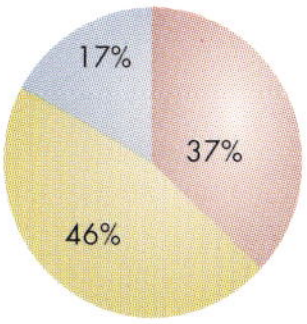

Bruttoinlandsprodukt 1995

Mali (amtlich frz. République du M.), Binnenstaat in Westafrika, grenzt im NW an Mauretanien, im NO an Algerien, im O und SO an Niger, im S an Burkina Faso, Rep. Elfenbeinküste und Guinea, im W an Senegal.

Staat und Recht: Nach der Verf. vom 12. 1. 1992 (durch Referendum gebilligt) ist M. eine präsidiale Rep. mit Mehrparteiensystem. Staatsoberhaupt ist der auf fünf Jahre direkt gewählte Präsident. Die Legislative liegt bei der Nationalversammlung (116 Abg.; 13 zusätzl. Mandate sind für im Ausland lebende Bürger M.s reserviert und werden zu einem späteren Zeitpunkt vergeben), die Exekutive liegt bei der Reg. unter Vors. des Min.Präs. Einflussreichste Partei ist die Allianz für die Demokratie in M.-Afrikan. Partei für Solidarität und Gerechtigkeit (ADEMA-PAS).

Landesnatur: M. reicht von der Oberguineaschwelle im S über das Nigerbecken (Sahelzone) bis in die zentrale Sahara im N. Weite Ebenen und flache Becken kennzeichnen das Landschaftsbild. Im NO erhebt sich das wüstenhafte Bergland Adrar des Iforas bis zu 1000 m ü. M. Zw. Ségou und Timbuktu bildet der Niger ein riesiges Binnendelta von rd. 40000 km^2, wichtigstes Anbaugebiet. M. hat Anteil an mehreren Klima- und Vegetationszonen: von der Feuchtsavanne im S über Trocken- und Dornsavannen bis zur extrem ariden Wüste im N; Jahresniederschläge im S 1100 mm (Regenzeit Juni bis Okt.), am Sahararand 120 mm; oft mehrjährige Dürreperioden.

Bevölkerung: Die Mehrheit bilden sudanide Völker und Stämme, stärkste Gruppen sind die Bambara, Malinke, Soninke, Senufo, Songhai, Dogon; Fulbe und Mauren leben v. a. in der Mitte des Landes, nomad. Tuareg im N. Infolge Dürren wanderten viele Nomaden nach S in die Städte ab; städt. Bev. 26 %. – Schulpflicht vom 6. bis 15. Lebensjahr; Analphabetenquote fast 70 % bei Erwachsenen; es gibt sieben Hochschulen. – Rd. 80 % der Bev. bekennen sich zum Islam (Sunniten), 18 % zu Naturreligionen, 2 % sind Christen.

Wirtschaft, Verkehr: Haupterwerbszweig ist die Landwirtschaft. Im S und SW des Landes sowie längs des Niger bis Timbuktu Anbau von Hirse, Maniok, Mais, im Überflutungsgebiet oder mit Bewässerung Reis, für den Export Baumwolle, Erdnüsse und Zuckerrohr. Im mittleren und nördl. M. betreiben Nomaden und Halbnomaden extensive Viehhaltung (Lebendviehexport); bed. Flussfischerei (Ausfuhr von Trocken- und Räucherfisch); Salzgewinnung in der Sahara bei Taoudenni. Die Ind. verarbeitet v. a. landwirtsch. Erzeugnisse. 90 % des Exports sind Agrarprodukte (Baumwolle, Lebendvieh, Häute, Felle), ferner Gold; Haupthandelspartner: Frankreich u. a. EU-Länder, Senegal und die Rep. Elfenbeinküste. – Die Bahnlinie Bamako–Dakar (in M.: 642 km) ist die wichtigste Verbindung zu den Seehäfen am Atlantik; Bedeutung hat Schifffahrt auf Senegal und Niger (nicht ganzjährig schiffbar); das Straßennetz beträgt 18000 km, davon 1500 km asphaltiert. Internat. Flughafen: Bamako.

Geschichte: Vom 12. Jh. an bestand im westl. Sudan das Reich M., eine Gründung der Malinke (Zerfall 15.–17. Jh.). Im späten 19. Jh. gliederte Frankreich das Gebiet des heutigen M. als Soudan (seit 1904 Kolonie Frz.-Sudan) Frz.-Westafrika ein. Dabei leisteten die Tuareg heftigen Widerstand. 1958 autonome Rep. in der Frz. Gemeinschaft, bildete Frz.-Sudan 1959 mit Senegal die Föderation M., die jedoch schon 1960 auseinander brach. Die ehem. Kolonie Sudan behielt den Namen M. bei. Unter Staats- und Reg.chef M. Keita betrieb M. eine am sozialist. Lager orientierte Politik. Nach dem Sturz von Keita 1968 übernahm ein Militärregime unter M. Traoré die Macht (nach blutigen Unruhen 1991 gestürzt). Einen Demokratisierungsprozess leitete der neue Staatschef A. T. Touré ein. Die ersten freien Präsidentschaftswahlen gewann 1992 A. O. Konaré (1997 wieder gewählt; ADEMA-PAS). Im Febr. 1993 verurteilte ein Gericht den früheren Staatspräs. M. Traoré wegen Mordes (verantwortlich für die Tötung von Demonstranten, 1991) zum Tod (Urteil nicht vollstreckt). 1994 kam es zu sozialen Unruhen, die den Demokratisierungsprozess bedrohten. Zugleich drohte der Konflikt zw. der schwarzafrikan. Bev.mehrheit und den Tuareg im N zu einem Regionalkonflikt zu werden.

📖 BARTH, H. K.: *M. Eine geograph. Landeskunde. Darmstadt 1986.* – KRINGS, T.: *Sahel: Senegal, Mauretanien, M., Niger. Islam. u. traditionelle schwarzafrikan. Kultur zwischen Atlantik u. Tschadsee. Köln ^{4}1988.*

Malignität [lat.] *die, Medizin:* Bösartigkeit, bes. einer Geschwulst; i. w. S. auch von Krankheiten; Ggs.: → Benignität.

Malines [ma'lin], frz. Name der Stadt → Mecheln.

Malịnke (Mandingo), bed. Volk der Sudaniden in Westafrika (etwa 4 Mio.), sprechen Malinke, einen Dialekt des Mandingo; überwiegend Savannenpflanzer; starker Synkretismus zw. Islam und afrikan. Religionen. Die M. gründeten das alte Reich Mali.

Malinowski, 1) [mælɪ'nɔvskɪ], Bronislaw, brit. Ethnologe poln. Herkunft, *Krakau 7. 4. 1884, †New Haven (Conn.) 16. 5. 1942; unternahm Forschungsreisen nach Neuguinea, NW-Melanesien, nach Australien und zu den Puebloindianern; erforschte die innere funktionelle Bezogenheit im Kulturleben und die Geschichte des Kulturwandels (→Funktionalismus 6).

2) Rodion Jakowlewitsch, Marschall der Sowjetunion (seit 1944), *Odessa 23. 11. 1898, †Moskau 31. 3. 1967; im 2. Weltkrieg 1944/45 Befehlshaber der 2. Ukrain. Front, eroberte 1944 Rumänien und Ungarn. Als Oberbefehlshaber der Transbaikalfront 1945 war er an der Besetzung der Mandschurei beteiligt; 1957–67 Verteidigungsminister.

Malipiero, Gian Francesco, italien. Komponist, *Venedig 18. 3. 1882, †Treviso 1. 8. 1973; vereinigte Anregungen italien. Musik des 17. und 18. Jh. mit modernen Stilelementen; komponierte Opern (u. a. »L'Orfeide«, 1919–25; »Uno dei dieci«, 1971), Orchester-, Kammer- und Vokalmusik; Herausgeber der Werke C. Monteverdis und A. Vivaldis.

Stéphane Mallarmé: Federzeichnung von Paul Gauguin (undatiert)

Mallarmé [malar'me], Stéphane, frz. Dichter, *Paris 18. 3. 1842, †Valvins (Dép. Seine-et-Marne) 10. 9. 1898; war 1863–93 Gymnasiallehrer für Englisch, seit 1873 in Paris; schrieb für zahlr. Zeitschriften und übersetzte aus dem Englischen (u. a. E. A. Poe); seine Wohnung war seit 1880 an Dienstagen (»Mardis«) Treffpunkt bed. Künstler und Schriftsteller (u. a. P. Valéry, A. Gide, S. George). M. ist einer der Hauptvertreter des →Symbolismus. Seine schwer deutbaren Dichtungen (u. a. »Der Nachmittag eines Fauns«, 1876; »Poésies«, 1887; »Ein Würfelwurf hebt den Zufall nicht auf«, 1. Fassung 1897, 2. Fassung hg. 1914) und theoret. Schriften (u. a. »La musique et les lettres«, 1891) sind von dem konsequenten Bestreben geprägt, die Lit. im Sinne einer absoluten Poesie zu verändern, bes. durch die Verbindung von Sprache und Musik. Das Werk M.s hat bis in die Gegenwart großen Einfluss auf die europ. Literatur.

📖 HAAS, D.: *Flucht aus der Wirklichkeit. Thematik u. sprachl. Gestaltung im Werk S. M.s. Bonn 1970.* – SARTRE, J.-P.: *M.s Engagement. A. d. Frz. Hamburg 1983.* – DRAGONETTI, R.: *Études sur M., hg. v.* W. SMEKENS. *Gent 1992.*

Louis Malle

Malle [mal], Louis, frz. Filmregisseur, *Thumeries (Dép. Nord) 30. 10. 1932, †Beverly Hills (Calif.) 23. 11. 1995; wurde mit »Fahrstuhl zum Schafott« (1957) zu einem führenden Vertreter der frz. »Neuen Welle«. – *Filme:* Zazie (1960), Das Irrlicht (1963), Lacombe Lucien (1973), Pretty Baby (1977), Atlantic City (1979), Auf Wiedersehen, Kinder (1987), Eine Komödie im Mai (1990), Verhängnis (1992); Vanya – 42. Straße (1994).

Mallea [ma'jea], Eduardo, argentin. Schriftsteller, *Bahía Blanca 14. 8. 1903, †Buenos Aires 12. 11. 1982; Journalist, zeitweise in diplomat. Dienst; schrieb psychologisch fundierte Romane (»Die Bucht des Schweigens«, 1940; »Alles Gras verdorrt«, 1941), Essays und Theaterstücke.

Mallein [lat.] *das, Tiermedizin:* keimfreies Filtrat von Rotzbakterien zur Diagnose von →Rotz.

Françoise Mallet-Joris

Mallet-Joris [malɛʒɔ'ris], Françoise, eigtl. F. Lilar, belg. Schriftstellerin frz. Sprache, *Antwerpen 6. 7. 1930; Autorin von realist. Romanen, in denen sie in distanzierter Sprache entlarvende Analysen menschl. Gefühle und gesellschaftl. Verhaltens darstellt (»Der dunkle Morgen«, 1951; »Bei Sokrates am Montparnasse«, 1958; »Die junge Allegra«, 1976; »Adriana Sposa«, 1990).

Malle|us [lat.] *der,* **1)** *Anatomie:* Hammer, Gehörknöchelchen in der Paukenhöhle (→Ohr).

2) *Tiermedizin:* der →Rotz.

Malle|us maleficarum [lat.], Originaltitel des »Hexenhammers« (→Hexe).

Mallorca [ma'ʎɔrka], größte Insel der span. Balearen im Mittelmeer, 3684 km², 391000 Ew.; im Zentrum fruchtbares Hügelland (Wein, Ölbäume, Feigen, Mandeln, Apfelsinen, Getreide), Sandstrände wechseln mit Steilküsten; im NW (Serra de Tramuntana, bis 1445 m ü. M.) und SO (bis 562 m) von Höhenzügen eingerahmt; starker Fremdenverkehr. Hauptort und Haupthafen ist Palma de M. Die Bewohner (**Mallorkiner,** span. **Mallorquinos)** sprechen eine katalan. Mundart.

Stéphane Mallarmé

Mallungen, seemänn. Bez. für unregelmäßige Winde, v. a. die →Kalmen, auch für die windschwachen Gebiete im subtrop. Hochdruckgürtel (Rossbreiten).

Malm [engl.] *der, Geologie:* jüngste Abteilung des Jura.

Malmaison [-mɛ'zɔ̃], Schloss am W-Rand von Rueil-M., westl. von Paris; urspr. Bau von 1620–22, nach 1802 im Empirestil durch C. Percier und P. F. L. Fontaine erweitert; Aufenthaltsort Napoléon Bonapartes als Konsul und seiner Frau Joséphine, die bis zu ihrem Tod (1814) hier lebte; heute Museum.

Mạlmberg [-bærj], Bertil, schwed. Schriftsteller, *Härnösand 13. 8. 1889, †Stockholm 11. 2. 1958; lebte 1917–26 in München und stand dem George-Kreis nahe; bed. Vertreter der modernen schwed. Lyrik; Erzählungen, Dramen, Übersetzungen.

Mạlmberget [-bærjet], Bergbauort in N-Schweden, Teil der Großgemeinde Gällivare; Eisenerzgruben, Anreicherungswerke.

Mạlmedy (amtl. frz. Malmédy), Stadt in der Prov. Lüttich, Belgien, südlich des Hohen Venn, 10100 Ew.; elektrotechn. Ind., Großmolkerei. – 1815–1920 preußisch, kam 1920 an Belgien (→Eupen-Malmedy).

Malmignatte [malminˈjatə, italien.] *die* (Latrodectus mactans tredecimguttatus), etwa 1 cm große Kugelspinne in S-Europa, NO-Afrika und in weiten Teilen Asiens; Hinterleib schwarz; Weibchen mit meist 13 leuchtend roten Flecken; Giftspinne.

Malmö
Stadtwappen

Mạlmö, Hptst. des VerwBez. (Län) Malmöhus, Schweden, am S-Ausgang des Sundes in der Landschaft Schonen, 236700 Ew.; Musikhochschule, Navigations- u. a. Fachschulen; Maschinen-, Schiff-, Flugzeugbau, Düngemittel-, Zement-, Textil-, chem. u. a. Ind.; drittgrößter Hafen Schwedens, Eisenbahn- und Personenfähren nach Kopenhagen, Lübeck und Travemünde, internat. Flughafen. – Mittelpunkt der Altstadt ist der Markt mit Renaissancerathaus (1546, 1864–69 erneuert), der Reiterstatue König Karls X. Gustav (1896 eingeweiht) und ehem. Residenz des Landeshauptmanns (1730), südlich davon das Flensburgska Huset (1595), Petrikirche (Anfang 14. Jh.). Beispiele moderner Architektur sind das Stadttheater (1942–44) und das Haus des Volkes (1947). – Westlich der Altstadt liegt die Festung **Malmöhus** (1434 gegr., 1537–42 neu gebaut; heute Museum). – 1150 gegr., im MA. die wichtigste Handelsstadt am Öresund.

Mạlmöhus, VerwBez. (Län) in der Landschaft Schonen, S-Schweden, 4938 km², (1995) 811400 Ew.; Hauptstadt ist Malmö.

André Malraux

Malọjapass (Maloja, italien. Passo del Maloja), Alpenpass (1815 m ü. M.) im Kt. Graubünden, Schweiz, zw. dem Bergell (Steilstufe) und dem Engadin. Der Ort **Maloja** ist Höhenkurort und Wintersportplatz.

Malọnsäure (Propandisäure), farb- und geruchlose, kristalline, in Wasser leicht lösl. Dicarbonsäure, die Ester und Salze **(Malonate)** bildet. M. wird z. B. durch Umsetzung von Monochloressigsäure mit Natriumcyanid und anschließender Hydrolyse der entstandenen Cyanessigsäure hergestellt; sie dient v. a. zur Herstellung von →Barbitursäure und ihren Derivaten.

Malonylharnstoff, die →Barbitursäure.

Malorȳ [ˈmælərɪ], Sir Thomas, engl. Schriftsteller, *in Warwickshire um 1408, †London 14.(?) 3. 1471; Verfasser des Prosaromans »Le morte Darthur« (1469–70), der alle bisherigen Artusromane (→Artus) vereint.

Malossọl [russ. »wenig gesalzen«] *der,* schwach gesalzener →Kaviar.

Malouf [-ˈluːf], David, austral. Schriftsteller libanesisch-engl. Herkunft, *Brisbane 20. 3. 1934; gilt als einer der wichtigsten Vertreter zeitgenöss. austral. Literatur; zunächst bekannt mit Lyrik (»Bicycle and other poems«, 1970), dann v. a. Romane (»Johnno«, 1975; »Das Wolfskind«, 1978; »Verspieltes Land«, 1984; »Die große Welt«, 1990).

Malpass [ˈmælpæs], Eric Lawson, engl. Schriftsteller, *Derby 14. 11. 1910, †Bishop's Waltham (bei Southampton) 16. 10. 1996; Verfasser humorvoller und lebendig geschriebener Romane um eine engl. Schriftstellerfamilie (»Morgens um sieben ist die Welt noch in Ordnung«, 1965; »Wenn süß das Mondlicht auf den Hügeln schläft«, 1967).

Marcello Malpighi: Stahlstich (um 1830) nach einer zeitgenössischen Vorlage

Malpịghi [-gi], Marcello, italien. Anatom, *Crevalcore (bei Bologna) 10. 3. 1628, †Rom 29. 11. 1694; begründete die mikroskop. Anatomie, entdeckte u. a. die Kapillargefäße, beschrieb das Kapillarknäuel in der Niere **(Malpighi-Körperchen)** und die Malpighi-Körperchen der Milz.

Malplaquet [-plaˈkɛ], Teil der frz. Gemeinde Taisnières-sur-Hon, 10 km nordwestlich von Maubeuge. – 1709 Sieg der Österreicher, Preußen und Briten über die Franzosen im Span. Erbfolgekrieg.

Malraux [malˈro], André, frz. Schriftsteller und Politiker, *Paris 3. 11. 1901, †Créteil 23. 11. 1976; studierte Archäologie, Sanskrit und Chinesisch, nahm 1923 an einer archäolog. Expedition nach Kambodscha teil. Über seine Teilnahme am chines. Bürgerkrieg gibt es keine Klarheit; sie ist wenig wahrscheinlich. Im Span. Bürgerkrieg wurde er Kommandeur einer Fliegereinheit auf republi-

Malta

Fläche: 316 km²
Einwohner: (1995) 366 000
Hauptstadt: Valletta
Verwaltungsgliederung: 6 Verwaltungsbezirke
Amtssprachen: Maltesisch und Englisch
Nationalfeiertag: 31. 3.
Währung: 1 Maltes. Lira (Lm) = 100 Cents (c) = 1 000 Mils (m)
Zeitzone: MEZ

kan. Seite, bis 1939 engagierte er sich in der kommunist. Bewegung; kämpfte in der Résistance als Anhänger de Gaulles. 1945/46 war er Informationsmin., 1958–69 Kulturminister. – Die großen Romane M.' gestalten die schrankenlose Selbstverwirklichung des Menschen unter extremen Umständen (»Die Eroberer«, 1928; »Der Königsweg«, 1930; »So lebt der Mensch«, 1933); während des Span. Bürgerkriegs spielt »Die Hoffnung« (1937), worin die Ethik eines überindividuellen Humanismus gestaltet ist. M. verfasste auch kunsttheoret. Schriften (u.a. »Psychologie der Kunst«, 3 Bde., 1947–50, Neufassg. u.d.T. »Stimmen der Stille«, 1951) und autobiographische Werke (u.a. »Anti-Memoiren«, 1967; »Eichen, die man fällt«, 1971; »Gäste im Vorübergehen«, 1975).

🕮 CATE, C.: *A. M. A biography. London 1995.*

Malstrom (norweg. Moskenstraumen), starker Gezeitenstrom zw. den südlichsten Lofotinseln (N-Norwegen), kann kleinere Schiffe gefährden.

Malta (amtlich Repubblika ta' Malta, Republic of Malta), Inselstaat im zentralen Mittelmeer, umfasst die Maltes. Inseln, das sind M. (246 km²), Gozo (maltes. Ghaudex oder Ghawdex; 67 km²), Comino (Kemmuna; 2,6 km²) sowie die beiden unbewohnten Inseln Cominotto (Kemmunett) und Filfla (Filfola).

Staat und Recht: Nach der Verf. von 1974 ist M. eine parlamentar. Rep. im Commonwealth. Staatsoberhaupt ist der auf fünf Jahre vom Parlament gewählte Präs.; er übt im Wesentlichen repräsentative Funktionen aus. Die Legislative liegt beim Repräsentantenhaus (69 Abg., davon 65 auf fünf Jahre gewählt und vier Bonusmandate für die stärkste Partei), die Exekutive bei der Reg. unter Vorsitz des Premiermin. Einflussreichste Parteien: Nationalist Party, M. Labour Party.

Landesnatur: Die Maltes. Inseln sind Reste einer Landbrücke zw. Sizilien und Nordafrika. Die Insel M. steigt pultschollenförmig von NO nach SW bis 253 m ü. M. an und fällt steil mit einer Kliffküste zum Meer ab. Der größte Teil ist verkarstet. Nur im N und NW finden sich Becken, die landwirtsch. genutzt werden. Die Flachlandküste im NO und SO ist durch mehrere Buchten stark gegliedert (Rias). Von der Insel M. ist die Insel Gozo durch einen 5 km breiten Meeresarm, in dem die Insel Comino liegt, getrennt. Die Sommer sind trocken-heiß, die Winter mild mit zyklonalen Regenfällen (Mittelmeerklima).

Bevölkerung: Die Malteser bilden ethnisch ein mediterranes Mischvolk mit arab. Sprache (→Maltesisch); etwa 5 % sind Briten und Italiener. 89 % der Bev. leben in Städten. – Allg. Schulpflicht vom 5. bis 16. Lebensjahr; Univ. (gegr. 1769) in Valletta. – 98 % der Bev. sind katholisch.

Wirtschaft, Verkehr: Wichtigster Wirtschaftszweig ist das Dienstleistungsgewerbe, zuerst für den Malteserorden, 1800–1979 für den brit. Marinestützpunkt, heute bed. Fremdenverkehr; bedeutendstes Unternehmen ist die Werft in Valletta, daneben Maschinenbau, chem., Nahrungsmittel- und Textilindustrie. Die Landwirtschaft spielt eine untergeordnete Rolle. Von Bedeutung ist die Blumenzucht, ferner Frühkartoffeln, Zwiebeln und Wein sowie Getreide; Waldflächen fehlen. Die Fischerei beschränkt sich auf küstennahe Gewässer. Der Energiebedarf wird überwiegend aus Erdöl-

Malta

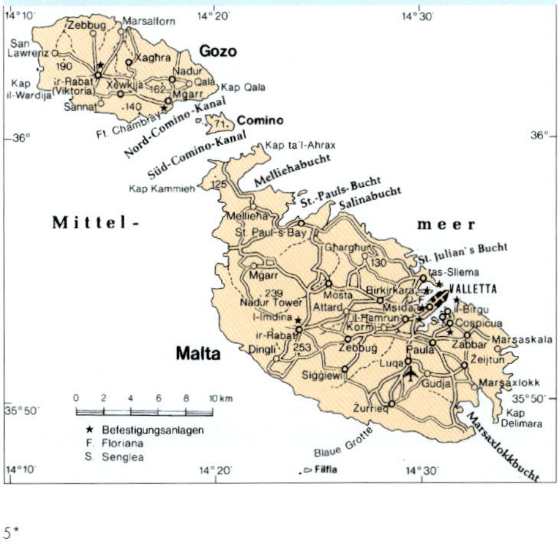

Staatswappen

M

Internationales Kfz-Kennzeichen

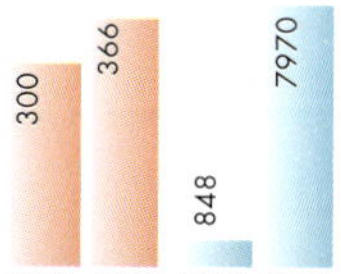

Bevölkerung (in Tausend) · Bruttosozialprodukt je Ew. (in US-$)

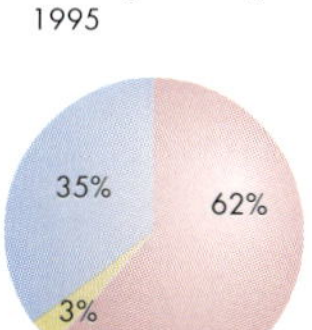

Stadt
Land

Bevölkerungsverteilung 1995

Industrie
Landwirtschaft
Dienstleistung

Bruttoinlandsprodukt 1995

Malta: megalithische Tempelanlage von Mnaidra aus der 1. Hälfte des 4. Jahrtausends v. Chr. (links); die Altstadt von Msida mit der Pfarrkirche Sankt Joseph im Hintergrund liegt direkt am Hafen

Malteser-Hilfsdienst e. V.

importen gedeckt. Ausgeführt werden Maschinen und Fahrzeuge, Textil-, Plastikwaren, Frühkartoffeln, Blumen, elektr. und elektron. Waren, Spielzeug. Wichtigste Handelspartner sind die EU-Länder und die USA. – Das Straßennetz ist 1600 km lang. Eisenbahnen sind nicht vorhanden. Der Hafen von Valletta kann von Schiffen jeder Größenordnung angelaufen werden. Der internat. Flughafen Luqa liegt südlich von Valletta.

Geschichte: M. war in der Jungsteinzeit eines der Zentren der mediterranen Megalithkulturen (v. a. große Tempelbauten z. B. in Mnaidra, ab 4. Jt. v. Chr.; die ältesten Bauten im NW-Teil der Insel und auf Gozo, →Gigantija). Nach phönik. Kolonisation (8./7. Jh. v. Chr.) kam M. im 7./6. Jh. v. Chr. unter die Oberhoheit Karthagos; ab 218 v. Chr. war es röm. Kolonie. Das nach 395 n. Chr. oströom. M. wurde in der Völkerwanderungszeit zunächst von Wandalen, dann von Ostgoten besetzt; 533 wurde es byzantinisch; 870 eroberten es die muslim. Aghlabiden, deren sprachl. und kultureller Einfluss lange nachwirkte. 1091 beendete der normann. Graf Roger I. von Sizilien ihre Herrschaft. 1530 belehnte Kaiser Karl V. den von Rhodos vertriebenen Johanniterorden mit M. Die Folgezeit war durch ständige Kämpfe mit den Osmanen gekennzeichnet. Die Ordensherrschaft beendete Napoléon Bonaparte 1798 zu Beginn seiner ägypt. Expedition. 1800 gelang es den Maltesern mithilfe der brit. Flotte, die Franzosen zu vertreiben. Im Frieden von Amiens (1802) unterstellte sich die maltes. Nationalversammlung Großbritannien und verhinderte so die Rückgabe der Insel an den Ritterorden. 1814 wurde M. brit. Kronkolonie und Flottenstützpunkt. Die Verf. von 1921 räumte der Insel eine beschränkte Selbstverwaltung ein; im 2. Weltkrieg war sie wichtige brit. Luft- und Flottenbasis. Die Verf. von 1947 brachte M. Autonomie. 1964 wurde es unabhängiges Mitgl. des (brit.) Commonwealth und 1974 unabhängige parlamentar. Republik. Die über lange Jahre regierende M. Labour Party unter D. Mintoff (Min.Präs. 1955–58 und 1971–84) war auf eigenständige Politik bedacht und erreichte schließlich die Verlegung des NATO-Stützpunktes (1971) und den vollständigen Abzug der brit. Truppen (1979). Die 1987–96 von der Nationalist Party gestellte Regierung (Min.Präs. E. Fenech Adami) strebte eine enge politisch-wirtsch. Bindung an Westeuropa an. Das Ziel eines Beitritts zur Europ. Union (bereits 1990 Antrag auf Mitgliedschaft in der EG) wurde nur zeitweilig von der Labour-Reg. unter A. Sant (1996–98) suspendiert, jedoch nach dem Wahlsieg der Nationalist Party (1998, Min.Präs. erneut Fenech Adami) weiter verfolgt. 1999 wurde G. de Marco Staatspräsident.

📖 TETZLAFF, I.: *M. u. Gozo. Die goldenen Felseninseln – Urzeittempel u. Malteserburgen. Köln [8]1990.* – BETZ, W.: *M. – Spuren in die Vergangenheit. Frankfurt am Main 1994.*

Maltafieber (Mittelmeerfieber), zu den →Brucellosen gehörende Infektionskrankheit.

Maltatal, österr. Hochgebirgstal in den Hohen Tauern in Kärnten; im Talende der Hauptspeicher Kölnbrein (200 Mio. m^3 Wasser) der Kraftwerksgruppe Malta. Das mittlere und obere M. ist Naturschutzgebiet; Fremdenverkehr.

Malter [ahd. maltar »auf einmal Gemahlenes«], altes dt. Volumenmaß, v. a. für Getreide, schwankend zw. 1,15 und 12,46 hl.

Malteser, Zwerghunderasse aus dem Mittelmeerraum mit weißem, langem Haar.

Malteser-Hilfsdienst e. V., Abk. **MHD,** 1953 von den dt. Zweigen des Malteserordens und dem Dt. Caritasverband gegr. Verein der freien Wohlfahrtspflege, Sitz: Köln; widmet sich u. a. dem Rettungsdienst, Katastrophenschutz, Hausnotruf, sozialen Diensten.

Malteserkreuz, nach dem Malteserorden benanntes achtspitziges Kreuz, dessen Form zum Vorbild vieler, auch nichtgeistl. Ordenszeichen wurde.

Malteser|orden, seit 1530 Name des →Johanniterordens; internat. karitative Tätigkeit.

Maltesisch, Sprache der Bewohner von Malta (Malteser), eine arab. Mundart, geschrieben mit lat. Buchstaben, mit zahlreichen italien. Fremdwörtern, vom Schriftarabischen nicht beeinflusst.

Malthus ['mælθəs], Thomas Robert, brit. Nationalökonom und Sozialphilosoph, * Rookery (bei Guildford) 14. oder 17. 2. 1766, † Bath 23. 12. 1834; zunächst Pfarrer, seit 1805 Prof. für Geschichte und polit. Ökonomie in Haileybury (Hertfordshire). M. ist einer der führenden Theoretiker der klass. Nationalökonomie. Bekannt wurde er auch durch seine Streitschrift »Versuch über das Bevölkerungsgesetz« (1798) gegen den Sozialisten W. Godwin, in der er eine pessimist. Auffassung der Bevölkerungsfrage vertrat. (→Malthusianismus)

📖 Winkler, H.: *M. – Krisenökonom u. Moralist. Innsbruck 1996.*

Malthusianismus *der,* nach T. R. Malthus benannte Bevölkerungstheorie, nach der die mögliche Größe der Bev. durch die Menge der verfügbaren Nahrungsmittel begrenzt und bestimmt wird. Da die Bev. in geometr. Progression wachse, also in gleich bleibenden Wachstumsraten bei immer größeren absoluten Werten, reiche die Nahrungsmittelproduktion, die dagegen infolge des »Gesetzes vom abnehmenden Bodenertrag« nur in arithmet. Progression – d.h. mit gleich bleibenden absoluten Zuwächsen – zunehme, nicht aus, immer mehr Menschen zu ernähren. Zur Begrenzung der Überbev. forderte Malthus neben den »natürlichen Hemmungen« (höhere Sterblichkeit durch Nahrungsmittelmangel) v.a. »moralische Hemmnisse« (z.B. sexuelle Enthaltsamkeit). Unter dem Einfluss des M. kam es frühzeitig, bes. in den USA, zur Propagierung einer Geburtenkontrolle. Trotz der Kritik an den unterstellten Gesetzmäßigkeiten (zum einen sind die Bestimmungsgründe des Bev.wachstums weit vielschichtiger und eine geometr. Zunahme der Bev. liegt z.B. in den modernen Ind.staaten nicht vor, zum anderen ist die Annahme einer arithmet. Zunahme der Nahrungsmittel nicht zu beweisen) blieb der M. bzw. der Neo-M., v.a. die aus ihm abgeleitete Forderung nach einer Geburtenkontrolle, angesichts des großen Bev.wachstums insbesondere in Entwicklungsländern bis heute aktuell.

Maltose *die* (Malzzucker), aus zwei Molekülen D-Glucose bestehendes Disaccharid, das durch enzymat. Abbau von Stärke gebildet wird. M. ist als vergärbarer Zucker in Bier- und Branntweinmaische enthalten. Als Bestandteil von Glucosesirup dient M. zum Süßen von Lebensmitteln. Durch Säuren oder durch das Enzym Maltase wird sie zu D-Glucose hydrolysiert.

Maltz [mɔltz], Albert, amerikan. Schriftsteller, * New York 28. 10. 1908, † Los Angeles (Calif.) 26. 4. 1985; in der McCarthy-Ära Gefängnisstrafe und Berufsverbot; sozialkrit. Dramen (»Die Wahl«, 1932; »Der schwarze Schacht«, 1935), Erzählungen, Romane (»Geschichte eines Januar«, 1965); Drehbücher.

Malus [lat. »schlecht«] *der,* nachträgl. Prämienzuschlag bei schadensreichem Verlauf von Versicherungen.

Malus [ma'lys], Étienne Louis, frz. Physiker, * Paris 23. 6. 1775, † ebd. 23. 2. 1812; befasste sich mit der Doppelbrechung des Lichtes, entdeckte 1808 dessen Polarisation durch Reflexion.

Malvasier [nach dem italien. Namen Malvasia der grch. Stadt Monemvassia] *der* (Malvasia), eine der ältesten Rebsorten, die aus Kleinasien stammt und heute weltweit (bes. im Mittelmeerraum) verbreitet ist. M. liefert sortenreine Weißweine und wird oft auch für Likörweine verwendet.

T. Robert Malthus
(Ausschnitt eines Stahlstichs von 1834)

Malve [lat.] *die* (Malva), Gattung der Malvengewächse in Eurasien und Nordafrika, einige Arten in Amerika eingeschleppt und verwildert; Kräuter oder Halbsträucher mit meist großen, teller- bis trichterförmigen Blüten in versch. Farben; z.T. Zierpflanzen. Eine in Mittel- und Südeuropa verwildert vorkommende Art ist die bis 1 m hohe **Moschus-M.** (Malva moschata) mit weißen oder rosenroten, nach Moschus duftenden Blüten. In Eurasien und Nordafrika wachsen die **Wilde M.** (**Rosspappel,** Malva sylvestris), eine 0,25–1,5 m hohe Ruderalpflanze mit großen, purpurroten Blüten, und die bis 50 cm hohe **Weg-M.** (**Käsepappel,** Malva neglecta) mit rötl. Blüten. Bild S. 70

Malwinen (span. Islas Malvinas), brit. Inselgruppe, →Falklandinseln.

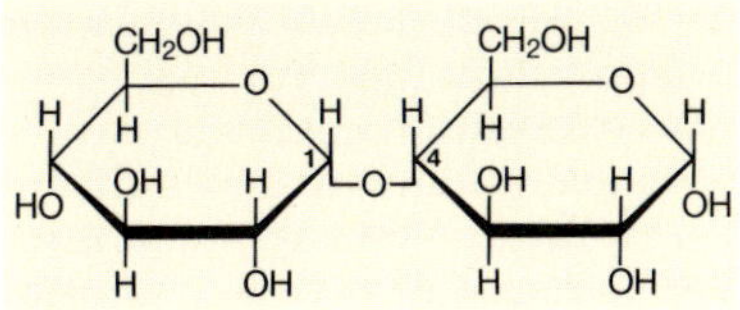

Maltose

Malz [ahd., eigtl. »weiche Masse«, »Aufgeweichtes«], mit Wasser bei etwa 15 °C zum Keimen (**Grün-M.**) gebrachte stärkehaltige Gerste mit geringem Eiweißgehalt (rd. 9 %), aus der nach Trocknung das **Braun-M.** (**Darr-M.**) entsteht. M. enthält neben →Maltose und →Amylasen eine Reihe von Wirkstoffen und wird als M.-Extrakt, in gelöster Form im Kaffeeersatz, zur Erzeugung von Kornbranntwein und Whisky sowie v.a. in der Bierherstellung (→Bier) gebraucht.

Malve: Wilde Malve (Höhe bis zu 1,5 m)

Malzbier, →Bier.

Malzzucker, die →Maltose.

Mambas [Zulu] (Dendroaspis), Gattung der →Giftnattern.

Mambo [wohl kreol.] *der,* auch *die,* urspr. Bez. für die Polyrhythmik afrokuban. Tanzmusik; danach südamerikanisch-kuban. Gesellschaftstanz in schnellem 4/4-Takt; nach 1950 in Europa zeitweilig Modetanz.

Mamelucken [arab. »Sklaven«] (Mamluken), urspr. Militärsklaven türk., kaukas. oder slaw. Herkunft, die seit dem 9. Jh. in Ägypten und Syrien Kriegsdienst leisteten und in den folgenden Jh. bis zur osman. Eroberung (1516/17) von Kairo aus über diese Gebiete herrschten. Ihr Einfluss in Politik und Verwaltung dauerte bis 1811, als Mehmet Ali sie durch ein Massaker ausschalten ließ. Herausragende Feldherren und Sultane waren Baibars (1260–77) und Kalaun (1279–90).

Mamertus, Bischof von Vienne, †um 475; maßgebl. an der gall. Kirchenpolitik seiner Zeit beteiligt. Heiliger (→Eisheilige), Tag: 11. 5.

Mamilla [lat.] *die,* Brustwarze, Zitze.

Mamin-Sibirjak, Dmitri Narkissowitsch, russ. Schriftsteller, * Wissimo-Schaitanski (Gouv. Perm) 6. 11. 1852, † Sankt Petersburg 15. 11. 1912; schilderte in naturalist., sozialkrit. Erzählungen und Romanen bes. das Leben der Bauern in Sibirien und im Kaukasus: »Die Priwalowschen Millionen« (1883), »Gold« (1892), »Korn« (1895).

Mammae [lat. »Zitze«, »Brust«], die Brustdrüsen.

Mammakarzinom [lat.-grch.], der →Brustkrebs.

Mammalia [lat.], die →Säugetiere.

Mammaplastik [lat.-grch.], Verfahren der plast. Chirurgie zur Wiederherstellung der natürl. Brustform nach einer Krebsoperation oder zur kosmet. Korrektur. Gewebsdefekte werden durch Transplantation von körpereigenem Fettgewebe und von Hautlappen ausgeglichen, auch durch Einpflanzen von Silikonprothesen, v.a. bei vorausgegangener Brustdrüsenentfernung. Gesundheitsgefährdende Risiken durch Silikoneinlagerungen können nicht ausgeschlossen werden.

Mammeibaum (Echter M., Mammibaum, Mammey, Mammea americana), in Westindien heimisches und in den Tropen (v.a. im trop. Amerika) kultiviertes Johanniskrautgewächs mit rötlich gelben, aprikosenähnlich schmeckenden Früchten **(Mammeiäpfel, Aprikosen von Santo Domingo).**

Mammographie [lat.-grch.] *die,* Röntgenaufnahme der weibl. Brust. Sie wird in drei Ebenen und beidseitig durchgeführt, da z.T. nur im Vergleich die Unterscheidung individueller und krankhafter Formabweichungen möglich ist. Bei der **Xero-M.** wird anstelle des Röntgenfilms eine selenbeschichtete Aluminiumplatte verwendet; ermöglicht eine bessere Hervorhebung der Konturen.

Mammon [aramäisch] *der,* abwertend für Geld, Reichtum (z.B. in Matth. 6,24).

Mammut, →Mammute.

Mammutbaum, 1) (Sequoiadendron) Gattung der Sumpfzypressengewächse mit der einzigen Art **Riesen-M.** (Sequoiadendron giganteum) im westl.

Mammutbaum: Riesenmammutbaum (Höhe bis zu 135 m)

Nordamerika; bis 135 m hoher Baum mit säulenförmigem Stamm (Durchmesser bis 12 m). Die ältesten bekannten M. sind zw. 3000 und 4000 Jahre alt; in Europa als Parkbaum angepflanzt. 2) (Sequoia) Gattung der Sumpfzypressengewächse mit der einzigen Art **Küstensequoia** (Sequoia sempervirens) im westl. Nordamerika; bis 110 m hoch; etwa 400–1300 Jahre alt werdender, →Redwood liefernder Baum.

Mammute [russ.-frz.], Gattung ausgestorbener, bis 4 m hoher Elefanten, die gegen Ende des Pleistozäns (in Asien vor etwa 10000 Jahren) in den Steppen Eurasiens und Nordamerikas lebten. Am bekanntesten **Kältesteppenmammut** (**Mammut** i.e.S., Mammuthus primigenius), das nur in Kälteregionen vorkam; mit dichter, langer Behaarung und bis 5 m langen, gebogenen oder eingerollten Stoßzähnen. Im sibir. Bodeneis sind vollständig erhaltene Exemplare gefunden worden.

Mammute: Skelett eines Kältesteppenmammuts (Paris, Musée National)

Mammuthöhle (engl. Mammoth Cave), Höhlensystem in Kentucky, USA, mit 5 Stockwerken bis über 100 m Tiefe, bisher erforschte Gänge von 560 km Länge; 1791 entdeckt, seit 1941 Nationalpark (212 km^2; UNESCO-Welterbe).

Mamonowo (dt. Heiligenbeil), Stadt im Gebiet Kaliningrad (Königsberg), Russland, 3 km südöstlich des Frischen Haffs, 9000 Ew.; Fischkonservenfabrik. – Die Stadt wurde 1301 nach Culmer Recht gegründet. 1945 bei der Einschließung und Vernichtung der dt. 4. Armee schwer zerstört.

Mamoré (Río M.), rechter Quellfluss des Río Madeira in N-Bolivien, 1500 km lang, vereinigt sich mit dem Río Beni zum Río Madeira.

Mamry ['mɔmri] (Jezioro M.), See der Masur. Seenplatte, →Mauersee.

Man, Isle of [aɪl əv mæn], brit. Insel in der Irischen See, 572 km^2, (1991) 69800 Ew., die z.T. das kelt. Manx sprachen (um 1960 ausgestorben). Haupterwerbszweige sind Rinder- und Schafhaltung, Fremdenverkehr. Hptst. ist Douglas. – *Geschichte.* In der Antike **Mona** oder **Monapia,** im MA. **Eubonia** genannt, im 5./6. Jh. von irischen Mönchen christianisiert, um 800 von Normannen besetzt, im 12./13. Jh. selbstständiges Königreich; geriet 1266 unter schott., im 14. Jh. unter engl. Vorherrschaft. 1765 verkauften die Herzöge von Atholl ihre Souveränitätsrechte an die brit. Krone, der die Insel seitdem untersteht, ohne staatsrechtlich zu Großbritannien zu gehören (eigenes Parlament und Verwaltungssystem).

MAN, Abk. für engl. **M**etropolitan **A**rea **N**etwork, Netzwerk (→Netz), das sich über ein Stadtgebiet erstreckt.

Mana [melanes. »das außerordentlich Wirkungsvolle«] *das,* in versch. Naturreligionen die in Naturerscheinungen, Dingen (→Fetisch), Tieren und Menschen wirksame übernatürl. Kraft; wird als unpersönl., zum Guten oder Bösen wirkende Macht (→Numen) erfahren; als Träger des M. gelten v.a. Häuptlinge und Medizinmänner. (→Manitu)

Mänaden [grch. »die Rasenden«], im grch. Mythos die ekstatischen Frauen im Gefolge des →Dionysos, dargestellt z.B. auf grch. Vasen.

Manado (Menado), Prov.-Hptst. und Hafen auf Celebes, Indonesien, 275400 Ew.; kath. Bischofssitz; Univ., Zweig der islam. Univ. von Yogyakarta; Kopra-, Holz- und Kaffeeausfuhr; Flugplatz.

MAN AG, Konzern des Maschinen-, Anlagen- und Nutzfahrzeugbaus (Lkw, Busse), Sitz: München; entstand 1986 durch Zusammenschluss von **M.A.N. Maschinenfabrik Augsburg-Nürnberg AG** (gegr. 1840 als Sander'sche Maschinen-Fabrik Augsburg) und **Gutehoffnungshütte Aktienverein AG** (Abk. GHH, die 1873 als AG gegr. wurde und auf die 1758 in Betrieb genommene Hütte St. Antony zurückgeht). Tochtergesellschaften sind u.a. Ferrostahl AG (Stahl- und Maschinenhandel), MAN Roland Druckmaschinen AG, Renk AG (Antriebstechnik), MAN B&W Diesel AG (Dieselmotoren), Deggendorfer Werft- und Eisenbau GmbH (Schiff- und Anlagenbau), SMS AG (Walzwerke).

Management ['mænɪdʒmənt, zu engl. to manage »handhaben«, »leiten«], *das,* Bez. einerseits für die Führung von Institutionen jeder Art (z.B. Unternehmen, Verbände, Parteien), andererseits für die Gesamtheit der Personen, die diese Funktion erfüllen. Angesichts der Vielschichtigkeit des M. versteht sich die M.-Wiss. heute interdisziplinär; auch Psychologie, Soziologie, Rechtswiss., Mathematik, Informatik, Kommunikationswiss. und neuerdings verstärkt auch die Philosophie (Unternehmensethik) sowie Biologie und Ökologie werden zur Erklärung und Gestaltung des M. herangezogen. Das handlungs- und das personenorientierte Konzept stehen in der wiss. Diskussion im Vordergrund, während der handhabungsorientierte M.-Begriff verstärkt im Bereich der Praxis (Verkaufs-M., Qualitäts-M.) Verwendung findet und stark technikorientiert ist. Im handlungsorientierten Konzept wird M. als Gesamtheit der Handlungen verstanden, die auf die bestmögl. Erreichung der Ziele einer Institution und der an ihr beteiligten Interessengruppen gerichtet sind. Im personenorientierten Konzept wird M. als die Gruppe der Personen (Leitung, Manager, Geschäftsführung) verstanden, die Träger der M.-Handlungen sind und die durch Gesetz, Satzung oder Auftrag mit den Rechten, Pflichten und der Verantwortung zur Erfüllung der Handlungen ausgestattet sind. Allg. umfasst das M. diejenigen Führungskräfte, die Weisungsbefugnis gegenüber anderen Personen (Fachkräfte) haben. An der hierarch. Einstufung gemessen hat sich die Unterscheidung in oberstes und oberes M. **(Top-M.),** mittleres M. **(Middle M.)** und unteres M. **(Lower M.)** eingebürgert. Um sein Handeln erfolgreich zu gestalten, benötigt der Manager spezialisierte Fähigkeiten techn. und konzeptioneller Art, die ihm nicht, wie früher vermutet, angeboren sein müssen (M. durch Charisma), sondern durch spezielle M.-Aus- und Weiterbildung erlernbar sind.

Bei den zahlreich entwickelten M.-Methoden spielen Fragen der Unternehmensführung und der Personalführung eine große Rolle, wobei wegen der zunehmend internat. Besetzung von Unternehmen auch interkulturelle Sensitivität gefordert ist. Die wichtigsten qualitativen M.-Methoden sind: **Management by Exception:** voll verantwortl. Delegation von Einzelentscheidungen an nachgeordnete Mitarbeiter, Eingreifen der vorgesetzten Stellen nur in Ausnahmefällen. **Management by Motivation:** Führung durch Anreiz. **Management by Objectives:** Unternehmensführung nach deutlich abgegrenzten, operationsnahen Zielen. **Management by System:** Systematisierung der Leitungs- und Kontrolltätigkeiten durch Vorschriften für die einheitl. Durchführung wiederkehrender Tätigkeiten. Zu den quantitativen M. zählen v.a. Netzplantechnik, Operations-Research, Systemanalyse und versch. Optimierungstechniken für die einheitl. Durchführung wiederkehrender Tätigkeiten. Eine neue Entwicklung stellt die Diskussion um Formen der Selbstorganisation dar, die auf weitgehende Entscheidungsdezentralisation und Selbstkontrolle der einzelnen Mitarbeiter zielt (flache Hierarchie).

📖 STEINMANN, H. *u.* SCHREYÖGG, G.: *M. Grundlagen der Unternehmensführung. Wiesbaden ³1993.* – BRAUCHLIN, E. *u.* WEHRLI, H.-P.: *Strateg. M. München u. a. ²1994.* – *Neue Entwicklungen im M., hg. v.* M. HOFMANN *u.* A. AL-ANI. *Heidelberg 1994.* – MACHARZINA, K.: *Unternehmensführung. Das internationale Managementwissen. Wiesbaden ²1995.*

Management-Buy-out [ˈmænɪdʒmənt baɪˈaʊt, engl.] *das,* Abk. **MBO,** Übernahme eines Unternehmens durch die in ihm tätigen (angestellten) Führungskräfte. Der Unternehmenserwerb durch externe Manager heißt **Management-Buy-in (MBI).** Wird die Belegschaft in den Erwerb von Gesellschaftsanteilen einbezogen spricht man von einem **Belegschafts-Buy-out.** Das MBO kann erfolgen durch Mehrheitserwerb der Geschäftsanteile (»Share-Deal«), Erwerb der wesentl. Vermögensobjekte (»Asset-Deal«) oder durch eine Kombination aus beidem (»Roll-over«). Das MBO diente im früheren Bundesgebiet primär der Regelung der Unternehmernachfolge, in den neuen Bundesländern der Privatisierung.

Manager [ˈmænɪdʒə, engl.] *der,* leitender und verantwortl. Angestellter eines Unternehmens (→Management); i.w.S. der geschäftl. Betreuer von Sportlern oder Künstlern.

Managerkrankheit [ˈmænɪdʒə-, engl.], volkstüml. Bez. für eine Erkrankung des Herz-Kreislauf-Systems infolge dauernder körperl. und psych. Überbeanspruchung sowie dadurch verursachter vegetativer Störungen.

Managua, Hptst. von Nicaragua, am S-Ufer des **M.-Sees** (rd. 1040 km², bis 20 m tief, 37 m ü.M.), 973800 Ew.; Erzbischofssitz, zwei Univ., TU, Akademien, Nationalbibliothek, -archiv, -museum; wichtigster Ind.standort des Landes; am Panamerican Highway; internat. Flughafen. – Seit 1858 Hptst., nach Erdbeben (1931) wieder aufgebaut, 1972 erneut durch Erdbeben zerstört; danach wurde der Stadtkern 6 km weiter nach SW verlegt.

Manaslu, Berg im Himalaja, im nördl. Zentralnepal, 8163 m ü.M., Erstbesteigung 1956 durch eine japan. Expedition.

Manasse, im A.T. ältester Sohn Josephs (1. Mose 41, 51); gilt als Stammvater des Stammes Manasse.

Manasse, Robert, österr. Schriftsteller, * Wien 21. 6. 1954; setzte sich in der »Trilogie der Entgeisterung«, bestehend aus den Romanen »Sinnliche Gewißheit« (1988), »Selige Zeiten, brüchige Welt« (1991) und »Schubumkehr« (1995), mit der Philosophie G. W. F. Hegels, W. Benjamins und G. Lukács' sowie dem Problem der Postmoderne auseinander.

Manatis [karibisch], Familie der →Seekühe.

Manaus, Hptst. des brasilian. Staates Amazonas, am Río Negro, 18 km oberhalb seiner Mündung in den Amazonas, 32 m ü.M., 1,01 Mio. Ew.; kath. Erzbischofssitz; Univ., nat. Forschungsinstitut für Amazonien; Museum, Opernhaus (Teatro Amazonas, 1896); bed. Ind.standort; Freihafen (für Seeschiffe erreichbar), internat. Flughafen. – 1669 als portugies. Fort gegr.; zur Zeit des Kautschukbooms (1890–1915) wurde M. modern angelegt.

Mancha ['mantʃa] *die* (La M.), span. Landschaft auf der Hochfläche von Neukastilien, mit winterkaltem Kontinentalklima, langen Sommern mit Staubnebeln, verbreitet Wassermangel; Hauptkornkammer Spaniens und Weinbaugebiet.

Manche [mãʃ, frz. »Ärmel«], **1)** (La M.), frz. Name des →Ärmelkanals.

2) Dép. in NW-Frankreich, 5938 km^2, (1995) 486000 Ew.; Hauptstadt ist Saint-Lô.

Manchester ['mæntʃɪstə, dt. man'ʃɛstər; nach der engl. Stadt M.] *der* (Genuacord, Cordsamt), gerippter Schusssamt, meist aus Baumwolle; für Sportanzüge, Arbeitshosen, Möbelbezüge.

Manchester ['mæntʃɪstə], Stadt in der Metrop. County Greater M., England, 404900 Ew.; anglikan. Bischofssitz; Univ. mit angeschlossener M. Business School, Polytechnikum, Bibliotheken, Galerien, Museen, Theater; Mittelpunkt der engl. Baumwollind. (seit dem 16./17. Jh.), Maschinen- und Fahrzeugbau, elektrotechn., elektron., chem., pharmazeut., Schuh-, Bekleidungs- und Nahrungsmittelind., Druckereien; bed. Finanz- und Handelszentrum mit Banken und Versicherungsunternehmen; internat. Flughafen; durch den 58 km langen M.-Schifffahrtskanal (1894) mit Liverpool verbunden. – Wichtige Bauten sind die Town Hall (1869–77), die Free Trade Hall (1856), die Börse (1864–74), die Kathedrale (15. Jh., 1862–68 erneuert), das Royal Theatre (1976). – M. ging aus dem röm. Kastell **Mancunium** hervor; seit Anfang 7. Jh. angelsächsisch; 1229 Marktrecht. 1330 brachten Flamen die Textilind. nach M.; 1762 wurde der Kanal zu den Kohlefeldern von Worsley fertig gestellt. Ab 1785 betrieb man Webstühle, ab 1789 Spinnereien erstmals mit Dampfmaschinen; 1830 wurde die Eisenbahnlinie nach Liverpool eröffnet; 1838 erhielt M. Stadtrecht. M. ist Symbol des brit. Kapitalismus (→Manchestertum).

Manaus: Das Ende des 19. Jh. erbaute Opernhaus, das Teatro Amazonas, zählt zu den Prachtbauten der Stadt

Manchester: Das 1868–77 erbaute Rathaus, die Town Hall, gehört zu den zahlreichen viktorianischen Repräsentativbauten der Stadt

Manchester Guardian ['mæntʃɪstə 'gɑ:djən], →Guardian.

Manchestertum ['mæntʃɪstə-], Bez. für den wirtsch. Liberalismus des 19. Jh., der für unbedingten →Freihandel sowie für das freie Spiel der wirtsch. Kräfte ohne staatl. Eingriffe eintrat. Die Bez. geht auf die Stadt Manchester zurück, deren Handelskammer zus. mit der von R. Cobden und J. Bright geleiteten **Manchester-Partei** 1838–46 erfolgreich gegen die Getreidezölle kämpfte.

Manchester Stadtwappen

Mạnching, Markt im Landkreis Pfaffenhofen a. d. Ilm, Oberbayern, 10700 Ew.; Keltenmuseum; Luftfahrtind.; Militärflugplatz. – Bei M. lag ein kelt. Oppidum, wohl die Hptst. der Vindeliker (Funde aus der mittleren und späten La-Tène-Zeit; u. a. Teile der kreisförmigen Stadtmauer erhalten).

Manchouli [-dʒɔʊli], Stadt in China, →Manzhouli.

Manchu [-dʒ-], Volk in Ostasien, →Mandschu.

Mandạ̈er [aramäisch], dem →Manichäismus verwandte gnost. Religionsgemeinschaft. In Palästina erstmals 37 n. Chr., seit dem 7. Jh. am unteren Euphrat und Tigris nachweisbar, existiert sie bis heute in Iran und Irak; im Mittelpunkt von Lehre und Kultus stehen Johannes der Täufer als Heilsmittler, ein kosmolog. Dualismus von Licht und Finsternis und, als Heilsziel, die Befreiung der Seele aus dem Gefängnis des Leibes und Rückkehr in ihre himml. Lichtheimat; hierzu dient die häufig wiederholte Taufe.

Manching: Eiserner Achsnagel mit gegossenem bronzenem Vogelkopf aus dem keltischen Oppidum

Mạndala [Sanskrit »Kreis«, »Ring«] *das*, myst. Kreis- oder Vieleckbild, welches in konzentr. Anordnung den Kosmos, die Götterwelt oder psych. Aspekte versinnbildlichen soll; dient im Buddhismus (v. a. Lamaismus), Dschainismus und Hinduismus als Meditationsbild; in der Tiefenpsychologie

C. G. Jungs als die Abbildung eines seel. Zentrierungsvorgangs in der →Individuation gedeutet.

Mandalay [mændəˈleɪ], Stadt in Birma, mit Flusshafen am Irawadi, 553 000 Ew.; geistiges Zentrum des birman. Buddhismus mit vielen Tempeln, Pagoden, Klöstern; kath. Erzbischofssitz; Univ., Fachschulen; Metall-, Textil- u. a. Ind.; Eisenbahnbrücke über den Irawadi. – Gegr. 1857, bis 1885 Hauptstadt von Birma.

Mandala mit verschiedenen Schutzgottheiten des tibetischen Lamaismus (Hamburg, Museum für Völkerkunde)

Mandan [ˈmændæn], nordamerikan. Indianerstamm am oberen Missouri, gehört sprachlich zur Siouxfamilie; Reste (etwa 500) in North Dakota.

Mandarin [Sanskrit »Ratgeber«] *der,* europ. Bez. für einen hohen chines. Staatsbeamten.

Mandarine [span.-frz.] *die,* im Durchmesser 5–6 cm große, gelbl. bis orangefarbene Frucht des v. a. in Japan, China, den USA, in Südamerika und im Mittelmeergebiet kultivierten **Mandarinenbaums** (Citrus reticulata), dessen breitblättrige Formen die mehr rötl., sehr kleinen **Tangerinen** (kernarm), dessen großblättrige Formen die frühreifen, samenlosen **Satsumas** liefern. Vermutlich aus Kreuzungen von Sorten der M. entstand die **Klementine** (meist kernlos). **Tangelos** sind die Früchte einer in Florida gezüchteten Kreuzung zw. Grapefruit- und Mandarinenbaum.

Mandarinente (Aix galericulata), aus Ostasien stammende, in Europa häufig in Parks gehaltene Wildente mit buntem Gefieder.

Nelson Mandela

Mandat [lat. »Auftrag, Weisung«] *das,* **1)** *röm. Recht:* der dem heutigen Auftrag entsprechende Vertrag, aufgrund dessen der Beauftragte **(Mandatar)** es übernahm, ein ihm vom Auftraggeber **(Mandant)** übertragenes Geschäft für diesen unentgeltlich zu besorgen.

2) *Staatsrecht:* i. w. S. die Vollmacht zur Ausübung von Kompetenzen, die der Substanz nach dem Vollmachtgeber verbleiben, im Unterschied zur Delegation, bei der die Kompetenz übertragen wird. – I. e. S. ist M. das durch Wahl begründete Amt des →Abgeordneten **(parlamentar. M.).** Man unterscheidet das freie und das →imperative Mandat; beim **freien M.** ist der Abg. Repräsentant des gesamten Volkes und an keine Weisungen und Aufträge gebunden und nur seinem Gewissen verpflichtet (so nach Art. 38 Abs. 1 GG in Dtl., Art. 56 des österr. Bundes-Verf.-Ges., Art. 91 der schweizer. Bundesverfassung).

3) *Völkerrecht:* →Mandatsgebiete, →Schutzgebiete.

4) *Zivilrecht:* Bez. für die Beauftragung eines Rechtsanwaltes zur Wahrnehmung von Mandanteninteressen, der Sache nach meist ein Geschäftsbesorgungsvertrag.

Mandatsgebiete, die nach dem 1. Weltkrieg im Namen des Völkerbundes treuhänderisch (kraft Mandats) von einzelnen Staaten **(Mandataren)** verwalteten ehem. dt. Kolonien und die ehem. türk. Gebiete Vorderasiens. Entsprechend dem Entwicklungsstand der Gebiete und der Zielsetzung der Mandatsverw. gab es: **A-Mandate** (Irak, Palästina, Transjordanien, Syrien, Libanon), die eine vom Mandatar beaufsichtigte Selbstverwaltung besaßen und mit der Entstehung unabhängiger Staaten erloschen; **B-Mandate** (Kamerun, Togo, Tanganjika, Ruanda-Urundi), die einer besonderen Verw. des Mandatars unterstanden, und **C-Mandate** (Dt.-Südwestafrika, Samoa, Karolinen, Marianen, Palau- und Marshallinseln, Neuguinea mit den übrigen dt. Südseeinseln, Nauru), die als zu integrierender Bestandteil des Mandatars zu verwalten waren. Das System der M. endete am 18. 4. 1946; noch vorhandene M. wurden danach zu →Treuhandgebieten.

Mandatsverfahren (Mandatsprozess), in Österreich (§§ 460 ff. StPO) ein vereinfachtes Strafverfahren, in dem nur auf Geldstrafe bis zu 90 Tagessätzen erkannt werden kann (entspricht dem dt. Verfahren bei →Strafbefehlen; z. T. auch in der Schweiz gebräuchlich); ferner ein dem dt. Urkunden- und Wechselprozess vergleichbares (Zivil-)Verfahren.

Mandel, 1) *Anatomie:* →Mandeln.

2) *Botanik:* →Mandelbaum.

3) *Metrologie:* altes norddt. Zählmaß: 1 M. = 15 Stück, 1 große oder Bauern-M. = 16 Stück, 4 M. = 1 Schock.

Mandela, 1) Nelson Rolihlahla, südafrikan. Politiker und Bürgerrechtler, * Qunu (Transkei) 18. 7. 1918, 1958–96 ⚭ mit 2); aus dem Volk der Xhosa, Jurist, seit 1944 Mitgl. des →African National Congress (ANC), nach dessen Verbot führend am Aufbau der geheimen Militärorganisation des ANC »Speer der Nation« beteiligt, wurde 1962 zu fünf Jahren, 1964 zu lebenslängl. Haft verurteilt. Vom Gefängnis aus setzte er seinen Kampf fort und wurde zur Symbolfigur des schwarzen Widerstandes gegen die Apartheid. 1990 aus der Haft entlassen und zum Präs. des ANC gewählt, leitete er auf ANC-Seite die Verhandlungen mit der weißen Minderheitsreg. unter F. W. de Klerk, die zum Ende der Apartheid und zum friedl. Übergang der Rep. Südafrika zu einer gemischtrassigen Demokratie führten. Dafür erhielt er zus. mit de Klerk 1993 den Friedensnobelpreis. Im Mai 1994 wurde M. Präs. der Rep. Südafrika; trat im Dez. 1997 als ANC-Präs., im Juni 1999 als Staatspräs. zurück.

📖 HAGEMANN, A.: *N. M. Reinbek 1995.*

2) Winnie Nomzamo, geb. und jetzt wieder W. Madikizela, südafrikan. Bürgerrechtlerin, * Bizana (Transkei) 1934, 1958–96 ⚭ mit 1); seit 1958 Mitgl. des ANC, während der Verhaftung ihres Mannes Nelson M. verfolgt, zeitweise inhaftiert, lebte 1976–85 als »gebannte Person« in der entlegenen Stadt Brandfort (Prov. Freistaat); 1991 wegen Mittäterschaft bei kriminellen Handlungen zu einer mehrjährigen Haftstrafe verurteilt; vertritt den radikalen Flügel des ANC. 1994–95 war sie stellv. Kulturministerin.

Mandelbaum (Prunus dulcis), ein Rosengewächs; verbreitet bzw. kultiviert vom westl. Mittelasien bis ins Mittelmeergebiet und in den wärmeren Gebieten Europas und Amerikas; kleiner Baum oder Strauch mit weißen Blüten; abgeflacht-eiförmige, trockene Steinfrucht mit meist einem glatten Steinkern **(Krachmandel),** der jeweils nur einen einzigen Samen, die **Mandel,** enthält. **Süßmandeln** enthalten bis zu 50 % fettes Öl, 25–35 % Eiweißstoffe und 10 % Zucker; u. a. Verwendung in der Süßwarenherstellung (v. a. für Marzipan). Die **bitteren Mandeln** (von einer Varietät des M.) enthalten statt Zucker etwa 4 % Amygdalin, durch dessen Abbau Blausäure entsteht; der Genuss größerer Mengen (bei Kindern 5–12 Stück) kann tödlich wirken.

Mandelbäumchen (Prunus triloba), kleiner Strauch in China; als Zierstrauch oft hochstämmig veredelt, mit zahlr. gefüllten, rosafarbenen Blüten.

Mandelbrot-Menge [nach dem amerikan.-frz.-poln. Mathematiker B. Mandelbrot, * 1924], selbstähnliche Teilmenge der komplexen Zahlenebene, die sich durch die Iteration $z \leftarrow z^2 + c$ erzeugen lässt (c und z sind komplexe Zahlen). Die M., wegen ihrer kugeligen Form auch »Apfelmännchen« genannt, hat bes. Bedeutung in der →fraktalen Geometrie.

Mandelentzündung (Tonsillitis), meist durch Streptokokken hervorgerufene Entzündung der Gaumenmandeln, wobei häufig die ganze hintere Rachenwand entzündlich geschwollen **(Halsentzündung, Angina)** ist. Meist nach Erkältungen beginnt die **akute M.** mit Frösteln, Fieber, Schluckbeschwerden (Halsschmerzen), schlechtem Allgemeinbefinden, Lymphknotenschwellung am Hals, mitunter auch Muskel- und Gelenkschmerzen sowie Nierenbeschwerden; tritt auf als **katarrhal. M.** mit Rötung der geschwollenen Mandeln und als **eitrige M.** mit »Stippchen« (Fibrinbeläge um die Kryptengänge) auf den Mandeln. Greift die Eiterung auf das die Mandeln umgebende Gewebe über, so kann sich ein **Mandelabszess** bilden. Die oft unbemerkte chron. M. kann als gefährl. Herdinfektion Erreger und Toxine ausstreuen und zu einer Schädigung von Herz, Nieren und Gelenken (rheumat. Erkrankungen) und zu Hauterkrankungen führen. *Behandlung:* Bettruhe, lokale Anwendung schmerzstillender und desinfizierender Mittel, Antibiotika. Bei akut eitriger M. und chron. Herdinfektion wird eine operative Mandelentfernung **(Tonsillektomie)** unter örtl. Betäubung oder Inhalationsnarkose durchgeführt.

Mandeln (Tonsillen), ringförmig angeordnete lymphat. Organe im Bereich des Übergangs von Mund- und Nasenhöhle in den Rachen (lymphat. Rachenring). Es werden unterschieden: die paarigen **Gaumen-M.,** die beiderseits zw. den Gaumenbögen liegen; die am Dach des Nasen-Rachen-Raums hinter dem Zäpfchen liegende unpaare **Rachen-M.** sowie die am Zungengrund liegenden paarigen **Zungenmandeln.** Die M. dienen der Abwehr (Immunsystem) körperfremder Stoffe.

Mandelsäure (Phenylglykolsäure), farblose, kristalline, in Wasser lösl., optisch aktive Carbonsäure. Das →Racemat (DL-Mandelsäure) wird aus Benzaldehyd und Blausäure hergestellt und zur Synthese von Arzneimitteln (Mandelaten) verwendet.

Mandelbaum: Blüten und Zweig mit Früchten

Mandelbaum

Der Nürnberger Meistersinger und Barbier Hans Folz empfahl Mandeln zur Vorbeugung gegen den Alkoholrausch und zur Bekämpfung von dessen Folgen. Dazu reimte er:

»Zu schlofen
machen sie bereit
Und wehrn damit der trunckenheit.
Und nach ir rechten ordinanz
So sterken sie des hirn substanz.«

Mandelstam (Mandelschtam), Ossip Emiljewitsch, russ. Lyriker, * Warschau 15. 1. 1891, † (in einem Lager bei Wladiwostok) 27. 12. 1938; stand dem frz. und russ. Symbolismus nahe; gründete dann mit A. Achmatowa und N. Gumiljow die Gruppe der Akmeisten (»Dichtergilde«); wurde wegen eines Spottgedichts auf Stalin verhaftet, starb in der Verbannung. 1956 rehabilitiert. In dt.

Übers. u. a. »Schwarzerde« (1983), »Mitternacht in Moskau« (1986); »Das Rauschen der Zeit« (1985). – Seine Frau **Nadeschda Mandelstam** (*1899, †1980) schrieb die (Auto)biographie »Generation ohne Tränen« (1972).

🕮 Dutli, R.: *Europas zarte Hände. Zürich 1995.*

Ossip Mandelstam

Mandelstein, Vulkanit mit Blasenhohlräumen, die bei der Entgasung entstanden und z. B. mit Kalkspat, Chalcedon oder Zeolithen ausgefüllt sind.

Mandesprachen, Sprachfamilie Westafrikas mit rd. 13 Mio. Sprechern, bes. in Mali, Sierra Leone und Guinea.

Mandeville ['mændəvɪl], Bernard de, engl. Arzt und Philosoph, *Dordrecht oder Rotterdam 1670, †Hackney (heute zu London) 21. 1. 1733; seit 1696 in London, wandte sich mit der kontrovers diskutierten Satire »Bienenfabel« (1714) gegen den Idealismus A. Shaftesburys, indem er die fördernde Kraft des menschl. Eigennutzes (z. B. in der Wirtschaft) nachzuweisen suchte.

Mandibeln [lat.], Oberkiefer, Vorderkiefer; erstes, ursprünglich mehrgliedriges Mundgliedmaßenpaar der Gliederfüßer als Kauwerkzeug.

Mandioka *die,* → Maniok.

Mandola [italien.] *die* (Mandora), lautenähnl., etwa 40–65 cm langes Zupfinstrument, größere Form der → Mandoline.

Mandoline [italien.] *die,* lautenähnliches Zupfinstrument, mit bauchigem, im Längsschnitt etwa mandelförmigem, tiefem Schallkörper, rundem Schallloch in der Decke, kurzem Hals mit Bünden, Wirbelplatte mit Schraubwirbeln und vier Doppelsaiten aus Metall (Stimmung g–d^1–a^1–e^2), die mit Plektron im Tremolo gespielt werden. Die M. kam um die Mitte des 17. Jh. in Italien auf **(neapolitan. M.)** und entwickelte sich in zahlr. lokalen Varianten zum italien. Nationalinstrument.

🕮 Zellner, R.: *Das Mandolinenbuch. Brensbach ^{3}1992.*

Mandoline: neapolitanische Mandoline

Mandorla [italien.] *die,* mandelförmiger → Heiligenschein.

Mandragora [lat.-grch.] *die,* Gattung der Nachtschattengewächse, i. e. S. die Art **Alraunwurzel** (Mandragora officinarum), Staude des Mittelmeergebiets, mit grünl. Blüten, gelbroten Früchten und verzweigter giftiger Wurzel. Über die Wurzel → Alraune.

Mandrill [engl.] *der* (Mandrillus sphinx), gedrungene Art der Hundsaffen in den Regenwäldern W-Afrikas; Körperlänge bis fast 1 m (Weibchen wesentlich kleiner), Gewicht bis über 50 kg; mit stummelförmigem Schwanz und auffallender Färbung von Gesicht und Gesäßschwielen.

Mandschu (Manchu), Volk mit tungus. Sprache in NO-China (etwa 4,3 Mio.); heute ethnisch von den Chinesen nicht mehr zu unterscheiden.

Mandschukuo, → Mandschurei.

Mandschurei *die,* der nordöstl. Teil Chinas, umfasst die Prov. Heilongjiang, Jilin, Liaoning sowie Teile der Inneren Mongolei, grenzt im NW, N und O an Russland, im SO an Nord-Korea, im W an die Mongolei, öffnet sich im SW nach China und im S zum Gelben Meer. Die fruchtbare Nordostchines. Tiefebene (Reis-, Mais-, Baumwoll-, Kauliang-, Apfelanbau) wird durch den Liao He zum Gelben Meer, der N der M. über den Sungari zum Amur entwässert. Im W große Weideflächen; waldreiche Gebirge (im Baitou Shan 2744 m ü. M.) umschließen die zentrale Ebene (Holzwirtschaft, Papierind.). Reiche Bodenschätze (Kohle, Eisenerz, Erdöl, Bauxit) ließen schon im frühen 20. Jh. eine starke Schwerind. entstehen. Neben Chinesen leben in der M. Mandschu und Koreaner, ferner Mongolen, Dahuren, Solonen, Orotschonen, Golden.

Geschichte: Etwa seit dem 3. Jh. v. Chr. stand der S der M. unter chines. Einfluss, der W war von mongol., der O von tungus. Stämmen bewohnt. Verschiedene Reiche entstanden, bis die tungus. Mandschu im 16. und 17. Jh. das Gebiet einigten und 1644–60 China eroberten. 1896 erhielt Russland die Erlaubnis zum Bau der Ostchines. Eisenbahn und besetzte im Boxeraufstand 1900 die ganze Mandschurei. Die Aufrechterhaltung der Besetzung war einer der Gründe für den Russisch-Japan. Krieg (1904/05). Im Frieden von Portsmouth (5. 9. 1905) wurden die chines. Hoheitsrechte zwar anerkannt, die M. tatsächlich aber in ein russ. und ein japan. Einflussgebiet aufgeteilt. Nach dem Zerfall der chines. Zentralregierung war die M. seit etwa 1919 faktisch selbstständig. Nach der militär. Intervention (1931) rief Japan am 18. 2. 1932 den von ihm abhängigen Staat **Mandschukuo** aus; Regent, seit 1934 Kaiser, war der letzte chines. Mandschu-Herrscher Pu Yi. 1935 verkaufte die UdSSR die Ostchines. Eisenbahn an Mandschukuo, das sich nach der japan. Niederlage (1945) wieder auflöste. 1945/46 war die M. von sowjet.

Truppen besetzt. 1946–48 diente sie den chines. Kommunisten als Basis für die Eroberung Chinas; seit 1949 Teil der VR China.

Mandschuria, chines. Stadt, → Manzhouli.

Mándy [-di], Iván, ungar. Schriftsteller, *Budapest 23. 12. 1918, †Budapest 6. 10. 1995; schildert in seinen sprachlich konzentriert und distanziert verfassten Werken gefährdete und gescheiterte Existenzen und Bohemiens in Budapest (»Am Rande des Spielfeldes«, R., 1963).

Mandrill (Körperlänge bis zu 1 m)

Manege [ma'ne:ʒə, frz.] *die,* meist runde Fläche in einer Halle oder einem Zelt für Zirkus- und Reitvorführungen.

Mạnen [lat.], im alten Rom die Totengeister; sie wurden als Götter der Unterwelt verehrt.

Manen ['ma:nə], Hans van, niederländ. Choreograph und Ballettdirektor, *Nieuwer Amstel (heute Amstelveen) 11. 7. 1932; war 1960–70 künstler. Direktor des Nederlands Dans Theater in Den Haag; 1972–87 Ballettmeister und Choreograph am Nationalballett in Amsterdam; auch Gastchoreograph (seit 1987) des Stuttgarter Balletts; u. a. »Corps« (1985), »Black Cake« (1989), »On the Move« (1992).

Mánes ['ma:nɛs], tschech. Maler und Grafiker, *Prag 12. 5. 1820, †ebd. 9. 12. 1871; schuf romant. Darstellungen aus Geschichte und Volksleben Böhmens; gestaltete die Kalenderplatte der astronom. Uhr des Altstädter Rathauses in Prag (1865/66). Als Begründer einer nationalen tschech. Malerei war er richtungweisend für die nachfolgenden Künstlergenerationen.

Manessier [-'sje], Alfred, frz. Maler, Grafiker, *Saint-Ouen (Dép. Somme) 5. 12. 1911, †Orléans 1. 8. 1993; gelangte nach Auseinandersetzung mit Kubismus und Surrealismus zu einer lyr. Abstraktion, der er v. a. eine religiöse Thematik zugrunde legte; wesentl. Gestaltungsmittel sind Farben von hoher Leuchtkraft; auch Glasfenster und Wandteppiche.

Manẹssische Handschrift (Große Heidelberger Liederhandschrift), größte der drei Sammelhandschriften mhd. Minnelyrik, geschmückt mit 137 ganzseitigen Miniaturen. Sie enthält auf 425 Pergamentblättern in 38 Lagen 140 Gedichtsammlungen, die von der Mitte des 12. Jh. bis 1300 zu datieren sind. Die M. H. ist mutmaßlich in der 1. Hälfte des 14. Jh. wohl in Zürich auf der Grundlage einer Sammlung von Liederbüchern des Züricher Ratsherrn Rüdiger Manesse (†1304) entstanden. Die Handschrift kam um 1490 nach Heidelberg in den Besitz des Kurfürsten von der Pfalz, vor 1657 nach Paris; 1888 kehrte sie im Tausch gegen frz. Handschriften nach Heidelberg zurück. Weitere BILDER Friedrich von Hausen, Kürenberg

🕮 CLAUSBERG, K.: *Die Maness. Liederhandschrift. Köln ^{2}1988.*

Mandragora: Alraunwurzel

Manet [-'nɛ], Édouard, frz. Maler, *Paris 23. 1. 1832, †ebd. 30. 4. 1883; Schüler T. Coutures. Geschult auf Reisen und durch das Studium alter, bes. span. Meister, fand er einen neuen Stil des Figurenbildes, dessen harmonisch aufeinander abgestimmte und flächenhaft das Bild gliedernde Farb- und Tonwerte die Erscheinung mit überlegener Sicherheit erfassen. Sein 1863 ausgestelltes »Frühstück im Freien« (Paris, Musée d'Orsay) rief einen Sturm der Entrüstung hervor, der sich 1865 vor seiner »Olympia« (ebd.) noch steigerte. Während seine in dichter Folge geschaffenen Meisterwerke (»Erschießung Kaiser Maximilians von Mexiko«, 1867, Mannheim, Kunsthalle; »Frühstück im Ate-

Manessische Handschrift: Miniatur mit der Darstellung des Dichters Tannhäuser (1. Hälfte des 14. Jh.; Heidelberg, Universitätsbibliothek)

Édouard Manet: »Der Pfeiffer« (1866; Paris, Musée d'Orsay)

lier«, 1868, München, Neue Pinakothek) von der offiziellen Kritik abgelehnt wurden, bereitete er durch seine Malerei mit hellen, reich gestuften Farbtönen den Impressionismus vor, dessen Malern er freundschaftlich nahe stand, ohne jedoch mit ihnen zus. auszustellen. Der Einfluss der Impressionisten wirkte sich auch auf seine immer lichter werdende Malerei aus (»Die Barke«, 1874, München, Neue Pinakothek). M. schuf auch Radierungen und Lithografien. Weitere BILDER Genre, Maximilian

📖 WRIGHT, P.: *M. Aus dem Engl. Stuttgart u. a. 1994.* – DÜCHTING, H.: *E. M. Pariser Leben. München u. a. 1995.*

Manetho, ägypt. Priester des 3. Jh. v. Chr. in Heliopolis; schrieb in grch. Sprache eine ägypt. Geschichte (in Auszügen erhalten). M. wird die Einteilung der pharaon. Geschichte in 30 Dynastien zugeschrieben (die 31. Dynastie ist ein späterer Zusatz).

Manfred, König von Sizilien (1258–66), *1232, ⚔ Benevent 26. 2. 1266; nichtehel. Sohn Kaiser Friedrichs II., erbte von seinem Vater Tarent und die Reichsverweserschaft in Italien; erweiterte seine Macht auch auf Kosten des Kirchenstaats, sodass Urban IV. Karl I. von Anjou zu Hilfe rief, der M. 1266 bei Benevent besiegte.

Manfredini, Francesco Maria, italien. Komponist, getauft Pistoia 22. 6. 1684, †ebd. 6. 10. 1762; komponierte Kammerkonzerte, Oratorien, Triosonaten, Concerti grossi.

Manfredonia, Hafenstadt in Apulien, Italien, Prov. Foggia, 58 500 Ew.; Erzbischofssitz; Handelszentrum, chem. Industrie. – Gegr. 1256 von Manfred von Sizilien.

Mangabeirabaum (Hancornia speciosa), kleiner südamerikan. Baum, Art der Hundsgiftgewächse. Die kugeligen Früchte **(Mangabas)** werden als Obst gegessen. Der Milchsaft liefert **Mangabeirakautschuk.**

Mangaben (Cercocebus), Gattung der Meerkatzenartigen O- bis W-Afrikas; schlank, langgliedrig, mit weißen Augenlidern.

Mangalore ['mæŋgəlɔ:], Hafenstadt in Karnataka, SW-Indien, an der Malabarküste, 273 000 Ew., Univ.; Exporthafen für Kaffeeausfuhr u. a.; elektrotechn. Ind., Maschinenbau.

Mangan [gekürzt aus älter Manganesium, von mlat. magnesia] *das,* chem. Symbol **Mn,** metall. Element aus der siebten Nebengruppe des →Periodensystems der chem. Elemente; Ordnungszahl 25, relative Atommasse 54,9380, Schmelzpunkt 1244 °C, Siedepunkt 1962 °C. M. ist ein in reinem Zustand stahlgraues bis silberweißes, unedles Metall, das oft bunte Anlauffarben zeigt. Von Wasser wird M. langsam angegriffen, in verdünnten Säuren erfolgt Auflösung unter Bildung von zweiwertigen M.-Salzen und Wasserstoff. M. ist nach Eisen das häufigste Schwermetall und kommt in der Natur nie gediegen, sondern nur in Verbindungen vor. Als Spurenelement findet man es in fast allen Böden sowie häufig im Grundwasser. Die wichtigsten M.-Minerale sind →Braunstein, →Braunit, →Hausmannit, →Manganit, →Manganspat und Mangankies (Hauerit, MnS_2). Große M.-Mengen finden sich in den marinen →Manganknollen.

M. wird meistens in Form von Eisen-M.-Legierungen durch Reduktion von Gemischen aus M.- und Eisenerzen erschmolzen; reines M. wird vorwiegend durch Elektrolyse von hochgereinigten M.-Sulfatlösungen gewonnen. M. wird v. a. für M.-Legierungen sowie zur Desoxidation und Entschwefelung von Eisen und Stahl verwendet. – Als essenzielles Spurenelement kommt M. in allen lebenden Zellen vor und spielt eine wichtige Rolle bei der →Photosynthese. Das Einatmen von M.-Staub (MAK-Wert: 5 mg/m^3) ist gesundheitsschädlich; bei chron. Einwirkung kommt es zu Schädigungen des Nervensystems (Manganismus).

Verbindungen: M. liegt in seinen (farbigen) Verbindungen in den Oxidationsstufen −3 bis +7 vor. **Mangan(II)oxid,** MnO, ist ein graugrünes Pulver, das beim Erhitzen an der Luft in das braune **Mangan(III)oxid,** Mn_2O_3, übergeht. **Mangan(IV)-oxid,** MnO_2, kommt in der Natur als Braunstein vor; es ist das wichtigste Oxid und findet Verwendung als Oxidationsmittel, in Trockenbatterien, als Glasmacherseife zum Entfärben von grünem Eisensilikatglas und zur Herstellung von M.-Salzen. **Mangan(VII)oxid,** Mn_2O_7, ein grünlich-metallisch glänzendes dunkles Öl, zersetzt sich beim Erhitzen explosionsartig. Weißes **Mangan(II)hydroxid,** $Mn(OH)_2$, geht an der Luft sofort in ein Gemisch von braunem **Mangan(III)-** und **Mangan(IV)oxidhydrat** über. – Mit den Alkali- und Erdalkalimetallen bilden die verschiedenen (hypothet.) M.-Säuren zahlreiche stabile, farbige Salze **(Manganate).** Am bekanntesten ist das **Kaliumpermanganat,** $KMnO_4$, das dunkelviolette, wasserlösl. Kristalle bildet und in der organ. Synthese als Oxidationsmittel sowie in der →Manganometrie Verwendung findet.

Die meisten M.-Erze werden im Tage- bzw. Untertagebau geringer Tiefe gewonnen. Hauptförderländer sind Russland, die Rep. Südafrika, Gabun, Australien, Brasilien und Indien. Die Weltreserven werden auf 1,8 Mrd. t geschätzt; sie konzentrieren sich zu etwa 45% auf die Rep. Südafrika und zu etwa 38% auf Russland.

Manganelli, Giorgio, italien. Schriftsteller und Literaturwissenschaftler, *Mailand 22. 11. 1922, †ebd. 28. 5. 1990; führendes Mitgl. des avantgardist. »Gruppo '63«; sein dem literar. Manierismus verbundenes Werk bricht mit traditionellen Erzählformen und entzieht sich oft jeder Gattungszuordnung (»Niederauffahrt«, Prosa, 1964; »Omegabet«, Prosa, 1969; »Irrläufe. Hundert Romane in Pillenform«, Prosaskizzen, 1979; »Geräusche oder Stimmen«, Prosa, 1987; »Der endgültige Sumpf«, R., hg. 1991; »Das indische Experiment«, Reisebeschreibung, hg. 1993).

Manganit [lat.] *der,* seltenes, schwarzbraunes, monoklines Mineral, γ-MnOOH, kommt in strahligen, stängeligen Aggregaten vor; entsteht hydrothermal und sedimentär.

Manganknollen, manganreiche Konkretionen auf den Tiefseeböden der Ozeane, bis etwa 8 cm Durchmesser; enthalten 20–30% Mangan, 5–15% Eisen sowie 1–2% Nickel, Kobalt und Kupfer. Im Pazifik befinden sich die größten Vorkommen (nach Schätzungen 10 Mrd. t). Der geplante Abbau der M. bringt neben geowiss. und techn. Problemen auch Gefahren für das Ökosystem des Meeresbodens mit sich.

Manganometrie *die,* maßanalyt. Verfahren mit Kaliumpermanganat als oxidierend wirkender Maßflüssigkeit und dessen Eigenfarbe als Indikator. (→Oxidimetrie)

Manganpigmente, anorgan. Mischkristallpigmente, die Mangan chemisch gebunden enthalten; z. B. Manganblau aus Bariumsulfat und Bariummanganat für licht-, zement-, kalk- und wasserglasechte Bauanstriche.

Manganschaum, Mineral, →Wad.

Manganspat (Rhodochrosit), rotes bis braunes, trigonales Mineral, $MnCO_3$; entsteht hydrothermal auf Gängen, auch stockartig, wichtiges Manganerz, rosarot gebändert als Schmuckstein.

Manganspat: geschliffener Schmuckstein

Mangel, im Kaufrecht der Fehler eines Gegenstandes, das Fehlen einer zugesicherten Eigenschaft oder das Fehlen der Freiheit des Gegenstandes von Rechten Dritter. Fehler ist die ungünstige, nicht unwesentl. Abweichung des tatsächl. Zustandes einer Sache (Istbeschaffenheit) von der von beiden Seiten bei Vertragsabschluss vorausgesetzten Beschaffenheit (Sollbeschaffenheit), wenn diese Abweichung nach allg. Auffassung Einfluss auf den Wert der Sache hat. Der M. kann ein Sach-M. (z. B. schadhafter Motor beim Kfz) oder Rechts-M. (z. B. verkaufte Sache war gestohlen, sodass kein Eigentumserwerb möglich ist) sein. M. lösen Gewährleistungsansprüche (Minderung, Wandlung, Schadensersatz) aus.

Mangelfolgeschaden (Begleitschaden), *bürgerl. Recht:* bei Lieferung einer mangelhaften Sache ein Schaden, der nicht unmittelbar an der Sache selbst, sondern als Folge des Mangels mittelbar an den Rechtsgütern des Geschädigten entsteht, z. B. undichte Waschmaschine führt zu Wasserschäden an Möbeln. M. werden nicht nach der Mängelhaftung (Gewährleistung), sondern nach den Grundsätzen über die →positive Vertragsverletzung ersetzt. (→Produkthaftung)

Manganknollen aus dem Pazifischen Ozean

Mängelhaftung, die →Gewährleistung.

Mangelkrankheiten, schwerwiegende Störungen der Lebensfunktionen bei Mensch und Tier infolge von Fehlernährung (Unterernährung, Avitaminose, Eiweiß-, Mineralstoffkrankheit u. a.). Bei Pflanzen treten M. als Folge von unzureichender Versorgung mit Nährstoffen oder Spurenelementen auf.

Mangelsdorff, Albert, Jazzposaunist, *Frankfurt am Main 5. 9. 1928; zählt als Solist zur Spitze der europ. Jazzmusiker.

Mangobaum: Fruchtstand mit unreifen Früchten; die reife, sehr saftige Mangopflaume (rechts) hat einen angenehm säuerlichen Geschmack

Mängelwesen, Zentralbegriff in A. Gehlens Anthropologie: Aufgrund seiner im Vergleich zum Tier mangelhaften Organ- und Instinktausstattung ist der Mensch als Individuum und Gattung in seiner Existenz bedroht; das Überleben ermöglichen primär nicht natürl. Fähigkeiten, sondern eigene Anstrengung, das »Handeln«, innerhalb selbst geschaffener Institutionen.

Jürgen von Manger

Manger, Jürgen von, Schauspieler, Kabarettist, Schriftsteller, *Koblenz 6. 3. 1923, †Herne 15. 3. 1994; Charakterkomiker; schuf die von ihm auch dargestellte Figur des »Adolf Tegtmeier«, mit der er die Denk- und Sprechweise der Menschen aus dem Ruhrgebiet bekannt machte und allg. menschliche Verhaltensweisen karikierte.

Mangfall *die,* linker Nebenfluss des Inn in Oberbayern, etwa 60 km lang, Abfluss des Tegernsees, mündet bei Rosenheim.

Manglastaudamm, 116 m hoher, 3,8 km langer Staudamm am Jhelum, N-Pakistan, Stausee (259 km²), Kraftwerk (600 MW).

Mangobaum (Mangifera indica), zu den Sumachgewächsen gehörender, in den Tropen verbreiteter Obstbaum mit gelben, längl., bis 2 kg schweren wohlschmeckenden, vitaminreichen Steinfrüchten, den **Mangopflaumen.**

Mangold (Beta vulgaris subsp. vulgaris), Gänsefußgewächs, Unterart der Speiserübe; zweijährige, sehr alte Kulturpflanze, von der die Blattspreiten **(Blatt-M.)** oder die Blattstiele **(Rippen-M.)** als Kochgemüse genutzt werden.

Mangold ['mæŋgəld], Robert Peter, amerikan. Maler, *North Tonawanda (N. Y.) 12. 10. 1937; konstruiert seine Bilder aus geometr. Formen und verhaltenen Farben unter Verzicht auf plastisch-räuml. Wirkungen. Spannungselemente sind Linie und Fläche, die er in den 1980er-Jahren durch ungleichmäßigen Farbauftrag auflockerte.

Mangostane, eine →Garcinie.

Mangrove [span.-engl.] *die,* Vegetationszone im Gezeitenbereich flacher trop. Küsten; ein dichtes Geflecht von hohen Stelzwurzeln, die als Schlickfänger dienen. Bei optimalen Bedingungen entsteht ein 10–20 m hoher, artenarmer Wald **(Gezeitenwald).**

Mangrovebaum (Rhizophora), Gattung trop. Mangrovegewächse; sie umfasst 8–9 Arten mit kleinen Bäumen der →Mangrove, mit kurzem Stamm, abstehenden, dicken Ästen und dicken, lederartigen Blättern; sie haben Atem- und Stelzwurzeln.

Mangusten [aus Tamil] (Mungos, Ichneumone, Herpestinae), Unterfamilie etwa 25–70 cm langer, vorwiegend tagaktiver Schleichkatzen, v. a. in Wäldern, offenen Landschaften und Sümpfen S-Eurasiens und Afrikas; u. a.: Zebra-, Zwerg-, Hunde-M. (Schwarzfuß-M.), Ichneumon, Fuchs-M., Erdmännchen und Ind. Mungo.

Mangyschlak, wüstenhafte Halbinsel am O-Ufer des Kasp. Meeres, Kasachstan, bis 556 m ü. M.; Erdöl- und Erdgasgewinnung; Hauptort: Aktau.

Manhattan [mæn'hætn], Stadtbezirk von →New York.

Mangrovebaum: Die aus dem Stamm sprießenden Stelzwurzeln dienen der Sauerstoffzufuhr und haben gleichzeitig Stützfunktion

Manhattan-Projekt [mæn'hætn-], Tarnname für die Entwicklung der amerikan. Atombombe. An dem M.-P. arbeiteten ab 1942 bis zu 160 000 Personen; zu dem Projekt gehörten neben dem Geheimlabor in Los Alamos (New Mexico) unter Leitung von J. R. Oppenheimer auch der von E. Fermi entwickelte Uranreaktor in Oak Ridge (Tennessee) und der Plutoniumreaktor in Hanford (Washington).

Mani (Manes, Manichäus), Religionsstifter, Begründer des Manichäismus, *Mardinu (Babylonien) 14. 4. 216, †Gundeshapur 26. 2. 277; verstand sich als letzter der großen Propheten in der Nachfolge Zarathustras, Buddhas und Jesu und Stifter einer Weltreligion; wurde auf Betreiben zoroastr. Priester angeklagt, starb im Gefängnis.

Mangusten: Die Fuchsmanguste hat eine Kopf-Rumpf-Länge von bis zu 40 cm und ist vor allem in sandigen Gebieten Südafrikas beheimatet

Manichäismus *der,* von Mani begründete dualistisch-gnost. Religion, die im gesamten Mittelmeerraum verbreitet war. Der Blütezeit im 4. Jh. folgte ein rascher Verfall. Im Osten erlosch der M. im 14. Jh. in China, wo er seit dem 7. Jh. zu neuer Blüte gelangt war. Mittelpunkt der Lehre ist ein dualist. Konzept von Licht und Finsternis, Geist und Materie als den von Anbeginn an unversöhnl. guten und bösen Prinzipien. In der Welt und im Menschen sind diese schuldhaft vermischt. Der materielle Körper dient als Gefängnis für die Lichtseelen. Erlösung, d.h. Heimkehr der Seele ins Reich des Lichts im Moment des Todes, setzt diese Erkenntnis und ein völlig asket. Leben (Verzicht auf Ehe und Fortpflanzung, auf Fleisch- und Weingenuss) voraus. Der M. bildete eine strenge Hierarchie aus, an deren Spitze der Archegos als Nachfolger Manis stand; grundsätzlich unterteilten sich die **Manichäer** in mönchisch lebende Electi (»Auserwählte«) und Laien, Auditores (»Hörer«). Das geistlich-kult. Leben des M. wurde geprägt durch regelmäßige kult. Feste (jeden Montag) und die Pflicht aller Mitgl. zur Beichte. Hauptfest war das jährl. Bema-Fest (»Fest des Lehrstuhls«) zur Erinnerung an Manis Tod, in dessen Mittelpunkt eine sakramentale Mahlzeit stand. Dem M. verwandte Vorstellungen finden sich bei →Bogomilen, →Katharern, →Paulikianern und in versch. religiösen und philosoph. Systemen der Neuzeit.

📖 *Mani. Auf der Spur einer verschollenen Religion, hg. v.* L. Koenen *u.* C. E. Römer. *Freiburg im Breisgau 1993.*

Manicouagan River [mænɪˈkwɑːgən ˈrɪvə], linker Nebenfluss des Sankt-Lorenz-Stromes, Kanada, 560 km; mündet bei Baie-Comeau; Großkraftwerke.

Manie [grch. »Raserei«] *die,* **1)** *allg.:* Besessenheit; Sucht.

2) *Psychologie:* psych. Erkrankung mit ständiger Geschäftigkeit ohne nennenswerten Nutzeffekt, grundlos heiterer oder gereizter Stimmung, Rede- und Bewegungsdrang, Ideenflucht, Selbstüberschätzung mit Enthemmung der Persönlichkeit.

Manier [aus altfrz. manière »Art und Weise«] *die,* **1)** *meist Pl., allg.:* Lebensart, Benehmen.

2) *Kunstwiss.:* von Vasari eingeführter Begriff, urspr. für die einer Zeit oder einem Meister eigentüml. Kunstweise (z.B. Manierismus), mit »Maniera tedesca« wurde die Gotik bezeichnet; dann in abschätzigem Sinn: Routine.

3) *Musik:* →Verzierung.

Manierismus *der,* von der jüngeren *Kunstwiss.* geprägter Stilbegriff für die Phase des Übergangs von der Renaissance zum Barock, auch gleichgesetzt mit der Spätrenaissance; in neuerer Zeit nicht nur auf die zeitlich begrenzte Periode des 16./17. Jh. bezogen, sondern auch auf die Endphase jeder Epoche.

Der M., dessen Erscheinungsformen vielfältig und gegensätzlich sind, wurzelt in der Kunst der Hochrenaissance, verwandelt aber deren Prinzipien vielfach in ihr Gegenteil: Auflösung des Statischen zugunsten von Bewegungsabläufen; Neigung zu zentrifugal angelegten Kompositionen anstelle des von der Hochrenaissance bevorzugten Zentrierten; Darstellung des Unendlichen im Unterschied zum eindeutig Begrenzten; Aufhebung der Grenze zw. Kunstraum und Realraum; Verwischung der Grenzen zw. den Kunstgattungen; Negation der Realität zugunsten der Darstellung des Abnormen, Verformung der Figur zugunsten von Ausdruckssteigerung; ekstat. Versenkung neben Profanierung und akadem. Erstarrung. Die Wege zu den neuen gestalter. Möglichkeiten öffneten der späte Raffael, Michelangelo und der junge Tizian. Hauptmeister in Italien waren die Maler Rosso Fiorentino, I. da Pontormo, Bronzino, G. B. Rosso, Parmigianino, L. Lotto, Tintoretto, G. A. Pordenone, J. Bassano und G. Arcimboldo, die als Universalkünstler tätigen G. Romano und G. Vasari, die Bildhauer B. Cellini und Giambologna sowie die Architekten B. Peruzzi und G. Vignola. Vertreter nördlich der Alpen waren M. van Heemskerck, P. Bruegel d. Ä., der Architekt C. Floris und der Bildhauer A. de Vries, in Frankreich die Schule von Fontainebleau und in Spanien El Greco. Bevorzugt wurden ausgefallene Naturformen von dem Keramiker B. Palissy. Bild S. 82

Aus der Kunstwiss. wurde der Begriff 1948 in die *Literaturwiss.* übernommen zur Bez. der Übergangsphase von Renaissance zu Barock. M. wird auch als Epochenbegriff oder zur Bez. eines Kunststils verwendet; er umfasst die nat. Stilhaltungen des Marinismus in Italien, des Gongorismus in Spanien, des Euphuismus in England, der frz. pre-

Manierismus (von oben): Iacopo da Pontormo, »Kreuzabnahme Christi« (1526-28; Florenz, Kapelle der Kirche Santa Felicità); El Greco, »Christus auf dem Ölberg« (1590-95; London, National Gallery)

ziösen Literatur und des dt. Barock. Die Wirklichkeit wird durch einseitiges Interesse am Problematisch-Interessanten, Bizarren und Monströsen ins Groteske und Fantastische verzerrt, ins Traumhafte aufgelöst und oft ins Surreale gesteigert. Sprachl. Kennzeichen sind u.a. überreiche Verwendung von Tropen, Metaphern, Wortspielen und gelehrten mytholog. Anspielungen.

Manila Stadtwappen

📖 WÜRTENBERGER, F.: *Der M. Neuausg. Wien u.a. 1979.* – *M. in der Architektur, bearb. v.* K. STOKLAS. *Stuttgart 1988.* – PRAZ, M.: *Der Garten der Sinne. Ansichten des M. u. des Barock. A.d. Italien. Frankfurt am Main 1988.* – HOCKE, G. R.: *Die Welt als Labyrinth. M. in der europ. Kunst u. Literatur. Sonderausg. Reinbek 1991.* – SHEARMAN, J.: *M. Aus dem Amerikan. Weinheim 1994.*

Manifest [lat.] *das,* die Grundsatzerklärung einer polit. Partei oder ein sonstiger programmat. Aufruf einer polit. oder künstler. Gruppe.

Manihiki, eine der Nördl. →Cookinseln im SW-Pazifik, ein Atoll mit 39 Koralleninseln, 5,4 km², 500 Ew.; Taro-, Kokospalmenanbau (Kopra).

Manihot [zu Maniok] *der,* Pflanzengattung der Familie Wolfsmilchgewächse S-Amerikas, strauch- bis baumförmige Pflanzen, meist mit tief gelappten Blättern. Die wichtigste Art ist →Maniok. Einige Arten liefern Kautschuk.

Maniküre [frz.] *die,* Pflege der Hände, v.a. der Fingernägel.

Manila, Hauptstadt der Philippinen, an der ausgedehnten Bucht von M. im W der Insel Luzon beiderseits des Pasig, 1,6 Mio. Ew.; Metropolitan M. umschließt M. und mehrere Vorstädte, einschl. der 8 km von der Altstadt entfernt liegenden früheren Hptst. →Quezon City, und hat 7,8 Mio. Ew.; kath. Erzbischofssitz; mehrere Univ., Akademie der Philippinen, Goethe-Institut, Museen; vielseitige Ind. (35 % aller philippin. Ind.betriebe); wichtigster Hafen und Verkehrsknotenpunkt des Landes mit dem einzigen internat. Flughafen der Philippinen. – Ältestes Viertel ist der Stadtteil »Intramuros« mit der erneuerten Kathedrale (1751 ff. erbaut; 1863 schwer beschädigt; wiederhergestellt 1879–89; 1945 zerstört) und der Kirche San Agustín (1599–1605). Nördlich des Pasig liegen die Geschäftsviertel San Nicolas, Bindondo, Quiapo und das Hafenviertel. – Schon vor der span. Eroberung (1570) als Siedlung der Tagalen nachweisbar (Maynila-Tondo); 1571 an Stelle von Cebu zur Hptst. erhoben; nach Vernichtung der span. Flotte 1898 von den USA erobert; 1942–45 japanisch besetzt; 1946–48 und seit 1975 Hptst. der Philippinen; im 2. Weltkrieg fast völlig zerstört.

Manilafaser, aus den Blattscheiden der auf den Philippinen heim. Faserbanane gewonnene Faser; fest und zäh.

Manin, Daniele, italien. Freiheitskämpfer, * Venedig 13. 5. 1804, † Paris 22. 9. 1857; erneuerte im März 1848 nach dem Sturz der österr. Herrschaft die Rep. Venedig, die er bis zur Kapitulation vor österr. Truppen als Diktator beherrschte. Die von ihm 1857 gegr. Società nationale wurde zu einer Stütze der Politik C. Cavours.

Maniok [aus Tupí] *der* (Manioka, Mandioka, Cassave, Kassave, Manihot esculenta), mehrjähriges Wolfsmilchgewächs in S-Amerika, heute allg. in den Tropen in vielen Sorten als wichtige Nahrungspflanze angebaut; bis zu über 3 m hoher

Strauch. Die bis über 50 cm langen, bis 20 cm dicken, bis 5 kg schweren, stärkereichen Wurzelknollen sind ein wichtiger Kartoffelersatz der Tropenländer (der giftige Milchsaft wird u.a. durch Trocknen oder Kochen zerstört). Die aus M.-Knollen gewonnenen Stärkeprodukte (v.a. für Brei, Fladen, Suppen) kommen als **Tapioka** (Manioka, Mandioka, brasilian. Arrowroot), das **Perltapioka** (verkleisterte, kleine Stärkeklümpchen) als **Sago** in den Handel.

Manipel [lat.] *der,* Unterabteilung der röm. Legion (der dreißigste Teil), gebildet aus zwei Zenturien zu je etwa 80 Mann; im 3. und 2. Jh. v. Chr. takt. Einheit innerhalb der röm. Schlachtordnung (Manipulartaktik).

Manipulation [lat.] *die,* **1)** *Bildungssprache:* Geschäftskniff; Machenschaft.

2) *Psychologie:* Beeinflussung, Steuerung fremden Denkens, Fühlens und Verhaltens, meist ohne dass sich die Betroffenen der Steuerung bewusst werden (z.B. polit. M., M. in den Bereichen der Werbung, der Massenmedien, des Verkaufs).

Manipulator: Operateur bei der Bearbeitung von radioaktiven Abfällen in heißen Zellen mithilfe eines Greifmanipulators

Manipulator [lat.] *der,* manuell gesteuertes Gerät zur Übertragung der Bewegungen der menschlichen Hand auf Gegenstände, die der unmittelbaren Handhabung nicht zugänglich oder gesundheitsgefährdend sind. Der M. besitzt im Ggs. zum →Industrieroboter keine Programmsteuerung, sodass er nicht selbsttätig arbeiten kann: Er wird immer vom Menschen direkt gesteuert und führt vom Menschen initiierte Bewegungen aus. **Mikro-M.** übertragen Handbewegungen auf kleinste, mikroskop. Dimensionen, z.B. in biolog. und medizin. Labors oder bei der Entwicklung von Halbleiterbauelementen. **Greif-M.** (Master-Slave-M.) dienen als Fernbedienungswerkzeuge der Handhabung glühender oder radioaktiver Materialien.

Manipur, Staat im NO →Indiens; ehem. Fürstenstaat, 1949 der Ind. Union eingegliedert.

Manisa ['manisa, ma'nisa], Hauptstadt der türk. Prov. M. in W-Anatolien, in fruchtbarer Ebene; 158300 Ew., Marktzentrum (Rosinenhandel). – Reste der byzantin. Stadtmauer, Moscheen und Medresen aus seldschuk. und osman. Zeit. – M., die antike lyd. Stadt **Magnesia am Sipylos,** wurde 334 v. Chr. von Alexander d. Gr. erobert; die byzantin. Stadt kam 1313 unter seldschuk., 1398 unter osman. Herrschaft.

manisch, auf einer Manie beruhend, krankhaft übersteigert.

manisch-depressive Erkrankung (früher manisch-depressives Irresein, Zyklothymie), auf endogen-konstitutioneller Grundlage verursachte, phasenhaft auftretende manische (→Manie) und depressive (→Depression) Verstimmungen.

Manitoba [mænɪ'təʊbə], Provinz Kanadas, 649950 km², (1994) 1,13 Mio. Ew.; Hptst.: Winnipeg. M. liegt größtenteils auf dem Kanad. Schild (bis zur Hudsonbai), der S (mit Winnipeg-, Winnipegosis- und M.-See) in den Interior Plains. Ind. um Winnipeg; im S Ackerbau: Weizen, Gerste, Hafer, Flachs, Kartoffeln; Viehzucht; im seenreichen N Waldwirtschaft; ferner Bergbau (Nickel, Zink, Kupfer, Gold, Silber), Holzwirtschaft und Fischerei; im äußersten S kleinere Erdöllager. – Das Land gehörte seit 1670 der Hudson's Bay Company. 1869 kaufte es Kanada, seit 1870 Provinz.

Manitu (Manito), bei den Algonkinindianern N-Amerikas der Name einer allen Dingen und Naturerscheinungen innewohnenden unpersönl. Macht; die Gleichsetzung mit dem höchsten Wesen (»Gott« oder »Großer Geist«) ist christl. Ursprungs.

Maniu, Juliu, rumän. Politiker, *Şimleu Silvaniei (Kr. Sălaj) 8. 1. 1873, † (in Haft) Sighetul Marmaţiei (Kr. Maramureş) 3. 1. 1953; 1919 maßgeblich am Anschluss Siebenbürgens an Rumänien beteiligt, leitete seit 1926 die Nat. Bauernpartei; 1928–30 und 1932/33 Min.Präs.; 1947 zu lebenslängl. Haft verurteilt.

Manizales [-'salɛs], Hauptstadt des Dep. Caldas, Kolumbien, in der Zentralkordillere, 2150 m ü. M., 329800 Ew.; kath. Erzbischofssitz, Univ.; Handelszentrum der bedeutendsten Kaffeeanbauregion des Landes; Flugplatz.

Manko [italien.] *das,* Fehler, Mangel; Fehlbetrag; v.a. bei der Kassenführung. **M.-Gelder** sind pauschale Summen, die in Kassen- bzw. Geldzählberufen Beschäftigten als Verlustausgleich zugestanden werden.

Mann, erwachsener Mensch männlichen Geschlechts. – In den meisten Kulturen ist das Wesen

Maniok: Wurzelknollen

Golo Mann

und Selbstverständnis des M. durch die Vorrangstellung gegenüber der Frau geprägt. Die allg. Geistesgeschichte (Weltdeutung, -erkenntnis, -sinn) erscheint als eine Geschichte der Entwicklung des männl. Bewusstseins, das sich selbst aber stets als allgemein menschlich verstanden hat. Während M. sich als Kulturschöpfer begriffen und v.a. im bürgerl. Zeitalter das Prinzip der Unterwerfung der Natur, des ökonom., techn. und kulturellen Fortschritts repräsentierten, wurde das Weibliche der instinkt- und emotionsbetonten Natur zugeordnet. Der Untermauerung der durch festgefügte Rollenschemata verankerten gesellschaftl. und rechtl. Vorherrschaft des M. dienten eine entsprechende theologisch begründete Weltordnung und/oder die Berufung auf naturgegebene Geschlechtsunterschiede. In der Neuzeit, v.a. seit der industriellen Revolution, wurde die Geschlechterpolarisierung unter maßgebl. Einfluss der →Frauenbewegung in den Ind.ländern zunehmend abgebaut und die prinzipielle Gleichberechtigung verfassungsmäßig verankert.

Heinrich Mann (links) und **Thomas Mann** auf einer Fotografie um 1900

Mann, 1) Erika, Schriftstellerin, *München 9. 11. 1905, †Kilchberg bei Zürich 27. 8. 1969, Tochter von 5); 1925–28 ⚭ mit G. Gründgens; gründete 1933 in München, dann in der Schweiz das antifaschist. Kabarett »Die Pfeffermühle«; ab 1936 in den USA als Journalistin; schrieb Jugendbücher, Essays; verwaltete den schriftl. Nachlass ihres Vaters.

📖 LÜHE, I. VON DER: *E. M. Eine Biographie. Neuausg. Frankfurt am Main 1996.*

2) Golo, Historiker, Publizist, *München 27. 3. 1909, † Leverkusen 7. 4. 1994, Sohn von 5); emigrierte 1933, war 1947–57 Prof. am Claremont Men's College (Calif.), 1960–64 an der TH Stuttgart; lebte in Kilchberg bei Zürich; verfasste u.a. »Dt. Geschichte des 19. und 20. Jh.« (1958), »Wallenstein« (1971); Herausgeber der »Propyläen-Weltgeschichte« (10 Bde., 1960–65).

3) Heinrich, Schriftsteller, *Lübeck 27. 3. 1871, †Santa Monica (Calif.) 12. 3. 1950, Bruder von 5); lebte bis 1933 meist in München, 1930 Präs. der Sektion Dichtkunst der Preuß. Akademie der Künste, 1933 Ausschluss, Emigration nach Frankreich, 1940 Flucht in die USA; im Exil umfangreiche antifaschist. Aktivitäten. M.s Erzählkunst ist geprägt vom frz. Roman des 19. Jh. und dessen gesellschaftskrit. Intentionen: Die frühen Romane sind beißende Satire auf bürgerl. Scheinmoral (»Im Schlaraffenland«, 1900; »Prof. Unrat«, 1905, verfilmt u.d.T. »Der blaue Engel«, 1930), der M. – beeinflusst von Nietzsche und D'Annunzio – eine Welt der Schönheit und Kunst entgegensetzt (»Die Göttinnen oder ...«, 3 Bde., 1902–03; »Die kleine Stadt«, 1909). Die autoritären Strukturen des wilhelmin. Dtl. analysierte er in der Trilogie »Das Kaiserreich« (»Der Untertan«, vollständige Buchausgabe 1918; »Die Armen«, 1917; »Der Kopf«, 1925). Im Exil entstand sein Hauptwerk, die Romane »Die Jugend des Königs Henri Quatre« (1935) und »Die Vollendung des Königs Henri Quatre« (1938). Das erzähler. Werk wird von einem reichen essayist. und publizist. Schaffen begleitet, das M. (u.a. mit seinem frühen Bekenntnis zur Demokratie und seinen dezidierten Stellungnahmen gegen den Nationalsozialismus) als bed. Repräsentanten der europ. Intellektuellen seiner Zeit ausweist (»Ein Zeitalter wird besichtigt«, 1945).

📖 FEST, J.: *Die unwissenden Magier. Über Thomas u. H. M. Neuausg. Frankfurt am Main 1993.* – JASPER, W.: *Der Bruder. H. M. Neuausg. Frankfurt am Main 1994.* – SCHRÖTER, K.: *H. M. Reinbek 77.–78. Tsd. 1996.*

4) Klaus, Schriftsteller, *München 18. 11. 1906, †(Selbstmord) Cannes 21. 5. 1949, Sohn von 5); Mitherausgeber der literar. Emigrantenzeitschrift »Die Sammlung« (1933–35); ab 1936 als Journalist in den USA (amerikan. Staatsbürger); war 1938 Berichterstatter im Span. Bürgerkrieg, 1944/45 amerikan. Soldat und Kriegskorrespondent in Italien. Sein zw. Dokumentation, Zeitkritik und Satire schwankendes Werk ist stark autobiographisch geprägt (»Symphonie pathétique«, R., 1935; Bekenntnisbuch »Der Wendepunkt«, engl. 1942, dt. hg. 1952; »Vulkan«, 1939). Der Schlüsselroman »Mephisto. Roman einer Karriere« (1936) wurde 1966 in der Bundesrep. Dtl. wegen Beleidigung von

G. Gründgens verboten, erst 1981 erfolgte ein Neudruck.

📖 Spangenberg, E.: *Karriere eines Romans. Mephisto, K. M. u. Gustaf Gründgens. Reinbek Neuausg. 1986.* – Naumann, U.: *K. M. Reinbek 29.–31. Tsd. 1994.*

5) Thomas, Schriftsteller, *Lübeck 6. 6. 1875, †Kilchberg bei Zürich 12. 8. 1955, Vater von 1), 2) und 4), Bruder von 3); entstammte einer Lübecker Patrizier- und Kaufmannsfamilie; seine Mutter war Tochter einer portugiesisch-kreol. Brasilianerin. M. lebte seit 1893 meist in München, ⚭ 1905 mit Katja Pringsheim (*1883, †1980), kehrte im Febr. 1933 von einer Vortragsreise in die Schweiz nicht nach Dtl. zurück, ließ sich dort nieder, ging 1939 in die USA, lebte seit 1952 wieder in der Schweiz (Kilchberg). M. wurde schon mit seinem ersten Roman berühmt: »Buddenbrooks. Verfall einer Familie« (2 Bde., 1901) trägt autobiograph. Züge und schlägt bereits ein Thema an, das M.s Gesamtwerk beherrscht: die Polarität zw. Bürger und Künstler (fortgeführt u.a. in den Novellen »Tonio Kröger«, »Tristan«, beide 1903; »Der Tod in Venedig«, 1912). Nach einem inneren Klärungsprozess in der Folge des 1. Weltkriegs (»Betrachtungen eines Unpolitischen«, 1918) entstand »Der Zauberberg« (1924), mit dem M. die Tradition des europ. Bildungsromans fortführt und in dem – in großen philosoph. Gesprächen – die geistigen Bezüge M.s (Schopenhauer und Nietzsche, Goethe und R. Wagner) sichtbar werden. Die Eigenarten seiner Gestaltungskunst sind hier bereits voll ausgebildet. Die skeptisch-iron. Distanz des Erzählers zu seinen Figuren, die leitmotiv. Wiederkehr typ. Konstellationen und der syntaktisch komplizierte Stil bestimmen auch die folgenden Romane. In der Tetralogie »Joseph und seine Brüder« (1933–43) funktioniert er mit diesen Mitteln den Mythos des alttestamentl. Stoffes zur humanist. Botschaft um; in »Lotte in Weimar« (1939) unternimmt er das Wagnis einer literar. Gestaltung Goethes, dem er sich auch mit der Transponierung des Faust-Stoffes in die Gegenwart im »Doktor Faustus« 1947 nähert, gleichzeitig eine Abrechnung mit dem Zusammenbruch des bürgerlichen dt. Humanismus. In den unvollendet gebliebenen »Bekenntnissen des Hochstaplers Felix Krull« (veröffentlicht ab 1911, endgültige Ausgabe 1954) spiegeln sich nochmals die Themenkreise und Probleme, die M.

während seines ganzen Lebens beschäftigten, diesmal in der Form des von Altersweisheit geprägten Schelmenromans. Die Novellen und Erzählungen variieren oft Themen der Romane: »Wälsungenblut« (1921), »Mario und der Zauberer« (1930), »Das Gesetz« (1944). Die Essayistik und die Tagebücher (auf 10 Bde. berechnet, 1977ff.) belegen die intensive geistige Auseinandersetzung mit allen Fragen seiner Zeit, die konsequent antifaschist. Haltung und seine Bekenntnisse zu Demokratie

Erika Mann und **Klaus Mann** auf einer Fotografie aus dem Jahr 1927

Thomas Mann: Zeichnung aus seinem »Bilderbuch für artige Kinder« (1897)

und Weltbürgertum. Nobelpreis für Literatur 1929.

📖 REICH-RANICKI, M.: *T. M. u. die Seinen. Frankfurt am Main Neuausg. 18.–21. Tsd. 1994.* – SCHRÖTER, K.: *T. M. Neuausg. Reinbek 214.–218. Tsd. 1995.* – *T.-M.-Handbuch, hg. v.* H. KOOPMANN. *Stuttgart ²1995.* – HARPPRECHT, K.: *T. M. Eine Biographie, 2 Bde. Neuausg. Reinbek 1996.* – MENDELSSOHN, P. DE: *Der Zauberer. Das Leben des dt. Schriftstellers T. M., 3 Bde. Neuausg. Frankfurt am Main 1996.*

Carl Gustav von Mannerheim

Manna [hebr.] *das* oder *die,* **1)** *Biologie:* essbare, zuckerreiche pflanzl. und tier. Absonderungen, z. B. die der Mannaflechte, der Mannaschildläuse.

2) *Theologie:* die wunderbar vom Himmel gefallene Speise der Israeliten während der Wüstenwanderung (2. Mose 16, 4ff.); wohl identisch mit dem Honigtau der Mannaschildlaus.

Mannaflechte (Lecanora esculenta), in den Steppen und Wüstensteppen N-Afrikas sowie des Vorderen Orients vorkommende, essbare Krustenflechte; wird vom Wind häufig zu großen Ansammlungen zusammengeweht.

Mannane, v. a. aus Mannoseeinheiten in glykosid. Bindung aufgebaute, im Pflanzenreich verbreitete Polysaccharide.

Mannaschildläuse, Schmierlausarten, die im östl. Mittelmeergebiet und in Vorderasien auf Tamarisken saugen; ihre zuckerhaltigen Exkremente dicken im trockenen Wüstenklima ein und werden als Manna gesammelt.

Männerhaus von den Palauinseln (Berlin, Museum für Völkerkunde)

Mannequin ['manəkɛ̃, frz. aus niederländ. manneken »Männchen«] *das,* auch *der,* zunächst Bez. für die hölzerne Gliederpuppe der Maler und Schneider, in der 2. Hälfte des 19. Jh. wurde die Bez. auf Frauen, die neue Modeschöpfungen vorführen, übertragen. (→ Dressman)

Männerbund, bei Naturvölkern eine Gemeinschaft aller erwachsenen Männer eines Dorfes oder Stammes. Die Aufnahme erfolgt durch Initiation. Der M. ist der Hüter der Stammestradition und hat kult. Pflichten.

Männergesangvereine, Vereinigungen zur Pflege mehrstimmigen Männergesangs. Nach dem Vorbild der von C. F. Zelter 1809 gegr. Berliner »Liedertafel« (der nur Berufskünstler angehörten) entstanden in N-Dtl. bald ähnl. Vereinigungen. Im Ggs. zu diesen standen die südwestdt. »Liederkränze«, die dem von H. G. Nägeli 1810 gegr. Züricher M. folgten, allen Schichten offen. Dieser Typus verbreitete sich über das ganze dt. Sprachgebiet. Die heutigen M. sind im »Dt. Sängerbund« (gegr. 1862 in Coburg, heutiger Sitz in Köln) zusammengeschlossen.

Männerhaus, bei vielen Naturvölkern der Mittelpunkt des Gemeinschaftslebens der Männer; dient auch als Aufbewahrungsort für Kultobjekte (z. B. Masken, Musikinstrumente).

Mannerheim, Carl Gustaf Freiherr von, finn. Feldmarschall (seit 1933) und Politiker, * Gut Louhisaari (bei Villnäs, Prov. Turku-Pori) 4. 6. 1867, † Lausanne 27. 1. 1951; nahm als Kavalleriegeneral der russ. Armee bis 1917 am 1. Weltkrieg teil, führte im finn. Bürgerkrieg 1918 die »weißen« Truppen erfolgreich gegen die finn. Rote Armee, erreichte danach in diplomat. Missionen die Anerkennung der Souveränität Finnlands durch die Entente-Mächte und war 1918–19 Reichsverweser. Als Vors. des Kriegsrats (1931–39) ließ er die karel. Landenge militärisch befestigen **(M.-Linie).** Im Finnisch-Sowjet. Winterkrieg (1939–40) und im Fortsetzungskrieg (1941–44) war er Oberbefehlshaber der finn. Streitkräfte; schloss als Staatspräs. (1944–46) im Sept. 1944 einen Waffenstillstand mit der Sowjetunion.

Männerkindbett (frz. Couvade), die Sitte, nach der der Mann anstelle der Frau das Verhalten der Wöchnerin übernimmt. Das M. war im vorindogerman. S-Europa ostwärts bis zum Schwarzen Meer verbreitet; noch bis zur Mitte des 19. Jh. erhielt es sich bei den Basken. Es ist auch belegt für das südl. China.

Männertreu, Art der Pflanzengatt. → Lobelie.

Mannesmann, Reinhard, Techniker und Industrieller, * Remscheid 13. 5. 1856, † ebd. 20. 2. 1922; erfand mit seinem Bruder Max M. (* 1861, † 1915) das Schrägwalz- und Pilgerschrittwalzverfahren zur Herstellung nahtloser Rohre, gründete mit seinen Brüdern die M. AG. Ab 1907 widmete er sich der wirtschaftl. und industriellen Erschließung Marokkos.

Mannesmann AG, Düsseldorf, Unternehmen des Maschinen- und Anlagenbaus; gegr. 1890 als Mannesmannröhren-Werke AG. Weitere Tätigkeitsfelder sind die Automobiltechnik, Elektrotechnik und Elektronik, Telekommunikation, Rohre und Handel, die u.a. von M. Demag, M. Rexroth, M. Mobilfunk und zahlreichen Tochtergesellschaften wie z.B. Krauss-Maffei, VDO, Fichtel & Sachs abgedeckt werden.

Mannheim, kreisfreie Stadt in Bad.-Württ. im RegBez. Karlsruhe, in der Oberrheinebene im Mündungswinkel zw. Rhein und Neckar, 311 300 Ew.; bildet mit dem auf der anderen Rheinseite gelegenen Ludwigshafen das Zentrum des Ballungsraumes Rhein-Neckar; Univ., Staatl. Hochschule für Musik und Darstellende Kunst Heidelberg-M., FH für Technik und Gestaltung, FH für Sozialwesen, zwei FH des Bundes für öffentl. Verwaltung (Fachbereich Arbeitsverwaltung bzw. Bundeswehrverwaltung), Institut für dt. Sprache, Medizin. Fakultät der Univ. Heidelberg, Psychiatr. Forschungsinstitut; Verw.gerichtshof für Bad.-Württ., Bundesanstalt für landwirtsch. Marktordnung; Kunsthalle, Reiß-Museum, Landesmuseum für Technik und Arbeit, Planetarium, Nationaltheater, Festhalle Rosengarten. Die Ind. umfasst Maschinen- und Fahrzeugbau, Eisen verarbeitende, elektrotechn., feinmechan., opt., chem., Textil-, Holz-, Baustoff-, Steingut-, Papier- und Düngemittelind., Kabelwerke, Brauereien, Druckereien, Verlage. M. ist ein wichtiger Verkehrsknotenpunkt und hat einen bed. Binnenhafen. – Im 2. Weltkrieg wurde M. stark zerstört. Das Rechteckschema der in 144 »Quadrate« eingeteilten Altstadt (durch Buchstaben und Ziffern statt Straßennamen bezeichnet) wurde beibehalten. Bed. Bauten: Schloss (1720–60, heute v.a. Univ.), ehem. Jesuitenkirche (1733–60), Untere Pfarrkirche (1706–23) und Altes Rathaus (1700–11), ehem. Palais Bretzenheim (1782–88), ehem. Zeughaus (1777–79; heute Reiß-Museum); Jugendstilanlage des Friedrichsplatzes am Wasserturm (1885–89) mit Festhalle »Rosengarten« (1899–1903, erweitert 1972–74) und Kunsthalle (1905–07, Erweiterungsbau 1980–83); Nationaltheater (1957), Landesmuseum für Technik und Arbeit (1990), Synagoge (1987), Moschee (1995). – 766 erstmals erwähnt (Bauern- und Fischerdorf); als Stadt 1606 durch Kurfürst Friedrich IV. von der Pfalz gegr. (1607 Stadtrecht); 1622 durch Tilly, 1689 von den Franzosen zerstört. 1720–78 Residenz der Kurfürsten von der Pfalz; 1802/03 fiel M. an Baden. BILDER S. 88

📖 *M. ehemals, gestern u. heute, hg. v.* J. SCHADT. *Mannheim* [3]*1992.*

Mannheim, Karl, brit. Soziologe österr. Herkunft, *Budapest 27. 3. 1893, †London 9. 1. 1947; entwickelte die →Wissenssoziologie mit und forderte die Entwicklung einer »geplanten Demokratie«, z.B. durch Ausbildung von Eliten, in Auseinandersetzung mit Marxismus und Totalitarismus. *Werke:* Ideologie und Utopie (1929); Freiheit und geplante Demokratie (hg. 1950); Wissenssoziologie (hg. 1964).

Mannheim
Stadtwappen

Mannheimer Schule, Komponistenkreis, der am Hof des pfälz. Kurfürsten Karl Theodor in Mannheim Mitte des 18. Jh. wirkte und entscheidend zur Ausbildung des Instrumentalstils der Wiener Klassik beitrug. Hauptmeister waren J. C. und A. Stamitz, I. Holzbauer, F. X. Richter, J. A. Filtz, C. G. Toeschi, J. C. Cannabich und F. Danzi. Zu den kompositionstechn. Neuerungen der M. S. gehörten u.a. der Verzicht auf den Generalbass zugunsten der melodieführenden Stimme, periodisch klar gegliederte Thematik, Ausprägung zweier gegensätzl. Themen, Orchestercrescendo und -tremolo, Einfügung des Menuetts an dritter Stelle der viersätzigen Sinfonie.

Mannit [zu Manna] *der* (Mannitol), kristalliner sechswertiger Zuckeralkohol mit etwa der halben Süßkraft von Rohrzucker. Kommt als D-M. in der Mannaesche und in Braunalgen vor. M. wird u.a. als harntreibendes Mittel, als Abführmittel oder als Zuckeraustauschstoff für Diabetiker verwendet.

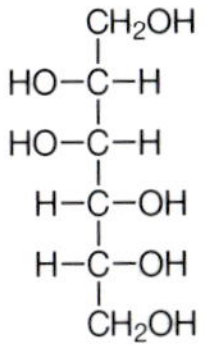

D-Mannit
Mannit

männlicher Reim, einsilbiger, auf eine Hebung endender Reim. Ggs.: weibl. Reim. (ÜBERSICHT Reim)

Mannose [zu Manna] *die,* zur Glucose stereoisomeres Monosaccharid; Baustein der →Mannane.

Mannstreu (Eryngium), distelähnl. Doldenblütlergattung mit dornigen oder borstigen Blättern und köpfchenförmigen Blüten. Die weißlich grüne **Feld-M.** (**Brachdistel,** Eryngium campestre) wächst auf trockenem Grasland. Am Strand der Ost- und Nordsee sowie des Mittelmeers kommt die geschützte bläulich grüne **Stranddistel** (Eryngium maritimum) vor.

Mannstreu:
Stranddistel
(Höhe 15–50 cm)

Mannheim

Zwar gibt es eine Reihe deutscher Städte, die nach barocken Idealvorstellungen über geometrischem Grundriss gebaut wurden, doch nur in Mannheim verzichtet man auf Straßennamen: In der Innenstadt, innerhalb der ehemaligen ringförmigen Wallanlage, verlaufen alle Straßen rechtwinklig. Die so festgelegten Häuserblocks (»Quadrate«) tragen Buchstaben und Ziffern. Vom Westflügel des Schlosses ausgehend, werden sie mit A bis K, vom Ostflügel aus mit L bis U bezeichnet. Die Zahl gibt die Entfernung von der Mittelachse des Schlosses an. Die Hausnummern beginnen jeweils an der dem Schloss nächsten Ecke. So ergeben sich unübertroffen kurze Adressen wie L 6, 1.

Manometer [grch.] *das,* Druckmesser für Gase und Flüssigkeiten. M. messen stets einen Differenzdruck, meist den Über- oder Unterdruck gegenüber dem Atmosphärendruck. Beim **Flüssigkeits-M.** wird der Druck aus der Verschiebung einer Flüssigkeitssäule bestimmt. Der anliegende

Differenzdruck bewirkt einen verschieden hohen Stand der Flüssigkeitssäulen. Einfachste Form des Flüssigkeits-M. ist das U-Rohr-M. mit zwei senkrecht stehenden Schenkeln. In der Ringwaage dient die Flüssigkeit als bewegl. Trennung zweier Druckräume. **Kolben-M.** sind Druckwaagen, in denen die auf den Kolben ausgeübte Kraft mithilfe einer Waage gemessen wird. Beim **Deformations-M.** wird der Druck aus der Verformung eines elast. Messgliedes (z.B. einer Plattenfeder, Bourdon-Feder beim Feder-M. oder eines Dehnungsmessstreifens) bestimmt. Für die Messung sehr hoher oder sich zeitlich schnell ändernder Drücke werden die Änderung des elektr. Widerstandes druckempfindl. Stoffe **(Widerstands-M.)** oder der piezoelektr. Effekt bei Quarzkristallen **(Kristall-M.)** ausgenutzt. Für die Messung kleiner Druckunterschiede (< 10 kPa) kommen **Mikro-M.** zum Einsatz, z.B. das Membran-Mikro-M., bei dem die Kapazitätsänderung zw. einer Membran und einer Gegenelektrode das Maß für die Druckänderung darstellt. Über M. zum Messen des Luftdrucks → Barometer.

Mannheim (von oben): Blick auf den Friedrichsplatz mit dem 1885–89 errichteten Wasserturm, der 1905–07 erbauten Städtischen Kunsthalle mit Erweiterungsbau aus den Jahren 1980–83 (Bildmitte vorn) und ihr gegenüber (jenseits der Grünanlage) die 1899–1903 entstandene Festhalle »Rosengarten«; Südwestansicht des 1990 erbauten Landesmuseums für Technik und Arbeit mit dem Studio Mannheim des Südwestrundfunks (SWR)

Manöver [frz.] *das,* **1)** *allg.:* Kunstgriff, Versuch der Ablenkung oder Verdrehung.

2) *Militärwesen:* größere Truppenübung unter annähernd gefechtsnahen Bedingungen.

3) *Schifffahrt:* Bewegung, die mit einem Schiff ausgeführt wird, sowie Tätigkeiten an Bord mit einem bestimmten Arbeitsablauf.

Manresa, Stadt in Katalonien, Prov. Barcelona, Spanien, 65 800 Ew.; Textil-, Elektro-, Düngemittel- und Reifenind., Gerbereien, Maschinenbau; got. Kirche (14.–16. Jh.), röm. Steinbrücke.

Mansarde [nach J. (Hardouin-)Mansart, der zu Unrecht als ihr Erfinder gilt] *die,* für Wohnzwecke ausgebautes Dachgeschoss mit teilweise schrägem Dach; Dachzimmer.

Mansart [mɑ̃ˈsaːr], **1)** François, frz. Baumeister, * Paris 23. 1. 1598, † ebd. 23. 9. 1666, Großonkel von 2); Vertreter der frühen klassizist. Periode des frz. Barock (Classicisme), Bauten von regelmäßiger Grundrissgestaltung und ausgewogenen Proportionen (Schloss Maisons-Laffitte bei Paris, 1642–51; Kirche Val-de-Grâce in Paris, begonnen 1645, von J. Lemercier vollendet).

2) (Hardouin-M.), Jules, frz. Baumeister, * Paris 16. 4. 1646, † Marly (bei Paris) 11. 5. 1708, Großneffe von 1); ab 1674 Hofarchitekt Ludwigs XIV., 1699 »Surintendant des Bâtiments du Roi«, beherrschte seitdem bis zu seinem Tod das gesamte offizielle Bauwesen in Frankreich. In seinem Bestreben, seinen Bauten Würde und Größe zu verleihen, vereinfachte er die Formen zu einem klassizistisch-gemäßigten Barockstil (Classicisme), der sich durch harmon. Proportionierung und elegante, zur Régence überleitende Dekorationen auszeichnet. – *Hauptwerke:* Erweiterungsbauten am Schloss von Versailles (seit 1678); Schlosskapelle, ebd. (1699 begonnen, von R. de Cotte 1708–10 vollendet); Grand-Trianon, ebd. (1687–88); Invalidendom in Paris (1693–1706); Place-des-Victoires und Place Vendôme in Paris. Weiteres BILD französische Kunst

Manschette [frz. »Ärmelchen«] *die,* **1)** *Kleidung:* Ärmelabschluss.

2) *Maschinenbau:* Dichtungselement aus Leder, Gummi, Kunststoff u.a. für hin- und herbewegte Maschinenteile, das unter Ausnutzung des an der

Dichtstelle auftretenden Druckes selbsttätig abdichtet.

Mansen (Wogulen), Volksstamm am unteren Ob, W-Sibirien. Die etwa 8500 M. sind zumeist Jäger, Fischer, Rentierzüchter; sprechen Wogulisch, eine finnougrische Sprache. (→Chanten und Mansen)

Jules Mansart begann 1699 mit dem Bau der königlichen Kapelle im Schloss von Versailles, sein Nachfolger, Robert de Cotte, vollendete das barock-klassizistische Werk in den Jahren 1708–10

Mansfeld, Stadt im Landkr. Mansfelder Land, Sa.-Anh., am O-Rand des Harzes, 3900 Ew.; Metall verarbeitende, Möbelindustrie. – Spätgotische Schlosskirche (um 1400); romanisch-spätgot. Stadtkirche St. Georg (1497); neugotisches Schloss (v.a. 1860–62). – 973 als Rodungssiedlung gen., daneben entstand um 1075 die Burg der Grafen von M.; 1409 als Stadt bezeugt. Vom 12. bis 17. Jh. bed. Kupfererzbergbau (im Mansfelder Raum Abbau geringer Vorkommen bis 1969).

Mansfeld, um 1060 ersterwähntes Grafengeschlecht, Herren der Grafschaft M. Nach seinem Erlöschen (1229) kam die Grafschaft bis 1264 an die Herren von Querfurt. Als der Mannesstamm 1780 erlosch, wurde die Grafschaft zw. Preußen und Kursachsen geteilt.

Mansfeld, Ernst II., Graf von, *Luxemburg 1580, †Rakovica bei Sarajevo 29. 11. 1626, dt. Söldnerführer im Dreißigjährigen Krieg. – Kämpfte zunächst erfolgreich auf prot. Seite, wurde 1626 an der Dessauer Brücke von Wallenstein besiegt.

Mansfelder Land, Landkreis im RegBez. Halle, Sa.-Anh., 759 km², (1997) 112900 Ew.: Krst. ist Eisleben.

Mansfield ['mænsfi:ld], Industriestadt in der engl. Cty. Nottinghamshire, 58900 Ew.; Kohlenbergbau; Leichtindustrie.

Mansfield ['mænsfi:ld], Katherine, eigtl. Kathleen Beauchamp, neuseeländische Schriftstellerin, *Wellington 14. 10. 1888, †Fontainebleau 9. 1. 1923. Ihre Kurzgeschichten weisen an scheinbar belanglosen Vorfällen tief reichende seel. Vorgänge auf (»In einer dt. Pension«, 1911; »Bliss«, 1920).

Sicco Mansholt

Mansholt, Sicco Leendert, niederländ. Politiker, *Ulrum (Prov. Groningen) 13. 9. 1908; Mitgl. der Partei der Arbeit, 1945–58 Min. für Landwirtschaft und Fischerei, 1958–67 Vizepräs. der EWG-Kommission, 1967–72 der Kommission der EG und 1972 Interimspräs. der EG, trieb die Schaffung eines gemeinsamen Agrarmarktes der EWG entscheidend voran **(Mansholt-Plan).**

Erich von Manstein

Manstein, Erich von, eigtl. E. von Lewinski, Generalfeldmarschall (seit 1942), *Berlin 24. 11. 1887, †Irschenhausen (heute zu Icking, bei Wolfratshausen) 10. 6. 1973; entwarf im 2. Weltkrieg als Stabschef der Heeresgruppe A (G. von Rundstedt) den Operationsplan für den Westfeldzug (»Sichelschnitt«); führte ab Sept. 1941 die 11. Armee (Eroberung der Krim und der Festung Sewastopol), ab Nov. 1942 die Heeresgruppe »Don« (später »Süd«). 1944 entzog ihm Hitler das Kommando. 1949 wurde er von einem brit. Militärgericht zu 18 Jahren Haft verurteilt, 1953 freigelassen. M. schrieb »Verlorene Siege« (1955).

Mansur [arab. »der Siegreiche«] (Al-M., Almansor), Ehrenname islam. Herrscher: **1)** (Abu Djafar Abdallah ibn Mohammed al-M.), Kalif (754–75), *712, †Bir Maimun 7. 10. 775; erhob Bagdad zur Residenz (762) und festigte die Macht der Dynastie der Abbasiden; Beginn der Blüte der arab. Literatur und Philosophie.

2) (Mohammed ibn Abi Amir al-M., span. Almanzor), Reichsverweser für den span. Omaijadenkalifen Hischam II., *938, †Medinaceli 10. 8. 1002; erweiterte die Machtstellung des Islams in Spanien, begünstigte Literatur und Wissenschaft.

Mansura (arab. El-M.), Hauptstadt der Prov. Dakahlija, Unterägypten, im Nildelta, 357800 Ew.; Univ. (gegr. 1972), TH; Baumwollstapelplatz; Textil-, Metallind.; Bahnknotenpunkt. – Gegr. 1219.

Mantarochen (Mantas, Teufelsrochen), Familie der →Rochen.

Mantegna [man'teɲɲa], Andrea, italien. Maler und Kupferstecher, *Isola di Carturo (heute zu Piazzola sul Brenta, Prov. Padua) 1431, †Mantua 13. 9. 1506; neben G. Bellini der bedeutendste Meister der oberitalien. Frührenaissance. Als Schüler von F. Squarcione in Padua erhielt er durch das Antikenstudium und die Werke von Donatello und P. Uccello entscheidende Anregungen, wodurch er

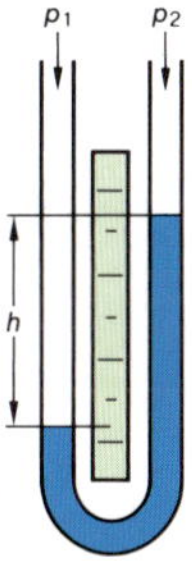

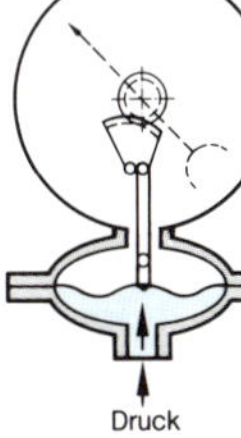

Manometer: Das U-Rohr-Manometer ist die einfachste Form des Flüssigkeitsmanometers (oben); p_1, p_2 verschiedene Drücke, *h* Höhendifferenz; beim Deformationsmanometer wird der Druck aus der Verformung der Plattenfeder bestimmt und zum Ausschlag eines Zeigers verwendet

zu seinem statuarischen, kraftvoll und prägnant modellierten Figurenstil von großem Pathos gelangte. Die illusionist. Möglichkeiten der Perspektive erweiterte M. durch extreme Aufsicht oder Untersicht (»di sotto in su«) mit radikalen Verkürzungen, auch als Mittel der Ausdruckssteigerung. Ab 1459 Hofkünstler der Gonzaga in Mantua.

Andrea Mantegna: »Beweinung Christi« (um 1490; Mailand, Pinacoteca di Brera)

Werke: Fresken der Eremitani-Kirche in Padua (seit 1448; z.T. 1944 zerstört); Hochaltar in San Zeno in Verona (1456–59); Fresken der Camera degli Sposi im Palazzo Ducale in Mantua (1474); Beweinung Christi (um 1490; Mailand, Pinacoteca di Brera); Parnaß (Allegorie, 1497; Paris, Louvre).

📖 CAMESASCA, E.: *A. M. Aus dem Italien. Königstein im Taunus 1992.*

Mantel [ahd. mantal, zu lat. mantellum »Hülle«], **1)** *Bankwesen:* Urkunde, die das Anteilsrecht oder die Forderung verbrieft. Zum Wertpapier gehört neben dem M. der Bogen (enthält Zins- und Gewinnanteilscheine); nur beide zusammen sind verkäuflich.

2) *Geometrie:* (M.-Fläche) Teil der Oberfläche eines Körpers, der nicht zur Grund- oder Deckfläche gehört; z.B. Zylinder-M., Kegel-M. (→abwickelbar).

3) *Handelsrecht:* die äußere Rechtsform, in der eine Handelsges. in Erscheinung tritt, z.B. als AG, GmbH; auch Bez. für die Gesamtheit der Anteilsrechte an einer Kapitalges., die ohne den Geschäftsbetrieb ge- und verkauft werden können.

4) *Mode:* das gegen Witterungseinflüsse schützende Übergewand, als Obergewand auch Abzeichen der Würde (Herrscherornat, kirchl. Ornat, Ordens-M.) und Sinnbild des Schutzes (Schutzmantelmadonna).

5) *Zoologie:* Hautfalte bei Weichtieren; scheidet nach außen meistens eine Schale ab.

Mantilla: Spanierin mit dem über einem hohen Einsteckkamm getragenen Spitzentuch

Mantelkauf, Erwerb der bei Stilllegung eines Unternehmens übrig bleibenden Rechtsform durch ein neues Unternehmen zur Ersparung von Gründungskosten und Zeit.

Manteltarifvertrag (Rahmentarifvertrag), Tarifvertrag, der für längere Zeiträume die allg. Arbeitsbedingungen eines Ind.- oder Gewerbezweigs regelt, die keiner häufigen Änderung unterliegen, z.B. Arbeitszeit, Urlaub, Mehrarbeit, Kündigungsfristen; nicht die Lohn- und Gehaltshöhen.

Manteltiere (Tunikaten, Tunicata), weltweit verbreiteter Unterstamm der Chordatiere mit rd. 2000 ausschließlich marinen, frei schwimmenden oder festsitzenden Arten; Körper von einem manchmal lebhaft bunten **Mantel (Tunica)** aus celluloseähnl. Substanz umgeben. Sie haben eine Ein- und Ausströmungsöffnung für das Atemwasser und die Planktonnahrung. – Einmalig im Tierreich wird bei den M. die Pumprichtung des Herzens in regelmäßigen Abständen umgekehrt. Die M. umfassen die Klassen →Appendikularien, →Seescheiden und →Salpen.

Mantel- und Degenstücke (Comedias de capa y espada), Hauptgattung des span. Theaters im 17. Jh., Variante des europ. Sittenstücks, ben. nach der typ. (Alltags-)Kleidung der Protagonisten. Hauptthema ist die Liebe, die i. Allg. zu einem glückl. Ende kommt.

Manteuffel, pommersches Adelsgeschlecht, 1287 erwähnt, seit dem 14. Jh. mit Linien in Schweden und Sachsen. Bed. Vertreter: **1)** Edwin Freiherr von, preuß. Generalfeldmarschall (seit 1873), *Dresden 24. 2. 1809, †Karlsbad 17. 6. 1885, Vetter von 2); wurde 1857 Chef des Militärkabinetts, unterstützte die Heeresreform von 1860; 1866 und 1870/71 Heerführer; ab 1879 Reichsstatthalter von Elsass-Lothringen.

2) Otto Freiherr von, preuß. Politiker, *Lübben (Spreewald) 3. 2. 1805, †Crossen (heute Krosno Odrzańskie) 26. 11. 1882, Vetter von 1): 1848–50 Innenmin.; als Außenmin. (seit 1850) schloss er die Olmützer Punktation mit Österreich ab, als Min.-Präs. (1850–58) verfolgte er einen streng konservativen Kurs; im Rahmen der Politik der »Neuen Ära« entlassen.

Mantik [grch. »Kunst des Sehens«] *die,* Kunst der Wahrsagung, einerseits das auf dem ekstat. Einssein mit Gott bzw. dem Göttlichen (Inspirations-M.) gründende Empfangen höheren Wissens (auch in Träumen und Visionen); andererseits die Voraussage aufgrund von Zeichendeutung (→Astrologie, →Auspizien, →Chiromantie, →Haruspex); Ursprünge in prähistor. Zeit; von großer Bedeutung bei den Schamanen.

Mantilla [man'tiʎa, span.] *die, Mode:* **1)** Spitzenschleier über Kopf und Schultern, span. Frauenfesttracht, seit Ende des 16. Jahrhunderts; 2) (Mantille), Schleier oder Spitzentuch der Spanierin, das Kopf und Schultern bedeckte; Ende des 16. Jh. über hohem Zierkamm. Umschlagtuch der Frauenkleidung des 18. Jh.; im 19. Jh. Bez. für halblangen Mantelumhang.

Mantinea (grch. Mantineia), antike Stadt auf der ostarkad. Hochebene Griechenlands; hier fiel 362 v. Chr. der theban. Feldherr Epaminondas in der Schlacht gegen die Spartaner.

Mantisse [lat.] *die,* die Ziffern nach dem Komma eines Logarithmus.

Mantra [Sanskrit »Spruch«] *das,* im Buddhismus, Dschainismus und Hinduismus kurze hl. oder mag. Formel, die nach strengen Regeln rezitiert wird (→ Om mani padme hum). (→ Gebet)

Mantua (italien. Mantova), **1)** Provinz in der Lombardei, Italien, 2339 km², (1995) 368500 Einwohner.

2) Hauptstadt von 1), in der Poebene, 50700 Ew.; Bischofssitz; Accademia Virgiliana; Möbelind., photochem. Werke, Maschinenbau, Erdölraffinerie. – Der Palazzo Ducale (um 1300 begonnen, von den Gonzaga seit 1328 als Residenz mehrfach erweitert) ist einer der größten Paläste Europas; Kirchen: San Lorenzo (11. Jh.), Sant' Andrea (15.–18. Jh., Plan L. B. Alberti), Dom (seit 1545 neu erbaut). Südlich der Stadt liegt der Palazzo del Tè (1525–34), ehem. Sommerresidenz für Federico II. Gonzaga. – Wohl eine etrusk. Gründung; schloss sich im 12. Jh. dem Lombard. Städtebund an, kam 1328 unter die Herrschaft der Gonzaga, deren Aussterben (1627) zum **Mantuan. Erbfolgekrieg** (1628–31) zw. Frankreich und Habsburg führte. Im Frieden von Cherasco (1631) musste der Kaiser Karl von Nevers aus der Seitenlinie Nevers-Gonzaga belehnen. Sie erlosch 1710. M. ging nun in österr. Besitz über. Nach 1805 gehörte M. zum Napoleon. Königreich Italien (1810 wurde in M. A. Hofer hingerichtet), 1814–66 war es wieder österreichisch.

Mantzikert (Manzikert, heute Malazgirt), Ort im Ararathochland, Türkei, nordwestlich des Vansees. Hier besiegte am 19. 8. 1071 der Seldschukensultan Alp Arslan den byzantin. Kaiser Romanos IV. Diogenes; O-Anatolien fiel unter seldschuk. Herrschaft.

Manu [Sanskrit »Mensch«], in der ind. Mythologie der Stammvater der Menschheit und ihr Gesetzgeber.

Manual [lat.] *das,* die mit den Händen zu spielende Klaviatur bei Orgel, Cembalo, Harmonium, im Unterschied zum → Pedal.

Manuel, Niklaus, urspr. N. Alleman (bis 1503), schweizer. Maler, Schriftsteller und Staatsmann, * Bern um 1484, † ebd. 28. 4. 1530; nach der Künstlersignatur »NMD« irrtümlich N. M. Deutsch genannt; schrieb reformationsfreundl. Fastnachtsspiele und Dialoge; einer der bedeutendsten Maler der schweizer. Renaissance, nahm Einflüsse von Dürer, H. Baldung, M. Grünewald und H. Burgkmair auf. Sein vielseitiges Werk (Altartafeln, mytholog. Darstellungen, Porträts, Holzschnitte, Zeichnungen) zeigt z. T. Elemente der Donauschule und nähert sich dem Manierismus.

Mantua 2): Blick von der Kirche Sant' Andrea auf den Palazzo Ducale aus dem 14. Jahrhundert

Mantua 2) Stadtwappen

Manuel, Herrscher:

Byzanz: **1) M. I. Komnenos,** Kaiser (1143–80), * 1120, † Konstantinopel 24. 9. 1180; suchte ohne Erfolg das röm. Universalreich wiederherzustellen. Die Vernichtung seines Heeres 1176 durch den

Niklaus Manuel: »Der heilige Lukas malt die Madonna« (1515; Bern, Kunstmuseum)

Seldschukensultan Kilidsch Arslan II. brach die byzantin. Machtstellung.

2) M. II. Palaiologos, Kaiser (1391–1425), *1350, †Konstantinopel 21. 7. 1425; war 1373–91 Mitregent, wehrte sich mit wechselndem Erfolg gegen die Osmanen.

Portugal: **3) Manuel I.,** König →Emanuel 1).

Manufaktur: zeitgenössische Darstellung einer Spielkartenmanufaktur in Paris; der Blick durch das Fenster im Hintergrund geht auf die Seine und den Louvre (um 1680; Paris, Musée Carnavalet)

manuell [frz.], mit der Hand (ausgeführt), von Hand gearbeitet.

Manufaktur [lat.] *die,* Frühform des kapitalist. Ind.betriebes, die, zunächst von Großkaufleuten zur Befriedigung des Massenbedarfs bei bestimmten Gütern organisiert, später wesentlich den Merkantilismus prägte und ihre Blütezeit im 17./18. Jh. hatte. Die Handwerkstechnik blieb im Wesentlichen erhalten, doch waren die M. von rechtl. und ständ. Bindungen freigestellt. Der Produktionsprozess in der M. ist gekennzeichnet durch Spezialisierung, Arbeitsteilung, Serienfertigung und geringen Einsatz von Maschinen. In Dtl. im 18. Jh. weit verbreitet und gefördert durch fürstl. Geldgeber und Abnehmer, dienten M. der kapitalintensiven, rationellen und oft technisch aufwendigen Produktion von Waren, die technisch, sozial oder künstlerisch von den Zünften nicht bewältigt werden konnten (v. a. Luxus- und Konsumgüter oder Waffen). In den M. arbeitete überwiegend die außerzünftige städt. Bevölkerung. Der Übergang zur industriellen Fertigung war v. a. in der 1. Hälfte des 19. Jh. fließend.

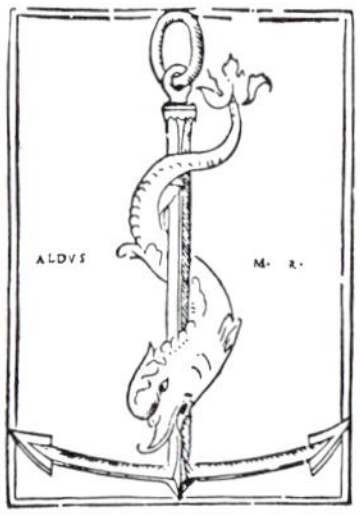

Aldus Manutius d. Ä.: Drucker- und Verlegermarke

manu propria [lat.], Abk. **m. p.,** eigenhändig.

Manuskript [lat. »Handschrift«] *das,* Abk. **Ms., 1)** *Buchwesen:* die →Handschrift im Unterschied zum Druckwerk, dann überhaupt jede handschriftl. oder maschinenschriftl. Druckvorlage.

2) *Urheberrecht:* die erste schriftl. Festlegung eines Sprachwerkes, hand- oder maschinenschriftlich. M. ist auch jede sonstige Vorlage für den Setzer im Ggs. zum Vervielfältigungsstück oder Werkexemplar. Der Aufdruck »als M. gedruckt« bedeutet, dass das Werk nicht als veröffentlicht und erschienen gelten soll; bei Bühnenwerken, dass sein Besitz kein Aufführungsrecht gibt.

Manutius, Aldus, d. Ä., eigtl. Aldo Manuzio, italien. Buchdrucker und Verleger, *Bassiano (bei Velletri) um 1450, †Venedig 8. 2. 1515; gründete 1493 in Venedig eine eigene Druckerei und lieferte dem europ. Humanismus kritisch durchgesehene und sorgfältig gedruckte Ausgaben **(Aldinen)** grch. und lat. Klassiker, meist in einer von Francesco Griffo (†1518) entworfenen Kursivschrift. Das berühmteste bibliophile Werk seiner Presse ist die »Hypnerotomachia Poliphili« (1499).

Manx [mæŋks], **1)** die Bewohner der Insel Man.

2) *Sprachwissenschaft:* die kelt. Sprache der Insel Man, →Gälisch.

Manytschniederung (Kuma-Manytsch-Niederung), Senke zw. Asowschem und Kasp. Meer, Russland; bildet die N-Grenze Kaukasiens und gilt als Teil der Grenze zw. Europa und Asien.

Manzhouli [-dʒəʊ-] (Manchouli, Mandschuria, früher Lupin), Stadt in der Inneren Mongolei, China, nördlich des Hulun Nur an der chinesisch-russ. Grenze, 119 000 Ew.; Eisenbahngrenzstation; Fleischverarbeitung, Häute- und Wollhandel.

Manzoni, Alessandro, italien. Dichter, *Mailand 7. 3. 1785, †ebd. 22. 5. 1873; adliger Herkunft; ab 1805 in Paris, wo er sich aufklärer. Kreisen anschloss; nach seiner Heirat 1808 Rückkehr zum

Giacomo Manzù: Detail von der 1964 geweihten »Pforte des Todes« am Dom Sankt Peter in Rom

Maori:
Schnitzereien an einer Vorratshütte

kath. Glauben; ab 1810 wieder in Mailand, 1860 Senator. Begann mit klassizist. Gedichten, wandte sich 1812 ganz der romant. Richtung zu, deren Hauptvertreter er wurde. Mit den »Heiligen Hymnen« (1815–22) und der Ode auf den Tod Napoleons (»Der fünfte Mai«, 1822) eroberte sich M. den ersten Platz unter den Dichtern seiner Zeit. Seine histor. Trauerspiele (»Der Graf von Carmagnola«, 1820; »Adelgis«, 1822) durchbrachen das Prinzip der drei Einheiten und schöpften den Stoff im Sinne des →Risorgimento aus der Geschichte. Sein von W. Scott angeregter geschichtl. Roman »Die Verlobten« (entstanden 1821–23; Neufassung abgeschlossen 1825, veröffentlicht 1827 in 3 Bden.; endgültige Fassung 1840–42) steht am Beginn der modernen italien. Prosa und hatte maßgebl. Einfluss auf die Entwicklung der italien. Schriftsprache. Weiteres BILD italienische Literatur

📖 HÖSLE, J.: *A. M.: »Die Verlobten«.* München 1975.

Manzù [-'dzu], Giacomo, italien. Bildhauer und Zeichner, *Bergamo 22. 12. 1908, †Rom 17. 1. 1991; gestaltete, anfangs mit impressionist. Oberflächenbehandlung, figürl. Bronzeplastik (u. a. Kardinäle, Tänzerinnen); auch Reliefs und Bronzetüren (u. a. Portaltüren für Sankt Peter in Rom und den Salzburger Dom).

Maoismus *der,* die von →Mao Zedong auf der Grundlage des Marxismus-Leninismus entwickelte Strategie der sozialen Revolution, die auf die gesellschaftl. Bedingungen der Dritten Welt, insbesondere Chinas, zugeschnitten ist; sie umfasst eine eigene Theorie der Revolution und eine vom Marxismus-Leninismus abweichende Perspektive der Entfaltung einer sozialist. Gesellschaft. Träger der Revolution ist die unterdrückte Landbevölkerung, die über einen Volkskrieg die Diktatur des Proletariats errichtet. In einer permanenten Revolution soll dann nach den Produktionsverhältnissen auch das Bewusstsein der Menschen verändert, d.h. traditionelles, modernes westl. und systemkrit. Gedankengut ausgeschaltet und die Etablierung privilegierter Bürokraten verhindert werden. (→Kulturrevolution)

Maori, polynes. Volk auf Neuseeland (1991: 324 000 Menschen), dessen Vorfahren um 900 von den Gesellschafts- und Cook-Inseln einwanderten; Bauern (Bataten, Taro, Jams, Flachs u. a.), Fischer; bed. Kunsthandwerk (v. a. Schnitzerei), Tatauierung.

Alessandro Manzoni
(Ausschnitt aus einem Gemälde des Zeitgenossen Francesco Hayez)

Mao Zedong (Mao Tse-tung), chines. Politiker, *Shaoshan (Prov. Hunan) 26. 12. 1893, †Peking 9. 9. 1976; Bauernsohn, nach Studium an einem Lehrerseminar ab 1918 Hilfsbibliothekar in Peking, 1921 Mitbegründer der KPCh in Schanghai, wurde 1923 Mitgl. ihres ZK. Nach dem 1923 geschlossenen Bündnis der KPCh mit der Kuomintang (KMT) wirkte er ab 1924 auch im Zentralen Exekutivkomitee der KMT. In den folgenden Jahren organisierte er revolutionäre Bewegungen unter den Bauern, die er (in Abweichung von der offiziellen Parteilinie) als Träger der Revolution ansah. Nach dem endgültigen Bruch zw. der KMT und der KPCh (1927) und der blutigen Unterdrückung der Kommunisten durch die von Chiang Kai-shek geführten Truppen zog sich M. Z. mit Guerillaeinheiten in das Bergland im Grenzgebiet zw. Hunan und Jiangxi zurück. Mit Zhu De, der eine chines. Rote Armee aufbaute, errichtete er nach Durchführung einer Agrarrevolution in der Prov. Jiangxi (SO-China) ein kommunist. Herrschaftsgebiet. 1931 wurde er Vors. der chines. Sowjetrepublik. Um der militär. Umklammerung der KMT-Truppen zu entrinnen, brach er mit seinen militär. Einheiten und Parteikadern zum →Langen Marsch (1934–35) nach NW-China auf, während dessen er unbestrittener Führer der KPCh wurde (Aufbau eines neuen Stützpunktes in Yan'an in der Prov. Shaanxi). 1936 zwang er Chiang Kai-shek zu einem Waffenstillstand mit den Kommunisten und zur Einheitsfront gegen Japan. 1937–40 entstanden grundlegende Schriften M. Z.s (u. a. »Über den Widerspruch«, 1937; »Die neue Demokratie«, 1940). 1945 wurde M. Z. zum Vors. der KPCh und der Militärkommission des ZK gewählt. Nach der Niederlage der KMT-Truppen im Bürgerkrieg (1945–49) rief M. Z. am 1. 10. 1949 die Volksrep. China aus und wurde Vors. der Zentralen Volksregierung. Nach der Verabschiedung einer neuen Verfassung wurde M. Z. 1954 Präs. der VR China. Um der wachsenden Unzufriedenheit inner- und außerhalb der Partei einen kontrollierten Ausdruck zu geben, löste er 1956 die →Hundert-Blumen-Bewegung aus. Die Außenpolitik M. Z.s stand nach Errichtung der VR China zunächst im Einvernehmen mit der sowjet. Partei- und Staatsführung. Der Konflikt entzündete sich um 1960 bes. an den unterschiedl. Auffassungen über die Zukunft der Weltrevolution, die »friedl. Koexistenz« und den

Mao Zedong

Zeitpunkt einer Überleitung der sozialist. in die kommunist. Gesellschaft. Der Fehlschlag der Politik des »Großen Sprungs nach vorn« (1958–60/61; Errichtung der Volkskommunen) schwächte die Stellung M. Z.s in Partei und Staat. 1959 trat er das Amt des Staatspräs. an Liu Shaoqi ab, blieb jedoch Vors. der Partei. Mit der 1965/66 eingeleiteten →Kulturrevolution versuchte M. Z., seine Stellung wieder zu stärken; er baute einen Führerkult um seine Person als »großer Vors. und Steuermann« auf. Eine Auswahl seiner Schriften wurde als »Das Rote Buch« (»Mao-Bibel«) in vielen Mio. Exemplaren verbreitet. M. Z. trat auch als Dichter hervor. Nach dem Tod von M. Z. wurden seine engsten Mitarbeiter politisch ausgeschaltet, seine innerparteil. Gegner (u. a. Deng Xiaoping) rehabilitiert und seine Politik einer grundsätzl. Revision unterzogen. Erst in den 1980er-Jahren wurden die »M.-Z.-Ideen« wieder offizieller Bestandteil der kommunist. Ideologie in der VR China. Weitere BILDER China, Langer Marsch

📖 *M. Z. – der unsterbl. Revolutionär? Versuch einer krit. Neubewertung anläßlich des 100. Geburtstages, hg. v.* T. HEBERER. *Hamburg 1995.*

Marabus: Afrikanischer Marabu (Größe bis zu 1,4 m)

Mapai [hebr.], 1930 gegr. gemäßigt sozialist. Arbeiterpartei in Israel. 1948 spaltete sich die →Mapam, 1965 die Rafi (»Arbeiterliste Israels«) ab. 1968 schloss sie sich mit der Ahdut Haavoda (»Einheit der Arbeit«) und der Rafi zur **Israel. Arbeitspartei** (seit 1992 Avoda) zusammen.

Mapam [hebr.], linksradikale Arbeiterpartei in Israel, gegr. 1948, Abspaltung des linken Flügels der →Mapai, bildete 1969–84 mit der Israel. Arbeitspartei das Wahlbündnis **Maarach** (»Arbeiterblock«); 1992 an der Bildung des Meretz-Blockes beteiligt.

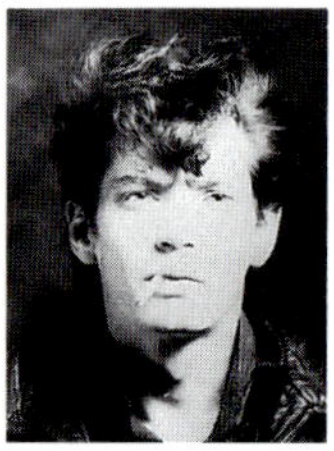

Robert Mapplethorpe

Mapplethorpe [ˈmæplθɔːp], Robert, amerikan. Fotograf, *New York 4. 11. 1946, †ebd. 9. 3. 1989; wurde bekannt mit technisch und ästhetisch perfekten Aktaufnahmen, Porträts und Stillleben.

Mapuche [-tʃe], →Araukaner.

Maputo (bis 1975 Lourenço Marques), Hauptstadt von Moçambique, an der Delagoa-Bai des Ind. Ozeans, 931 600 Ew.; Sitz eines kath. und eines anglikan. Erzbischofs, Univ. (gegr. 1962), Museen, botan. und zoolog. Garten; bed. Ind.standort (u. a. Erdölraffinerie, Walzwerk, Kfz-Montage) und Hafen; Bahnverbindungen mit der Rep. Südafrika, Simbabwe, Swasiland; internat. Flughafen (Mavalane). – Gegr. um 1550.

Maqam [mak-, arab. »Ort«, »Standort«] *der* (Makam), in der arab. Musik urspr. eine Versammlung, in der literar. Werke oder Musik vorgetragen wurden; später ein melod. Gestalttypus, ein Melodiemodell bzw. eine Gruppe zueinander passender Skalentöne, die einer Melodie und der über sie erfolgenden Improvisation zugrunde liegen.

Maquette [maˈkɛtə, frz.] *die,* kleinformatiges Bildhauermodell, erster Entwurf in Wachs oder Ton für eine Skulptur.

Maquis [maˈkiː, frz., →Macchie] *der,* Buschwald im Mittelmeerraum, von alters her Versteck für politisch Verfolgte und Straftäter. Nach 1940 formierten die frz. Partisanengruppen ihren Widerstand gegen die dt. Besatzungstruppen im M.; ihre Mitgl. nannten sich **Maquisards.** Später gingen sie in der allg. frz. Widerstandsbewegung auf.

Marabus [arab. »Einsiedler«] (Kropfstörche, Leptoptilos), Gattung bis 1,4 m großer, Aas fressender Störche mit drei Arten in Afrika, Indien und SO-Asien, z. B. der Afrikan. M.; ähnlich wie bei den Geiern sind bei den M. in Anpassung an ihre Lebensweise Kopf und Hals weitgehend kahl. M. brüten in großen Kolonien auf den Bäumen.

Marabut [-ˈbu, frz.] *der,* urspr. Angehöriger einer islam. Gruppe in NW-Afrika, aus der im MA. die →Almoraviden hervorgingen; dann, bes. in N-Afrika, ein islam. Heiliger; auch Bez. für sein Grab.

Maracaibo [-βo], Hauptstadt des Staates Zulia, Venezuela, an der Meerenge, die den Golf von Venezuela mit dem M.-See verbindet, 1,25 Mio. Ew.; Erzbischofssitz, zwei Univ., Museen; Ind.zentrum mit Erdölraffinerie; rd. 9 km lange Brücke über die Einfahrt zum M.-See, Hafen, internat. Flughafen. – Gegr. 1529 von dem Deutschen A. Dalfinger.

Maracaibosee [-βo-], flacher Brackwassersee in Venezuela, etwa 13 000 km², bis etwa 50 m tief; um und unter dem See reiche Erdölvorkommen; durch Ausbaggerung einer Fahrrinne für Seeschiffe zugänglich.

Maracas [portugies.] (Rumbakugeln), lateinamerikan. Rhythmus- und Rasselinstrumente indian. Herkunft, bestehend aus an Stielen befestigten hohlen Kalebassen, auch aus Holz- oder Kunststoffkugeln, die mit Samen-, Sandkörnchen, Schrot oder Steinchen gefüllt sind und vom Spieler paarweise (gleichzeitig oder abwechselnd) geschüttelt werden.

Maracay, Hauptstadt des Staates Aragua, Venezuela, 354 400 Ew.; Bischofssitz, Handels- und Industriezentrum.

Maracuja [portugies.] *die,* orangeroter Saft aus den wohlschmeckenden, granatapfelähnl. Passionsfrüchten, v. a. aus den Früchten der Passionsblumenart **Purpurgrenadilla** (Passiflora edulis), die aus Brasilien stammt und in den Tropen verbreitet ist; auch Bezeichnung für die Früchte.

Maraini, Dacia, italien. Schriftstellerin und Journalistin, *Florenz 13. 11. 1936; schrieb Romane (u. a. »Memoiren einer Diebin«, 1972; »Die stumme Herzogin«, 1990; »Stimmen«, 1994), Erzählungen, Stücke, Essays und Gedichte, in denen sie kritisch und engagiert v. a. die Situation der Frau in der Gesellschaft darstellt; auch Drehbuch-

Marbach am Neckar: In dem Fachwerkhaus (Bildmitte) wurde Friedrich Schiller am 19. November 1759 geboren

autorin (»Die Geschichte der Piera«, 1983, u.a.) und Filmregisseurin.

Marais, 1) [mə'rɛ:], Eugène Nielen, südafrikan. Schriftsteller, *Les Marais (bei Pretoria) 9. 1. 1871, †(Selbstmord) Pelindaba (bei Pretoria) 29. 3. 1936. Charakteristisch für sein Werk ist seine pessimist. Lebensanschauung und sein Interesse an authentischen afrikan. Themen; Lyrik (»Winternacht«, 1905), psycholog. Erzählungen und tierpsycholog. Bücher (»Die Seele der weißen Ameise«, 1934, »Die Seele des Affen«, hg. 1969).

2) [ma'rɛ], Jean, eigtl. J. Villain-M., frz. Filmschauspieler, *Cherbourg 11. 12. 1913, †Cannes 8. 11. 1998; spielte bes. in J. Cocteaus Bühnen- und Filmwerken; seit den 1940er-Jahren einer der populärsten frz. Filmstars, u.a. in »Es war einmal« (1945), »Orphée« (1949); auch Regisseur, Maler, Bildhauer.

Marajó [mara'ʒɔ], größte Insel der Amazonasmündung im brasilian. Staat Pará, rd. 48000 km² groß. Aus vorkolumbian. Zeit wurden hier mächtige Wohnhügel und Gräber gefunden.

Marạmba, Stadt in Sambia, →Livingstone.

Maramụreș [-ʃ], Gebiet in Rumänien, →Marmarosch.

Marạ̈ne [lat.] *die,* ein Fisch, →Renken.

Marạnen, die →Marranen.

Maranhão [-'ɲãu], Küstenstaat im nördl. Brasilien, 329556 km², (1991) 4,93 Mio. Ew.; Hptst.: São Luís. M. liegt auf der N-Abdachung des Brasilian. Berglandes; Babassupalmenwälder (Ölgewinnung); Anbau von Baumwolle, Reis, Bohnen, Maniok, Mais, Zuckerrohr.

Marañón, Río [-'ɲɔn], einer der Hauptquellflüsse des Amazonas, 1414 km lang, entspringt in Zentralperu.

Marạnte *die* (Maranta), Gattung der Marantengewächse in den wärmeren Gebieten Amerikas; Stauden mit knolligen Wurzeln. Die **Pfeilwurz** (Maranta arundinacea) mit stärkehaltigen langen Rhizomen wird zur Gewinnung leicht verdaul. Stärke (»Westind. Arrowroot«) überall in den Tropen angebaut. (→Korbmarante)

Maraș ['maraʃ], türk. Stadt, →Kahramanmaraș.

Maraschino [maras'ki:no, italien.] *der,* Fruchtaromalikör, urspr. aus der dalmatin. Sauerkirsche Maraska hergestellt.

Marat [ma'ra], Jean Paul, frz. Revolutionär, *Boudry (Kt. Neuenburg, Schweiz) 24. 5. 1743, †Paris 13. 7. 1793, einer der radikalsten Volksführer der Revolution von 1789, beeinflusste v.a. mit seiner Zeitung »L'Ami du Peuple« die öffentl. Meinung. Schloss sich 1792 Danton an, war an den Septembermorden und als Präs. des Jakobinerklubs am Sturz der Girondisten maßgeblich beteiligt; wurde von Charlotte →Corday erstochen (Drama von P. Weiss; Gemälde von J.-L. David).

Marạthen, Volk im nordwestl. Dekhan, Indien; i.w.S. alle →Marathi sprechenden Menschen, i.e.S. Kastenbezeichnung (Bauern und Krieger).

Marạthi *das,* indoar. Sprache der Marathen, wird von mehr als 50 Mio. Menschen in W- und Zentralindien gesprochen.

Mạrathon, antiker Ort an der O-Küste Attikas, Griechenland; hier siegte Miltiades 490 v.Chr. über die Perser. Die Überlieferung, dass ein Läufer die Nachricht nach Athen brachte und bei seiner Ankunft tot zusammenbrach, ist nicht belegt.

Mạrathonlauf, Straßenlauf über 42,195 km, seit 1896 bei den Olymp. Spielen ausgetragen, 1984 erstmals für Frauen.

Marạtta (Maratti), Carlo, italien. Maler, *Camerano (Prov. Ancona) 15. 5. 1625, †Rom 15. 12. 1713; Hauptmeister des röm. Spätbarocks.

Jean Marais

Jean Paul Marat (zeitgenössischer Punktierstich)

Marathonlauf

Sieger beim ersten olympischen Marathonlauf 1896 wurde der griechische Schafhirte Spyridon Louis. Er trat im volkstümlichen Schäfergewand an und hatte sich lediglich durch Fasten und Beten auf den Lauf vorbereitet. Auf der Strecke teilte er seine Kräfte klug ein und stärkte sich zwischendurch mit Brot, Käse und Wein. Dennoch brauchte er für die 40 km lange Strecke, die auch durch die Berge führte, nur 2 Stunden, 58 Minuten und 50 Sekunden. Unter dem Jubel der Landsleute gingen als Zweiter und Dritter ebenfalls Griechen durchs Ziel. (Allerdings musste der Dritte disqualifiziert werden, weil er einen Teil der Strecke mit dem Wagen zurückgelegt hatte.)

Mạrbach am Nẹckar, Stadt im Landkr. Ludwigsburg, Bad.-Württ., an der Mündung der Murr in den Neckar, 13500 Ew.; Geburtshaus Schillers, Schiller-Nationalmuseum und Dt. Literaturarchiv,

Sitz der Dt. Schillergesellschaft; Möbel-, Leder- und Metallind.; Weinbau. – Gut erhaltene befestigte Altstadt mit oberem Torturm (15. Jh.), evang. spätgot. Alexanderkirche (15. Jh.). – 972 erstmals erwähnt, 1282 als Stadt bezeichnet.

Marbach am Neckar

Beim ersten Staatsbesuch in der Bundesrepublik Deutschland kam Queen Elizabeth II. von Großbritannien am 24. Mai 1965 nach Baden-Württemberg. Nach einem Mittagessen in Stuttgart (es gab obligatorischerweise Spätzle und Maultaschen!) fuhr der Tross gestärkt nach Marbach am Neckar, wo natürlich das Schiller-Nationalmuseum und Schillers Geburtshaus besichtigt wurden. Anschließend fragte die Queen: »Where are the horses?« (»Wo sind die Pferde?«) Es stellte sich heraus, dass der von Elizabeth geäußerte Wunsch eines Besuches in Marbach dem Landesgestüt Marbach an der Lauter hoch auf der Schwäbischen Alb gegolten hatte.

Marbod (lat. Maroboduus), König der Markomannen, †Ravenna um 37 n. Chr.; führte um 9 v. Chr. sein Volk aus dem Maingebiet nach Böhmen und gründete dort ein Reich, dem sich weitere Stämme anschlossen; 17 n. Chr. von dem Cheruskerfürsten Arminius besiegt, floh nach Zusammenbruch seiner Herrschaft 19 n. Chr. zu den Römern.

Franz Marc: »Tierschicksale« (1913; Basel, Kunstmuseum)

Marburg, 1) Kreisstadt des Landkr. M.-Biedenkopf, Hessen, an der Lahn, 77100 Ew.; Univ. (1527 gegr., erste prot. Universität), Staatsarchiv mit FH für Archivwesen, Dt. Blindenstudienanstalt; Max-Planck-Institut für terrestr. Mikrobiologie, Johann-Gottfried-Herder-Inst., Inst. für mitteleurop. Volksforschung, Forschungsinst. für dt. Sprache; Dt. Sprachatlas, Dt. Adelsarchiv, Landesamt für geschichtl. Landeskunde; Museen, botan. Garten; Maschinen-, chemisch-pharmazeut., opt., feinmechan., elektrotechn. und Bekleidungsindustrie. – Das Schloss (13.–16. Jh.) entstand über der ehem. Burg (ab 1122; Reste eines Vorgängerbaus aus dem 9./10. Jh.). Die Elisabethkirche, Meisterwerk der Frühgotik, wurde 1235–83 vom Deutschritterorden über dem Grab der hl. Elisabeth (→Elisabeth 10) errichtet. In der maler. Altstadt befinden sich u. a. die Marienkirche (13.–15. Jh., seit 1277 Pfarrkirche), die Kugelherrenkirche (1485 vollendet) und das Rathaus (1512 ff.). – M. entstand seit 1122 im Schutz der Burg der Landgrafen von Thüringen; Stadtrecht um 1200 (1311/57 bezeugt); kam 1256 zur Landgrafschaft Hessen; 1458–1500 und 1567–1604 Residenz von Hessen-M.; 1529 die reformator. →Marburger Religionsgespräche; fiel 1604 an Hessen-Kassel, 1866 an Preußen; 1945/46 zum Land Hessen.

Marburg 1) Stadtwappen

M. Entwicklungen – Strukturen – Funktionen – Vergleiche, hg. v. A. Pletsch. *Marburg 1990.*

2) (M. an der Drau), dt. Name der slowen. Stadt →Maribor.

Marburg-Biedenkopf, Landkreis im RegBez. Gießen, Hessen, 1263 km², (1997) 252200 Ew.; Krst. ist Marburg.

Marburger Bund, 1947 in Marburg gegr. Vereinigung der angestellten und beamteten Ärzte in Deutschland.

Marburger Religionsgespräche, theolog. Auseinandersetzung vom 1. bis 4. 10. 1529 zwischen reformator. Theologen (u. a. M. Bucer, M. Luther, P. Melanchthon, J. Oekolampad, U. Zwingli) in Marburg. Im Mittelpunkt stand die Abendmahlslehre, in der zwischen Luther und Zwingli keine vollständige Einigung erzielt werden konnte. (→Abendmahl, →Realpräsenz)

Marburger Schule, Ende des 19. Jh. von H. Cohen und P. Natorp begründete philosoph. Richtung des →Neukantianismus.

Marburg-Virus, zu den Filoviren gehörendes längl. RNS-Virus; Erreger einer erstmals 1967 in Marburg beobachteten Erkrankung (ein epidemisch-hämorrhag. Fieber), die nach Kontakt mit dem Gewebe Grüner Meerkatzen auftrat (»Marburger Affenkrankheit«).

Marc, Franz, Maler, *München 8. 2. 1880, ⚔ vor Verdun 4. 3. 1916; gründete 1911 mit W. Kandinsky die Redaktion des →Blauen Reiters und gab mit ihm 1912 den gleichnamigen Almanach heraus. Nachdem er zunächst impressionistisch gemalt und v. a. Tierstudien gezeichnet hatte, fand er im Umgang mit A. Macke und W. Kandinsky, später auch unter dem Eindruck von Kubismus, Futurismus und Orphismus, seinen eigenen expressiv-abstrahierenden Stil mit reinen, symbolkräftigen Farben und kristallinen Formen, mit denen er die im Einklang mit der Natur lebende Kreatur darstellte. In seinen letzten Arbeiten, bes. Zeichnungen und Aquarellen aus der Zeit des 1. Weltkrieges, durchdrangen sich Farben und Formen des Tieres immer mehr mit denen seiner Umwelt, sodass es in der übergeordneten Einheit abstrakter Gestaltung aufging.

📖 ROSENTHAL, M.: *F. M. Aus dem Engl. München 1992. – F. M. Kräfte der Natur. Werke 1912–1915, hg. v.* E. FRANZ, *Ausst.-Kat. Westfäl. Landesmuseum Münster 1993.*

Marcantonio, italien. Kupferstecher, →Raimondi.

marcato [italien.], Abk. **marc.,** musikal. Vortragsbezeichnung: hervorgehoben, betont.

Marceau [mar'so:], **1)** Félicien, eigtl. Louis Carette, frz. Schriftsteller belg. Herkunft, *Kortenberg (bei Brüssel) 16. 9. 1913; lebte 1945–52 wegen Kollaboration im Exil, dann in Paris; schrieb satirisch-pessimist., psycholog. und krit. Sittenromane (u. a. »Creezy«, 1969; »Le voyage de noce de Figaro«, 1994), Boulevardstücke und Essays.

2) Marcel, eigtl. M. Mangel, frz. Pantomime, *Straßburg 22. 3. 1923; trat 1947 erstmals als »Monsieur Bip«, in der Figur des Vagabunden, auf; 1947 bis Anfang der 1960er-Jahre mit einer eigenen Pantomimengruppe internat. Tourneen, danach Solopantomime. Seine »Mimodramen« und Solopantomimen sind häufig kleine Handlungsabläufe, u. a. »Duel dans les ténèbres« (1947), »Le manteau« (1951, nach Gogol); seit 1990 pantomim. Umsetzung von Theaterstücken mit Absolventen seiner 1978 in Paris gegr. »École Internationale du Mimodrame Marcel Marceau«.

Kinder- und Haus-Märchen. Gesammelt durch die Brüder Grimm. Berlin in der Realschulbuchhandlung. 1812.

Märchen: Titelblatt des ersten Bandes der Erstausgabe der »Kinder- und Hausmärchen« der Brüder Grimm aus dem Jahr 1812

Marcel [mar'sɛl], Gabriel, frz. Philosoph und Dramatiker, *Paris 7. 12. 1889, †ebd. 8. 10. 1973; Hauptvertreter einer von S. Kierkegaard beeinflussten christl. Existenzphilosophie; bekannte sich 1929 zum kath. Glauben. – Seine Bühnenwerke behandeln religiöse und moral. Konflikte. 1964 Friedenspreis des Dt. Buchhandels.

Werke: Metaphys. Tagebuch (1927); Homo viator. Philosophie der Hoffnung (1944); Geheimnis des Seins, 2 Bde. (1951); Der Mensch als Problem (1955). – Drama: Die zerbrochene Welt (1933).

Marcello [mar'tʃɛllo], Benedetto, italien. Komponist, *Venedig 9. 8. 1686, †Brescia 24. oder 25. 7. 1739; mit seinen kantatenhaften italien. Psalmparaphrasen ein bed. Komponist seiner Zeit.

March *die* (tschech. und slowak. Morava), Hauptfluss Mährens, 358 km, entspringt in 1275 m ü. M. am Glatzer Schneeberg, fließt durch das nord- (Große Hanna) und südmähr. Becken, bildet im Unterlauf das →Marchfeld und mündet bei Preßburg in die Donau; am rechten Ufer nördlich von Marchegg das **Naturreservat Marchauen.**

March, Otto, Architekt, *Charlottenburg (heute zu Berlin) 7. 10. 1845, †Berlin 2. 4. 1913; errichtete in Berlin das Schillertheater (1907, im 2. Weltkrieg zerstört, wieder aufgebaut), Rennbahngebäude (1906–09) und das Dt. Stadion (1913) im Grunewald; sein Sohn Werner M. (*1894, †1976) errichtete ab 1934 in Berlin für die Olymp. Spiele 1936 die Bauten des Reichssportfelds und das Stadion.

Marchais [mar'ʃɛ], Georges, frz. Politiker, *La Hoguette (Dép. Calvados) 7. 6. 1920, †Paris 16. 11. 1997; 1972–94 Gen.-Sekr. der KP, vertrat in den 1970er-Jahren vorübergehend eurokommunist. Positionen.

Marche, 1) [marʃ] *die,* histor. Grafschaft in Mittelfrankreich, entspricht etwa dem heutigen Dép. Creuse und einem Teil von Haute-Vienne, umfasst die N-Abdachung des Limousin und des Plateaus von Millevaches.

2) ['marke], Region in Italien, →Marken.

Märchen [von mhd. maere »Kunde«, »Nachricht«], Prosaerzählung meist geringen Umfangs, die wunderbare Begebenheiten schildert, bei allen Völkern und zu allen Zeiten verbreitet. Im Dt. ist der Begriff v. a. bestimmt durch die Sammlung der Brüder →Grimm. Die »Kinder- und Haus-M.« (1812–15) enthalten allerdings auch Geschichten, die i. e. S. keine M., sondern Legenden, Fabeln oder Schwänke sind. Eine genaue Abgrenzung, auch zum →Mythos, ist kaum möglich.

Echte **Volks-M.** beruhen auf mündl. Erzähltradition. In Europa wurden sie seit dem 16./17. Jh. gesammelt, aufgezeichnet und dem jeweils herrschenden literar. Geschmack angepasst. Dennoch haben sich bestimmte gemeinsame Merkmale erhalten: Zeit und Ort sind nicht fixiert, die Naturgesetze haben keine Geltung, Pflanzen, Tiere und Gestirne können sprechen und sind dem Men-

Félicien Marceau

Marcel Marceau als »Monsieur Bip«

Gabriel Marcel

Georges Marchais

Guglielmo Marconi

Gerhard Marcks
(Selbstporträt, 1954)

schen gleichgestellt, Verwandlungen aller Art dienen als Belohnung oder Strafe, am Ende steht immer der Sieg des Guten, Fleißigen, bestraft werden Faulheit, Bosheit, Hochmut. Die Struktur des M. ist stark von formelhaften Elementen und typisierten Personen geprägt, Zahlen (z. B. 3 und 7) spielen eine wichtige Rolle. Nach der Art der Handlung werden unterschiedl. M.-Typen unterschieden, z. B. Tier-M., Zauber-M., Feen-M. (→ Fee), Lügenmärchen. Es ist nicht geklärt, ob gleiche M.-Motive durch Wanderungsbewegungen übertragen oder an versch. Orten gleichzeitig entstanden sind.

Märchenhafte Erzählungen sind schon in den ältesten literar. Zeugnissen der Menschheit (»Gilgameschepos«, »Odyssee«, »Pancatantra«) enthalten oder wurden von Schriftstellern kunstvoll bearbeitet (Ovid, »Metamorphosen«). In Europa wurden die M. seit dem frühen MA., verstärkt seit den Kreuzzügen, von oriental. Einflüssen geprägt, lange ehe die Sammlung »Tausendundeine Nacht« (in frz. Übersetzung 1704–17) eine regelrechte Orientmode hervorbrachte. Für die Romantiker war das Volks-M. die vollkommene Verkörperung einer ursprüngl. Dichtung. Sie sammelten und edierten M. und führten das **Kunst-M.** zur Blüte. Dieses ist die individuelle Erfindung eines namentlich bekannten Autors, der Text steht wörtlich fest, er übernimmt bestimmte Elemente des Volks-M. (etwa Zauberei), übermittelt damit aber oft philosoph. Botschaften, zuweilen mit den Mitteln Satire und Ironie. Bed. Verfasser von Kunst-M. in Dtl. waren L. Tieck, C. Brentano, W. Hauff, E. T. A. Hoffmann, in Dänemark H. C. Andersen, in England O. Wilde.

📖 KLOTZ, V.: *Das europ. Kunstmärchen. Neuausg. München 1987.* – KARLINGER, F.: *Geschichte des M. im dt. Sprachraum. Darmstadt ^{2}1988.* – FRITSCH, S.: *M. u. Sagen. Versuch einer Deutung. Wuppertal 1992.* – *Die Volksmärchen in unserer Kultur, hg. v.* W. KAHN. *Frankfurt am Main 1993.* – SCHERF, W.: *Das Märchenlexikon, 2 Bde. München 1995.* – LÜTHI, M.: *M. Stuttgart ^{9}1996.*

Gerhard Marcks:
»Gefesselter Prometheus II« (1948; Köln, Museum Ludwig)

Marchese [mar'ke:sə] *der,* italien. für → Marquis.

Marchfeld, etwa 900 km^2 große Ebene in NÖ, zw. Donau und March, bed. Landwirtschaftsgebiet (Weizen, Zuckerrüben, Feldgemüse); hier liegen die größten Erdöl- und Erdgasfelder Österreichs. – Das M. war oft Schlachtfeld: 165–180 Römer gegen Quaden und Markomannen, 1260 Ottokar II. Přemysl von Böhmen gegen Béla IV. von Ungarn und 1278 gegen Rudolf I. von Habsburg, 1809 Erzherzog Karl von Österreich gegen Napoleon I.

Marcia ['martʃa, italien.] *die, Musik:* Marsch. **M. funebre,** Trauermarsch; **alla marcia,** marschartig.

Marcion (Markion), frühchristl. häretischer Theologe, * Sinope (heute Sinop) um 85, † um 160; kam 138/39 nach Rom; hier Mitgl. der christl. Gemeinde; 144 wegen Häresie exkommuniziert. M. schließt aus dem Gegensatz zwischen A. T. und N. T. auf zwei einander unversöhnlich gegenüberstehende Götter: den Gott des Gesetzes und der Vergeltung im A. T., Schöpfer der schlechten Welt, und den guten und liebenden Gott des N. T., der Christus als Welterlöser gesandt hat. M. verwarf das A. T. und die »judaistisch verfälschten« Teile des N. T. Die Anhänger **(Marcioniten)** der von ihm gegr. Gegenkirche waren im 2. und 3. Jh. von der Rhone bis zum Euphrat verbreitet; bestanden im O bis ins 6. Jh. und verschmolzen später vielfach mit dem → Manichäismus.

Marcks, 1) Erich, Historiker, * Magdeburg 17. 11. 1861, † Berlin 22. 11. 1938, Vetter von 2); ab 1893 Prof.; schrieb formvollendet psycholog. Biographien (u. a. »Bismarck«, 2 Bde., 1909–39) und Essays (u. a. »Männer und Zeiten«, 2 Bde., 1911).

2) Gerhard, Bildhauer und Grafiker, * Berlin 18. 2. 1889, † Burgbrohl (Kr. Ahrweiler) 13. 11. 1981, Vetter von 1), Onkel von 3); Schüler von R. Scheibe, lehrte ab 1919 am Weimarer Bauhaus, ab 1925 an der Kunstgewerbeschule in Halle (Saale); 1933 entlassen; 1946 Prof. in Hamburg, 1950 in Köln; schuf in streng vereinfachenden Formen klar und herb gestaltete Jünglings- und Mädchenfiguren, Totenmale (Köln, Hamburg, Mannheim), Tierbildwerke, kleinplast. Arbeiten und Holzschnitte.

3) Marie, Karikaturistin, * Berlin 25. 8. 1922, Nichte von 2). Seit 1965 ist M. als Karikaturistin für Zeitungen und Zeitschriften (u. a. Süddt. Zeitung, Die Zeit, Titanic) tätig, sie wählt Themen aus dem familiär-pädagog. sowie gesellschafts- und umweltpolit. Bereich, u. a. »Klipp u. klar 100 × Bürgerrecht« (1979, mit R. Lamprecht).

Marconi [-ˈkɔ:ni], Guglielmo Marchese (seit 1929), italien. Ingenieur und Physiker, *Bologna 25. 4. 1874, †Rom 20. 7. 1937; erfand 1895 die geerdete Sendeantenne und hatte wesentl. Anteil an der Entwicklung der drahtlosen Nachrichtenübermittlung mit elektromagnet. Wellen (1896 Funksignale über 3 km; 1899 Funkverbindung zw. Frankreich und England, 52 km; 1901 zw. England und Neufundland, 3600 km). Außerdem erfand M. den abgestimmten Schwingkreis, die abgestimmte, gekoppelte Sende- und Empfangsantenne, die Hohlspiegel-Richtantenne, den rotierenden Oszillator u. a. 1909 erhielt er, zus. mit K. F. Braun, den Nobelpreis für Physik.

Marie Marcks: Karikatur aus dem 1977 erschienenen Buch »Krümm dich beizeiten!«

Marco Polo, → Polo, Marco.

Marcos, Ferdinando Edralin, philippin. Politiker, *Sarrat (Luzon) 11. 9. 1917, †Honolulu (Hawaii) 28. 9. 1989; Jurist, 1960–64 Vors. der Liberalen Partei, dann der Nationalist. Partei, 1963–65 Senatspräs., 1965–86 Staatspräs., unterstützte die Politik der USA in SO-Asien, verhängte angesichts schwerer Unruhen das Kriegsrecht (1972–80) und regierte diktatorisch. 1986 musste er unter starkem polit. Druck zurücktreten und ging ins Exil.

Marcus, 1) [ˈmɑ:kəs], Rudolph Arthur, amerikan. Physikochemiker kanad. Herkunft, *Montreal 21. 7. 1923; ab 1964 Prof. an der University of Illinois in Urbana, ab 1978 am California Institute of Technology in Pasadena. M. arbeitete u. a. über die Theorie von reaktiven und inelast. Stoßprozessen; untersuchte bes. den Übergang von Elektronen und entwickelte die theoret. Grundlagen für die mit dem Elektronenübergang verbundenen Änderungen der Energiezustände. Für diese Arbeiten erhielt M. den Nobelpreis für Chemie 1992.

2) Siegfried, Mechaniker *Malchin 18. 9. 1831, †Wien 30. 6. 1898; zeigte 1898 auf der Wiener Gewerbeausstellung einen eigenen Benzinwagen mit Viertaktmotor aus dem Jahre 1888. Ob diesem Wagen eine Ausfahrt mit eigener Kraft gelang ist ungewiss; es gab keine darauf aufbauende Weiterentwicklung.

Marcus Aurelius Antoninus, röm. Kaiser, → Mark Aurel.

Marcuse, 1) Herbert, amerikan. Philosoph dt. Herkunft, *Berlin 19. 7. 1898, †Starnberg 29. 7. 1979; emigrierte 1933, lebte seit 1934 in den USA, war zeitweise Mitarbeiter an dem von M. Horkheimer geleiteten »Inst. für Sozialforschung«, Tätigkeit für die US-Regierung, lehrte an der Harvard University, seit 1965 an der University of California. – M. verbindet marxist. Gesellschaftsanalyse und Geschichtstheorie mit der Trieblehre Freuds. Das geschichtl. Subjekt, das die Befreiung der Gesellschaft bewirken könnte, erblickt M. nicht mehr im Industrieproletariat, sondern in den Studenten und gesellschaftl. Diskriminierten, die außerhalb des Wohlfahrtsstaats stehen. – Sein Aufruf zur radikalen Opposition gegen die bestehende Ordnung (der »spätkapitalist. Gesellschaft«) ließ ihn in der zweiten Hälfte der 1960er-Jahre zu einem der geistigen Führer der student. Linken werden (→ neue Linke).

Werke: Triebstruktur und Gesellschaft (1955); Der eindimensionale Mensch (1964); Ideen zu einer krit. Theorie der Gesellschaft (1969); Die Permanenz der Kunst (1977).

📖 BRUNKHORST, H. *u.* KOCH, G.: *H. M. zur Einführung. Hamburg* [2]*1990.* – GÖRLICH, B.: *Die Wette mit Freud. Drei Studien zu H. M. Frankfurt am Main 1991.*

2) Ludwig, Pseudonym Heinz Raabe, Publizist und Literaturkritiker, *Berlin 8. 2. 1894, †München 2. 8. 1971; emigrierte 1933 nach Frankreich, 1938 in die USA, war seit 1940 Prof. für Philosophie an der University of Southern California, kehrte 1963 nach Dtl. zurück; schrieb über zahlreiche Schriftsteller, Philosophen und Musiker, ferner u. a. »Obszön. Geschichte einer Entrüstung« (1962).

Mar del Plata, Hafenstadt und Seebad in der Prov. Buenos Aires, Argentinien, 519 700 Ew.; Bischofssitz; zwei Univ., meeresbiolog. Institut; Nahrungsmittel-, Papier-, Zigaretten- u. a. Ind.; Spielkasino; Flughafen.

Marder (Mustelidae), Raubtierfamilie, zu der neben den Wieselartigen die → Dachse, die → Honigdachse, die → Skunks und die → Otter gehören; meist mittelgroße Tiere mit gestrecktem Körper, kurzen Beinen und Stinkdrüsen in Afternähe. Zu den schlanken **Wieselartigen** (Mustelinae) zählen folgende Arten: Der **Baum-** oder **Edel-M.** (Martes martes) mit bis zu 45 cm Körper- und bis zu 25 cm Schwanzlänge hat einen meist gelbl. Kehlfleck. Sein Fell ist auf dem Rücken dunkelbraun, an der Bauchseite gelblich. Der **Stein-** oder **Haus-M.** (Martes foina) ist gekennzeichnet durch einen weißl., gegabelten Kehlfleck. Bekannt sind die durch ihn verursachten Nageschäden an Kfz (Kabel, Bremsleitungen). Der **Zobel** (Martes zibellina) wurde wegen seines sehr wertvollen Felles

Ferdinando Marcos

Rudolph A. Marcus

Herbert Marcuse

Ludwig Marcuse

stark verfolgt und lebt heute nur noch in Sibirien, im nördl. China und in Japan. Das Fell ist oberseits dunkelbraun bis schwärzlich. Gröberes Haar hat der **Amerikan. Zobel** oder **Fichten-M.** (Martes americana). Das im N der Alten Welt heimische

Marder: Baummarder (Kopf-Rumpf-Länge bis zu 45 cm, Schwanzlänge bis zu 25 cm)

Große Wiesel (Mustela erminea) wechselt die Haarfarbe im Frühjahr nach Braun, im Herbst nach Weiß **(Hermelin).** Der **Europ. Nerz, Sumpf-** oder **Krebsotter** (Mustela lutreola) wird 50 cm lang und ist fischotterähnlich. In Nordamerika lebt der **Mink** (Mustela vison) und bes. in Zentralasien der **Erd-** oder **Feuer-M.** (Mustela sibirica), dessen Fell »Kolinsky« oder »Sibir. Nerz« gen. wird. Der **Iltis** oder **Ratz** (Mustela putorius) hat einen kurzen Kopf und ein meist schwarzbraunes Fell. Das **Frettchen,** eine domestizierte Form des Iltis, wird zur Kaninchenjagd abgerichtet. Das in Europa und Asien verbreitete **Kleine Wiesel, Mauswiesel** oder **Hermännchen** (Mustela nivalis) wird rd. 20 cm lang und ist rötlich braun, unterseits weiß, manchmal im Winter völlig weiß. In S- und Mittelamerika lebt u.a. der **Grison** (Grison vittatus), ein guter Läufer, Schwimmer und Kletterer.

Marderbär, → Binturong.

Mardin, Prov.-Hptst. im SO-Anatolien, Türkei, 1325 m ü.M., 53 000 Ew.; archäolog. Museum; Zementfabrik; amerikan. Radarstation.

Marduk

*Das Symbol Marduks, des babylonischen Stadtgottes, war der Muschusch, ein Drache, vorne mit Löwenpfoten, hinten mit Raubvogelkrallen. Der Körper ist schuppenbewehrt, und er trägt einen gehörnten Schlangenkopf mit gespaltener Zunge. Marduk wurde unter Hammurapi (*1728, †1686 v. Chr.) zum obersten Gott Babylons. Das Weltschöpfungsepos »Enuma elisch« nennt ihn als Schöpfergott. Sein Heiligtum Esaglia könnte das Vorbild des biblischen Turms zu Babel gewesen sein. Sein Gestirn war standesgemäß der Jupiter.*

Marduk (hebr. Merodach), Stadt- und später Reichsgott von Babylon; besiegte und tötete Tiamat, die chaotische Macht des Urmeeres; erhielt als Preis von den Göttern die Herrschaft; dargestellt im Schöpfungsepos »Enuma Elisch« (12. Jh. v. Chr.). Sein Heiligtum in Babylon war der Tempel Esagila mit dem Stufenturm Etemenanki (→ Babylonischer Turm).

Mare [lat.] *das,* Meer: **1)** in der Antike z.B. **M. Britannicum,** der Ärmelkanal; **M. Germanicum,** die Nordsee; **M. Tyrrhenicum** oder **M. nostrum,** das Tyrrhen. Meer.

2) *Pl.* (Maria), dunkle, tief liegende, versch. große Gebiete der Mondoberfläche, wie Einschlagbecken und Einsenkungen, die in der Frühphase der Mondentwicklung mit Lava gefüllt wurden; z.T. mit bloßem Auge sichtbar.

Märe [mhd. »Kunde«, »Bericht«] (Mär), im MA. Bez. für Heldenepos, höf. Roman sowie deren Stoffe oder Überlieferung. In der neueren Forschung Gattungsbez. für mhd. Verserzählungen aus der Zeit zw. 1250 und 1500 (von dem Stricker bis hin zu H. Folz), v.a. schwankhaften, höf. oder moralisierenden Inhalts; heute auch: erdichtete Begebenheit.

Marecs, Abk. für engl. **Mar**itime **E**uropean **C**ommunication **S**atellite, seit 1981 genutzte Nachrichtensatelliten der ESA zur globalen Abdeckung der Kommunikation zw. Land und See.

Marées [ma're], Hans von, eigtl. Johann Reinhard von M., Maler, *Elberfeld (heute zu Wuppertal) 24. 12. 1837, †Rom 5. 6. 1887; malte anfangs Bildnisse (Selbstbildnis mit Lenbach) und Landschaften mit Pferden, Reitern und auch mytholog. Figuren (Diana im Bade, 1863) in dunkeltonigem Kolorit; ging 1864 nach Italien, wo er den Weg zu einer idealist., von formaler Klarheit bestimmten Malerei fand, in deren Mittelpunkt der Mensch, insbesondere die nackte männl. Gestalt, in einer vereinfachenden und monumentalen Auffassung steht (Fresken in der Bibliothek der Zoolog. Station in Neapel, 1873/74). Von seinen späteren Werken, v.a. Triptychen (Pferdeführer und Nymphe, 1882/83, München, Neue Pinakothek; Hesperiden, 1885, ebd.), die er immer wieder übermalte, blieben viele unvollendet.

Marek, Kurt W., Schriftsteller, → Ceram.

Maremmen [italien.], ehem. versumpfte Niederung an der tyrrhen. Küste Italiens zw. der Mündung der Cecina und Civitavecchia; seit dem 19. Jh. in Kulturland verwandelt.

Marengo, Stadtteil von Alessandria, Italien; Sieg Napoléon Bonapartes (14. 6. 1800) über Österreich.

Marenzio, Luca, italien. Komponist, *Coccaglio (bei Brescia) 1553 oder 1554, †Rom 22. 8. 1599; bed. Meister des italien. Madrigals.

Margao (Marmagao), Stadt an der W-Küste Indiens, im Bundesstaat Goa, 53 000 Ew.; wichtiger Exporthafen (v.a. für Erze).

Margareta von Antiochia, Märtyrerin unter Diokletian; Schutzpatronin der Schwangeren; eine der 14 Nothelfer; Heilige; Tag: 20. 7.

Margarete, Herrscherinnen:

Dänemark: **1) Margarete I.,** Königin von Dänemark (seit 1387), Norwegen (seit 1388) und Schweden (seit 1389), *Søborg (Seeland) März 1353, †Flensburg 28. 10. 1412; Tochter des Dänenkönigs Waldemar IV. Atterdag, seit 1363 ⚭ mit König Håkon VI. Magnusson von Norwegen und Schweden, führte nach seinem Tod (1380) für ihren Sohn Olaf V., der 1376 Dänemark und 1380 Norwegen erhalten hatte, die Reg. Nach Olafs Tod (1387) wurde sie Herrscherin, gewann 1389 von König →Albrecht 16) auch Schweden und schloss 1397 die Kalmarer Union (→Kalmar).

2) M. II., Königin (seit 1972), *Kopenhagen 16. 4. 1940; Tochter König Friedrichs IX., seit 1967 ⚭ mit Graf Henri de Laborde de Monpezat (*1934; jetzt Prinz Henrik von Dänemark).

Frankreich: **3) M. von Valois,** genannt »Königin Margot«, Königin von Navarra und Frankreich, *Saint-Germain-en-Laye 14. 5. 1553, †Paris 27. 3. 1615; Tochter Heinrichs II. und der Katharina von Medici, seit 1572 ⚭ mit dem späteren König Heinrich IV.; ihre Hochzeit war als Zeichen der Verständigung zw. Katholiken und Hugenotten gedacht (→Bartholomäusnacht). Die kinderlose Ehe wurde 1599 für ungültig erklärt.

Hans von Marées: »Pferdeführer und Nymphe« (1882/83; München, Neue Pinakothek)

Navarra: **4) M. von Navarra** (Marguerite d'Angoulême), Königin von Navarra, *Angoulême 11. 4. 1492, †Odos (Dép. Hautes-Pyrénées) 21. 12. 1549; Schwester König Franz' I. von Frankreich, in zweiter Ehe ⚭ mit Henri d'Albret, König von Navarra; von hoher Bildung, förderte Gelehrte, Dichter und Künstler und gewährte verfolgten Protestanten Zuflucht. Sie schrieb die von G. Boccaccio inspirierte Sammlung von 72 durch eine Rahmenhandlung verbundenen Novellen »Das Heptameron« (hg. 1559), die neuplaton. Gedanken enthält, auch lyr. und dramat. Dichtungen religiösen Inhalts.

📖 DÉJEAN, J.-L.: *Marguerite de Navarre. Paris 1987.*

Niederlande: **5) M. von Österreich,** Generalstatthalterin (1507–30), *Brüssel 10. 1. 1480, †Mecheln 1. 12. 1530; Tochter Kaiser Maximilians I. und der Maria von Burgund, vermittelte 1529 mit Luise von Savoyen den »Damenfrieden« von →Cambrai zwischen Karl V. und Franz I.

Margarete von Österreich, Generalstatthalterin der Niederlande: Ausschnitt aus einem Gemälde von Bernart van Orley (um 1515; Brüssel, Musées Royaux des Beaux-Arts de Belgique)

6) M. von Parma, Generalstatthalterin (1559 bis 1567), *Oudenaarde 28. 12. 1522, †Ortona (Prov. Chieti) 18. 1. 1586; Tochter Kaiser Karls V., ⚭ in 2. Ehe mit Ottavio Farnese, Herzog von Parma und Piacenza. Unter ihrer Reg. begannen Unruhen in den Niederlanden (→Niederlande, Geschichte). 1567 trat sie zurück.

Tirol: **7) M. Maultasch,** Gräfin (1335–63), *wohl Schloss Maultasch (bei Terlan) 1318, †Wien 3. 10. 1369; Tochter Herzog Heinrichs VI. von Kärnten, erbte 1335 Tirol, das sie nach dem Tod ihres Sohnes Meinhard 1363 den Habsburgern überließ.

Margarete II., Königin von Dänemark

Margareten|insel (ungar. Margitsziget), kleine Donauinsel in Budapest mit Park, Freilichttheater, Sportanlagen, Schwimmbädern; Ruinen eines Nonnenklosters (13. Jahrhundert).

Margarine [frz., zu acide margarique »perlfarbige Säure«] *die,* streichbares Speisefett, das aus Ölen oder Fetten und Milch oder Wasser hergestellt wird und wie Butter aus einer erstarrten Wasser-in-Öl-Emulsion besteht. In der Bundesrep. Dtl. wird M., die nach dem M.-Gesetz mindestens 80% Öl oder Fett (Halbfett-M. 39–41%) enthalten muss, heute überwiegend (etwa zu 90%) aus pflanzl. Rohstoffen wie Soja-, Sonnenblumen-, Rüb- und Palmöl sowie Kokos- und Palmkernfett hergestellt. Neben Ölen und Fetten kann M. bis zu 20% entrahmte, gesäuerte Milch sowie Aromastoffe, Kochsalz, Wasser, die Vitamine A und D (Vitamin E ist bereits als Bestandteil der pflanzl. Öle vorhanden), Lecithin (als Emulgator), Carotin (Provitamin A, zur Gelbfärbung) enthalten. Zur Unterscheidung von Butter ist ein Zusatz von Stärke oder Sesamöl als nachweisbare Substanz vorgeschrieben. Zur Konservierung ist Sorbinsäure zugelassen.

Margarete von Navarra, Königin von Navarra (Ausschnitt aus einem zeitgenössischen Gemälde)

Technische Herstellung: Die wichtigsten Schritte sind die Emulgierung der wässrigen Phase in der Fettphase, das Kühlen (Kristallisieren) und die mechan. Bearbeitung (Kneten). Früher wurden die getrennt hergestellten Phasen zusammengeführt, chargenweise in der »Kirne« emulgiert, über Kühltrommeln zum Erstarren gebracht und in Mischmaschinen geknetet. Heute erfolgt die Herstellung vollautomatisch unter Luftabschluss im Kratzkühler. Anschließend wird die M. maschinell dosiert, geformt und verpackt.

Ernährungsphysiologischer Wert: Durch die Möglichkeit der freien Wahl der verwendeten Fette können hochwertige M. mit hohem Anteil an essenziellen (ungesättigten) Fettsäuren hergestellt werden. Reine Pflanzen-M. ist zudem cholesterinfrei. Nachteilig im Vergleich zur Butter ist, dass die M. mehr chem. Zusätze enthält und durch den geringeren Gehalt an kurzkettigen Fettsäuren schwerer verdaulich ist.

Wirtschaft: Die M. nimmt in den meisten Ländern die erste Stelle unter den Nahrungsfetten ein. Wichtigste Erzeugerländer (1994, in 1000 t): USA 3 883, Pakistan 1 357, Indien 870, Dtl. 648, Großbritannien und Nordirland 626, Russland 285.

Margarita, Isla, Insel der Kleinen Antillen vor der Küste Venezuelas, 1 085 km², die größte der rd. 70 Inseln, die den venezolan. Bundesstaat Nueva Esparta bilden (Hauptort La Asunción); bed. internat. Fremdenverkehr.

Margate ['mɑːgɪt], Stadt und Seebad in der Cty. Kent, England, 53 300 Ew.; Hafen, Fischerei.

Marge ['marʒə, frz.], *die, Wirtschaft:* Unterschied zw. Kursen (von Devisen und Wertpapieren), An- und Verkaufspreisen im Sinne der Handelsspanne, zw. Soll- und Habenzinsen; im Börsenwesen die Spanne zw. den Kursen an versch. Börsenplätzen (→ Arbitrage) und Bareinschuss bei → Termingeschäften.

Margerite: Die Blütenköpfe werden 4–6 cm groß und die Stauden bis zu 60 cm hoch

Margerite [grch.-frz.] *die* (Chrysanthemum leucanthemum), Wucherblumenart in Europa, Sibirien und in den Kaukasusländern, nach Nordamerika und Australien eingeschleppt; bis 60 cm hohe Staude; Blütenkörbchen mit weißen Zungen- und gelben Röhrenblüten; in mehreren Sorten als Zierpflanze kultiviert.

marginal [lat.], randständig; nebensächlich.

Marginal|analyse, Methode der Wirtschaftstheorie; untersucht, welche Auswirkungen eine (infinitesimal kleine) Änderung einer ökonom. Größe auf eine andere ökonom. Größe hat; es wird mithilfe von Grenzgrößen (z. B. Grenzerlös, -kosten, -nutzen, -produktivität) argumentiert. Mathemat. Hilfsmittel ist die Differenzialrechnung.

Marginali|e *die,* Randbemerkung (in Handschriften, Akten, Büchern).

Margot, frz., Königin → Margarete.

Margrethe, dän. Königinnen, → Margarete.

Mari (Tscheremissen), finnougr. Volk in Russland, zur Hälfte in der Rep. Mari El, sonst in den Rep. Tatarstan, Tschuwachien und Baschkirien sowie in den Gebieten Perm und Swerdlowsk; insgesamt etwa 670 000 Menschen; unterschieden werden die Hochland-M. (v. a. am rechten Wolgaufer), die Tiefland-M. (am linken Wolgaufer) und die Ost-M. (in Baschkirien und im Gebiet Jekaterinburg). Die M. bildeten vom 5. bis 8. Jh. Stammesfürstentümer, kamen im 13. Jh. zu den Kama-Bulgaren; in der 2. Hälfte des 13. Jh. durch die Mongolen unterworfen und im 16. Jh. Russland angeschlossen.

Mari, altoriental. Stadt am mittleren Euphrat, heute **Tell Hariri** in O-Syrien. – Wichtiger Außenposten Babylons; im 3. Jt. v. Chr. gegr., 1696 v. Chr. durch Hammurapi zerstört. Aus der Palastanlage mit dem Archiv der Könige von M. (1950–1700 v. Chr.) stammen Funde von etwa 25 000 Tontafeln mit polit. und religiösen Texten, aus verschiedenen Tempelanlagen wurden zahlreiche Bildwerke sumerischer Kunst freigelegt.

Maria Theresia, Erzherzogin von Österreich: Kupferstich des zeitgenössischen österreichischen Künstlers Jakob Matthias Schmutzer

Maria [grch.-lat. Form von hebr. Mirjam], in den synopt. Evangelien (Mt. 1,18; Mk. 6,3; Lk. 1,27) Name der Mutter Jesu von Nazareth. Histor. Angaben über M. finden sich in Mark. 3,31 und 6,3; Jesus scheint der erste Sohn M.s und ihres Mannes, des Zimmermanns Joseph aus Nazareth, gewesen zu sein; außer Jesus hatte M. wahrscheinl. noch weitere Kinder. Die Apostelgeschichte (1,14) zählt sie (ohne bes. Hervorhebung) zu den Mitgl. der Urgemeinde. Die legendar. Ausgestaltung ihres Lebens erfolgte in den → Apokryphen des N. T., v. a. im Jakobusevangelium (Mitte des 2. Jh.). – In Theologie und Frömmigkeit der christl. Kirchen wird M. als Mutter Gottes (→ Mariologie), Fürbitterin der Glaubenden vor Gott (→ Marienverehrung), als Urbild bedingungslosen Vertrauens auf Gott und Vorbild des Glaubens verehrt. – Neue Impulse erhielt die Betrachtung der Gestalt M.s durch Befreiungs- und feminist. Theologie. Erstere begreift M. als Symbol für die individuelle wie gesellschaftl. Befreiung der Menschen, Letztere als Möglichkeit, im Ggs. zur vorwiegend »männl.« Verfasstheit des Christentums seine »weibl.« Züge stärker zur Geltung zu bringen. (→Marienbild)

Maria [mɛəˈrɪə], Walter De, amerikan. Künstler, *Albany (Calif.) 1. 10. 1935; erstellte nach Happenings (1960) Objekte der Minimalart und der Land-Art, so den »Vertikalen Erdkilometer«, ein Messingstab von 5 cm Durchmesser und 1 km Länge in Richtung auf den Erdmittelpunkt, verwirklicht auf der documenta 6 in Kassel (1977).

Maria (engl. Mary), Herrscherinnen:

Böhmen und Ungarn: **1) M. Theresia,** Königin, →Maria 7).

England: **2) M. I. Tudor,** gen. die Katholische oder die Blutige, Königin (1553–58), *Greenwich (heute zu London) 18. 2. 1516, †London 17. 11. 1558; Tochter Heinrichs VIII. und Katharinas von Aragonien, folgte ihrem Halbbruder Eduard VI. auf den Thron, ⚭ seit 1554 mit Philipp II. von Spanien; sie betrieb die Rekatholisierung Englands (Hinrichtung zahlr. Protestanten, darunter T. →Cranmer) und verlor 1558 Calais an Frankreich.

3) M. II. Stuart, Königin (1689–94), *London 30. 4. 1662, †Kensington (heute zu London) 28. 12. 1694; älteste Tochter Jakobs II., Protestantin, seit 1677 ⚭ mit Wilhelm III. von Oranien; erhielt nach dem Sturz ihres Vaters zus. mit ihrem Gatten 1689 die Krone (»Glorreiche Revolution«).

Frankreich: **4) M. von Medici,** Königin, *Florenz 26. 4. 1573, †Köln 3. 7. 1642; aus dem Hause der Großherzöge der Toskana, seit 1600 ⚭ mit Heinrich IV., 1610–17 Regentin für ihren unmündigen Sohn Ludwig XIII.; von Richelieu ausgeschaltet, musste sie 1631 ins Ausland fliehen.

5) Marie Antoinette, Königin, *Wien 2. 11. 1755, †(enthauptet) Paris 16. 10. 1793; Tochter von 7), 1770 zur Festigung des Bündnisses mit Frankreich ⚭ mit dem späteren Ludwig XVI. Lebensfroh und oft leichtsinnig, war sie ihrer polit. Aufgabe nicht gewachsen und stellte sich jeder Reformpolitik entgegen. Die →Halsbandaffäre schadete ihr, wenn auch zu Unrecht; 1789 war die »Österreicherin« die verhasste Repräsentantin des Ancien Régime. Die Mitwirkung beim Plan des preußisch-österr. Feldzuges von 1792 führte schließlich zur Anklage vor dem Revolutionstribunal.

📖 CASTELOT, A.: *M. A. Von Versailles zur Guillotine. A. d. Frz. Neuausg. München ^{2}1990.*

6) Marie Louise, Kaiserin, *Wien 12. 12. 1791, †Parma 17. 12. 1847; Tochter Kaiser Franz' II., gegen ihren Willen 1810 ⚭ mit Napoleon I. Nach seiner Abdankung erhielt sie die Herzogtümer Parma, Piacenza und Guastalla. 1821 heiratete sie ihren Oberhofmeister Graf Neipperg, nach dessen Tod 1834 Graf Bombelles.

Marie Antoinette, Königin von Frankreich: Gemälde von Elisabeth-Louise Vigée-Lebrun (1783; Versailles, Musée National)

Österreich: **7) M. Theresia,** Erzherzogin (1740 bis 1780), Königin von Ungarn und Böhmen, *Wien 13. 5. 1717, †ebd. 29. 11. 1780; Erbtochter Kaiser Karls VI., ⚭ seit 1736 mit Herzog Franz Stephan von Lothringen (seit 1745 Kaiser Franz I.; seitdem wurde M. T. als Kaiserin bezeichnet), Stammmutter des Hauses Habsburg-Lothringen. Nach dem Tod Karls VI. übernahm sie aufgrund der →Pragmatischen Sanktion 1740 die Reg. der habsburg. Erblande und behauptete sie gegen die Ansprüche anderer europ. Herrscher, u. a. gegen Friedrich II., d. Gr., von Preußen, der die →Schlesischen Kriege und damit den →Österreichischen Erbfolgekrieg (1740–48) auslöste, die für Österreich den Verlust von Schlesien und Parma-Piacenza brachten. Die Rückgewinnung Schlesiens nach dem Plan ihres Kanzlers W. A. von Kaunitz scheiterte im →Siebenjährigen Krieg. M. Theresia führte eine maßvolle Reformpolitik im Innern

Marie Antoinette

»Wenn sie kein Brot haben, sollen sie doch Kuchen essen«

Königin Marie Antoinette war beim französischen Volk wegen ihrer Verschwendungssucht und ihres Standesdünkels verhasst. Ihr wird dieser Ausspruch zugeschrieben. Es soll ihre Reaktion auf die Nachricht gewesen sein, dass beim Volk Brotmangel herrsche. Die zynischen Worte, im französischen Original: »S'ils n'ont pas de pain, qu'ils mangent de la brioche«, werden auch heute noch zitiert, um z. B. ironisch auf soziale Missstände hinzuweisen oder um die Entfremdung der Herrschenden vom Volk zu charakterisieren.

durch (Heeresreform durch Graf von Daun und F. M. Graf von Lacy; Staats- und Verwaltungsreform 1749–61, v.a. durch F. W. Graf Haugwitz), schaffte die Folter ab (1776), milderte die bäuerl. Leibeigenschaft und die Frondienste, hob die Steuerfreiheit von Adel und Klerus auf und wurde Gründerin des Volksschulwesens in Österreich (1774). Nach dem Tod Franz' I. (1765) wurde ihr ältester Sohn, Joseph II., Mitregent. Der Aufklärung stand sie als Katholikin ablehnend gegenüber, doch ebneten ihre Berater dem Josephinismus den Weg. Weiteres BILD deutsche Geschichte

📖 TAPIE, V. L.: *M. T. Die Kaiserin u. ihr Reich. A. d. Frz. Graz* ^{2}*1989*. – HERRE, F.: *M. T. Die große Habsburgerin. Neuausg. München 1995.*

Schottland: **8) M. Stuart,** Königin (1542–67), * Linlithgow 8. 12. 1542, † (hingerichtet) Fotheringhay Castle (Cty. Northamptonshire) 8. 2. 1587; Tochter Jakobs V. und der Maria von Guise, heiratete 1558 den späteren frz. König Franz II. Nach dem Tod ihrer Mutter (1560), die für sie in Schottland regiert hatte, und dem ihres Gatten (1560) kehrte sie 1561 nach Schottland zurück. Zu Elisabeth I. von England stand sie politisch in Ggs.; als Urenkelin Heinrichs VII. galt sie den Katholiken als die rechtmäßige Erbin des engl. Throns. Seit 1565 ⚭ mit Lord Darnley, der 1567 durch J. H. Bothwell ermordet wurde; ihre eigene Mitwisserschaft ist umstritten. Als sie Bothwell heiratete (1567), wurde sie von den Lords gestürzt und floh 1568 nach England, wo Elisabeth sie 19 Jahre gefangen hielt. Mit dem Vorwurf der Teilnahme an einer kath. Verschwörung setzte schließlich Lord Burghley ihre Hinrichtung durch. – Trauerspiele u. a. von J. van den Vondel (1646), F. Schiller (1801).

Maria Stuart

Einen Tag nach der Überbringung ihres Todesurteils schrieb Maria Stuart an ihren Verwandten Henri de Lorraine, Herzog von Guise, den Vorkämpfer der katholischen Partei im französischen Religionskrieg, folgenden Brief (19. November 1586):

»Mein guter Cousin, Euch, der mir das Teuerste auf Erden ist, sage ich Lebewohl, denn ich bin bereit, aufgrund eines ungerechten Urteils hingerichtet zu werden. Einen solchen Tod hat eine Person unseres Geschlechts noch nie erlitten, noch weniger jemand meines Ranges. Aber, mein guter Cousin, preist deswegen Gott, denn ich wäre in dem Zustand, in welchem ich mich befinde, für seine Sache und die der Kirche nicht mehr von Nutzen. Doch ich hoffe, dass mein Tod meine Standhaftigkeit im Glauben erweisen wird und meine Absicht, an der katholischen Kirche festzuhalten, um sie auf dieser unseligen Insel wieder aufzurichten. Obwohl der Henker noch niemals Hand an jemanden unseres Blutes gelegt hat, empfindet dies nicht als Schande, mein Freund. Denn das Urteil der Ketzer und Feinde der Kirche und derjenigen, die kein Recht haben, mich zu verurteilen, mich, eine freie Königin, ist für die Kinder meiner Kirche von Vorteil.«

📖 FRASER, A.: *M. S. Aus dem Engl. Neuausg. Hildesheim 1996.*

Spanien: **9) M. Christina,** Königin, * Neapel 27. 4. 1806, † Sainte-Adresse (Dép. Seine-Maritime) 23. 8. 1878; 4. Gemahlin Ferdinands VII. 1832/33 Regentin, setzte das Thronfolgerecht für ihre Tochter Isabella II. durch, Ursache für die Kriege der → Karlisten. Seit 1854 im Exil.

Maria Stuart, Königin von Schottland: Gemälde des französischen Historienmalers Henri Serrur (undatiert; Versailles, Musée National)

Mariage [mariˈaːʒə, frz. »Heirat«] *die, Kartenspiel:* Zusammentreffen von König und Dame (oder Ober) einer Farbe in der Hand eines Spielers.

Maria Laach, Benediktinerabtei (gegr. 1093) mit bed. roman. Abteikirche (1156 geweiht und um 1230 vollendet), am Laacher See, Rheinl.-Pf.; 1802 säkularisiert, 1892 durch Beuroner Benediktiner neu besiedelt; bis zum 2. Vatikan. Konzil ein Mittelpunkt der dt. liturgischen Bewegung.

Maria Magdalena (Maria von Magdala), nach Lk. 8,2 eine der Frauen, die Jesus begleiteten; nach allen vier Evangelien beim Tode Jesu und nach den synopt. Evangelien auch beim Begräbnis Jesu anwesend; die erste Zeugin seiner Auferstehung (Joh. 20, 11–18); galt in der frühen kirchl. Tradition als diejenige, die Jesus am nächsten stand; wurde seit Gregor I. fälschlich mit Maria von Bethanien und der namenlosen »Sünderin« (Lk. 7, 37–50) gleichgesetzt; Heilige, Tag: 22. 7.

Mariamne, Makkabäerin, Gemahlin Herodes' I., d. Gr., der sie wegen angebl. Ehebruchs 29 v. Chr. hinrichten ließ. – Drama von Hebbel »Herodes und Mariamne« (1850).

Marianen (engl. Mariana Islands, früher Ladronen), Inselgruppe Mikronesiens im nordwestl. Pazifik, am W-Rand des M.-Grabens, bestehend aus 16 Inseln, die mit Ausnahme von → Guam den Staat **Nordmarianen** (amtl. Commonwealth of the Northern Mariana Islands) mit 457 km^2 und (1995)

47 000 Ew. bilden; Verwaltungssitz ist Capitol Hill auf der Insel Saipan. Die M. sind teils vulkan. Ursprungs (aktiver Vulkanismus auf Farallon de Pajaros und Papan), teils Koralleninseln; trop. Seeklima. Nur sechs Inseln sind bewohnt: Saipan (122 km²), Tinian (101 km²), Rota (83 km²), Pagan (48 km²), Anatahan (32 km²) und Agrihan (30 km², bis 965 m ü. M.). Reste der urspr. austrones. Bevölkerung (Chamorros) vermischten sich mit zugewanderten Tagalen von den Philippinen und Mikronesiern von den Karolinen. Kultiviert werden Kokospalmen, Brotfrucht- und Schraubenbäume; Hauptprodukt ist Kopra; bed. Fremdenverkehr. – Die M. wurden 1521 von Magalhães entdeckt, 1565 von den Spaniern in Besitz genommen. Spanien trat 1898 Guam an die USA ab und verkaufte die übrigen Inseln 1899 an das Dt. Reich. 1920 fielen diese als Völkerbundsmandat an Japan, 1947 als Treuhandgebiet der UN an die USA; 1978 in das mit den USA assoziierte Commonwealth umgewandelt (mit innerer Selbstverw.). Nach Aufhebung der UN-Treuhandschaft sind die Nordmarianen weitgehend unabhängig.

Marianengraben, Tiefseegraben im westl. Pazifik, verläuft östlich und südlich der Marianen, bis 10 924 m u. M. (Witjastiefe I).

Marianische Kongregationen, 1563 gegr. kath. kirchl. Gemeinschaften (Kleriker und Laien), die aus der Spiritualität der Exerzitien des Ignatius von Loyola leben und deren Mitgl. sich dem Dienst in Kirche und Welt zur Verfügung stellen; unterstützten in ihrer frühen Geschichte bes. die →katholische Reform; seit 1967 als →Gemeinschaften Christlichen Lebens.

Marianne, Name einer republikan. Geheimgesellschaft in Frankreich (1815–48); später sinnbildlich für »Freiheitsheldin«, heute Personifikation der frz. Republik, dargestellt mit Jakobinermütze.

Mariánské Lázně ['marja:nskɛ: 'la:znjɛ], Heilbad in der Tschechoslowakei, →Marienbad.

Marías, Javier, span. Schriftsteller, *Madrid 20. 9. 1951; gehört zu der Generation junger Autoren, die seit dem Tod Francos der span. Literatur neue Impulse geben; kritisiert in seinen Romanen (»Alle Seelen«, 1989; »Mein Herz so weiß«, 1992; »Mañana en la batalla piensa en mí«, 1994) durch detailgetreue Persönlichkeitsskizzen und Beobachtung seiner Umwelt die moderne Gesellschaft abseits der großen Politik.

Maria Theresia, Erzherzogin von Österreich, Königin von Ungarn und Böhmen, →Maria 7).

Maria-Theresien-Orden, der höchste österr. und ungar. Orden für militär. Verdienste, gestiftet 1757 von Maria Theresia, aufgehoben 1918, in Ungarn erneut 1931 und 1938 verliehen.

Mariatheresientaler, 1741–80 mit Bild und Titel Maria Theresias geprägter Konventionstaler

Maria Laach: Die sechstürmige, doppelchörige Klosterkirche, ein Meisterwerk romanischer Baukunst, wurde 1156 geweiht und um 1230 vollendet

Österreichs und der Nebenländer; seit 1858 außer Kurs; wurde v.a. im Osmanischen Reich und O-Afrika sehr beliebt und mit unveränderter Jahreszahl (1780) weiter geprägt; nach 1918 für den Orienthandel in der Levante (Levantetaler), in Arabien und O-Afrika (Äthiopien; bis 1945).

Maria-Theresiopel, Stadt in Serbien, Jugoslawien, →Subotica.

Maria von Bethanien, im N.T. Schwester des Lazarus und der Martha (Lk. 10, 39–42; Joh. 11, 1 ff.); häufig mit Maria Magdalena gleichgesetzt.

Mariazell, Stadt in den Nördl. Kalkalpen, im Bez. Bruck a.d. Mur, Steiermark, Österreich, 1 000 Ew.; bed. Wallfahrtsort Österreichs; Fremdenver-

Marianne: Die Freiheitsheldin als Personifikation der französischen Republik in einer Darstellung von Eugène Delacroix mit dem Titel »Die Freiheit führt das Volk an« (1830; Paris, Louvre)

Marienbild: Schöne Madonna aus Thorn (um 1390–95; verschollen)

kehr. – Roman. Pfarr- und Wallfahrtskirche (um 1200; im 17. Jh. umgebaut). – Gegr. 1157.

Maribor (früher dt. Marburg), Stadt in Slowenien, an der Drau, 104 000 Ew.; Univ. (gegr. 1975); Omnibus-, Lkw-, Maschinenbau, Textil-, chem., Nahrungsmittelind.; Wein-, Obstbau, Landwirtschaft. – Dom (begonnen im 12. Jh.). – M. geht auf eine 1147 erwähnte Markburg zurück, erscheint 1254 als Stadt; war bis 1945 Zentrum des Deutschtums in der Untersteiermark.

Marie Antoinette [-ãtwa'nɛt], Königin, → Maria 5).

Marie de France [-də 'frãs], älteste bekannte frz. Dichterin, lebte in der 2. Hälfte des 12. Jh., verfasste u. a. nach breton. Sagenstoffen Versnovellen (Lais; u. a. »Chievrefueil«, »Bisclavret«) über Liebesabenteuer und die erste frz. Fabelsammlung (»Esope«, entstanden wohl zw. 1170 und 1190).

Mariehamn (finn. Maarianhamina), die Hauptstadt der Ålandinseln, an der S-Küste der Hauptinsel, 10 400 Ew.; Museen, Seefahrtschule.

Mari El (bis 1992 Mari), Teilrep. innerhalb der Russ. Föderation, an der mittleren Wolga, 23 200 km², (1995) 766 200 Ew. (43 % Mari oder Tscheremissen, 48 % Russen, 6 % Tataren); Hptst. ist Joschkar-Ola; im O Hügelland, im W versumpfte Niederung; Forstwirtschaft, Ackerbau (Roggen, Kartoffeln, Flachs); Rinder-, Bienenzucht; bes. Holzind., Maschinen-, Elektroapparatebau.

Marie Louise [-lu'i:z], Kaiserin, → Maria 6).

Marienbad (tschech. Mariánské Lázně), Stadt im Westböhm. Bez., Tschech. Rep., an der SW-Abdachung des Kaiserwaldes, 628 m ü. M., 18 500 Ew.; Heilbad mit zahlr. Mineralquellen: alkalisch-salin., erdig-alkal. und reine Eisenwässer; seit 1609 genutzt; Museum (im Goethe-Haus). – Klassizist. Brunnentempel. – 1797 gegr.; 1818 zum Kurort erklärt; 1865 Stadtrecht.

Marienberg, 1) Krst. des Mittleren Erzgebirgskreises, Sachsen, auf einer Hochfläche im mittleren Erzgebirge, 600 m ü. M., 11 500 Ew.; Federnwerke, Holzindustrie. – Spätgot. Marienkirche (1558–64), Rathaus (1537–41), Zschopauer Tor (16. Jh.; Heimatmuseum). – 1521 wegen reicher Silberfunde (Bergbau bis Mitte 17. Jh.) mit regelmäßigem Grundriss angelegt; 1523 Stadtrecht.

2) → Bad Marienberg (Westerwald).

Marienbild, die Darstellung Marias, der Mutter Jesu, neben dem → Christusbild Hauptthema der christl. Kunst. Es begegnet bereits in der frühchristl. (seit dem 2. Jh.), dann v. a. in der byzantin. Kunst (seit dem 6. Jh.; → Ikone), von deren verschiedenen Typen das Abendland bes. den der thronenden, das Kind vor sich im Schoß haltenden Maria (Nikopoia) übernahm und in roman. Zeit weiterbildete. Die strenge Hoheit des M. der Romanik wich in got. Zeit den vermenschlichten Darstellungen der Gottesmutter. Einen Höhepunkt dieser Entwicklung bilden die Madonnen des → schönen Stils um 1400. Auch seit der Renaissance wurde meist das innige Verhältnis zw. Mutter und Kind geschildert, aber auch, v. a. auf großen Altarbildern, Maria als feierlich Thronende oder als himml. Erscheinung über Wolken schwebend (→ Sixtinische Madonna) dargestellt wie später in der Kunst des Barock. – Die im 12. Jh. in Byzanz aufkommenden Folgen des **Marienlebens** schildern die Ereignisse ihres Lebens (Fresken Giottos in Padua; Holzschnitte Dürers), die oft auch einzeln dargestellt wurden. In den Bildwerken der **Pietà** (Vesperbild) erscheint Maria mit dem toten Sohn im Schoß, in anderen Einzeldarstellungen als **Schutzmantelmadonna** (Gläubige mit ihrem Mantel umfangend), als **Maria im Rosenhag,** als **Immaculata** (Unbefleckte), **Assunta** (Darstellung der Himmelfahrt) und **Mater dolorosa** (Schmerzensmutter). BILDER u. a. Bellini, Bouts, Domenico Veneziano, Fröndenberg, Holbein d. Ä., Hosios Lukas, Buchmalerei, Ikone, Medaillon

📖 BLOCH, P.: *Madonnenbilder. Berlin ²1984.* – KOPP-SCHMIDT, G.: *Maria. Das Bild der Gottesmutter in der Buchmalerei. Freiburg im Breisgau u. a. 1992.*

Marienburg (poln. Malbork), Stadt in der Wwschaft Elbląg (Elbing), Polen, an der Nogat, 38 200 Ew.; Burgmuseum; Nahrungsmittel-, Textilind., Maschinenbau; Fremdenverkehr. – M. wurde neben der Ordensburg planmäßig angelegt, mit breiter Marktstraße und dem Rathaus (1365–80; im 15. Jh. umgebaut) im Mittelpunkt; im 2. Weltkrieg stark zerstört, danach wieder aufgebaut. Erhalten blieben Teile der Stadtmauern mit Töpfer- und Marientor (1352–83); spätgot. Johanniskirche (1468–1523). Die **Marienburg,** seit 1280 Konventssitz des Dt. Ordens, 1308–1457 Residenz des Hochmeisters, wurde nach fast völliger Zerstörung 1945 wieder aufgebaut. Die Burg (seit 1998 UNESCO-Weltkulturerbe) ist eine von einer Ringmauer mit Türmen umgebene Anlage mit Hochschloss (Konventshaus; Ende 13. Jh.), Wehrturm (nach 1344) und der bis 1344 fertig gestellten Marien- und Annenkapelle, Mittelschloss (Hochmeisterpalast, vollendet um 1400, Remter, um 1320) sowie Vorburg (vollendet Mitte 15. Jh.). – Die Siedlung M. erhielt 1276 Stadtrecht. 1772 fiel M. an Preußen und kam 1945 zu Polen.

Mariendichtung, poet. Darstellung um Maria, die Mutter Jesu, in allen ep., lyr. und dramat. Gattungen. Die Marienverehrung und damit die M. setzte sich zuerst im byzantin. Raum durch. Die lat. M. (»Ave maris stella«, 9. Jh.) entfaltete sich erst, als im 11. Jh. die kirchl. Verehrung Marias allg. wurde (»Salve regina«, 11./12. Jh.). In Dtl. entwickelte sich die M. in der Form des Hymnus (»Melker Marienlied«, um 1140), der Sequenz aus Muri (Ende 12. Jh.) und des »Arnsteiner Marienleichs« (1150), daneben stand vom spähöf. Minnesang beeinflusste spekulative Spruchlyrik (Reinmar von Zweter, Konrad von Würzburg, Frauenlob, Muskatblüt); sie wird im Meistersang allegorisch bis ins 16. Jh. weitergepflegt. Der Stoff der **Marienlegenden** stammt aus den apokryphen Evangelien. Die Romantik erneuerte die M. (C. Brentano, Novalis, J. von Eichendorff). Bei Annette von Droste-Hülshoff, R. M. Rilke, R. A. Schröder, R. J. Sorge, Ruth Schaumann, Gertrud von Le Fort, F. Werfel, R. Schneider und, im Rahmen des Renouveau catholique, bei P. Claudel erscheint M. als Ausdruck individueller Glaubenserfahrung.

Marienfaden, der → Altweibersommer.

Marienfeste, → Marienverehrung.

Marienglas, → Gips.

Marienkäfer (Glückskäfer, Herrgottskäfer, Coccinellidae), weltweit verbreitete Familie 1–12 mm großer, gut fliegender Käfer mit meist lebhafter Flecken- und Punktzeichnung. Die Imagines und Larven der meisten Arten fressen Blattläuse, Schildläuse u. a. kleine Insekten; einige Arten werden deshalb zur biolog. Schädlingsbekämpfung eingesetzt. Einheimisch u. a.: **Siebenpunkt** (Coccinella septempunctata), Flügeldecken rot, mit meist sieben schwarzen Punkten, **Vierzehnpunkt** (Coccinula quatuordecimpunctata), schwarz mit 14 gelben Flecken.

Marienkanalsystem, altes Kanalsystem in Russland, 1960–64 zum → Wolga-Ostsee-Wasserweg ausgebaut.

Marienleben, → Marienbild, → Mariendichtung.

Marienmantel, ein Rosengewächs, → Frauenmantel.

Marienthal, Wallfahrtsort im Rheingau, → Geisenheim.

Marienverehrung, Sammelbez. für alle Formen der privaten und öffentl. Verehrung Marias, v. a. in der kath. Kirche und den orth. Kirchen. Die M. entstand im Osten, von wo sie seit dem 6. Jh. in die westl. Kirche übernommen wurde. Das → Ave-Maria wurde hier neben dem Vaterunser zum am weitesten verbreiteten Gebet. Im Hoch-MA. breitete sich die M. stark aus. Zeugnisse sind eine von ihr inspirierte Mystik, die → Mariendichtung, ein ausgedehntes Wallfahrtswesen (→ Lourdes, → Fátima) und – in Zusammenhang mit den Marienfesten – ein vielgestaltiges Brauchtum. Wichtigstes Marienfest in der kath. Kirche ist das Hochfest der Aufnahme Marias in den Himmel (15. 8., → Himmelfahrt Mariä); in den orth. Kirchen das Fest des Entschlafens der Gottesmutter (15. 8.), urspr. auf das zw. dem 25. 12. (Geburt Jesu) und 6. 1. (Epiphanie) gefeierte älteste Marienfest (4. Jh.) zurückgehend.

📖 Brems, F. J.: *Marienwallfahrtsorte in Europa. München 1994.*

Marienwerder, Stadt in Polen, → Kwidzyn.

Marignano [mariˈɲa:no], italien. Stadt, → Melegnano.

Marihuana [auch -x-; wohl von span. »Maria Juana« als Deckname] *das,* → Haschisch.

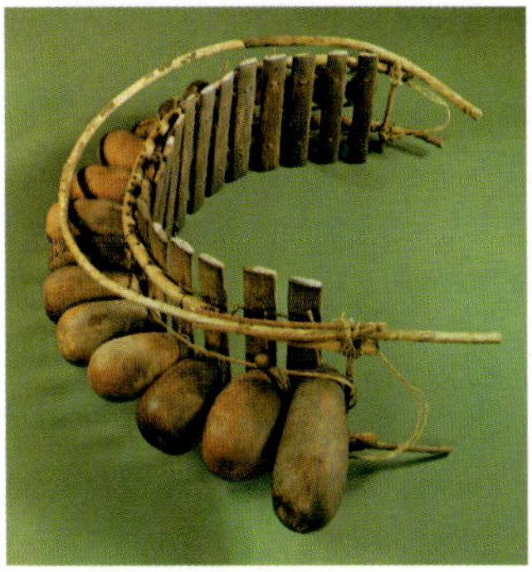

Marimba aus Westafrika (Berlin, Museum für Völkerkunde)

Marimba [afrikan.-span.] *die,* xylophonartiges Schlaginstrument, besteht aus Hartholzstäben verschiedener Größe und Stimmung, die auf einem Rahmen ruhen und unter denen sich i. d. R. je ein Resonator (urspr. Kalebassen, heute Metallröhren) befindet. Der Anschlag erfolgt mit weichen Schlägeln. Die M. ist afrikan. Ursprungs und kam mit den Sklaven über Mittelamerika in die USA, wo sie nach 1910 unter der Bez. **Marimbaphon** zum Orchesterinstrument ausgebaut wurde (Tonumfang $c–c^4/c^5$).

marin [lat.], das Meer betreffend.

Marinade [frz.] *die* (Beize), mit Gewürzen und Kräutern versehene saure Flüssigkeit auf Basis von Essig, Sauermilch, Buttermilch oder Zitronensaft. Auch Salatsaucen werden als M. bezeichnet.

Marine [lat.] *die,* die dem Seehandel (Handels-M., Handelsflotte, → Schifffahrt) und der Seekriegführung (→ Kriegsmarine) eines Staates dienenden Schiffe und Einrichtungen.

Marineflieger, in Dtl. übl. Bez. für die Seeluftstreitkräfte.

Marineinfanterie, für die Durchführung v. a. amphib. Operationen ausgebildete und mit entsprechendem Gerät (Landungsschiffe und -boote, Amphibienfahrzeuge) ausgerüstete Truppe, i. d. R. Teil der Kriegsmarine eines Staates. M.-Verbände gelten meist als Elitetruppen.

Marinemalerei, → Seestück.

Mariner [ˈmærɪnə, engl.], Name einer Serie von zehn amerikan. Raumsonden (1962–73) zur Erforschung von Venus (M. 1, 2, 5, 10), Merkur (M. 10) und Mars (M. 3, 4, 6–9). Die Sonden M. 1, 3 und 8 konnten infolge techn. Mängel ihre Mission nicht erfüllen.

mariner Erzbergbau, der → Meeresbergbau.

Marienkäfer (von oben): Siebenpunkt (Länge 6–8 mm), Vierzehnpunkt (Länge bis zu 4,5 mm) und Larve des Siebenpunkt

Filippo Tommaso Marinetti

Giambattista Marino

Marineschulen, →Schulen der Bundeswehr.

Marinetti, Emilio Filippo Tommaso, italien. Schriftsteller, *Alexandria 22. 12. 1876, †Bellagio 2. 12. 1944; wurde mit seinem am 20. 2. 1909 im »Figaro« veröffentlichten »Manifeste du futurisme« zum Begründer des →Futurismus. Als Gegner des Ästhetizismus suchte er nach einer der techn. Entwicklung angemessenen Sprache. Technikgläubigkeit und extremer Individualismus führten zu faschist. Positionen (»Futurismo e fascismo«, 1924).

Marini, Marino, italien. Bildhauer und Grafiker, *Pistoia 27. 2. 1901, †Viareggio 6. 8. 1980. Hauptthemen waren der weibl. Akt und der nackte Reiter (aus Holz oder Bronze), die Oberfläche seiner Bildwerke belebte er durch starke Bearbeitungsspuren, auch durch Gold und Farben.

Marinismus *der,* Stil der italien. Barockdichtung mit gesuchten sprachl. Wendungen und dunkler, metaphorisch überladener Ausdrucksweise sowie größter formaler Virtuosität, ben. nach dem Dichter G. Marino; in Dtl. z. B. von C. Hofmann von Hofmannswaldau und D. C. von →Lohenstein vertreten.

Marino (Marini), Giambattista, italien. Dichter, *Neapel 18. 10. 1569, †ebd. 25. 3. 1625; lebte 1615–23 am frz. Hof. Sein Hauptwerk, das Epos »L'Adone« (1623), erzählt in 20 Gesängen (45 000 Versen) die Geschichte von Venus und Adonis in üppigem, metaphernreichem Stil, den auch seine Sonette, Madrigale und Idyllen zeigen (→Marinismus).

Mariologie *die,* in den christl. Kirchen seit dem 5. Jh. die theolog. Reflexion, Begriffs- und Lehrbildung zur Gestalt Marias. (→Gottesgebärerin; →Jungfrauengeburt; →Himmelfahrt Mariä)

Marionette [frz., eigtl. »Mariechen«] *die,* **1)** *Theater:* Gliederpuppe, die im Unterschied zu →Handpuppen an Fäden, Stangen oder Drähten von oben oder unten geführt wird und einen untergliederten Körper besitzt. Der Spieler führt die M. mithilfe des Spiel- oder Führungskreuzes oder Rahmens, an dem die Fäden befestigt sind. Die traditionelle europ. M. war vornehmlich aus Holz und Textilien gebaut und nicht selten über 1 m groß. Heute ist sie meist viel kleiner und besteht aus unterschiedlichen plast. Materialien. – Früheste Beispiele solcher M. finden sich im grch.-byzantin. Kulturkreis und im antiken Rom. (→Figurentheater)

2) *übertragen:* unselbstständiger, von einem anderen als Werkzeug benutzter Mensch.

Marionette 1): Figuren der »Augsburger Puppenkiste« in Szenenbildern aus »Bill Bo und seine Kumpane« (links) und »Apollo und Hyacinth«

Mariotte [mar'jɔt], Edme, frz. Physiker, *Dijon (?) um 1620, †Paris 12. 5. 1684; arbeitete u. a. zur Hydro- und Aerostatik und entdeckte den blinden Fleck des Auges. Mithilfe des (von R. Boyle entdeckten) →Boyle-Mariotte-Gesetzes stellte M. die barometr. Höhenformel auf.

Maris, niederländ. Maler, drei Brüder: Jacob M. (*Den Haag 25. 8. 1837, †Karlsbad 7. 8. 1899), malte, v. a. von Corot und der Schule von Barbizon beeinflusst, die lichte Weite der holländ. Landschaft; Matthijs M. (*Den Haag 17. 8. 1839, †London 22. 8. 1917), schuf, angeregt von dt. Malern der Romantik und den Präraffaeliten, Stimmungslandschaften und figürl. Bilder. Die Bilder Willem M.s (*Den Haag 18. 2. 1844, †ebd. 10. 10. 1910) zeichnen sich bes. durch die differenzierte Wiedergabe des Wechselspiels von Licht und Schatten aus.

Marisat ['mærɪsæt], Abk. für engl. **Mari**time Communication **Sat**ellite, aus drei geostationären amerikan. Fernmeldesatelliten bestehendes System für den kommerziellen Schiffsverkehr; urspr. für die amerikan. Marine; gestartet 1976 und positioniert über dem Atlant., Pazif. und Ind. Ozean. Nachfolger sind →Marecs und →INTELSAT.

Marismas, Las [span. »Marschland«] *Pl.,* das Mündungstiefland des Guadalquivir in SW-Spanien, etwa 1 400 km² groß, unterhalb von Sevilla; im östl. Teil trockengelegt (Reis-, Baumwollanbau); Zentrum und W weitgehend im urspr. sumpfigen Zustand. Im südwestl. Teil der M. der Nationalpark Coto de →Doñana.

Marisol, eigtl. M. Escobar, amerikan. Bildhauerin venezolan. Herkunft, *Paris 22. 5. 1930; gestaltet in satir. Weise unter Verwendung realer Gegenstände des Alltags z. T. bemalte Skulpturen aus Holz, Gips und Sandstein.

Maritain [mari'tɛ̃], Jacques, frz. Philosoph, *Paris 18. 11. 1882, †Toulouse 28. 4. 1973; war 1945–48 frz. Botschafter beim Vatikan, ab 1948 Prof. an der Princeton University (USA); bed. Vertreter des Neuthomismus, suchte die Metaphysik auf scholast. Grundlage neu zu begründen.

Werke: Von der christl. Philosophie (1933); Christl. Humanismus (1936); Wahrheit und Toleranz (1957).

maritim [lat.], Meer und Schifffahrt betreffend.

Maritza *die* (bulgar. Mariza, Marica, grch. Evros, türk. Meriç, im Altertum Hebros), Fluss auf der Balkanhalbinsel, 525 km lang, entspringt im Rilagebirge, Bulgarien, bildet westlich von Edirne die bulgarisch-grch. und dann die türkisch-grch. Grenze, mündet ins Ägäische Meer.

Mariupol (1948–89 Schdanow), Hafen- und Ind.stadt im Gebiet Donezk, Ukraine, an der Bucht von Taganrog (Asowsches Meer), 515 000 Ew.; chem. Ind., Eisenhüttenwerke, Schwermaschinenbau.

Marius, Gaius, röm. Feldherr, * Cereatae bei Arpinum (heute Arpino) 156 v. Chr., † Rom 13. 1. 86 v. Chr.; entstammte dem volsk. Landadel, war achtmal Konsul (107, 104–100, 86), führte 107 Krieg gegen Jugurtha, den er mithilfe Sullas 105 erfolgreich beendete; besiegte 102 die Teutonen bei Aquae Sextiae (Aix-en-Provence) und 101 die Kimbern bei Vercellae (Vercelli, Piemont). Im 1. Bürgerkrieg von seinem Nebenbuhler Sulla geächtet; floh nach Afrika, kehrte aber 87 zurück, eroberte mit Cinna Rom, wo er blutige Rache übte.

Marivaux [mari'vo], Pierre Carlet de Chamblain de, frz. Schriftsteller, * Paris 4. 2. 1688, † ebd. 12. 2. 1763; entwickelte mit seinen psychologisch motivierten Liebeskomödien diese Gattung weiter (»Das Spiel von Liebe und Zufall«, 1730; »Die falschen Vertraulichkeiten«, 1737); Hauptvertreter der Empfindsamkeit und zugleich Vorläufer des realistisch-analyt. Romans (»Das Leben der Marianne«, 11 Tle., 1731–42; »Der emporgekommene Landmann«, 5 Tle., 1734/35).

📖 DELOFFRE, F.: *M. et le Marivaudage. Une préciosité nouvelle.* *Genf* ^{3}*1993.*

Mark [ahd. marcha »Grenze«] *die,* **1)** (Grenzmark) in karoling. und otton. Zeit Grenzräume im Vorland des Fränk. bzw. Hl. Röm. Reiches, die das Reichsgebiet sicherten. Unter den ersten Karolingern entstanden im W die Breton. M., im SW die Span. M., im SO die M. Friaul und die Pannon. (Awar.) Mark. Ende des 9. Jh. baute Otto I., d. Gr., das System der M. v. a. im O aus. Im N wurde die Elb-M. gebildet, die dann in die Nord-M., die sächs. Ost-M. (später M. Lausitz) und die M. Meißen geteilt wurde. Aus der Nord-M. entstand die M. Brandenburg (häufig abgekürzt nur M. gen.; daher märkisch für brandenburgisch). Aus der bayer. Ost-M. entstand die Markgrafschaft (ab 1156 Herzogtum) Österreich. Die M. unterstanden →Markgrafen, die zu herzogähnl. Stellung aufsteigen konnten.

2) ehem. Grafschaft in Westfalen; entstand 1160/61 durch Bildung einer Nebenlinie der Grafen von Berg; nach Erwerb des Herzogtums Kleve (1368) sowie der Herzogtümer Jülich und Berg (1511/21) Verbindung dieser Territorien in Personalunion; Kleve-M. fiel im →Jülich-Kleveschen Erbfolgestreit 1614 an Brandenburg.

3) (Dorfmark, Feldmark) in germanisch-frühmittelalterl. Zeit gemeinschaftlich (→Markgenossenschaft) genutzter Grund und Boden (Allmende).

Mark [von Marke, eigtl. »gestempeltes Metall«] *die,* **1)** *Messwesen:* (Gewichtsmark) urspr. nordgerman. Massemaß, das im 11. Jh. das ältere Pfund als Edelmetall- und Münzgewicht verdrängte (1 Pfund = 2 M.; später schwankend). 1524–1857 wurden alle dt. Münzgewichte nach der Kölner M. (233,85 g) gerechnet. Die **feine M. (lötige M.)** war die M. Feingold oder -silber, die **raue M.** entsprach der M. des legierten Münzmetalls, mit dem auch geprägt wurde. Nach ursprüngl. Übereinstimmung von Gewichts- und **Zähl-M.** wurde durch Münzverschlechterung Letztere zur Rechnungsgröße für 160 Stück (Pfennige).

2) *Münzwesen:* Währungsnominal, als Münze erstmals 1506 im Wend. Münzverein ausgeprägt (lüb. M.), 1 M. = 16 Schillinge = 192 Pfennige; in Skandinavien wurde die M. so übernommen (in Schweden 1 M. = 8 Öre). Die Hamburger **Banco-M.** war lediglich die nicht ausgeprägte Rechnungsmünze der Hamburger Bank. Nach der Reichseinigung (1871) wurde 1873 mit der Goldwährung auch die dezimal unterteilte M. als Währungsnominal für das Dt. Reich eingeführt, 1 M. = 100 Pfennige. Die Silbermünzen bis 5 M. waren Scheidemünzen. Zur Überwindung der Inflation wurde 1923 die **Renten-M.** geschaffen, die 1924 von der **Reichs-M.** abgelöst wurde. Mit der Währungsreform vom 21. 6. 1948 wurde die **Deutsche M.** geschaffen (in der DDR 1964–67 **M. der Deutschen Notenbank,** 1968–90 **M. der DDR**).

Mark [zu ahd. mar(a)g »Gehirn«] *das,* **1)** *Anatomie:* (Medulla) zentraler Teil bestimmter Organe, der sich histologisch und funktionell vom peripheren (oft Rinde gen.) Organteil unterscheidet; z. B. Nebennieren-, Knochen- oder Rückenmark.

2) *Botanik:* das innerste Achsengewebe von Spross und Wurzel der Pflanzen, besteht meist aus Parenchym.

3) *Lebensmittelkunde:* Konzentrat ohne Schale und Kerne aus passierten Früchten.

Marka (Merca), Regionshptst. in Somalia, Hafen an der südl. Küste, 60 000 Ew.; Nahrungsmittelind., Fischerei.

Markab [arab.], Stern 2. Größe, der Stern α im Sternbild Pegasus.

markant [frz.], hervorstechend ausgeprägt.

Mark Anton, röm. Staatsmann, →Antonius.

Markasit [aus arab.] *der,* messinggelbes Mineral, FeS_2, rhomb. Modifikation des Pyrits (geht oberhalb 400 °C in diesen über); M. bildet neben tafeligen oder flachprismat. Kristallen speerspitzenähnl.

Pierre Carlet de Chamblain de Marivaux

Marino Marini: »Gaukler« (1938; Hannover, Niedersächsisches Landesmuseum)

Jacques Maritain

Zwillinge und Vierlinge **(Speerkies)** und kammähnl. Gruppen **(Kammkies),** ferner grobstrahlige bis feinfaserige Aggregate **(Strahlkies)** und dichte Massen **(Leberkies).** M. entsteht hydrothermal und sedimentär (→Konkretionen und knollige Lagen in Tonen, Kreidekalken und Kohlen).

Markasit: Strahlkies in linsenförmiger Konkretion mit radialer Struktur, eingewachsen in stahlblauen Tonschiefer

Mark Aurel (Marcus Aurelius Antoninus), röm. Kaiser (161–180 n. Chr.), *Rom 26. 4. 121, †Vindobona (heute Wien) 17. 3. 180; übernahm 161 nach dem Tod seines Adoptivvaters Antoninus Pius die Herrschaft mit seinem Adoptivbruder Lucius Verus (†169), ab 177 mit seinem Sohn Commodus. M. A. besiegte die Parther (162–166); außerdem gelang es ihm, die Einfälle der →Markomannen (166–180) abzuwehren und die Donaulinie zu behaupten. M. A. hat in den von der →Stoa beeinflussten »Selbstbetrachtungen« seine Gedanken über Weltgeschehen, Menschenliebe und Unbeständigkeit des Daseins aufgezeichnet.

📖 SCHALL, U.: *M. A. Der Philosoph auf dem Cäsarenthron. Neuausg. Frankfurt am Main u. a. 1995.* – ROSEN, K.: *M. A. Reinbek 1997.*

Mark-Aurel-Säule, die dem Kaiser Mark Aurel zw. 180 und 193 errichtete, jetzt 42 m hohe Ehrensäule auf der Piazza Colonna in Rom. Das spiralförmig um den Schaft laufende Reliefband schildert Szenen aus den Kriegen des Kaisers. Bei der 1589 vorgenommenen Restaurierung verlor der Sockel seinen Reliefschmuck und wurde (anstelle des verlorenen Standbilds des Mark Aurel) mit einer Statue des Apostels Paulus bekrönt.

Marke [frz.], *Datenverarbeitung:* das →Label.

Marke [kelt. mark »Pferd«], in der Sage von Tristan und Isolde ein König von Cornwall, Gemahl der Isolde und Onkel des Tristan.

Marken, im Geschäftsverkehr benutzte Mittel zur Kennzeichnung von Waren oder Dienstleistungen eines bestimmten Unternehmens mit dem Ziel, diese Produkte von denen anderer Unternehmen zu unterscheiden. Durch Eintragung in das M.-Register beim Dt. Patentamt in München wird ein Schutzrecht an einer M. erworben.

Die von der EU am 21. 12. 1988 erlassene erste M.-Richtlinie hatte die Harmonisierung der Rechtsvorschriften über M. bei allen Mitgl.-Staaten zum Ziel. In Umsetzung dieser Richtlinie wurde das nat. Kennzeichnungsrecht reformiert. Das neue dt. M.-Gesetz (MarkenG) ersetzt das bisherige Warenzeichengesetz und trat am 1. 1. 1995 in Kraft. Es steht im Einklang mit dem am 28. 10. 1994 abgeschlossenen M.-Rechtsvertrag der Weltorganisation für geistiges Eigentum (WIPO) in Genf und dem Abkommen über handelsbezogene Aspekte von Schutzrechten für geistiges Eigentum der Welthandelsorganisation, das am 1. 1. 1995 in Kraft trat.

Das MarkenG enthält alle Vorschriften über den Schutz von M. und von sonstigen im geschäftl. Verkehr benutzten Kennzeichen (Unternehmenskennzeichen und Werktitel) und geograph. Herkunftsangaben. Über die bislang schon durch Eintragung in die beim Patentamt geführte Zeichenrolle (jetzt **M.-Register**) eintragungsfähigen Wort-, Bild- und kombinierten Wort-Bild-Zeichen hinaus sind künftig alle zur Unterscheidung geeigneten Zeichen zur Eintragung als M. zugelassen. Weiter lassen sich Personennamen, Abbildungen der Ware, Hörzeichen, dreidimensionale Ge-

Mark Aurel: Goldbüste, Höhe 33,5 cm (2. Hälfte des 2. Jh. n. Chr.; Avenches, Musée romain)

staltungen im M.-Register eintragen. Nicht eintragungsfähig sind die Angaben über Art, Zeit und Ort der Herstellung, über die Beschaffenheit u. Ä. Dem M.-Inhaber ist grundsätzlich jede Benutzung im geschäftl. Verkehr erlaubt, so z. B. auch das Recht, seine M. auf Kennzeichnungsmitteln wie Etiketten oder Aufnähern zu verwenden. Seit 1992 gilt überdies die freie Übertragbarkeit von M.-Rechten **(M.-Lizenzen).** Das Widerspruchsverfahren, das Inhaber bereits eingetragener oder angemeldeter M. geltend machen können, findet statt, nachdem die neu angemeldete M. eingetragen worden ist.

Seit dem 1. 1. 1996 lässt sich eine M. als **Gemeinschafts-M.** anmelden, wodurch sie einheitl. Schutz auf dem gesamten Gebiet der Europ. Union bietet. Die Anmeldung erfolgt beim Harmonisierungsamt für den Binnenmarkt (HABM) in Alicante (Spanien), das ein Gemeinschaftsmarkenregister führt. Dem einheitl. M.-Schutz auf EU-Ebene dient auch die Markenpiraterie-VO vom 22. 12. 1994, die das In-Verkehr-Bringen von Waren in der EU verbietet, die rechtswidrig mit der M. eines Dritten versehen werden.

📖 ILZHÖFER, V.: *Patent-, Marken- u. Urheberrecht. München ^{2}1996.* – BERLIT, W.: *Das neue Markenrecht. München ^{2}1997.*

Marken (italien. Marche), Region in Italien zw. Apennin und Adriat. Meer, umfasst die Prov. Ancona, Ascoli, Piceno, Macerata und Pesaro e Urbino, 9 694 km², (1995) 1,442 Mio. Ew.; Hauptstadt ist Ancona; landwirtsch. Nutzung (Weizen, Wein, Obst u. a.), in höheren Lagen Weidewirtschaft; vor der Küste Erdgasvorkommen. – Die M., von Pippin (754) und Karl d. Gr. (774) den Päpsten geschenkt, gehörten bis 1860 zum Kirchenstaat.

Marken|artikel (Markenwaren), Erzeugnisse für den differenzierten Massenbedarf, die unter →Marken vertrieben werden, um ihre Herkunft von einem bestimmten Hersteller oder einem Handelsbetrieb zu kennzeichnen und dem Käufer gegenüber für gleich bleibende Ausstattung und Aufmachung sowie hohe Qualität zu bürgen. Weitere, durch eine entsprechende **Markenpolitik** gestaltete Kennzeichen eines M. sind Bekanntheitsgrad und Marktgeltung, ein produktadäquates Absatzsystem (häufig mit entsprechender Serviceleistung) sowie intensive, sich gegenüber anonymer Ware abgrenzende Werbung. Für M. sind unverbindl. Preisempfehlungen zulässig.

Markenverband e. V., 1902 als **Verband der Fabrikanten von Markenartikeln** in Berlin gegründete Vereinigung; Sitz: Wiesbaden; berät in rechtl., wirtsch. und techn. Fragen bei Herstellung und Vertrieb von Markenartikeln.

Marker *der, Medizin:* biolog. Substanz (Enzym, Hormon, Protein), deren vermehrtes Vorkommen im Blut oder im Gewebe einen Hinweis auf krankhafte Prozesse im Organismus gibt, z. B. →Tumormarker.

Märker, 1) Bewohner der Mark →Brandenburg.

2) Bewohner der westfäl. Grafschaft →Mark.

Markerwaard, geplanter Polder des IJsselmeeres, Niederlande, 560 km², Eindeichung 1963 bis Anfang der 80er-Jahre, aus Umweltschutzgründen nicht fertig gestellt.

Marketender [italien.] *der,* Händler (häufig Frauen), der den Truppen im Krieg und Manöver Lebens-, Genussmittel und Bedarfsgüter verkaufte; von Bedeutung, solange die Soldaten sich selbst versorgen mussten.

Marketerie [frz.] *die,* eine Furniertechnik, →Intarsien.

Marketing [ˈmɑːkətɪŋ, engl.] *das,* urspr. die Gesamtheit der Maßnahmen, die unmittelbar auf Verkauf, Vertrieb und Distribution von Gütern gerichtet sind (insofern gleichbedeutend mit Absatz), heute eine unternehmer. Konzeption, die davon ausgeht, dass sich alle Unternehmensaktivitäten zur optimalen Erfüllung der Unternehmensziele am Markt zu orientieren haben. M. ist somit die systemat. Ausrichtung aller Unternehmensfunktionen an den Bedürfnissen der Abnehmer (Kundenorientierung). Zur Erfüllung der M.-Ziele bedienen sich die Unternehmen der M.-Instrumente zur Erschließung, Beeinflussung und Gestaltung eines Marktes wie Marktforschung, Produkt- und Preispolitik, Werbung, Verkaufsförderung und Distribution. Ihr kombinierter, aufeinander abgestimmter Einsatz wird als **M.-Mix** bezeichnet.

Je nach Bezugsmarkt wird zw. **Beschaffungs-M.** und **Absatz-M.** unterschieden. M.-Prinzipien wurden seit Anfang der 1960er-Jahre zunächst in der Konsumgüterind. und im Handel **(Konsumgüter-M.)** verwirklicht, in zunehmendem Maße auch auf Investitionsgüter- **(Investitionsgüter-M.)** und Dienstleistungsunternehmen **(Dienstleistungs-M.)** sowie auf den Arbeitsmarkt **(Personal-M.)** ausgedehnt. Unter **Social-M. (Sozio-M.)** wird der Einsatz von M.-Techniken für immaterielle Güter oder in nichtkommerziellen Institutionen (öffentl. Verwaltung, Parteien, Verbände, Sport- und Kultureinrichtungen, freie Wohlfahrtspflege) verstanden.

📖 MEFFERT, H.: *M. Wiesbaden ^{7}1986, Nachdr. ebd. 1990.* – TIETZ, B.: *M. Düsseldorf ^{3}1993.* – MÜLLER-HAGEDORN, L.: *Einführung in das M. Darmstadt ^{2}1996.* – SCHEUCH, F.: *M. München ^{5}1996.* – NIESCHLAG, R. *u. a.: M. Berlin ^{18}1997.*

Igor Markevitch

Markevitch [-vitʃ], Igor, italien. Komponist und Dirigent russ. Herkunft, *Kiew 27. 7. 1912, †Antibes (Frankreich) 7. 3. 1983; leitete u. a. 1973–75 Chor und Orchester der Accademia Nazionale di Santa Cecilia in Rom. Als Dirigent von Weltruf setzte er sich bes. für Werke zeitgenöss. Komponisten, v.a. I. Strawinskys, ein.

Werke: Ballett: »L'envol d'Icare« (1933). – Oratorium: »Le Paradis perdu« (1935).

Markfruchtbaum (Ostind. Tintenbaum, Semecarpus anacardium), südostasiat. Sumachgewächs. Die auf fleischigem, herzförmigem Stiel sitzende Frucht **(Marknuss)** besitzt jung eine mit tintenartigem Saft gefüllte dicke Fruchtwand.

Markgenossenschaft, histor. Siedlungsverband (z.B. Dörfer in einem Tal) mit gemeinsamer Wirtschafts- und Rechtsordnung: u.a. Gemeineigentum am landwirtsch. genutzten Boden (Dorf-, Feldmark), Märkerversammlung und Märkergericht; seit dem MA. durch die Grundherrschaft zersetzt und zurückgedrängt.

Markgraf, urspr. im Fränk. Reich (unter Karl d. Gr.) ein als königl. Beamter mit gräfl. oder herzogl. Befugnissen ausgestatteter militär. Befehlshaber in einer Grenzmark **(Markgrafschaft).** Im Hl. Röm. Reich unter den Liudolfingern (919–1024) entstanden neue Markgrafschaften (→Mark 1), deren Inhaber später z.T. die Landesherrschaft errangen und zu Reichsfürsten (die M. von Brandenburg und Meißen zugleich zu Kurfürsten) aufstiegen.

Markgräfler Land, histor. Landschaft zw. dem Rheinknie bei Basel und dem Breisgau; Obst- und Weinbau (v.a. Gutedel).

Markgröningen, Stadt im Landkr. Ludwigsburg, Bad.-Württ., 13900 Ew.; Heimatmuseum; Metallverarbeitung, Textilveredelung. – Maler. Stadtbild. – 779 erstmals erwähnt, Mitte des 13. Jh. Reichsstadt.

Hubert Markl

markierte Verbindungen, chem. Verbindungen, in denen bestimmte Atome durch radioaktive Isotope (z.B. die Betastrahler Tritium, ^{3}H, Kohlenstoff-14, ^{14}C) oder schwere Isotope (z.B. Sauerstoff-18, ^{18}O, schwerer Wasserstoff, ^{2}H) ersetzt sind **(Isotopenmarkierung),** sodass sie z.B. durch ihre Strahlung oder aufgrund ihrer größeren Masse durch Massenspektrometrie nachgewiesen werden können. M. V. haben Bedeutung bei der Aufklärung von Reaktionsabläufen in der organ. Chemie, bei der Bestimmung der Löslichkeit schwer lösl. Verbindungen und bei der Untersuchung techn. Prozesse (z.B. bei Mischvorgängen).

Markierung, 1) *Biologie:* die Kennzeichnung von einzelnen Tieren, z.B. durch Plastikmarken bei Fischen, Beringung bei Vögeln zur Erkennung ihrer Wanderungen.

2) *Medizin:* die Kennzeichnung einer Substanz zur Sichtbarmachung z.B. von immunolog. oder Stoffwechselprozessen, v.a. im Rahmen der Krankheitsdiagnostik. Als M.-Stoffe (Tracer) werden Fluoreszenzfarbstoffe, Radionuklide oder Enzyme eingesetzt.

3) *Verhaltensforschung:* →Markierverhalten.

Markierungsgene, Gene, deren Lokalisation auf dem Chromosom und deren Wirkung bekannt sind und von denen aus die Lage und Verteilung der anderen Gene festgelegt werden können oder durch die ein bestimmtes Chromosom nachgewiesen werden kann.

Markierverhalten, in der Verhaltensforschung Bez. für Verhaltensweisen zur Kennzeichnung und Abgrenzung eines Territoriums **(Reviermarkierung;** kann optisch, akustisch und durch Absetzen von Duftmarken erfolgen), bei Säugetieren vielfach auch zur Kennzeichnung von Artgenossen (Jungtiere und Geschlechtspartner).

Markirch, Stadt im Oberelsass, →Sainte-Marie-aux-Mines.

Märkischer Kreis, Kreis im RegBez. Arnsberg, NRW, 1059 km², (1997) 459500 Ew.; Krst. ist Lüdenscheid.

Märkische Schweiz, seen- und waldreiche Hügellandschaft in Brandenburg, östlich von Berlin, im O des Barnim; größter See ist der Scharmützelsee (13,8 km², bis 29 m tief); Mittelpunkt ist Buckow.

Märkisch-Oderland, Landkreis in Brandenburg, 2128 km², (1997) 175000 Ew.; Krst. ist Seelow.

Markise [frz.] *die,* Sonnenschutzdach aus strapazierfähigem Gewebe oder Kunststoff.

Markka *die,* →Finnmark.

Mark|kleeberg, Stadt im Landkreis Leipziger Land, Sachsen, am südl. Stadtrand von Leipzig, an der Pleiße, 21100 Ew.; Maschinenbau, Kunststoff-, Süßwarenind.; Braunkohlentagebau. – 1934 durch Zusammenlegung mehrerer Gem. entstanden.

Markl, Hubert, Zoologe, *Regensburg 17. 8. 1938; Prof. in Darmstadt und Konstanz. 1986–91 Präs. der Dt. Forschungsgemeinschaft und Vize-Präs. der Alexander-von-Humboldt-Stiftung; 1993–95 Präs. der Berlin-Brandenburg. Akademie der Wiss.; seit 1996 Präs. der Max-Planck-Gesellschaft.

Marknagelung, *Medizin:* →Osteosynthese.

Markneukirchen, Stadt im Vogtlandkreis, Sachsen, im Vogtland, 500 m ü.M., 7400 Ew.; Musikinstrumentenbau. – Paulusschlössel (18. Jh.; Museum für Musikinstrumente). – Das um 1200 gegr. Dorf erhielt 1350 Stadtrecht. Unter den böhm. Glaubensflüchtlingen (Mitte 17. Jh.) waren zahlreiche Geigenbauer.

Marknuss, die Frucht des →Markfruchtbaums.

Marko, serb. Fürst, →Kraljević Marko.

Markomannen [»Mark- oder Grenzleute«], elbgerman. Stamm, der 9–6 v.Chr. von →Marbod nach Böhmen geführt wurde, wo er Mittelpunkt eines mächtigen Völkerbundes wurde. Nach dem Zusammenbruch des Marbodreiches (17–19 n. Chr.) standen die M. in loser Abhängigkeit von Rom. Als sie im Zuge der 1. german. Völkerwanderung die Donau überschritten, kam es 166–180 zu schweren Kämpfen mit den Römern, die sie unter Führung von Mark Aurel abwehrten **(M.-Kriege).** Nach dem 4. Jh. wurden die M. kaum noch gen.; sie gingen in den german. Stämmen Böhmens auf; Teile siedelten sich (nach archäolog. Zeugnissen) im 5. Jh. im Rhein-Main-Gebiet an.

Andrei Markow: zeitgenössische Kohlezeichnung

Markow, Andrei Andrejewitsch, russ. Mathematiker, *Rjasan 14. 6. 1856, †Petrograd (heute Sankt Petersburg) 20. 7. 1922; bed. Beiträge zur Wahrscheinlichkeitsrechnung (u. a. Beweis der klass. Grenzwertsätze, Untersuchung der Folgen von Zufallsvariablen) sowie zur Analysis. Die **M.-Kette** ist ein spezieller stochast. Prozess, der nur von gegenwärtigen, nicht aber von vergangenen Werten abhängt; er spielt eine Rolle in der kinet. Gastheorie und bei radioakt. Zerfallsprozessen.

Markowitz ['mɑːkəʊ-], Harry M., amerikan. Betriebswirtschaftler, *Chicago 24. 8. 1927; Prof. an der City Univ. of New York; Begründer der Portfoliotheorie (→Portfolio Selection); erhielt 1990 zus. mit M. H. Miller und W. Sharpe für Forschungen zur betriebl. Finanzierungstheorie und zur Theorie der Finanzmärkte den Nobelpreis für Wirtschaftswissenschaften.

Markscheide, **1)** *Anatomie:* (Myelinscheide) aus fettähnl. Substanzen und Eiweißen aufgebaute Umhüllung von Nervenfasern.

2) *Bergbau:* Grenze eines Bergbauareals über und unter Tage. Die **M.-Kunde (M.-Wesen)** ist die bergbaul. Vermessungskunde, die sich v. a. mit der Festlegung der Grubenräume und deren Nachweis im Grubenrisswerk befasst.

Markstammkohl, Form des Gemüsekohls mit bes. kräftiger, stammähnl. Sprossachse (bis 10 cm dick und 2 m hoch); eiweißreiche Futterpflanze, selten als Gemüse verwendet.

Markt [zu lat. mercatus »Handel«], **1)** *allg.:* (Marktplatz, grch. Agora, lat. Forum) als topograph. Begriff seit der Antike der Ort einer Siedlung, an dem sich das öffentl. Leben abspielte, bes. der für den Tausch oder Verkauf von Waren vorgesehene Platz. In frühester Zeit konzentrierte sich der Handel an Schnittpunkten wichtiger Verkehrswege, an Flussübergängen und in der Nähe von religiösen und polit. Zentren. In der Antike und im MA. spielte der M.-Platz eine wesentl. Rolle bei der Entwicklung des Städtewesens. Die M.-Plätze liegen meist in der Mitte der Stadt; im MA. standen hier oft die wichtigsten städt. Verwaltungs- und Wirtschaftsgebäude sowie Patrizierhäuser, oft auch die Kirche. Größere Städte verfügten häufig über mehrere M.-Plätze (Wochen- oder Jahrmärkte) oder M.-Straßen für versch. Erzeugnisse (z. B. Vieh-, Gemüse-, Fischmärkte).

2) *Recht:* (Marktflecken) urspr. größere Siedlung, die sich von Dörfern durch besondere Leistungen als M. mit M.-Gerichtsbarkeit unterschied, ohne jedoch weitere Merkmale einer Stadt zu besitzen. – Einzelne Gemeindeordnungen erlauben heute, bestimmten Gemeinden den Titel **M.-Gemeinde** beizufügen, vielfach verkürzt zu »M.« (z. B. in Bayern).

3) *Wirtschaftswissenschaften:* ökonom. Ort des Tausches eines wirtsch. Gutes, ohne dass eine örtlich oder zeitlich festzustehende M.-Veranstaltung vorzuliegen braucht. In Marktwirtschaften treffen auf dem M. Angebot und Nachfrage aufeinander. Der Ausgleich zw. Angebot und Nachfrage vollzieht sich über die →Preisbildung. Der M. für ein bestimmtes Gut (z. B. Arbeits-, Waren-, Kapital-, Geld-M.) zerfällt i. d. R. in zahlr. Teilmärkte. Der relvante M. umfasst alle für Kauf- und Verkaufentscheidungen wichtigen Austauschbeziehungen zw. Anbietern und Nachfragern. Ein M. kann durch seine Struktur (z. B. Anbieterzahl, Käufer-M., Verkäufer-M.), durch das Verhalten der Akteure (z. B. Preiskampf) und die M.-Ergebnisse (z. B. Preisentwicklung, Innovationen) beschrieben werden. Wirtschaftstheoretisch werden nach bestimmten Kriterien zahlreiche →Marktformen unterschieden.

Harry M. Markowitz

Markt|analyse, →Marktforschung.

Markt|anteil, Begriff zur Beschreibung der Bedeutung eines Unternehmens auf seinen Beschaffungs- und Absatzmärkten, z. B. der Wert der abgesetzten Waren im Verhältnis zum Umsatz der Branche. Der M. ist eine wichtige Kennzahl für Marketing und Wettbewerbspolitik, setzt aber die Abgrenzung des relevanten Marktes voraus.

Markstammkohl (Höhe bis zu 2 m)

marktbeherrschendes Unternehmen, Unternehmen, das als Anbieter oder Nachfrager auf einem bestimmten Markt ohne oder ohne wesentl. Mitbewerber ist oder über eine überragende

Marktstellung verfügt. Nach §22 Ges. gegen Wettbewerbsbeschränkungen gilt ein Unternehmen als marktbeherrschend, wenn es bei Umsatzerlösen von mindestens 250 Mio. DM auf einem Markt einen Marktanteil von einem Drittel erreicht. Bei der Beurteilung der Marktbeherrschung kommen weitere Kriterien hinzu (z.B. Finanzkraft des Unternehmens). Missbrauchen m.U. ihre Marktmacht, kann das Bundeskartellamt dieses Verhalten untersagen (→Missbrauchsaufsicht).

Markt Eisenstein, Stadt in der Tschech. Rep., →Železná Ruda.

Marktflecken, →Markt 2).

Marktformen, *Volkswirtschaftslehre:* die Kennzeichnung eines Marktes nach seiner qualitativen Beschaffenheit und der quantitativen Besetzung der Angebots- und der Nachfrageseite. Nach qualitativen Merkmalen ist v.a. zu unterscheiden zw. »vollkommenen« und »unvollkommenen« Märkten. Ein Markt ist »vollkommen«, wenn die entsprechenden Güter gleichartig (homogen) sind, die Marktteilnehmer keine persönl. Präferenzen für bestimmte (Ver-)Käufer haben, weder räuml. noch zeitl. Differenzierungen zw. den Marktteilnehmern bestehen, vollständige Markttransparenz herrscht (alle Marktteilnehmer haben die Möglichkeit, sich über alle von den anderen gesetzten Konditionen zu informieren), die Marktteilnehmer sehr schnell auf Marktveränderungen reagieren sowie nach maximalem Nutzen bzw. maximalem Gewinn streben. Auf einem solchen **vollkommenen Markt,** dem in der Praxis die Börse am nächsten kommt, kann es nur einen Marktpreis geben. Fehlt eine der Voraussetzungen, so handelt es sich um einen **unvollkommenen Markt,** fehlt lediglich die Voraussetzung der Markttransparenz, um einen **temporär unvollkommenen Markt.** Andere qualitative Unterteilungen sind: nach dem Zugang **geschlossene Märkte** (ein Zugang ist nicht möglich, z.B. durch ein Niederlassungsverbot) und **offene Märkte** mit beschränktem (z.B. durch bes. hohe Kapitalanforderungen) und unbeschränktem Zugang; **organisierte Märkte** mit festen Regeln für das Marktgeschehen (z.B. Börsen) und **unorganisierte Märkte;** Märkte mit freier Preisbildung **(freie Märkte)** und Märkte mit staatlich vorgeschriebener, z.B. durch Subventionen, oder durch private Marktmacht verfälschter Preisbildung **(regulierte Märkte).** Bei quantitativer Einteilung der Märkte nach der Zahl der Anbieter und Nachfrager ergibt sich ein M.-Schema mit neun versch. Marktformen (→Monopol, →Oligopol, →Polypol).

Marktforschung, Erforschung der spezif. Absatz- und Beschaffungsmöglichkeiten eines Unternehmens oder eines Wirtschaftszweiges sowie der Einflüsse, denen sie unterliegen, um marktbezogene Informationen als Entscheidungsgrundlage zu erhalten. Als Teilgebiete der M. untersucht die **Marktanalyse** zu einem bestimmten Zeitpunkt Bedarfsverhältnisse, Konkurrenzverhältnisse und Vertriebssystem, die **Marktbeobachtung** Veränderungen der Marktverhältnisse im Zeitablauf. Die sach- oder objektbezogene M. **(ökoskop. M.)** stellt neben Branchen- und Wirtschaftsstrukturen die spezif. Strukturen der Absatz- und Beschaffungsmärkte in den Vordergrund, während die subjektbezogene M. **(demoskop. M.)** bei den Nachfragern Daten (z.B. Alter, Beruf, Einkommen), Einstellungen und Konsumgewohnheiten erfasst. M. betreiben neben innerbetriebl. Abteilungen auch spezialisierte **Marktforschungsinstitute.**

📖 Berekoven, L. *u.a.: M. Wiesbaden* [7]*1996.*

Marktfrieden, nach mittelalterl. Recht der für Zeit und Ort eines Marktes vom König zugesicherte Friede (Schutz).

Marktheidenfeld, Stadt im Main-Spessart-Kr., Bayern, am Main, 10800 Ew.; Metall verarbeitende, Elektroindustrie. – Altfränk. Fachwerkbauten. – 1397 als Stadt genannt; seit 1949 Stadtrecht.

Marktoberdorf, Krst. des Landkr. Ostallgäu, Bayern, Luftkurort im Allgäuer Alpenvorland, 727–790 m ü.M., 18100 Ew.; Riesengebirgsmuseum; Herstellung Gablonzer Schmuckwaren, Maschinen- und Traktorenbau, Textilindustrie. – Barocke Pfarr- und Wallfahrtskirche (1732–38). – Seit 1954 Stadt.

Marktordnung, Regelungen, die funktionsfähige Tauschprozesse auf Märkten ermöglichen, bes. die Beeinflussung des Wettbewerbs durch wirtschaftspolit. Maßnahmen des Staates. Ein Beispiel sind die →Agrarmarktordnungen der EG.

Marktpreis, 1) *Rechnungswesen:* bei der Bewertung von Wirtschaftsgütern derjenige Preis, der für Waren einer bestimmten Gattung von durchschnittl. Art und Güte zu einem bestimmten Zeitpunkt im Durchschnitt bezahlt oder erlöst wurde.

2) *Volkswirtschaftslehre:* in der klass. Nationalökonomie der sich kurzfristig aus Angebot und Nachfrage ergebende Preis im Ggs. zum **natürl. Preis** als langfristiger Gleichgewichtspreis bei vollständiger Konkurrenz, der gerade die Produktionskosten deckt. (→Preisbildung)

Marktrecht, im MA. die Befugnis, einen neuen Markt anzulegen **(Marktregal);** sie war urspr. ein Vorrecht des Königs, ging im 13. Jh. auf die Territorialherren über; auch das am Markt geltende Recht; häufig Ausgangspunkt für die Stadtrechte.

Marktredwitz, Stadt (Große Kreisstadt) im Landkr. Wunsiedel i. Fichtelgebirge, Bayern, 19000 Ew.; Egerland-Museum; Maschinen-, Werkzeugbau, Textil-, Porzellan-, Keramik-, Elektro- und elektron. Industrie. – Rathaus und

Bartholomäuskirche aus dem 14., Theresienkirche aus dem 18. Jh. – Um 1440 erstmals erwähnt; 1907 Stadt.

Marktsegmentierung, die Aufspaltung eines Marktes in möglichst gleichartige Teilmärkte; im Marketing die Bildung möglichst homogener Käufergruppen, um gezielt auf die Bedürfnisse der Nachfrager eingehen und das Angebot besser auf die Nachfragewünsche zuschneiden zu können.

Mark Twain ['ma:k 'tweɪn], eigtl. Samuel (Langhorne) Clemens, amerikan. Schriftsteller, *Florida (Mo.) 30. 11. 1835, †Redding (Conn.) 21. 4. 1910; war Drucker, Lotse auf dem Mississippi, Goldgräber, Reporter. Bed. Vertreter des amerikan. Realismus; seinen Ruhm begründete er mit grotesken, trocken-witzigen Skizzen. Humor und Spottlust, in Verbindung mit Heimatliebe und Menschlichkeit, ließen den Roman »Die Abenteuer Tom Sawyers« (1876) und die Fortsetzung »Die Abenteuer Huckleberry Finns« (1884) in die Weltliteratur eingehen; sein skept. Verhältnis zu Europa spiegelt »Ein Yankee am Hofe des Königs Artus« (1889). Zu seinem (autobiographisch beeinflussten) Hauptwerk gehört der Bericht »Leben auf dem Mississippi« (1883). Im Spätwerk des schon immer stark sozialkritisch eingestellten M. T. überwiegt die pessimist. Satire (»Der Mann, der Hadleyburg korrumpierte«, 1900).

AYCK, T.: *M. T. Reinbek 23.–25. Tsd. 1993.*

Mark Twain

Marktwirtschaft, Wirtschaftsordnung mit dezentraler Lenkung der Wirtschaftsprozesse, in der Art und Umfang der Produktion und die Verteilung der Produktionsergebnisse primär über Märkte gesteuert werden, wobei die Vielzahl der Angebots- und Nachfrageentscheidungen der Wirtschaftssubjekte über die Preisbildung koordiniert werden. Im klass. Idealmodell einer **freien M.** führt das auf eigenen Vorteil gerichtete ökonom. Verhalten der einzelnen Marktteilnehmer (z. B. das Gewinnstreben der Unternehmen, das Nutzenstreben der privaten Haushalte) über freie Konkurrenz zugleich zum höchsten Wohlstand für die Gesellschaft. Als Voraussetzungen einer freien M. (nach W. Eucken auch als **freie Verkehrswirtschaft** bezeichnet) gelten Gewerbe- und Vertragsfreiheit, freie Wahl des Berufs- und Arbeitsplatzes, Privateigentum an Produktionsmitteln, Haftung, Geldwertstabilität, Konstanz der Wirtschaftspolitik sowie freier Wettbewerb (vollständige Konkurrenz, offene Märkte). Bereits im 19. Jh. jedoch zeigten sich neben den Stärken (wirtsch. Effizienz, wachsender Wohlstand) auch Schwächen einer freien M. wie wirtsch. und polit. Machtkonzentration mit Beeinträchtigung des Wettbewerbs und damit des Funktionsmechanismus der M., ungerechte Einkommens- und Vermögensverteilung, Konjunkturschwankungen mit Inflation und Arbeitslosigkeit, unzureichende soziale Sicherung. Dies war zugleich einer der Hintergründe für das von Vertretern des →Neoliberalismus (u. a. Freiburger Schule) entwickelte Modell einer →sozialen Marktwirtschaft. In der Praxis existieren versch. konkrete Formen der M., die sich durch Ausprägung der Eigentumsverhältnisse, Ausmaß und Formen der staatl. Eingriffe in den Wirtschaftsprozess sowie vorrangig verfolgte wirtschafts-, sozial- und gesellschaftspolit. Zielsetzung in den einzelnen Ländern unterscheiden.

📖 *Handbuch M., hg. v.* R. VAUBEL *u.* H. D. BARBIER. *Stuttgart ²1993. – Planwirtschaft am Ende – M. in der Krise?, hg. v.* W. GERKE. *Stuttgart 1994.* – LAMPERT, H.: *Die Wirtschafts- u. Sozialordnung der BRD. München u. a. ¹²1995.* – GÜTH, W.: *Theorie der M. Berlin u. a. ²1996.*

Mark Twain: Ankündigung für einen Vortragsabend Mark Twains

Markus, Evangelist, als **Johannes M.** Mitglied der Jerusalemer Urgemeinde; gilt seit Papias (2. Jh.) als Verfasser des Markusevangeliums; zus. mit seinem Vetter Barnabas Begleiter des Paulus auf der ersten Missionsreise (Apg. 12, 25); nach der Legende Märtyrerbischof von Alexandria, dessen Leiche nach Venedig gebracht worden sein soll.

Symbol: Löwe; Schutzpatron von Venedig; Heiliger, Tag: 25. 4.

Markus|evangelium, Abk. **Mk.,** das zweite und älteste Evangelium im N. T.; um 70 außerhalb Palästinas (Rom?) verfasst; literar. Quelle des Matthäus- und Lukasevangeliums; im Mittelpunkt steht das öffentl. Wirken Jesu in und außerhalb Galiläas, wobei sein Geheimnis (er ist der wahre Messias) verborgen bleibt und sich erst von seinem Kreuzestod und seiner Auferstehung her erschließt.

📖 SCHWEIZER, E.: *Das Evangelium nach Markus. Göttingen u. a.* [17]*1989.*

Marl, Stadt im Kr. Recklinghausen, NRW, südlich von Lippe und Wesel-Datteln-Kanal, 93 400 Ew.; Bergamt; Steinkohlenbergbau und Großchemie; Kanalhäfen.

Marlborough ['mɔ:lbərə], John Churchill, 1. Herzog von M. (seit 1702), brit. Feldherr und Staatsmann, *Ashe (Cty. Devonshire) 26. 5. 1650, †auf Cranbourn Lodge in Windsor 16. 6. 1722. Mit seiner Gattin Sarah Jennings (*1660, †1744), die großen Einfluss auf Königin Anna ausübte, und seinem Freund S. Godolphin bestimmte er seit 1702 maßgebend die Politik seines Landes. Als Oberbefehlshaber der britisch-niederländ. Armee im Span. Erbfolgekrieg gegen Ludwig XIV. siegte er zus. mit Prinz Eugen u. a. bei Höchstädt a. d. Donau (1704) und Malplaquet (1709); hielt mit diplomat. Geschick die Koalition gegen Frankreich zusammen. 1711 erreichten die für einen Friedensschluss eintretenden Tories seine Entlassung.

Bob Marley

Marley ['mɑ:lɪ], Bob, eigtl. Robert Nesta M., jamaikan. Rockmusiker (Gitarre, Gesang), *Saint Ann (Jamaika) 6. 2. 1945, †Miami (Fla.) 11. 5. 1981; galt mit seiner Gruppe »The Wailers« als bedeutendster Vertreter des Reggae; wandte sich mit seinen meist selbst verfassten Songs gegen soziale Ungerechtigkeit und Rassendiskriminierung.

Eugenie Marlitt

Marlitt, Eugenie, eigtl. E. John, Schriftstellerin, *Arnstadt 5. 12. 1825, †ebd. 22. 6. 1887; veröffentlichte v. a. in der Familienzeitschrift »Die Gartenlaube« sentimental-naive Unterhaltungsromane (u. a. »Goldelse«, 1867; »Das Geheimnis der alten Mamsell«, 2 Bde., 1868).

Marlowe ['mɑ:ləʊ], Christopher, engl. Dramatiker, *Canterbury 6. 2. 1564, †Deptford (heute zu London) 30. 5. 1593; schrieb Blankverstragödien, die das Schicksal titanenhafter Charaktere in pathet. Sprache behandeln: »Tamburlan der Große« (Uraufführung 1587), »Doktor Faustus« (Uraufführung 1588 oder 1592, nur fragmentarisch erhalten), »Der Jude von Malta« (1590), »Eduard II.« (um 1592). M. gilt als der bedeutendste engl. Dramatiker vor Shakespeare.

Marmarameer (im Altertum Propontis), Teil des Mittelmeeres, in der Türkei, durch den Bosporus mit dem Schwarzen Meer und durch die Dardanellen mit dem Ägäischen Meer verbunden, bis 1355 m tief, rd. 11 500 km².

Marmarika, aus der Antike übernommener Name für den Küstensaum der libysch-ägypt. Grenzzone (→Cyrenaika).

John Churchill, 1. Herzog von Marlborough: Kupferstich des zeitgenössischen deutschen Kupferstechers Andreas Reinhardt d. Ä. (um 1715)

Marmarosch *die* (rumän. Maramureş, ungar. Máramaros), Beckenlandschaft in Rumänien, zw. Waldkarpaten und Rodnaer Gebirge, 600–800 m ü. M., rd. 1 350 km²; gehört zum rumän. Kreis Maramureş (6 215 km²).

Marmion [mar'mjɔ̃], Simon, frz. Maler, *Amiens (?) um 1420/25, †Valenciennes 15. oder 24. 12. 1489; einer der bedeutendsten Miniaturisten, verband fläm. Realismus mit Eleganz und Klarheit der frz. Tradition. Sicher zugeschrieben werden ihm der Hochaltar für Saint-Bertin in Saint-Omer (1455–59; Berlin, Gemäldegalerie, und London, National Gallery) sowie Miniaturen (»Grandes chroniques de France«, 1454–59; Sankt Petersburg, Staatsbibliothek).

Marmolada *die,* höchster Gebirgsstock der italien. Dolomiten, 3 342 m ü. M., mit dem größten Gletscher der Südl. Kalkalpen.

Jean-François Marmontel (Stahlstich nach einer zeitgenössischen Vorlage)

Marmontel [marmɔ̃'tɛl], Jean-François, frz. Schriftsteller, *Bort-les-Orgues (Dép. Corrèze) 11. 7. 1723, †Ablonville (bei Saint-Aubin-sur-Gaillon, Dép. Eure) 31. 12. 1799; bed. Vertreter der Aufklärung, schrieb für die Encyclopédie (→Enzyklopädisten) literaturkrit. Artikel, ferner Tragödien, den philosoph. Roman »Belisar« (1767) und die »Moral. Erzählungen« (3 Bde., 1761). Seine Memoiren »Leben und Denkwürdigkeiten« (2 Bde., hg. 1800–06) sind ein kulturgeschichtl. Dokument.

Marmor [zu grch. mármaros »Felsblock«] *der,* mittel- bis grobkristalliner metamorpher Kalkstein (seltener Dolomit), der bei der Kontakt- oder Regionalmetamorphose durch Sammelkristallisation aus feinkörnigen Carbonatgesteinen entstanden ist. Verunreinigungen im Ausgangsmaterial führen zu Beimengungen, die den M. in Flecken und Adern färben: Eisenoxide und -hydroxide (gelb,

Marokko

Fläche: 458 730 km^2
Einwohner: (1995) 27,028 Mio.
Hauptstadt: Rabat
Verwaltungsgliederung: 43 Provinzen und Präfekturen
Amtssprache: Arabisch
Nationalfeiertage: 3. 3. und 14. 8.
Währung: 1 Dirham (DH) = 100 Centimes (C)
Zeitzone: MEZ – 1 Std.

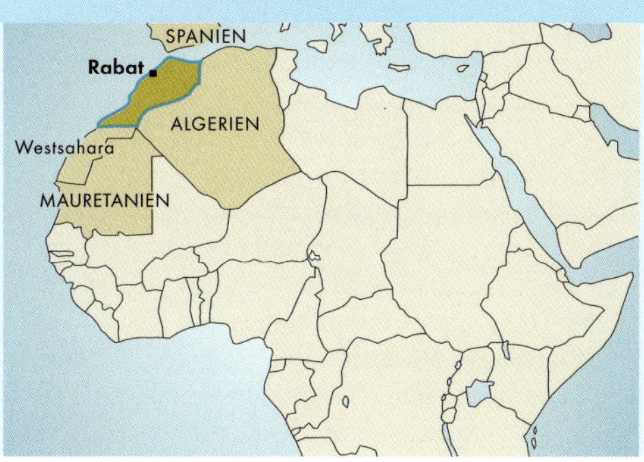

rot, braun), Graphit (grau, schwarz). M. wird v.a. zur Herstellung von Baumaterial (Fassadenverkleidung) und Bildhauerarbeiten verwendet. Bereits in der Antike wurde in Carrara M. gewonnen.

Marmoutier [marmu'tje], Stadt in Frankreich, → Maursmünster.

Marne [marn], **1)** *die,* Fluss in Frankreich, 525 km lang, entspringt auf dem Plateau von Langres und mündet bei Paris in die Seine. Die M. ist durch den M.-Seitenkanal (67 km), den Rhein-M.-Kanal (314 km) und den M.-Saône-Kanal (224 km) in das nordfrz. Kanalnetz einbezogen.

2) Dép. in N-Frankreich, 8162 km^2, (1995) 566 900 Ew.; Hptst. ist Châlons-en-Champagne.

Marne-la-Vallée [marnlava'le:], städt. Entwicklungszone in der Region Paris, Frankreich, 1972 als »Ville nouvelle« (Neue Stadt) gegr.; umfasst 26 Gemeinden mit 133 500 Ew. (darunter Noisy-le-Grand, 40 600 Ew.); soll für etwa 250 000 Ew. ausgebaut werden. 1992 Eröffnung des Vergnügungsparks Euro-Disneyland.

Marner, Der, fahrender mhd. Spruchdichter (vermutlich aus Schwaben), nachweisbar zw. 1230/31 und 1266/67; wurde als blinder Mann erschlagen; thematisch vielfältige Sprüche und Minnelieder.

Marneschlacht, Kampfhandlungen (1914) in N-Frankreich während des 1. → Weltkriegs.

Marnix, Philips van, Heer van Sint Aldegonde, niederländ. Schriftsteller, Staatsmann und Freiheitskämpfer, *Brüssel Juli 1540, †Leiden 15. 12. 1598; studierte in Genf unter Calvin, trat für die niederländ. Freiheitsbewegung ein und kämpfte gegen die kath. Kirche, so in der Satire »De biënkorf der H. Roomsche Kercke« (1569, von J. Fischart frei übersetzt als »Bienenkorb des hl. Röm. Immenschwarms«, 1579).

Marodeur [marɔd'œ:r, frz.] *der,* plündernder Nachzügler einer Truppe, Räuber, Lump.

Marokko (amtlich arab. Al-Mamlaka al-Maghribijja, dt. Königreich M.), Staat in NW-Afrika, grenzt im W an den Atlantik, im N an das Mittelmeer, im O und SO an Algerien, im S an → Westsahara.

Staat und Recht: Nach der Verf. von 1992 (durch Referendum gebilligt) ist M. eine konstitutionelle Monarchie. Staatsoberhaupt, oberster Inhaber der Exekutive und Oberbefehlshaber der Streitkräfte ist der König. Er ernennt auf Vorschlag des Premiermin., der ihm und dem Parlament verantwortlich ist, die Mitgl. der Reg., kann den Ausnahmezustand verhängen, das Parlament auflösen und durch Dekrete regieren. Die Legislative liegt bei der Nationalversammlung (333 Abg., davon 222 direkt gewählt, Legislaturperiode sechs Jahre). In einem Referendum im September 1996 stimmte die Bev. für eine Revision der Verf., die die Einsetzung eines Verf.gerichts, eines Rechnungshofs, die Schaffung einer Zweiten Kammer (mit mittelbar gewählten Vertretern der Gemeinden, Gewerkschaften, Verbänden u.Ä.) und einer vollständig direkt gewählten Ersten Kammer, die Einfluss auf die Reg.bildung hat, bestimmte. Einflussreichste Parteien: Nat. Sammlung der Unabhängigen (RNI), Verfassungsunion (UC), Istiklal-Partei (PI), Sozialist. Union der Volkskräfte (USFP).

Landesnatur: M. erstreckt sich von der Straße von Gibraltar im N bis südlich des Wadi Draa, mit 475 km langer Steilküste am Mittelmeer und 1550 km langem Küstensaum am Atlantik entlang. Der größte Teil des Landes wird vom Gebirgssystem des Atlas eingenommen (Rif, bis 2456 m ü. M., Mittlerer Atlas, bis 3340 m, Hoher Atlas, im Djebel Toubkal 4165 m, Antiatlas), an den sich nach SO die Sahara anschließt; im O leiten Hochflächen nach Algerien über; im NW fällt ein Tafelland (Meseta) stufenweise zur Küstenebene (u.a. Rharb) ab. – Das mediterrane Klima bringt Winterregen (in Höhenlagen auch Schnee); nach S Übergang zum saharisch-kontinentalen Klima. Wälder sind bes. im N verbreitet (Kork-, Steineiche, Zeder, Atlas-Thuja).

Bevölkerung: Die zu 99% muslim. Bev. besteht zu 20% aus Arabern (Ebenen und Küstengebiet), 36% aus Berbern und 40% aus arabisierten Ber-

Staatswappen

MA

Internationales Kfz-Kennzeichen

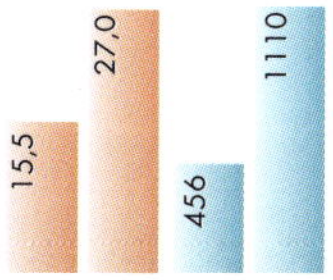

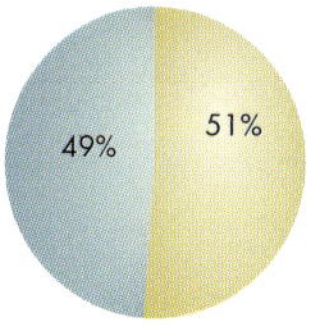

Bevölkerungsverteilung 1995

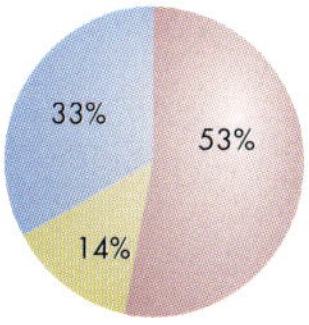

Bruttoinlandsprodukt 1995

Mohammed V.,
König von Marokko
(1957-61)

Hasan II.,
König von Marokko
(seit 1961)

bern. Die Berber, die Sprache und Brauchtum weitgehend bewahrt haben, leben bes. in den Gebirgen; im S leben negride Nachkommen früherer Sklaven oder Soldaten aus der Sudanzone; 16000 Juden, 50000 Europäer; etwa 1,5 Mio. Marokkaner leben als Gastarbeiter im Ausland (80000 in Dtl.). Fast die Hälfte der Ew. lebt in Städten. – Allg. Schulpflicht vom 7. bis 13. Lebensjahr; Analphabeten über 15 J. rd. 56%. M. hat 12 Univ., die größte in Rabat (1957 gegr.), ferner 25 weitere Hochschulen.

Wirtschaft, Verkehr: Die wichtigsten Bereiche sind Landwirtschaft, Phosphatbergbau und Tourismus. Die Landwirtschaft, die rd. 40% der Erwerbstätigen beschäftigt, erbringt knapp 30% der Exporterlöse. Für die Eigenversorgung bes. Anbau (auf 830000 ha mit Bewässerung) von Getreide, Oliven, Obst, Kartoffeln, Zuckerrüben und -rohr; für den Export Zitrusfrüchte, Gemüse, Wein. Anbau von Alfagras als Rohstoff zur Papiererzeugung und für Flechtwerk. In der Viehwirtschaft bes. Rinder- (Milcherzeugung), Schaf-, Ziegen- und Geflügelhaltung; Fischerei sehr ertragreich an der Atlantikküste (200-Seemeilen-Zone). Die Forstwirtschaft nutzt 12% der Landesfläche, bes. Anbau von Korkeichen (Korkerzeugung an 3. Stelle der Erde). Reiche Bodenschätze; gefördert werden v.a. Phosphate (3. Stelle der Welterzeugung; $^2/_3$ der bekannten Weltreserven), Blei-, Mangan-, Zink-, Kobalt-, Kupfer- und Eisenerze sowie Steinkohle, Erdöl, Erdgas. Die wichtigsten Ind.zweige sind neben Bergbau Metall- und Kunststoffverarbeitung, chem., Nahrungsmittel-, Textil-, Lederind. Das traditionelle Handwerk (z.B. Teppichherstellung) ist rückläufig. Ausgeführt werden v.a. Rohstoffe (bes. Phosphate), landwirtsch. Produkte, Fischkonserven (zweitgrößter Exporteur von Sardinenkonserven); eingeführt Nahrungsmittel, Maschinen, Fahrzeuge, Ind.güter, Brennstoffe. Haupthandelspartner sind die EU-Länder, die USA, Kanada, Irak und die GUS-Staaten. Der Fremdenverkehr erbringt ein Drittel der Devisenerlöse. Reiseziele sind u.a. antike Ruinenstätten, die vier Königsstädte Rabat, Fès, Marrakesch und Meknès, die Oasen der Sahara und die Sandstrände am Atlantik. – Das Verkehrsnetz umfasst 1893 km Eisenbahnlinien und über 60000 km Straßen (davon rd. 30000 km befestigt). Haupthäfen liegen an der Atlantikküste: u.a. Casablanca, Safi, Mohammedia, Agadir, Tanger. Internat. Flughäfen: Casablanca, Rabat, Tanger, Marrakesch und fünf weitere; nat. Fluggesellschaft »Royal Air Maroc«.

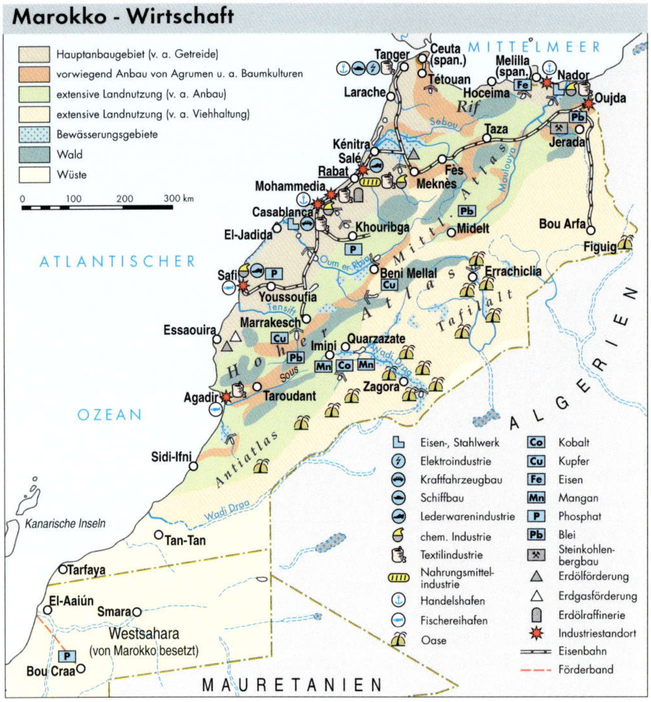

Geschichte: Das von selbstständigen Berberstämmen bewohnte heutige M. kam 42 n.Chr. zur röm. Provinz **Mauretania Tingitana.** Im 5.Jh. eroberten die Wandalen das Gebiet, im 6.Jh. Byzanz, 705–708 die Araber. 789 begründete Idris I. die Herrschaft der Idrisiden mit Fès als Residenz. Später vereinigten die Dynastien der Almoraviden (1061–1147), die als neue Hauptstadt Marrakesch gründeten, und der Almohaden (1147–1269) M. und die südl. Pyrenäenhalbinsel unter ihrer Herrschaft. 1269 eroberten die berber. Meriniden Marrakesch. 1554 kamen die Saaditen an die Macht, denen 1669 die noch heute herrschenden Hasaniden folgten. Im 18. Jh. wurden verstärkt wirtsch. und polit. Beziehungen zu Europa aufgenommen. Mitte des 19. Jh. kam es zu krieger. Auseinandersetzungen mit Spanien; Ende des 19. Jh. konnte Frankreich seine Vorherrschaft festigen. 1912 wurde M. frz. Protektorat, Spanien erhielt das Rifgebiet (zum Konflikt mit Dtl. →Marokkokrisen). 1956 erlangte M. seine Unabhängigkeit als Königreich unter Mohammed V., seit 1961 regiert sein Sohn Hasan II. Zu Konflikten mit Algerien und Mauretanien kam es 1975/76, als die Span. Sahara entkolonialisiert wurde. Diese wurde im April 1976 zw. Mauretanien und M. aufgeteilt, wobei M. sich 1979, nachdem Mauretanien der →POLISARIO gegenüber auf seinen Teil der Westsahara verzichtet hatte, auch diesen eingliederte. Dadurch ausgelöste Auseinandersetzungen zw. marokkan. Truppen und POLISARIO dauerten bis 1991 an. Die UN vermittelte einen Waffenstillstand und schlug eine Volksabstimmung über die Unabhängigkeit von Westsahara oder den Anschluss des Gebiets an M. vor. Alle in Aussicht genommenen Termine verstrichen bisher (Ende 1997). Innenpolit. Gegensätze (u.a. blutige Niederwerfung des Generalstreiks 1981) verschärften sich bes. seit 1990. Bei den Parlamentswahlen von 1993 gewannen die königstreuen Kräfte trotz starken Zugewinns eines Linksbündnisses die relative Mehrheit und stellten den Min.Präs. (seit 1994 Abdellatif Filali).

Angesichts des 1993 einsetzenden Verständigungsprozesses im Nahostkonflikt richtete M. 1994 ein Verbindungsbüro zu Israel ein. Zus. mit den anderen Staaten des Maghreb beschloss es im selben Jahr die Einrichtung einer Freihandelszone in diesem Raum. Im Febr. 1996 schloss M. ein Assoziierungsabkommen mit der Europ. Union.

📖 FINDLAY, A. M. *u.a.: Morocco. Oxford u.a. 1984.* – MIÈGE, J.-L.: *Le Maroc et l'Europe 1830–1894, 4 Bde. Neuausg. Rabat 1989. – Le Maroc. Espace et société, hg. v.* A. BENCHERIFA *u.a. Passau 1990.* – MÜLLER-HOHENSTEIN, K. *u.* POPP, H.: *M. Ein islam. Entwicklungsland mit kolonialer Vergangenheit. Stuttgart 1990. – M. Landschaft, Kultur, Geschichte, mit Beiträgen v.* F. CASULE *u.a. A. d. Italien. Zürich 1993.* – MIÈGE, J.-L.: *Le Maroc. Paris [8]1994.*

Marọkkokrisen, internat. Krisen, ausgelöst durch gleichzeitige Interessen Dtl.s und Frankreichs an Marokko. Der Besuch Kaiser Wilhelms II. 1905 in Tanger, der damit die verstärkt einsetzende frz. Expansion in Marokko verhindern wollte, führte zur **1. Marokkokrise.** Die **2. Marokkokrise** wurde 1911 ausgelöst durch die Entsendung des dt. Kanonenbootes »Panther« nach Agadir **(Panthersprung nach Agadir),** nachdem Frankreich Wirtschaftssanktionen gegen Marokko verhängt und Rabat und Fès besetzt hatte.

Maron [maˈrɔ̃, frz.] *der* (Buschneger), Nachkomme entlaufener schwarzer Sklaven in Frz.-Guayana und Surinam; etwa 35 000 Marons.

Maron, Monika, Schriftstellerin, *Berlin 3. 6. 1941; übersiedelte 1988 in die Bundesrep. Dtl., u.a. Regieassistentin beim Fernsehen und Reporterin; debütierte mit »Flugasche« (R., 1981) über Umweltverschmutzung und stalinist. Methoden in der DDR. M. schöpft ihre Themen aus den Problemen und Befindlichkeiten, die nicht mit der der dt. Teilung und der Abgeschlossenheit der DDR zusammenhängen.

Weitere Werke: Das Mißverständnis (Erz., 1982); Stille Zeile sechs (R., 1991); Animal triste (R., 1996).

Marọne [italien.] *die,* Frucht der Edelkastanie.

Marọnenröhrling (Marone, Xerocomus badius), bes. in Kiefernwäldern vorkommender Röhrenpilz; Hut kastanienbraun, Röhren grünlich gelb, bei Druck blau werdend; Speisepilz.

Maronịten, Angehörige der maronit. Kirche, der einzigen geschlossen mit der kath. Kirche unierten oriental. Kirche. Ihre Anfänge gehen auf das syr. Kloster des hl. Maro († vor 423) zurück; heute weltweit rd. 1,3 Mio. Mitgl., v.a. im Libanon und im Nahen Osten.

Marokko: Am Südfuß des Hohen Atlas im Tal des Dadès liegt Boumalne mit seiner typischen Lehmbauarchitektur

Maroquin [maroˈkɛ̃:; frz. »marokkanisch«] *der,* auch *das,* geschwärztes → Saffianleder.

Maros [ˈmɔroʃ, ungar.] *die* (dt. Marosch, Mieresch, rumän. Mureş), linker Nebenfluss der Theiß, in Rumänien und Ungarn, Hauptfluss Siebenbürgens, 756 km lang, entspringt in den O-Karpaten, mündet bei Szeged.

Marosvásárhely [ˈmɔroʃva:ʃa:rhɛj], Stadt in Rumänien, → Târgu Mureş.

Marot [maˈro], Clément, frz. Dichter, *Cahors 23. 11. 1496, † Turin 10. (12.?) 9. 1544; als Anhänger des Kalvinismus verfolgt, mehrmals im Exil; pflegte die alten frz. poet. Formen (Virelai, Rondeau) ebenso wie die der Antike. Er führte das Sonett in die frz. Literatur ein und schrieb eine berühmte, von J. Calvin übernommene Psalmenübersetzung (»Trente pseaulmes de David«, 1541; 1543 erweiterte Ausgabe, 50 Psalmen).

Monika Maron

Marọtta, Giuseppe, italien. Schriftsteller, *Neapel 5. 4. 1902, † ebd. 10. 10. 1963; schrieb realist., humorvolle Romane und Erzählungen über Neapel, dessen Bewohner und deren soziale Probleme, auch Drehbücher und Theaterstücke.

Maroua [maˈrwa] (Marua), Prov.-Hptst. in N-Kamerun, am Fuß der Mandaraberge, 143 000 Ew.; kath. Bischofssitz; Baumwollforschungsinst., Textilind., Verarbeitung landwirtsch. Erzeugnisse, Kunsthandwerk; Fremdenverkehr; Flugplatz.

Maronenröhrling (Hutdurchmesser 5–15 cm)

Marọzia, Römerin, *um 892, † nach 932; in dritter Ehe verheiratet mit König Hugo von Italien, beherrschte als »Senatrix« und »Patricia« Rom und das Papsttum und setzte mehrere Päpste ein.

Mars: Panoramablick vom Landeplatz der Marssonde Pathfinder im Gebiet Ares Vallis, aufgenommen im Juli 1997; im Vordergrund ist ein Teil der aufgeklappten Landeeinheit mit den Rampen für das ferngesteuerte Marsfahrzeug Sojourner zu sehen

932 wurde sie mit ihrem zum Papst (Johannes XI.) erhobenen Sohn von ihrem Sohn Herzog Alberich II. von Spoleto gestürzt.

Marquesas|inseln [-'ke-] (frz. Îles Marquises), zu Französisch-Polynesien gehörende vulkan. Inselgruppe im Pazifik, 1274 km², (1988) 7500 Ew.; Ausfuhr von Kopra, Vanille, Kaffee. – 1595 entdeckt, seit 1842 in frz. Besitz.

Marquet [mar'kɛ], Albert, frz. Maler, * Bordeaux 27. 3. 1875, † Paris 14. 6. 1947; wandte sich unter dem Einfluss von H. Matisse den →Fauves zu. Um 1906 gelangte er jedoch zu einer Bildauffassung, die genaue Naturbeobachtung auf einfache maler. Formen zu bringen suchte.

Neville Marriner

Marquis [mar'ki, frz.] *der,* frz. Adelstitel (weibl. Form: **Marquise**), im Rang zw. Fürst und Graf; geht auf das Amt des Markgrafen zurück; entsprechende Titel sind in Großbritannien **Marquess (Marchioness),** in Italien **Marchese (Marchesa),** in Spanien **Marqués (Marquesa).**

Marquisette [marki'zɛtə, frz.] *die,* auch *der,* feinfädiges, engmaschiges Gardinengewebe mit Dreherbindung im Grund und Leinwandbindung im Muster aus Baumwollzwirn oder Kunstfaser.

Mars

Der italienische Astronom Giovanni Schiaparelli beschrieb 1877 als Erster ein System von linearen Gebilden auf dem Mars, die er Canali (Kanäle) nannte. Er äußerte sich nicht über den Ursprung dieser Kanäle. Der amerikanische Astronom und Geschäftsmann P. Lowell war überzeugt, dass das System künstlich angelegt worden war, um Wasser von den polaren Eiskappen in die trockene Äquatorregion zu leiten. Spätere Forscher rückten von dieser Hypothese wieder ab, hielten die Existenz der Kanäle als natürliche Gebilde aber für möglich. Erst die Fotografien mit den Mariner-Flügen in den 1960er-Jahren zeigten, dass es sich bei den Kanälen um optische Täuschungen handelt.

Mạrrakesch (frz. Marrakech), Prov.-Hptst. in Marokko, am N-Fuß des Hohen Atlas, in einer großen Dattelpalmenoase, 543 000 Ew.; Handelszentrum eines Landwirtschaftsgebietes, eine der Residenzstädte; Univ.; Nahrungsmittel-, Teppichind., Mühlen, Kunsthandwerk; Fremdenverkehr; Eisenbahnendpunkt, internat. Flughafen. – M., 1062 gegr., war bis Ende des 13. Jh. Hptst. der Almoraviden; aus dieser Zeit stammen die 12 km langen Mauern der Medina (UNESCO-Weltkulturerbe), in deren Zentrum der Platz Djemaa el-Fna und die Kutubija-Moschee (Mitte 12. Jh.), ferner die Kasba (12. Jh.) mit Kasba-Moschee, der Königspalast; Saditen-Mausoleen (1578–1603).

Marranen (Maranen) [wohl von span. marrano »Schwein«], seit dem 16. Jh. übl. Bez. für die unter dem Zwang der Inquisition im 15. Jh. getauften span. und portugies. Juden, von denen viele insgeheim ihrem Glauben treu geblieben waren.

Marriner ['mærɪnə], Sir (seit 1985) Neville, brit. Dirigent und Violinist, * Lincoln 15. 4. 1924; Gründer (1959) und Leiter der Academy of Saint Martin-in-the Fields, erwarb sich v. a. mit Interpretationen der Musik des 17. und 18. Jh. internat. Ruf; war u. a. 1969–79 musikal. Leiter des Los Angeles Chamber Orchestra, 1986–89 Chefdirigent des Radio-Sinfonieorchesters Stuttgart.

Mạrs 1) *der, Astronomie:* von der Sonne aus gezählt 4. Planet des Sonnensystems und von allen Planeten der erdähnlichste; astronom. Zeichen ♂. Der M. hat zwei kleine Monde, **Phobos** und **Deimos.** Er ändert seinen Abstand von der Erde zw. 56 und 400 Mio. km. Damit verbunden sind Änderungen seiner scheinbaren Größe (zw. etwa 3" und 25") und seiner scheinbaren Helligkeit (um fünf Größenklassen). Er ist etwa halb so groß wie die Erde, die Masse beträgt nur 0,107 Erdmassen, womit sich eine wesentlich geringere Dichte als die der Erde ergibt. Die Schwerkraft an der M.-Oberfläche erreicht nur 38 % des Wertes an der Erdoberfläche. Da auch die Rotationsachse des M. ähnlich wie die der Erde gegen die Bahnebene geneigt ist, sind Tag und Nacht sowie die Jahreszeiten auf ihm denen der Erde ähnlich. Seine Atmosphäre besteht zu 95% aus Kohlendioxid, den Rest bilden v.a. Stickstoff (2,7%) und Argon (1,6%). Die Dichte der Atmosphäre ist so gering, dass ihr Druck an der Oberfläche nur etwa 6 hPa beträgt. In Äquatornähe steht der Höchsttemperatur von +26°C eine tiefste Nachttemperatur von −111°C gegenüber. Die M.-Oberfläche zeigt im Winter bes. große und helle Polkappen, die zu dieser Zeit v.a. aus gefrorenem Kohlendioxid (Trockeneis) sowie aus Wassereis bestehen und im Sommer stark abschmelzen. Die rötl. Färbung des M. wird durch weite Gebiete rötl. (eisenhaltigen) Staubes hervorgerufen, der durch unregelmäßig auftretende, gewaltige Stürme transportiert wird.

Astronomische und physikalische Daten des Mars

Äquatordurchmesser	6794,4 km
Poldurchmesser	6752,7 km
Bahnexzentrizität	0,0934
Masse	$6{,}42 \cdot 10^{23}$ kg
mittlere Dichte	$3{,}93$ g/cm^3
Rotationsdauer	24 h 37 min 22,6 s
Dauer eines Umlaufs um die Sonne	686,98 Tage
mittlere Entfernung zur Sonne	$227{,}9 \cdot 10^6$ km

Die Entsendung der amerikan. Raumsonden der Serien Mariner und Viking sowie der sowjet. Marssonden ermöglichte, die Oberfläche des M. zu fotografieren und zu kartographieren; mit der Sonde →Pathfinder wurden erstmals Gesteine spektrometrisch untersucht. Während die S-Halbkugel von Einschlagkratern (ähnlich den Maria des Mondes) übersät ist, zeigt die N-Halbkugel neben (jüngeren) Ebenen geringerer Kraterdichte gewaltige Schildvulkane (darunter **Olympus Mons,** mit 600 km Durchmesser und 27 km Höhe der größte Vulkan des Sonnensystems) sowie ein ausgedehntes Netz von Becken, Gräben und cañonartigen Tälern, den 4000 km langen **Valles Marineris,** die z.T. 700 km breit und 6 km tief sind. Kleinere Täler, die **M.-Channels,** sind nicht mit den Kanälen →Schiaparellis identisch. Ausgetrocknete Flussläufe weisen auf zeitweiliges Auftreten von Wasser, wohl auch auf Spuren einer früheren Vergletscherung hin. Bei spektrometr. Untersuchungen von M.-Gestein mithilfe des ferngesteuerten Marsfahrzeugs →Sojourner im Juli 1997 wurden zwar einige Aminosäuren nachgewiesen; doch gibt es keinerlei Spuren (primitiven) Lebens auf dem Mars.

📖 WILFORD, J. N.: *M. Unser geheimnisvoller Nachbar. Vom antiken Mythos zur bemannten Mission. A.d. Amerikan. Basel u.a. 1992.* – BÄRWOLF, A.: *Die Marsfabrik. Aufbruch zum roten Planeten. München 1995.*

2) *röm. Mythos:* einer der wichtigsten röm. Götter, Kriegsgott und Schützer der Fluren und ihres Wachstums; urspr. etrusk. Vegetationsgott, später dem grch. Ares gleichgesetzt; als Vater von →Romulus und Remus Schutzherr Roms. Das Priesterkollegium der Salier diente ihm, der Monat März war ihm geweiht.

Mars

Goethe verwendet in seinem »West-östlichen Divan« die alte umbrische Namensform des Kriegsgottes Mars, Mavors:

Wenn links an Baches Rand
Cupido flötet,
Im Felde rechter Hand
Mavors drommetet,
Da wird dorthin das Ohr
Lieblich gezogen,
Doch um des
Liedes Flor
Durch Lärm betrogen.
Nun flötets immer voll
Im Kriegesthunder,
Ich werde rasend, toll.
Ist das ein Wunder.
Fort wächst der Flötenton
Schall der Posaunen,
Ich irre, rase schon,
Ist das zu staunen!

Marsala, Hafenstadt an der W-Küste Siziliens, 80400 Ew.; Weinbau, Weinkellereien, Fischkonservenfabrik, Ölmühlen; Ausfuhr des gleichnamigen Süßweins. – M. ist das **Lilybaeum** des Altertums, das 397 v.Chr. von den Karthagern gegr. wurde und 241 v.Chr. an die Römer kam.

Marsberg, Stadt im Hochsauerlandkreis, NRW, 23000 Ew.; Glasind., Papierverarbeitung. – 1975 durch Zusammenschluss von Ober- und Nieder-M. entstanden.

Marsch [frz. marche], **1)** *Militärwesen:* Bewegung geschlossener Truppenabteilungen.

2) *Musik:* Musikstück, das durch starke, regelmäßige Akzentuierungen im geraden Takt den Gleichschritt beim Marschieren unterstützt. Der M. besteht i.d.R. aus zwei Teilen zu je 8 bis 16 Takten, nach 1750 ergänzt durch ein Trio in verwandter Tonart und von melodiösem Charakter. Unterschieden werden **Militär-, Triumph-, Fest-, Parade-, Trauer-, Geschwind-, Reiter-, Einzugs-** und **Auszugs-M.** Der Militär-M. geht auf die Trommler- und Pfeifermusik der Landsknechte zurück, entwickelte sich im 16./17. Jh. (Fanfarenmärsche) und erlebte in der Zeit Friedrichs d. Gr. seine Hochblüte: Dessauer, Hohenfriedberger, Torgauer M. Andere bekannte M. sind der Pariser Einzugs-M., der Finn. Reiter-M., der österr. Radetzky-, der ungar. Rákóczi-M. In der Kunstmusik

Marsmonde

Name	Abmessung in km	Entfernung zum Mars in km	siderische Umlaufperiode in Tagen
Phobos	27×21×19	9380	0,319
Deimos	15×12×11	23460	1,262

Marseille: Blick über den Alten Hafen auf die auf einem 150 m hohen Kalksteinfelsen gelegene, 1864 geweihte Wallfahrtskirche Notre-Dame-de-la-Garde

wird der M. vielfach verwendet, seit J.-B. Lully in Oper und Ballett, aber auch in der Instrumentalmusik des Barock und der Klassik als Satz der Orchester- und Klaviersuite und der österr. Serenadenmusik. Ebenso kennen Oratorium (G. F. Händel) und Oper seit dem 18. Jh. den M. für Einzüge, Feste, Huldigungen, Trauer und zur Darstellung des Heroischen. Auch die freiere Form des Trauer-M. hat Bedeutung erlangt: L. van Beethoven (in der »Eroica« sowie der Klaviersonate op. 26), F. Chopin (in der Klaviersonate op. 35), R. Wagner (in der »Götterdämmerung«).

Marseille
Stadtwappen

Marsch [mnd.], an Flachmeerküsten mit starker Gezeitenwirkung verbreitete, aus Schlick aufgebaute, fruchtbare Niederung (Küsten- oder See-M.), die an den Trichtermündungen der Flüsse weit ins Hinterland reicht (Fluss-M.); etwa in Höhe des Meeresspiegels zw. Watt und Geest gelegen, wobei sich am Geestrand i. Allg. das niedrigere, oft versumpfte oder vermoorte **Sietland** befindet, das nur als Grünland genutzt werden kann. Seit dem 16. Jh. erfolgte eine großräumige, geschlossene Eindeichung und die Anlegung von Poldern oder Kögen.

George C. Marshall

Marschall [ahd. »Pferdeknecht«, später »Stallmeister«], einer der Inhaber der vier german. Hausämter (Zeichen: der M.-Stab), zuständig für die Stallungen und die Versorgung der Pferde; später Quartierbeschaffer für den gesamten Hofstaat (Hof-M.) und mit dem Aufkommen der Ritterheere Oberbefehlshaber im Krieg (→Feldmarschall). Erz-M. war ab Ende des 12. Jh. der Herzog von Sachsen. Unter den Reichserbämtern hat das des Erb-M. die größte Bedeutung erlangt; es lag bis 1806 in den Händen der Familie von Pappenheim.

Marsch auf Rom, faschist. Demonstration, →Faschismus.

Marschflugkörper, →Cruisemissile.

Marschhufendorf, ein Reihendorf in Marschgebieten längs eines Entwässerungskanals. Der Landbesitz der Eigentümer schließt in gereihten Langstreifen an die Hofanlagen an.

Marschner, Heinrich August, Komponist, *Zittau 16. 8. 1795, †Hannover 14. 12. 1861; 1831–59 Hofkapellmeister in Hannover; schuf romant. Opern (»Der Vampyr«, 1828; »Der Templer und die Jüdin«, 1829; »Hans Heiling«, 1833), Chöre, Lieder, Balladen.

Marsé Carbo [mar'se 'karβo], Juan, span. Schriftsteller, *Barcelona 8. 1. 1933; stellt in seinen pessimist., formal experimentellen Romanen (u. a. »Letzte Tage mit Teresa«, 1966; »Wenn man dir sagt, ich sei gefallen ...«, 1973; »Ronda del Guinardo«, 1984; »Der zweisprachige Liebhaber«, 1992) kritisch die span. Gesellschaft seit dem Bürgerkrieg dar.

Marseillaise [marsɛ'jɛːz] *die,* die frz. Nationalhymne »Allons, enfants de la patrie, le jour de gloire est arrivé!«; von C.-J. Rouget de Lisle gedichtet und vertont; von einem Marseiller Freiwilligenbataillon beim Sturm auf die Tuilerien am 10. 8. 1792 gesungen.

Marseille [mar'sɛj], Hptst. der frz. Region Provence-Alpes-Côte-d'Azur und des Dép. Bouches-du-Rhone, 800 600 Ew., die zweitgrößte Stadt und (mit Fos) der größte Mittelmeerhafen Frankreichs, in geschützter Bucht, nahe der Mündung der Rhone. M. ist Erzbischofssitz und hat zwei Univ. (Aix-M.), wiss. Institute, Museen, Theater, Oper; Börse. Der Hafen ist mit einem Umschlag von (1990) 90,3 Mio. t der drittgrößte Europas (nach Rotterdam und Antwerpen). Der autonome Hafen M. umfasst die städt. Hafenbecken, den Erdölhafen Lavéra am Golf von Fos, die Hafenanlagen am Étang de Berre (Strandsee zw. Rhonedelta und M., 150 km²) und den Vorhafen Port-Saint-du-Rhone in der Rhonemündung. Der Alte Hafen dient als Fischereihafen. Die Schiffsverbindung **M.-Rhone-Kanal** von M. durch den Rove-Tunnel (7,1 km) und den Étang de Berre zur Rhone ist im ersten Teil (Rove-Tunnel) seit 1963 außer Funktion. M. ist der Ausgangspunkt der südeurop. Pipeline sowie einer Pipeline nach Genf. Bed. Passagier- und Fischereihafen. Die wichtigsten Ind.zweige sind Erdöl- und petrochem. Ind., Hüttenwerke, Schiffbau, Metall verarbeitende, Zement-, chem. und Nahrungsmittelind. Internat. Flughafen in Marignane. – Bed. Bauten: Kirche Saint-Victor (gegr. 5. Jh., im 13. Jh. neu errichtet, im 14. Jh. erweitert), Alte Kathedrale (12. Jh., spätere Veränderungen),

Marshallinseln

Fläche: 181 km^2
Einwohner: (1995) 54 000 Ew.
Hauptstadt: Dalap-Uliga-Darrit (auf Majuro)
Verwaltungsgliederung: 24 Bezirke
Amtssprachen: Marshallesisch und Englisch
Nationalfeiertage: 1. 5. und 17. 9.
Währung: 1 US-Dollar (US-$) = 100 Cents (c, ¢)
Zeitzone: MEZ + 11 Std.

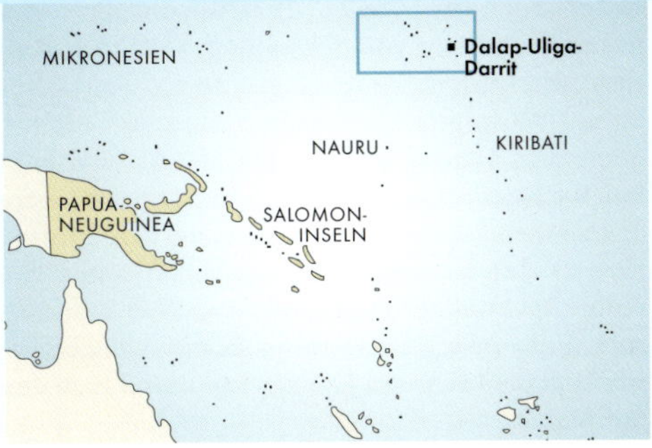

barockes Rathaus (1663–83), Neue Kathedrale (1852–72), Kirche Notre-Dame-de-la-Garde (1864 geweiht), Palais Longchamps (1862–80; heute Gemäldegalerie), das 1947–52 errichtete Hochhaus Unité d'Habitation (Wohnblock auf Pfeilern) von Le Corbusier. – M., grch. **Massalia,** lat. **Massilia,** um 600 v. Chr. von Griechen gegr., wurde früh eine blühende Handelsstadt. Anfang des 13. Jh. errang die Stadt gegenüber den Bischöfen die Selbstverwaltung. Mit der Provence kam sie 1481 an die frz. Krone.

Marser (lat. Marsi), altitalisches Hirtenvolk mit dem Hauptort Marruvium am Fuciner See. Die M., seit 308 v. Chr. erstmals mit Rom verbündet, traten 91 v. Chr. an die Spitze des Aufstandes der Italiker, der zum **Marsischen Krieg** (→Bundesgenossenkriege) führte.

Marsfeld, 1) (lat. Campus Martius) im alten Rom Ebene zw. dem Tiberbogen und der Via Flaminia, die als Exerzierplatz für die röm. Miliz und als Versammlungsplatz für die Zenturiatkomitien diente; seit dem 1. Jh. v. Chr. mit Tempeln, Theatern, Thermen bebaut.

2) (Champs de Mars) urspr. ein militär. Übungsplatz in Paris, seit 1867 Ausstellungsgelände.

Marsgebirge (tschech. Chřiby), Sandsteinbergland in S-Mähren, Tschech. Rep., 590 m ü. M., 40 km lang.

Marshall [mɑːʃl], **1)** Alfred, brit. Volkswirtschaftler, *Clapham (heute zu London) 26. 7. 1842, †Cambridge 18. 7. 1924; Prof. in Cambridge; Mitbegründer der →Neoklassik; bed. Beiträge zur Wert-, Geld- und Außenwirtschaftstheorie, führte u. a. den Begriff der →Elastizität in die Volkswirtschaftslehre ein. – *Werk:* »The principles of economics« (1890).

2) Bruce, schott. Schriftsteller, *Edinburgh 24. 6. 1899, †Cap d'Antibes (Dép. Alpes-Maritimes) 18. 6. 1987; behandelt in seinen Romanen das Verhältnis der kath. Kirche zur modernen Welt (»Das Wunder des Malachias«, 1931).

3) George Catlett, amerikan. General und Politiker, *Uniontown (Pa.) 31. 12. 1880, †Washington (D. C.) 16. 10. 1959; 1939–45 Generalstabschef und militär. Berater Präs. F. D. Roosevelts, war 1945–46 Sonderbotschafter in China, wo er vergeblich zw. Chiang Kai-shek und den Kommunisten zu vermitteln versuchte. 1947–49 war er Außen- und 1950–51 Verteidigungsmin.; Initiator des →Marshallplans; erhielt 1953 den Friedensnobelpreis.

Marshallinseln [ˈmɑːʃl-] (amtlich marshallesisch Majöl, englisch Republic of the Marshall Islands), Staat im westl. Pazifik, umfasst die gleichnamige, zum östl. Mikronesien zählende Inselgruppe, zw. 5° und 15° n. Br. sowie 162° und 173° ö. L., gegliedert in 2 über rd. 1200 km Länge gestreckte Atollreihen mit zus. 1200 Inseln mit einer Landfläche von 180 km^2 in einem Seegebiet von über 1,3 Mio. km^2.

Staat und Recht: Nach der Verf. von 1979 sind die M. eine Rep. Staatsoberhaupt und Reg.chef ist der vom Parlament gewählte Präs. Die Legislative liegt beim Einkammerparlament (33 Abg.); als Beratungsorgan fungiert der Rat der Stammesfürsten (12 Mitglieder).

Landesnatur: Die östl. der beiden sich etwa parallel erstreckenden Atollreihen, die Ratakgruppe, umfasst 16 Atolle und Einzelinseln; Hauptatoll Majuro: 30 km^2, 23 000 Ew., mit der Hptst. Dalap-Uliga-Darrit (20 000 Ew.). Die westl. Atollreihe, die Ralikgruppe, besteht aus 18 Atollen und Einzelinseln, darunter Jaluit (17 km^2), Kwajalein (29 km^2), Bikini (6 km^2) und Eniwetok (27 km^2). Die höchste Erhebung liegt 10 m ü. M. (auf Likjeb). Das trop. Klima wird durch die kühlen Passatwinde gemildert; die Niederschläge nehmen von N (500–800 mm/Jahr) nach S (bis über 4000 mm/Jahr) zu; häufig Wirbelstürme.

Bevölkerung: Die Bewohner sind Mikronesier, wenige Polynesier und US-Amerikaner; überwiegend Christen; allg. Schulpflicht besteht vom 6.–14. Lebensjahr; 9 % Analphabeten. In der Hptst. befindet sich eine Hochschuleinrichtung der University of the South Pacific.

Wirtschaft, Verkehr: Hauptbereiche der Wirtschaft sind Land- und Forstwirtschaft sowie Fi-

Staatssiegel

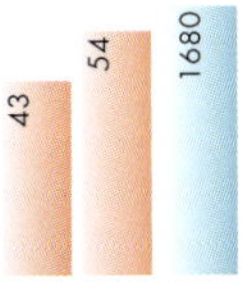

Bevölkerung (in Tausend) Bruttosozialprodukt je Ew. (in US-$)

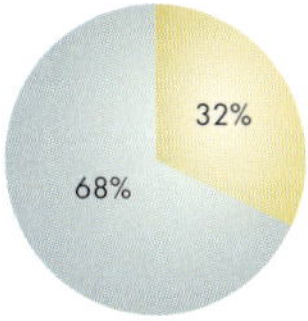

Bevölkerungsverteilung 1993

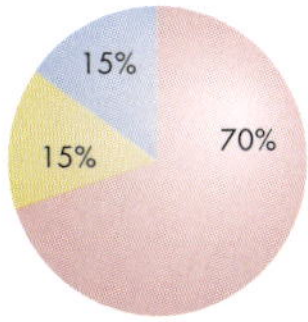

Bruttoinlandsprodukt 1995

scherei; hauptsächlich Kokospalmen- und Bananenpflanzungen, ferner Brotfruchtbäume und Maniok. Haltung von Schweinen, Geflügel, Rindern. Phosphatvorkommen auf dem Ailinglaplap-Atoll. Wichtigste Arbeitgeber sind die öffentl. Verw. auf Majuro und der US-Militärstützpunkt auf Kwajalein. Unbed. Fremdenverkehr. Weitere Einnahmen bringt die Registrierung von Schiffen anderer Länder (»billige Flaggen«). Ausfuhr von Kopra, Kokosöl, Fisch; Einfuhr von Nahrungsmitteln, Ind.gütern, Treibstoffen. Haupthandelspartner sind die USA und Japan. – Internat. Flughafen auf Majuro.

Geschichte: Im 2. Jt. v. Chr. von den Neuen Hebriden aus besiedelt, 1529 von den Spaniern entdeckt, 1884 dt. Schutz-, 1920 japan. Mandatsgebiet. 1947 kamen die M. unter UN-Treuhandverwaltung der USA und erhielten im Rahmen einer freien Assoziierung mit ihnen 1986 die Selbstverwaltung. Im Dez. 1990 formal unabhängig, wurden die M. 1991 Mitgl. der UN.

Marshallplan ['mɑːʃl-], das 1947 auf Vorschlag von G. C. Marshall geschaffene Hilfsprogramm für die durch den 2. Weltkrieg zerstörten Länder Europas, trat, von den Ostblockländern abgelehnt, am 3. 4. 1948 nur in W-Europa in Kraft. Die aufgrund des M. gewährte ERP-Hilfe (Europ. Wiederaufbauprogramm) umfasste Sachlieferungen und Kredite. Durch Gründung der Organisation für europ. wirtsch. Zusammenarbeit wurden die Voraussetzungen für eine Kooperation der westeurop. Staaten geschaffen. Im Rahmen des M. erhielten diese bis 1952 Leistungen im Wert von rd. 13 Mrd. $, die Bundesrep. Dtl., am 15. 12. 1949 beigetreten, und Berlin (West) bis Ende 1957 1,7 Mrd. Dollar.

Wilfried Martens

📖 *Deutschland u. der Marshall-Plan, hg. v.* CHARLES S. MAIER *u.* G. BISCHOF. *Baden-Baden 1992.* – WAGNER, P.: *Mythos Marshall-Plan. Das europ. Wiederaufbauprogramm in der dt. öffentl. Meinung 1947–1952. Pfaffenweiler 1996.*

Marsyas: Jusepe de Ribera, »Apoll und Marsyas« (1637; Neapel, Museo Nazionale di San Martino)

Marsh-Probe ['mɑːʃ-; nach dem brit. Chemiker James Marsh, *1794, †1846], früher in der Gerichtsmedizin angewandtes Verfahren zum Nachweis geringster Mengen von Arsen. Dabei wird die arsenhaltige Probe mit naszierendem Wasserstoff (Zink/Säure, z. B. H_2SO_4) zu →Arsenwasserstoff (AsH_3) reduziert. Der zuvor getrocknete (Trockenmittel z. B. $CaCl_2$) Arsenwasserstoff zerfällt beim Erhitzen in Wasserstoff und Arsen, das sich in einem erhitzten Glasrohr als schwarzbrauner, glänzender Fleck (»Arsenspiegel«) abscheidet.

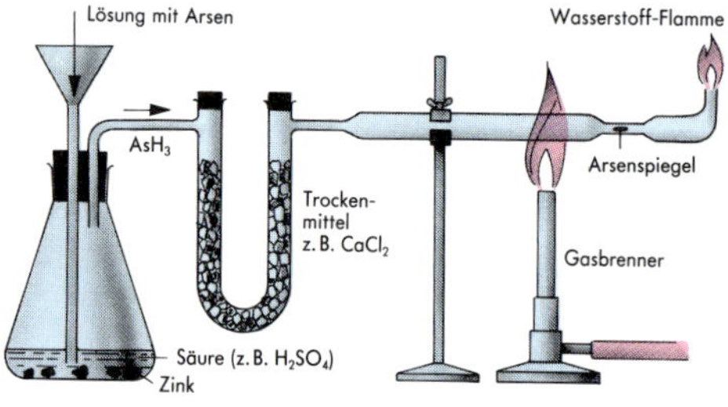

Marsh-Probe

Marsilius von Padua, italien. Staatstheoretiker, *Padua um 1275, †München 1342/43; wurde 1313 Rektor der Univ. Paris, vollendete 1324 sein Hauptwerk »Defensor pacis« (»Verteidiger des Friedens«), in dem er für eine auf Volkssouveränität beruhende Staatsform eintrat und sich gegen den weltl. Herrschaftsanspruch des Papstes wendete. 1327 als Ketzer verurteilt, fand er Zuflucht bei Kaiser Ludwig IV.

📖 LÖFFELBERGER, M.: *M. von P. Das Verhältnis zw. Kirche u. Staat im »Defensor pacis«. Berlin 1992.*

Marstall, Gesamtheit der Pferde sowie Gebäude für Pferde und Wagen einer fürstlichen Hofhaltung; bed. u. a. die M. in Versailles (18. Jh.), Dresden (1586–91), Heidelberg (1590 ff.) und Wien (für 600 Pferde, 1725).

Marsyas, *grch. Mythos:* ein Satyr, der Apoll zum Wettstreit im Flötenspiel aufforderte, doch von ihm besiegt, an einem Baum aufgehängt und enthäutet wurde.

martellando [italien. »hämmernd«, »gehämmert«] (martellato), musikal. Vortragsbez. für ein bes. kräftiges Staccato.

Martell, Karl [altfrz. »Hammer«, →Karl 16).

Martens, 1) Adolf, Ingenieur, *Bakendorf (heute zu Gammelin, bei Hagenow) 6. 3. 1850, †Berlin 24. 7. 1914; begründete die wiss. Metallprüfung und die Gefügemikroskopie in Dtl., konstruierte viele Werkstoffprüfmaschinen.

2) Wilfried, belg. Politiker, *Sleidinge (bei Gent) 19. 4. 1936; Rechtsanwalt, 1972–79 Vors. der fläm. »Christl. Volkspartei« (CVP); 1979 bis April 1981 und Dez. 1981–92 Ministerpräsident.

Martensit [nach A. Martens] *der,* beim Härten von Stählen durch Wärmebehandlung und anschließende rasche Abkühlung infolge diffusionsloser Umwandlung des →Austenits entstehendes tetragonal verzerrtes, kubisch-raumzentriertes Gefüge von Eisen und Eisencarbid (Zementit, Fe_3C).

Marterl, Gedenkbild am Ort eines Unglücks mit dem Bildnis Christi, bes. in Österreich und Bayern. (→Bildstock)

Martha, Gestalt des N.T.; Schwester der Maria und des Lazarus von Bethanien (Lk. 10,38f. und Joh. 11,1); Heilige; Tag: 29. 7.

Marthaler, Christoph, schweizer. Theaterautor, Komponist und Regisseur, *Erlenbach (Kt. Zürich) 17. 10. 1951; komponierte Bühnenmusiken für versch. Theater; 1988–93 am Baseler Theater tätig, seit 1993 am Dt. Schauspielhaus Hamburg. Rhythmus und Stille, Liedgesang und Slapstick sind die wesentl. Elemente seiner Regieführung.

Marti, Kurt, schweizer. Schriftsteller, *Bern 31. 1. 1921; ref. Pfarrer; schreibt Gedichte, bes. in Berner Umgangssprache, die v.a. durch Sprachwitz und polit. Aussage wirken (»Boulevard-Bikini«, 1959). Wichtige Anregungen für die Schweizer Mundartlyrik und Kurzprosa gab er mit dem Gedichtband »rosa loui« (1967) und den »Dorfgeschichten« (1960); außerdem »leichenreden« (Gedichtzyklus, 1969), »Nachtgeschichten« (1987), »Högerland. Ein Fußgängerbuch« (1990), Essays.

Martí, José, kuban. Schriftsteller, *Havanna 28. 1. 1853, ⚔ Boca de Dos Ríos 19. 5. 1895; lebte u.a. in Spanien, Paris, Mexiko, Guatemala, New York und Venezuela; Vorkämpfer der kuban. Unabhängigkeitsbewegung im 19. Jh.; starb im Kampf gegen die Spanier. M. trat bes. mit sehr persönl., einfachen lyr. Gedichten (u.a. »Ismaelillo«, 1882; »Versos sencillos«, 1891), Dramen sowie zahlr. journalist. Artikeln und krit. Studien hervor, in denen sich sein polit. Denken (u.a. Kampf gegen Ungleichheit und Ungerechtigkeit, Befreiung Kubas von span. Vorherrschaft, Ablehnung einer Annexion Kubas durch die USA) niederschlug.

📖 ETTE, O.: *J. M., auf 2 Bde. ber. Tübingen 1991ff.*

Martial (lat. Martialis), Marcus Valerius, lat. Dichter, *Bilbilis (Spanien) um 40 n. Chr., † ebd. um 103; lebte etwa 64–98 in Rom. M., der Klassiker des lat. Epigramms, zeigt scharfe Beobachtungsgabe, Witz und treffsicheren Ausdruck. Seine »Epigrammata« (12 Bücher), meist in Distichen, hatten große Wirkung auf die epigrammat. Dichtung Europas im MA., die neulat. Dichtung und auf dt. Epigrammatiker wie A. Gryphius, F. von Logau, F. von Hagedorn sowie auf Lessing, Goethe und Schiller (»Xenien«).

📖 HOLZBERG, N.: *M. Heidelberg 1988.*

martialisch [lat. martialis »zum Kriegsgott Mars gehörend«], kriegerisch; wild, grob auftretend.

Martin von Tours: »Der heilige Martin und der Bettler«, Gemälde des italienischen Malers Sassetta (um 1435; Privatbesitz)

Martigny [marti'ɲi], Bezirkshauptort im Kt. Wallis, Schweiz, 13 500 Ew.; archäolog. Museum; Aluminium-, Düngemittel-, Holz verarbeitende Ind.; Weinbau. – Vom röm. **Octodurum** wurden Reste des Amphitheaters freigelegt.

Martin V., Papst (1417–31), eigtl. Oddo Colonna, *Genazzano (bei Rom) 1368, † Rom 20. 2. 1431. Seine Wahl auf dem Konzil von Konstanz (1417) beendete das Abendländ. →Schisma. M. bemühte sich um den Wiederaufbau der Kurie und die Festigung des Kirchenstaates; er berief das Konzil von Basel (→Reformkonzilien).

Martin von Tours

Zahlreiche Wunderberichte machten Martin zum populärsten Heiligen Frankreichs. Als Beispiel für seine Wohltätigkeit erzählt die Legende, er habe als Soldat am Stadttor von Amiens seinen Mantel mit einem frierenden Bettler geteilt. Im Fränkischen Reich wurde der Mantel des heiligen Martin im Krieg als siegspendendes Reichskleinod mitgeführt. Ansonsten hing die »capa« in einem eigenen Verehrungs- und Aufbewahrungsraum im Königspalast in Paris, der »Kapelle« (= Mantelraum). In diesem Raum pflegten die fränkischen Könige wichtige Staatsakte durchzuführen, und es gab auch einen Mantelwächter: den »Kaplan«.

Martin von Tours [- tu:r], Bischof, Asket, Apostel Galliens, *Savaria (heute Szombathely, Ungarn) 316/317, † Candes (heute Candes-Saint-Martin, Dép. Indre-et-Loire) 8. 11. 397; Sohn eines röm. Tribuns; Soldat, ließ sich mit 18 Jahren taufen, schied aus der röm. Armee aus und wurde Schüler des Hilarius von Poitiers; gründete 361 in Ligugé das erste Kloster auf gall. Boden; seit 371 Bischof von Tours; wurde zum Vorbild des abendländ. Mönchtums. Heiliger, Tag: 11. 11. (→Martinstag)

Archer Martin

📖 HÜNERMANN, W.: *Sankt Martin – der Reiter der Barmherzigkeit. Buxheim 1962, Nachdr. Mittelbiberach 1996.*

Martin, 1) ['mɑːtɪn], Archer John Porter, brit. Chemiker, *London 1. 3. 1910; entwickelte seit 1939 die Verteilungs-, seit 1944 die Papierchromatographie als analyt. Hilfsmittel; erhielt dafür 1952 mit R. L. M. Synge den Nobelpreis für Chemie.

2) [mar'tɛ̃], Frank, schweizerischer Komponist, *Eaux-Vives (heute zu Genf) 15. 9. 1890, †Naarden (Niederlande) 21. 11. 1974; setzte sich mit A. Schönbergs Zwölftontechnik auseinander und fand im Kammeroratorium »Le vin herbé« (1938–41) seinen eigenen Stil; Opern, Oratorien, Gesänge und Instrumentalmusik.

3) Karl Heinz, Regisseur und Theaterleiter, *Freiburg im Breisgau 6. 5. 1888, †Berlin 13. 1. 1948; einer der führenden Regisseure des Expressionismus; gründete 1919 in Berlin die »Tribüne«, war Regisseur bei M. Reinhardt, 1933–45 Regisseur in Berlin und Wien, übernahm 1945 die Leitung des Berliner Hebbeltheaters.

Harry Martinson

4) [mar'tɛ̃], Pierre Émile, frz. Hütteningenieur, *Bourges 18. 8. 1824, †Fourchambault (Dép. Nièvre) 25. 5. 1915; erfand 1864 mit seinem Vater Émile das saure Herdfrischverfahren zur Stahlherstellung. Sie benutzten dabei die von F. und W. Siemens erfundene Regenerativfeuerung (Siemens-Martin-Verfahren, →Stahl).

Martin du Gard [martɛ̃dy'gaːr], Roger, frz. Schriftsteller, *Neuilly-sur-Seine 23. 3. 1881, †Bellême (Dép. Orne) 22. 8. 1958; wurde bekannt mit dem Roman »Jean Barois« (1913), dessen Handlung die →Dreyfusaffäre einbezieht. Sein Hauptwerk ist der Romanzyklus »Die Thibaults« (8 Tle., 1922–40), in dem mit psycholog. Eindringlichkeit das frz. Bürgertum um 1900 und zugleich Auflehnung und Scheitern der jungen Generation dargestellt sind. 1937 Nobelpreis für Literatur.

Roger Martin du Gard

Martínez Ruiz [-εð 'rruiθ], José, span. Schriftsteller, *Monóvar (Prov. Alicante) 11. 6. 1874, †Madrid 2. 3. 1967; schrieb seit 1903 unter dem Pseud. **Azorín;** einer der Hauptvertreter der »Generation von 98«; verfasste Reiseberichte, Romane (»Don Juan«, 1922; »Doña Inés«, 1925), die Autobiographie »Bekenntnisse eines kleinen Philosophen« (1904), Essays (u.a. »Auf den Spuren Don Quijotes«, 1905) und Dramen.

Martingal [frz.] *der, Reitsport:* Hilfszügel, der das Hochstrecken des Pferdekopfs verhindert.

Martini, 1) Fritz, Literarhistoriker, *Magdeburg 5. 9. 1909, †Stuttgart 4. 7. 1991; war Prof. an der TH Stuttgart; wurde als Herausgeber (u.a. seit 1957 des »Jahrbuchs der Dt. Schillergesellschaft«) und durch seine »Dt. Literaturgesch. von den Anfängen bis zur Gegenwart« (1949) bekannt.

2) Simone, italien. Maler, →Simone Martini.

Martinique [marti'nik], Insel der Kleinen Antillen, frz. Übersee-Dép., 1080 km^2 (nach anderen Angaben 1100, 1102 oder 1106 km^2), (1990) 360000 Ew. (meist Schwarze und Mulatten); Hptst.: Fort-de-France (internat. Flughafen). M. ist gebirgig, im N vulkanisch (Montagne Pelée 1397 m ü. M.); Haupterzeugnisse: Bananen, Zucker, Rum, Ananas; Erdölraffinerie; Fremdenverkehr. – Urspr. von Aruak-Indianern, später von Kariben bewohnt; wurde 1502 von Kolumbus entdeckt und seit 1635 von den Franzosen kolonisiert, seit 1816 endgültig frz., seit 1946 Übersee-Département.

Martinon [-'nɔ̃], Jean, frz. Komponist und Dirigent, *Lyon 10. 1. 1910, †Paris 1. 3. 1976; u.a. 1960–66 Chefdirigent der Düsseldorfer Symphoniker, 1963–68 des Chicago Symphony Orchestra, 1968–74 des Orchestre National de France, danach bis 1976 des Residentie-Orkest Den Haag; komponierte die Oper »Hécube« (1949), Orchesterwerke, Kammermusik, Chöre.

Martinson, Harry, schwed. Schriftsteller, *Jämshög (Blekinge) 6. 5. 1904, †Stockholm 11. 2. 1978; vertrat in seinen Werken einen vitalen Primitivismus; schrieb Gedichte, Romane, u.a. »Der Weg nach Glockenreich« (1948), das Weltraumepos »Aniara« (1956; Oper von K. B. Blomdahl). Ab 1949 Mitgl. der Schwed. Akademie; 1974 Nobelpreis für Literatur (mit E. Johnson).

Martinstag (Martini), urspr. als Abschluss des bäuerl. Wirtschaftsjahrs wichtiger Brauch- und Rechtstermin (z.B. Entlohnung des Gesindes, Regelung der Pacht, Abgabe des Zehnten); als Tag des hl. →Martin von Tours (11. 11.) Volksfeiertag v.a. in Belgien, den Niederlanden und am Niederrhein mit einer Vielzahl von Bräuchen: **Martinsfeuer,** Laternenumzüge **(Martinslampen),** Singen von **Martinsliedern,** Bittgänge von Kindern und **Martinsschmaus (Martinsgans, Martinsgebäck).**

Martinswand, Felswand am linken Innufer bei Zirl, Tirol, Österreich; Maximiliansgrotte und 1,8 km langer Tunnel der Mittenwaldbahn.

Martinů, Bohuslav, tschech. Komponist, *Polička (Ostböhm. Gebiet) 8. 12. 1890, †Liestal (Schweiz) 28. 8. 1959. In seinen Werken, die sich keinem bestimmten Stil zuweisen lassen, finden sich tschechisch-folklorist. und impressionist. Einflüsse. Er schrieb Chor-, Orchester-, Kammermusik, außerdem die Opern »Juliette« (1938), »Die Heirat« (1953), »Ariane« (1961), »Griech. Passion« (1961), die Ballette »Istar« (1924), »Das Urteil des Paris« (1953) und das Oratorium »Gilgamesch-Epos« (1957).

Märtyrer [grch.-lat., eigtl. »Zeuge«] *der,* jemand, der um seines Glaubens oder seiner Überzeugung willen Verfolgung oder Tod erleidet; meist für die christl. M. (Blutzeugen) gebraucht.

Karl Marx auf einer Fotografie aus dem Jahr 1880, darunter sein Autogramm

Martyrium [kirchenlat.] *das,* 1) schweres Leiden oder Tod um des Glaubens oder der Überzeugung willen; 2) Grab oder Grabkirche eines christl. Märtyrers.

Martyrologium [mlat.] *das,* Festkalender der christl. Märtyrer und Heiligen mit beigefügten Lebensbeschreibungen.

Marx, 1) Joseph, österr. Komponist und Musikkritiker, *Graz 11. 5. 1882, †ebd. 3. 9. 1964; schuf in impressionist. Stil Orchesterwerke, Kammermusik, Klavierstücke, Lieder; schrieb »Weltsprache Musik« (1964).

2) Karl, Komponist und Musikpädagoge, *München 12. 11. 1897, †Stuttgart 8. 5. 1985; Schüler von C. Orff; gehörte zu den Hauptvertretern der Jugendmusikbewegung; zielte in seinen Kompositionen (Kantaten, Chöre, Kammermusik, Lieder u.a.) auf strenge Einfachheit des Satzes.

3) Karl Heinrich, Philosoph und Nationalökonom, mit F. Engels der Begründer des →Marxismus, *Trier 5. 5. 1818, †London 14. 3. 1883; aus jüd., 1824 zum Protestantismus übergetretener Familie. Nach Studium der Rechtswiss., Philosophie und Gesch. wandte sich M. der Philosophie, insbes. der Hegels zu. 1842/43 war er Redakteur der linksliberalen »Rhein. Zeitung« bis zu ihrem Verbot (Verbindung mit A. Ruge, L. Feuerbach, M. Hess). 1843 heiratete er Jenny von Westphalen. Unter dem Einfluss von Feuerbachs anthropolog. Materialismus wandte er sich von Hegels idealist. Philosophie ab (»Zur Kritik der Hegelschen Rechtsphilosophie«, 1843/44) und, seit 1843 in Paris (»Dt.-frz. Jahrbücher«, 1844, zus. mit Ruge), dem Sozialismus zu (Bekanntschaft mit Vertretern des frz. Sozialismus, mit H. Heine). Hier begann die Freundschaft und Zusammenarbeit mit F. Engels. Nach der Ausweisung aus Frankreich 1845 siedelte M. nach Brüssel über und setzte sich kritisch mit den Linkshegelianern (»Die Heilige Familie«, 1845), Feuerbach u.a. (»Die dt. Ideologie«, 1845/46) und P.J. Proudhon (»Das Elend der Philosophie«, 1847), z.T. in gemeinsamer Arbeit mit Engels, auseinander. Den polit. Kampf der Arbeiterbewegung unterstützend, schrieb er mit Engels im Auftrag des »Bundes der Kommunisten« das →Kommunistische Manifest (1848). 1848 aus Belgien ausgewiesen, lebte er kurze Zeit in Köln, wo er die »Neue Rhein. Zeitung« redigierte (1848/49), und seit 1849 bis zu seinem Tod, von Engels häufig finanziell unterstützt, in London. Die ersten Londoner Jahre standen noch im Zeichen der Auseinandersetzung mit der Frz. Revolution (»Der achtzehnte Brumaire des Louis Bonaparte«, 1851); M. gab die »Neue Rhein. Revue« (»Klassenkämpfe in Frankreich«) heraus und schrieb viele Artikel für die »New York Tribune« zur Weltpolitik und Weltwirtschaft. Dann schuf er seine eigentl. wiss. Hauptwerke: »Zur Kritik der polit. Ökonomie« (1859) und »Das Kapital« (Bd. 1: 1867; Bd. 2 und 3 hg. von Engels 1885–94). Einige Vorarbeiten dazu wurden erst spät veröffentlicht (z.B. die »Ökonomisch-philosoph. Manuskripte«, 1844 entstanden, hg. 1932). M. bestimmte maßgeblich die Erste →Internationale und kämpfte v.a. gegen die anarchist.

Manifest

der

Kommunistischen Partei.

Ein Gespenst geht um in Europa—das Gespenst des Kommunismus. Alle Mächte des alten Europa haben sich zu einer heiligen Hetzjagd gegen dies Gespenst verbündet, der Papst und der Czar, Metternich nnd Guizot, französische Radikale und deutsche Polizisten.

Wo ist die Oppositionspartei, die nicht von ihren regierenden Gegnern als kommunistisch verschrieen worden wäre, wo die Oppositionspartei, die den fortgeschritteneren Oppositionsleuten sowohl, wie ihren reaktionären Gegnern den brandmarkenden Vorwurf des Kommunismus nicht zurückgeschleudert hätte?

Zweierlei geht aus dieser Thatsache hervor.

Der Kommunismus wird bereits von allen europäischen Mächten als eine Macht anerkannt.

Es ist hohe Zeit daß die Kommunisten ihre Anschauungsweise, ihre Zwecke, ihre Tendenzen vor der ganzen Welt offen darlegen, und den Mährchen vom Gespenst des Kommunismus ein Manifest der Partei selbst entgegenstellen.

Zu diesem Zweck haben sich Kommunisten der verschiedensten Nationalität in London versammelt und das folgende Manifest entworfen, das in englischer, französischer, deutscher, italienischer, flämmischer und dänischer Sprache veröffentlicht wird.

Karl Marx: Titelblatt und Einleitung der Erstausgabe des 1848 in London erschienenen Kommunistischen Manifests

Strömungen (M. A. Bakunin) in ihr. Die Verbindung zur dt. Sozialdemokratie wurde u.a. durch die »Kritik des Gothaer Programms« (1875) aufrechterhalten. In den letzten Lebensjahren fand M. seine Anerkennung als führender Vertreter des wiss. Sozialismus bzw. Kommunismus.

📖 *M.-Lexikon., hg. v.* H.-J. LIEBER *u.* G. HELMER. *Darmstadt 1988.* – SCHIEDER, W.: *K. M. als Politiker. Zürich u.a. 1991.* – BLUMENBERG, W.: *K. M. Reinbek 176.–178. Tsd. 1994.*

Wilhelm Marx

4) Wilhelm, Politiker, *Köln 15. 1. 1863, †Bonn 5. 8. 1946; Richter; 1910–18 und 1920–32 MdR; 1922–28 Vors. der Zentrumspartei; Nov. 1923 bis Jan. 1925 und Mai 1926 bis Juni 1928 Reichskanzler.

Marx Brothers ['mɑːks 'brʌðəz, »Brüder Marx«], Gruppe amerikan. (Film-)Komiker; ihre Filme zeichnen sich durch surreale, groteske Slapstick-Komik aus; wichtigste Mitglieder waren: Leonard Marx, gen. **Chico** (*1886, †1961), Arthur Marx, gen. **Harpo** (*1888, †1964) und Julius Marx, gen. **Groucho** (*1890, †1977). Die M. B. hatten auch große Bühnenerfolge, ab 1924 am Broadway; 1949 löste sich die Gruppe auf.

Marx Brothers (von links): Groucho, Chico und Harpo

Marxismus *der,* zusammenfassende Bez. für die von K. Marx und F. Engels entwickelten philosoph., politisch-sozialen und ökonom. Lehren, i.w.S. auch deren Interpretation und Weiterentwicklung.

Eine wichtige Quelle für den M. ist die Philosophie G. W. F. Hegels und der »Linkshegelianer« (A. Ruge, B. Bauer, L. Feuerbach u.a.). Allerdings stellt Marx Hegel »vom Kopf auf die Füße«, d.h., er interpretiert die idealist. →Dialektik Hegels materialistisch: Der histor. Prozess wird vom Widerspruch zw. **Produktivkräften** (menschl. Arbeitskraft bzw. Fertigkeiten, materielle Produktionsmittel) und **Produktionsverhältnissen** (soziale Organisationsformen, v.a. Rechts-, Eigentums- und Herrschaftsverhältnisse) vorangetrieben. Zu diesem Widerspruch kommt es, weil die Menschen die Produktivkräfte ständig fortentwickeln, um ihre immer neu und erweitert entstehenden Bedürfnisse befriedigen zu können. Wenn die Produktionsverhältnisse nicht mehr der Entwicklung der Produktivkräfte entsprechen, kommt es zu gesellschaftl. Krisen, die zur Revolution führen können, zur Ablösung der herrschenden, d.h. über die Produktionsmittel verfügenden →Klasse und zu neuen Produktionsverhältnissen. Geprägt und abhängig von der gesellschaftl. **Basis,** d.h. der jeweiligen Produktionsweise (Produktionsverhältnisse und Produktivkräfte) und der sich daraus ergebenden Klassen- und Interessenlage, bildet sich ein polit., jurist., kultureller und religiöser **Überbau,** der mit der Basis in dialekt. Wechselbeziehung steht. Marx erklärte so den Wechsel der herrschenden Klassen, Gesellschaftsformationen und Denkepochen in der Folge: Urgesellschaft – Sklavenhaltergesellschaft – Feudalismus – Kapitalismus – Sozialismus – Kommunismus. Bis zum Sozialismus ist nach Marx die Geschichte eine »Geschichte von Klassenkämpfen« (→Klassenkampf), zu denen es immer wieder gesetzmäßig kommt; von da an soll bewusstes gesellschaftl. Handeln im Einklang mit den gesellschaftl. Entwicklungsgesetzen entstehen. Diese Lehre wird allg. als **historischer Materialismus** bezeichnet.

Konkretisiert ist die Lehre des M. bes. an der geschichtl. Epoche des Kapitalismus. Die Bourgeoisie als Vertreterin handwerkl. und sonstiger vorindustrieller kapitalist. Produktionsweise löst den Feudaladel u.a. durch eine Revolution (z.B. die Frz. Revolution) als herrschende Klasse ab und führt neue Produktionsverhältnisse in Form von Privateigentum an den Produktionsmitteln, gesellschaftl. Arbeitsteilung, Geldwirtschaft und Befreiung der Leibeigenen und Hörigen ein, wodurch das Industrieproletariat entsteht und das Fabriksystem sowie die industrielle Produktion sich entwickeln kann. Während der Epoche des Kapitalismus basiert das Wachstum der Produktion auf Ausbeutung, indem sich die Kapitalisten den von den Arbeitern hervorgebrachten Mehrwert aneignen und damit die Erweiterung ihres Privateigentums durch »Akkumulation« betreiben. Zum Nachweis der Ausbeutung dient Marx die →Arbeitswerttheorie, zu der er bes. durch D. Ricardo angeregt wurde. Im Kapitalismus wird die menschl. Arbeitskraft zur Ware. Sie wird von den besitzlosen Proletariern angeboten und hat die Eigenschaft, mehr Werte zu schaffen, als zu ihrer Reproduktion benötigt werden (Lebensmittel usw.); der Kapitalist kann sich die Differenz zw. produzierten Werten und Lohn, d.h. den Mehrwert, aneignen; also werden die Arbeiter nach Marx ausgebeutet. Die durch den unkontrollierten privaten

Akkumulationsprozess und die im Marktsystem ungenügend koordinierte gesellschaftl. Arbeitsteilung in verstärktem Maße entstehenden ökonom. Krisen (Konjunkturzyklen ausgelöst durch »Überakkumulation« oder »Unterkonsumtion«, Verdrängung kleiner und mittlerer Unternehmen durch Großunternehmen, Sinken der aus dem Mehrwert entstandenen Profitrate), die noch dazu mit einer Verelendung des Proletariats durch Sinken des Lohns auf das Existenzminimum **(Verelendungstheorie)** einhergehen, würden gesamtgesellschaftl. Planung notwendig machen; die kapitalist. Produktionsverhältnisse werden zum Hemmnis für die Produktivkräfte. Nach Marx hat das Industrieproletariat, das vorher die ihm adäquate Organisationsform gebildet hat, nun die histor. Mission, die polit. und ökonom. Macht zu erobern und sozialist. Produktionsverhältnisse, bes. Kollektiveigentum und gesellschaftl. Planung, einzuführen. Erst nachdem diese Aufgabe im Rahmen der →Diktatur des Proletariats erfüllt ist, kann im →Kommunismus der Staatsapparat »absterben«.

Sowohl die Vieldeutigkeit der Lehren als auch die Notwendigkeit zur Umdeutung, da Vorhersagen von Marx nur z. T. eintraten (Ausbleiben oder Scheitern der Versuche einer sozialist. Revolution nach dem 1. Weltkrieg, bes. in den industriell höchstentwickelten Ländern, die Abwegigkeit der Verelendungstheorie), führten zu kontroversen Auslegungen, so zum →Revisionismus, zu determinist. Vertrauen auf das Wirken der Geschichtsgesetze (K. Kautsky), zum →Austromarxismus; bes. lebhaft war die Marx-Diskussion und -Interpretation in den Zwanzigerjahren (v. a. E. Bloch, G. Lukács, Karl Korsch [* 1886, † 1961]; von der Generallinie in der UdSSR abweichend auch Trotzki, Bucharin und die versch. Rätebewegungen); sie bildete die Wurzel des seit 1945 entstandenen →Neomarxismus und des →Eurokommunismus.

Die Hauptströmung des M. wurde jedoch der **Marxismus-Leninismus.** Dieser gründet sich auf die von W. I. Lenin vorgenommene Anpassung der Lehren von Marx und Engels an die sozialen und polit. Verhältnisse Russlands im frühen 20. Jh. Der Leninismus berücksichtigt über die Lehren des M. hinaus den Eintritt des Kapitalismus in das Stadium des →Imperialismus und vertritt die Lehre von der »ungleichmäßigen Entwicklung« der versch., am kapitalist. Weltmarkt teilnehmenden Gesellschaften. Während Marx annahm, dass die proletar. Revolution von den hoch industrialisierten Staaten Mittel- und Westeuropas ausgehen würde, behauptete und betrieb der Leninismus mit Erfolg den revolutionären Durchbruch in einem relativ rückständigen, agrarischen Land. Lenin formulierte darüber hinaus die Lehre von der »Partei neuen Typs«, die als »klassenbewusste Vorhut des Proletariats« die Führung und Erziehung der werktätigen Massen zu übernehmen hat. Durch die sowjet. Vormachtstellung in der →Komintern wurde die Organisationstheorie Lenins lange Zeit für alle kommunist. Parteien verbindlich. Die Nachfolger Lenins, v. a. Stalin, bauten den M.-Leninismus zu einer Weltanschauungslehre mit dogmat. Zügen und dem Anspruch auf Universalität und Wissenschaftlichkeit aus. Neben die politisch-sozialen und ökonom. Lehren wurde der systematisierte **dialekt. Materialismus** (Abk. Diamat) gestellt, der v. a. auf Engels' Annahme einer »Dialektik der Natur« beruht. Nach dieser Lehre sind alle Erscheinungen der Welt materiell oder aus Materie hervorgegangen; zum philosoph. Materialismus tritt die Auffassung von der Entwicklung der Welt als eines Prozesses, der sich ständig in Gegensätzen bewegt. Bestimmt wird dieser Prozess vom Gesetz des Umschlagens quantitativer Veränderungen in qualitative und vom Gesetz der Negation der Negation.

Mit der Entstalinisierung (1956) traten in den kommunist. Staaten zunehmend Systemkritiker hervor, die eine Liberalisierung und z. T. Verwerfung des Kommunismus und M. forderten. Ein eigenes Gesellschaftsmodell mit Leitung der Produktion durch Arbeiterräte (Titoismus) wurde in Jugoslawien erprobt. Mao Zedong entwickelte eine neue Theorie der proletar. Revolution (→Maoismus). Auch andere kommunist. Parteien gingen z. T. eigene Wege. Am Ende des 20. Jh. reduzieren sich die vom M. abgeleiteten Gesellschaftsmodelle durch den fakt. Zusammenbruch des marxistisch-leninistisch begründeten real existierenden Sozialismus auf einzelne Ansätze des Neomarxismus und die Auseinandersetzung mit dem Stalinismus.

📖 WETTER, G. A.: *Der dialekt. Materialismus. Freiburg im Breisgau ⁵1960.* – HARTMANN, K.: *Die Marxsche Theorie. Berlin 1970.* – KÜHNE, K.: *Ökonomie u. M., 2 Bde. u. 1 Registerbd. Neuwied u. a. 1972–74.* – FLEISCHER, H.: *Marx u. Engels. Die philosoph. Grundlinien ihres Denkens. Freiburg im Breisgau u. a. ²1974.* – *Der M. Seine Geschichte in Dokumenten, hg. v.* I. FETSCHER, *3 Bde. München ³1976–77.* – GREBING, H.: *Der Revisionismus von Bernstein bis zum »Prager Frühling«. München 1977.* – STEITZ, W.: *Einführung in die polit. Ökonomie des M. Paderborn 1977.* – WETTER, G. A.: *Dialekt. u. histor. Materialismus. Frankfurt am Main 188. bis 192. Tsd. 1979.* – *Der M. in seinem Zeitalter, hg. v.* H. FLEISCHER. *Leipzig 1994.*

Mary (bis 1937 Merw), Hptst. des Gebiets M. in Turkmenistan, Oasenstadt in der Wüste Karakum inmitten eines Baumwollanbaugebiets, 94 400 Ew.; Baumwollentkernung, Nahrungsmittel-, Bekleidungsind., Phosphatwerk; bei M. Erdgasgewinnung mit -kraftwerk. – 1884 als Verw.zentrum und Militärlager der russ. Oase Merw gegr.; 30 km östlich liegen die Ruinen der alten Stadt **Merw** (älteste Teile aus dem 6. Jh. v. Chr.). Diese gehörte vom 2. Jh. v. Chr. bis 3. Jh. n. Chr. zum Partherreich, war dann sassanidisch, wurde 651 von den Arabern erobert, 1222 von den Mongolen zerstört; heute archäolog. Schutzgebiet.

Maryland
Flagge

Maryland ['meərɪlænd], Abk. **Md.,** einer der südl. Staaten der USA, 27 092 km², (1995) 5,04 Mio. Ew. (25 % Schwarze und Mulatten); Hptst.: Annapolis. M. hat im W Anteil an den Appalachen, im O an der atlant. Küstenebene mit der →Chesapeake Bay. Anbau bes. von Getreide, Kartoffeln, Gemüse, Obst, Tabak; bed. Viehzucht und Fischerei. Es werden Kohle, Tonerde und Erdgas gewonnen. Die Ind. ist auf die größte Stadt M.s, Baltimore, konzentriert. – 1632 erhielt Cecil Calvert Lord Baltimore (* um 1605, † 1675) von Karl I. einen Freibrief für eine Kolonie am Potomac (zu Ehren der engl. Königin M. genannt); 1788 7. Staat der Union; im Sezessionskrieg (1861–65) unionstreu.

März [lat. mensis Martius »Marsmonat«], der 3. Monat des Jahres mit 31 Tagen; im altröm. Kalender der nach dem Kriegsgott Mars benannte 1. Monat. Der M. war stets reich an Volksbräuchen zur Feier des wiederkehrenden Frühlings, z. T. noch heute. – Alter dt. Name: **Lenzmond.**

Marzipan

Die Geschichte der Lübecker, die behaupten, das Marzipan erfunden zu haben, geht folgendermaßen: Die Hansestadt wurde im 14. Jahrhundert belagert, und es herrschte Hungersnot unter der Bevölkerung. Das einzig Verzehrbare waren große Mengen von Mandeln und Honig. Am Namenstag des heiligen Markus kam dann den Bäckern die Erleuchtung, und sie stellten eine Marci panis, ein Markusbrot, her. Ein solches zu Ehren ihres Stadtheiligen immer schon hergestellt zu haben, behaupten aber auch die Venezianer. Tatsächlich kommt das Zuckerwerk aber aus dem Orient, und es gelangte um das Jahr 800 herum nach Spanien und Portugal. Die Spitzenprodukte werden ausschließlich aus Zucker und der orientalischen Barrmandel hergestellt.

Märzbecher (Märzenbecher, Frühlingsknotenblume, Leucojum vernum), Amaryllisgewächs; geschützte Zwiebelpflanze feuchter, nährstoffreicher Wälder, mit schmalen grundständigen Blättern und weißen, glockigen Blüten mit kleinen grünen Flecken an den Blütenblattspitzen; auch Zierpflanze.

Märzenbier, starkes Bier, das urspr. im März gebraut wurde.

Märzfeld (lat. Campus Martius), die seit der Merowingerzeit jährlich im März stattfindende Heeresversamlung im Fränk. Reich, auf der Heerschau gehalten und über Krieg, Frieden u. a. polit. Fragen beraten wurde. 755 von Pippin d. J. in den Mai verlegt **(Maifeld),** wurde die Versammlung seit Ludwig dem Frommen nicht mehr abgehalten.

Masaccio: Auferweckung der Tabita, Ausschnitt aus einem 1427 zusammen mit Masolino entstandenen Fresko in der Brancacci-Kapelle von Santa Maria del Carmine in Florenz

Marzipan [von italien. marzapane (weitere Herkunft unsicher)] *das,* selten *der,* Konfekt aus Mandeln und Zucker; kam durch die Kreuzzüge aus dem Orient nach Europa.

Märzrevolution, die 1848 von der frz. Februarrevolution ausgelöste Erhebung des liberalen Bürgertums in den dt. Staaten und in den österr. und preuß. Ländern außerhalb des Dt. Bundes. Sie war, anders als in Frankreich, v. a. eine bürgerliche Revolution mit dem Ziel liberaler Reformen wie auch nat. Einheit. Ausgehend vom dt. SW wurden in den Klein- und Mittelstaaten die Reformforderungen bald erfüllt: konstitutionelle Verfassungen, Pressefreiheit, Schaffung von Reformministerien (»Märzministerien«), die Wahl eines gesamtdt. Parlaments (→Frankfurter Nationalversammlung). – In Preußen, wo es am 22. 3. zu Straßenkämpfen gekommen war, setzten sich im Frühsommer die Gegner der revolutionären Bewegung durch. – In Österreich setzte seit dem Sturz Metternichs (13. 3. 1848) eine stärkere Radikalisierung bis zu den bürgerkriegsähnl. Maiaufständen ein. Gleichzeitig begann die ungar. Revolution und die dem ungar. Beispiel folgende M. in Böhmen.

Die 2. Phase der M., die Septemberrevolution, erwuchs aus der Radikalisierung der sozialen Unterströmung der M., deren militär. Niederwerfung bis 23. 9. 1848 den Dualismus Preußens und Österreichs wieder aufleben ließ und die österr. »Gegenrevolution« nach der Niederwerfung der Wiener »Oktoberrevolution« (6.–31. 10. 1848) förderte.

Das Scheitern der Frankfurter Nat.versammlung in der Kaiserfrage, die Wiederherstellung des Dt. Bundes, das Einschwenken der dt. Staaten auf den Reaktionskurs, der Widerruf der in Österreich oktroyierten Verf. vom 4. 3. 1849 am 20. 8. 1851 leitete einen neoabsolutist. Kurs ein und beendete die Revolutionsbewegung.

Masaccio [ma'zattʃo], eigtl. Tommaso di Giovanni di Simone Guidi, italien. Maler, *San Giovanni Valdarno (bei Arezzo) 21. 12. 1401, †Rom vor dem 20. 12. 1429; seit 1422 in Florenz nachweisbar, malte in der Brancacci-Kapelle von Santa Maria del Carmine in Florenz die Fresken aus dem Leben des Petrus (mit →Masolino; wohl ab 1426, Teile von F. Lippi vollendet), das Fresko der Dreifaltigkeit in Santa Maria Novella in Florenz (1429) sowie Tafelbilder: Hl. Anna selbdritt (mit Masolino; um 1424/25, Florenz, Uffizien), Altarwerk aus Santa Maria del Carmine in Pisa (1426; Teile in London, Neapel, Berlin). Mit M. begann eine neue Epoche der Kunstgeschichte. Der monumentale, die Kunst Giottos erneuernde Stil seiner Fresken, die Klarheit seiner durch Zentralperspektive und einheitl. Lichtführung gewonnenen Darstellung des Raumes und die Lebensnähe seiner Menschengestaltung begründeten die Malerei der Renaissance.

Masada: Die von Herodes dem Großen 36–30 v. Chr. ausgebaute Festungsanlage befindet sich auf einem Felsplateau

📖 LONGHI, R.: *Masolino u. M. Zwei Maler zw. Spätgotik u. Renaissance. A. d. Italien. Berlin 1992.*

Masada (Massada), Ruinenstätte 441 m über dem Toten Meer, nordöstlich von Arad, Israel; vorchristl. Felsenfestung; von Herodes d. Gr. 36–30 v. Chr. ausgebaut, letzter Stützpunkt der Juden

Märzrevolution 1848/49 in Mitteleuropa

(Zeloten, Essener) im Krieg gegen Rom (73 n. Chr. eingenommen); von Josephus Flavius beschrieben. – Ausgrabungen 1963–65 mit bedeutenden Funden (v. a. die beiden Paläste des Herodes).

Masai (Massai), äthiopides Hirtenvolk in O-Afrika. Die meisten der rd. 540 000, eine nilohamit. Sprache sprechenden M. leben als Nomaden in den Steppen von S-Kenia und N-Tansania.

Masan, südkorean. Hafenstadt, 493 700 Ew.; Eisen-, Stahlwerk, Fisch verarbeitende, Wollind. Der Hafen wurde 1899 auf japan. Druck dem internat. Handel geöffnet.

Masar-e Scherif, Stadt in Afghanistan, →Mazar-e Sharif.

Masaryk, 1) Jan, tschech. Politiker, *Prag 14. 9. 1886, †ebd. (Selbstmord?) 10. 3. 1948, Sohn von 2); war 1940–45 Außenmin. der Londoner Exilregierung und 1945–48 der Regierung der neu begründeten tschechoslowak. Republik.

Tomáš Garrigue Masaryk

2) Tomáš Garrigue, tschech. Philosoph, Soziologe und Staatsmann, *Göding (heute Hodonín, Südmähr. Gebiet) 7. 3. 1850, †Schloss Lány (bei Prag) 14. 9. 1937, Vater von 1); Kritiker der tschech. polit. Romantik, bewies 1887 die Unechtheit der →Königinhofer Handschrift; 1891–93 und wieder seit 1907 Mitgl. des österr. Reichsrats; forderte seit 1914 von London aus die tschech. Eigenstaatlichkeit und wurde nach Abschluss des Pittsburgher Vertrags zw. Tschechen und Slowaken über die Gründung eines gemeinsamen Staates 1918 Staatspräs. der Tschechoslowakei (1920, 1927 und 1934 wieder gewählt); 1935 trat er zurück.

📖 Truhlar, D.: *T. G. M. Philosophie der Demokratie. Frankfurt am Main u. a. 1994.*

Masaya, Dep.-Hptst. in Nicaragua, am Fuß des Vulkans M. (934 m ü. M., letzter Ausbruch 1946–59), 74 900 Ew.; Mittelpunkt eines Agrargebietes (Kaffee, Tabak, Reis).

Pietro Mascagni

Mascagni [mas'kaɲɲi], Pietro, italien. Komponist, *Livorno 7. 12. 1863, †Rom 2. 8. 1945; verhalf dem →Verismus mit dem Welterfolg seiner Oper »Cavalleria rusticana« (1890) zum Durchbruch; komponierte weitere 16 Bühnenwerke; 1929 Nachfolger A. Toscaninis als Direktor der Mailänder Scala.

Mascara, Wilayat-Hptst. in N-Algerien, im Hochland des Tellatlas, 580 m ü. M., 70 900 Ew.; Zentrum eines Weinbau- und Getreideanbaugebietes; Eisenbahnendpunkt.

Maschine [frz., von lat. machina »(Kriegs-, Belagerungs)maschine«, von grch. mēchanḗ »Hilfsmittel«, »Werkzeug«], jede Vorrichtung zur Erzeugung oder Übertragung von Kräften, die technisch nutzbare Arbeit leistet (→Arbeitsmaschinen) oder eine Form der Energie in eine andere umsetzt (→Kraftmaschinen). In der Physik versteht man unter **einfachen M.** Vorrichtungen wie Hebel, Rolle (Wellrad), geneigte (»schiefe«) Ebene (Keil, Schraube); aus ihnen und anderen →Maschinenelementen sind **zusammengesetzte M.** aufgebaut.

Maschinenbau (Maschinenbauindustrie, Maschinen- und Anlagenbau), Wirtschaftszweig des verarbeitenden Gewerbes, der Maschinen aller Art herstellt (z. B. Werkzeug-, Druck-, Textil-, Verpackungs-, Bau- und Landmaschinen). Wegen der begrenzten Möglichkeiten der Serienfertigung (vorherrschend sind Einzel- und Kleinserienfertigung) überwiegen Unternehmen mit unter 200 Beschäftigten. Da der M. fast ausschließlich Investitionsgüter produziert, ist er bes. anfällig für konjunkturelle Schwankungen. Führende Nationen im M. sind die USA und Japan sowie in Europa Dtl., Frankreich, Großbritannien und Italien. In Dtl. wurde 1995 von 6 667 Betrieben mit 1,04 Mio. Beschäftigten ein Umsatz von 250,8 Mrd. DM erzielt (Exportquote 42,7 %).

Maschinencode [-ko:t], →Maschinensprache.

Maschinen|elemente, allg. die kleinsten, nicht mehr sinnvoll zerlegbaren und in gleicher oder ähnl. Form immer wieder verwendeten Grundbestandteile einer Maschine oder Anlage. **Primäre M.** sind Einzelbauteile (z. B. Träger, Rohre, Wellen, Nieten, Schrauben, Federn), **sekundäre M.** bauen sich daraus auf, werden aber hinsichtlich ihrer Verwendung als einheitl. M. betrachtet (z. B. Lager, Getriebe, Kupplungen).

Maschinengewehr, →Maschinenwaffen.

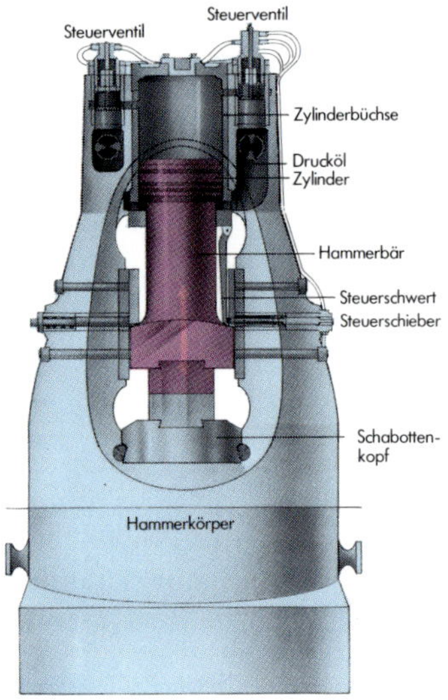

Maschinenhammer: schematische Darstellung eines mit Ölhydraulik arbeitenden Oberdruckhammers

Maschinenhammer, *Umformtechnik:* Werkzeugmaschine zur spanlosen Umformung von Werkstücken, v. a. zum Schmieden. Bei den **Schabottehämmern** liegt das Werkstück auf der fest stehenden Schabotte (»Amboss«); am Gestell des M. befindet sich eine Führung für den Hammer

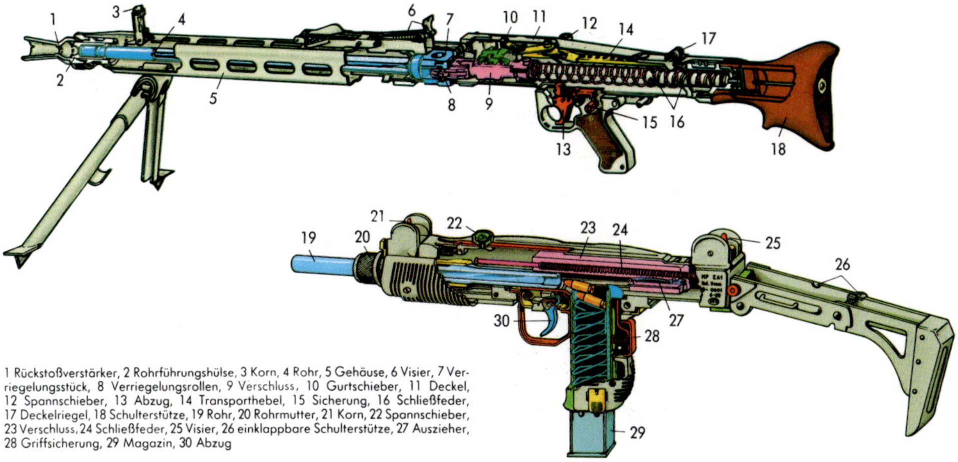

1 Rückstoßverstärker, 2 Rohrführungshülse, 3 Korn, 4 Rohr, 5 Gehäuse, 6 Visier, 7 Verriegelungsstück, 8 Verriegelungsrollen, 9 Verschluss, 10 Gurtschieber, 11 Deckel, 12 Spannschieber, 13 Abzug, 14 Transporthebel, 15 Sicherung, 16 Schließfeder, 17 Deckelriegel, 18 Schulterstütze, 19 Rohr, 20 Rohrmutter, 21 Korn, 22 Spannschieber, 23 Verschluss, 24 Schließfeder, 25 Visier, 26 einklappbare Schulterstütze, 27 Auszieher, 28 Griffsicherung, 29 Magazin, 30 Abzug

Maschinenwaffen: Schnittzeichnung des Maschinengewehrs MG 3 der deutschen Bundeswehr, Kaliber 7,62 mm (oben) und einer Maschinenpistole vom Typ UZI, Kaliber 9 mm

---

(Hammerbär oder kurz **Bär).** Zu den Schabottehämmern zählen **Fallhämmer,** bei denen das Eigengewicht des Bären im freien Fall genutzt wird, **Oberdruckhämmer,** deren Bär zusätzlich durch Druckluft (Lufthammer), Dampf (Dampfhammer), Ölhydraulik beschleunigt wird, und **Gegenschlaghämmer,** bei denen an die Stelle der fest stehenden Schabotte ein Unterbär tritt, der sich gegenläufig zum Oberbären bewegt.

Maschinenkanone, → Maschinenwaffen.

Maschinenpistole, → Maschinenwaffen.

Maschinensprache, *Datenverarbeitung:* Programmiersprache, die als Anweisungen nur Maschinenbefehle (→ Befehl) einer bestimmten digitalen Rechenanlage zulässt. Diese Befehle müssen im Befehlsformat der Rechenanlage, d.h. als deren Befehlswörter dargestellt sein und alle syntaktisch erforderl. Angaben in entsprechender (meist binärer) Verschlüsselung aufweisen **(Maschinencode).** Je nach Rechenanlage sind die Befehlswörter der M. Binärwörter oder Wörter aus Ziffern zu versch. Basen (z.B. Dual-, Dezimalziffern). Da die Erstellung eines Maschinenprogramms sehr arbeitsaufwendig und fehleranfällig ist, wurden andere, maschinenorientierte, aber auch maschinenferne Programmiersprachen entwickelt. Darin formulierte Programme müssen allerdings von einem »Übersetzer« (→ Compiler) in Maschinensprache umgewandelt werden.

Maschinenstürmer, in der Frühzeit der Industrialisierung jene Arbeiter und Handwerker, die Spinnmaschinen und Maschinenwebstühle zerstörten, um gegen ihre durch die Mechanisierung der Textilind. bedingte Arbeitslosigkeit zu protestieren; in Großbritannien bes. die Bewegung der »Ludditen« (Höhepunkt 1811/12), in Frankreich z.B. die Aufstände der Seidenweber in Lyon (1831, 1834), in Dtl. der schles. Weberaufstand (1844; Drama von G. Hauptmann, 1892).

Maschinentelegraf, auf Schiffen mechan. oder elektr. Zeigertelegraf mit Rückbestätigungseinrichtung für die Befehlsübermittlung von der Kommandobrücke zum Maschinenraum. Bei modernen Schiffen kann die Maschine hinsichtlich Drehrichtung und Drehzahl meist direkt von der Brücke aus ferngesteuert werden.

Maschinenwaffen, automat. Schusswaffen (Rohrwaffen), bei denen Laden, Spannen, Verriegeln und Öffnen des Verschlusses und das Auswerfen der leeren Hülsen automatisch erfolgen. Die Energie zum automat. Betrieb wird bei Rückstoßladern dem Rückstoß entnommen, bei Gasdruckladern den Pulvergasen, bei als M. gebauten Geschützen mittleren Kalibers elektr. oder hydraul. Vorrichtungen. **Maschinengewehre,** Abk. **MG,** sind (tragbare) vollautomat. Feuerwaffen (meist Gasdrucklader) für normale Gewehrmunition (meist Kaliber 7,62 mm). Leichte und schwere MG (lMG bzw. sMG) zum Einsatz auf kürzerer bis mittlerer Entfernung (bis 600 m bzw. 1200 m) haben eine Feuergeschwindigkeit (Kadenz) von 550–1500 Schuss/min. **Maschinenpistolen,** Abk. **MP** (auch **MPi**), sind leichte automat. Handfeuerwaffen für kurze Entfernungen (etwa 100 m), mit denen (auch in Einzelfeuer) Pistolenmunition verschossen werden kann; meist Kaliber 9 mm; Kadenz 400–900 Schuss/min. **Maschinenkanonen,** Abk. **MK,** sind vollautomat. leichte Kanonen, v.a. zur Flugabwehr (z.T. bis 4000 m Höhe); Kaliber meist zw. 30 und 40 mm, Kadenz z.T. bis 1700 Schuss pro Minute.

Maschinenzeitalter, Ende des 18. Jh. geprägter Ausdruck für die Epoche der Industrialisierung (→ industrielle Revolution).

Maschonaland, nach den →Shona benannter Teil des Hochlands von Simbabwe im NO des Landes, 1000–1600 m ü.M.; Rinderzucht, Mais-, Tabakanbau; Goldbergbau.

Mascons ['mæskɔnz; engl., von **mass concen**trations], starke Massenkonzentrationen im Bereich der Maria (→Mare) der tieferen Mondoberfläche, verbunden mit erhöhtem Gravitationsfeld; sie wurden aus Unregelmäßigkeiten in der Bahnbewegung der Mondsonde Lunar Orbiter 5 beim Überfliegen versch. Maria ermittelt.

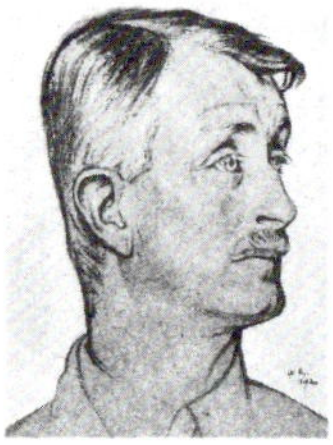

John Masefield (Kreidezeichnung des britischen Grafikers William Rothenstein, 1920)

Masefield ['meɪsfi:ld], John, engl. Schriftsteller, *Ledbury (Cty. Hereford and Worcester) 1. 6. 1878, †nahe Abington (Cty. Berkshire) 12. 5. 1967. Unter seinen Lyrikbänden ragen die in der Nachfolge von R. Kipling stehenden »Salzwasserballaden« (1902) und die Erzählgedichte hervor; schrieb auch realist. Abenteuerromane und Kindergeschichten; M. wurde 1930 »Poet laureate«.

Maser ['meɪzə; Kw. für engl. **M**icrowave **a**mplification by **s**timulated **e**mission of **r**adiation, »Mikrowellenverstärkung durch induzierte Strahlungsemission«] *der,* Anordnung zur Erzeugung und Verstärkung von Mikrowellen, die, analog zur Wirkungsweise des →Lasers, auf der stimulierten Emission elektromagnet. Wellen durch Atome, Ionen oder Moleküle beruht. Im Unterschied zum Laser ist der Resonator des M. ein metall. Hohlraumresonator, von dessen Moden i. Allg. nur eine in die Emissionsbandbreite des M.-Materials fällt (Einmodenbetrieb). Bei entsprechender Rückkopplung der verstärkten Signale wird aus dem Verstärker ein Oszillator, der ein Mikrowellensignal hoher Frequenzstabilität erzeugt (Frequenzabweichung $\Delta\nu$ zur M.-Frequenz ν von $\Delta\nu/\nu < 10^{-12}$), sodass M. auch als Zeit- und Frequenznormale (→Atomuhr) eingesetzt werden. Wichtige Anwendungen finden M. als rauscharme Verstärker zur Vorverstärkung schwacher Signale in der Radioastronomie (Rubin-M.), für Radarsysteme großer Reichweite und für Satellitenverbindungen. Als M.-Materialien werden Festkörper und Gase verwendet. Zu den **Gas-M.** gehören u.a. der Ammoniak-M. (erster M. überhaupt, 1954), Wasserstoffatom- und Rubidiumatom-M. in Atomuhren. **Festkörper-M.** (1956) sind zumeist abstimmbar, da die M.-Niveaus der verwendeten Kristalle (z.B. Rubin) durch Magnetfelder verschoben werden können.

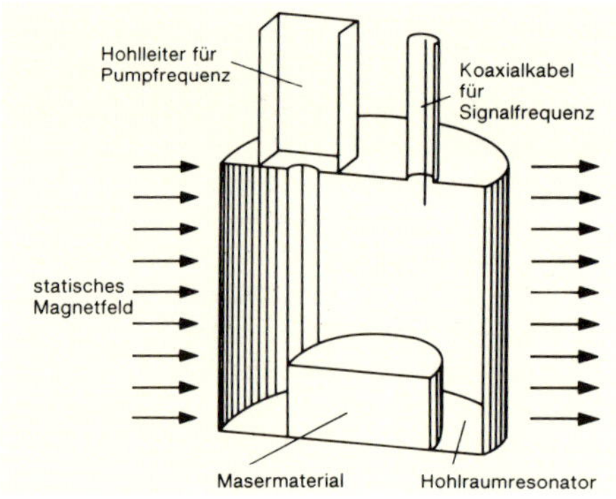

Maser: Schnittzeichnung eines Festkörpermasers mit Hohlraumresonator

Frans Masereel: Holzschnitt aus der 1918 entstandenen Folge »Die Passion eines Menschen«

Masereel, Frans, belg. Grafiker und Maler, *Blankenberge 30. 7. 1889, †Avignon 3. 1. 1972; seit 1921 in Paris. M. verfolgte in seinen expressionist., von scharfen Schwarzweißkontrasten geprägten Holzschnitten (Zyklen: »Die Passion eines Menschen«, 1918; »Die Sonne«, 1919; »Die Stadt«, 1925) humanist., sozialkrit., pazifist., z.T. auch satir. Tendenzen, die er mit einem sinnl. Lebensgefühl verband. Seine Gemälde umfassen Großstadt- und Hafenszenerien sowie Porträts.

Masern (Morbilli), weltweit verbreitete, durch das M.-Virus hervorgerufene, fieberhafte, ansteckende, v.a. Kinder befallende Infektionskrankheit mit Hautausschlag und Schleimhautentzündung. Die Übertragung erfolgt durch Tröpfcheninfektion. M. hinterlassen eine lebenslange Immunität. – Etwa 10 Tage nach der Ansteckung tritt das Vorstadium mit Fieber bis 39 °C, Husten, Schnupfen und Bindehautentzündung mit vermehrtem Tränenfluss sowie Lichtscheu, Unwohlsein, Kopf- und Halsschmerzen auf. In der Mundhöhle, v.a. am vorderen Gaumen und am Zäpfchen, treten braunrote, zusammenfließende Flecken auf. Gleichzeitig erscheinen kleine weißl. Flecken mit rotem Hof **(Koplik-Flecken)** an der Wangenschleimhaut. Nach diesem etwa drei Tage dauernden Vorstadium fällt das Fieber ab. Der typ. **M.-Ausschlag** (M.-Exanthem) tritt erst am 15. Tag nach der Infektion auf. Er beginnt im Gesicht und hinter den Ohren und greift dann auf Oberkörper, Arme, Bauch und Beine über. Gleichzeitig klingen die übrigen Krankheitszeichen ab, und nach 3–4 Tagen verschwindet der Ausschlag wieder. Etwa

2–3 Wochen nach Beginn der Erkrankung schuppt sich die Haut ab. – M. führen zu einer Abwehrschwäche; daher können sich an die M. Nachkrankheiten anschließen. Am häufigsten sind Lungenentzündung und eitrige Mittelohrentzündung. – Die *Behandlung* erfolgt symptomatisch (Bettruhe in abgedunkeltem Zimmer, verstärkte Flüssigkeitsaufnahme) und bei Sekundärinfekten mit Antibiotika. Der Vorbeugung dient die Impfung mit abgeschwächten Erregern (nach dem 15. Lebensmonat), die einen leichteren Krankheitsverlauf bewirkt; vorübergehender Schutz kann durch Immunglobuline erreicht werden.

Maseru, Hptst. von Lesotho, am Caledon River, 1506 m ü. M., 109 400 Ew.; kath. Erzbischofssitz; Endpunkt der Eisenbahn von Bloemfontein; landwirtsch. Handelszentrum; internat. Flughafen. – M. wurde 1869 gegründet.

Maserung (Masertextur, Fladerung), lebhafte Zeichnung des Holzes, die bei europ. Hölzern i. d. R. nur bei Schälfurnieren oder tangential zu den Jahresringen geführtem Schnitt in Erscheinung tritt. M. entsteht durch starke Verkrümmungen des Faser- und Jahresringverlaufs **(Maserwuchs).** – Furniere mit M. **(Maserfurniere)** werden im Möbelbau geschätzt.

Masina, Giulietta, eigtl. Giulia Anna M., italienische Schauspielerin, *San Giorgio di Piano (Prov. Bologna) 22. 2. 1921, †Rom 23. 3. 1994; eine der führenden Charakterdarstellerinnen Italiens; Hauptdarstellerin in Filmen ihres Mannes F. Fellini (⚭ seit 1943), u. a. in »La Strada« (1954), »Die Nächte der Cabiria« (1956), »Julia und die Geister« (1965), »Ginger und Fred« (1986).

Maskarenen, vulkan. Inselgruppe im Ind. Ozean; Hauptinseln: →Mauritius, →Réunion und →Rodriguez, rd. 4500 km² Landfläche.

Maskaron [maska'rɔ̃, frz.] *der,* Menschengesicht oder Fratze als Ornament in der Baukunst, v. a. des Barock. (→Maske)

Maske 1): Die Theatermaske aus Sri Lanka stellt das mythische Wesen Garuda dar (19. Jh.; Berlin, Museum für Völkerkunde)

Maskat (Muscat), Hptst. und Hafen des arab. Sultanats Oman, 41 000 Ew.; bildet mit der Hafenstadt Matra, dem Erdölhafen Mina al-Fahal (Raffinerie) und Seeb (internat. Flughafen) eine Agglomeration (100 000 Ew.). Nationalmuseum, naturhistor. Museum.

Maske [frz., wohl zu arab. masḫarah »Verspottung«, »Possenreißer«], **1)** *allg.:* Hohlgesichtsform, urspr. vor dem Gesicht getragenes plast. Gebilde (Larve), oft mit zugehörigem Kostüm für kult. Tänze. Ihr Träger repräsentiert die Gestalt, die die M. darstellt. In der grch. Antike spielte das Gorgoneion, die M. bzw. das Haupt der Medusa, eine bed. Rolle. M. waren auch Kennzeichen der att. Tragödie und Komödie; zur Schallverstärkung war der Mund als Trichter ausgebildet. – In vier Typen tauchten die M. als dunkle Lederhalbmasken in der italien. Commedia dell'Arte wieder auf. Im Allg. wurden sie im MA. von der **Schmink-M.** bzw. nichtabnehmbaren M. verdrängt. Festgelegte geschminkte oder plast. Rollen-M. gibt es im asiat. Theater noch heute, in Europa nur noch beim Clown und beim Pantomimen. M. werden auch noch im alemann. Volksbrauch tradiert (v. a. Fastnachts-M.). – In der bildenden Kunst treten M. v. a. als Bauskulptur auf, an mittelalterl. Kirchen als dämon. Grimassen, als karikierende Fratzengesichter **(Maskaron)** in der Bauornamentik des Manierismus und Barock. Bed. die 22 Krieger-M. am Berliner Zeughaus von A. Schlüter (1696). (→Totenmaske)

📖 Bluë, V. de: *Mensch u. M. Betrachtungen über Jahrhunderte. Aarau 1993.*

2) *Drucktechnik* und *Fotografie:* Vorschaltbild, →Maskierung.

3) *Sport:* Schutzhaube für das Gesicht (für den Catcher im Baseball, den Torwart im Hockey, Eishockey sowie beim Fechten).

Maske 1): Blattmaske in der Elisabethkirche in Marburg, 1280–90

Maske 1): Eine der »Masken sterbender Krieger« von Andreas Schlüter am Berliner Zeughaus, 1696

Maskerade [frz.] *die,* Verkleidung, bes. für Maskenbälle.

Maskierung, 1) *Chemie:* bei der chem. Analyse die Überführung störender Fremdionen in einen stabilen lösl. Komplex.

2) *Drucktechnik:* Ton- und Farbwertkorrektur bei der Reproduktion ein- und mehrfarbiger Vorlagen mithilfe einer Maske (Hilfsdia u. a.).

3) *Fototechnik:* Verwendung eines Vorschaltdurchsichtsbilds oder einer -blende zur Verbesserung der Bildwiedergabe.

Maskoki, nordamerikanischer Indianerstamm, →Muskogee.

Maskottchen [frz. mascotte »Hexchen«] (Maskotte), Glücksbringer, Amulett.

maskulin [lat.], männlich.

Maskulinum *das,* männl. Substantiv.

Masochismus [nach dem österr. Schriftsteller L. von Sacher-Masoch] *der,* sexuelle Perversion, bei der ausschließlich in lustvoll erlebten Demütigun-

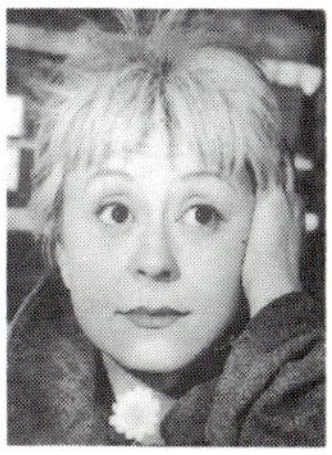

Giulietta Masina

gen oder Qualen geschlechtl. Befriedigung erreicht wird, im Unterschied zum →Sadismus.

Masolino, eigtl. Tommaso di Cristoforo Fini, italien. Maler, *Panicale (Prov. Perugia) 1383, †Florenz vor 1447; ein Hauptmeister des →schönen Stils in Italien; stand in den Jahren gemeinsamer Tätigkeit (wohl ab 1424) mit →Masaccio vorübergehend unter dessen Einfluss. M. malte Fresken in Castiglione d'Olona (aus dem Marienleben in der Kollegiatskirche, 1432; aus dem Leben des Täufers im Baptisterium, 1435), in Rom (San Clemente) und in Florenz die ältesten Fresken der Brancacci-Kapelle in Santa Maria del Carmine.

Mason [meɪsn], James, brit. Theater- und Filmschauspieler, *Huddersfield 15. 5. 1909, †Lausanne 27. 7. 1984; profilierter Charakterdarsteller in Filmen wie: »Ausgestoßen« (1947), »Lolita« (1961), »Mayerling« (1968), »Die letzte Jagd« (1984).

James Mason

Mason and Dixon Line ['meɪsn ənd 'dɪksn 'laɪn], Grenze, die 1763–67 von den brit. Astronomen C. Mason und J. Dixon zw. den Kolonien Pennsylvania und Maryland in Nordamerika markiert wurde (etwa 39° 43' n. Br.); galt als Trennungslinie zw. den Sklaven haltenden Südstaaten und den die Sklaverei verbietenden Nordstaaten.

Masora [hebr. »Überlieferung«] *die* (Massora), die von jüd. Gelehrten **(Masoreten)** verfassten textkrit. Bemerkungen und Ausspracheregeln zum hebr. Text des Alten Testaments.

Masowien (poln. Mazowsze), histor. Landschaft beiderseits der mittleren Weichsel um Warschau. – M. kam im 10. Jh. unter die Herrschaft der Piasten; wurde 1138 selbstständiges poln. Herzogtum, ab 1351 allmählich mit Polen vereinigt.

Maß, 1) *Mathematik:* Verallgemeinerung der elementargeometr. Begriffe wie Flächen- und Rauminhalt sowie des Begriffs der Wahrscheinlichkeit. In der M.-Theorie wird Inhalten allg. Punktmengen ihr M. (M.-Zahl) zugeordnet.

2) *Metrologie:* i. w. S. ältere Bez. für Einheit, speziell Längen-, Flächen- oder Volumeneinheit; i. e. S. altes dt. Hohlmaß zw. 1 und 2 l; im Bair. und Österr. Bez. für 1 l Bier.

Mass., Abk. für den Bundesstaat →**Mass**achusetts, USA.

Massa, Hptst. der italien. Provinz Massa-Carrara in der Toskana, 66 900 Ew.; Bibliothek, Staatsarchiv; Bergingenieurschule; Marmorbrüche und chemische Industrie. – Palazzo Cybo-Malaspina (16. Jh.), Dom (15. Jh.).

Massa-Carrara, Provinz der Region Toskana, Italien, 1 157 km^2, (1995) 200 300 Ew.; Hptst.: Massa.

Massachusetts
Flagge

Massachusetts [mæsə'tʃu:sets], Abk. **Mass., MA,** Staat im NO der USA, einer der Neuenglandstaaten, 21 456 km^2, (1995) 6,07 Mio. Ew., davon 84 % Stadtbewohner; Hptst.: Boston; Harvard University in Cambridge. Der W ist gebirgig, der O niedriges Hügelland, die Küste durch Buchten reich gegliedert mit guten Häfen, zahlr. Seen, dichtes Flussnetz. Bed. Seefischerei; elektrotechn. und elektron. Ind., Maschinenbau, Textil-, Metall-, Nahrungsmittelind. – Die erste feste Siedlung wurde in Plymouth von den →Pilgervätern gegründet. Unter der Charter (Verf.urkunde) von 1629 entstand zunächst ein theokrat. Staatswesen (Puritaner tonangebend). Wiederholte Konflikte der Kronkolonie (seit 1691) mit dem Mutterland führten 1775 zu den ersten Kampfhandlungen des nordamerikan. Unabhängigkeitskrieges (Bunker Hill, Lexington). 1780 gab sich M. die noch heute geltende Verf. Die Verf. der USA wurde 1788 mit knapper Mehrheit angenommen. Im Sezessionskrieg unterstützte M. den Norden.

Massada, Ort am Toten Meer, →Masada.

Massage [-ʒə, frz.] *die, Physiotherapie:* mechan. Einwirkung auf die Haut und die unter ihr liegenden Gewebe (Muskeln, Bindegewebe, Weichteile) unter Anwendung versch. Handgriffe wie Streichen, Kneten, Klopfen, Klatschen, zuweilen auch mit M.-Geräten. Neben der Steigerung der Durchblutung und der örtl. Freisetzung von körpereigenen Wirkstoffen (z. B. Histamin, Acetylcholin) wird zusätzlich auf reflektor. Weg eine Tonisierung des Gefäßsystems und der inneren Organe erreicht. M. werden als **Teil-** oder **Ganzkörper-M.** v. a. bei Erkrankungen des Bewegungsapparates (z. B. Muskelschäden) und des Kreislaufs (z. B. Durchblutungsstörungen) angewendet. Sonderformen sind die **Unterwasser-M.** (mit Druckwasserstrahlen) oder die **Saug-M.** (mit Unterdruck). Spezialform: →Bindegewebsmassage.

Massageten, antikes Nomadenvolk iran. Ursprungs zw. Kaspischem Meer und Aralsee. Nach Herodot fiel Kyros II. im Kampf gegen die massaget. Königin Tomyris (529 v. Chr.).

Massai, afrikan. Volksstamm, →Masai.

Massaker [frz.] *das,* Blutbad, Gemetzel.

Maßanalyse (Titrimetrie, Volumetrie), Bestimmungsverfahren der chem. Analyse, bei dem die zu bestimmende gelöste Substanz **(Titrand)** mit einer weiteren, ebenfalls meist in Lösung befindl. Substanz bekannter Konzentration **(Maßlösung, Titrans, Titrierflüssigkeit)** bis zu einem durch ein Indikatorsystem angezeigten Endpunkt **(Äquivalenzpunkt)** umgesetzt wird. Dieser Endpunkt kann durch die Farbänderung eines zugesetzten Indikators oder auf elektrochem. Weg (z. B. →Konduktometrie, →Potentiometrie) erkannt werden. Zur Abmessung der Maßlösung dient die →Bürette. Der Bestimmungsvorgang heißt **Titration.** Je nach dem Reaktionstyp der maßanalyt. Bestimmung gibt es Redoxtitrationen (→Oxidimetrie), Säure-Base-Titrationen (→Alkalimetrie und →Acidimetrie), Komplexbildungstitrationen (→Komplexometrie) und Fällungstitrationen, z.B. die Bestimmung von Chlorid mit Silbernitratlösung **(Argentometrie).**

Massaua (Massawa, Mitsiwa), Hafenstadt in Eritrea, am Roten Meer, 40 000 Ew.; Zement-, Tabakind.; Salzgewinnung; Flugplatz. – Einer der heißesten Orte der Erde (Jahresmittel 30,2 °C bei hoher Luftfeuchtigkeit).

Masse, 1) *allg.:* große Menge, Häufung; ungeformter, meist dickflüssiger (erhärtender) Stoff.

2) *Elektrotechnik:* Gesamtheit aller leitfähigen Bauteile von Anlagen und Betriebsmitteln, die normalerweise von den unter Spannung stehenden Teilen isoliert sind.

3) *Physik:* eine der Grundeigenschaften der Materie und daher eine der Basisgrößen des Internat. Einheitensystems (SI), Formelzeichen m, SI-Einheit Kilogramm (kg). Sie ist als **träge M.** (m_t) ein Maß für den Widerstand (Trägheit), den jeder Körper einer Änderung seines Bewegungszustandes entgegensetzt; gemäß dem 2. newtonschen Axiom ist sie mit der durch eine äußere Kraft $\boldsymbol{F}$ hervorgerufenen Beschleunigung $\boldsymbol{a}$ verknüpft durch: $\boldsymbol{F} = m_t \cdot \boldsymbol{a}$. Die **schwere M.** ($m_s$) ergibt sich aus dem newtonschen Gravitationsgesetz und ist die Ursache der Anziehung, die die Körper aufeinander ausüben (→Gravitation), also auch der Gewichtskraft der Körper im Schwerefeld der Erde. Die Gleichheit von träger und schwerer Masse ist bis auf 10^{-10} nachgewiesen und wird in der allg. →Relativitätstheorie vorausgesetzt.
Für die M. gilt in der klass. Physik ein Erhaltungssatz; wegen der aus der speziellen Relativitätstheorie folgenden **M.-Energie-Äquivalenz,** $E = m \cdot c^2$ (c Lichtgeschwindigkeit), tritt an seine Stelle der universell gültige Erhaltungssatz für die Energie E, der insbesondere auch für Elementarprozesse wie Paarbildung und -vernichtung sowie für den →Massendefekt der Atomkerne gilt. Aus der speziellen Relativitätstheorie folgt auch, dass die M. vom Bewegungszustand des Körpers abhängt. Sie nimmt mit wachsender Geschwindigkeit v zu, sodass für die **relativist. M.** gilt: $m = m_0/\sqrt{1 - v^2/c^2}$, wobei m_0 die M. des ruhenden Körpers ist. Teilchen mit Ruhe-M. $\neq 0$ können nicht auf Lichtgeschwindigkeit beschleunigt werden, da ihre M. unendlich groß werden würde.

4) *Recht:* Vermögen eines Erblassers (Erb-M.) oder Gemeinschuldners im Konkurs (Konkursmasse).

5) *Sozialwissenschaften:* eine Vielzahl von Menschen, die durch ein bestimmtes gleiches Merkmal verbunden sind, aber keine wirksame innere Organisation aufweisen. Die ältere M.-Psychologie (z.B. G. Le Bon) untersuchte M. als fast strukturlose Menschenmengen, die durch starke Erregbarkeit und Suggestibilität (M.-Suggestion, M.-Psychose) sowie durch ein typ. Verhalten der Beteiligten (Konformismus, nachlassende Urteilsfähigkeit und Verantwortung, zunehmende Impulsivität und Triebhaftigkeit) gekennzeichnet sind. Die neuere Sozialpsychologie und Soziologie beschreiben bestimmte strukturelle Merkmale von M. und unterscheiden zw. **aktuellen M. (konkrete M.)** als Ansammlungen von Menschen, die durch bestimmte Einstellungen oder Affekte verbunden sind (z.B. Demonstrationszüge), und **latenten M. (abstrakte M.)** als nicht unmittelbar verbundene Menschenmenge, die sich durch bestimmte Merkmale und Bedürfnisse abgrenzen und auch beeinflussen lassen (z.B. Leserschaft). – Als M. wird auch die an Normen angepasste Mehrheit der Bev. oder die breiten Schichten der Bev. bezeichnet. (→Massengesellschaft)

Maß|einheiten, →Einheiten (mit ÜBERSICHTEN).

Masse-Leuchtkraft-Beziehung, *Astronomie:* die Abhängigkeit der Leuchtkraft bzw. der absoluten Helligkeit der Hauptreihensterne (→Hertzsprung-Russell-Diagramm) von ihrer Masse. Sie wird im **Masse-Leuchtkraft-Diagramm** dargestellt und besagt, dass die Leuchtkraft im Mittel mit der Potenz 3,5 der Masse zunimmt.

Massen|anziehung, die →Gravitation.

Massen|ausgleich, *Maschinenbau:* der Ausgleich der Fliehkräfte, die bei beschleunigt bewegten Maschinenteilen auftreten; wird durch Einbau genau berechneter Gegenmassen erreicht.

Massendefekt, *Kernphysik:* die Abweichung der Masse der aus Protonen und Neutronen zusammengesetzten Atomkerne von der Summe ihrer Protonen- und Neutronenmassen. Sie beruht darauf, dass der gegenseitigen Bindung der Bausteine (Nukleonen) im Kern ein bestimmter, negativ zu rechnender Energiebetrag – frei werdende →Kernbindungsenergie – zukommt, der sich nach der Masse-Energie-Äquivalenz als Massenverminderung bemerkbar macht. Im Mittel beträgt die Kernbindungsenergie je Nukleon etwa 8 MeV, der M. also etwas weniger als 1% der Gesamtmasse des Kerns. Die mittlere Kernbindungsenergie je Nukleon weist ein flaches Maximum für mittelschwere Kerne auf, die aus rd. 60–65 Nukleonen bestehen.

Massen|einheit, zur quantitativen Festlegung (Messung) einer Masse verwendete Vergleichsgröße (Einheit). Neben der SI-Basiseinheit →Kilogramm und deren dezimalen Vielfachen und Teilen, wie Gramm, Tonne, Karat (→Einheiten, ÜBERSICHT), gibt es als weitere gesetzl. M. die vereinheitlichte →atomare Masseneinheit.

Massen|entlassung (anzeigepflichtige Entlassung), *Arbeitsrecht:* dem Arbeitsamt anzeigepflichtige Entlassung von Arbeitnehmern durch eine vom Arbeitgeber veranlasste Kündigung. Eine M.

Massenkommunikation: Nutzung bestimmer Medien nach Altersgruppen*) 1997 (in %)

genutztes Medium	insgesamt	Männer	Frauen	Altersgruppe						
				14-19	20-29	30-39	40-49	50-59	60-69	70 und älter
Zeitungen	82,4	83,3	81,6	52,4	73,3	81,2	87,4	90,0	90,1	87,1
Zeitschriften	46,8	42,5	50,7	48,5	48,2	46,6	46,2	46,0	46,5	46,5
Bücher	20,8	18,6	22,9	36,7	25,6	20,7	19,1	17,2	18,2	16,3
Fernsehen	92,8	92,5	93,0	94,2	89,1	91,0	91,8	93,9	95,6	95,4
Videokassetten	6,9	8,5	5,5	21,4	11,4	8,6	5,6	4,0	2,3	1,5
Radio	83,5	84,5	82,6	86,0	84,3	86,2	86,6	84,1	83,0	73,9
Tonträger	30,0	33,0	27,2	77,2	55,6	38,0	23,9	16,8	11,7	6,6

*) so viele Prozent der genannten Gruppe nutzen das jeweilige Medium mehrmals in der Woche

liegt nach §17 Kündigungsschutz-Ges. vor, wenn in Betrieben mit 21 bis 59 Arbeitnehmern mehr als 5, bei 60 bis 499 Arbeitnehmern 10% oder mehr als 25, bei 500 und mehr Arbeitnehmern mindestens 30 Arbeitnehmer innerhalb von 30 Kalendertagen entlassen werden. Der Arbeitgeber hat den Betriebsrat umfassend und rechtzeitig zu unterrichten, anzuhören und dessen Stellungnahme der Anzeige an das Arbeitsamt beizufügen. Erst danach dürfen die Kündigungen ausgesprochen werden. Sie werden vor Ablauf eines Monats nur dann wirksam, wenn das Landesarbeitsamt zugestimmt hat.

Jules Massenet (zeitgenössischer Holzstich)

Massenet [mas'nɛ], Jules Émile Frédéric, frz. Komponist, *Montaud (Dép. Loire) 12. 5. 1842, †Paris 13. 8. 1912; Vertreter der sentimental-lyr. Oper am Ende des 19. Jh., schrieb u.a. »Manon« (1884, nach A. F. Prévost), »Werther« (1892, nach Goethe), »Don Quichotte« (1910); ferner Orchester- und Kammermusik, Oratorien, Lieder.

Massengesellschaft, meist sozialkritisch gebrauchter Begriff für Ind.gesellschaften; charakterisiert eine Gesellschaft als strukturlose Vielzahl (Masse) anonym lebender und entscheidungsunfähiger, darum auf führende Eliten und repräsentierende Organisationen angewiesener Menschen, gekennzeichnet z.B. durch Massenkonsum, entfremdete Arbeitswelt, sozial isolierende Wohnverhältnisse. Ein durch Manipulation verstärkter Prozess der »Vermassung« führt nach dieser Konzeption von M. zu Nivellierung, Entpersönlichung, Kulturverfall. M. bezeichnet auch eine Gesellschaft, in der, wie in modernen Massendemokratien, die Bev. politisch-soziale Macht gegenüber gesellschaftl. Eliten gewonnen hat.

Massengesteine, die →magmatischen Gesteine.

Massengüter, 1) Produktionsgüter, die bei einem hohen Gewicht einen vergleichsweise geringen Wert darstellen, sodass Transport- und Standortfragen eine große Rolle spielen (z.B. »transportempfindliche Güter« wie Kohle, Erze, Mineralölprodukte, Getreide, Baustoffe).

2) in Massenproduktion für anonyme Konsumgütermärkte hergestellte Gebrauchs- oder Verbrauchsgüter, auch als Massenprodukte oder Massenbedarfsgüter bezeichnet.

Massenkommunikation, Kommunikationsprozess, bei dem Aussagen öffentlich (d.h. allgemein zugänglich), indirekt und einseitig über techn. Übertragungs- und Verbreitungsmittel ein weit verstreutes anonymes Publikum erreichen. Die techn. Mittel, die M. durch Bild, Schrift und/oder Ton ermöglichen, werden **Massenmedien** genannt. Unterschieden werden auditive Medien (z.B. Hörfunk, CD), audiovisuelle Medien (z.B. Film, Fernsehen, Video) und Printmedien (z.B. Buch, Zeitung, Zeitschrift). Hinzu kommen die meist multimedialen interaktiven →neuen Medien. – Für die meisten Menschen ist M. Hauptquelle polit. und gesellschaftl. Information und stellt daher die Grundlage für die Meinungsbildung dar; sie kann aber auch zu Manipulation, Agitation und Propaganda missbraucht werden. Deshalb wird den Massenmedien eine hohe Bedeutung für die polit. Kultur eines Landes beigemessen. In demokrat. Staaten kommt ihnen neben der Informations-, Bildungs- und Unterhaltungsfunktion eine Kritik-, Kontroll- und Sozialisationsfunktion zu. Massenmedien sind Teil des Alltagslebens, bieten Artikulationshilfen für die zwischenmenschl. Kommunikation und dienen der sozialen Orientierung und Integration.

📖 HUNZIKER, P.: *Medien, Kommunikation u. Gesellschaft. Einführung in die Soziologie der M.* Darmstadt ²1996. – *Publizistik, M., hg. v.* E. NOELLE-NEUMANN *u.a. Frankfurt am Main 10.–13. Tsd. 1996.*

Massenmedi|en (Massenkommunikationsmittel), techn. Verbreitungsmittel im Prozess der →Massenkommunikation.

Massenmittelpunkt, der →Schwerpunkt.

Massen|organisation, Organisation (Gewerkschaft, Jugendverband), die einen großen Bev.kreis vertritt. – In den ehem. kommunistisch regierten Staaten waren die M. Instrumente der herrschenden Partei zur Durchsetzung ihrer Ziele.

Massenproduktion (Massenfertigung), Herstellung gleicher Erzeugnisse in hoher Stückzahl im Unterschied zur Einzel- oder Serienfertigung.

Da sich bei zunehmender Stückzahl die fixen Kosten auf eine immer größere Produktmenge verteilen (Degression der fixen Kosten), wird ein Sinken der Stückkosten bei gleicher Qualität erreicht **(Gesetz der Massenproduktion).**

Massenprozent, →Konzentration.

Massenpsychologie, Psychologie des Verhaltens der →Masse.

Massenpunkt (Punktmasse), physikal. Abstraktion der Masseverteilung eines Körpers, bei der dessen Gesamtmasse als in seinem →Schwerpunkt konzentriert gedacht wird und zur Lagebestimmung nur die Freiheitsgrade des Schwerpunkts betrachtet werden. Die Behandlung von Körpern als M. ist berechtigt, wenn die innere Struktur bei der Bewegung des Körpers keine Rolle spielt.

Massenresonanzen (Teilchenresonanzen, Resonanzen), äußerst kurzlebige →Elementarteilchen, die beim Zusammenstoß sehr energiereicher schwerer Teilchen (Hadronen) entstehen und die als angeregte Mesonen- oder Baryonen-Zustände mit größerer Ruhemasse interpretiert werden können. Sie unterliegen der starken Wechselwirkung und zerfallen unter Emission von Mesonen, seltener Leptonen oder Photonen, in stabilere Elementarteilchen; ihre Lebensdauer ist von der Größenordnung 10^{-22} s. Sie lassen sich daher nicht direkt in Blasen-, Funken- oder Streamerkammern sichtbar machen; man findet dort nur die Spuren ihrer Zerfallsprodukte. Die Wahrscheinlichkeit für das Auftreten derartiger Spuren wird für bestimmte Energien der Stoßpartner sehr groß (Resonanz).

Massenspektrograph, Gerät zur genauen Bestimmung der Massen von Atomen und Molekülen, z.B. in einem Isotopengemisch. Zur Analyse wird eine Probe verdampft, sofern sie nicht bereits in der Gasphase vorliegt, und ihre Atome oder Moleküle werden in der Ionenquelle ionisiert und anschließend durch elektrostat. Felder beschleunigt. Ein ausgeblendeter, gebündelter Ionenstrahl wird durch Massen trennende Feldanordnungen (z.B. im Magnetfeld) derart aufgespalten, dass alle Ionen unterschiedl. Masse z.B. auf versch. Stellen einer Fotoplatte fokussiert werden. Die Maxima des so entstehenden **Massenspektrums,** d.h. der Häufigkeitsverteilung der Massen eines Teilchengemischs in Abhängigkeit von der Massenzahl, entsprechen den Stellen größter Schwärzung. Aus dem Ort der Schwärzungslinien können die Massen, aus dem Schwärzungsgrad die relativen Anteile der Komponenten bestimmt werden. Außer den Feldanordnungen, die zur Massentrennung benutzt werden, enthalten alle M. eine Ionenquelle zur Erzeugung des Ionenstrahls, eine Ionennachweiseinrichtung (Detektor, z.B. Fotoplatte) und ein Vakuumsystem, in dem die Ionen erzeugt und geführt werden. Je nachdem, ob gleichzeitig mehrere versch. Massen (bzw. Quotienten aus Masse und Ladung) nachgewiesen werden können oder nur eine einzige, spricht man von M. i.e.S. oder von **Massenspektrometern.** Der erste, 1919 von F. W. Aston entwickelte M. besaß nur eine **Geschwindigkeitsfokussierung.** Das Auflösungsvermögen der vom M. gerade noch zu trennenden Massen wird bei **Doppelfokussierung** (Ionen gleicher Masse, aber versch. Anfangsrichtung und Geschwindigkeit werden auf den gleichen Ort der Fotoplatte fokussiert) bis auf 10^6 erhöht. Bei Anwendung von Differenzialmethoden lassen sich relative Massen mit einer Genauigkeit von bis zu 10^{-7} und Isotopenhäufigkeiten mit einem mittleren Fehler von 0,005 % bestimmen. Das Funktionsprinzip des M. kann auch zur Isotopentrennung ausgenutzt werden (Calutron).

Massenspektroskopie (Massenspektrometrie), Verfahren zur Ermittlung von Aussagen über Massenspektren, absolute Massen und relative Häufigkeiten von Teilchen, speziell von Isotopen. Sie beruht auf der Eigenschaft elektr. und magnet. Felder, Ionen nach ihrer spezif. Ladung (Quotient aus Ladung und Masse), ihrer kinet. Energie und ihrem Impuls zu trennen. Als Analysegeräte werden →Massenspektrographen bzw. Massenspektrometer eingesetzt.

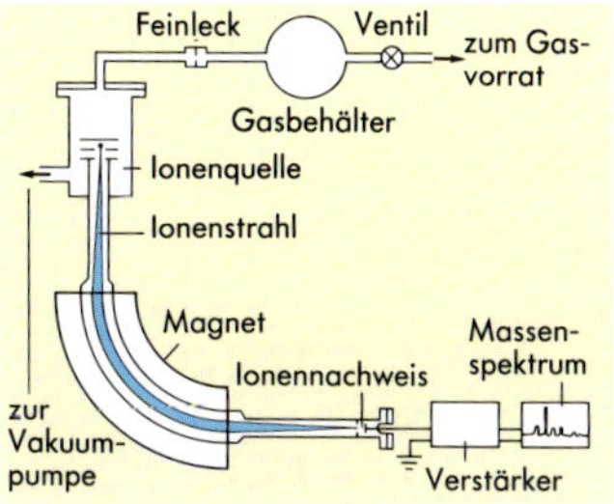

Massenspektrograph: magnetisches Massenspektrometer zur Analyse gasförmiger Substanzen

Massentierhaltung (Intensivhaltung), technisierte Haltung landwirtsch. Nutztiere gleicher Art und Altersgruppe in großen Beständen auf begrenztem Raum, um kostengünstig produzieren zu können. M. hat sich zunächst bei Geflügel durchgesetzt, dann auch bei Schweinen, Kälbern und Rindern. Problematisch ist hierbei der Gesundheitszustand der Tiere, da wichtige normale Verhaltensmechanismen blockiert werden. Die M. wirft in eth., tierschutzrechtl., lebensmittelrechtl. und ökolog. Hinsicht viele Probleme auf.

📖 KLEINSCHMIDT, N. *u.* EIMLER, W.-M.: *M. Göttingen 1991.*

Massenverfahren, im Prozess- und Verw.-recht Verfahren, an denen eine Vielzahl von Personen beteiligt ist; auch Bez. für Verfahren einer großen Zahl von Personen, deren Interessen das gleiche Ziel verfolgen, z.B. Kündigungsschutzklagen bei Massenentlassungen, Eingaben im Planfeststellungsverfahren. Nach § 17 Bundesverw.verfahrens-Ges. kann bei M. (mehr als 50 gleich gerichtete Verfahren) die Bestellung eines gemeinsamen Vertreters angeordnet werden; nach § 93 a Verw.gerichtsordnung kann das Gericht bei **Musterverfahren** (mehr als 20 Verfahren zum gleichen Gegenstand) von der Regel, jeden Antrag prozessual gesondert zu behandeln, abweichen und einzelne Verfahren vorab durchführen und die übrigen aussetzen.

Léonide Massine

Massenvernichtungswaffen, zu den →ABC-Waffen gehörende Kampfmittel, die die sog. herkömml. Waffen in ihrer Zerstörungskraft um ein Vielfaches übertreffen.

Massenwirkungsgesetz, fundamentales Gesetz über den Verlauf umkehrbarer chem. Reaktionen: Für ein im chem. Gleichgewicht befindl. homogenes System ist das Verhältnis aus dem Produkt der Konzentrationen der Reaktionsprodukte und dem Produkt der Konzentrationen der Ausgangsstoffe bei gegebenen Werten von Druck und Temperatur eine für die Reaktion charakteristische Konstante **(Gleichgewichtskonstante,** früher **Massenwirkungskonstante).**

Massenzahl (Nukleonenzahl), Formelzeichen *A*, die Anzahl der Nukleonen, aus denen ein Atomkern aufgebaut ist: $A = Z + N$ (Z = Protonenzahl, N = Neutronenzahl). Zur Kennzeichnung eines →Nuklids wird die M. dem Symbol des Elements als linker oberer Index beigefügt.

Masseverwalter, in Österreich der Konkursverwalter.

Maßwerk (von links): südliches Querhaus der Kathedrale Notre-Dame in Amiens (13./14. Jh.) und Fenster am südlichen Seitenschiff der vom 13. bis 15. Jahrhundert erbauten Katharinenkirche in Oppenheim

Maßholder *der,* Feldahorn, →Ahorn.

Massine [ma'sin], Léonide, eigtl. Leonid Fjodorowitsch Mjassin, russ. Tänzer und Choreograph, *Moskau 9. 8. 1896, †Weseke (heute zu Borken, NRW) 15. 3. 1979; war u.a. 1914–21 und 1925–28 Solotänzer und Choreograph bei den Ballets Russes in Paris; beeinflusste das sinfon. Ballett und den Tanzfilm (»Die roten Schuhe«, 1948).

André Masson: »La nuit fertile« (1960; Privatbesitz)

Massinger ['mæsındʒə], Philip, engl. Dramatiker, *Salisbury 24. 11. 1583, †London 16. 3. 1640; schrieb zeitkrit. Lustspiele und Tragödien, u.a. »Der Herzog von Mailand« (1623), röm. Mime« (1629), »Die Bürgerfrau als Dame« (1632).

Massiv [frz.] *das, Geologie:* durch Abtragung freigelegte größere Gesteinsmasse aus Tiefen- und/oder metamorphen Gesteinen (Brocken-M., Gotthardmassiv).

Massivbau, Bauweise, bei der die Tragwerke aus Mauerwerk, Natur-, Kunststein oder (Stahl-)Beton hergestellt werden und eine hohe Rohdichte aufweisen.

Maßliebchen, →Gänseblümchen.

Masson [ma'sɔ̃], André, frz. Maler und Grafiker, *Balagny-sur-Thérain (Dép. Oise) 4. 1. 1896, †Paris 28. 10. 1987; beeinflusst vom Kubismus, schloss sich 1924 den Surrealisten an, entwickelte eine lyrisch-spontane Malweise (→Automatismus).

massonsche Scheibe [ma'sɔ̃-; nach dem frz. Physiker A. P. Masson, *1806, †1858], eine runde, weiße Scheibe mit einer radialen, mehrfach unterbrochenen schwarzen Linie. Bei schneller Umdrehung erscheinen dem Beobachter mehrere graue Ringe, deren wahrnehmbare Anzahl ein Maß für sein Unterscheidungsvermögen von Helligkeitswerten ist.

Massora, →Masora.

Maßregeln der Besserung und Sicherung, die neben oder anstelle der Strafe mögl. Rechtsfolgen einer Straftat (§§ 61–72 StGB), die der Sicherung der Allgemeinheit vor dem Täter und der Besserung des Rechtsbrechers dienen (auch bei Schuldunfähigen anwendbar). M. sind: 1) die Unterbringung in einem psychiatr. Krankenhaus oder, zeitlich befristet, in einer Entziehungsanstalt, 2) die Sicherungsverwahrung (kann seit 1995 auch in den neuen Bundesländern angeordnet werden) sowie 3) die Führungsaufsicht, 4) die Entziehung der Fahrerlaubnis und 5) das Berufsverbot. Die früher vorgesehene Maßregel der Unterbringung in einer sozialtherapeut. Anstalt ist heute als Maßnahme innerhalb des Strafvollzugs möglich. – Ähnl. Maßnahmen kennen das *schweizer.* (»sichernde Maßnahmen«) und das *österr.* (»vorbeugende Maßnahmen«) Strafrecht.

Maßstab, 1) *Kartographie:* das Verhältnis zw. einer Strecke auf der Karte und der tatsächl. Länge dieser Strecke in der Natur. So entsprechen bei einem M. von 1:10 000 (großer M.) 1 cm auf der Karte 10 000 cm (= 100 m) in der Natur, bei einem M. von 1:5 000 000 (kleiner M.) 1 cm auf der Karte 5 000 000 cm (= 50 km) in der Natur.

2) *Messtechnik:* einfaches Längenmessgerät, als **Strich-M. (Strichmaß)** ein prismat. Stab aus Metall, Holz oder Kunststoff mit (mehrfach) aufgebrachter Strichteilung.

Quentin Massys: »Der Goldwäger und seine Frau« (1514; Paris, Louvre)

Maßsystem, ältere Bez. für →Einheitensystem, auch übergeordnet für →Größensystem und Einheitensystem. – In der Mechanik unterschied man das **physikal., absolute CGS-System** mit den Basisgrößen Länge, Masse, Zeit und den Basiseinheiten Zentimeter (cm), Gramm, **S**ekunde und das **techn. M.** mit den Basisgrößen Länge, Kraft, Zeit und den Basiseinheiten Meter, Kilopond (früher Kraftkilogramm), Sekunde. – In der Elektromagnetik gab es auf dem CGS-System (mit nur drei Basiseinheiten) basierend drei M., je nachdem, welche willkürl. Festsetzung getroffen wurde: Im **elektrostat. CGS-System** wurde die elektr. Feldkonstante (Dielektrizitätskonstante im leeren Raum) $\varepsilon_0 = 1$ gesetzt, im **elektromagnet. CGS-System** setzte man die magnet. Feldkonstante (Permeabilität im leeren Raum) $\mu_0 = 1$, und im **gaußschen CGS-System** setzte man $\varepsilon_0 = 1$ und $\mu_0 = 1$. Dies führte dazu, dass verschiedenartige Größen dieselbe Dimension bekamen; diese Schwierigkeit wurde nach einem von G. Giorgi 1901 gemachten Vorschlag vermieden, nämlich durch Hinzufügung einer vierten elektr. Basiseinheit zu einem absoluten, mechan. **MKS-System** mit den Basiseinheiten **M**eter, **K**ilogramm, **S**ekunde. Aus messtechn. Gründen einigte man sich auf das **A**mpere. So gelangte man zum **MKSA-System** oder **Giorgi-System.** Dieses wurde 1954 von der 10. Generalkonferenz für Maß und Gewicht zunächst auf sechs Basiseinheiten und durch die 14. Generalkonferenz 1971 auf sieben Basiseinheiten erweitert und ist heute in das **Internat. Einheitensystem,** kurz **SI** (→SI-Einheiten), übergegangen.

Maßwerk, Bauornament der Gotik in Fensteröffnungen (→Fensterrose); auch an Wandflächen, Turmhelmen, Giebeln, mit Zirkelschlägen geometrisch konstruiert (Dreipass, Vierpass usw.), entwickelte sich in spätgot. Zeit zu immer freie-ren, reicheren, flammenartigen Formen (→Flamboyantstil). In der Neugotik des 19. Jh. gewann das M. wieder an Bedeutung.

Maßwerk: verschiedene Formen; 1 Dreipass, 2 Vierpass, 3 Sechspass, 4 hochgotischer Stil, 5 Flamboyantstil

Massys ['masɛjs] (Matsys, Metsys), Quentin, fläm. Maler, *Löwen 10. 9. 1466, †Antwerpen zw. 13. 7. und 13. 10. 1530; wurde 1491 in die Antwerpener Malergilde aufgenommen; schuf, von der niederländ. Malerei der Spätgotik ausgehend und von italien. Einflüssen, bes. Leonardo da Vinci, berührt, mit großer Feinheit in der Ausführung Altarwerke (Annenaltar, 1507–09, Brüssel; Johannesaltar, 1508–11, Antwerpen), Porträts und auch realist. Sittenbilder in Halbfiguren.

Mast, 1) *Schiffbau:* auf Schiffen ein Rundholz (»Baum«), Stahl- oder Leichtmetallrohr, auf →Segelschiffen für die Besegelung und Takelung. Die Anzahl der M. und ihre Takelung bestimmen den Typ des Segelschiffs. Auf Schiffen mit maschinellem Antrieb dienen M. heute v.a. als **Signal-M.** (Signalmittel- und Antennenträger mit Podesten und Anbauten) und **Lade-M.** (mit Ladegeschirr, Ladebäumen).

2) *Technik:* Stahl-, Stahlbeton- oder Holzkonstruktion zum Tragen einer →Freileitung.

Mast, 1) *Forstwirtschaft:* Bez. für reichen Fruchtertrag bei Eichen (Eichel-M.) und Buchen (Buchelmast).

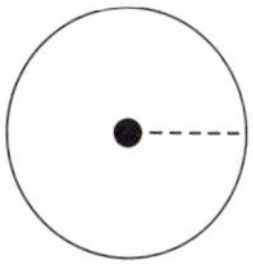

massonsche Scheibe

Mastixstrauch
(Höhe 2-4 m)

Marcello Mastroianni

2) *Landwirtschaft:* nach Tierart, -rasse und Alter unterschiedl. Fütterungs- und Haltungsverfahren bei zur Schlachtung bestimmten Tieren zum Zwecke günstiger Fleisch- oder Fetterzeugung.

Mastaba [arab. »Steinbank«] *die,* frei stehender, flacher ägypt. Grabbau seit der 1. Dynastie, mit rechteckigem Grundriss und schräg anstehenden Seiten; in der Frühzeit aus Ziegeln, später aus Steinquadern. Die M. blieb die Grabform der Beamten, bis sie von Felsgräbern abgelöst wurde. (→ägyptische Kunst)

Mastdarm (Rectum, Rektum), der unterste Teil des →Darms.

Mastdarmkrebs (Rektumkarzinom), bösartige Geschwulst des Mastdarms; etwa 30% aller M. sind durch einfache rektale Tastuntersuchung diagnostizierbar. Die Metastasierung über die Lymphwege setzt relativ spät ein. Der Durchbruch in benachbarte Organe (Blase, Scheide) ist oft mit Fistelbildung verbunden. Die Behandlung erfolgt operativ.

Mastdarmspiegelung, die →Rektoskopie.

Master ['mɑːstə; engl., aus lat. magister] *der, Hochschulwesen:* akadem. Grad: Der **M. of Arts,** Abk. **M. A.** (magister artium liberalium; Magister Artium), oder **M. of Science,** Abk. **M. S.** (magister litterarum scientiarum), wird an fast allen brit. und amerikan. Univ. verliehen (→Magister).

Mastiff
(Schulterhöhe bis zu 80 cm)

Masters ['mɑːstəz], **1)** Edgar Lee, amerikan. Schriftsteller, *Garnett (Kans.) 23. 8. 1869, †Philadelphia (Pa.) 5. 3. 1950; Rechtsanwalt; bekannt durch die Gedichtsammlung »Die Toten von Spoon River« (1915), in der er die Verlogenheit von Grabinschriften enthüllte; wichtiger Vorläufer der desillusionierenden Dichtung der Moderne.

2) William Howell, amerikan. Gynäkologe und Sexologe, *Cleveland (Ohio) 27. 12. 1915; seit 1970 ⚭ mit Virginia Eshelman Johnson (*1925); gilt als einer der Begründer der experimentellen Sexualforschung (u. a. reizphysiolog. Abläufe, sexuelles Verhalten).

Kurt Masur

Mastiff *der,* engl. Hunderasse; bis zu 80 cm schulterhoher, kurz- und glatthaariger, doggenähnl. Haushund mit kleinen Hängeohren und langer Hängerute; Fell rehbraun, gefleckt oder gestromt; wachsamer Schutzhund.

Mastikation [zu spätlat. masticare »kauen«] *die,* auf Walzwerken oder in Knetern, meist unter Zusatz von M.-Chemikalien (aromat. Schwefelverbindungen) durchgeführtes mechan. Zerreißen von Kautschukmolekülen (Natur-, z. T. auch Synthesekautschuk), wodurch die Zähigkeit der Kautschukmasse erniedrigt und die Verarbeitbarkeit verbessert wird.

Mastitis [grch.] *die,* die →Brustdrüsenentzündung.

Mastix [grch.] *der,* in Alkoholen und Terpentinöl lösl. Harz des →Mastixstrauches; u. a. für Klebemittel, Pflaster, Gemäldefirnisse verwendet.

Mastixstrauch (Pistacia lentiscus), im Mittelmeergebiet und auf den Kanar. Inseln vorkommender 2–4 m hoher Strauch aus der Familie der Sumachgewächse mit immergrünen Blättern. Durch kreuzförmige Rindeneinschnitte wird das Harz Mastix gewonnen.

Mastodonten [grch.], eine ausgestorbene Rüsseltiergattung der jüngeren Tertiärzeit.

Mastopathie [grch.] *die,* Erkrankung der Brustdrüse mit Gewebeumbildung; meist in Form hormonal bedingter Wucherungen des Brustdrüsen- und Bindegewebes mit Zystenbildung (Mastopathia cystica fibrosa); befällt vorwiegend Frauen und ist kontrollbedürftig, aber nicht bösartig.

Mastroianni, Marcello, italien. Bühnen- und Filmschauspieler, *Fontana Liri (Prov. Frosinone) 28. 9. 1924, †Paris 19. 12. 1996; internat. als Charakterdarsteller und in kom. Rollen erfolgreich; Filme: »Das süße Leben« (1959); »8½« (1962), »Das große Fressen« (1973), »Ginger und Fred« (1986), »Allen geht's gut« (1990), »Prêt-à-porter« (1994).

Masturbation [lat.] *die* (Ipsation, Ipsismus, Onanie), sexuelle Selbstbefriedigung oder gegenseitige geschlechtl. Befriedigung, bes. durch manuelle Reizung der Geschlechtsorgane.

Masuccio Salernitano [ma'zuttʃo-], eigtl. Tommaso Guardati, italien. Schriftsteller, *Salerno um 1420, †ebd. vor 1476(?); bedeutendster italien. Novellist des Quattrocento (Sammlung »Il novellino«, dt. u. d. T. »Novellen«, entstanden gegen 1450, gedruckt 1476).

Masur, Kurt, Dirigent, *Brieg (heute Brzeg) 18. 7. 1927; war 1960–64 Chefdirigent der Kom. Oper Berlin, 1967–72 der Dresdner Philharmonie, 1970–96 Gewandhauskapellmeister der Stadt Leipzig sowie seit 1991 auch Chefdirigent der New Yorker Philharmonie. Er trug als Mitinitiator des Aufrufs Leipziger Bürger vom 9. 10. 1989 wesentlich zum friedl. Verlauf dieser entscheidenden Leipziger Montagsdemonstration bei.

📖 *K. M. Gewandhauskapellmeister in Leipzig, hg. v.* K. Zumpe. *Neuausg. Frankfurt am Main u. a. 1990.*

Masuren (poln. Mazury), End- und Grundmoränenlandschaft (bis 312 m ü. M.) im NO von Polen, im S des ehem. Ostpreußen, Teil des Preuß. Landrückens; reizvolles Wald- (bes. Kiefern) und Seengebiet (**Masur. Seen,** größter ist der Spirdingsee mit 113,8 km^2, Mauersee 105 km^2); Fremdenverkehr, Fischfang und Forstwirtschaft; Landwirtschaft auf wenig ertragreichen Böden. Die Bev. (Masuren) entstand aus einer Mischung von altpreuß., masowischen und dt. Kolonisten, wobei die masow. Komponente überwog; sie sprach eine poln., mit dt. Lehnwörtern durchsetzte Mundart, ging aber im 19. und 20. Jh. immer mehr zur dt. Sprache über.

Geschichte: Bis zum 13. Jh. war M. von den baltisch-pruß. Stämmen der Galinder und Sudauer schwach besiedelt. Die Sudauer wurden 1278–83 vom Dt. Orden unterworfen und nach Samland umgesiedelt. Im 15./16. Jh. riefen der Dt. Orden und die preuß. Herzöge v. a. masow. Siedler ins Land (Abschluss der Kolonisation erst im 18. Jh.). Im 1. Weltkrieg fanden in M. die Schlachten bei Tannenberg (26.–31. 8. 1914), an den Masur. Seen (6.–14. 9. 1914) und die Winterschlacht (7.–27. 2. 1915) statt. In der Volksabstimmung vom 11. 7. 1920 erklärte sich die Bev. mit 97,5 % für den Verbleib beim Dt . Reich. 1945 kam M. zu Polen.

📖 WEBER, R.: *M. Geschichte, Land u. Leute. Leer 1983. – Naturparadies M., bearb. v.* A. STACHURSKI *u.* B. ULEWICZ. *A. d. Poln. Leer 1995.*

Matabeleland, Teil des Hochlands von Simbabwe, im SW des Landes, eine flachwellige, fast baumlose Trockensavanne, 1 000 bis 1 500 m ü. M., Wohngebiet der Matabele (→ Ndebele); Rinderfarmen, Bergbau; Hauptorte: Bulawayo, Hwange.

Matadi, Provinz-Hptst. in der Demokrat. Rep. Kongo, oberhalb der Kongomündung, 166 000 Ew.; kath. Bischofssitz; Nahrungsmittelind., Fischverarbeitung, Arzneimittelherstellung, Druckereien; wichtigster Hafen des Landes, Endpunkt der Hochseeschifffahrt; Güterumschlag auf die Eisenbahn nach Kinshasa.

Matador [span., zu matar »töten«], Stierkämpfer, der dem Stier den Todesstoß gibt.

Matagalpa, Hptst. der Prov. M. in Nicaragua, 37 000 Ew.; bed. Anbauzentrum von Kaffee; Nahrungsmittelindustrie.

Mata Hari, eigtl. Margaretha Geertruida Zelle, niederländ. Tänzerin, * Leeuwarden 7. 8. 1876, † Paris 15. 10. 1917; im 1. Weltkrieg von den frz. Behörden der Spionage für Dtl. beschuldigt, zum Tode verurteilt und hingerichtet.

Matamoros, Grenzstadt im Staat Tamaulipas, Mexiko, am unteren Río Grande, 266 000 Ew.; Handelszentrum eines Baumwoll- und Zuckerrohranbaugebietes; Brücke nach Brownsville (Tex.), Flugplatz.

Masuren: Der Mauersee ist der zweitgrößte der Masurischen Seen

Matanzas [-θas], Hptst. der Prov. M. auf Kuba, 123 800 Ew.; Bischofssitz; Univ.-Zweig; Zucker- u. a. Ind.; Hafen. – Festung (17. Jh.). – 1693 gegr., war M. im 19. Jh. zweitwichtigste Stadt Kubas.

Mataré, Ewald, Bildhauer und Grafiker, * Aachen 25. 2. 1887, † Büderich (heute zu Meerbusch) 29. 3. 1965; wurde 1932 Prof. an der Kunstakademie in Düsseldorf, 1933 entlassen, 1945 wieder eingestellt. Seine frühen Holzschnitte gehören dem Expressionismus an. Als Bildhauer, bes. als Schöpfer von Kleinplastiken (v. a. Tierfiguren) aus kostbaren, fein polierten Hölzern oder aus Bronze, gelangte er zu stark abstrahierten, bis zum Symbol verdichteten Formen. Zu seinen bauplast. Werken gehören drei bronzene Türflügel mit Mosaikeinlagen für das Südportal des Kölner Doms (1948–54) sowie Kupfertüren für die Weltfriedenskirche in Hiroshima (1954); zu seinen Schülern gehören G. Meistermann und J. Beuys.

📖 SCHILLING, S. M.: *E. M. – das plast. Werk. Köln 1987.*

Ewald Mataré: »Kleine liegende Kuh« (1946; Mannheim, Städtische Kunsthalle)

Mataró, Hafen- und Industriestadt in Katalonien, Provinz Barcelona, Spanien, 101 400 Ew.; Textil-, Metall-, Chemie-, Glas-, Papierind.; Vermarktung von Frühgemüse, -kartoffeln und Blumen; Fischerei.

Mate:
Matepflanze
(Höhe 6–14 m)

Mater dolorosa
von Egid Quirin Asam
aus dem Jahr 1724
im Mittelschiff
des Doms in Freising

Match [mætʃ, engl.] *das* oder (schweizer. nur) *der,* Wettkampf, Wettspiel, bes. im Fußball und Tennis.

Mate [span., zu Ketschua mati, eigtl. »Korb«] *der* (Matetee, Paraguaytee), Tee aus jungen Blättern mehrerer in Paraguay, Argentinien und Brasilien heim. und angebauter Arten der Stechpalme, z. B. der **M.-Pflanze** (Ilex paraguariensis). M. enthält 0,3–1,5 % Koffein, zu 50 % an Gerbsäure gebunden.

Matelot [matəˈlo:, frz. »Matrose«] *der,* engl. und niederländ. Matrosentanz im $^{2}/_{4}$-Takt, bei dem die Arme auf dem Rücken gekreuzt werden.

Mater [lat. »Mutter«], **1) M. familias,** im alten Rom die Frau des Hausvaters.

2) *die, Drucktechnik:* → Matrize.

Matera, 1) Provinz in der Region Basilicata, Süditalien, 3 447 km², (1995) 204 100 Einwohner.

2) Hptst. von 1), 55 900 Ew.; Erzbischofssitz; Museum, Fachschulen. – Die in einer Schlucht gelegenen ältesten Teile der Sadt, die Sassi, mit über- und ineinander geschachtelten Häusern aus Tuff und (die älteste Form) in Tuff hineingebauten Höhlenwohnungen werden vom roman. Dom (13. Jh.; barockisiert) überragt.

Mater dolorosa [lat. »Schmerzensmutter«], *bildende Kunst:* häufig dargestelltes Motiv der Maria, der Mutter Jesu, im Schmerz um das Leiden ihres Sohnes (→ Marienbild).

Mater et Magistra [lat. »Mutter und Lehrerin«], Sozialenzyklika Papst Johannes' XXIII. vom 15. 5. 1961; fordert u. a. Mitbestimmung und Beteiligung der Arbeitnehmer am Produktivvermögen; setzte neue Schwerpunkte innerhalb der kath. Soziallehre.

Material [lat.] *das,* zur Ausübung einer Tätigkeit oder zur Herstellung von Erzeugnissen benötigter Ausgangsstoff (Roh-, Hilfs- oder Betriebsstoff sowie Fertigteile und Baugruppen).

Materialisation *die,* **1)** *Parapsychologie:* Hervorbringung stoffl., auch menschl. Erscheinungen, die sich, wie der Okkultismus behauptet, bei Anwesenheit eines → Mediums in Form einer nebelartigen Masse (Tele- oder Ektoplasma) entwickeln und wieder verschwinden (Dematerialisation).

2) *Physik:* die Entstehung von Teilchen endl. Ruhemasse aus masselosen Strahlungsquanten (→ Paarbildung) oder kinet. Energie bei der Umwandlung von Elementarteilchen.

Materialismus [lat.] *der,* eine Grundrichtung der Philosophie, die, im Ggs. zum Idealismus die Materie als die eigentl. Realität und das alle anderen Phänomene Bestimmende ansieht. – Vom **method. M.,** der allein das naturwissenschaftl. Interpretierbare betrachten, sich jedoch jedes Urteils über die Gesamtwirklichkeit enthalten will, ist der **philosoph. M.** zu unterscheiden, der die Gesamtwirklichkeit zu deuten sucht. Letzterer tritt in folgenden Formen auf: Als **radikaler M. (Physikalismus, radikaler Behaviorismus)** leugnet er die Existenz seelisch-geistiger Prozesse; es gebe überhaupt nur die naturwissenschaftl. erfassbare Materie. Als **Epiphänomenalismus** gesteht er die Existenz von Seelischem und Geistigem zu; allerdings seien Letztere nichts als Wirkungen physikal. Prozesse, speziell von Gehirnprozessen, eine Rückwirkung gebe es nicht. Als **Identitätstheorie** behauptet er, dass Bewusstseinsphänomene nicht einen eigenen Seinsstatus besitzen, sondern lediglich eine besondere Art von Hirnprozessen sind. – Der (atheist.) mechanistische M. bildete sich, v. a. unter dem Eindruck des grch. Atomismus, in der frz. Aufklärung (u. a. La Mettrie, P. H. Holbach, C. A. Helvetius) zu seiner ersten Blüte heraus. Der naturwiss. M. des 19. Jh. (J. Moleschott, L. Büchner, E. Haeckel) wollte auf naturwiss. Erkenntnissen eine wissenschaftsoptimist., materialistische Weltanschauung aufbauen. Die v. a. über A. L. Destutt de Tracy weitergeführte und von L. Feuerbach aufgenommene Religionskritik beeinflusste die ideologiekrit. Untersuchungen von K. Marx und F. Engels, die als materialist. Geschichtsauffassung den historischen M. und als Methode den durch Kritik G. W. F. Hegels entstandenen dialektischen M. entwickelten (→ Marxismus). Der histor. M. erfuhr eine Reformulierung seiner Prinzipien und Relativierung durch versch. an Marx' Frühschriften anknüpfende Gedanken v. a. von G. Lukács, H. Marcuse, H. Lefèbvre und L. Kołakowski.

📖 OVERMANN, M.: *Der Ursprung des frz. M. Die Kontinuität materialist. Denkens von der Antike bis zur Aufklärung. Frankfurt am Main u. a. 1993.* – STEIGERWALD, R.: *Abschied vom M.? M. u. moderne Wiss. Bonn 1994.*

Materialist [lat.] *der,* i. e. S. Anhänger des → Materialismus; i. w. S. auf Genuss und Besitz materieller Güter ausgerichteter Mensch.

Materialkonstanten (Stoffkonstanten), bei gegebenen Bedingungen (wie Temperatur und Druck) unveränderl. physikal. Größen, die vom Material der untersuchten Körper abhängen, z. B. Dichte, elektr. Leitfähigkeit, Brechzahl. Im Ggs. zu M. sind die universellen Naturkonstanten (→ Physikalische Konstanten, ÜBERSICHT) stoffunabhängig.

Materialprüfung, die → Werkstoffprüfung.

Materialursache (Causa materialis), in der Philosophie des Aristoteles und der Scholastik das dem konkret Seienden zugrunde liegende Substrat, das, selbst unbestimmt, erst durch die Form Gestalt gewinnt. (→ Materie)

Materie [lat.] *die,* **1)** *allg.:* Stoff, Masse; das Gegenständliche, der Inhalt im Ggs. zur → Form; das Sachliche.

2) *Philosophie:* In Aristoteles' →Hylemorphismus als erste Materie der unbestimmte, allem Werden und Vergehen zugrunde liegende Urstoff (→Materialursache); im Neuplatonismus die letzte Stufe der →Emanation des Ureinen, als dessen Gegenpol das Prinzip des Bösen. Auf Aristoteles zurückgreifend, gilt der Scholastik die M. als das gänzlich Unbestimmte **(Materia prima)** bzw. als das bereits Geformte, weiterer Formung jedoch Fähige **(Materia quantitate signata),** damit als Individuationsprinzip (→Potenz). Vom Verhältnis der M. zu Form, Zweck, Potenz absehend, konzentriert sich die moderne Wiss. auf den quantifizierbaren Gehalt der M. (Körperlichkeit, Masse, Trägheit).

3) *Physik:* Der physikal. M.-Begriff schließt die mathematisch fassbare Struktur der M. ein. Bereits im 19. Jh. wurde versucht, den Begriff der Masse als eine der Grundeigenschaften der M. (oft fälschlich mit ihr gleichgesetzt) rein operational zu definieren und ihn so von den Resten philosoph. Begrifflichkeit (Stofflichkeit) zu trennen. Erst die Physik des 20. Jh. hat den klass. M.-Begriff der sinnl. Anschauung und des ihr entsprechenden euklid. Raumes aufgelöst. An ihre Stelle treten makrophysikalisch der relativitätstheoret. Begriff einer Wechselwirkung zw. der M. und der durch sie gekrümmten vierdimensionalen Raum-Zeit (→Raum), mikrophysikalisch die Wahrscheinlichkeitsgesetze im Zustandsraum (Hilbert-Raum) der Quantenmechanik. Die eigentl. Träger der M. (»Teilchen«) sind dynam. Zentren, die nur einen verschwindend geringen Raum einnehmen. Der räuml. Hauptanteil der makrophysikalisch repräsentierten M. ist »leer« im Sinne einer naiven Anschauung, jedoch erfüllt von intensiven Kraftwirkungen. Sie bilden das Feld, das die eigentl. M.-Träger umgibt und als dessen Erzeugnis man umgekehrt auch diese »eigentl. M.« zu verstehen bemüht ist, da seit Etablierung des →Dualismus eine scharfe Trennung zw. den Begriffen Teilchen und Feld gar nicht möglich ist. Vielmehr können Teilchen mit Ruhemasse in solche ohne Ruhemasse umgewandelt werden und umgekehrt (→Paarbildung). Beide können nach der von A. Einstein aufgezeigten →Äquivalenz von Masse und Energie nur als zwei versch. Erscheinungsformen von Energie aufgefasst werden. Die →Antimaterie ist im obigen Sinn als eine andere Form von M. aufzufassen. Durch die →Wechselwirkungen der M. werden sowohl die Elementarprozesse der Mikrophysik (Kern- und Atomaufbau, chem. Bindungsverhältnisse in Molekülen u. a.), die Eigenschaften der makroskop. M. unserer Umgebung als auch Aufbau und Entwicklung des gesamten Kosmos beschrieben.

📖 SCHRÖDINGER, E.: *Geist u. M. Aus dem Amerikan. Zürich 1989.* – HEISENBERG, W.: *Physik u. Philosophie. A. d. Engl. Stuttgart* [5]*1990.* – FEYNMAN, R. P.: *QED. Die seltsame Theorie des Lichts u. der M. Aus dem Amerikan. Neuausg. München* [5]*1992.*

materiell [frz.], 1) stofflich, körperlich; 2) wirtschaftlich, finanziell; 3) auf Gewinn bedacht.

Materiewelle (De-Broglie-Welle) [nach dem frz. Physiker L.-V. de Broglie], die einem bewegten Materieteilchen nach der →Wellenmechanik zugeordnete Welle (→Dualismus). Ist p der Impuls eines bewegten Teilchens, so ist die Wellenlänge λ **(De-Broglie-Wellenlänge)** durch die **De-Broglie-Beziehung** $\lambda \cdot p = h$ (h plancksches Wirkungsquantum) gegeben. Die M. ermöglicht die Beschreibung der Welleneigenschaften von Teilchen, z. B. der Interferenz von Elektronenstrahlen an Kristallgittern.

Mathematik [von grch. mathēmatikḗ (téchnē), zu máthēma »das Gelernte«] *die,* eine der ältesten Wissenschaften, hervorgegangen aus den Aufgaben des Zählens, Rechnens und Messens, der prakt. (insbesondere naturwiss. und techn.) Fragestellungen zugrunde lagen und zu deren Behandlung urspr. Zahlen und geometr. Figuren sowie ihre wechselseitigen Verknüpfungen herangezogen wurden. Der Aufgabenbereich der M. wurde mit der Abstrahierung von der ursprüngl. Bedeutung der untersuchten Objekte wesentlich erweitert und führte zu einer »Wissenschaft von den formalen Systemen« (D. Hilbert). Danach versteht man unter der modernen M. die Wissenschaft von den abstrakten Strukturen und log. Folgerungen, die durch Festlegung von wenigen Grundannahmen über Relationen und Verknüpfungen zw. Elementen einer Menge beliebiger Größen bestimmt werden. Zu ihren wesentl. Aufgaben gehört das Aufstellen allgemeinster, widerspruchsfreier Beziehungen zw. diesen Größen (→Axiom), aus denen sich auf rein log. Weg Folgerungen in Form von Aussagen (Sätzen) ergeben. Die M. ist gekennzeichnet durch eine hohe Präzision ihres Begriffssystems, Strenge ihrer Beweismethoden und einen stark deduktiven Charakter ihrer Darlegung. Entsprechend der Vielfalt ihrer Anwendungsgebiete unterteilt man die M. in Zweige, deren klare Abgrenzung voneinander schwierig ist. Nach traditioneller Einteilung gliedert sich die M. in Arithmetik, Geometrie, Algebra und Analysis. Wichtige selbstständige Spezialdisziplinen sind daneben u. a. Wahrscheinlichkeitsrechnung und Statistik, Funktionalanalysis, Kombinatorik, Mengenlehre, numer. M., Optimierung, Topologie, Vektorrechnung sowie Ausgleichs- und Fehlerrechnung; mit Computeralgebra und Technomathematik u. a. entstanden auch Zweige der M., die sich des Computers als Hilfsmittel bedienen.

Geschichte: Auf teils noch vorwiss. Stufe standen die babylon. und ägypt. M., die sehr eng mit ihren jeweiligen Anwendungen zusammenhingen und ohne Begründung gegebene Regeln verwendeten. Die grch. M. dagegen ging bereits beweisend vor. Appollonios von Perge arbeitete die Kegelschnittlehre aus, Archimedes entwickelte die Exhaustionsmethode. Die röm. M. blieb weitgehend auf prakt. Aufgaben beschränkt. Die (durch die ind. M. beeinflusste) arab. M., die vom 9. Jh. an führend war, lieferte selbstständige Beiträge, z. B. zur Geometrie, zur Trigonometrie, zur Theorie der Gleichungen und zur Reihenlehre. Sie gab das mathemat. Wissen an das lat. MA. weiter. In Europa begann die Weiterentwicklung der M. seit Regiomontanus (15. Jh.) mit der Vervollkommnung der Trigonometrie, der Ausbildung der Perspektive, dem Studium der kaufmänn. Rechenverfahren und der Schaffung einer Algebra. Nach der Einführung der Logarithmen zu Beginn des 17. Jh. legten R. Descartes und P. de Fermat mit der analyt. Geometrie die Grundlage für die Infinitesimalrechnung (I. Newton, G. W. Leibniz). Der Begriff der Funktion wurde geklärt. Es entstand die Analysis, die die Entwicklung der M. im 18. Jh. weitgehend bestimmte. Gegen Ende des 18. Jh. wurde von L. Euler der Ausbau der von Fermat im Anschluss an Diophantos von Alexandria (3. Jh) geschaffenen abstrakten Zahlentheorie eingeleitet. Auf der Grundlage der von C. F. Gauß entwickelten Theorie der komplexen Zahlen wurde im 19. Jh. die Funktionentheorie von A. L. Cauchy begründet und von K. Weierstraß und B. Riemann weiterentwickelt. Im selben Jh. erfuhr die M. auch eine Wendung zu Grundlagenfragen und zur Systematisierung hin. Neben Konvergenzfragen spielte die nichteuklid. Geometrie eine wichtige Rolle bei der Beschäftigung mit den Grundlagen der Mathematik. Probleme der Geodäsie und Astronomie führten zur Fehlerrechnung, physikal. Fragestellungen auf die Vektorrechnung, innermathemat. Untersuchungen zur Gruppentheorie. Ein neues Gebiet erschloss die von G. Cantor begründete Mengenlehre. Im 20. Jh. kam es zur Bildung der sog. abstrakten Algebra und parallel dazu zur Axiomatisierung, schließlich zu einem neuen Verständnis der M. als Wiss. von den mathemat. Strukturen. Für die mathemat. Grundlagenforschung des 20. Jh. sind die Ergebnisse der mathemat. Logik sehr wichtig. Sehr einflussreich war der Versuch der Gruppe Bourbaki, der M. eine einheitl. mengentheoretisch orientierte Sprache auf strukturalist. Hintergrund zu geben. In den 80er-Jahren fand eine Rückwendung zu eher konkreten Fragestellungen statt.

Georges Mathieu: »Herzog von Sachsen« (1960; Privatbesitz)

📖 RESNIKOFF, H. L. *u.* WELLS, R. O.: *M. im Wandel der Kulturen. A. d. Engl. Braunschweig 1983.* – DIEUDONNÉ, J.: *Geschichte der M. 1700–1900. Ein Abriß. A. d. Frz. Braunschweig u. a. 1985.* – *Lexikon bedeutender Mathematiker, hg. v.* S. GOTTWALD *u. a. Neuausg. Thun 1991.* – GERICKE, H.: *M. in Antike u. Orient. Sonderausg. Wiesbaden 1992.* – REINHARDT, F. *u.* SOEDER, H.: *dtv-Atlas zur M., 2 Bde. München [9–10]1994.*

mathematische Linguistik, → Linguistik.

mathematische Logik, die Lehre von den log. Zusammenhängen, soweit sie alle deren Elemente und Beziehungen in eine Theorie überführt und durch Symbole und Formelsprache darstellt (oft gleichbedeutend gebraucht mit formaler Logik). Sie geht von Aussagen aus, deren Beziehungen ohne Berücksichtigung der Subjekt-Prädikat-Beziehung in der **Aussagenlogik** untersucht werden. Die eindeutige Festlegung von Satzbildungs- und Ableitungsregeln führt zu **Aussagenkalkülen;** aus der Gesamtheit aller innerhalb eines Kalküls ausdrückbaren Aussagen können gewisse als Axiome angenommen werden. Die Berücksichtigung der Subjekt-Prädikat-Beziehung führt zur **Prädikatenlogik,** die entsprechende Regelfestlegung zum **Prädikatenkalkül.** Ähnlich gibt es Klassen-, Relationen-, Modalkalküle u. a. Eine mehrwertige Logik ist die Wahrscheinlichkeitslogik, die von Modallogiken zu unterscheiden ist (→ Logik). Die bes. von G. Boole, G. Frege, B. Russell, D. Hilbert, L. E. J. Brouwer, P. Lorenzen und K. Lorenz ausgebildete m. L. ist vor allem in der Wissenschaftslehre wichtig geworden. – I. e. S. bezeichnet m. L. die für die Mathematik wichtigen Teilgebiete der formalen Logik, u. a. Beweistheorie (auch Metamathematik genannt), Mengenlehre, Modelltheorie (→ Modell).

📖 EBBINGHAUS, H.-D. *u. a.: Einführung in die m. L. Heidelberg u. a. [4]1996.*

mathematische Psychologie, Gesamtheit der im Einzelnen unterschiedl. Richtungen psycholog. Forschung, die stark formalisiert sind und ma-

mathematische Zeichen (Auswahl)

Elementares Rechnen

$=$	gleich
$:=$	nach Definition gleich
$\approx$	ungefähr gleich
$\equiv$	identisch
$+$	plus
$-$	minus
$\pm$	plus oder minus
$\cdot, \times$	mal
$:, \div, /$	geteilt durch
$\neq$	ungleich
$>$	größer als
$\geqq, \geq$	größer oder gleich
$\gg$	(sehr) groß gegen
$\sim$	proportional
$\triangleq$	entspricht
$<$	kleiner als
$\leqq, \leq$	kleiner oder gleich
$\ll$	(sehr) klein gegen
Σ	Summe
Π	Produkt
$\sqrt{\ }$	Wurzel aus (Quadratwurzel)
$\sqrt[n]{\ }$	*n*-te Wurzel aus
a^n	*n*-te Potenz von *a*
%	Prozent, vom Hundert
‰	Promille, vom Tausend
$\lvert x \rvert$	Betrag von *x*
$\lVert x \rVert$	Norm von *x*
$n!$	*n* Fakultät
$\binom{n}{k}$	*n* über *k* (Binomialkoeffizient)

Elementare Geometrie

$\parallel$	parallel
$\nparallel$	nicht parallel
$\uparrow\uparrow$	gleichsinnig parallel
$\uparrow\downarrow$	gegensinnig parallel
$\perp$	rechtwinklig zu
$\cong$	kongruent, deckungsgleich
$\sim$	ähnlich
$\sphericalangle$	Winkel
$\overline{AB}$	Strecke *AB*
⦜, ⦝, ∟	rechter Winkel
⌀	Durchmesser
$^\circ$	Grad
$'$	Minute
$''$	Sekunde

Zahlenmengen

$\mathbb{N}$, N	Menge der natürlichen Zahlen
$\mathbb{Z}$, Z	Menge der ganzen Zahlen
$\mathbb{Q}$, Q	Menge der rationalen Zahlen
$\mathbb{R}$, R	Menge der reellen Zahlen
$\mathbb{C}$, C	Menge der komplexen Zahlen
i	imaginäre Einheit ($i = \sqrt{-1}$)
$z = a + ib$	komplexe Zahlen
$\bar{z}, z^*$	konjugiert komplexe Zahl zu *z*
e	eulersche Zahl (= 2,718281...)
π	Pi (= 3,1415926...)

Algebra und analytische Geometrie

$a \mid b$	*a* teilt *b*
$a \nmid b$	*a* teilt nicht *b*
$\cong$	isomorph
A, **a**, $\vec{A}, \vec{a}$	Vektoren
$\mathbf{A} \cdot \mathbf{B}$, $\mathbf{AB}$ $(\mathbf{A}, \mathbf{B})$	Skalarprodukt von **A** und **B**
$\mathbf{A} \times \mathbf{B}$, $[\mathbf{A} \times \mathbf{B}]$	Vektorprodukt von **A** und **B**
$\det(a_{ik})$, $\lvert a_{ik} \rvert$	Determinante

Mathematische Logik

$\wedge$	und (Konjunktion)
$\vee$	oder (Disjunktion)
$\neg$	nicht (Negation)
$\Rightarrow$	wenn ..., dann (Subjunktion)
$\Leftrightarrow$	genau dann, wenn (Äquivalenz)
$:\leftrightarrow$	nach Definition genau dann, wenn
$\bigwedge, \forall$	für alle
$\bigvee, \exists$	es gibt

Mengenlehre

$\in$	Element von
$\notin$	kein Element von
$\emptyset$	leere Menge
$\{x \mid A(x)\}$	Menge aller x mit der Eigenschaft *A*(*x*)
$\cup$	vereinigt
$\cap$	geschnitten
$\subseteq, \subset$	enthalten in, Teilmenge von
$\nsubseteq, \not\subset$	nicht enthalten in, nicht Teilmenge von
$\subsetneqq$	echt enthalten in, echte Teilmenge von
$\complement A, \bar{A}$	Komplement von *A*
$\setminus, -$	ohne, minus
$\mathfrak{P}(A)$	Potenzmenge von *A*
$A \times B$	Produktmenge von *A* und *B*
Δ	symmetrische Differenz
$(a, b), \langle a, b \rangle$	geordnetes Paar
$\circ$	verknüpft mit
$\lvert A \rvert$, card *A*	Kardinalzahl vom *A*
$\{x \mid A(x) \mid\}$	Menge aller *x*, für die *A*(*x*) gilt
$\aleph$	Aleph
$\sim$	Äquivalent

Analysis

∞	unendlich
$df(x)$	Differenzial der Funktion *f*(*x*)
$\frac{df(x)}{dx}, f'(x)$	Differenzialquotient, Ableitung
$\frac{\partial f(x, y)}{\partial x}, f_x$	partieller Differenzialquotient
$\int$	Integralzeichen
$\oint$	Randintegral
∇	Nablaoperator
Δ	Deltaoperator (Laplace-Operator)
$]a, b[$	offenes Intervall $a < x < b$
$[a, b]$	abgeschlossenes Intervall $a \leqq x \leqq b$
$[a, b]$	halboffenes Intervall $a \leqq x < b$
$[a, b]$	halboffenes Intervall $a < x \leqq b$
lim	Grenzwert

themat. Modelle benutzen (bes. Skalierung, Spiel-, Entscheidungs-, Informations- und Messtheorie). Zu den klass. Richtungen zählt die Psychophysik (→ Weber-Fechner-Gesetz) und die Faktorenanalyse.

mathematische Zeichen, zur übersichtlichen und eindeutigen Formulierung von mathemat. Aussagen verwendete Zeichen (Symbole), v. a. Abkürzungen für bestimmte Größen, Relationen und Operationen. (ÜBERSICHT)

Mathieu [ma'tjø], **1)** Georges, frz. Maler, * Boulogne-sur-Mer 27. 1. 1921; seit 1947 in Paris, einer der Hauptvertreter der → informellen Kunst; fand um 1948 seinen eigenen Stil, gekennzeichnet von der schwungvollen Geste, mit der er die Farbe unmittelbar auf die Leinwand bringt. M. wurde mit

Ölbildern, Gouachen, Lithographien sowie mit theoret. Schriften (»Au delà du Tachisme«, 1963; »L'abstraction prophétique«, 1984) bekannt.

2) Mireille, frz. Chanson- und Schlagersängerin, *Avignon 22. 7. 1946; von Edith Piaf beeinflusst, singt chansonhafte Schlager, auch in dt. Sprache; Erinnerungen »Ja, ich glaube« (1988).

Mathilde, Herrscherinnen:

Hl. Röm. Reich: **1) M. die Heilige,** *um 895, †Quedlinburg 14. 3. 968; Gemahlin König Heinrichs I. (seit 909), Mutter Ottos I., d. Gr.; unterstützte Ottos Bruder Heinrich; gründete 936/937 das Stift Quedlinburg; Heilige, Tag: 14. 3.

England: **2) M.,** *London 1102, †Rouen 10. 9. 1167; Tochter Heinrichs I. von England, ⚭ 1114–25 mit Kaiser Heinrich V., seit 1128 mit Graf Gottfried V. von Anjou (gen. Plantagenet); konnte ihren Thronanspruch gegen Stephan I. von Blois nicht behaupten; sicherte 1153 ihrem Sohn Heinrich (II.) die Thronfolge.

Toskana: **3) M.,** Markgräfin von Tuszien (Toskana), *1046, †Bondeno (bei Ferrara) 24. 7. 1115; beherrschte fast die ganze Toskana und die Emilia; mächtige Bundesgenossin der Päpste im Kampf gegen die dt. Kaiser während des Investiturstreits; vermachte wohl 1079 ihre reichen Besitzungen, die Mathildischen Güter, dem Papst, der sie ihr als Lehen zurückgab. 1111 setzte sie Kaiser Heinrich II. als Erben ein. Mit M. erlosch das Haus Canossa.

Edith Mathis

Mathis, Edith, schweizer. Sängerin (lyr. Sopran), *Luzern 11. 2. 1938; sang an der Dt. Oper Berlin, an den Staatsopern in Hamburg und München sowie an der New Yorker Metropolitan Opera; wirkte mit bei Festspielen (Salzburg, Glyndebourne); wurde v. a. als Mozart-Sängerin bekannt; auch Oratorien- und Liedsängerin.

Mathura ['mæθʊrɑ:] (früher Muttra), Stadt in Uttar Pradesh, Indien, an der Yamuna; 227 000 Ew.; archäolog. Museum; Baumwoll-, chem. Ind., Landmaschinenbau. – M. gilt den Hindus als Geburts- und Wirkungsstätte Krishnas (Pilgerstätte). – Bed. Stadt des Kushanareiches.

Matinee [frz., zu matin »Morgen«] *die,* künstler. Veranstaltung am Vormittag.

Henri Matisse (Selbstbildnis, Ausschnitt einer Kohlezeichnung, 1937)

Matisse [ma'tis], Henri Émile Benoît, frz. Maler, Grafiker und Bildhauer, *Le Cateau-Cambrésis 31. 12. 1869, †Cimiez (heute zu Nizza) 3. 11. 1954; führender Künstler der sich vom Impressionismus abwendenden Bewegung der → Fauves. Bei M. stand die Farbe nicht mehr im Dienste stoffl. Oberflächencharakterisierung, sondern machte die Gegenstände zu Farbträgern. Zugleich gewann das flächig-dekorative Element an Bedeutung. M. malte bes. Stillleben, die seiner Vorliebe für flächig-ornamentale Aufteilung entgegenkamen. Dieser Stil führte M. auch zur Wandmalerei: dreiteilige, große Dekoration »Der Tanz« (1930–34, Merion, Pa., Barnes Foundation); 1948–50 Ausgestaltung der Klosterkapelle Notre-Dame du Rosaire in Vence bei Nizza. M.s maler. und zeichner. Werk, das zu den Epoche machenden künstler. Leistungen des 20. Jh. gehört, wird durch Skulpturen abgerundet.

📖 *H. M. 1869–1954.* hg. v. J. FLAM. *Köln 1994.* – SCHÜTZ, O.: *H. M., die blauen Akte. Eine Kunst-Monographie. Frankfurt am Main u. a. 1996.*

Henri Matisse: »Erinnerung an Ozeanien«, Collage (1953; New York, Museum of Modern Art)

Matjeshering [niederländ., eigtl. »Mädchenhering«], gesalzener junger Hering (ohne Milch und Rogen).

Mato Grosso ['matu 'grosu; »dichter Wald«], Bundesstaat im Innern Brasiliens, 901 421 km^2, (1991) 2,02 Mio. Ew.; Hptst. ist Cuiabá; liegt überwiegend im Brasilian. Bergland. Von Galeriewäldern durchzogene Savannen (Campos Cerrados; Viehzucht) herrschen vor; der N mit trop. Regenwald (Kautschuk) gehört zu Amazonien; im SW hat M. G. Anteil an der Schwemmlandebene des Pantanal. – M. G. wurde seit Ende des 17. Jh. von Goldsuchern erschlossen, 1748 Kapitanat, seit 1822 Teil Brasiliens.

Mato Grosso do Sul ['matu 'grosu du 'sul], 1979 von Mato Grosso abgetrennter Bundesstaat Brasiliens, 357 471 km^2, (1991) 1,78 Mio. Ew.; Hptst. ist Campo Grande. Der O und S gehören zum Bereich des Brasilian. Berglands, im NW erstreckt sich das Überschwemmungstiefland des Pantanal um den Paraguay. Bed. Rinder- und Schweinezucht; Reis-, Zuckerrohr- und Maisanbau bes. im Bereich des Paraná. Bei Corumbá bed. Manganerzbergbau, ferner Eisenerze u. a. Bodenschätze.

Matragebirge (ungar. Mátra), Teil des Nordungar. Mittelgebirges, im Kékes 1015 m ü. M. (höchster Berg Ungarns).

Matratze [von italien. materazzo, aus arab. maṭraḥ »Bodenkissen«] *die,* mit einer Drellhülle umgebenes Polster, das auf den Sprungfederrahmen oder den Lattenrost des Bettes gelegt wird. **Füll-M.** sind mit tier. (Rosshaar, Federn) oder pflanzl. (Palmfaser, Kokosfaser u.a.) Füllstoffen gefüllt. **Federkern-M.** haben zusätzlich eine Sprungfedereinlage aus zusammenhängenden Stahlfedern. **Schaum-M.** bestehen aus Schaumgummi (Latex) oder aus geschäumten Kunststoffen (v.a. Polyurethan).

Mätresse [frz. »Herrin«] *die,* Geliebte; im 17. und 18. Jh. die anerkannte, oft einflussreiche Geliebte eines Fürsten.

Matriarchat [lat.-grch.] *das,* Bez. für eine Gesellschaftsordnung, in der die Frau, im Besonderen die Mutter (→Mutterrecht), die Vorherrschaft innehat; Ggs.: Patriarchat.

Matrikel [lat.] *die,* amtl. Verzeichnis von Personen, z.B. Universitäts-M.: Verzeichnis der Studenten einer Hochschule.

Matrikularbeiträge, im 15. Jh. enstandene Bez. für Überweisungen nachgeordneter an übergeordnete öffentl. Verbände, z.B. die im Norddt. Bund 1867–1871 und im Dt. Reich 1871–1918 nach der Einwohnerzahl bemessenen Beiträge der Bundesstaaten zu den Einnahmen des Reiches.

matrilineare Abstammung, Abstammung nach der mütterl. Linie.

Matrix [spätlat., aus lat. matrix »Gebärmutter«] *die,* **1)** *Biologie:* Keimschicht, Bildungsschicht (eines Organs).

2) *Mathematik:* System von $m \cdot n$ Größen a_{ik} (Zahlen, Funktionen u.a.), die in m Zeilen und n Spalten folgendermaßen angeordnet sind:

$$A = (a_{ik}) = \begin{pmatrix} a_{11} & a_{12} & \cdots & a_{1n} \\ a_{21} & a_{22} & \cdots & a_{2n} \\ \vdots & \vdots & & \vdots \\ a_{m1} & a_{m2} & \cdots & a_{mn} \end{pmatrix}$$

Ein mit a_{ik} bezeichnetes Element der M. steht in der i-ten Zeile und k-ten Spalte. Ist A eine quadrat. M., d.h., gilt $m=n$, bezeichnet det A die zu ihr gehörende →Determinante. M. lassen sich nach den Regeln der Matrizenrechnung verknüpfen und spielen bei der Auflösung linearer Gleichungs- und Differenzialgleichungssysteme eine wichtige Rolle.

3) *Petrologie:* die Grundmasse in magmat. Gesteinen und das Bindemittel in Sedimentgesteinen.

Matrixdrucker, *Datenverarbeitung:* Bez. für Drucker, die einzelne zu druckende Zeichen aus einer Matrix von Punkten bilden. Man unterscheidet M. mit bewegtem Druckkopf (mit 7, 9, 24 und 48 Drucknadeln), die Druckgeschwindigkeiten von mehr als 500 Zeichen pro Sekunde erreichen, und M. mit einem Druckkamm. Diese besitzen für eine bis zwei Zeichenpositionen jeweils eine Zinke mit einer Drucknadel. Der Kamm wird mit hoher Geschwindigkeit horizontal vor dem vertikal laufenden Papier bewegt. Jede einzelne Zinke des Druckkamms kann durch einen Magneten angesteuert werden, der bei Bedarf die Zinke mit der Drucknadel gegen ein Farbband auf das Papier schlägt. Mit diesem Druckertyp können Druckgeschwindigkeiten von mehr als 600 Zeilen pro Minute erreicht werden, da alle Zeichen einer Druckzeile gleichzeitig gedruckt werden.

Matrix|organisation, *Betriebswirtschaftslehre:* Organisationsstruktur, bei der sich eine nach Fachabteilungen und eine nach Produkten oder Projekten gegliederte Organisation überlappen. Die jeweiligen Produkt- oder Projektmanager haben ein objektbezogenes Anordnungsrecht quer zu den Fachabteilungen. Die Fachabteilungsleiter verfügen über das funktionsbezogene Weisungsrecht.

Matrize *die,* **1)** *Drucktechnik:* (Mater) a) in der Schriftgießerei die durch Prägen, Bohren oder galvanisch gewonnene Metallform für den Guss von Drucktypen; b) in der Setzmaschine verwendeter Körper, in dem ein Schriftzeichen oder das Negativ für den Fotosatz eingesetzt ist; c) in der Galvanoplastik die Abformung einer Hochdruckform, auf der sich im galvan. Bad ein Metallniederschlag bildet; d) in der Stereotypie die durch Einprägen in eine Mater aus Papierlagen, Spezialpappe oder Kunststoff gewonnene Abformung einer Hochdruckform für die Druckformenvervielfältigung; e) in der Buchbinderei das Stück, von der die Patrize für das Prägen abgeformt wird.

2) *Umformtechnik:* der Teil des Werkzeugs, in dessen Hohlform der Stempel **(Patrize)** eindringt.

Matrizenmechanik, eine von W. Heisenberg, M. Born und P. Jordan 1925 geschaffene Form der →Quantenmechanik.

Matrose [niederländ.] *der,* **1)** Angehöriger einer Schiffsbesatzung; Ausbildungsberuf in der Seeschifffahrt.

2) *Militärwesen:* in der Bundesmarine der unterste Mannschaftsdienstgrad.

Matschinsky-Denninghoff, Brigitte, geb. Meier-Denninghoff, Bildhauerin, *Berlin 2. 6. 1923; war 1948 Assistentin von H. Moore; ab 1955 schuf sie mit ihrem Mann Martin Matschinsky (*1921) Plastiken aus zusammengeschweißten Metallstäben, v.a. Großplastiken (»Landmarken«, z.B. 1973–75 vor dem ZDF-Zentrum in Mainz, »Berlin« 1987 in Berlin). BILD S. 150

Matsudo, Satellitenstadt nordöstlich von Tokio, Japan, Präfektur Ibaraki, 463500 Ew.; Nahrungsmittel-, Metall-, Textilindustrie.

Matsu|e, Hauptstadt der japan. Präfektur Shimane, auf Honshū, 144700 Ew.; Univ.; Konsumgüterind., Meeres- und Binnenfischerei. – Burg (1611) mit dreistöckigem Festungsturm (1642).

Brigitte Matschinsky-Denninghoff und **Martin Matschinsky:** »Berlin«, Stahlskulptur in der Nähe der Gedächtniskirche (im Hintergrund) in Berlin aus dem Jahr 1987

Matsu|inseln (chines. Ma-Tsu Tao), Gruppe von 19 Inseln vor der SO-Küste Chinas, 27 km², rd. 11 000 Ew.; Fischerei; eine der beiden von Taiwan militärisch kontrollierten Inselgruppen vor dem chines. Festland.

Matsumoto, Stadt in der Präfektur Nagano, auf Honshū, Japan, 203 700 Ew.; Univ. Nahrungsmittel-, Textilind., Maschinenbau. – Festungsstadt.

Matsumoto, Seichō, eigtl. M. Kiyoharu, japan. Schriftsteller, *Kokura (heute zu Kitakyūshū) 21. 12. 1909, †Tokio 4. 8. 1992. Im Mittelpunkt seiner erfolgreichen Kriminalgeschichten (»Spiel mit dem Fahrplan«, R., 1957; »Mord am Amagi-Paß«, Erz., 1986) stehen die zu einem Verbrechen führenden Tatmotive und sozialen Probleme.

Matterhorn

*Am 14. 7. 1865 wurde das Matterhorn erstmals bestiegen. Von Zermatt aus gelangte eine Seilschaft unter Edward Whymper (*1840, †1911) über den Nordostgrat auf den Gipfel. Beim Abstieg verunglückten vier Bergsteiger tödlich. Für die erste Durchsteigung der Nordwand 1931 erhielten die Brüder Toni und Franz Xaver Schmid 1932 eine olympische Goldmedaille. Walter Bonatti (*1930) gelang im Februar 1965 im Alleingang die Winter-Erstbesteigung der Nordwand in der Direttissima. Die Nordflanke über die Zmuttnase wurde erstmals im Sommer 1969 bezwungen, 1974 zum ersten Mal auch im Winter. Das Matterhorn besteigen jährlich rund 3 600 Menschen.*

Matsuo, Bashō, japan. Dichter, *Ueno (Präfektur Mie) 1644, †Ōsaka 12. 10. 1694; lebte, eng der Natur verbunden, als Zen-Mönch. Seine Gedichte gehören zu den vollendetsten der Haiku-Dichtung.

Matsushita Electric Industrial Co. Ltd. [mætsʊˈʃiːtə ɪˈlektrɪk ɪnˈdʌstrɪəl ˈkʌmpənɪ ˈlɪmɪtɪd, engl.], Abk. **MEI,** japan. Konzern, v. a. Hersteller von Unterhaltungselektronik und Haushaltsgeräten (Marken: National, Panasonic, JVC u. a.); Sitz: Ōsaka; gegr. 1918, jetziger Name seit 1935.

Matsuyama, Hauptstadt der Präfektur Ehime, Japan, auf der Insel Shikoku, 454 400 Ew.; Kurort mit heißen Quellen; Univ.; Textil-, chem. Ind., Maschinenbau, Erdölraffinerie; Hafen. – Die Burg (1602) ist eine der besterhaltenen Japans.

Matta, eigtl. Roberto Sebastian Antonio M. Echaurren, chilen. Maler, *Santiago de Chile 11. 11. 1911; arbeitete 1935–37 im Atelier von Le Corbusier, lebt seit 1954 in Paris. Seine Bilder sind Ausdruck kosm. und menschl. Zerstörung (Wandbild »Die Zweifel der drei Welten« für das UNESCO-Gebäude in New York, 1956).

Mattauch, Joseph, Physiker, *Mährisch-Ostrau 21. 11. 1895, †Weidling (bei Klosterneuburg) 10. 8. 1976; 1947–65 Direktor des Max-Planck-Instituts für Chemie; war maßgeblich an der Entwicklung und Anwendung der Massenspektrometrie beteiligt. Die **mattauchsche Isobarenregel** besagt, dass bei Atomkernen mit ungerader Massenzahl i. d. R. nur eine stabile Kernart existiert.

Matte, 1) *allg.:* aus natürl. Fasermaterialien (z. B. Kokos, Stroh) oder Chemiefasern hergestelltes grobes Geflecht oder Gewebe; verwendet u. a. als Fußbodenbelag oder Wandbespannung.

2) *Sport:* Bodenunterlage, die den Körperaufprall dämpfen soll, z. B. im Judo, Ringen und Turnen.

Matten, oberhalb der Baumgrenze gelegene artenreiche Pflanzengesellschaften, gebildet aus Gräsern, ausdauernden Stauden und Zwergsträuchern.

Mattenschanze, *Skisport:* zum Training und für Veranstaltungen in der schneelosen Zeit mit Kunststoff belegte und wasserberieselte Sprungschanze.

Matteotti, Giacomo, italien. Politiker, *Fratta Polesine (Prov. Rovigo) 22. 5. 1885, †(ermordet) Rom 10. 6. 1924; Gen.-Sekr. der Sozialist. Partei; seine Ermordung als Gegner des →Faschismus führte zum Auszug der Opposition (Aventinianer) aus der Kammer und zur Einparteiendiktatur.

Matterhorn (frz. Mont Cervin, italien. Monte Cervino), steiler, pyramidenförmiger Felsgipfel (Karling) der Walliser Alpen, 4478 m ü. M.; über ihm verläuft die Grenze zw. Italien und der Schweiz; allseitig von Karen und Gletschern umgeben. Das M. wurde 1865 von dem Engländer E. Whymper erstmals erstiegen; die erste Durchsteigung der Nordwand erfolgte 1931 durch die Deutschen Franz und Toni Schmid (olymp. Goldmedaille).

Mattes, Eva, Schauspielerin, *Tegernsee 14. 12. 1954; spielte u.a. am Dt. Schauspielhaus in Hamburg und am Wiener Burgtheater; gehörte 1994–95 zum Direktorium des Berliner Ensembles. M. wurde auch durch Fernseh- und Spielfilme bekannt (u.a. »Matthias Kneißl«, 1971; »Wildwechsel«, 1972; »Celeste«, 1981; »Ein Mann wie EVA«, 1984; »Auf immer und ewig«, 1985; »Der Kinoerzähler«, 1993).

Mattglas, Glas mit aufgerauter, Licht streuender Oberfläche, die durch Ätzen oder Sandstrahlen erzeugt wird.

Matthau ['mæθɔ:], Walter, amerikan. Bühnen- und Filmschauspieler, *New York 1. 10. 1920; Charakterdarsteller, überzeugend v.a. in kom. Rollen wie in »Ein seltsames Paar« (1967), »Hello, Dolly« (1969), »Die Kaktusblüte« (1969), »Der Champion« (1978), »Der Couch Trip« (1987), »Ein verrücktes Paar« (1993), »I. Q.« (1994).

Matthäus, einer der zwölf Apostel Jesu, Zöllner (Mt. 9,9); gilt seit →Papias als Verfasser des →Matthäusevangeliums; wirkte nach der Legende in Äthiopien, Parthien (Kasp. Meer) und Persien; Schutzpatron der Finanz-, Steuer- und Zollbeamten; Heiliger, Tag: 21. 9.

Matthäus|evangelium, Abk. **Mt.,** das erste und umfangreichste Evangelium im N.T.; zw. 70 und 90 in Syrien (?) von einem hellenist. Judenchristen in grch. Sprache verfasst, wohl unter Verwendung hebr. und aramäischer Quellen (Aussprüche Jesu); Adressaten waren judenchristl. Gemeinden in Syrien; zentrales theolog. Motiv ist die Darstellung Jesu von Nazareth als des im A.T. verheißenen Messias (»des Sohnes Davids«), der gekommen ist, die alttestamentl. Weissagungen und Verheißungen zu erfüllen; Jesus erscheint als Gesetzeslehrer, der den Willen Gottes authentisch und endgültig auslegt; seine Predigt ist stark ethisch ausgerichtet (→Bergpredigt) und wird im Doppelgebot der Gottes- und Nächstenliebe als dem größten Gebot und der Erfüllung des Gesetzes zusammengefasst (Mt. 22, 35–40).

📖 SCHWEIZER, E.: *Das Evangelium nach Matthäus. Neuausg. Göttingen u. a.* [4]*1986.*

Matterhorn: Die Nordflanke des vielbestiegenen Viertausenders

Wolfgang Mattheuer: »Alptraum« (1982; Privatbesitz)

Matthäuspassion, die Vertonung der Leidensgeschichte Christi nach dem Matthäusevangelium; die M. von J. S. Bach für zwei Chöre, Solisten und Orchester (BWV 244; Erstaufführung 1729 oder bereits 1727 in Leipzig) ist seit der Wiederaufführung durch F. Mendelssohn Bartholdy (1829) wohl das meistaufgeführte kirchenmusikal. Großwerk. Von hoher Bedeutung ist die auf alle Instrumente verzichtende M. von H. Schütz (um 1666).

Mattheson, Johann, Pseudonym Aristoxenos junior, Komponist und Musiktheoretiker, *Hamburg 28. 9. 1681, †ebd. 17. 4. 1764; verfasste zahlr. Werke zu Musikpraxis und -theorie, u.a. »Critica musica« (1722–25), »Der Vollkommene Capellmeister« (1739); komponierte sechs Opern, Oratorien, Kantaten, Kammermusik, Cembalowerke.

Eva Mattes

Mattheuer, Wolfgang, Maler und Grafiker, *Reichenbach/Vogtl. 7. 4. 1927; lehrte 1956–74 an der Hochschule für Grafik und Buchkunst Leipzig; schuf formpräzise Darstellungen, deren zeitkrit. Gehalt in einer von Metaphern und Symbolen geprägten Bildsprache zum Ausdruck kommt.

Matthias, Apostel Jesu, anstelle des Judas Ischarioth gewählt (Apg. 1, 21–26); Heiliger, Tag: 24. 2.

Matthias, Herrscher:

Hl. Röm. Reich: **1) M.,** Kaiser (1612–19), *Wien 24. 2. 1557, †ebd. 20. 3. 1619; 3. Sohn Maximilians II., führte Kriege für seinen Bruder, Kaiser Rudolf II., der 1608 die Regierung in Österreich, Ungarn und Mähren an ihn abtrat. Seit 1611 König von Böhmen, 1612 zum Röm. König und Kaiser gewählt, versuchte er vergebens, zw. Protestanten und

Walter Matthau

Katholiken zu vermitteln (→Dreißigjähriger Krieg).

Ungarn: **2) M. I. Corvinus** (M. Hunyadi, ungar. Mátyás Hunyadi), König (1458–90), *Klausenburg 23. 2. 1443, †Wien 6. 4. 1490; Sohn des J. Hunyadi, musste sich mit dem ungar. Gegenkönig, Kaiser Friedrich III. (seit 1439), auseinander setzen, 1469 auch zum König von Böhmen gewählt; errang 1479 Mähren, Schlesien und die Lausitz und bekämpfte die Türken in Serbien und Bosnien (1479–83); in einem Krieg mit Friedrich III. (1477–85) gewann er Niederösterreich mit Wien und große Teile der Steiermark. Als Renaissancefürst zog er italien. Gelehrte und Künstler an seinen Hof, gründete die Univ. in Preßburg und die →Corvina in Ofen (Budapest); sein ungar. Großreich zerfiel nach seinem Tode.

Matthias, Kaiser des Heiligen Römischen Reiches (Ausschnitt aus einem zeitgenössischen Kupferstich)

📖 Nehring, K.: *M. Corvinus, Kaiser Friedrich III. u. das Reich. München ^{2}1989.*

Matthisson, Friedrich von (seit 1809), Dichter, *Hohendodeleben (bei Magdeburg) 23. 1. 1761, †Wörlitz 12. 3. 1831; nach 1794 Vorleser und Reisebegleiter der Fürstin Luise von Anhalt-Dessau; später Intendant und Bibliothekar in Stuttgart; schrieb Lyrik von klassizist. Glätte und Sentimentalität; viele seiner Gedichte wurden vertont.

Mauerbienen (Männchen)

Matthus, Siegfried, Komponist, *Mallenuppen (Ostpr.) 13. 4. 1934; Schüler von R. Wagner-Régeny und H. Eisler; verbindet in seinen Werken freie Tonalität mit avantgardist. Techniken (Aleatorik, elektron. Musik); schrieb Opern (u. a. »Judith«, 1985; »Die Weise von Liebe und Tod des Cornets Christoph Rilke«, 1985; »Graf Mirabeau«, 1989; »Desdemona und ihre Schwestern«, 1992), Orchesterwerke (u. a. »Der Wald«, 1984; »Manhattan Concerto«, 1994), Ballette, Vokalwerke, Kammermusik, Film-, Bühnen- und Hörspielmusik.

Mauerläufer (Männchen im Brautkleid)

Mattieren, Beseitigung des spiegelnden Glanzes von Oberflächen aus Holz, Glas (→Mattglas) oder Metall durch Auftragen eines besonderen Lacküberzugs, durch Beizen oder mechan. Aufrauen.

Mattscheibe, an einigen fotograf. Kameras planparallele, transparente, aufgeraute Platte in der Bildebene zum Sichtbarmachen und scharfen Einstellen des Bildes.

Matura [lat. maturus »reif«] *die* (Maturität), *österr.* und *schweizer.* für Abitur.

Maturín, Hauptstadt des Staates Monagas, Venezuela, 206 700 Ew.; Bischofssitz; Mittelpunkt eines Agrargebietes und des ostvenezolan. Erdölgebietes; Erdölraffinerie.

Maturin ['mætjʊrɪn], Charles Robert, irischer Schriftsteller, *Dublin 25. 9. 1782, †ebd. 30. 10. 1824; kath. Geistlicher; schrieb Tragödien und Schauerromane, u. a. »Melmoth der Wanderer« (1820), in dem er den Fauststoff und Motive des Ewigen Juden verarbeitete.

Matute, Ana María, span. Schriftstellerin, *Barcelona 26. 7. 1926; schrieb sensible Romane und Erzählungen über die Zeit des Span. Bürgerkrieges. Als ihr Hauptwerk gilt der Romanzyklus »Los mercaderes« (Bd. 1: »Erste Erinnerung«, 1960; Bd. 2: »Nachts weinen die Soldaten«, 1964; Bd. 3: »Die Zeit verlieren«, 1967, auch u. d. T. »Die Falle«); seit 1996 Mitgl. der Span. Akademie.

Matutin [lat. »morgendlich«] *die* (Mette), urspr. die Morgenhore des →Stundengebets; seit dem 2. Vatikan. Konzil eine zeitlich frei wählbare geistl. Lesung. In ihrem Charakter als nächtl. Gottesdienst heute als **Christmette** (kath. und evang.) zu Weihnachten üblich.

Mátyás Hunyadi ['mɑːtiaːʃ 'hunjɔdi], ungar. König, →Matthias, Herrscher 2).

Matz, Friedrich, Archäologe, *Lübeck 15. 8. 1890, †Marburg 8. 8. 1974; war Prof. in Münster, 1942–58 in Marburg; forschte über ägäische und antike Kunst und Kultur; Begründer des »Corpus der minoischen und myken. Siegel« (seit 1964 mit H. Biesantz, seit 1972 mit I. Pini) und der Schriftenreihe »Archaeologia Homerica« (seit 1967); gab die Reihe »Die antiken Sarkophagreliefs« heraus (seit 1952).

Matze, die →Mazza.

Maubeuge [mo'bøːʒ], Stadt im frz. Dép. Nord, an der Sambre, 36 100 Ew.; Stahl- und Walzwerke, Gießereien, Werkzeugmaschinenbau, Kfz- und keram. Ind.; alte Festungsstadt.

Mauch, Daniel, Bildhauer, *Ulm 1477, †Lüttich 16. 11. 1540; arbeitete in Ulm, Geislingen (um 1520) und Tübingen (1523), ab 1529 in Lüttich; schuf Schnitzaltäre und Marienfiguren im Übergangsstil zw. Spätgotik und Renaissance.

Mauer, 1) *Bautechnik:* Baukörper aus Natur- oder Kunststeinen, dessen untere Begrenzung **Sohle** und dessen obere Begrenzung **Krone** heißt. Nach dem Baustoff unterscheidet man die Naturstein-M., die Ziegel-M. und die Misch-M., die als Naturstein-M. mit Ziegeln hintermauert oder mit Beton hinterfüllt wird; nach Lage und Zweck die Grund-M. (überträgt die Bauwerkslasten auf den Baugrund), Keller-, Sockel-, Geschoss-M., die Stütz-M. (dient der Sicherung von Böschungen), die Winkelstütz-M. (die auch Zugspannung aufnehmen kann), die Brand-M. (zw. aneinander stoßenden Bauwerken, aus feuerfestem Material); nach der Ausführung Trocken-, Hohl-, Blendmauer.

2) *Sport:* 1) im Fußball Spielerkette zur Sicherung des eigenen Tores bei Freistößen, Mindestabstand 9,15 m vom ruhenden Ball; 2) im Pferdesport Hindernis bei Springprüfungen, das einen Steilsprung des Pferdes erfordert.

Mauer, Gemeinde im Rhein-Neckar-Kr., Bad.-Württ., 3 400 Ew.; Fundort des →Heidelbergmenschen.

Mauerbienen (Osmia), Gattung einzeln lebender Bienen, die ihre Nester meist in hohle Pflanzenteile, Holz, Lehm u. Ä. bauen.

Mauerbrecher (Sturmbock, Widder), histor. Kriegsmaschine; metallbeschlagener Stoßbalken zum Zertrümmern von Festungsmauern.

Mauerkrone, *Heraldik:* Bekrönung des oberen Schildrandes, bes. bei Stadtwappen.

Mauerläufer (Tichodroma muraria), zu den Kleibern gehörender Singvogel in felsigen Hochgebirgen Eurasiens, grau mit rot gemusterten Flügeldecken.

Mauerpfeffer, eine Art der Pflanzengattung → Fetthenne.

Mauersee (poln. Jezioro Mamry), zweitgrößter der Masur. Seen, Polen, 104,4 km^2 (mit Inseln), bis 44 m tief; Quellsee der Angerapp.

Mauersegler, Art der Vogelfamilie → Segler.

Mauerwerk, Gefüge von Steinen als Bestandteil von Bauwerken, mit Mörtelfugen oder mit Fugen ohne Mörtel (Trocken-M.). Nach der Art des Zusammenfügens der Steine unterscheidet man verschiedene Mauerverbände: **Läuferverband** für Mauern mit der Dicke eines halben Steins, wobei die Steine mit den Längsseiten zur Mauerflucht verlegt werden; **Binderverband** für Mauern mit der Dicke eines Steins, wobei die Steine senkrecht zur Mauerflucht verlegt werden; **Blockverband** und **Eckverband,** bei denen Läufer- und Binderschichten wechseln; **Kreuzverband,** ähnlich Blockverband, wobei die Läuferschichten jeweils um einen halben Stein versetzt sind. Neben diesen Zweckverbänden können **Zierverbände** (z. B. englischer, gotischer, märkischer, holländischer Verband) mit unterschiedl. Rhythmus der Stoßfugen gemauert werden.

Maugham [mɔ:m], William Somerset, engl. Schriftsteller, *Paris 25. 1. 1874, †Saint-Jean-Cap-Ferrat (Dép. Alpes-Maritimes) 16. 12. 1965; lebte ab 1929 vorwiegend an der frz. Riviera. M. gilt als einer der erfolgreichsten engl. Schriftsteller des 20. Jh., der als kosmopolitisch denkender, bes. der frz. Kultur verbundener Autor in seinen erzählenden und dramat. Werken gesellschaftl. Probleme kritisch, meist skeptisch-ironisch und distanziert, vielfach auch zynisch-desillusionierend (Analysen von Liebes- und Eheproblemen) gibt, u. a. in »Der Menschen Hörigkeit«, R., 1915; »Der Besessene«, R., 1919, auch u. d. T. »Silbermond und Kupfermünze«; »Menschen der Südsee«, Kurzgeschichten, 1921; »Für geleistete Dienste«, Schauspiel, 1932; »Auf Messers Schneide«, R., 1944; »Schein und Wirklichkeit«, Kurzgeschichten, 1947.

🕮 Whitehead, J. W.: *M. London 1987.*

Maui, zweitgrößte der Hawaii-Inseln, USA 1904 km^2, (1990) 91 400 Ew.; mit dem Vulkan Haleakala; Hauptort ist Wailuku.

Mauke, 1) *Tiermedizin:* entzündl. Hauterkrankung der Fesselbeuge (und Umgebung) bei Pferd und Rind.

2) *Weinbau:* → Grind des Weinstocks.

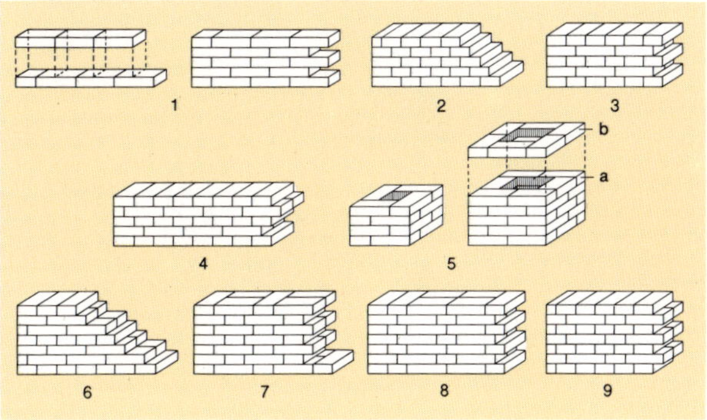

Mauerwerk: verschiedene Mauersteinverbände; 1 Läuferverband, 2 Binderverband, 3 Blockverband, 4 Kreuzverband, 5 Eckverband (a Läuferschicht, b Binderschicht), 6 englischer Verband, 7 gotischer Verband, 8 märkischer Verband, 9 holländischer Verband (6–9 Zierverbände)

Maulbeerbaum (Morus), Gattung der M.-Gewächse in der nördl. gemäßigten und in der subtrop. Zone; sommergrüne Bäume oder Sträucher mit Kätzchen und brombeerartigen, wohlschmeckenden Nussfrüchten, die zu Scheinbeeren **(Maulbeeren)** vereinigt sind; u. a. **Weißer M.** (Morus alba) mit weißl. Fruchtständen, heimisch in China (die Blätter dienen als Nahrung für Seidenraupen), und **Schwarzer M.** (Morus nigra) mit schwarzen Fruchtständen, heimisch in Westasien.

Maulbeerbaum: Schwarzer Maulbeerbaum

Maulbertsch (Maulpertsch), Franz Anton, Maler, getauft Langenargen (Bodenseekreis) 7. 6. 1724, †Wien 8. 8. 1796; schuf Deckenfresken in Kirchen, Schlössern und Bibliotheken in Österreich, Böhmen, Mähren und Ungarn sowie Altarbilder und Radierungen. Mit seinen tief religiösen, visionäre Erscheinungen virtuos versinnbildlichenden Werken fand die österr. Barockmalerei ihren glänzenden Abschluss. In seiner Spätzeit näherte er sich dem Klassizismus.

Maulbronn, Stadt im Enzkreis, Bad.-Württ., am Westrand des Strombergs, 6 400 Ew.; Autozubehörind., Maschinen- und Fahrzeugbau. – Die ehem. Zisterzienserabtei M., gegr. 1147, ist das besterhaltene mittelalterl. Kloster in Dtl. (UNESCO-Weltkulturerbe); die Abteikirche, eine dreischiffige roman. Pfeilerbasilika (1178 geweiht) wurde vom 12. bis 15. Jh. gebaut und ausgebaut. Das Kloster wurde 1557 in eine (noch bestehende) evang. Klosterschule umgewandelt. – Ab 1809 entstand die Siedlung (seit 1886 Stadt) neben dem Kloster. Bild S. 154

🕮 Knapp, U.: *Das Kloster M. Geschichte u. Baugeschichte. Stuttgart 1997.*

W. Somerset Maugham

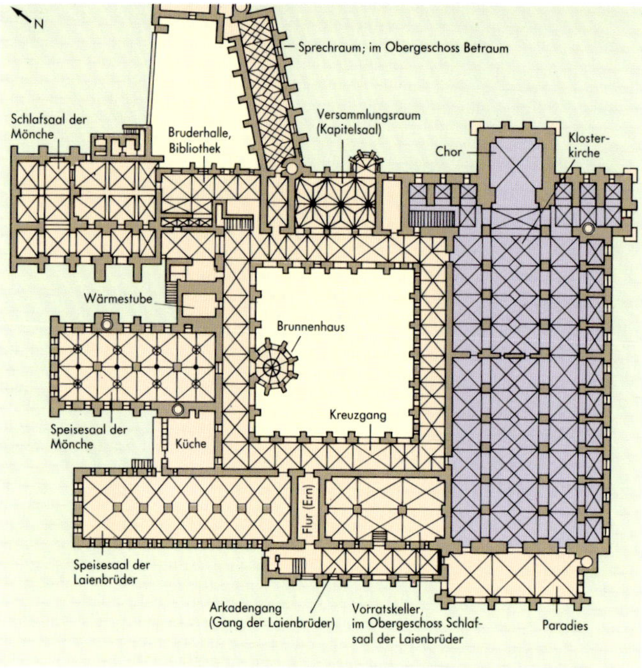

Maulbronn (von oben): Gesamtansicht der besterhaltenen deutschen Klosteranlage aus dem Mittelalter, die, 1147 als Zisterzienserabtei gegründet, seit 1557 eine evangelische Klosterschule beherbergt; Grundriss des ehemaligen Zisterzienserklosters (links) mit der Klosterkirche

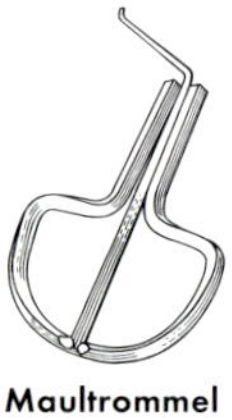

Maultrommel

Maulbrüter, Fische, die Maulbrutpflege betreiben. Hierbei nimmt eines der Elterntiere die befruchteten Eier ins Maul und behält sie in der Mundhöhle, bis die Jungen geschlüpft sind. M. gehören versch. Familien an; sie kommen bes. unter den Buntbarschen, aber auch bei Welsen, Kardinal-, Labyrinthfischen u.a. vor.

Maul|esel [lat. mulus], Kreuzung aus Pferdehengst und Eselstute, meist kleiner als das →Maultier; unfruchtbar; v.a. als Lasttier gehalten.

Maulfüßer (Stomatopoda), Ordnung der Höheren Krebse mit lang gestrecktem Körper; zu den M. gehört der bis 18 cm lange essbare **Heuschreckenkrebs** (Squilla mantis).

Maulgrind, →Glatzflechte.

Maull, Otto, Geograph, *Frankfurt am Main 8. 5. 1887, †München 16. 12. 1957; arbeitete über Südeuropa, Südamerika und polit. Geographie.

Maulnier [mo'nje], Thierry, eigtl. Jacques Louis Talagrand, frz. Schriftsteller, *Alès (Dép. Gard) 1. 10. 1909, †Marnes-la-Coquette (Dép. Hauts-de-Seine) 9. 1. 1988; Journalist und Literaturkritiker; Mitarbeiter der Action française; schrieb am klass. Ideal orientierte Dramen und Essays im Sinne eines rechtskonservativen Individualismus (u.a. »La course des rois«, Dr., 1947).

Maulpertsch, Maler, →Maulbertsch.

Maultier, Kreuzung von Eselhengst und Pferdestute, meist größer als der Maulesel; beide Kreuzungen sind meist unfruchtbar. M. werden bes. in S-Europa und N-Afrika gezüchtet; sie sind ausdauernd und trittsicher, bes. geeignet als Reit- und Tragtiere für trockenen Boden.

Maultrommel (Brummeisen), Musikinstrument, bestehend aus einem hufeisenförmigen Metallbügel mit spitz zulaufenden Enden, zw. denen eine Stahlzunge befestigt ist. Das Gerät wird in den Mund genommen und der überstehende Teil der Stahlzunge mit dem Finger gezupft, wobei die Mundhöhle als Resonanzraum dient. Unterschiedliche Backen-, Lippen- und Zungenstellungen führen zu versch. Tonhöhen. Die M. stammt wahrscheinlich aus Asien, in Europa ist sie seit dem 14. Jh. belegt.

Maul- und Klauenseuche, Abk. **MKS** (Aphthenseuche), meldepflichtige, sehr ansteckende, fieberhafte Viruskrankheit der Klauentiere (bes. Rinder, seltener Schweine, Schafe, Ziegen und Schalenwild). Am Maul, an der Zunge, im Klauenspalt und an den Euterzitzen bilden sich charakterist. Blasen (Aphthen) und Geschwüre. Wegen der raschen Verbreitung sind strenge Bekämpfungsmaßnahmen (Schutzimpfung und veterinärmedizin. Sperrmaßnahmen) erforderlich. Eine Übertragung auf Menschen kann durch Genuss roher Milch und Berührung erfolgen.

Maulwürfe (Talpidae), Familie etwa 6–20 cm langer Insektenfresser in Eurasien und Nordamerika; überwiegend unterirdisch lebende Grabtiere, deren Vorderextremitäten zu großen Grabschaufeln entwickelt sind; mit dichtem, meist kurzhaarigem Fell, rüsselförmig verlängerter, sehr tastempfindl. Schnauze und kleinen bis völlig reduzierten Augen und Ohrmuscheln; Geruchs- und Erschütterungssinn sind hoch entwickelt. Der in Europa bis Mittelasien verbreitete **Europ. Maulwurf** (Talpa europaea), der gelockerte Erde aus seinem unterird. Röhrensystem befördert (Maulwurfshügel), ist durch das Vertilgen von Schadinsekten sehr nützlich.

Maulwürfe: Europäischer Maulwurf (Körperlänge 12–16 cm)

Maulwurfsgrille (Gryllotalpa gryllotalpa), unterirdisch lebende, bis etwa 6 cm lange Grille, mit schaufelartigen Vorderbeinen, die zum Graben genutzt werden.

Mau-Mau, von der brit. Kolonialregierung verwendete Bez. für Geheimbünde unter den Kikuyu in Kenia, die sich gewaltsam gegen die Kolonialregierung erhoben. Ihre Revolte (1952–56) wurde von brit. Truppen niedergeschlagen.

Mauna Kea, ruhender Vulkan auf der Insel Hawaii, USA, 4205 m ü. M.; auf seinem Gipfel das höchstgelegene astronomische Observatorium der Erde, u. a. mit den beiden Keck-Teleskopen mit je 10 m Öffnung und segmentierten, aus 36 Sechsecken zusammengesetzten Spiegeln.

Mauna Loa, aktiver Vulkan im S der Insel Hawaii, USA, 4169 m ü. M.; vom Meeresboden in etwa 4000–5000 m Tiefe aus, wo er einen Durchmesser von 150 km hat, einer der höchsten Einzelberge der Erde; letzte Ausbrüche 1984 und 1987; Nationalpark; am Hang eine Klimastation; etwa 40 km entfernt der Vulkan Kilauea.

Maunz, Theodor, Staatsrechtslehrer, *Dachau 1. 9. 1901, †München 10. 9. 1993; 1957–64 bayer. Kultusminister; verfasste »Dt. Staatsrecht« (1951), »GG-Kommentar« (1959–63, mit G. Dürig).

Maupassant [mopa'sã], Guy de, frz. Schriftsteller, *Schloss Miromesnil (bei Dieppe) 5. 8. 1850, †Paris 7. 7. 1893; wurde v. a. bekannt durch seine meisterhaften, durch kühle Objektivität der Darstellung sowie klare und elegante Sprache gekennzeichneten Novellen (insgesamt etwa 260), deren Stoffe er aus allen Gesellschaftsschichten schöpfte und die nahezu alle Möglichkeiten menschl. Verhaltens zeigen (»Fettklößchen«, 1880; »Mademoiselle Fifi«, 1882; »Der Horla u. a. Geschichten«, 1887). In seinen Romanen führte er die Erzählkunst von G. Flaubert und H. de Balzac fort (»Ein Leben«, 1883; »Bel ami«, 1885). M. verfasste auch Reisebeschreibungen, Gedichte und einige Dramen.

📖 Kessler, H.: *M.s Novellen. Typen u. Themen. Braunschweig 1966.*

Maupertuis [mopɛr'tɥi], Pierre Louis Moreau de, frz. Philosoph, Physiker und Mathematiker, *Saint-Malo 28. 9. 1698, †Basel 27. 7. 1759. Durch eine Gradmessung in Lappland bestätigte er 1736 I. Newtons Behauptung von einer Abplattung der Erde längs der Achse; 1741–56 Präs. der Preuß. Akademie. M. formulierte 1740 ein **Prinzip der kleinsten Wirkung** zur Berechnung der Bewegung mechan. Systeme mit vorgegebener Gesamtenergie, auf das er zugleich einen Gottesbeweis gründete.

Maulwurfsgrille
(bis zu 6 cm lang)

Maura, Carmen, span. Schauspielerin, *Madrid 1946; spielt auch in Fernseh- und Spielfilmen: u. a. »Tigres de Papel« (1977), »Frauen am Rande des Nervenzusammenbruchs« (1988), »Ay Carmela!« (1990), »Verschwörung der Kinder« (1992).

Guy de Maupassant

Mauren [grch. amaurós »dunkel«], **1)** Sammelname für die arabisch-berber. Bewohner NW-Afrikas, z. T. mit negridem Einschlag, von Marokko bis Senegal (etwa 100 000 M.), v. a. in Mali (230 000) und Mauretanien (1,5 Mio.). Sie sprechen meist einen arab. Dialekt (Hassania), daneben bestehen berber. Sprachinseln.

2) (span. Moros) Bez. für die Muslime arab. und berber. Herkunft, die 711–1492 in weiten Teilen der Iber. Halbinsel und NW-Afrikas herrschten.

Maurer, Friedrich, Germanist, *Lindenfels (Odenwald) 5. 1. 1898, †Merzhausen (bei Freiburg im Breisgau) 7. 11. 1984; verdient um die Erforschung der Literatur des dt. MA., der dt. Sprachgeschichte und Mundarten.

Maureske [frz., zu Mauren] *die,* ein im 16. Jh. aus der →Arabeske entwickeltes, bes. in Dtl. beliebtes Flächenornament, das aus kalligraphisch geschwungenen und sich überschneidenden Pflanzenranken mit stilisierten Blättern und Blüten besteht.

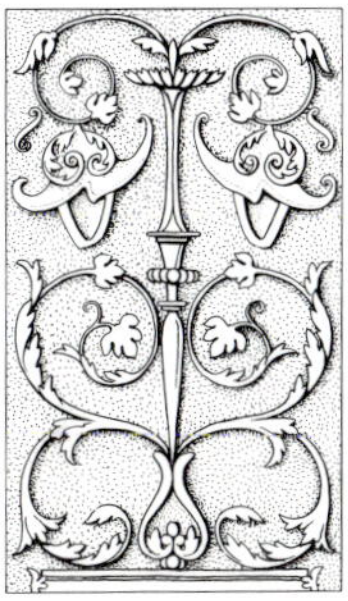

Maureske

Mauretania [lat.], im Altertum Name für das von →Mauren 2) bewohnte NW-Afrika, etwa das heutige Marokko.

Mauren

Während ihrer 700-jährigen Herrschaft in Spanien kamen die Mauren sehr gut mit ihren nichtislamischen Mitbürgern aus. Das lag zum einen daran, dass Gestalten des Alten Testaments und Jesus selbst im Koran eine gewichtige Rolle spielen. Genauso wichtig für das harmonische Zusammenleben war jedoch das Steuersystem. Christen und Juden mussten eine Kopfsteuer bezahlen, die nicht übermäßig hart war, aber eine stabile Einkommensquelle für die Kalifen und Emire bildete. Deshalb wurden die nichtmaurischen Bürger geradezu ermuntert, an ihrem Glauben festzuhalten.

Mauretanien

Fläche: 1 030 700 km²
Einwohner: (1995) 2,274 Mio.
Hauptstadt: Nouakchott
Verwaltungsgliederung: 12 Regionen und Hauptstadtdistrikt
Amtssprache: Arabisch
Nationalfeiertag: 28. 11.
Währung: 1 Ouguiya (UM) = 5 Khoums (KH)
Zeitzone: MEZ – 1 Std.

Staatswappen

RIM

Internationales Kfz-Kennzeichen

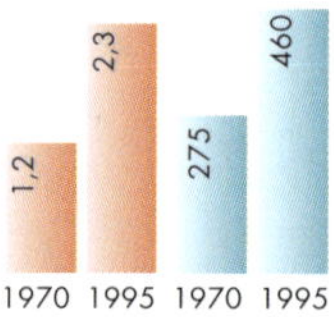

Bevölkerung (in Mio.)

Bruttosozialprodukt je Ew. (in US-$)

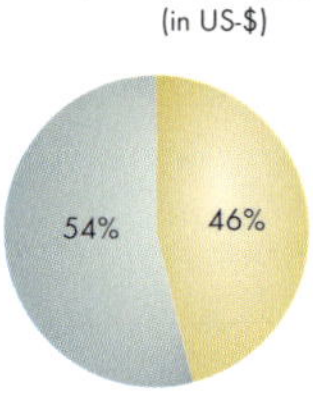

Stadt
Land

Bevölkerungsverteilung 1995

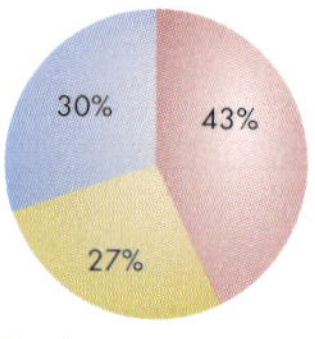

Industrie
Landwirtschaft
Dienstleistung

Bruttoinlandsprodukt 1995

Mauretanien (frz. Mauritanie, amtlich arab. Al-Djumhurijja al-Islamijja al-Muritanijja, dt. Islam. Republik M.), Staat in W-Afrika, grenzt im W an den Atlantik, im NW an das Gebiet Westsahara, im NO an Algerien, im O und S an Mali, im SW an Senegal.

Staat und Recht: Nach der Verf. von 1991 ist M. eine präsidiale Rep. mit Mehrparteiensystem. Staatsoberhaupt ist der mit großen Vollmachten ausgestattete Präs. (direkt gewählt); er ernennt das Kabinett unter Vorsitz des Premiermin. (seit 1992), kann das Parlament auflösen und den Ausnahmezustand verhängen. Die Legislative liegt beim Zweikammerparlament, bestehend aus Senat (56 Mitgl.) und Abg.haus (79 Abg.). Beherrschende Partei ist die Republikanisch-Demokrat. und Soziale Partei (PRDS); außerdem u.a. Union der Demokrat. Kräfte Neue Ära (UFD-EN). Politisch bedeutsam sind ferner radikal-islam. und ethnisch orientierte Untergrundorganisationen.

Landesnatur: M. gehört überwiegend zur westl. Sahara, der S zur Dornsavanne der Sahelzone. Östlich einer ausgedehnten Küstenebene steigt das Land in Steilstufen zu Hochebenen (um 500 m ü.M., die von einzelnen Inselbergen (bis 915 m ü.M.), überragt werden, an. Die Hochebenen senken sich nach NO zum dünenerfüllten Becken von El-Djouf. Vorherrschend trockenes Wüstenklima; nur im SW 200–500 mm sommerl. Niederschläge (Randtropen).

Bevölkerung: Rund 80% sind →Mauren ($^1/_3$ weiße Bidani, $^1/_3$ negride Harratin), 20% als Feldbauern v.a. im S lebende Schwarzafrikaner (Wolof, Tukulor, Soninke, Bambara u.a.). Infolge von Dürreperioden Rückgang der Nomaden (1967: 85%; 1988: 17%) und Anwachsen der städt. Bev. (rd. 54%); ein Großteil der Nomaden haust in Hütten und Zelten am Rand der Städte. – Grundschulpflicht vom 6. bis 11. Lebensjahr; die Analphabetenquote beträgt 62%; Univ. in Nouakchott (gegr. 1983). – Staatsreligion ist der (sunnit.) Islam.

Wirtschaft, Verkehr: Die Landwirtschaft ist Existenzgrundlage für $^2/_3$ der Erwerbstätigen und dient fast ausschl. der Selbstversorgung. Im Überschwemmungsgebiet des Senegal Anbau v.a. von Hirse, Hülsenfrüchten und Erdnüssen, in den Oasen im N Dattelpalmen; Gewinnung von Gummiarabikum. Wichtig ist die Viehhaltung (im N durch Nomaden), bes. Rinder, Schafe, Ziegen und Kamele; gefährlich ist die Übernutzung der Weiden. Der Fischreichtum vor der Küste wird zunehmend genutzt (200-Seemeilen-Zone; Fischereihafen Nouadhibou, Verarbeitungsbetriebe; auch Vergabe von Fanglizenzen); Flussfischerei im Senegal zur Selbstversorgung. Wichtigster Wirtschaftszweig ist der Bergbau; Abbau von Eisenerz bes. um Zouérate, Kupfererz bei Akjoujt (Förderung derzeit unterbrochen), ferner Gips; Vorkommen an Phosphat und Schwefel sind bekannt. Erdölraffinerie in Nouadhibou; Verarbeitung von landwirtsch. Produkten. Ausfuhr von Eisenerz (50% der Exporterlöse), Fisch und Fischerzeugnissen, ferner Gips, Gummiarabikum. Haupthandelspartner: Frankreich. – Das Straßennetz ist 7500 km lang, davon 1700 km asphaltiert (darunter die »Straße der Hoffnung« zw. Nouakchott und Nema); die Eisenbahnlinie zum Exporthafen Point-Central bei Nouadhibou (670 km) dient dem Erztransport ab Zouérate. Küstenhäfen und internat. Flughäfen sind Nouadhibou und Nouakchott.

Geschichte: Seit dem 4. Jh. n. Chr. wanderten von N her Berber in das heutige M. ein, die im 11. Jh. islamisiert wurden. Nach dem Zusammenbruch des Reiches der Almoraviden (1147) blieb der N-Teil des Landes in loser Abhängigkeit von Marokko, der S-Teil gehörte zum Reich Mali. Nach 1900 eroberte Frankreich das heutige M., proklamierte 1904 das Territorium M. und gliederte es 1920 Frz.-Westafrika ein; gab ihm 1946 den Status eines Überseeterritoriums innerhalb der Frz. Union, 1958 den einer autonomen Republik innerhalb der Frz. Gemeinschaft. 1960 wurde M. unabhängig. 1966 kam es im S zu blutigen Zusammenstößen zw. Mauren und Angehörigen schwarzafrikan. Stämme. Mit der Aufteilung des bis 1975/76 von Spanien beherrschten Gebietes von → Westsahara zw. Marokko und M. sah sich M. in krieger. Aktionen mit der → POLISARIO verwickelt, die im Gebiet von Westsahara einen selbstständigen Staat errichten will. Nach dem Sturz von Staatspräs. M. O. Daddah (1961–78) zog M. 1979 seine Ansprüche auf die Westsahara zurück und schloss mit der POLISARIO einen Friedensvertrag (1979). Seitdem herrscht das »Militärkomitee des Nat. Heils«, dessen Vors. Staats- und Reg.chef ist (seit 1984 M. O. S. A. Taya). Anfang 1989 kam es zu Spannungen mit Senegal; 1989/90 verschärfte sich der ethn. Konflikt zw. Mauren und Schwarzafrikanern erneut. Im Nov. 1990 scheiterte ein Putschversuch von Vertretern der schwarzafrikan. Bev.minderheit gegen Staatspräs. Taya. In einem Referendum wurde 1991 eine neue Verf. angenommen, die die Zulassung mehrerer polit. Parteien ermöglichte. Bei den Parlamentswahlen von 1992 und 1996 gewann die Partei von Präs. Taya (PRDS) die absolute Mehrheit. Im Jan. 1995 kam es als Folge drast. Erhöhungen des Brotpreises zu sozialen Unruhen. Mit der Ausweisung des irak. Botschafters Ende 1995 vollzog M., das während der Golfkrise 1990/91 noch auf Seiten des Irak stand, einen außenpolit. Kurswechsel.

🕮 CLAUSEN, U.: *Demokratisierung in M. Einführung u. Dokumente. Hamburg 1993. – M. Eine Einführung, hg. v.* U. CLAUSEN. *Hamburg 1994.*

Mauretanien

Mauriac [mori'ak], **1)** Claude, frz. Schriftsteller, *Paris 25. 4. 1914, †ebd. 22. 3. 1996, Sohn von 2); 1944–49 Sekretär C. de Gaulles, dann Journalist und Kritiker. Seine Romane (u. a. »Die Marquise ging um 5 Uhr aus«, 1961) stehen dem Nouveau Roman nahe; Erinnerungen: »Die unbewegl. Zeit« (10 Bde., 1970–88), »Le temps accompli« (4 Bde., 1991–96).

François Mauriac

2) François, frz. Schriftsteller, *Bordeaux 11. 10. 1885, †Paris 1. 9. 1970, Vater von 1); arbeitete für die Résistance an der illegalen Presse mit, nach 1958 Anhänger C. de Gaulles, weiterhin journalist. Tätigkeit, u. a. für den »Figaro« (Beiträge gesammelt u. d. T. »Bloc-notes«, 4 Bde., 1958–70), beeinflusste nach 1945 wesentlich das kulturelle Leben in Frankreich. M.s schriftsteller. Werk ist vom Katholizismus geprägt; er gestaltete v. a. das Scheitern menschl. Beziehungen, den Widerstreit zw. Sünde und Gnade im Milieu des reichen Provinzbürgertums, so u. a. in den Romanen »Der Aussätzige und die Heilige« (1922), »Die Tat der Thérèse Desqueyroux« (1927), »Natterngezücht« (1932), »Das Lamm« (1954), »Der Jüngling Alain« (1969), ähnlich auch in den Dramen, von denen nur »Asmodi« (1938) erfolgreich war. M. verfasste außerdem literaturtheoret. Schriften (»Der Romancier und seine Gestalten«, 1933), Essays und Memoiren (»Die verborgenen Quellen«, 1965; »Die düsteren Jahre«, 1967). 1952 erhielt er den Nobelpreis für Literatur.

🕮 LACOUTURE, J.: *F. M. Paris 1980.* – MAURIAC, CLAUDE: *F. M. Sa vie, son œuvre. Paris 1985.*

Maurina, Zenta (lett. Mauriņa), lett. Schriftstellerin, *Lejasciems 15. 12. 1897, †Bad Krozingen 25. 4. 1978; emigrierte 1944 nach Dtl.; ihre Romane, Erzählungen und Essays sind durch subtile Deutung von geistigen Werten und die Mahnung zum Humanismus geprägt.

maurischer Stil, → islamische Kunst.

Mauritius, die ersten engl. Kolonialpostwertzeichen von 1847. Die Fehldrucke der 1. Auflage **(orange M.** und **dunkelblaue M.)** gehören zu den seltensten Postwertzeichen. BILD Briefmarke

Mauritius (amtlich engl. Republic of M.), Inselstaat im Ind. Ozean, umfasst die zu den → Maskarenen gehörenden Inseln M. und Rodriguez sowie die kleinen, entfernter gelegenen Cargados-Carajos-Inseln und Agalegainseln.

Staat und Recht: Durch die Verf.änderung vom 10. 12. 1991 wurde M. am 12. 3. 1992 Rep. im Commonwealth. Staatsoberhaupt ist der mit geringen Kompetenzen ausgestattete Präs. (für fünf Jahre vom Parlament gewählt). Die Legislative liegt bei der Gesetzgebenden Versammlung (70 Abg., davon 62 direkt gewählt), die Exekutive bei der Reg. unter Vorsitz des Min.Präs. Einflussreichste Parteien: Maurit. Sozialist. Bewegung (MSM), Maurit. Militante Bewegung (MMM), Arbeiterpartei (PTrM).

Landesnatur: Die Insel M. ist vulkan. Ursprungs und besteht aus bis 600 m ü. M. gelegenen,

Mauritius

Fläche: 2040 km²
Einwohner: (1995) 1,117 Mio.
Hauptstadt: Port Louis
Verwaltungsgliederung: 9 Distrikte
Amtssprache: Englisch
Nationalfeiertag: 12. 3.
Währung: 1 Mauritius-Rupie (MR) = 100 Cents (c)
Zeitzone: MEZ +2 Std.

Staatswappen

MS

Internationales Kfz-Kennzeichen

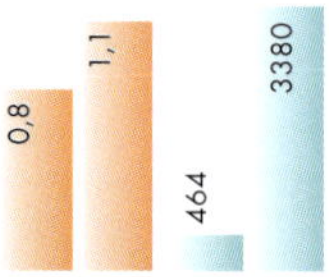

1970 1995 1970 1995
Bevölkerung (in Mio.) Bruttosozialprodukt je Ew. (in US-$)

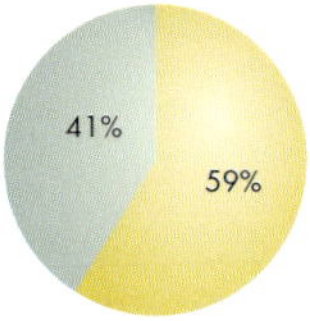

Stadt
Land
Bevölkerungsverteilung 1994

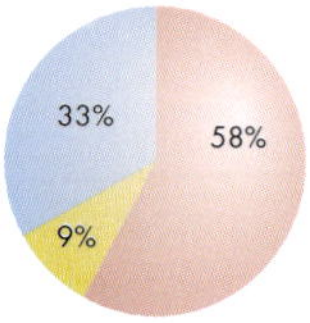

Industrie
Landwirtschaft
Dienstleistung
Bruttoinlandsprodukt 1995

ausgedehnten Hochflächen, die von Vulkanen überragt werden (im Piton de la Rivière Noire 826 m ü.M.). Vor der zerklüfteten Küste liegen Korallenriffe. Das Klima ist tropisch, steht unter dem Einfluss des SO-Passats (auf der Luvseite 1500–4000 mm Niederschlag, auf der W-Seite um 800 mm); häufig trop. Wirbelstürme. Der trop. Regenwald ist weitgehend zerstört.

Bevölkerung: 68% der Bev. sind ind. Herkunft (Nachkommen der im 19. Jh. eingewanderten ind. Plantagenarbeiter), 27% gemischter Abstammung (Kreolen), ferner Europäer, Chinesen u.a. – Keine allg. Schulpflicht, jedoch liegt die Einschulungsquote bei über 90% (Analphabetenquote 7%); Univ. (gegr. 1967), Ind.- und Handelshochschule, Polytechnikum. – Rd. die Hälfte der Bev. sind Hindu, 30% Christen (v.a. kath.), 17% Muslime.

Wirtschaft, Verkehr: Die Landwirtschaft beschäftigt noch 15% der Erwerbstätigen. Anbau (auf fast 70% des Ackerlandes) und Verarbeitung von Zuckerrohr (einst wichtigste Grundlage). Zahlr. Ind.betriebe (36% der Erwerbstätigen) um Port Louis (u.a. Textil-, elektron., feinmechan. Ind.). Tee-, Obst- und Gemüsekulturen, Blumenzucht, Fisch- und Garnelenzucht, Rotwildhaltung sowie Fremdenverkehr werden zu wichtigen Wirtschaftsfaktoren. Tourist. (jährl. über 400000 Auslandsgäste) Anziehungspunkte sind die Sandstrände und Korallenriffe. Export: Textilien (über 50% Exportanteil), Zucker (24%), Tee, Spielwaren, Sportartikel; Haupthandelspartner sind Großbritannien, Frankreich, die USA, Dtl. – Das Straßennetz ist 1880 km lang, meist asphaltiert. Überseehafen Port Louis; internat. Flughafen Plaisance.

Geschichte: Das schon den Arabern und Malaien bekannte M. wurde um 1510 erstmals von Europäern besucht. 1598–1710 war die Insel in niederländ. Besitz (benannt nach dem Statthalter Moritz, Prinz von Oranien, →Moritz). 1715 kam sie als **Île de France** an Frankreich, 1810 an Großbritannien. 1968 zunächst unabhängige parlamentar. Monarchie, wurde M. am 12. 3. 1992 Republik, die aber Teil des Commonwealth blieb. Im Juni 1992 wählte die Nationalversammlung C. Utem zum Staatspräsidenten.

📖 SELVON, S.: *Historical dictionary of M. Metuchen, N. J., 1991. – Population – development – environment. Understanding their interactions in M., hg. v.* W. LUTZ. *Berlin u. a. 1994.*

Mauritius, nach der Legende Anführer der →Thebäischen Legion, †(Märtyrertod) Agaunum (heute Saint-Maurice, Kt. Wallis) um 300; Heiliger, Schutzpatron der Soldaten, Tag: 22. 9. – M. wird in der bildenden Kunst als Ritter zu Fuß oder zu Pferd, oft auch als Schwarzer dargestellt, so die Statue (um 1240) im Magdeburger Dom.

Maurois [mɔ'rwa], André, eigtl. Émile Herzog, frz. Schriftsteller, *Elbeuf (Dép. Seine-Maritime) 26. 7. 1885, †Neuilly-sur-Seine 9. 10. 1967; lebte 1940–46 in den USA, schrieb romanhafte Biographien (»Auf den Spuren von M. Proust«, 1956; »Prometheus oder Das Leben Balzacs«, 1965), auch psychologisch nuancierte Romane über Ehe- und Familienprobleme des Großbürgertums (»Im Kreis der Familie«, 1932, u.a.) und histor. Essays.

Maurowlachen, die →Morlaken.

Mauroy [mɔ'rwa], Pierre, frz. Politiker, *Cartignies (Dép. Nord) 5. 7. 1928; Lehrer, Mitgl. der Sozialist. Partei, seit 1973 Bürgermeister von Lille, 1981–84 Min.Präs., 1988–92 Vors. der Sozialist. Partei; wurde 1992 Vors. der Sozialist. Internationale.

Maurras [mɔ'ra:s], Charles, frz. Politiker und Schriftsteller, *Martigues (Dép. Bouches-du-Rhône) 20. 4. 1868, †Tours 16. 11. 1952; Mitbegründer und Ideologe der royalistisch-antisemit. →Action Française, unterstützte die Reg. Pétain, 1945 als Kollaborateur zu lebenslanger Haft verurteilt, 1952 begnadigt. In seinen philosoph. und literar. Werken (Essays, Erzählungen, Gedichte) polemisierte er gegen die Romantik und setzte ihr ein klassisch-rationalist. Stilideal entgegen.

Maursmünster (frz. Marmoutier), Stadt im frz. Dép. Bas-Rhin, am Vogesenrand, 2200 Ew. – Die wohl Mitte des 7. Jh. gegr., 1789 aufgehobene Benediktinerabtei hat eine bed. Kirche (roman. Westbau, 12. Jh.; got. Lang- und Querhaus, 13. Jh.).

Maurya (Maurja), altind. Herrscherdynastie um 322 v. Chr., von Tschandragupta begründet. Bed. Vertreter war →Aschoka.

Maus [lat. mus], **1)** *Biologie:* Nagetier, →Mäuse.

2) *Datenverarbeitung:* Eingabegerät, das mit der Hand auf dem Tisch verschoben werden kann und so den →Cursor oder ein anderes Markierungssymbol über die Fläche eines Bildschirms steuert.

Mäuse (Muridae), artenreiche Familie der Nagetiere mit weltweiter Verbreitung; sehr fruchtbar und anpassungsfähig. Die meisten Arten der M. leben in trop. Gebieten, neben den →Ratten sind in Mitteleuropa häufig: die von menschl. Nahrungsmitteln lebende **Hausmaus** (Mus musculus domesticus) und die auch auf Äckern vorkommende **Ährenmaus** (Mus musculus musculus); in Hecken, Feldern sowie Wäldern lebt die **Waldmaus** (Apodemus silvaticus), im Hochwald die größere **Gelbhalsmaus** (Apodemus flavicollis); ihr nahe verwandt ist die **Brandmaus** (Apodemus agrarius) mit schwarzem Rückenstrich, die in Hecken lebt; ein geschickter Kletterer mit Greifschwanz ist die **Zwergmaus** (Micromys minutus). **Weiße M.** sind albinot. Haus-M., die als Versuchstiere Bedeutung haben. Hausmäuse bringen mehrmals im Jahr nach einer Tragzeit von 23 Tagen vier bis acht blinde, unentwickelte Junge zur Welt.

Mäuseturm: Der als Mautstelle auf einer Rheininsel bei Bingen am Rhein erbaute Turm dient heute als Signalwarte

Mäusebussard (Buteo buteo), bis 1,20 m spannender, gut segelnder Greifvogel in offenen Landschaften und Wäldern Eurasiens; fängt vorwiegend Mäuse.

Mäusedorn (Ruscus), Gattung der Liliengewächse im Mittelmeergebiet; niedrige Halbsträucher mit längl., ledrigen, stachelspitzigen, immergrünen Flachsprossen, die grünlich weiße, zweihäusige Blüten und später rote, zweisamige Beeren tragen; darunter der für Trockensträuße beliebte **Stechende M.** (Ruscus aculeatus).

Mauser [zu lat. mutare »wechseln«], jahreszeitl. Wechsel des Federkleids **(Federwechsel)** bei Vögeln; ausgelöst durch vermehrte Hormonausschüttung u. a. der Schilddrüse. Man unterscheidet bes. zw. Jugend-M. (Jungvögel bekommen das Erwachsenenkleid; meist im ersten Herbst), Brut-M. und Ruhe-M. (Übergang vom Ruhe- ins Brutkleid). – Auch der Haarwechsel der Säugetiere wird als M. bezeichnet.

Mauser, Paul von (seit 1912), Waffenkonstrukteur, * Oberndorf am Neckar 27. 6. 1838, † ebd. 29. 5. 1914; konstruierte – zunächst mit seinem Bruder Wilhelm M. (* 1834 † 1882) – Gewehre (z. B. die Modelle M 71, M 84, M 98), Revolver und Pistolen, darunter eine der ersten Selbstladepistolen (1896).

Mäuseturm [zu Maut], Turm auf einer Rheininsel bei Bingen am Rhein, im 13. Jh. erbaut als Mautstelle (heutige Form 1855), heute Signalwarte für die Schifffahrt durch das Binger Loch. Der Sage nach soll der Mainzer Erzbischof Hatto I. (891–913) für seine Hartherzigkeit von Mäusen bis in den Turm verfolgt und aufgefressen worden sein.

Mausoleum [grch.] *das,* monumentaler Grabbau. Der Name stammt von dem für den König und pers. Satrapen Mausolos von Karien († 353 v. Chr.) errichteten Grabmal in Halikarnassos, einem etwa 50 m hohen, bei Plinius beschriebenen und durch Ausgrabungen bekannten Bau, der als eines der sieben Weltwunder galt und durch ein Erdbeben zerstört wurde (Reste des Sockelfrieses sowie Statuen des Mausolos und der Artemisia im Brit. Museum in London). Ein bed. M. der Antike ist die →Engelsburg in Rom; Blüte des M. in der islam. Kunst. (→Grabmal) BILD Aurangabad

Maut, Gebühr für die Benutzung von Straßen (M.-Straßen) und Brücken.

Mauthausen, Marktgemeinde im Bezirk Perg, Oberösterreich, 4500 Ew. – Ehem. nat.-soz. Konzentrationslager (1938–45), heute Gedenkstätte.

Mauthner, Fritz, österr. Schriftsteller und Philosoph, * Hořice (Böhmen) 22. 11. 1849, † Meersburg 29. 6. 1923; bekannt als Autor literar. Parodien (»Nach berühmten Mustern«, 2 Tle., 1899) und als Satiriker (»Schmock«, 1888), schrieb auch histor. und philosoph. Romane. Als Philosoph vertrat M. eine agnost., nominalist. Position, die das Vermögen der Sprache als Mittel der Wirklichkeitserkenntnis infrage stellt.

Mauvein [move'i:n] (Perkinviolett), ältester künstlich hergestellter organ. Farbstoff (1856 von W. H. Perkin bei der Oxidation von unreinem Anilin mit Dichromat entdeckt); heute wegen unzureichender Farbechtheit nicht mehr verwendet.

Mawensi, einer der Gipfel des →Kilimandscharo.

Max, Prinz von Baden, eigtl. Maximilian Alexander Friedrich Wilhelm, Reichskanzler (1918),

André Maurois

Pierre Mauroy

Fritz Mauthner

Mäusebussard

Prinz Max von Baden

*Baden-Baden 10. 7. 1867, †Salem 6. 11. 1929; seit 1907 bad. Thronfolger, wurde von Kaiser Wilhelm II. am 3. 10. 1918 zum Reichskanzler und preuß. MinPräs. ernannt, um die Parlamentarisierung der Reichsreg. durchzuführen und Waffenstillstandsverhandlungen mit den Alliierten (5. 10. 1918) einzuleiten. Nach dem Ausbruch der Novemberrevolution legte er Kaiser Wilhelm II. die Abdankung nahe, verkündete sie vorzeitig (9. 11. 1918) und übertrug F. Ebert das Reichskanzleramt.

Max-Delbrück-Centrum für Molekulare Medizin Berlin-Buch, Abk. **MDC,** 1992 als Stiftung des öffentl. Rechts gegr. Forschungseinrichtung mit den Schwerpunkten Hypertonie, Kardiologie, Krebsforschung, Neurowiss., Zellbiologie, medizin. Genetik.

Maximilian I.

Der burgundische Chronist Philippe de Commynes berichtet über die Hochzeit Maximilians I. mit Maria von Burgund 1477:

»Von sieben- bis achthundert Rossen begleitet wurde der Sohn des Kaisers nach Gent geführt, und die Ehe wurde vollzogen. Auf den ersten Blick war sie den Untertanen des Fräuleins nicht sehr nützlich: denn anstatt Geld zu bringen, brauchte Maximilian etwas. Seine Leute waren für eine solche Macht wie die des Königs nicht zahlreich genug, und ihre Gewohnheiten vertrugen sich mit denen der Untertanen des Hauses Burgund nicht sehr; diese hatten unter reichen Fürsten gelebt, die gute Ämter vergaben und ein ehrenvolles und prunkhaftes Haus hielten [...] Die Deutschen sind ganz entgegengesetzter Natur, denn sie sind rau und leben auch so.«

Maxentius, Marcus Aurelius Valerius, röm. Kaiser (306–312), *etwa 279, †Rom 28. 10. 312; Sohn des Maximianus; wurde 306 in Rom von den Prätorianern zum Kaiser ausgerufen und behauptete die Herrschaft über Italien und Afrika, bis er von seinem Schwager Konstantin d. Gr. an der Milvischen Brücke (Rom) geschlagen wurde und dort im Tiber ertrank.

Maxille [lat.] *die,* das zweite und dritte Mundgliedmaßenpaar der Krebse, Tausendfüßer und Insekten.

Maxima [lat. »längste (Note)«] *die, Musik:* längster Notenwert der Mensuralnotation.

Maximaldosis, Abk. **MD,** Höchstgabe; die für stark wirkende Arzneimittel gesetzlich festgelegte Dosis: **Einzel-M., EMD,** die im Dt. Arzneibuch festgelegte höchste Einzelgabe eines Arzneimittels; **Tages-M., TMD,** die höchste innerhalb 24 Stunden zu nehmende Arzneimittelmenge.

Maxime [von lat. maxima regula »oberste Norm«] *die,* Grundsatz, Prinzip; als literar. Gattung Denkspruch, Lebensregel, so die im frühen MA. verbreiteten »Dicta Catonis«. Zu einer hohen Form philosoph. Aussage wurden die M. bei den frz. Moralisten (z.B. bei F. de La Rochefoucauld und L. Vauvenargues) und in Goethes »Maximen und Reflexionen« (1840). Für I. Kant ist eine M. die eine Handlung bestimmende subjektive Regel, im Unterschied zum »Imperativ« als dem objektiven Prinzip, nach dem jedes vernünftige Wesen handeln soll (→kategorischer Imperativ).

Maximianus, Marcus Aurelius Valerius M., genannt Herculius, röm. Kaiser (286–305, 307–308), *bei Sirmium (heute Sremska Mitrovica) in Pannonien um 240, †in Gallien 310; Freund Diokletians, der ihn 285 zum Caesar und 286 zum Augustus mit Zuständigkeit für den Westen des Reiches ernannte; legte 305 zugleich mit Diokletian sein Amt nieder. M. kehrte in die Politik zurück, als sein Sohn Maxentius zum Kaiser ausgerufen wurde (306). 308 zur Abdankung gezwungen, wurde er von Konstantin schließlich gefangen genommen und zum Selbstmord veranlasst.

Maximierung, das Erreichen des höchstmögl. Wertes einer Größe (z.B. eines Gewinnes) bei gegebenen Nebenbedingungen (z.B. Kosten); Sonderform der →Optimierung.

Maximilian, Herrscher:

Hl. Röm. Reich: **1) M. I.,** Röm. König (1486 bis 1519), Erwählter Röm. Kaiser (1508–1519), *Wiener Neustadt 22. 3. 1459, †Wels 12. 1. 1519; Sohn Kaiser Friedrichs III., trat 1493 die Nachfolge seines Vaters an. Durch seine Ehe mit Maria von Burgund (1477–82), der Tochter Karls des Kühnen, erwarb er Anspruch auf alle burgund. Besitzungen, die er nach langen Kämpfen mit Frankreich im Frieden von Senlis (1493) bis auf das Herzogtum Burgund und die Picardie behauptete. Nach dem Tod von Matthias I. Corvinus (1490) gelang ihm die Rückeroberung der habsburg. Erblande. 1493 vermählte er sich mit Bianca Maria Sforza von Mailand; dennoch blieb seine wechselvolle Politik in Italien letztlich für das Reich erfolglos. Der Schwaben- bzw. Schweizerkrieg (1499) führte zur tatsächl.

Maximilian I., Kaiser des Heiligen Römischen Reiches: Ausschnitt aus einem Gemälde von Albrecht Dürer (1519; Wien, Kunsthistorisches Museum)

Maximilian IV. Joseph, Kurfürst von Bayern: Kupferstich aus dem Jahre 1804

Loslösung der Schweiz vom Reich; dagegen gewann er durch geschickte Heiratspolitik 1506/16 auch die span. Krone, 1515 die Anwartschaft auf Böhmen und Ungarn für das Haus Habsburg. Den reichsständ. Bestrebungen nach einer »Reichsreform« musste M. 1495 (Worms; »Ewiger Landfrieden«) und 1500 (Augsburg) nachgeben; doch stellte er dem 1495 eingesetzten Reichskammergericht 1497 den nur von ihm abhängigen Reichshofrat entgegen. Er vervollkommnete das Geschützwesen und gilt als »Vater der →Landsknechte«. – M. war gebildet, beherrschte die ritterl. Künste und Fertigkeiten nach dem burgund. Vorbild (»der letzte Ritter«) und war Schriftsteller; als Anhänger des Humanismus förderte er Kunst (u.a. A. Dürer) und Wissenschaft. Seinen Ruhm ließ er in den allegorisch verhüllten Werken »Teuerdank« (1517) und »Weißkunig« (um 1516) verkünden. (→Maximiliansgrab)

🕮 WIESFLECKER, H.: *M. I. Die Fundamente des habsburg. Weltreiches. Wien u.a. 1991.*

2) M. II., Kaiser (1564–76), *Wien 31. 7. 1527, †Regensburg 12. 10. 1576; Sohn Kaiser Ferdinands I., 1562 zum Röm. König und Kaiser gewählt; folgte 1564 seinem Vater als Kaiser, neigte zum Protestantismus (ohne Übertritt) und bemühte sich (erfolglos) um den konfessionellen Ausgleich und die Türkenabwehr.

🕮 LANZINNER, M.: *Friedenssicherung u. polit. Einheit des Reiches unter Kaiser M. II. (1564–1576). Göttingen 1993.*

Baden: **3) M. (Max) Alexander Friedrich Wilhelm,** Reichskanzler, →Max, Prinz von Baden.

Bayern: **4) M. I.,** Herzog (1597–1651), Kurfürst (seit 1623), *München 17. 4. 1573, †Ingolstadt 27. 9. 1651, Großvater von 5); übernahm 1598 die Reg.; gründete 1609 die kath. Liga, als deren Haupt er während des Dreißigjährigen Krieges neben den habsburg. Kaisern an der Spitze der kath. Partei Dtl.s stand. 1623 erhielt er die pfälz. Kurwürde, 1628 die Oberpfalz. Er war ein Gegner Wallensteins. Im Innern stärkte er die landesherrl. Macht, schuf eine Gesetzessammlung (»Codex Maximilianeus«), förderte die Künste und erbaute die Residenz in München.

5) M. II. Emanuel, Kurfürst (1679–1726), *München 11. 7. 1662, †ebd. 26. 2. 1726, Enkel von 4); zeichnete sich als Verbündeter Leopolds I. in den Türkenkriegen (1686–88) aus. Für seine Verdienste um die Sicherung der Rheingrenze im Pfälz. Erbfolgekrieg wurde er 1691 Statthalter der Span. Niederlande (bis 1699). Im Span. Erbfolgekrieg hoffte er, an der Seite Frankreichs die Span. Niederlande als Königtum zu gewinnen, wurde aber bei Höchstädt 1704 geschlagen; Bayern (bis 1714/15) wurde von Österreich besetzt.

Maximilian II. Emanuel, Kurfürst von Bayern (Ausschnitt aus einem zeitgenössischen Kupferstich)

6) M. III. Joseph, Kurfürst (1745–77), *München 28. 3. 1727, †ebd. 30. 12. 1777; Sohn Kaiser Karls VII.; zog sich 1745 im Frieden von Füssen aus dem Österr. Erbfolgekrieg zurück; gründete 1759 die Akademie der Wiss. in München.

7) M. IV. Joseph, Kurfürst (1799–1806), als König (1806–25) **M. I. Joseph,** *Mannheim 27. 5. 1756, †München 13. 10. 1825, Großvater von 8); regierte seit 1795 in Pfalz-Zweibrücken und wurde 1799 Kurfürst von Bayern. Er schloss sich Napoleon I. an, wurde 1806 Mitgl. des Rheinbunds und erhielt die Königswürde. In den Gebietsveränderungen von 1803 bis 1815/16 wurde Bayern durch fränk. und schwäb. Gebiete erheblich vergrößert. Im Innern leitete er, beraten von Graf M. von →Montgelas, wichtige Reformen ein und gab Bayern 1818 eine frühliberale Verfassung.

8) M. II. Joseph, König (1848–64), *München 28. 11. 1811, †ebd. 10. 3. 1864, Enkel von 7); gelangte

Maximilian: »Die Erschießung Kaiser Maximilians von Mexiko«, Gemälde von Édouard Manet (1867; Mannheim, Städtische Kunsthalle)

Max-Planck-Institute und Forschungsstellen sowie Arbeitsgruppen der Max-Planck-Gesellschaft (Stand 1. 8. 1997*))	
Biologisch-Medizinische Sektion	
Max-Planck-Institut für Biochemie	Martinsried
Max-Planck-Institut für Biologie	Tübingen
Max-Planck-Institut für Biophysik	Frankfurt am Main
Max-Planck-Institut für experimentelle Endokrinologie	Hannover
Max-Planck-Institut für Entwicklungsbiologie	Tübingen
Forschungsstelle »Enzymologie der Proteinfaltung« der Max-Planck-Gesellschaft	Halle/Saale
Friedrich-Miescher-Laboratorium für biologische Arbeitsgruppen in der Max-Planck-Gesellschaft	Tübingen
Max-Planck-Institut für molekulare Genetik	Berlin
Max-Planck-Institut für Hirnforschung	Frankfurt am Main
Max-Planck-Institut für Immunbiologie	Freiburg im Breisgau
Max-Planck-Institut für Infektionsbiologie	Berlin
Max-Planck-Institut für biologische Kybernetik	Tübingen
Max-Planck-Institut für Limnologie	Plön
Max-Delbrück-Laboratorium in der Max-Planck-Gesellschaft	Köln
Max-Planck-Institut für experimentelle Medizin	Göttingen
Max-Planck-Institut für medizinische Forschung	Heidelberg
Max-Planck-Institut für marine Mikrobiologie	Bremen
Max-Planck-Institut für terrestrische Mikrobiologie	Marburg
Arbeitsgruppen für strukturelle Molekularbiologie der Max-Planck-Gesellschaft am DESY	Hamburg
Max-Planck-Institut für neurologische Forschung	Köln
Max-Planck-Institut für neuropsychologische Forschung	Leipzig
Max-Planck-Institut für chemische Ökologie	Jena
Max-Planck-Institut für molekulare Pflanzenphysiologie	Golm
Max-Planck-Institut für molekulare Physiologie	Dortmund
Max-Planck-Institut für physiologische und klinische Forschung (W. G. Kerckhoff-Institut und Kerckhoff-Klinik GmbH)	Bad Nauheim
Max-Planck-Institut für Psychiatrie (Deutsche Forschungsanstalt für Psychiatrie)	Martinsried und München
Max-Planck-Institut für Psycholinguistik	Nijmwegen, Niederlande
Max-Planck-Institut für Verhaltensphysiologie	Seewiesen
Max-Planck-Institut für Zellbiologie	Ladenburg
Max-Planck-Institut für molekulare Zellbiologie und Genetik	Dresden
Max-Planck-Institut für Züchtungsforschung	Köln
Arbeitsgruppen an Universitäten	
Arbeitsgruppe »Molekulare und zelluläre Biophysik« an der Universität Jena	Jena
Arbeitsgruppe »Pharmakologische Hämostaseologie« an der Universität Jena	Jena
Chemisch-Physikalisch-Technische Sektion	
Max-Planck-Institut für Aeronomie	Kaltenburg-Lindau
Max-Planck-Institut für Astronomie	Heidelberg
Max-Planck-Institut für Astrophysik	Garching
Max-Planck-Institut für die Erforschung globaler biogeochemischer Kreisläufe	Jena
Max-Planck-Institut für Chemie (Otto-Hahn-Institut)	Mainz
Max-Planck-Institut für biophysikalische Chemie (Karl-Friedrich-Bonhoeffer-Institut)	Göttingen
Max-Planck-Institut für Dynamik komplexer technischer Systeme	Magdeburg
Max-Planck-Institut für Eisenforschung GmbH	Düsseldorf

durch die Abdankung seines Vaters Ludwig I. auf den Thron; förderte das wiss. und künstler. Leben in München.

Mexiko: **9) M.,** eigtl. Ferdinand M., Kaiser (1864–67), *Wien 6. 7. 1832, †(erschossen) Querétaro 19. 6. 1867; Bruder Kaiser Franz Josephs I.; ⚭ mit der belg. Prinzessin Charlotte. 1864 nahm er die ihm auf Betreiben Napoleons III. angetragene mexikan. Kaiserkrone an, konnte aber in Mexiko nicht Fuß fassen. Nach dem Rückzug der frz. Hilfstruppen gewann Präs. B. →Juárez García wieder die Oberhand; M. wurde in Querétaro von einem Kriegsgericht zum Tode verurteilt. Bild S. 161

📖 Haslip, J.: *M., Kaiser von Mexiko. A. d. Engl. Tb.-Ausg. München 1983.*

Maximiliansgrab, das von Kaiser →Maximilian I. für seine Grabkirche bestimmte Bronzegrabmal mit Standbildern der Ahnen des Hauses Habsburg. Von den geplanten 40 Standbildern, 34 Büsten und 100 Statuetten wurde nur ein Teil vollendet und in der Hofkirche in Innsbruck aufgestellt, darunter die Figuren des Theoderich und des Artus nach Visierungen Dürers, gegossen in der Werkstatt P. Vischers d. Ä. (1513).

Maximiliansorden für Wissenschaft und Kunst (Bayerischer M. f. W. u. K.), **1)** 1853 von König Maximilian II. von Bayern gestifteter Orden; erlosch (nach 1945 nicht erneuert) 1968 mit dem Tod des letzten Ordensmitglieds.

2) 1980 in Erneuerung von 1) gestifteter bayer. Orden; wird (für Kunst und für Wiss.) vom Min.-Präs. verliehen. Die Zahl der Ordensträger soll 100 nicht überschreiten.

Maximinus, röm. Kaiser: **1)** Gaius Galerius Valerius M., gen. M. Daia, *in Illyrien, †Tarsus Aug. 313; nahm 310 den Augustustitel an und beherrschte seit Galerius' Tod (311) alle asiat. Reichsteile; setzte die diokletian. Christenverfolgung fort und war nach dem Toleranzedikt des Galerius (311) um die Organisation der heidn. Priesterschaft und antichristl. Agitation bemüht. M. führte 313 Krieg gegen den mit Konstantin d. Gr. verbündeten Licinius und wurde bei Adrianopel geschlagen. Er starb auf dem Rückzug an einer Krankheit.

2) Gaius Julius Verus M., gen. M. Thrax (»der Thraker«), *in Thrakien 173 (?), †bei Aquileja 10. 5. 238; erster Nichtrömer auf dem röm. Kaiserthron: 235 als erster »Soldatenkaiser« in Mainz ausgerufen. M. kämpfte 236/237 erfolgreich gegen Germanen, Sarmaten und Daker. M. wurde von eigenen Soldaten erschlagen.

Maximow, Wladimir Jemeljanowitsch, russ. Schriftsteller, *Moskau 27. 11. 1930; lebt seit 1974 in Paris; schildert in seinen Romanen kritisch den sowjet. Alltag (»Die sieben Tage der Schöpfung«, 1971; »Ballade von Sawwa«, 1975; »Der weiße Admiral«, 1986).

Maximum [lat.] *das,* Höchstmaß, Höchststand, größter Wert; Ggs.: Minimum.

Maximus Confessor, byzantin. Theologe, *Konstantinopel 580, †Lazike (Georgien) 13. 8. 662; verteidigte die Orthodoxie gegen Monophysitismus und Monotheletismus. Dafür wurde er des Hochverrats angeklagt, verstümmelt und verbannt (seit 653); bed. Vertreter der Christusmystik; Heiliger, Tag: 13. 8.

Max-Planck-Gesellschaft zur Förderung der Wissenschaften e. V., Abk. **MPG,** am 26. 2. 1948 als unmittelbare Rechtsnachfolgerin der 1911 gegr. Kaiser-Wilhelm-Gesellschaft zur Förderung der Wiss. e. V. gegr. Verein; jurist. Sitz: Göttingen, Verw.sitz: München. Die Gesellschaft unterhält (1997) 78 Institute, Forschungsstellen und Arbeitsgruppen, die v. a. Grundlagenforschung betreiben. Der Haushaltsplan 1997 umfasst 1,94 Mrd. DM; die öffentl. Mittel (1,85 Mrd. DM) werden zu je 50% vom Bund und von den Ländern aufgebracht. Mittel kommen u. a. auch von der EU; so sind Finanzierungsträger des Max-Planck-Instituts für Plasmaphysik neben dem Bund die EURATOM sowie die Länder Meckl.-Vorp., Bayern und Berlin. – An der Spitze der MPG steht der Präsident (seit 1996 H. Markl). Im Senat besteht Partnerschaft von Staat, Wiss. und sachverständiger Öffentlichkeit, er trifft die forschungspolit. Entscheidungen, vorbereitet von den Sektionen. Die Forschungseinrichtungen der MPG sind in drei Sektionen gegliedert; zusammen bilden sie den Wissenschaftlichen Rat.

Max von Baden, Reichskanzler, →Max, Prinz von Baden.

Maxwell ['mækswəl], **1)** Ian Robert, eigtl. Jan Ludvík Hoch, brit. Medienunternehmer tschech. Herkunft, *Selo Slatina (Transkarpatien) 10. 6. 1923, †vor den Kanar. Inseln (unter ungeklärten Umständen) 5. 11. 1991; gründete 1949 den Verlag Pergamon Press Ltd., die Basis der Maxwell Communication Corporation plc, einer der weltgrößten Medienkonzerne, von dem nach seinem Tod große Teile wegen Überschuldung (die von M. vertuscht worden war) verkauft wurden.

2) James Clerk, brit. Physiker, *Edinburgh 13. 6. 1831, †Cambridge 5. 11. 1879; erneuerte die von T. Young aufgestellte Dreifarbentheorie des Sehens und förderte bes. die kinetische Gastheorie (→maxwellsche Geschwindigkeitsverteilung); schloss aus mathemat. Überlegungen, dass der Saturnring aus festen Teilchen bestehen müsse, erweiterte die Vektor- und Tensoranalysis, zeigte die elektromagnet. Natur der Lichtwellen. Er entwickelte die Theorie des elektromagnet. Feldes (→Elektrizität) durch Mathematisierung des von M. Faraday in die Physik eingeführten Feldbegriffs (→maxwellsche Theorie). Bild S. 164

Max-Planck-Institute und Forschungsstellen sowie Arbeitsgruppen der Max-Planck-Gesellschaft (Stand 1. 8. 1997*); Fortsetzung)

Chemisch-Physikalisch-Technische Sektion (Fortsetzung)	
Max-Planck-Institut für Festkörperforschung	Stuttgart
Fritz-Haber-Institut der Max-Planck-Gesellschaft	Berlin
Gmelin-Institut für anorganische Chemie und Grenzgebiete der Max-Planck-Gesellschaft	Frankfurt am Main
Max-Planck-Institut für Gravitationsphysik (Albert-Einstein-Institut)	Potsdam
Max-Planck-Institut für Informatik	Saarbrücken
Max-Planck-Institut für Kernphysik	Heidelberg
Max-Planck-Institut für Kohlenforschung (rechtsfähige Stiftung)	Mühlheim/Ruhr
Max-Planck-Institut für Kolloid- und Grenzflächenforschung	Berlin und Teltow
Max-Planck-Institut für Mathematik	Bonn
Max-Planck-Institut für Mathematik in den Naturwissenschaften	Leipzig
Max-Planck-Institut für Metallforschung	Stuttgart
Max-Planck-Institut für Meteorologie	Hamburg
Max-Planck-Institut für Mikrostrukturphysik	Halle/Saale
Max-Planck-Institut für Physik (Werner-Heisenberg-Institut)	München
Max-Planck-Institut für Physik komplexer Systeme	Dresden
Max-Planck-Institut für chemische Physik fester Stoffe	Dresden
Max-Planck-Institut für extraterrestrische Physik	Garching
Max-Planck-Institut für Plasmaphysik	Garching
Max-Planck-Institut für Polymerforschung	Mainz
Max-Planck-Institut für Quantenoptik	Garching
Max-Planck-Institut für Radioastronomie	Bonn
Max-Planck-Institut für Strahlenchemie	Mühlheim/Ruhr
Max-Planck-Institut für Strömungsforschung	Göttingen
Arbeitsgruppe an der Universität	
Arbeitsgruppe »Theorie komplexer und korrelierter Elektronensysteme« an der Technischen Universität Dresden	Dresden
Geisteswissenschaftliche Sektion	
Max-Planck-Institut für evolutionäre Anthropologie	Leipzig
Bibliotheca Hertziana – Max-Planck-Institut	Rom, Italien
Max-Planck-Institut für Bildungsforschung	Berlin
Max-Planck-Institut für demografische Forschung	Rostock
Max-Planck-Institut für Geschichte	Göttingen
Max-Planck-Institut für Gesellschaftsordnung	Köln
Max-Planck-Institut für ausländisches und internationales Patent-, Urheber- und Wettbewerbsrecht	München
Max-Planck-Institut für ausländisches und internationales Privatrecht	Hamburg
Max-Planck-Institut für psychologische Forschung	München
Projektgruppe »Recht der Gemeinschaftsgüter« der Max-Planck-Gesellschaft	Bonn
Max-Planck-Institut für europäische Rechtsgeschichte	Frankfurt am Main
Max-Planck-Institut für ausländisches und internationales Sozialrecht	München
Max-Planck-Institut für ausländisches und internationales Strafrecht	Freiburg im Breisgau
Max-Planck-Institut für ausländisches öffentliches Recht und Völkerrecht	Heidelberg
Max-Planck-Institut zur Erforschung von Wirtschaftssystemen	Jena
Max-Planck-Institut für Wissenschaftsgeschichte	Berlin

Max-Planck-Institute und Forschungsstellen sowie Arbeitsgruppen der Max-Planck-Gesellschaft (Stand 1. 8. 1997*); Fortsetzung)

Weitere der Max-Planck-Gesellschaft angehörende, von ihr betreute oder gemeinsam mit ihr betriebene Einrichtungen

Archiv zur Geschichte der Max-Planck-Gesellschaft	Berlin
Berliner Elektronenspeicherring-Gesellschaft für Synchrotronstrahlung mbH (BESSY)	Berlin
Deutsches Klimarechenzentrum GmbH	Hamburg
European Incoherent Scatter Scientific Association (EISCAT Scientific Association)	Kiruna, Schweden
Garching Innovation GmbH	München
Gesellschaft für wissenschaftliche Datenverarbeitung mbH Göttingen	Göttingen
Harnack-Haus	Berlin
Institut de Radio Astronomie Millimétrique (IRAM)	St. Martin d'Hèves Cedex, Frankreich
MINERVA Stiftung – Gesellschaft für die Forschung mbH	München
Submillimeter Telescope Observatory (SMTO)	Tucson (Arizona), USA
Tagungsstätte Max-Planck-Haus Heidelberg	Heidelberg
Tagungsstätte Schloss Ringberg	Rottach-Egern
Tagungs- und Gästehaus Max-Planck-Haus Tübingen	Tübingen

*) Übersicht über die Forschungseinrichtungen nach Sektionen des wissenschaftlichen Rates

James Clerk Maxwell

maxwellsche Geschwindigkeitsverteilung ['mækswəl-], 1860 von J. C. Maxwell theoretisch abgeleitete statist. Funktion, die den Geschwindigkeiten der Atome oder Moleküle eines Gases ihre relativen Häufigkeiten zuordnet. Die grafische Darstellung ergibt eine unsymmetr. Kurve, deren Maximum bei der wahrscheinlichsten (häufigsten) Geschwindigkeit $v_w = (2kT/m)^{1/2}$ liegt (k Boltzmann-Konstante, T absolute Temperatur, m Teilchenmasse).

maxwellscher Dämon ['mækswəl-], von J. C. Maxwell 1871 zur Veranschaulichung einer Möglichkeit der Verletzung des 2. Hauptsatzes der →Thermodynamik in einem Gedankenexperiment eingeführtes fiktives Wesen, das ordnend in molekulare Abläufe eingreifen kann; z. B. könnte es an einer Trennwand zw. zwei gasgefüllten Behältern in einer Richtung nur die langsamen, in der anderen nur die schnellen Moleküle passieren lassen; dadurch erwärmt sich der eine Behälter ohne anderweitige Änderung und der andere kühlt sich ab.

maxwellsche Theorie ['mækswəl-], die von J. C. Maxwell 1861–64 entwickelte Theorie der elektromagnet. Erscheinungen im Vakuum und in ruhenden Medien. Elektr. Ladungen und Ströme wirken vermittels ihrer Felder aufeinander, die sich mit endl. Geschwindigkeit ausbreiten. Die m. T. ist damit eine Nahwirkungs- oder Feldtheorie, im Ggs. zu den älteren Fernwirkungstheorien. Sie verknüpft durch die **maxwellschen Gleichungen** die elektr. Ladungsdichte ρ und elektr. Stromdichte $\boldsymbol{j}$ mit den elektr. und magnet. Feldgrößen ($\boldsymbol{E}$ elektr. Feldstärke, $\boldsymbol{D}$ elektr. Fluss- oder Verschiebungsdichte, $\boldsymbol{H}$ magnet. Feldstärke, $\boldsymbol{B}$ magnet. Flussdichte). Die Maxwell-Gleichungen beschreiben insbesondere auch den Zusammenhang zw. zeitlich veränderlichen elektr. und magnet. Feldern (t Zeitkoordinate); sie sind somit die Grundgleichungen des elektromagnet. Feldes. In differenzieller Form (in SI-Einheiten) lauten sie:

$$1)\ \operatorname{div} \boldsymbol{D} = \varrho \qquad 3)\ \operatorname{div} \boldsymbol{B} = 0$$

$$2)\ \operatorname{rot} \boldsymbol{H} = \boldsymbol{j} + \frac{\partial \boldsymbol{D}}{\partial t} \qquad 4)\ \operatorname{rot} \boldsymbol{E} = -\frac{\partial \boldsymbol{B}}{\partial t}$$

Die äquivalente integrale Form dieser Gleichungen wird seltener verwendet. Ihr physikal. Inhalt ist folgender: 1. Von positiven elektr. Ladungen gehen elektr. Feldlinien aus, die an negativen Ladungen enden, d. h., die elektr. Ladungen sind die Quellen (Senken) des elektr. Feldes (genauer des $\boldsymbol{D}$-Feldes). 2. Jeder elektr. Strom (Leitungs- und Verschiebungsstrom) ist von geschlossenen magnet. Feldlinien umgeben; für Leitungsströme ist dies das **ampèresche Verkettungsgesetz.** 3. Die Feldlinien der magnet. Flussdichte sind stets in sich geschlossen, d. h., es gibt keine isolierten Magnetpole, das $\boldsymbol{B}$-Feld ist quellenfrei. 4. Jedes zeitlich veränderl. Magnetfeld ist von geschlossenen elektr. Feldlinien umgeben **(Induktionsgesetz).**

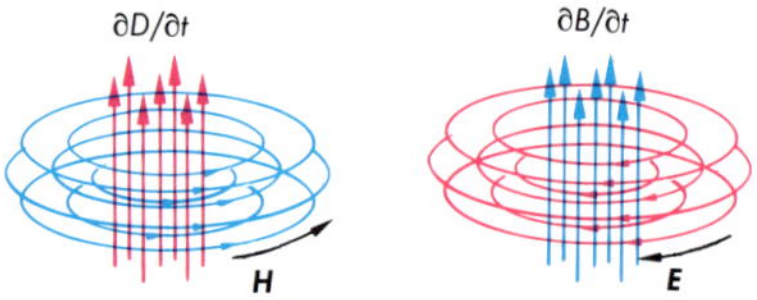

maxwellsche Theorie: Verkettung der elektrischen Feldgrößen **D** bzw. **E** mit den magnetischen Feldgrößen **H** bzw. **B** entsprechend der zweiten und vierten maxwellschen Gleichung

Diese Grundgleichungen werden durch sog. **Materialgleichungen** ergänzt, die das elektr. und magnet. Verhalten des Mediums widerspiegeln:

$$\boldsymbol{D} = \varepsilon_r \varepsilon_0 \boldsymbol{E} = \varepsilon_0 \boldsymbol{E} + \boldsymbol{P},$$
$$\boldsymbol{B} = \mu_r \mu_0 \boldsymbol{H} = \mu_0 \boldsymbol{H} + \boldsymbol{J},$$
$$\boldsymbol{j} = \sigma \boldsymbol{E} \text{ mit } \boldsymbol{P} = \chi_e \boldsymbol{E} \text{ und } \boldsymbol{J} = \chi_m \boldsymbol{H}$$

(σ elektr. Leitfähigkeit, ε_r relative Dielektrizitätskonstante, μ_r relative Permeabilität, ε_0 bzw. μ_0 elektr. bzw. magnet. Feldkonstante, $\boldsymbol{P}$ bzw. $\boldsymbol{J}$ elektr. bzw. magnet. Polarisation, χ_e bzw. χ_m elektr. bzw. magnet. Suszeptibilität).

Maxwell gab für seine Gleichungen Lösungen, die elektromagnet. Wellen beschreiben (deren Existenz experimentell erst 1887 von H. Hertz nachgewiesen wurde), und kam zu der Erkenntnis, dass Lichtwellen solche Wellen sind. Mit dieser elektromagnet. Lichttheorie wird die Wellenoptik in die Elektrodynamik einbezogen. Die mit atomaren Vorgängen verbundenen Erscheinungen kann die m. T. nicht erklären. Das gelingt in Grenzen durch die lorentzsche Elektronentheorie und die Quantenmechanik, umfassend durch die Quantenelektrodynamik.

Karl May als Old Shatterhand

May, 1) Ernst, Architekt, *Frankfurt am Main 27. 7. 1886, †Hamburg 11. 9. 1970; Vertreter des Funktionalismus, führte die Montagebauweise in Dtl. ein; 1925–30 Stadtbaurat in Frankfurt, 1930–33 in der UdSSR, 1934–54 in Afrika, ab 1954 Stadtplaner für den Wiederaufbau dt. Städte; schuf vorbildlich gewordene Siedlungen und städtebaul. Planungen (u. a. Römerstadt in Frankfurt, Generalstadtplan für Moskau, Neue Vahr in Bremen).

2) Karl, Pseudonym Karl Hohental, Schriftsteller, *Hohenstein-Ernstthal 25. 2. 1842, †Radebeul 30. 3. 1912; bis zum 5. Lebensjahr blind; Lehrerausbildung; verbüßte mehrere Haftstrafen (wegen Diebstahl, Betrug insgesamt über sieben Jahre). Schrieb zunächst Dorfgeschichten, Humoresken und Kolportageromane, dann abenteuerl. Reiseliteratur, die ihn zu einem der bis heute meistgelesenen dt. Schriftsteller macht (dt. Gesamtauflage etwa 100 Mio. Bände; in über 25 Sprachen übersetzt; Verfilmungen und Dramatisierungen). Schauplätze dieser Romane sind v. a. der Wilde Westen Nordamerikas (»Winnetou«, 4 Bde., 1893–1910; »Der Schatz im Silbersee«, 1894; »Old Surehand«, 3 Bde., 1894–96), mit den Hauptakteuren Old Shatterhand als Erzähler und dem Indianerhäuptling Winnetou, und der Vordere Orient (»Durch die Wüste«, 1892). Erst nach der Veröffentlichung dieser Werke hat M. den Orient (1899/1900) und Amerika (1908) besucht. In letzter Zeit fand auch sein Spätwerk Beachtung, v. a. »Und Friede auf Erden!« (R., 1904) und »Ardistan und Dschinnistan« (R., 2 Bde., 1909). In Bad Segeberg finden seit 1952 jährlich die Karl-May-Festspiele statt.

📖 Schmiedt, H.: *K. M. Frankfurt am Main* *³1992*. – Wohlgschaft, H.: *Große Karl-May-Biographie. Paderborn 1994.*

Maya [Sanskrit »Illusion«, »Täuschung«], im Veda die den Göttern zugeschriebene Zauberkraft und die durch sie bewirkten Illusionen; in den Upanishaden und im Vedanta die materielle Welt, die nur so lange als real angesehen wird, wie das Brahman (die Allseele, das absolute Prinzip) noch nicht als die eigentl. Wirklichkeit erkannt ist.

Maya, indian. Völker mit gleicher Sprache (M.-Sprachen), verbreitet vorwiegend in Guatemala, S- und NO-Mexiko sowie vereinzelt in Belize und Honduras, aufgegliedert in 18 Stämme mit etwa 2,6 Mio. Sprechern; gliedern sich in Tiefland- (Yucateken, Lakandonen u. a.) und Hochland-M. (z. B. Quiché, Cakchiquel, Tzutuhil). Meist von Feldbau lebende Landbev. in Dörfern und Kleinstädten; Reste der traditionellen Religion. – Die M. waren in vorkolumb. Zeit Träger einer bed. indian. Hochkultur, die sich zw. 2000 v. Chr. und 1550 n. Chr. im S Mexikos (Halbinsel Yucatán, Tabasco, Chiapas), im Tiefland von N-Guatemala und angrenzenden Gebieten von Honduras entwickelt hatte; die größte Blüte erreichte diese Kultur zw.

Mayakultur

Maya: Palast in der Ruinenstadt Palenque (heute im mexikanischen Bundesstaat Chiapas) aus der Zeit der klassischen Mayakultur

300 und 900. Im Laufe der Jh. verschoben sich ihre Zentren von S nach N. Um 1000 wanderten →Tolteken in das Gebiet ein und überformten die M.-Kultur. Wirtsch. Grundlage war der Feldbau (v. a. Mais), der z. T. mit Entwässerungssystemen betrieben werden musste. Die Städte hatten bis zu 10 000 Ew., ihr Zentrum war ein Zeremonialplatz mit Sakralbauten (Stufenpyramiden) und Palästen, wahrscheinlich Verwaltungsmittelpunkt der Territorialstaaten. Über die Religion ist wenig bekannt, besondere Bedeutung hatte wohl der Himmelsgott Itzamná, in der Religionsausübung spielten Wahrsagepraktiken eine große Rolle. Die reich mit Reliefs verzierten Stufenpyramiden bezeugen den hohen Stand der Baukunst. Von den Malereien blieb wenig erhalten (→Bonampak); das Handwerk war gut entwickelt (Textilien, Keramik, Federarbeiten). Metall war unbekannt. Die M. schufen als einziges Volk Altamerikas eine höher entwickelte Schrift, ihre bildlich-abstrakten Zeichen sind bis heute nur z. T. entziffert. Der Kalender beruhte auf fortgeschrittenen mathemat. und astronom. Kenntnissen. – Bed. Reste der Zeremonialzentren aus der Frühzeit sind in Tikal, aus klass. Zeit in Copán und Palenque, aus toltek. Zeit in Chichén Itzá erhalten. (→mesoamerikanische Hochkulturen) BILD Ballspiele

📖 WILHELMY, H.: *Welt u. Umwelt der M. Neuausg. München u. a. 1989.* – RIESE, B.: *Die M. Geschichte – Kultur – Religion. München 1995.* – SCHELE, L. *u.* FREIDEL, D.: *Die unbekannte Welt der M. Aus dem Amerikan. Neuausg. Augsburg 1995.*

Mayagüez [majaˈgu̯eθ], Stadt an der W-Küste von Puerto Rico, 98 900 Ew.; Fakultäten der Univ. von Puerto Rico; Freihafen.

Wilhelm Maybach

Maybach, Wilhelm, Konstrukteur und Unternehmer, *Heilbronn 9. 2. 1846, †Stuttgart 29. 12. 1929; engster Mitarbeiter von G. W. Daimler; ab 1895 techn. Direktor der Daimler-Motoren-Gesellschaft. M. war maßgeblich an der Entwicklung des ersten schnell laufenden Benzinmotors beteiligt, erfand den Vergaser, und konstruierte u. a. Wechselgetriebe und Lamellenkühler. 1909 gründete er mit seinem Sohn Karl M. (*1879, †1960) unter Mitwirkung von F. Graf Zeppelin die **Maybach-Motorenbau GmbH** in Friedrichshafen zur Herstellung von Motoren für Luftschiffe.

Mayday [ˈmeɪdeɪ, engl., von frz. m'aidez »helft mir«], internat. Notruf im Funksprechverkehr.

Mayen, Stadt im Landkreis M.-Koblenz, Rheinl.-Pf., in der östl. Eifel, 19 800 Ew.; FH für öffentl. Verw.; Basalt-, Schiefer-, Papierind., Maschinenbau, Aluminium- und Kunststoffverarbeitung. – Die ehem. kurtrier. Genovevaburg mit vier Rundtürmen (13./14. Jh.) wurde im 18. Jh. schlossartig erweitert (Eifeler Landschaftsmuseum); moderne St.-Veit-Kirche (1953-55; Architekten Dominikus und Gottfried Böhm). – 1041 erstmals erwähnt; seit 1291 Stadt. – Der Ringwall der Michelsberger Kultur bei M. steht wohl in Beziehung zu der schon jungsteinzeitl. Nutzung der Basaltlava von Mayen-Niedermendig.

Mayen-Koblenz, Landkreis im RegBez. Koblenz, Rheinl.-Pf.; 817 km², (1997) 205 000 Ew.; Krst. ist Koblenz.

Mayenne [maˈjɛn], **1)** *die,* Fluss in W-Frankreich, 195 km lang, entspringt am Mont des Avaloirs, vereinigt sich bei Angers mit der Sarthe und mündet als **Maine** in die Loire.

2) Dép. in W-Frankreich, 5175 km², (1995) 281 000 Ew.; Hptst. ist Laval.

Maya: Schriftzeichen auf der sogenannten Hieroglyphentreppe in Copán (um 745 n. Chr.)

Mayer, 1) Hans, Literaturwissenschaftler, *Köln 19. 3. 1907; 1933–45 in der Emigration; 1948–63 Prof. in Leipzig (Entzug der Lehrberechtigung), 1965–73 Prof. in Hannover; seit 1969 Lehrtätigkeit u. a. in New York, 1975 Honorar-Prof. in Tübingen. Werke u. a. zu G. Büchner, R. Wagner,

B. Brecht, T. Mann; Untersuchungen zur allg. und vergleichenden Literaturwissenschaft, v.a. unter soziologisch-histor. Aspekten; Autobiographie: »Ein Deutscher auf Widerruf« (1982).

2) Julius Robert von (seit 1867), Arzt und Physiker, *Heilbronn 25. 11. 1814, †ebd. 20. 3. 1878; berechnete 1842 erstmals das mechan. Äquivalent der Wärme; begründete in seiner 1845 erschienenen Schrift »Die organ. Bewegung in ihrem Zusammenhange mit dem Stoffwechsel« das Gesetz von der Erhaltung der Energie.

3) Rupert, Jesuit (seit 1900), *Stuttgart 23. 1. 1876, †München 1. 11. 1945; war 1914 Mitbegründer der »Schwestern von der Hl. Familie«, einer Frauenvereinigung zur Familien-, Frauen- und Kinderfürsorge; als Gegner des Nationalsozialismus 1939 in KZ-Haft, seit 1940 Internierung im Kloster Ettal; 1987 selig gesprochen.

Mayflower ['meɪflaʊə; engl. »Maiblume«], Name des Segelschiffes (Dreimaster, 180 t), auf dem am 16. 9. 1620 die →Pilgerväter von Plymouth (England) nach Nordamerika aufbrachen und am 21. 11. 1620 bei Cape Cod (heute Provincetown, Mass.) landeten.

Mayo ['meɪəʊ] (irisch Maigh Eó), Cty. im NW der Rep. Irland, 5398 km², (1991) 110700 Ew.; Verw.sitz ist Castlebar.

Mayo-Klinik ['meɪəʊ-], 1889 als St. Mary's Hospital in Rochester (Minn., USA) von dem Mediziner W. W. Mayo (*1819, †1911) und seinen Söhnen W. J. Mayo (*1861, †1939) und C. H. Mayo (*1865, †1939) gegründetes Krankenhaus (Schwerpunkt urspr. Chirurgie), seit 1915 als gemeinnützige Stiftung geführt; besitzt heute Weltgeltung als Zentrum einer hoch spezialisierten medizin. Diagnostik. Nach dem Muster der M.-K. wurde in Dtl. die →Deutsche Klinik für Diagnostik errichtet.

Mayon, aktiver Vulkan auf der Insel Luzon, Philippinen, 2416 m ü. M.; vernichtete 1814 die Stadt Cagsawa; weitere Eruptionen 1943, 1947, 1968 und 1984.

Mayotte [ma'jɔt] (Mahoré), östlichste Insel der Komoren, im Ind. Ozean, gehört als Collectivité territoriale zu Frankreich, 374 km², (1991) 85000 Ew. (meist Madegassen und Kreolen); Verw.sitz ist Dzaoudzi. Ausfuhr von Zucker, Vanille, Kaffee, Pfeffer, Kopra.

Mayr, Peter, Tiroler Freiheitskämpfer, *Riffian (bei Meran) 15. 8. 1767, †Bozen 20. 2. 1810; gen. der »Wirt an der Mahr« bei Bruneck. Er befehligte 1809 neben A. Hofer die Aufständischen im Tiroler Freiheitskampf und setzte den Widerstand auch nach dem Waffenstillstand von Znaim fort. Wegen Friedensbruchs von einem frz. Kriegsgericht verurteilt, wurde M. standrechtlich erschossen.

Mayrhofen, Marktgemeinde im Bezirk Schwaz, Tirol, Österreich, im Zillertal, 630 m ü. M., 3300 Ew.; Zentrum der Zillertaler Alpen mit Sommer- und Wintertouristik.

Mayen: Die ehemalige kurtrierische Genovevaburg geht bis auf das 13. Jh. zurück und wurde im 18. Jh. schlossartig erweitert

Mayröcker, Friederike, österr. Schriftstellerin, *Wien 20. 12. 1924; schreibt nach bildreicher Erlebnislyrik und ähnl. Prosa in der Tradition der automat. Niederschriften des Surrealismus, u. a. »Minimonsters Traumlexikon« (1968), »Fantom Fan« (1971). Eine gattungsmäßige Zuordnung derartiger offener Texte zu Prosa (»Augen wie Schaljapin bevor er starb«, 1974; »Stilleben«, 1991), Drama (»Arie auf tönernen Füßen«, 1972) oder Lyrik (»In langsamen Blitzen«, 1974; »Mein Herz, mein Zimmer, mein Name«, 1988) ist nur bedingt sinnvoll. M.; verfasste auch, z. T. mit E. Jandl, Hörspiele.

Friederike Mayröcker

Ma Yuan (Ma Yüan), chines. Maler, *Hechong (Prov. Shaanxi), tätig zw. 1190 und 1225; Hauptmeister der stimmungsvollen Landschaftsmalerei zur Zeit der Südl. Song-Dynastie. BILD chinesische Kunst

MAZ, Abk. für →**ma**gnetische Bildauf**z**eichnung.

Mazagan [maza'gã, frz.], Stadt in Marokko, →Jadida.

Mazar-e Sharif [ma'za:reʃa'ri:f] (Masar-e Scherif), Stadt in N-Afghanistan, am N-Fuß der Ausläufer des Hindukusch, 100000 Ew.; schiit. Wallfahrtsort (Grab des 4. Kalifen Ali), Museum; Düngemittelfabrik, Herstellung von Teppichen, Baumwoll- und Seidenwaren. – Moschee (1481 ff.).

Hans Mayer

Mazarin [maza'rɛ̃], Jules, eigtl. Giulio Mazarini, Herzog von Nevers (seit 1659), frz. Staatsmann und Kardinal (seit 1641), *Pescina (Prov. L'Aquila) 14. 7. 1602, †Vincennes 9. 3. 1661; anfangs in päpstl. Diensten, wirkte zugleich für die Politik Richelieus, wurde 1642 nach dessen Tod leitender Minister Ludwigs XIII. M. warf die →Fronde nieder. Im Westfäl. Frieden (1648) und im Pyrenäenfrieden (1659) gewann er weite Gebiete für

Frankreich und begründete dessen europ. Vormachtstellung.

Mazatlạn [-sa-], Hafenstadt im Staat Sinaloa, Mexiko, am Pazif. Ozean; 263 000 Ew.; Seebad; Handels- und Industriezentrum.

Mazedọni|en, →Makedonien.

Mäzẹn [nach dem Römer →Maecenas] *der,* vermögender Privatmann, der mit finanziellen Mitteln Künstler oder Sportler bzw. Kunst, Kultur oder Sport fördert; begrifflich abgesetzt gegenüber dem Sponsor, der seine Förderung mit der Vermarktung eines Produkts verbindet.

Mazeratiọn [lat.] *die,* **1)** *Biologie:* Zerstörung von Gewebe durch enzymat. Prozesse oder nach Einwirken von Chemikalien, z. B. Entfernen von Weichteilen durch Kalilauge zur Herstellung eines Knochenpräparates.

2) *Pharmazie:* Ausziehen von Drogen durch Flüssigkeiten bei Zimmertemperatur.

Tadeusz Mazowiecki

Mazowiecki [mazɔ'vjɛtski], Tadeusz, poln. Politiker, *Płock 18. 4. 1927; Journalist, seit der poln. Streikbewegung von 1980 enger Berater L. Wałęsas und der Gewerkschaftsbewegung Solidarność; 1981/82 in Haft; nahm 1989 als Vertreter der Solidarność an den »Gesprächen am runden Tisch« teil, die zur Abhaltung freier Wahlen führten. Von Aug. 1989 bis Jan. 1991 Min.Präs.; wurde 1991 Vors. der »Demokrat. Union«; 1992–95 Sonderberichterstatter der UN in Bosnien und Herzegowina.

Mazowsze [ma'zɔfʃɛ], histor. Landschaft in Polen, →Masowien.

Thabo Mvuyelwa Mbeki

Mazurka [ma'zʊrka; poln., eigtl. »masurischer Tanz«] *die* (Mazur, Mazurek, Masurka), poln. Nationaltanz im lebhaften 3/4- oder 3/8-Takt mit punktierten Rhythmen und wechselnder Akzentuierung, charakteristisch sind Fersenschlag und Aufstampfen am Schluss. Der Volkstanz M. wurde im 18. Jh. auch Gesellschaftstanz und fand auch Eingang in die Kunstmusik (u. a. bei F. Chopin).

Mazury [ma'zuri], Landschaft in Polen, →Masuren.

Mạzza [hebr.] *die* (Matze, Matzen), ungesäuertes Brot; im Judentum als Bestandteil des Festmahles zu →Passah vorgeschrieben (5. Mose, 16,3).

Giuseppe Mazzini

Mazzịni, Giuseppe, italien. Freiheitskämpfer, *Genua 22. 6. 1805, †Pisa 10. 3. 1872; geistiger Führer der radikalrepublikan. Richtung des →Risorgimento, gründete in Frankreich 1831 den Geheimbund des »Jungen Italien«, den er 1834 mit ähnl. Bünden zum »Jungen Europa« vereinigte. 1849 leitete er mit G. Garibaldi die Verteidigung Roms gegen die Franzosen, floh nach der Kapitulation nach London, gründete dort ein europ. Zentralkomitee der Demokraten (u. a. mit L. Kossuth). Die Einigung Italiens als Königreich lehnte er ab; kehrte erst kurz vor seinem Tod in die Heimat zurück; schrieb zahlr. Artikel und Essays zu polit. Fragen.

Jules Mazarin: Ausschnitt aus einem Kupferstich des französischen Künstlers Nicolas Regnesson (1656)

🕮 Smith, D. M.: *M. Neuausg. New Haven, Conn., u. a. 1994.*

Mbabạne, Hptst. von Swasiland, 1143 m ü. M., 38 000 Ew.; Nahrungsmittelind., Druckerei. – Gegr. 1902.

Mbandakạ (bis 1966 Coquilhatville), Prov.-Hptst. in der Demokrat. Rep. Kongo, am Kongo, 129 500 Ew.; kath. Erzbischofssitz; Binnenschifffahrts- und Umschlagshafen, Flugplatz.

mbar, Einheitenzeichen für **Millibar,** 1 mbar = 1/1000 bar = 1 hPa (→Bar).

Mbẹki, Thabo Mvuyelwa, südafrikan. Politiker, *Idutywa (Transkei) 18. 6. 1942; Mitgl. des ANC, ab 1962 im Exil, studierte in Großbritannien Volkswirtschaft. Maßgeblich an den Gesprächen des ANC mit der weißen Minderheitsreg. über die Abschaffung der Apartheid beteiligt; wurde 1994 Vizepräs. der Rep. Südafrika; seit Dez. 1997 Präs. des ANC, seit Juni 1999 Staatspräsident.

MBFR, Abk. für **M**utual **B**alanced **F**orces **R**eductions, Bez. für die 1973 in Wien begonnenen Verhandlungen der NATO und der Staaten des Warschauer Paktes über Truppenreduzierungen in Mitteleuropa. Die 19 Teilnehmer konnten keine Annäherung erzielen, sodass die Gespräche am 2. 2. 1989 beendet wurden, nachdem feststand, dass ab 9. 3. 1989 die →Verhandlungen über konventionelle Streitkräfte in Europa (VKSE) beginnen würden.

Mbịni (bis 1973 Río Muni), Festlandsregion (einschl. der Inseln Corisco und Elobey) von →Äquatorialguinea, 26 017 km²; Hauptort ist Bata.

MBO, Abk. für →Management-Buy-out.

Mbụji-Mayi [mbuʒima'ji] (bis 1966 Bakwanga), Regionshptst. im S der Demokrat. Rep. Kongo, 508 000 Ew.; kath. Bischofssitz, Zentrum der Diamantengewinnung von Ost-Kasai; Flugplatz.

Mbụndu (Ovimbundu), Bantuvolk in SW-Angola, im Hochland von Bié, etwa 3 Mio. Menschen, die von Hackbau und Viehzucht leben.

Mbụti (Bambuti), Gruppe der Pygmäen im Iturigebiet im NO der Demokrat. Rep. Kongo. Die etwa 50000 M. leben mit negriden Pflanzern, den Mangbetu, in Sozialsymbiose und sprechen deren Sprache.

Mc, Abk. für →Mac.

McAleese [məkəˈliːz], Mary Patricia, irische Universitätsverwaltungsbeamtin und Politikerin, *Belfast 27. 6. 1951; sowohl im brit. Nordirland als auch in der Rep. Irland tätig, wurde Anfang Nov. 1997 zur Staatspräs. der Rep. Irland gewählt.

McCarthy [məˈkɑːθɪ], **1)** Joseph Raymond, amerikan. Politiker, *Grand Chute (Wis.) 14. 11. 1909, †Bethesda (Md.) 2. 5. 1957; Jurist, 1947–54 republikan. Senator für Wisconsin. M. war 1950–54 (ab 1953 als Vors. eines ständigen Untersuchungskomitees) die treibende Kraft einer antikommunist. Verfolgungswelle **(McCarthyismus),** die sich bes. gegen Regierungsangestellte, Künstler und Intellektuelle richtete.

2) Mary Therese, amerikan. Schriftstellerin, *Seattle 21. 6. 1912, †New York 25. 10. 1989; gab in Romanen (u. a. »Die Clique«, 1963) und Kurzgeschichten satir. Gesellschaftsanalysen; auch Essays, journalist. Beiträge (»Vietnam-Report«, 1967), Reisebücher und Autobiographisches.

McCartney [məˈkɑːtnɪ], Sir (seit 1996), Paul, engl. Rockmusiker (Bassgitarrist, Sänger, Texter, Komponist), *Liverpool 18. 6. 1942; einer der Mitbegründer und Mitgl. der →Beatles, für die er zus. mit John Lennon zahlr. Songs schrieb und arrangierte (u. a. »Yesterday«). Nach Auflösung der Gruppe 1970 trat er als Solist hervor. 1990 entstand der Konzertfilm »P. M. – Get Back«. Dozent für Komposition am 1995 eröffneten »Liverpool Institute for Performing Arts«, einer Ausbildungsstätte für zeitgenöss. Musik und Entertainment.

McClintock [məˈklɪntɔk], Barbara, amerikan. Botanikerin, *Hartford (Conn.) 16. 6. 1902, †Huntington (N. Y.) 2. 9. 1992. Für ihre Entdeckung (schon 1957) der bewegl. Strukturen in der Erbmasse erhielt sie 1983 den Nobelpreis für Physiologie oder Medizin.

McCullers [məˈkʌləz], Carson, amerikan. Schriftstellerin, *Columbus (Ga.) 19. 2. 1917, †Nyack (N. Y.) 29. 9. 1967; schilderte in ihren Kurzgeschichten und Romanen mit psycholog. Einfühlungsvermögen einsame Menschen auf der Suche nach Liebe: »Das Herz ist ein einsamer Jäger« (1940), »Das Mädchen Frankie« (1946), »Uhr ohne Zeiger« (1961).

McCullough [məˈkʌləx], Colleen, austral. Schriftstellerin, *Wellington (New South Wales) 1. 6. 1937; schreibt Unterhaltungs- und histor. Romane; weltbekannt wurde die austral. Familiensaga »Die Dornenvögel« (1977; als TV-Serie 1984).

McDonald's Corp. [məkˈdɔnəlz kɔːpəˈreɪʃn], amerikan. Konzern, Sitz: Oak Brook (Ill.), weltgrößtes Fastfoodunternehmen, gegr. 1955, verfügt über Restaurants in über 100 Ländern, die z. T. nach dem Franchisesystem betrieben werden.

McDonnell Douglas Corporation [məkˈdɔnl ˈdʌgləs kɔːpəˈreɪʃn], amerikan. Unternehmen der Luft- und Raumfahrtind.; Sitz: Saint Louis (Mo.). Herstellung von Kampf- und Verkehrsflugzeugen (z. B. F-15, F-18, MD-11, MD-80, MD-90); entstanden 1967 durch Fusion von Douglas Aircraft Co. (gegr. 1920) und McDonnell Aircraft Corp. (gegr. 1939). 1997 stimmte die amerikan. Wettbewerbskontrollbehörde der Fusion der M. D. C. mit der Boeing Co. zu.

McEwan [məˈkjuːən], Ian, engl. Schriftsteller, *Aldershot (Cty. Hampshire) 21. 6. 1948; der in Tabuzonen eindringende, in Horrorvisionen, ins Makabre, Magische und Symbolhafte gesteigerte Realismus seiner Kurzgeschichten (»Erste Liebe, letzte Riten«, 1975; »Zwischen den Laken«, 1978) und Romane (»Der Zementgarten«, 1978; »Unschuldige«, 1990) zeigt Menschen im Zustand existenzieller Verlassenheit und Leere.

McGrath [məˈgrɑː], John Peter, engl. Dramatiker, *Birkenhead 1. 6. 1935; wurde bekannt mit dem antimilitarist. Stück »Events while guarding the Bofors gun« (1966); seine an B. Brecht und E. Piscator anknüpfenden Stücke spiegeln die regionalen Verhältnisse in Schottland (»Zufällige Ereignisse auf den Hebriden«, 1972) wider.

McInerney [məkˈɪnəːrnɪ], Jay, amerikan. Schriftsteller, *Hartford (Conn.) 13. 1. 1955; mit seinen in den 1980er-Jahren erschienenen Werken gilt er als Vertreter der Yuppie-Generation; bekannt wurde er mit dem Roman »Ein starker Abgang« (1984); er schrieb ferner u. a.: »Ich nun wieder« (R., 1988), »Alles ist möglich« (R., 1992).

McKay [məˈkeɪ], Claude Festus Claudius, amerikan. Schriftsteller jamaikan. Herkunft, *Sunny Ville (Jamaika) 15. 9. 1890, †Chicago (Ill.) 22. 5. 1948; seit 1913 in den USA; wichtiger Vertreter der Harlem Renaissance; seine Dialektlyrik steht am Beginn einer eigenständigen jamaikan. Dichtung; später überwiegend militante afroamerikan. Protestdichtung.

McKinley [məˈkɪnlɪ], William, 25. Präs. der USA (1897 bis 1901), *Niles (Ohio) 29. 1. 1843, †Buffalo (N. Y.) 14. 9. 1901; setzte als republikan. Abg. des Repräsentantenhauses (1877–83 und 1885–91) eine Politik hoher Schutzzölle durch (»M. tariff« 1890); 1892–96 Gouv. von Ohio. In seiner Amtszeit als Präs. kam es 1898 zum →Spanisch-Amerikanischen Krieg. Er starb an den Folgen eines anarchist. Attentats am 6. 9. 1901.

McKinley, Mount [ˈmaʊnt məˈkɪnlɪ] (von den Indianern Demali gen.), 6198 m hoher Gipfel im Alaskagebirge, der höchste Berg Nordamerikas; viele Gletscher. Das Gebiet ist Nationalpark.

Mary Patricia McAleese

Paul McCartney

Barbara McClintock

William McKinley

John McLaughlin

McLaughlin [məˈklɔklın], John, engl. Jazzmusiker (Gitarre), *Kirk Sandall (Cty. South Yorkshire) 4. 1. 1942; seit 1969 in den USA; spielte u. a. bei M. Davis; erlangte weltweite Anerkennung mit dem von ihm 1971 gegr. »Mahavishnu Orchestra« (bis 1977 und erneut ab 1984). Verbindet in seiner Musik Einflüsse von Jazz, Rock, Blues und ind. Musik. In den 80er-Jahren trat er als Solist sowie im Duo oder Trio mit den Gitarristen Paco de Lucia und Al DiMeola im Bereich des Flamencojazz hervor.

McLean [məˈkleın], Bruce, brit. Maler, Bildhauer, Konzeptkünstler, *Glasgow 1944; konzentriert sich in seinen Arbeiten auf die Problematik des Gleichgewichts, wobei er sowohl die phys. als auch die philosoph. Seite dieses Begriffs analysiert. Bes. in den Installationen der späten 1980er-Jahre formuliert er ein Gegenbild zu den rational-log. Hierarchien industrieller Gesellschaften.

Herbert M. McLuhan

McLuhan [məˈkluːn], Herbert Marshall, kanad. Literaturwissenschaftler und Publizist, *Edmonton (Alberta) 21. 7. 1911, †Toronto 31. 12. 1980; krit. Arbeiten zur Rolle der Medien: »Die Gutenberg-Galaxis« (1962), »Das Medium ist Massage« (1967), »Die innere Landschaft« (1969).

Edwin M. McMillan

McMillan [məkˈmılən], Edwin Mattison, amerikan. Physiker, *Redondo Beach (Calif.) 18. 9. 1907, †El Cerrito (Calif.) 7. 9. 1991; erhielt 1951 mit G. T. Seaborg den Nobelpreis für Chemie für die Entdeckung der Transurane mit den Ordnungszahlen 93 (Neptunium) und 94 (Plutonium).

McNamara [məknəˈmɑːrə], Robert Strange, amerikan. Politiker, *San Francisco (Calif.) 9. 6. 1916; Mitgl. der Demokrat. Partei, 1961–68 Verteidigungsmin. und 1968–81 Präs. der Weltbank.

McQueen [məˈkwiːn], Steve, amerikan. Filmschauspieler, *Indianapolis (Ind.) 24. 3. 1930, †Ciudad Juárez 7. 11. 1980; lakonisch-lässiger Heldendarsteller, u. a. in »Die glorreichen Sieben« (1962),

Mdina: Die barocke Kathedrale Sankt-Paul wurde 1697–1702 erbaut

Bruce McLean: Ohne Titel (1986; Privatbesitz)

»Cincinnati Kid« (1965), »Getaway« (1972), »Papillon« (1973), »Flammendes Inferno« (1974).

Md, chem. Symbol für →Mendelevium.

Md., Abk. für den Bundesstaat **M**arylan**d,** USA.

m. d., *Musik:* Abk. für die Vortragsbezeichnung **m**ano **d**estra »mit der rechten Hand (zu spielen)«.

MdB, Abk. für **M**itgl. **d**es **B**undestags.

MdEP, Abk. für **M**itgl. **d**es **E**uropäischen **P**arlaments.

Mdina, Stadt im W von Malta, 900 Ew. – Bis zur Gründung von La Valletta 1566 war M. Hauptstadt von Malta; gut erhaltene Ummauerung, viele Paläste des 15.–17. Jahrhunderts; barocke St.-Paul-Kathedrale (1697–1702).

MdL, Abk. für **M**itgl. **d**es **L**andtags.

MdR, Abk. für **M**itgl. **d**es **R**eichstags.

Me., Abk. für den Bundesstaat **M**ain**e**, USA.

Mead [miːd], **1)** George Herbert, amerikan. Sozialpsychologe und Philosoph, *South Hadley (Mass.) 27. 2. 1863, †Chicago (Ill.) 26. 4. 1931; Vertreter des amerikan. Pragmatismus; versuchte Geist und persönl. Identität (»self«) aus Kommunikationsprozessen zu erklären, wobei er die Bedeutung von Symbolen (v. a. der Sprache) für die soziale Interaktion hervorhob. Er beeinflusste u. a. K. Mannheim.

Werke: Geist, Identität und Gesellschaft (1934); Sozialpsychologie (1956).

2) Margaret, amerikan. Ethnologin, *Philadelphia (Pa.) 16. 12. 1901, †New York 15. 11. 1978; untersuchte bes. die weibl. und kindl. Lebenssphäre bei den Naturvölkern und die Rolle der Geschlechter.

Werke: Geschlecht und Temperament in drei primitiven Gesellschaften (1935); Mann und Weib (1949); Brombeerblüten im Winter (Autobiographie, 1972).

Meade [mi:d], James Edward, brit. Nationalökonom, *Swanage (Cty. Dorset) 23. 6. 1907, †Cambridge 22. 12. 1995; bed. Beiträge zur Außenhandels- und Wachstumstheorie; erhielt 1977 mit B. Ohlin den Nobelpreis für Wirtschaftswissenschaften.

Meath [mi:θ] (irisch An Mhí), Cty. im NO der Rep. Irland, 2336 km², (1991) 105 500 Ew.; Verw.sitz ist Navan.

Meaux [mo], Stadt im frz. Dép. Seine-et-Marne, an der Marne, 49 400 Ew.; Bischofssitz; Zucker-, Konserven-, Eisen-, chem. Industrie. – Kathedrale Saint-Étienne (12./13. Jh., umgebaut 15. Jh.), galloröm. Stadtmauer.

Mechanik [grch.] *die,* der älteste, auch heute noch grundlegende Zweig der Physik, der die Bewegungen materieller Systeme unter dem Einfluss von Kräften untersucht. Ausgehend von den Grundbegriffen des Raumes und der Zeit und der auf ihnen aufbauenden Lehre von den mögl. Bewegungen eines Körpers in Raum und Zeit und ihrer mathemat. Darstellung, der **Kinematik,** werden in der **Dynamik** die wirkl. Bewegungen unter Zugrundelegen der Begriffe der trägen Masse und der Kraft behandelt. Die Dynamik enthält als Sonderfall die **Statik** als Lehre vom Gleichgewicht der Kräfte. Nach der Methodik unterscheidet man die experimentelle M., die sich mit den Verfahren und Vorschriften des Messens mechan. Größen befasst, von der theoret. M.; nach der Art der beschriebenen Objekte unterscheidet man v. a. zw. der techn. M., einer wichtigen Grundlage der Ingenieurwiss., und der allg. M. der Physik. Der systemat. Aufbau der M. umfasst a) die M. der Massenpunkte (Punkt-M.), der Systeme von Massenpunkten und der starren Körper und b) die M. deformierbarer Körper (Kontinuums-M.), die die Elastizitätstheorie und die Hydro- und Aero-M. mit den Sondergebieten Schwingungslehre und Akustik enthält. Spezialgebiete sind z. B. die Himmels-M. und die →statistische Mechanik. – Die **klass.** oder **newtonsche M.,** die auf den newtonschen Axiomen basiert, gilt nur für Geschwindigkeiten, die klein gegen die Lichtgeschwindigkeit sind, und für Wirkungen, die groß gegen das plancksche Wirkungsquantum sind. Die Weiterentwicklung der M. für Geschwindigkeiten in der Größenordnung der Lichtgeschwindigkeit gelang mit der →Relativitätstheorie **(relativist. M.)** und für den atomaren Bereich in der →Quantenmechanik, die die klass. M. als Grenzfall umfasst.

Geschichte: In der klass. Antike und im MA. verstand man unter M. die Kunst, die Natur zu überlisten. Mit Galilei (Behandlung des freien Falls, der Trägheit und der Beschleunigung der Körper) und J. Kepler (Beschreibung der Planetenbewegung) begann die Entwicklung der M. zu einer physikalischen Disziplin. Sie führte über C. Huygens zu I. Newton, der mit der Aufstellung seiner Axiome (→newtonsche Axiome) die Grundlagen der Dynamik des Massenpunktes schuf. Die Ausdehnung auf Massenpunktsysteme und auf starre Körper erfolgte im Wesentlichen durch L. Euler und d'Alembert. W. R. Hamilton schuf die ausgereifte mathemat. Form der klass. Mechanik. 1905 begründete A. Einstein die relativist. Mechanik. Auf M. Plancks Quantenhypothese von 1900 geht die Quantenmechanik zurück.

📖 MACH, E.: *Die M. in ihrer Entwicklung. Leipzig* [9]*1933, Nachdr. Darmstadt 1991.* – GOLDSTEIN, H.: *Klassische M. Aus dem Engl. Wiesbaden* [11]*1991.* – SCHECK, F.: *M. Von den Newtonschen Gesetzen zum determinist. Chaos. Berlin u. a.* [5]*1996.*

Mechaniker, in eine Reihe spezifizierter Metallberufe aufgegliederter Beruf für Männer und Frauen mit gemeinsamer berufl. Grundbildung (ein Jahr) und insgesamt dreieinhalbjähriger Ausbildung: die Ausbildungsberufe der Metallindustrie und des Handwerks gliedern sich in Fein-, Chirurgie-, Kraftfahrzeug-, Maschinenbau-, Landmaschinen- und Zweirad-M.; gesondert ist der Schiffs-M. zu nennen.

mechanische Musikinstrumente (mechanische Musikwerke, Musikautomaten), Musikinstrumente, die durch mechan. Antrieb zum Klingen gebracht werden. Herzstück der m. M. ist seit dem 14. Jh. die Stiftwalze, eine drehbare Holzwalze (später auch Metall) mit vorstehenden Metallwinkeln, Eisenbolzen oder Nagelstiften, die in Umdrehungsrichtung entsprechend dem Rhythmus, in Querrichtung entsprechend der Tonhöhe angeordnet sind, wobei eine Walze mehrere Musikstücke tragen kann. Je nach Klangerzeugungsprinzip steuern die Stifte den Klöppelschlag von Turmglockenspielen, den Hammermechanismus automat. Klaviere (Walzenklavier), das Ventilsystem einer Pfeifenorgel (→Drehorgel) oder reißen die Zungen eines Stahlkammes (→Spieldose) an. Der Antrieb der Walze sowie anderer mechan. Funktionen (z. B. Blasebälge) erfolgte bei größeren m. M. (z. B. Orchestrion) über Hängegewichte, bei kleineren meist über eine Handkurbel (z. T. mit Schwungrad) oder ein Uhrwerk, ab etwa 1900 auch durch Elektromotoren. Ende des 19. Jh. wurde die Stiftwalze z. T. abgelöst durch perforierte Platten aus

Margaret Mead

Robert S. McNamara

Mecheln: Der Nordflügel (links) der aus dem 14. Jh. stammenden ehemaligen Tuchhalle (heute Rathaus) wurde 1529 vollendet

Mecheln
Stadtwappen

Angelika Mechtel

Hartpapier oder Blech (Organette), bei dem elektrisch-pneumat. Selbstspielklavier (Pianola) durch eine Lochstreifensteuerung (Ton-, Notenrolle).

Den Höhepunkt in der techn. Entwicklung der m. M. stellt das nach 1900 entwickelte elektropneumat. Reproduktionssystem für Klaviere und Orgeln dar, das im Ggs. zum starren Abspielverfahren herkömml. m. M. erstmals eine anschlagsgerechte Wiedergabe über direkt eingespielte Notenrollen ermöglichte. Solche »Künstlerrollen« bespielten u. a. M. Reger, C. Debussy, G. Mahler, E. Grieg, F. Busoni. Mit dem Aufkommen elektron. Wiedergabegeräte fand die Geschichte der m. M. ihren (vorläufigen) Abschluss. BILD Orchestrion

📖 JÜTTEMANN, H.: *M. M. Einführung in Technik u. Geschichte. Frankfurt am Main 1987. – M. M., bearb. v.* A. BUCHNER. *Hanau 1992.*

mechanische Wärmetheorie, urspr. die Behauptung, dass Wärme durch mechan. Bewegung der Moleküle entstehe. Die quantitative mathemat. Formulierung ist von L. Boltzmann und J. C. Maxwell entwickelt worden (→kinetische Gastheorie). A. Einstein und M. von Smoluchowski lieferten mit der Theorie für die →brownsche Bewegung den Beweis für die Realität der therm. Molekularbewegung und damit für die Realität der Atome.

Mechanisierung [zu Mechanik], Unterstützung und/oder Ersatz menschl. Arbeitskraft durch Maschinen.

Mechanismus *der,* **1)** *allg.:* das Zusammenwirken der Teile einer Maschine oder eines Bausystems; jede Bewegung eines Elements bewirkt die Bewegung anderer Glieder; von daher: ein (nach Gesetzmäßigkeiten) selbsttätig funktionierendes System; automat. Ablauf.

2) *Philosophie:* (Mechanizismus) Richtung der Naturphilosophie die alles Naturgeschehen und den Aufbau des Kosmos mechan. Bewegungsgesetzmäßigkeiten unterworfen sieht. In ihren Extremformen bezieht sich der M. nicht nur auf anorgan. bzw. phys. Naturphänomene, sondern schließt die Phänomene des Lebens mit ein (mechanist. Weltbild). – Gegen das myth. Denken und seine Welterklärungsmodelle gerichtet, suchte die frühgrch. Philosophie (Empedokles, Demokrit) mithilfe des M. Werden und Bewegung kosm. Prozesse zu verstehen. In der Neuzeit entfaltete R. Descartes sein mechanist. Weltbild, wonach alle materiellen Prozesse durch Druck und Stoß verursacht und mathemat. Gesetzen unterworfen seien. T. Hobbes dehnte den M. auf Phänomene wie Denken und Erkennen aus und führte ihn als Erklärungsmodell in die Staatsphilosophie ein. Gegen den mechanist. naturwissenschaftl. →Materialismus des 19. Jh. richtete sich der →Vitalismus, und, innerhalb der Physik selbst, die Theorie der elektr. und magnet. Felder (maxwellsche Theorie) und die moderne Atom- und Kernphysik.

Mechanochemie, Bez. für ein Teilgebiet der physikal. Chemie, das sich mit dem chem. Verhalten von Stoffen bei mechan. Einwirkung befasst.

Mecheln (fläm. Mechelen, frz. Malines), Stadt in der Prov. Antwerpen, Belgien, an der Dyle, 75 700 Ew.; Erzbischofssitz; Akademie der bildenden Künste, Glockenspielerschule; Archive, Museen; Metall verarbeitende, feinmechan., chem., Schmuckwaren-, Konservenind., Maschinen- und Transformatorenbau, Großbrauerei, Herstellung von M.er Spitzen (Klöppelspitzen). – Mittelalterl. Stadtbild: Kathedrale Sint Rombout (13.–15. Jh.; Glockenspiel), Liebfrauenkirche (15./16. Jh.; Triptychon von P. P. Rubens), Rathaus (ehem. Tuchhalle, 14. Jh., Nordflügel 1529), Schöffenhaus (14. Jh.), Leihhaus (16. Jh.), Justizpalast (1507–25). – M. gehörte im 10. Jh. zum Hochstift Lüttich, fiel 1369 an Burgund und entwickelte sich zu einer angesehenen Handelsstadt; 1507–30 Residenz Margaretes von Österreich; kam 1830 an Belgien.

Mechernich, Stadt im Kr. Euskirchen, NRW, 24 900 Ew.; Maschinen-, Transformatoren-, Blechwarenfabrikation, Steinzeugind.; bis 1958 Bleierzbergbau (seit der Römerzeit). In **M.-Kommern** Freilichtmuseum und Landesmuseum für Volkskunde.

Mechitharisten (lat. Ordo Mechitharistarum, Abk. OMech), 1701 von dem armen. Mönch Mechithar (*1676, †1749) gegr. armenisch-unierter Orden (→armenische Kirche) mit der Benediktinerregel; Schwerpunkte sind die Seelsorge sowie die Erforschung und Pflege der armen. Literatur.

Mechtel, Angelika, eigtl. A. Eilers-M., Schriftstellerin, *Dresden 26. 8. 1943; schreibt Gedichte,

Erzählungen sowie gesellschaftskrit. Romane (»Friß, Vogel«, 1972; »Das gläserne Paradies«, 1973; »Wir sind arm, wir sind reich«, 1977; »Jonas, Julia und die Geister«, 1988); ferner »Jeden Tag will ich leben. Ein Krebstagebuch« (1990); arbeitet für Funk und Fernsehen und schreibt Kinderbücher.

Mechthild von Magdeburg, Mystikerin, *bei Magdeburg um 1208, †Helfta (heute zu Eisleben) 1282 oder 1297; seit 1233 Begine in Magdeburg; nach Kritik am Klerus und am Dominikanerorden Flucht ins Zisterzienserkloster Helfta; die Aufzeichnung ihrer myst. Erfahrungen sind unter dem Titel »Das fließende Licht der Gottheit« zusammengefasst; Heilige, Tag: 19. 11.

Mečiar ['mɛtʃ-], Vladimir, slowak. Politiker, *Zvolen (bei Banská Bystrica) 26. 7. 1942; Jurist, zunächst Mitgl. der KP (1970 ausgeschlossen), seit Nov. 1989 Mitgl. der »Öffentlichkeit gegen Gewalt« (VPN), 1990 Innen- und Umweltmin., war 1990–91 Min.Präs. in der slowak. Teilrepublik. 1991 beteiligte er sich an der Gründung der »Bewegung für eine Demokrat. Slowakei« (HZDZ). Als Min.Präs. (Juni 1992 bis März 1994) setzte er die Unabhängigkeit der Slowakei ab 1. 1. 1993 durch. Nach dem Wahlsieg seiner Partei war M. von Dez. 1994 bis Okt. 1998 erneut Min.Präs. seines Landes.

Meckel, Christoph, Schriftsteller und Grafiker, *Berlin 12. 6. 1935; seit 1956 (»Tarnkappe«, Ged.) erschienen zahlr. Grafik-, Lyrik- und Prosabände, die von einer fantastisch-allegor. Wirklichkeitsspiegelung geprägt sind. Eine wesentl. Rolle spielen das Thema Kindheit und autobiograph. Elemente (»Bockshorn«, 1973; »Suchbild. Über meinen Vater«, 1980; »Berichte zur Entstehung einer Weltkomödie«, 1985; »Shalamuns Papiere«, R., 1992; »Ein unbekannter Mensch«, R. 1997).

Meckenem, Israhel van, d. J., Kupferstecher und Goldschmied, *Meckenheim um 1430 oder um 1450, †Bocholt 10. 11. 1503; mit etwa 600 Stichen der produktivste Kupferstecher seiner Zeit, schuf um 1490 das früheste Selbstporträt und Doppelbildnis der dt. Grafik.

Meckenheim, Stadt im Rhein-Sieg-Kr., NRW, am Fuß der Eifel, 24 900 Ew.; Bundesschule des DRK; Baumschulen, Obstbau, Ind.-Park Kottenforst.

Mecklenburg, historisches dt. Territorium, zw. Pommern, Brandenburg und Schlesw.-Holst. – In röm. Zeit von Langobarden, Sachsen u.a. german. Stämmen bewohnt (Abwanderung bis 500), ab etwa 600 von Slawen (Abodriten im W, Liutizen im O) besiedelt. Im 9. Jh. gerieten die Elb- und Ostseeslawen in ein Tributverhältnis zum Fränk., später zum dt. Reich. Heinrich der Löwe setzte nach 1147 die Christianisierung in M. durch und besiegte 1160 den Obotritenfürsten Niklot, dessen Nachkommen die Linien M., Werle, Rostock und Parchim des bis 1918 regierenden Fürstenhauses von M. begründeten. Im 14. Jh. Gebietserwerbungen (1304 Stargard, 1314/23 Rostock, 1358 Schwerin) und Verleihung von Herzogswürde und Reichsstandschaft (1348). Neue Teilungen ab 1555, zunächst in die Linien und Herzogtum **Mecklenburg-Schwerin** und **Mecklenburg-Güstrow** (erloschen 1695), 1701 in M.-Schwerin und **Mecklenburg-Strelitz.** Die Einheit des Territoriums bewahrten v.a. die Landstände (1523 landständ. Union). Auch Stadt und Univ. Rostock, das Hofgericht und – nach Einführung der Reformation – das Konsistorium blieben von den Teilungen ausgenommen. 1627/29–31 war Wallenstein Herzog von M.; 1648 verlor M. Wismar, Poel und Neukloster an Schweden (bis 1803/1903), erhielt aber die säkularisierten Bistümer Schwerin und Ratzeburg. 1808 traten beide Herzogtümer (M.-Schwerin und M.-Strelitz) dem Rheinbund bei und wurden 1815 Großherzogtümer. 1866/67 traten beide Herzogtümer dem Norddt. Bund, 1868 dem Dt. Zollverein bei. Die Novemberrevolution und die Abdankung des Großherzogs Friedrich Franz IV. von M.-Schwerin (Nov. 1918) beseitigten die feudale Verfassung. Durch die Verf. des Freistaats M.-Schwerin vom 17. 5. 1920 und das Landesgrundgesetz von M.-Strelitz vom 29. 1. 1919/24. 5. 1923 wurden beide Länder parlamentarisch-demokrat. Republiken; am 1. 1. 1934 unter einem nat.-soz. Reichsstatthalter zum **Land M.** vereinigt (Hptst. Schwerin). 1945 kam M., um Vorpommern westlich der Oder und Rügen erweitert, zur SBZ (→Mecklenburg-Vorpommern, Geschichte).

📖 KARGE, W. *u.a.: Die Geschichte M.s. Rostock 1993.*

Israhel van Meckenem d. J.: Selbstbildnis mit seiner Frau Ida, Kupferstich (um 1490; Dresden, Gemäldegalerie)

Mecklenburgische Seenplatte, Teil des Balt. Landrückens zw. der Uckermark im O und dem Elbe-Lübeck-Kanal im W, überwiegend in Meckl.-Vorp., äußerster NW-Teil in Ndsachs., SO-Teil in Brandenburg. Zw. zwei bis 179 m hohen Endmorä-

Vladimir Mečiar

nen erstreckt sich ein Hügelland, das von zahlr. Seen (u.a. Müritz, Schweriner See, Plauer See) durchsetzt ist. Weite Teile sind mit Laubmischwald bestanden; Ackerbau; Fremdenverkehr.

Mecklenburg-Strelitz, Landkreis in Meckl.-Vorp., 2089 km², (1997) 87500 Ew.; Krst. ist Neustrelitz.

Mecklenburg-Vorpommern, Land im NO Dtl.s, 23170 km², (1997) 1,817 Mio. Ew.; Hptst. ist Schwerin.

Mecklenburg-Vorpommern Großes Landeswappen

Landesnatur: M.-V. liegt gänzlich im Norddt. Tiefland. Die Gesamtlänge der Küste beträgt 1470 km, davon sind 340 km zur Ostsee hin exponiert (Außenküste), 1130 km sind Bodden- oder Binnenküste. Die Inseln sind (von W nach O) Poel in der Wismarbucht, Hiddensee und Ummanz vor Rügen, Rügen und Usedom (östl. Inselteil zu Polen). An der Ostseeküste Mecklenburgs (von der Travemündung bis zum Fischland) wechseln Steilufer mit sandigen Anschwemmungen. Die mit dem Darß beginnende Küste Vorpommerns wird charakterisiert durch zahlr. Bodden, das Kleine Stettiner Haff, Kliffs (N-Küste von Hiddensee), die Kreidesteilküsten im N und O von Rügen sowie durch mit Strandgräsern oder lichtem Kiefernwald bewachsene Dünen. Die Oberflächenformen – geprägt von der jüngsten pleistozänen Vereisung (Weichsel-Eiszeit) – umfassen leichtwellige Grundmoränenflächen, die Endmoränenzüge der Mecklenburg. Seenplatte, Sanderflächen sowie Küsten- und feuchte Talniederungen. Die zahlr. kurzen Flüsse und Bäche entwässern v.a. zur Ostsee. Etwa ⅕ der Fläche ist bewaldet, 13% von Mooren bedeckt. Vier Nationalparks.

Verwaltungsgliederung Mecklenburg-Vorpommern
(Größe und Bevölkerung 31. 12. 1996)

Kreisfreie Stadt/ Landkreis	Fläche in km²	Ew. in 1000	Ew. je km²	Verw.-Sitz
Kreisfreie Städte				
Greifswald	50	59,6	1187	–
Neubrandenburg	86	79,0	923	–
Rostock	181	221,0	1224	–
Schwerin	130	111,0	853	–
Stralsund	39	64,4	1665	–
Wismar	42	49,6	1193	–
Landkreise				
Bad Doberan	1362	105,2	77	Bad Doberan
Demmin	1921	98,6	51	Demmin
Güstrow	2058	116,0	56	Güstrow
Ludwigslust	2517	128,1	51	Ludwigslust
Mecklenburg-Strelitz	2089	87,5	42	Neustrelitz
Müritz	1714	70,5	41	Waren (Müritz)
Nordvorpommern	2168	119,3	55	Grimmen
Nordwestmecklenburg	2075	116,5	56	Grevesmühlen
Ostvorpommern	1940	115,5	60	Anklam
Parchim	2233	108,3	49	Parchim
Rügen	974	78,3	80	Bergen auf Rügen
Uecker-Randow	1594	88,8	56	Pasewalk
Mecklenburg-Vorpommern	23170	1817,2	78	Schwerin

Landtagswahlen in Mecklenburg-Vorpommern 1990 und 1994[1)]

Parteien	14. 10. 1990	16. 10. 1994	27. 9. 1998
CDU	29; 38,3%	30; 37,7%	24; 30,2%
SPD	21; 27,0%	23; 29,5%	27; 34,3%
PDS	12; 15,5%	18; 22,7%	20; 24,4%
FDP	4; 5,4%	–; 3,8%	–; 1,6%
Grüne[2)]	–; 4,1%	–; 3,7%	–; 2,7%
Andere	–; 9,3%	–; 2,6%	–; 6,8%

1) Sitzverteilung und Stimmenanteile der Parteien. –
2) seit 1993 Bündnis '90/Die Grünen.

Bevölkerung: 26% der Bewohner bekennen sich zum christl. Glauben, davon ist der überwiegende Teil evang.-lutherisch (rd. 650000), rd. 75000 Katholiken. M.-V. ist mit 78 Ew./km² das am geringsten besiedelte Bundesland. Die ab 1950 bis zur Einheit Dtl.s 1990 anhaltende Abwanderung der Bev. in die westl. Bundesländer setzte sich auch danach v.a. aus wirtsch. Gründen fort. Zuzüglich des natürl. Bev.rückgangs (v.a. Geburtenrückgang) verringerte sich die Einwohnerzahl M.-V.s 1950–90 um etwa 0,3 Mio., 1989–96 um 161000 Personen; Univ. in Rostock und Greifswald, Fachhochschulen in Stralsund, Neubrandenburg und Wismar, eine Hochschule für Musik und Theater in Rostock.

Wirtschaft: Wichtigste Wirtschaftszweige sind die Landwirtschaft und die darauf fußende Nahrungsmittelindustrie. Die Hauptgebiete des Ackerbaus liegen im Bereich der fruchtbaren Grundmoränen, die M.-V. in breitem Band von NW nach SO durchziehen (v.a. Anbau von Weizen, Ölfrüchten, Feldfutter, Zuckerrüben); auch Schweinezucht ist verbreitet. Auf den südlich anschließenden Endmoränengebieten und Sanderflächen mit weniger fruchtbaren Böden werden v.a. Roggen und Kartoffeln angebaut; die Kiefernwälder werden forstwirtschaftlich genutzt. In den Flussniederungen im N und NO sowie der Elbe im SW und auch im Küstenbereich herrscht Rinderzucht vor. Die zahlr. mecklenburg. Seen begünstigen die Binnenfischerei; sie hat aber ebenso wie die Küstenfischerei an Bedeutung verloren. Mit dem Aufbau der Schiffbauind. (Werften in Rostock, Rostock-Warnemünde, Wismar, Stralsund, Wolgast) und der Hafenwirtschaft (Hochseehäfen in Rostock, Wismar, Stralsund) begann nach 1950 die Industrialisierung im Küstenbereich. Weiterhin wichtig sind die Metall verarbeitende und die Elektroind., der Maschinen- und Fahrzeugbau sowie die Fischverarbeitung. Die Zahl der Erwerbstätigen verringerte sich gegenüber 1989 auf etwa 40% (Arbeitslosenquote 1997 insgesamt 19,9%). Die Ostseeküste mit ihren Halbinseln Darß und Zingst und den Inseln Rügen und Usedom ist ein wichtiges Urlaubsgebiet. Erholungsgebiete liegen auch im Bereich der Mecklenburg. Seenplatte. – Das Verkehrsnetz ist noch ungenügend ausgebaut (eingleisige Eisenbahnstrecken), die Hochseehäfen sind noch unzureichend mit dem Hinterland verbunden. Eine Verbesserung brachte der Bau der Autobahnen Berlin–Rostock in den 70er-und Berlin–Hamburg in den 80er-Jahren; dazu kommt der Bau der Ostseeautobahn von Lübeck zur poln. Grenze. Fährhäfen befinden sich in Rostock-Warnemünde, Saßnitz und Mukran bei Saßnitz.

Verfassung: Nach der am 23. 5. 1993 in Kraft getretenen Verf. liegt die Legislative beim Landtag (71 Abg., für vier Jahre gewählt), die Exekutive bei der Landesreg. unter Vorsitz des vom Landtag gewählten Ministerpräsidenten.

Geschichte: Zur Geschichte vor 1945 →Mecklenburg. – 1945 kam Mecklenburg, um Vorpommern westlich der Oder vergrößert, zur Sowjet. Besatzungszone Dtl.s (SBZ). 1949 wurde es ein Land der DDR, 1952 in die Bezirke Rostock, Schwerin und Neubrandenburg aufgeteilt, aber im Zuge des polit. Umbruchs in der DDR am 3. 1. 1990 als Land wiederhergestellt. Seit dem 3. 10. 1990 Land der Bundesrep. Dtl.; CDU und FDP bildeten nach den Landtagswahlen vom 14. 10. 1990 eine Koalitionsreg., zunächst unter A. Gomolka, ab März 1992 unter B. Seite (beide CDU). Nach den Landtagswahlen vom 16. 10. 1994 wählte eine Koalition aus CDU und SPD Seite erneut zum Min.Präs. Nach den Wahlen vom 27. 9. 1998 wurde eine Koalitionsreg. von SPD und PDS unter H. Ringstorff (SPD) gebildet.

📖 Heitz, G. *u.* Rischer, H.: *Geschichte in Daten – M.-V. München u. a. 1995.* – *M.-V. Brücke zum Norden u. Tor zum Osten, hg. v.* W. Weiss. *Gotha 1996.*

Mẹckseper, Friedrich, Grafiker und Maler, *Bremen 8. 6. 1936; in seinen Farbradierungen erreicht M. mit einer äußerst differenzierten Technik in der Wiedergabe isolierter Objekte eine mag. Wirkung. Seine Gemälde zeigen die Tonskala einer altmeisterlich lasierenden Malerei.

Mecsekgebirge [ˈmɛtʃɛk-], Mittelgebirge in S-Ungarn, bis 682 m ü. M.; Weinbaugebiet; Kohle- und Uranerzbergbau.

Medaille [meˈdaljə; aus lat. metallum »Metall«] *die,* gegossene oder geprägte Schaumünze, vorzugsweise aus Bronze, auch aus Gold oder Silber, die der Erinnerung an eine Person oder ein Ereignis oder als Auszeichnung (Verdienst-, Preis-M.) dient. Einseitige M. in eckiger Form werden Plaketten genannt. Am Band tragbare M. bilden im System der Orden die unterste Stufe. Die von staatl. Seite als Zeichen der Anerkennung gemäß einer Satzung verliehenen, nichttragbaren M. (z. B. Zelterplakette) genießen ebenfalls den rechtlichen Schutz von Orden. Von nichtstaatl. Stellen als Belohnung überreichte M. (z. B. olymp. M.) sind in der Regel nicht oder nur kurzfristig tragbar. Nach Vorläufern in der Antike begann das M.-Schaffen der Neuzeit erst gegen Ende des 14. Jh. Die erste M. mit einem zeitgenöss. Porträt stammte von dem norditalien. Maler A. Pisano, gen. Pisanello, sie trägt auf der Vorderseite (Avers) ein Porträt, auf der Rückseite (Revers) eine szen. Darstellung. Mit Pisano setzte die Blütezeit der italien. M.-Kunst ein (B. Cellini, V. Belli, Leone Leoni). Seit dem 16. Jh. wurden M. auch in Dtl. gearbeitet (H. Schwarz, F. Hagenauer u. a.). In der Zeit des Klassizismus schufen J. d'Angers u. a. meisterhafte Bildnis-M. Künstler der neueren Zeit sind u. a. A. Scharff, A. von Hildebrand und L. Gies.

📖 Steguweit, W. *u.* Weber, I. S.: *Europ. Medaillenkunst von der Renaissance bis zur Gegenwart, Ausst.-Kat. Wissenschaftszentrum Bonn. Berlin 1995.*

Medaille (von oben in verkleinerter Darstellung): Pisanello, Kaiser Johannes VIII. Palaiologos, Bronze (1438; London, British Museum); Germain Pilon, Porträt der Elisabeth von Österreich, vergoldetes Silber (um 1575; München, Staatliche Münzsammlung)

Medailleur [medalˈjøːr, frz.] *der,* Künstler, der Stempel für Medaillen schneidet.

Medaillon [medalˈjɔ̃, frz.] *das,* **1)** *Baukunst:* rundes oder oval gerahmtes Schmuckfeld als Dekoration z. B. für Wände, Türen, Möbel. Bild S. 176

2) *bildende Kunst:* a) oft aufklappbarer ovaler oder runder Anhänger mit Miniaturporträt oder Andenken; b) kleines, rundes oder ovales Bild.

Mẹdan, Prov.-Hptst. auf Sumatra, Indonesien, 1,69 Mio. Ew.; Erzbischofssitz; staatl. und islam. Univ.; Zentrum des Tabakbaus mit Forschungsinstitut; Maschinenbau, Textil-, Nahrungsmittel- u. a. Ind.; internat. Flughafen; Hafen ist Belawan.

Mẹdau, Hinrich, Sportpädagoge, *Süderstapel (Kr. Schleswig-Flensburg) 13. 5. 1890, †Gießen 1. 1. 1974; gründete 1929 die Medauschule in Berlin für

Lehrkräfte der Gymnastik; mit seiner künstlerisch ausgerichteten rhythm. Gymnastik, in die er Handgeräte einbezog, wegweisend für die moderne rhythm. Sportgymnastik.

Medaillon 1): Luca della Robbia, Thronende Madonna mit Kind an der Außenwand von Or San Michele in Florenz (um 1460)

Medawar ['medəwə], Sir (seit 1965) Peter Bryan, brit. Zoologe und Anatom, *Rio de Janeiro 28. 2. 1915, †London 2. 10. 1987; erforschte die Abwehrreaktionen der Lebewesen gegen die Transplantation körperfremden Gewebes; mit F. M. Burnet erhielt er 1960 den Nobelpreis für Physiologie oder Medizin.

Medea, Abk. für engl. **M**icro-**E**lectronics **D**evelopment for **E**uropean **A**pplications, europ. Forschungsprogramm zur Halbleitertechnologie; 1997 als Nachfolgeprogramm für →Jessi gestartet und zunächst bis zum Jahr 2000 befristet. Forschungsschwerpunkte sind v.a. Multimedia- und Kommunikationstechnologien, Anwendungen der Mikroelektronik in der Fahrzeug- und Verkehrstechnik, Weiterentwicklung von computerunterstützten Konstruktionsmethoden (→CAD) und der →CMOS-Technologie.

Medea vor dem Kindermord, Fragment eines Gemäldes aus Herculaneum (70–79 n. Chr; Neapel, Nationalmuseum)

Medea, *grch. Mythos:* die zauberkundige Tochter des Königs Aietes in Kolchis. Sie verhalf →Iason zum Goldenen Vlies und entfloh mit ihm und den Argonauten nach Iolkos, dann nach Korinth. Als Iason M. verstieß, um sich mit der Königstochter Kreusa zu vermählen, tötete M. die Nebenbuhlerin sowie ihre eigenen Kinder und floh nach Asien, wo sie zur Stammmutter der Meder wurde. – Dichterisch behandelt u.a. von Euripides (431 v.Chr.), P. Corneille (1635), F. Grillparzer (1821), Hans Henny Jahnn (1926, 2. Fassung 1959) und J. Anouilh (1946); als Oper u.a. von L. Cherubini (1797). Weiteres BILD Feuerbach

Medellín [meðe'jin], Hptst. des Dep. Antioquia, Kolumbien, in der Zentralkordillere, 1500 m ü. M., 1,59 Mio. Ew.; Sitz eines kath. Erzbischofs; zwei staatl. und zwei private Univ., Bergbauakademie; nach Bogotá das wichtigste Ind.zentrum: Textil-, Schuh-, Tabak-, Stahl-, chem. u.a. Ind.; internat. Flughafen. Zentrum der Drogenmafia (M.-Kartell). – 1675 gegründet.

Meder, Bewohner von →Medien.

Media [lat.] *die,* stimmhafter Verschlusslaut, z.B. b, d, g.

medial [lat.], **1)** *Anatomie:* nach der Mittellinie des Körpers zu, in der Mitte gelegen; Ggs: lateral.

2) *Parapsychologie:* die Eigenschaften und Fähigkeiten eines Mediums besitzend.

median [lat.], *Anatomie:* auf der Mittellinie eines Körpers gelegen. **Medianschnitt,** Schnitt, der den Körper in zwei spiegelbildlich gleiche Hälften teilt.

Median (Medianwert), *Mathematik:* der Zentralwert (→Mittelwert).

Mediante [lat.] *die, Musik:* der Mittelton des Dreiklangs und der auf ihm errichtete Dreiklang, in C-Dur also der e-Moll- oder der E-Dur-Dreiklang **(Ober-M.),** oder zw. Tonika und Unterdominante, in C-Dur also der a-Moll- oder A-Dur-Dreiklang **(Untermediante).**

Medianuslähmung, Lähmung eines Unterarmnervs (Nervus medianus) nach Verletzungen am Ober- oder Unterarm; führt u.a. zum Schwund der Daumenballenmuskulatur.

Mediasch (rumän. Mediaş), Stadt in Siebenbürgen, Rumänien, im Tal der Großen Kokel, 63500 Ew.; Metall-, Glas-, Email-, Lederind.; Erdgasvorkommen. – Evang. Margaretenkirche (15.–16. Jh.) mit 70 m hohem, schief stehendem Trompetenturm. – M. war ein Mittelpunkt der Siebenbürger Sachsen (seit dem 13. Jh.).

Mediastinum [lat.] *das, Anatomie:* das →Mittelfell.

mediat [lat.], mittelbar; im Hl. Röm. Reich (bis 1806) der Landeshoheit eines Reichsstandes, nicht unmittelbar dem Kaiser **(immediat)** unterstellt.

Mediation [lat.] *die,* Vermittlung (eines Staates in einem Streit zw. anderen Mächten).

Mediationsakte, die von Napoléon Bonaparte gegebene, 1803–13 gültige Verfassung der Schweiz, mit weit gehender Souveränität der 19 Kantone. (→Schweiz, Geschichte)

Mediatisierung, Verlust bzw. Entzug einer immediaten, d.h. unmittelbaren Stellung; im Hl. Röm. Reich v.a. die 1803 (Reichsdeputationshauptschluss) und 1806 (Rheinbundakte) erfolgte Aufhebung reichsunmittelbarer Stände und ihre Unterwerfung unter die Landeshoheit eines anderen weltl. Reichsstandes.

mediäval [lat.], mittelalterlich.

Mediäval *die,* Schriftart mit schrägen, gekehlten Serifen und schrägen Anstrichen bei den Kleinbuchstaben.

Mediävistik [lat.] *die,* Sammelbez. für verschiedene wiss. Disziplinen, die sich mit der mittelalterl. Literatur, Kunst, Geschichte o.Ä. beschäftigen.

Mediceische Venus [medi'tseiʃə-], eine nach ihrem früheren Besitzer benannte röm., kaiserzeitl. Marmorstatue in gezierter Pose, wohl nach einem hellenist. Vorbild; seit 1677 in den Uffizien in Florenz.

Medici ['mɛːditʃi], seit Beginn des 13. Jh. bezeugte, im 16. Jh. zu fürstl. Rang aufgestiegene Florentiner Bankiersfamilie. Die M. gelangten durch Handel und Geldgeschäfte zu Reichtum und Ansehen und nahmen seit dem Ende des 13. Jh. an der Reg. ihrer Heimatstadt teil (1494–1512 und 1527–30 vertrieben). Sie wurden 1531 Herzöge von Florenz und 1569 Großherzöge der Toskana, die nach Erlöschen der Familie 1737 unter habsburg. Herrschaft kam. 1743 starben sie aus.

📖 Cleugh, J.: *Die M. Macht u. Glanz einer europ. Familie. A. d. Engl. Neuausg. München 1997.*

Bed. Vertreter:

1) Cosimo de', gen. **der Alte** (»il Vecchio«), *Florenz 27. 9. 1389, †ebd. 1. 8. 1464, Großvater von 7); führte sein Haus zu höchster Macht und beherrschte Florenz, ohne ein Amt zu bekleiden, stiftete die Platon. Akademie, den Mittelpunkt des Frühhumanismus, und zog bed. Künstler in die Stadt (Brunelleschi, Donatello, Michelozzo); begründete die Biblioteca Medicea Laurenziana.

Lorenzo de' Medici, der Prächtige: Ausschnitt eines Gemäldes von Bronzino (undatiert; Florenz, Uffizien), darunter Autogramm

2) Cosimo I., Herzog von Florenz (1537–69), Großherzog der Toskana (1569–74), *Florenz 11. 6. 1519, †Castello bei Florenz 21. 4. 1574, Großvater von 8); stützte sich auf Spanien, eroberte 1555 Siena; gründete die Gemäldesammlung im Palazzo Pitti.

3) Giovanni de', Papst, →Leo (Päpste).

4) Giulio de', Papst, →Klemens (Päpste).

5) Katharina de', Königin von Frankreich, →Katharina (Herrscherinnen, Frankreich).

6) Lorenzino de, gen. **Lorenzaccio,** *Florenz 23. 3. 1514, †(ermordet) 1547; ermordete 1537 Alessandro de' M., den ersten Herzog in Florenz. Seine von der republikfreundl. Partei als Tyrannenmord gefeierte Tat wurde oft künstlerisch behandelt (»Brutus-Büste« von Michelangelo, um 1540; Drama »Lorenzaccio« von A. de Musset, 1834).

7) Lorenzo de', gen. **der Prächtige** (»il Magnifico«), Stadtherr von Florenz (1469–92), *Florenz 1. 1. 1449, †ebd. 8. 4. 1492, Enkel von 1); unter seiner Herrschaft wurde Florenz die führende Macht in Italien, baute – bei Wahrung der republikan. Staatsform – seine persönl. Stellung aus, betrieb unter den italien. Staaten eine Politik des Ausgleichs. Florenz erreichte seine höchste geistige Blüte (Wirkungsstätte von Leonardo da Vinci, Verrocchio, Botticelli, Michelangelo).

8) Maria de', Enkelin von 2), Königin von Frankreich, →Maria (Herrscherinnen, Frankreich).

Mediciporzellan ['mɛːditʃi-], eine Art Weichporzellan, das in der 2. Hälfte des 16. Jh. in Florenz am Hof des Großherzogs Francesco de' Medici hergestellt wurde. Seine Formen folgen v.a. der Majolikaproduktion von Urbino, der meist kobaltblaue Dekor ist von chines. Porzellan angeregt. Die Marke zeigt die Domkuppel von Florenz oder die sechs Kugeln des Mediciwappens mit den Initialen des Großherzogs.

Medien [lat.], Vermittlungssysteme für Informationen aller Art (Nachrichten, Meinungen, Unterhaltung), die durch die →neuen Medien starke Erweiterung erfahren haben; i.e.S. die Massenmedien (→Massenkommunikation).

Medien, im Altertum das gebirgige Hochland von NW-Iran mit den Hauptstädten Ekbatana (heute Hamadan) und Rhagai (heute Raj, eine Vorstadt Teherans). Die im 9. Jh. v. Chr. eingewanderten Meder bildeten im 7. Jh. einen Großstaat, der 550 v. Chr. durch Kyros II. Persien einverleibt wurde. Die Meder wurden im Reich der Achaimeniden das zweite Staatsvolk nach den Persern. Der Südteil (Groß-M.) kam nach dem Tod Alexanders d. Gr. (323 v. Chr.) an das Partherreich, in dem im 1. Jh. n. Chr. auch der Nordteil aufging.

Medienkonzentration, die Unternehmenskonzentration im Bereich der Medien. Einen Spezialfall der M. stellt die **Pressekonzentration** dar, d.h. die Zusammenfassung von Zeitungen und Ztschr. in immer weniger Verlagen. Der betriebswirtschaftlich erstrebenswerten M. steht eine mögl. Gefährdung der Informationsfreiheit gegenüber, wenn die Angebotsvielfalt zurückgeht (z.B. durch wachsende Uniformität der Produkte).

Medienkonzern, Zusammenschluss von mehreren überwiegend im Medienbereich tätigen Un-

Mediceische Venus (Florenz, Uffizien)

Cosimo de' Medici, der Alte (zeitgenössisches Marmorrelief)

Die größten Medienkonzerne (Stand 1995/96)

Gesellschaft, Sitz (Gründungsjahr*)	Tätigkeitsfelder, Produkte, Firmen (Auswahl)	Gesellschafter (Auswahl)	Umsatz (in Mio. DM)	Beschäftigte (Konzern)
Time Warner Inc., New York (1913)	**B**: Time-Life, Warner Books, Little Brown; **Z**: Time, Life, Fortune, People, Batman, Superman; **C**: Book-of-the-Month-Club; **F**: Warner Bros., Warner Home Video, Turner Pictures; **V**: Warner Bros. Theatres; **TV**: Turner Broadcasting System (CNN), Time Warner Cable, Home Box Office, Cinemax-Pay TV, Cablevision Industries, n-tv (49,8 %); **M**: Warner Bros. Records, WEA, Teldec	Seagram Co. (14,9 %). R. E. Turner (11,4 %), Capital Research Group (11 %)	30626	59000
Bertelsmann AG, Gütersloh (1835)	**B**: C. Bertelsmann, Goldmann, Gabler, Vieweg, Lexikothek, Bantam Doubleday Dell: **Z**: stern, Brigitte, Capital, Geo, Eltern, Gala, TV Today, Spiegel (24,75 %); **C**: Bertelsmann Club, Deutsche Buch-Gemeinschaft, Deutscher Bücherbund; **F**: Ufa-Gruppe, Trebitsch-Gruppe (74 %); **TV**: RTL (37,1 %), RTL 2 (7,8 %), Premiere (37,5 %), VOX (24,9 %); **H**: Radio Hamburg (29,2 %), Antenne Bayern (16 %), Radio NRW (16,1 %); **M**: BMG Music Group, Ariola, Arista, RCA, Eurodisc, Hansa, Ricordi (74,3 %); **T**: Sonopress; **D**: Mohndruck	Bertelsmann-Stiftung (68,8 %), Familie Mohn (20,5 %), Zeit-Stiftung (10,7 %)	21529	58000
Walt Disney Company, Burbank, Calif. (1922)	**F**: Walt Disney Studios, Touchstone Pictures, Hollywood Pictures, Miramax Film Corp., Capital Cities/ABC Inc.; **V**: Buena Vista International; **TV**: Disney Channel, Super RTL (50 %), ABC-TV-Network, ESPN Network, Lifetime TV (50 %), Arts & Entertainment Network (33,3 %), Tele München (50 %); **H**: ABC Broadcast Group; **M**: Walt Disney Records, Buena Vista Records; **B**: Walt Disney Book Publ. Group, Hyperion Books, Chilton, Fairchild, Word Books; **Z**: Mickey Mouse, Donald Duck, Discover, Los Angeles Magazine, High Fidelity, Video & Sound; **S**: Henson Assoc. (Muppets Show), Disney World, Disneyland, Euro Disney Paris (49 %)	diverse Mitglieder der Familie Bass (zus. ca. 39 %), Familie Disney (15,9 %), Roy E. Disney (3 %), Capital Group Inc.	18349	85200
Viacom Inc., New York (1970)	**F**: Paramount Pictures, Spelling Film International (77 %); **V**: UIP (33,3 %), UCI (50 %); **TV**: Viacom Cablevision, MTV, VH-1, Nickelodeon, Movie Channel; **H**: Viacom Broadcasting; **B**: Simon & Schuster, Prentice Hall, Pocket Books, Macmillan, Scribner's, Atheneum, Markt & Technik; **S**: Blockbuster Entertainment (Musik- und Videohandel), Paramount Parks, Viacom New Media	Sumner Murray Redstone (25 %), Kirk Kerkorian (5 %), Nynex Corp., H. Wayne Huizenga	16759	54700
News Corp., Sydney, London, New York (1952)	**Z**: The Times, Sunday Times, The Sun, News of the World, Today, The New York Post, TV Guide; **F**: Twentieth Century Fox, Carolco Pictures; **TV**: Fox Broadcasting, BSKyB (40 %), VOX (49,9 %); **B**: Harper Collins; **D**: News International Newspapers	Familie Rupert Murdoch (30,8 %), MCI Communications (13,5 %), Citicorp Nominees (13,5 %)	15723	27000
Sony Corporation, Tokio (1946)	**M**: Sony Music Entertainment (Labels: Columbia, Epic, Okeh, TriStar, Sony Classical); **F**: Sony Pictures Entertainment (Columbia Pictures, TriStar Pictures); **V**: Sony Theatres; **TV**: Game Show Channel (50 %), Viva Musikkanal (19,8 %), Viva 2 (19,8 %); **C**: Sony Family Club	Raykay Inc. (5,3 %), Mitsui Trust (4 %), Sakura Bank (3,4 %), Sumitomo Trust (3,1 %)	12712	151000
Dai Nippon, Tokio (1876)	**D**: Dai Nippon Printing (weltgrößte Druckereigruppe), Tien Wah Press (Singapur; 85 %); **S**: Central Research Institute, Information Media Supplies Research Laboratory, Verpackungstechnologie, Mikroelektronik	Dai-ichi-Life Insurance (6,2 %), Fuji Bank (4,8 %), Industrial Bank of Japan (4,7 %)	11849	33000
Havas S. A., Neuilly-sur-Seine (1835)	**B**: Groupe de la Cité (Larousse, Nathan, W. R. Chambers); **Z**: L'Express, Le Point, Lire; **C**: France Loisirs (50 %); **TV**: Canal plus (23,6 %), Euronews (49 %), CLT/Ufa (49 %); **H**: Radio Nostalgie (49 %); **V**: Mediavision (33 %); **S**: Buchbinderei (eine der größten Europas), Werbeagentur, Tourismusunternehmen	Générale des Eaux (34,4 %), Alcatel Alsthom (7,1 %), Canal plus Finance (5,9 %)	10431	18800
Tele-Communications Inc., Englewood (1968)	**TV**: TCI Systems, Telecable Corp., Cablevision Baton Rouge, Heritage Comm., Liberty Media, Encore, Starz Pay TV (48 %), Discovery Channel (49 %), Showtime Network (50 %), QVC Network (43 %), Home Shopping Network (41,5 %), Court TV (33,3 %)	Familie Magness, John C. Malone, Robert Allen Naify, Capital Group Inc., Gabelli Funds Inc.	9823	39000
Fujisankei Communications Group Inc., Tokio (1933)	**Z**: Sankei Shimbun, Japan Industrial Journal, Ōsaka Shimbun; **TV**: Fuji Television; **H**: Nippon Broadcasting System, Nippon Cultural Broadcasting; **M**: Pony Canyon, Fuji Pacific Music; **B**: Fuso Publ., Nippon Hoso Publ.; **D**: Sankei Sogo Printing	Familie Shikanai u. a.	9654	12500
Toppan, Tokio (1900)	**D**: Toppan Printing, Hino Offset Printing, Tosho Printing, Toppan Art, Toppan Moore Co. (90 %); **B**: Froebel-Kan Co., Tokyo Shoseki Co.; **S**: Total Media Development Institute	Dai-ichi-Life Insurance (5,8 %), Nippon Life Insurance (5,5 %)	9043	33000
Lagardère Groupe, Paris (vorm. Matra/Hachette; 1826)	**B**: Hachette Livre, Alpha-Éditions, Grolier Inc., Salvat, Hatier; **Z**: Elle, Télé 7 Jours, Le Journal du Dimanche, Woman's Day, Le Provençal (49,9 %), La République (49,8 %); **H**: Europe 1/2; **TV**: Ludo Canal; **F**: Hachette Première (45 %); **D**: Brodard et Taupin; **S**: Rüstungselektronik, Telekommunikation, Verkehrstechnik, Raumfahrt	Lagardère Capital et Management (4,8 %), Daimler-Benz AG (3,3 %), General Electric Co. (London; 2,8 %)	8821	21800

Abkürzungen: **B** Buchverlage; **C** Buch- und Schallplattenklubs; **D** Druckereien; **F** Filmproduktion; **H** Hörfunksender; **M** Musikproduktion; **S** Sonstiges; **T** Tonträgerherstellung; **TV** Fernsehsender; **V** Filmverleih, Kinos; **Z** Zeitschriften, Zeitungen und Comics

*) bei fusionierten Gesellschaften Gründungsjahr der jeweils ältesten

ternehmen unter einheitl. Leitung. Nachdem seit dem letzten Drittel des 19. Jh. Pressekonzerne entstanden waren (z. B. Scherl, Ullstein, Mosse in Dtl.; Hearst, Pulitzer in den USA; Beaverbrook in Großbritannien), entstanden mit Film, Hörfunk und Fernsehen sog. Multimedienkonzerne (Mehrmedienunternehmen), in Dtl. in der Weimarer Rep. z. B. der Hugenbergkonzern, im heutigen Dtl. z. B. die Bertelsmann AG, die Kirch-Gruppe, die Axel Springer Verlag AG und die Holtzbrinck-Gruppe. Wichtige Faktoren für den Bedeutungszuwachs der M. sind die Öffnung des Rundfunks für private Sender, die zunehmende Internationalisierung der Märkte und techn. Neuerungen (Multimedia).

📖 *Wer beherrscht die Medien? Die 50 größten M.e der Welt, hg. v.* L. HACHMEISTER *u.* G. RAGER. *München 1997.*

Medienpädagogik, Wiss. vom angemessenen (krit.) Umgang mit den Massenmedien, die auf Analyse der Wirkungen der Massenmedien und auf Handlungskompetenz im Umgang mit den Medien zielt; auch die Methodik des konkreten Unterrichtens in Medientechnologien und (als Mediendidaktik) die Lehre vom optimalen Einsatz von Medien als Unterrichtsmittel.

📖 *Handbuch der M., hg. v.* S. HIEGEMANN *u.* W. H. SWOBODA. *Opladen 1994. – Grundbegriffe M., hg. v.* J. HÜTHER *u. a. München 1997.*

Medienpolitik, die Festlegung von Rahmenbedingungen und ordnungspolit. Maßnahmen für die Struktur und Funktion der Massenmedien. Die i. d. R. auf ein Land ausgerichtete M. ist Teil der **Kommunikationspolitik,** die das Kommunikationssystem als Ganzes (Individual- und Massenkommunikation) beinhaltet. Schwerpunkte der M. sind die Sicherung der Pressefreiheit sowie der Vielfalt und Ausgewogenheit publizist. Aussagen, Konzentrationskontrolle und Begrenzung der Medien- und Meinungsmacht von Medienkonzernen, das Nebeneinander von privaten und öffentlichrechtl. Veranstaltern in einem dualen Rundfunksystem, Richtliniensetzung für Multimediaangebote sowie der Jugend-, Verbraucher- und Datenschutz. Medienpolit. Kompetenzen und Zuständigkeiten liegen in Dtl. v. a. bei den Ländern (Kulturhoheit der Länder). Der Bund, der den Telekommunikationsbereich regelt, hat die Rahmenkompetenz für das Presse- und Filmwesen.

📖 *Politik u. Medien, hg. v.* M. JÄCKEL *u.* P. WINTERHOFF-SPURK. *Berlin 1994. – Kommunikationspolitik, hg. v.* G. W. WITTKÄMPER *u.* A. KOHL. *Darmstadt 1996.* – TONNEMACHER, J.: *Kommunikationspolitik in Dtl. Konstanz 1996.*

Medikamente [lat.], →Arzneimittel.

Medina *die* (Madina, Medinet), arab. Wort für »Stadt«, heute bes. Bezeichnung für die Altstadtquartiere nordafrikan. Städte im Unterschied zu deren (kolonialzeitl.) Europäervierteln.

Medina: Die im frühen 8. Jh. von byzantinischen Baumeistern erbaute Große Moschee mit den Grabstätten Mohammeds und seiner Tochter Fatima wurde nach mehrfachen Umbauten (zuletzt 1853) zu Beginn der 1950er-Jahre durch einen Neubau ersetzt, der 1985–90 großflächig ausgebaut wurde

Medina [»Stadt des Propheten«] (Al-Madina), Stadt im Hidjas, Saudi-Arabien, 350 000 Ew.; Univ.; hl. Stadt des Islam, nach Mekka bedeutendster islam. Wallfahrtsort; Grabstätte Mohammeds und seiner Tochter Fatima (Große Moschee, frühes 8. Jh.); nach der →Hidjra Zentrum der von Mohammed geschaffenen frühislam. Gemeinde. – Als **Yatrib** war M. schon in vorislam. Zeit eine bed. Stadt.

Medinawurm (Guineawurm, Dracunculus medinensis), schmarotzender Fadenwurm, der beim Menschen, Pferd, Esel, Rind und Hund Geschwüre erzeugt, die nach außen aufbrechen und die Larven entleeren. Die Krankheit **(Dracontiasis, Drakunkulose)** ist in Afrika, Vorderasien und Indien verbreitet. Die Infektion erfolgt durch Trinkwasser. Die Behandlung wird chemothera-

Medinet Habu: Ausschnitt aus den um 1180 v. Chr. entstandenen Reliefbildern aus dem Totentempel Ramses' III. mit Darstellungen der Siege über Seevölker

peutisch durchgeführt, mechanisch durch Herausziehen und Aufwickeln der etwa 1 m langen weibl. M. auf Holzstäbchen.

Medinet el-Faijum, →Faijum.

Medinet Habu, ägyptische Ruinenstätte am W-Ufer des Nils, gegenüber von Luxor, mit Heiligtum Thutmosis' III. und großem Totentempel Ramses' III. Die Reliefbilder am Tempel stellen u.a. die Siege über Seevölker und Libyer dar. BILD S. 179

Medizin

Zwei große kosmische Prinzipien beherrschen die frühe chinesische Medizin: Yin verkörpert weiblich und passiv, dunkel und irdisch; Yang hingegen männlich und aktiv, hell und himmlisch. Gesund sein heißt, diese beiden Prinzipien müssen miteinander im Gleichgewicht sein. Nach dieser traditionellen Vorstellung zirkulieren sie in zwölf Kanälen durch den Körper. Misst ein kundiger Arzt den Puls am Handgelenk und zehn weiteren Stellen, so kann er feststellen, ob Yin und Yang richtig fließen. Muss er heilen, so greift er auf Arzneien aus Pflanzen zurück. Über tausend solcher Mittel waren damals bekannt, und einige wirken aus heutiger Sicht sehr modern. So wurde beispielsweise das Reserpin zu einem wichtigen Medikament des 20. Jahrhunderts. Dieses Alkaloid wird aus der asiatischen Pflanze Rauwolfia gewonnen und bei erhöhtem Blutdruck sowie bei bestimmten psychischen Erkrankungen eingesetzt. Außerdem vertrauten die chinesischen Heilkundigen auf die Akupunktur: Nach der hergebrachten Vorstellung bewirkt das Einstechen von Nadeln an bestimmten Körperstellen, dass das harmonische Gleichgewicht von Yin und Yang wieder hergestellt wird. Diese Methode wird ebenfalls noch heute verwendet, etwa um die Schmerzempfindlichkeit herabzusetzen.

Medizin

Gesundheit und Krankheit hängen in der Vorstellung des frühen Hinduismus vom Gleichgewicht dreier Substanzen ab: Der Körper enthält drei Grundstoffe, die den drei universellen kosmischen Kräften entsprechen. Man nannte sie Geist (Luft), Phlegma (Schleim) und Galle. Über die antike griechische Naturphilosophie wurden diese Gedanken auch ins mittelalterliche Abendland überliefert. In diesem Sinne kann man die altindische Heilkunst also durchaus als eine Wurzel der abendländischen Medizin begreifen. Neben diesen religiös motivierten Vorstellungen verfügten die damaligen Heilkundigen über ein großes praktisches Wissen. So lassen sich in der medizinischen Überlieferung Indiens mehr als tausend Krankheitsbilder nachweisen. Das Fieber haben die Ärzte jener Zeit bereits klar als aussagekräftiges Krankheitssymptom erkannt. Auch chirurgische Eingriffe waren für sie gewohnte Praxis: So konnte man z.B. bereits Blasensteine entfernen. Für ihre Kunstfertigkeit in der Chirurgie bedienten sie sich der Hilfe mehr als hundert aus Eisen gefertigter Instrumente. Für ihre Heilkunst verwendeten sie über fünfhundert pflanzliche Arzneimittel.

Medio [italien. ›mittlerer‹] *der, Bankwesen:* der 15. eines Monats; fällt dieser auf einen Samstag, Sonntag oder Feiertag, so gilt der nachfolgende Werktag als Medio.

Meditation [lat. »Nachdenken«] *die,* durch entsprechende Übungen bewirkte oder angestrebte geistige Sammlung. Sie soll den Menschen zu seinem eigenen innersten Grund führen (→Kontemplation). Zu den M.-Techniken zählen versch. Sitzhaltungen, Körper- und Atemübungen, Konzentration (z.B. auf einen Gegenstand, ein hl. Wort, ein Mantra). Im Hinduismus und Buddhismus ist die M. (bes. mit der Technik des Yoga) der Weg zur Erleuchtung und Erlösung. Im W findet sich M. schon in der Antike (Neuplatonismus) und wurde vom Christentum bes. im Mönchtum und in der Mystik als Weg zur Einheit mit dem personal gedachten Gott vertieft. Versch. M.-Formen sind im Rahmen des →New Age belebt worden und werden als Entspannungsverfahren und in Therapien verwendet.

mediterran [lat.], den Mittelmeerraum betreffend.

Medium [lat. »Mitte«] *das* (Pl. Medien), **1)** *allg.:* Mittel, vermittelndes Element, Kommunikationsmittel, Werbeträger.

2) *Kommunikationswiss.:* jedes Mittel der Publizistik und Kommunikation (→Medien).

3) *Physik:* Träger physikal. oder chem. Vorgänge, insbesondere im Sinne der Vermittlung von Wirkungen (z.B. Luft als Träger von Schallwellen); häufig synonym mit »Stoff«, »Substanz« verwendet. Elektromagnet., Gravitations- und Materiewellen breiten sich ohne M. aus.

4) *Psychologie:* ein Mensch mit paranormalen Fähigkeiten (→Parapsychologie, →Spiritismus).

Medizin [lat.] *die* (Heilkunde), Wiss. vom gesunden und kranken Funktionszustand des menschl., tier. und pflanzl. Organismus sowie von den Ursachen, Erscheinungsformen, der Vorbeugung und Heilung von Krankheiten des Menschen **(Human-M.),** der Tiere (→Tiermedizin) und der Bekämpfung von Pflanzenkrankheiten (Phyto-M.). Die Gesamtheit der wiss. Forschungen und Tätigkeiten ist darauf gerichtet, die Gesundheit des Menschen zu fördern, also Krankheiten vorzubeugen, sie zu heilen, zu lindern, Rückfälle zu verhindern und die Folgen von Dauerschäden sowie Leistungsminderungen auf das geringste Maß herabzusetzen. Die Grundlagen der M. bilden die Naturwiss. (Biologie, Pharmakologie, Chemie, Physik), speziell Anatomie, Physiologie, Bakteriologie, Pharmakologie, Radiologie u.a. Grundpfeiler der M. sind Prophylaxe, Diagnostik und Therapie, Metaphylaxe und Rehabilitation. Die Vielfältigkeit der Krankheitserscheinungen und ihrer Behandlung sowie rasche Fortschritte der M. erfor-

Geschichte der Medizin (Auswahl)		
um 3000 v. Chr.		rituelle Operationen, Geburtshilfe, Trepanationen, Dämonenbeschwörung
ca. 2800		»Papyrus Smith«, das älteste Chirurgiebuch, und andere medizinische Papyri
ca. 2000		»Codex Hammurapi« mit Falldarstellungen und Gebührenordnung
ab 1500		Heilkunde altindischer Veden
seit 5. Jh.		Akupunktur als chines. Diagnose- und Therapiemethode
500	Pythagoras	Lehre von den biologischen und pathologischen Rhythmen
	Empedokles	Theorie der vier Elemente und Qualitäten
400	Hippokrates	natürliche Begründung der Medizin; Aufbau einer allgemeinen Krankheitslehre
	Diokles von Karystos	Grundlegung der Diätetik und Hygiene
100	Asklepiades	Ausbau der physikalisch-diätetischen Therapie
um Chr. Geburt	Aulus Cornelius Celsus	schreibt in seiner Enzyklopädie ein Buch »De medicina«
100 n. Chr.	Soranus	Lehrbuch der Geburtshilfe (»Gynaikeia«)
	Pedanios Dioskurides	Systematik der Pharmakologie (»Materia medica«)
150	Galen	System der Gesamtmedizin
400	Oreibasios	Tradierung der antiken Medizin in den byzantinischen Kulturkreis
600	Alexander von Tralles, Paulus von Ägina	Systematisierung der byzantinischen Medizin
850	Johannitius	Übersetzung griechischer Klassiker in das Arabische
	Rhazes	erstes System der arabischen Medizin (»Continens«)
1000	Ibn Sina	Lehrbuch der Scholastik (»Canon medicinae«)
	Abulcasis	Systematisierung der griechisch-arabischen Chirurgie
1100	Constantinus Africanus	frühe Übersetzungen aus dem Arabischen an der Schule von Salerno
1150	Hildegard von Bingen	Entwurf einer Natur- und Heilkunde (»Causae et curae«)
1250	Petrus Hispanus	Konzept einer naturphilosophisch unterbauten Medizin
	Arnaldus von Villanova	Ausbau der scholastischen Heilkunde
1350	Guy de Chauliac	Aufschwung der abendländischen Chirurgie
14. Jh.		Einführung der Quarantäne mit dem Auftreten der Pest
um 1500	Paracelsus	Entwurf einer umfassenden Heilkunst und Lebenskunde
1543	Andreas Vesalius	Begründung der neuzeitlichen Anatomie (»Fabrica«)
1550	Ambroise Paré	Aufbau einer wissenschaftlichen Chirurgie
1620	Fabricius Hildanus	Aufbau einer neuzeitlichen Chirurgie
1628	Wiliam Harvey	Entdeckung des Blutkreislaufs (»De motu cordis«)
1665	Marcello Malpighi	Beschreibung des Kapillarkreislaufs
1600–1700	Santorio Santorio, Franciscus Sylvius	Reduktion der pathologischen Erscheinungen auf Physik (Iatrophysik) und Chemie (Iatrochemie)
um 1670	Thomas Sydenham	Erneuerung hippokratischer Prinzipien in der Heilkunst
1700–30	Georg Ernst Stahl, Friedrich Hoffmann, Hermannus Boerhaave	Ära der großen Systematiker der medizinischen Aufklärung
um 1750	Albrecht von Haller	systematische Darstellung der Physiologie und Pathologie
1761	Giovanni Battista Morgagni	Begründung der modernen pathologischen Anatomie
1779	Johann Peter Frank	Grundlegung der Hygiene (»System einer vollständigen medizinischen Polizei«)
1796	Edward Jenner	erste erfolgreiche Impfungen gegen Pocken
	Christoph Wilhelm Hufeland	»Die Kunst das menschliche Leben zu verlängern« (Makrobiotik)
1800	Xavier Bichat	Begründung der allgemeinen Gewebelehre (»Anatomie générale«)
um 1820	François Magendie	Grundlegung naturwissenschaftlicher Methoden in der Medizin
1822	Lorenz Oken	Gründung der Versammlung Deutscher Naturforscher und Ärzte
1838/39	Matthias Jakob Schleiden, Theodor Schwann	Begründung einer Zelllehre
ab 1842		Einführung der modernen Narkoseverfahren

Geschichte der Medizin (Auswahl; Fortsetzung)		
um 1850	Johannes Müller	Grundlegung der modernen Physiologie
1851	Hermann von Helmholtz	Erfindung des Augenspiegels
1858	Rudolf Virchow	Grundlegung der modernen Pathologie (»Zellularpathologie«)
1861	Ignaz Semmelweis	Prophylaxe des Kindbettfiebers
1867	Joseph Lister	Einführung der antiseptischen Wundbehandlung
um 1880	Louis Pasteur, Robert Koch	Begründung des Zeitalters der Bakteriologie
	Max von Pettenkofer	Ausbau einer naturwissenschaftlich unterbauten Hygiene
1882	Paul Ehrlich	Begründung der Immunitätslehre
1894	Emil von Behring	Einführung des Diphtherieheilserums
1895	Conrad Röntgen	Entdeckung der Röntgenstrahlen
ab 1900	Iwan Petrowitsch Pawlow	Lehre von den bedingten Reflexen
um 1900	Sigmund Freud	Aufbau und Ausbreitung der Psychoanalyse
1903	Ferdinand Sauerbruch	Einführung des Druckdifferenzverfahrens bei Thoraxoperationen
ab 1905	Harvey Cushing	Aufbau einer spezialisierten Neurochirurgie
1922		klinischer Einsatz von Insulin
1929	Hans Berger	Nachweis der Aktionsströme des Gehirns (Elektroenzephalographie)
1934	Gerd Domagk	Beginn der Sulfonamidbehandlung bei Infektionen
1942	Alexander Fleming u. a.	Einführung des Penicillins
ab 1950	Ludolf von Krehl, Richard Siebeck, Victor von Weizsäcker	Begründung der psychosomatischen Medizin (Heidelberger Schule)
1953	Jonas E. Salk	Einführung der Schutzimpfung gegen Kinderlähmung
1955		Einführung der Ultraschalldiagnostik (Sonographie)
1965	Gregory Pincus	Einführung der »Antibabypille« zur Empfängnisverhütung
1967		Entwicklung der Laserchirurgie
	Christiaan N. Barnard	erste Herztransplantation am Menschen
1971	Godfrey N. Haunsfield	Entwicklung der Computertomographie
1976		WHO registriert Ausrottung der Pockenkrankheit
1978	Patrick C. Steptoe	erste Erzeugung eines Kindes durch extrakorporale Befruchtung (außerhalb des Mutterleibs; »Retortenbaby«)
		klinische Anwendung von Interferonen gegen Herpeskeratitisviren
1982		Einführung der Kernspintomographie
		Humaninsulin wird als erste medizinisch wichtige Substanz gentechnologisch erzeugt
1983	Luc Montagnier und Robert C. Gallo	Entdeckung des AIDS-Erregers
		Fortschritte in der Transplantationsmedizin durch Entdeckung des Cyclosporins (ein Immunsuppressivum)
1989		Erfolge in der Genforschung: Entdeckung des Gendefekts, der für die Mukoviszidose verantwortlich ist
1990		erste positive Ergebnisse bei der Gentherapie
1991	Stanley B. Prusiner	Entwicklung der Theorie der Prionen als Erreger des Rinderwahnsinns (BSE) und der Creutzfeldt-Jakob-Krankheit
1996		Erfolge bei der AIDS-Behandlung durch Kombination verschiedener antiviraler Substanzen

dern ihre Aufgliederung in eine immer größere Anzahl von Fachgebieten. Dazu gehören: innere M., Chirurgie, Kinderheilkunde, Gynäkologie und Geburtshilfe, Psychiatrie, Neurologie, Augenheilkunde, Hals-Nasen-Ohren-Heilkunde, Dermatologie, Tropen-M. u.a. sowie Rechts-M.; eine Sonderstellung nimmt die Zahn-M. ein. – Die medizin. Diagnostik wurde im 18./19. Jh. durch die Perkussion und Auskultation, sodann durch die Röntgentechnik erheblich verbessert. Im 19. Jh. wurde die Entwicklung von neuen Operationsmethoden durch Narkose und Asepsis möglich, im 20. Jh. folgten die Gehirn-, Herz- und Lungenchirurgie. Wichtig für Heilerfolge bakterieller Erkrankungen war die Einführung der Sulfonamide sowie die Entdeckung des Penicillins u.a. Antibiotika. Die medizin. Diagnostik wurde durch Ultraschall, Computer- und Kernspintomographie, szintigraph. Verfahren, Endoskopie, immunolog. und molekularbiolog. Methoden verfeinert. Trotz Kritik an der Gentechnologie wird die Einführung molekulargenet. Behandlungsprinzipien möglicherweise das Gesicht der M. stark verändern.

📖 SIGERIST, H. E.: *Anfänge der M. Zürich 1963. – Antike M., hg. v.* H. FLASHAR. *Darmstadt 1971.* – KÖHNLECHNER, M.: *Biologische M. heute. München 1988. – Geschichte der M. in Schlaglichtern, hg. u. bearb. v.* H. SCHIPPERGES. *Mannheim u. a. 1990.* – GERHARDT, U.: *Gesellschaft u. Gesundheit. Begründung der Medizinsoziologie. Frankfurt am Main 1991. – Arzt u. Kranker. Eth. u. humanitäre Fragen in der M., hg. v.* J. R. BIERICH. *Tübingen 1992.* – TRICHTEL, F.: *Ärzte, Bastler u. Schamanen. Krit. Auseinandersetzung mit den Irrwegen der M. u. deren Lösungsversuchen. Frankfurt am Main 1995.* – JONAS, H.: *Technik, M. u. Ethik. Frankfurt am Main ^{4}1996.*

Medizinball, ein (mit Tierhaaren gefüllter) Vollball in unterschiedl. Größen und Massen (bis zu 5 kg), Handgerät in der Gymnastik; auch für Konditionstraining in anderen Sportarten.

medizinische Kohle (Carbo medicinalis), gereinigte Kohle mit hohem Adsorptionsvermögen; angewendet z. B. bei Darmstörungen und Vergiftungen.

medizinisch-technische Assistenten, Abk. **MTA,** vier vorwiegend von Frauen ausgeübte Berufe mit dreijähriger Ausbildung: medizinisch-techn. Laboratoriumsassistentin (Gewebe-, Blut-, Urinuntersuchungen usw.), medizinisch-techn. Radiologieassistentin (röntgendiagnost. Aufzeichnungen, Bestrahlungen), MTA für (neurophysiolog., kardiovaskuläre, pneumolog. sowie audiolog. und HNO-) Funktionsdiagnostik, veterinärmedizinisch-technische Assistentin (Vorbereitung und Durchführung von Untersuchungen an Tieren).

Medizinmann, bei Naturvölkern der Zauberer und Geisterbeschwörer, der Krankheiten, die als Einwirkungen der Geisterwelt oder des bösen Zaubers gelten, zu heilen sucht; gilt auch als Wahrsager und Regenmacher. (→ Schamane)

Medjerda, Oued [wɛd medʒɛrˈda], Hauptfluss Tunesiens, 450 km lang, entspringt in NO-Algerien im Tell-Atlas, mündet nördlich von Tunis ins Mittelmeer, Einzugsgebiet 35 000 km²; Stauanlagen (mit Wasserkraftwerken) zur Trinkwasserversorgung und Bewässerung.

Medley [ˈmedlɪ; engl. »Gemisch«] *das,* Aneinanderreihung versch. Musikstücke.

Médoc [meˈdɔk], Landschaft in SW-Frankreich zw. Gironde und dem Golf von Biskaya; an der O-Seite werden ausgezeichnete → Bordeauxweine angebaut, W und Mitte sind forstwirtschaftlich genutzt (→ Landes); an der Atlantikküste Seebäder.

Medrese: Portal der 1619–36 erbauten Schir-Dor-Medrese im usbeskischen Samarkand

Medrese [aramäisch-arab.] *die* (Medresse, Madrasa), die traditionelle islam. Hochschule. Die Schwerpunkte der mit Internat eingerichteten M. lagen auf Theologie und Rechtswiss.; heute (im islam. Kulturraum) Bez. der allg. Schule (einschließlich Unterstufe der höheren Schule). Für die M. wurde eine eigene Bauform entwickelt: Um einen Hof liegen in zwei Geschossen die Zellen der Schüler und Lehrer, alle vier Hoffronten haben in der Mitte einen → Iwan. Zu den bedeutendsten M. zählen u. a. die am zentralen Registanplatz im usbekischen Samarkand liegenden Schir-Dor-M. (1619–36), Ulug-Beg-M. (1417–20) und Tillja-Kari-M. (1646–60).

Medulla [lat.] *die,* das → Mark; **M. oblongata,** das verlängerte Mark (→ Gehirn); **M. spinalis,** das → Rückenmark.

Medrese

An der Medrese wurde vor allem islamisches Recht gelehrt, daneben Koranexegese, die Traditionswissenschaften und arabische Grammatik als Grundlage für all diese Disziplinen. Einige wenige Medresen dienten der Ausbildung von Ärzten. Alle osmanischen Medresen waren Bestandteil von Stiftungen, die für das Gehalt der Lehrer (Müderris) und den Unterhalt der Studenten aufkamen. Die Medresen mit dem höchsten Ansehen waren ausnahmslos in Istanbul angesiedelt und gehörten zu den Moscheekomplexen von Mohammed II. Fatih und Süleiman I. Im 16. Jahrhundert zählte Istanbul mindestens 120 Schulen, deren Absolventen als Richter und Professoren (Ulema) die Ilmiyye bildeten.

Medullarrohr (Neuralrohr, Nervenrohr), embryonale Anlage des Zentralnervensystems bei Wirbeltieren und beim Menschen. Das M. entsteht aus einer plattenförmigen Verdickung des auch als Ektoderm bezeichneten äußeren Keim-

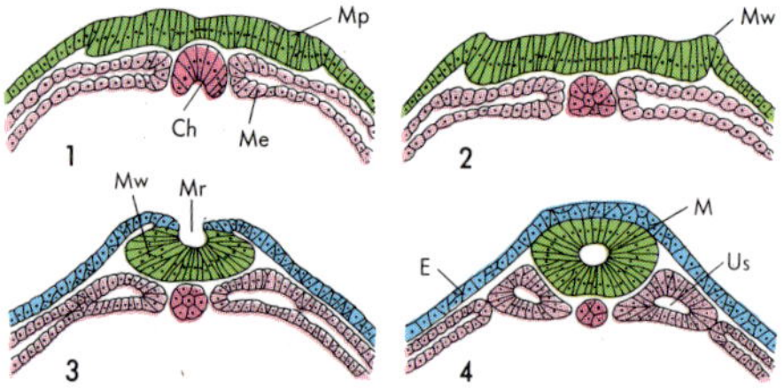

Medullarrohr: schematische Darstellung der Medullarrohrbildung beim Lurch (1–4); Ch Chorda, E Ektoderm, M Medularrohr, Me Mesoderm, Mp Medullarplatte, Mr Medullarrinne, Mw Medullarwulst, Us Ursegment

blattes **(Medullar-** oder **Neuralplatte),** die längs ihrer Mittellinie eine Rinne **(Medullar-** oder **Neuralrinne)** bildet und sich über dieser durch Zusammenwachsen der Seitenränder **(Medullar-** oder **Neuralwülste)** zum Rohr einrollt. Das M. kommt so zwischen dem Ektoderm, der Chorda (dem bei primitiven Wirbeltieren noch vorhandenen Stützorgan) und den vom mittleren Keimblatt (Mesoderm) abgeschnürten Ursegmenten zu liegen. Der Hohlraum (Lumen) des M. bleibt bei ausgewachsenen Organismen als Zentralkanal des Rückenmarks, im Gehirn als Hirnventrikelsystem erhalten.

Medusa, *grch. Mythos:* eine der Gorgonen (→Gorgo), deren Kopf, das **Medusenhaupt,** den Betrachter versteinerte.

Meduse [nach der Medusa] *die,* ein Hohltier, →Qualle.

Meer, die zusammenhängende Wassermasse der Erdoberfläche. Das **Welt-M.** bedeckt rd. 71% der Erdoberfläche, wovon der größte Teil auf der S-Halbkugel liegt. 31,7% des M. sind 4000–5000 m tief (→hypsographische Kurve). Die Kontinente gliedern das M. in den Atlant., Ind. und Pazif. Ozean. Durch Inselketten sowie untermeer. Rücken und Schwellen werden einzelne M.-Gebiete von den Ozeanen abgetrennt und dadurch zu **Neben-M.** gemacht. Man unterscheidet **Rand-M.** am Rande eines Kontinents (z.B. Nordsee), **interkontinentale Mittel-M.,** die von mehreren Kontinenten eingeschlossen sind (z.B. Europ. Mittel-M.), sowie **intrakontinentale Mittel-M.,** die in einen Kontinent eingebettet sind (z.B. Ostsee).

Der →Meeresboden ist in versch. Großformen gegliedert und mit charakterist. →Meeresablagerungen bedeckt. Über die chem. Zusammensetzung des Wassers →Meerwasser, →Meereis, ferner →Meeresströmungen und →Meereswellen.

Die marine Nahrungskette beginnt mit der pflanzl. Produktion organ. Substanz durch das Phytoplankton und führt dann weiter über das Zooplankton, die Planktonfresser (z.B. Weichtiere, Hering) und die Weichtiere fressenden Fische (z.B. Schellfisch, Scholle) zu den Raubfischen (z.B. Kabeljau) und Warmblütern (z.B. Wale). Die übrig bleibenden organ. Reste werden teilweise von Bakterien (Saprophyten) wieder zu im Wasser gelöster Kohlensäure sowie anorgan. Salzen abgebaut (Remineralisierung). Das M. als Lebensraum wird wie folgt unterteilt: die Küstenregion bis 200 m Tiefe (Litoral und Sublitoral), die lichtlose Tiefsee (Bathyal, bis 4000 m; Abyssal, bis 5000 m; Hadal, tiefer als 5000 m), die Region des freien Wassers (Pelagial) und die Bodenregion (Benthal). Besondere Bedeutung bei der Nutzung des M. hat die Fischwirtschaft. Hinzu kommen die Verwertung von Meeresalgen, die Gewinnung von Salzen, Süßwasser, mineral. Rohstoffen aus dem Meerwasser und vom Meeresboden (→Meeresbergbau) sowie die Energieerzeugung. Ferner wird das M. als Verkehrsträger genutzt (Schifffahrt).

Das Problem der **M.-Verschmutzung,** d.h. die Einleitung von Stoffen und Abwärme in die marine Umwelt durch den Menschen, hat in den letzten Jahren erheblich an Bedeutung gewonnen. Als

Meer: Fläche, Inhalt und Tiefe der Ozeane und ihrer Nebenmeere

Meere	Fläche in Mio. km²	Inhalt in Mio. km³	Tiefe in m: Mittel	Tiefe in m: Maximum
Ozeane ohne Nebenmeere				
Pazifischer Ozean	166,24	696,19	4188	10924[1]
Atlantischer Ozean	84,11	322,98	3844	9219[2]
Indischer Ozean	73,43	284,34	3872	7455[3]
insgesamt	323,78	1303,51	4026	–
Mittelmeere, interkontinental				
Arktisches Mittelmeer	12,26	13,70	1117	5449
Australasiatisches Mittelmeer	9,08	11,37	1252	7440
Amerikanisches Mittelmeer	4,36	9,43	2164	7680
Europäisches Mittelmeer[4]	3,02	4,38	1450	5121
insgesamt	28,72	38,88	1354	–
Mittelmeere intrakontinental				
Hudsonbai[5]	1,23	0,16	128	218
Rotes Meer	0,45	0,24	538	2604
Ostsee	0,39	0,02	55	459
Persischer Golf	0,24	0,01	25	170
insgesamt	2,31	0,43	184	–
Randmeere				
Beringmeer	2,26	3,37	1598	4096
Ochotskisches Meer	1,39	1,35	971	3372
Ostchinesisches Meer	1,20	0,33	275	2719
Japanisches Meer	1,01	1,69	1673	3742
Nordsee	0,58	0,05	93	725[6]
Sankt-Lorenz-Golf	0,24	0,03	125	549
Golf von Kalifornien	0,16	0,11	720	3127
Irische See	0,10	0,01	60	175
übrige	0,29	0,15	470	–
insgesamt	7,23	7,09	979	–
Ozeane mit Nebenmeeren				
Pazifischer Ozean	181,34	714,41	3940	10924[1]
Atlantischer Ozean	106,57	350,91	3293	9219[2]
Indischer Ozean	74,12	284,61	3840	7455[3]
Weltmeer	362,03	1349,93	3729	10924[1]

[1] Witjastiefe im Marianengraben. – [2] Milwaukeetiefe im Puerto-Rico-Graben. – [3] Planettiefe im Sundagraben. – [4] einschließlich Schwarzes Meer. – [5] eigentliche Meeresbucht 637000 km². – [6] im Skagerrak gelegen

Quellen für die Verschmutzung kommen infrage: über Flüsse eingeleitete Schadstoffe (Ind.abfälle, -abwässer, Schwermetalle, eutrophierende Stoffe), Abfälle der Schifffahrt, Tankerunfälle (→Ölpest), Versenken (»Verklappen«) von Abfallstoffen (z.B. Dünnsäure) durch Schiffe auf hoher See, Verunreinigungen bei der Erdölgewinnung.

Aus dem steigenden Anteil der Schwermetalle (v.a. Cadmium, Quecksilber und Blei) und der Schädlingsbekämpfungsmittel (Pestizide) ergeben sich besondere Gefahren für den Menschen, weil diese Stoffe sich in den Nahrungsketten anreichern. Einem Abkommen zum Schutz der M. gegen jede Verschmutzung durch Abwässer oder Abfälle (in Kraft seit 1976) traten zahlr. Ind.staaten bei; eine nennenswerte Verringerung der M.-Verschmutzung wurde aber noch nicht erreicht.

M. und M.-Grund sind für das *Völkerrecht* keine Einheit. Die Territorialgewässer gehören einschl. des M.-Grundes zum Staatsgebiet des Uferstaates. Die übrigen Teile des M. stehen allen Staaten nach überkommenem →Seerecht als »hohe See« offen. Allerdings sind Nutzung und Ausbeutung des M.-Bodens der Tiefsee außerhalb des Festlandsockels umstritten. Für den Festlandsockel (→Schelf) gelten besondere Abmachungen.

📖 *Allgemeine Meereskunde, Beiträge v.* G. DIETRICH u. a. *Berlin u. a.* [3]*1975.* – *Grundlagen der Ozeanologie, hg. v.* U. SCHARNOW. *Berlin (Ost) 1978.* – *Das Weltmeer, hg. v.* H.-J. BROSIN, *Grafiken v.* H.-J. EHRICHT. *Thun u. a. 1985.* – KELLETAT, D.: *Phys. Geographie der Meere u. Küsten. Eine Einführung. Stuttgart 1989.* – BRÜGMANN, L.: *Meeresverunreinigung. Ursachen, Zustand, Trends u. Effekte. Berlin 1993.* – BIERMANN, F.: *Internat. Meeresumweltpolitik. Frankfurt am Main u. a. 1994.* – BIERMANN, F.: *Internat. Meeresumweltpolitik. Frankfurt am Main u. a. 1994.* – NICOLAS, A.: *Die ozean. Rücken. Gebirge unter dem Meer. Berlin u. a. 1995.* – OTT, J.: *Einführung in die Geographie u. Biologie der Ozeane. Stuttgart* [2]*1996.*

Meer, Simon van der, niederländ. Ingenieur, *Den Haag 24. 11. 1925; seit 1956 Mitarbeiter am CERN, bedeutende Arbeiten zur Weiterentwicklung von Teilchenbeschleunigern; 1984 mit C. Rubbia Nobelpreis für Physik für den Nachweis der →intermediären Bosonen (1983).

Simon van der Meer

Meer|aale (Congridae), Familie der Aalartigen Fische; Meeresbewohner. Der **Meeraal (Seeaal,** Conger conger) ist ein Raubfisch; er wird 3 m lang und bis 60 kg schwer.

Meerane, Stadt im Landkr. Chemnitzer Land, Sachsen, im Erzgebirgsvorland, 19 500 Ew.; Textil-, Kfz-Zubehör-, Papierind., Dampfkesselbau. – Im Anschluss an eine seit 1174 bezeugte Burg entstand im 12. Jh. eine stadtähnl. Siedlung; mittelalterl. Stadtkirche St. Martin mit roman. Chorturm (bis ins 19. Jh. mehrmals verändert).

Meer|äschen (Mugilidae), Familie barschähnl. Meeresfische in trop. und gemäßigten Meeren, z.B. die **Großkopf-M.** (Mugil cephalus), die **Dünnlippige M.** (Mugil capito) und die **Dicklippige M.** (Mugil chelo); geschätzte Speisefische.

Meeräschen: Die Dicklippige Meeräsche kommt auf ihren Wanderungen bis zu den Faröern sowie den isländischen und skandinavischen Küsten

Meer|augen, Karseen in den Karpaten, bes. in der Hohen Tatra.

Meer|augspitze (poln. und slowak. Rysy), Berg der Hohen Tatra, Polen, 2499 m über dem Meeresspiegel.

Meerbarben (Mullidae), Familie der Fische in gemäßigten und trop. Meeren, so die **Rote M.** (Mullus barbatulus) und die **Streifenbarbe** (Mullus surmuletus); geschätzte Speisefische.

Meerbohne (Entada gigas), trop. Kletterstrauch der Hülsenfrüchtler mit bis 1,2 m langen Fruchthülsen und braunen, bis etwa 5 cm großen Samen.

Meerbrassen (Sparidae), Familie bis 1,2 m langer Fische in trop. Meeren, auch im Mittelmeer, u.a. der Speisefisch **Goldbrasse (Echte Dorade,** Sparus auratus).

Meerbusch, Stadt im Kr. Neuss, NRW, 54 700 Ew.; Edelstahlwerk, Maschinenbau, Fliesenherstellung; Gemüseanbau. – 1970 durch Zusammenschluss von Büderich u.a. Gemeinden gebildet.

Meerbusen, größere Meeresbucht, →Golf.

Meerdattel (Steindattel, Lithophaga lithophaga), bis 5 cm lange Miesmuschel mit brauner röhrenförmiger Schale; lebt in Löchern, die sie mithilfe der von ihr aus Säuredrüsen abgesonderten Säure im Kalkgestein bildet.

Meer|echse (Amblyrhynchus cristatus), etwa 1,5 m langer Leguan der Galápagosinseln; schwarzgrau mit überwiegend ziegelroter Zeichnung; ernährt sich von Meeresalgen. BILD Galápagosinseln

Meer|eicheln, Krebstiere, →Rankenfüßer.

Meer|eis, durch Gefrieren von Meerwasser (bei Temperaturen meist unter –1,8 °C) entstehendes Eis, mit Anteil von Niederschlägen, die auf das

M. fallen. Mit zunehmendem Alter nimmt der Salzgehalt des M. von anfangs 10–20‰ bis unter 0,3‰ ab.

Meer|enge (Meeresstraße, Sund), Wasserweg zw. zwei Meeren oder Meeresteilen, entstanden durch Senkung einer Landschaft (Belte der Ostsee), Grabenbruch (Straße von Gibraltar) oder Überflutung von Flusstälern (Bosporus, Dardanellen).

Völkerrecht: Ob eine M. zur hohen See oder zu den Küstengewässern zu rechnen ist, richtet sich danach, ob die sich gegenüberliegenden Küsten nicht weiter als die doppelte Breite des Küstenmeeres (→Küstengewässer) voneinander entfernt sind.

Meer|engenabkommen, der am 20. 7. 1936 in Montreux zw. Großbritannien, Frankreich, Japan, der UdSSR, Türkei, Bulgarien, Rumänien, Griechenland und Jugoslawien abgeschlossene Vertrag (1938 Beitritt Italiens) über die Durchfahrtsrechte durch Bosporus und Dardanellen. Er übertrug alle Hoheitsrechte auf die Türkei, die die Meerengen im Kriegsfall sperren kann.

Meeres|ablagerungen (marine Sedimente), die Ablagerungen auf dem Meeresboden. **Lithogene M.** (ca. 70% des Sedimentvolumens) entstammen der Verwitterung von Gesteinen oder sind vulkan. Aschen; sie treten hauptsächlich in der Küstenregion auf (litorale M.); ein Teil von ihnen wird von Meeresströmungen in landferne Gebiete der Ozeane transportiert und bildet dort einen Hauptbestandteil des →roten Tiefseetons. **Biogene M.** entstammen Überresten der abgestorbenen tier. und pflanzl. Kleinlebewesen. Sie bestehen überwiegend aus Calciumcarbonat (→Globigerinenschlamm) oder aus Kieselsäure (→Diatomeenschlamm und Radiolarienschlamm, →Radiolarien); biogene M. sind v.a. in der Tiefsee vertreten (pelagische M.). Im trop. Flachseebereich sind die Korallenbauten verbreitet. **Hydrogene M.** sind mineral. Neubildungen, die bei Übersättigung des Meerwassers an gelösten Stoffen entstehen können. Die geograph. Verteilung der M. hängt von ihrer Herkunft, Korngrößenverteilung, chem. Zusammensetzung und Zuwachsrate ab. Es werden litorale, pelag. und eine Mischform, die hemipelag. M., unterschieden. Die litoralen M. sind vorwiegend festländ. Herkunft, in den Tropen auch Korallenkalk; sie überwiegen in den küstennahen Schelfablagerungen. Litorale Sedimente nehmen 7,5%, die pelag. Sedimente (Tiefseeablagerungen) 81,7% und die hemipelag. 10,8% des gesamten Meeresbodens ein.

Meeresströmungen

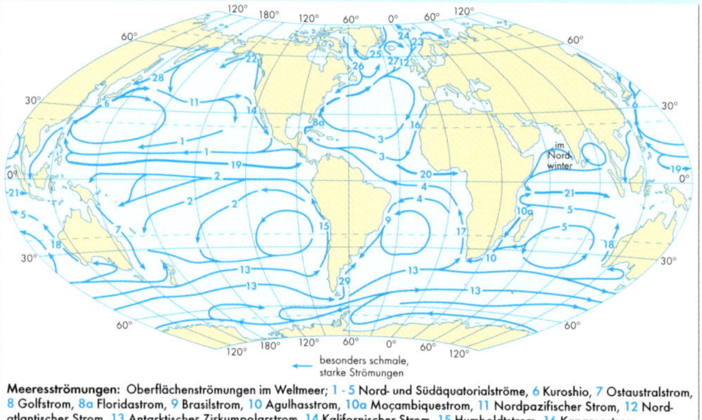

Meeresströmungen: Oberflächenströmungen im Weltmeer; 1 - 5 Nord- und Südäquatorialströme, 6 Kuroshio, 7 Ostaustralstrom, 8 Golfstrom, 8a Floridastrom, 9 Brasilstrom, 10 Agulhasstrom, 10a Moçambiquestrom, 11 Nordpazifischer Strom, 12 Nordatlantischer Strom, 13 Antarktischer Zirkumpolarstrom, 14 Kalifornischer Strom, 15 Humboldtstrom, 16 Kanarenstrom, 17 Benguelastrom, 18 Westaustralstrom, 19 - 21 äquatoriale Gegenströme, 22 Alaskastrom, 23 Norwegischer Strom, 24 Westspitzbergenstrom, 25 Ostgrönlandstrom, 26 Labradorstrom, 27 Irmingerstrom, 28 Oyashio, 29 Falklandstrom

Meeresbergbau (Tiefseebergbau, mariner Erzbergbau), Teilbereich der Meerestechnik, der den Abbau der auf dem Meeresboden lagernden Erzvorkommen (v.a. Manganknollen), der kupfer- und zinkhaltigen Erzschlämme sowie der massiven Metallsulfide umfasst. Voraussetzung für den M. ist die Erkundung (Prospektion) mariner Lagerstätten mittels geophysikal. und meeresgeolog. Methoden, ferner besondere Formen der Probennahme sowie spezielle Förder-, Aufbereitungs- und Aufschlussmethoden. Am weitesten fortgeschritten sind die Verfahren zur Gewinnung von Manganknollen und Erzschlämmen. – Der weitere Ausbau des M. ist abhängig von der Entwicklung der Metallpreise, aber auch von der 1994 in Kraft getretenen Seerechtskonvention von 1982 (→Seerecht). Diese betrachtet den Meeresboden und seine Ressourcen als »gemeinsames Erbe der Menschheit« und regelt entsprechend alle Tätigkeiten zur Erforschung und Ausbeutung der Ressourcen. Zur Überwachung dieser Tätigkeiten ist eine Internat. Meeresbodenbehörde eingerichtet worden, bei der alle Vertragsstaaten der Seerechtskonvention Mitgl. sind.

Meeresbiologie, Teilgebiet der Hydrobiologie, das sich mit Leben, Verhalten, Verbreitung und Physiologie meeresbewohnender Tiere (Meereszoologie), Pflanzen (Meeresbotanik) und Mikroorganismen (Meeresmikrobiologie) und deren Beziehungen untereinander befasst.

Meeresboden, der von Meerwasser bedeckte Teil der Erdoberfläche, dessen Relief in charakterist. topograph. Großformen gegliedert ist: die bis zu 200 m tiefen Schelfe, die auf 2000 m abfallenden Kontinentalabfälle, die Fußregionen und die bis über 6000 m tiefen Tiefseegräben. Der **Mittelozean. Rücken** bildet ein 60000 km langes zusammenhängendes zentralozean. Gebirgssystem. Die **Tiefseebecken** sind in Tiefseehügel, ausgedehnte Tiefsee-Ebenen sowie untermeer. Kuppen gegliedert. Nach der Tiefe werden unterschieden die **Flachsee** bis etwa 200 m Tiefe (rd. 7,6% der Gesamtozeanfläche), der **Kontinentalabhang** bis

Meergänse (von links): Ringelgans (Größe etwa 60 cm) und Kanadagans (Größe 55-110 cm)

rd. 3000 m Tiefe (rd. 15,3 %), die **Tiefseetafel** bis 6000 m Tiefe (7,5 %) und die **Tiefseegräben** oder **-rinnen** über 6000 m Tiefe (rd. 1,2 %).

Meereshöhe, Bezugsebene zur Angabe der Höhe eines Ortes über →Normalnull.

Meereskunde (Meeresforschung, Ozeanologie, Ozeanographie), die Wiss. vom Meer. Sie beschäftigt sich mit den Eigenschaften des Meerwassers, dem Wasser-, Stoff- und Wärmehaushalt und den Bewegungsvorgängen des Meeres sowie mit den im Meer lebenden pflanzl. und tier. Organismen. Ferner untersucht die M. die Wechselwirkungen zw. dem Meer und seiner Umgebung, d. h. der Atmosphäre und dem Meeresboden. Mitunter wird der Begriff »Ozeanographie« auf den physikalisch-chem. Teil der M. beschränkt und der biolog. Bereich →Meeresbiologie genannt.

📖 *Biologie der Meere, mit einer Einf. v.* G. Hempel. *Heidelberg u. a. 1991.* – Ott, J.: *M. Einführung in die Geographie u. Biologie der Ozeane. Stuttgart* [2]*1996.*

Meeresleuchten, nächtl. Leuchterscheinung der Oberfläche bes. trop. Meere, bedingt durch die Biolumineszenz von Ein- bzw. Mehrzellern mit symbiont. Leuchtbakterien.

Meeresströmungen, hauptsächlich horizontale Wasserbewegung im Weltmeer. Ursache sind die Schubkraft des Windes und innere Druckkräfte im Meer, die durch unterschiedl. Dichte des Meerwassers und Neigung des Meeresspiegels entstehen. Unterschieden werden Oberflächen- und Tiefenströmungen. Zu **Oberflächenströmungen** gehören westwärts gerichtete Äquatorialströmungen in niederen Breiten, polwärts gerichtete Strömungen vor den O-Küsten von Kontinenten, ostwärts gerichtete Strömungen in mittleren Breiten u. a. Die **Tiefenströmungen** sind bisher unvollständig untersucht, hier erfolgt ein Austausch zw. trop. und polaren Gebieten.

Meerestechnik, Sammelbez. für die Anwendung techn. Geräte und Verfahren zur Nutzung des Meeres, seiner Vorräte an Energie, Nahrungsmitteln, bes. zur Suche und Gewinnung von Rohstoffen (→Meeresbergbau; →Offshoretechnik).

Meeresverschmutzung, →Meer.

Meereswellen, period. Bewegungen im Meer mit unterschiedl. Ursachen. Einteilung u. a.: a) nach rücktreibenden Kräften: Oberflächenspannung des Meeres (Kapillarwellen), Schwerkraft (Schwerewellen), Coriolis-Kraft (Trägheitswellen) u. a.; b) nach erzeugenden Kräften (Gezeiten, Luftdruck- und Windschwankungen, Seebeben, Wellenwiderstand von Bodenunebenheiten); c) nach anderen Gesichtspunkten (u. a. kurze M., lange M., Oberflächenwellen, interne Meereswellen).

Meerferne (Küstenabstand), der Abstand eines Festlandpunktes vom Meer.

Meergänse (Branta), Gattung der Gänse mit kurzem, schwarzem Schnabel, die häufig, aber nicht immer in Küstennähe brüten; u. a. **Ringel-, Nonnen-, Rothals-** und **Kanadagans.**

Meergrundeln (Grundeln, Gobiidae), Familie der Barschartigen Fische, besitzen auf der Brust einen trichterförmigen Saugnapf, der aus den verwachsenen Bauchflossen besteht. Die M. bewohnen als Bodenfische meist die Küstengebiete der Meere und sind weltweit verbreitet.

Meerjungfrau, →Meerweib.

Meerkatzen (Cercopithecus), Gattung schlanker, langschwänziger afrikan. Affen mit Backentaschen und Gesäßschwielen; gesellig lebend, gewandte Baumkletterer, Pflanzenfresser. Die **Blaumaul-M., Schnurrbart-M.** (Cercopithecus cephus) mit blauer Oberlippe und gelbem Backenbart und die **Grüne M.** (Cercopithecus aethiops) mit dunklem Gesicht und hellem Backenbart sind Wald- und Baumsavannenbewohner.

Meerkohl (Crambe), Gattung der Kreuzblütler mit etwa 20 Arten in Eurasien, Makronesien und den Bergen des trop. Afrika. Am Atlantik und an der Ostsee wächst der **Weiße M.** (Crambe maritima); mit dickem Stängel, fleischigen Bättern und weißen Blüten in großer Rispe.

Meermond, der →Sonnenfisch.

Meerrettich (bair.-österr. Kren, Armoracia rusticana), Kreuzblütler mit breiten, glänzenden Blättern und weißen Blüten in lockerer Traubenrispe. Die fleischigen Rübenwurzeln enthalten scharf

Meerkohl: Weißer Meerkohl (Höhe 30-75 cm)

Meerrettich (Höhe 40-125 cm)

Meersburg: Blick auf die Stadt vom Bodensee aus mit dem auf das 12. Jh. zurückgehenden und 1520–26 umgebauten Alten Schloss sowie dem Dagobertsturm (Bildmitte) aus dem 12. Jh., im Hintergrund rechts ist das ab 1712 erbaute Neue Schloss zu sehen

schmeckende Senföle und werden daher zum Würzen verwendet.

Meersalat (Ulva lactuca), in Meeren verbreitete, essbare Grünalge mit blattartigem Thallus.

Meersau (Meereber, Scorpaena scrofa), Fischart der Familie Drachenköpfe, im Mittelmeer, mit stacheligen Flossen und Giftdrüsen.

Meersburg, Stadt im Bodenseekreis, Bad.-Württ., am N-Ufer des Bodensees, an steil abfallendem Hang, 5 400 Ew.; Zeitungs-, Weinbaumuseum; Weinbau; Fremdenverkehr; Bodenseehafen mit Fährverkehr nach Konstanz. – Altes Schloss (12. Jh., Umbau 1520–26; Museum; Dagobertsturm 12. Jh.); barockes Neues Schloss (1712 begonnen, 1740/41 nach Plänen von B. Neumann ausgebaut, Umbau 1759–62); oberhalb in den Weinbergen das »Fürstenhäuschen« (um 1640) mit Annette-von-Droste-Hülshoff-Gedenkstätte. – 1299 Stadtrecht; 1526–1803 Sitz der Bischöfe von Konstanz; fiel 1803 an Baden.

Meerschaum (Sepiolith), kryptokristallines rhomb. Mineral, $Mg_4[(OH)_2|Si_6O_{15}] \cdot nH_2O$ (n zw. 2 und 6), in feinerdigen, derben oder knolligen, porösen und deshalb leichten, auf Wasser schwimmenden, weißen bis rötl. Massen, Verwitterungsprodukt von Serpentin. – M. wird zu Schmuck und bes. zu Pfeifenköpfen verarbeitet.

Meerschwein, → Schweinswale.

Meerschweinchen (Cavia aperea), südamerikan. Nagetier, das gesellig in Grassteppen lebt; Schlaf- und Ruheplätze in Erdbauten oder anderen Verstecken; Stammform des **Haus-M.** (Cavia aperea porcellus). Eine Zuchtform des Haus-M. ist das Rosettenmeerschweinchen.

Meersenf: Cakile maritima (Höhe bis zu 30 cm)

Meersenf (Cakile), Gattung der Kreuzblütler mit sieben Arten an den Küsten Europas, des Mittelmeerraumes, Arabiens, Australiens und Nordamerikas. In Europa findet man v. a. im Spülsaum der Außendünen nur die Salz liebende Art **Cakile maritima** mit fleischigen Blättern, lila- bis rosafarbenen Blüten und zweigliedrigen Schoten mit schwammig-korkiger Wand (Schwimmfrüchte).

Meerssen ['me:rsə] (dt. Mersen), Gemeinde in der niederländ. Prov. Limburg, 20 500 Ew.; Papier-, Bekleidungsind. – In der karoling. Pfalz Mersen wurde am 8. oder 9. 8. 870 der Vertrag zw. Ludwig dem Deutschen und Karl dem Kahlen über die Teilung des Reichs ihres Neffen Lothar II. geschlossen (→ Fränkisches Reich).

Meerträubel (Ephedra), Gattung der M.-Gewächse, Nacktsamer; Sträucher und Halbsträucher trocken-warmer Gebiete, mit rutenförmigen, gegliederten Zweigen, zipfel- bis schuppenförmigen Blättchen und wacholderähnl., getrenntgeschlechtigen Blütenständen. Die meisten Arten enthalten → Ephedrin.

Meerut ['mɪərət] (Mirath), Stadt in Uttar Pradesh, Indien, nordöstlich von Delhi; 752 100 Ew.; Univ.; Nahrungsmittel- u. a. Industrie. – Fundort einer heute in Delhi befindl. Säule des Mauryakaisers Ashoka (3. Jh. v. Chr.).

Meerwasser, das im Meer vorhandene Wasser, Volumen etwa 1350 Mio. km^3; unterscheidet sich vom Süßwasser des Binnenlands v. a. durch seinen Salzgehalt (Ozeane etwa 35 ‰, örtlich starke Abweichungen). An Flussmündungen bildet sich durch Mischung von Süß- und Salzwasser **Brackwasser**.

Das M. enthält neben reinem Wasser Salze, gelöste Gase, organ. Stoffe und ungelöste suspendierte Partikel. Bei Verdunstung des Wassers bleibt **Meersalz** (Hauptbestandteile: Natriumchlorid, Magnesiumchlorid, Magnesiumsulfat, Calciumsulfat, Kaliumsulfat) zurück. Einschließlich Wasserstoff und Sauerstoff besteht das M. aus den Hauptkomponenten Chlor, Natrium, Magnesium, Schwefel, Calcium, Kalium, Brom, Kohlenstoff, Strontium, Bor, Fluor. Während die Konzentration der Hauptkomponenten nahezu konstant ist, unterliegen die der Nebenkomponenten, die als Spurenstoffe weniger als 0,02 ‰ des Gesamtsalzgehalts ausmachen, z. T. bedeutenden

Meerschweinchen: Das Rosettenmeerschweinchen ist eine Zuchtform des Hausmeerschweinchens; es kann eine Länge von bis zu 30 cm erreichen

Veränderungen. – Die physikal. Eigenschaften hängen in verschieden starkem Maß von den Zustandsgrößen Temperatur, Salzgehalt und Druck ab. Die Dichte spielt eine grundlegende Rolle bei vielen Prozessen im Meer und ist damit einer der wichtigsten Grundwerte in der →Meereskunde. Sie liegt je nach Druck, Temperatur und Salzgehalt zw. 990 und 1070 kg/m^3.

Meerwasser|entsalzung, Verfahren zur Gewinnung von Trink- und Betriebswasser aus Meerwasser. Therm. Verfahren arbeiten nach dem Prinzip der Verdampfung, wobei das Hauptproblem die weitgehende Rückgewinnung der Verdampfungsenergie ist. Das bedeutendste Verfahren ist die **Kompressionsverdampfung** (**MSF-Verdampfung,** von engl. **M**ulti **s**tage **f**lash evaporation). Die Verdampfung erfolgt in bis zu 30 hintereinander angeordneten Kammern. Das auf 90–130°C erhitzte Meerwasser tritt in die erste Kammer ein, wo ein Teil des Wassers unter Abkühlung der Sole verdampft. Von Kammer zu Kammer wird der Druck mithilfe eines Vakuumsystems und damit die Siedetemperatur reduziert. Dadurch kann in jeder Kammer weiteres Wasser verdampfen. Die auf etwa 30°C abgekühlte Sole fließt ins Meer zurück. Zur Kondensation des Dampfes wird frisches Meerwasser verwendet, das dabei gleichzeitig vorgewärmt wird. Bei der **Gefrierentsalzung** wird vorgekühltes, gereinigtes Meerwasser in eine Vakuumkammer eingespritzt. Durch die Verdampfung eines Teils des Wassers kühlt sich die Sole ab, wobei salzfreies Eis auskristallisiert, das von der Sole abgetrennt wird. Unter den →Membranverfahren haben die **Hyperfiltration** (die Membran hält Salzionen und kleine Moleküle, Teilchendurchmesser 0,1 bis 2 nm, weitgehend zurück; die Trennwirkung lässt sich durch unterschiedl. Löslichkeit von Wasser und gelösten Ionen im Membranmaterial erklären) und die Elektrodialyse wirtsch. Bedeutung. Während die Kosten bei therm. Verfahren unabhängig vom Salzgehalt sind, steigen sie bei den Membranverfahren mit zunehmendem Salzgehalt an. Die Elektrodialyse ist daher nur bei niedrigem Salzgehalt (Brackwasser) wirtschaftlich.

Meerweib (Meerjungfrau, Seejungfer), Fabelwesen, halb Frau, halb Fisch (→Melusine).

Meerzwiebel (Urginea maritima), weiß blühendes Liliengewächs des Mittelmeergebietes mit faust- bis kopfgroßer, roter oder weißer, giftiger Zwiebel, die herzwirksame Glykoside enthält.

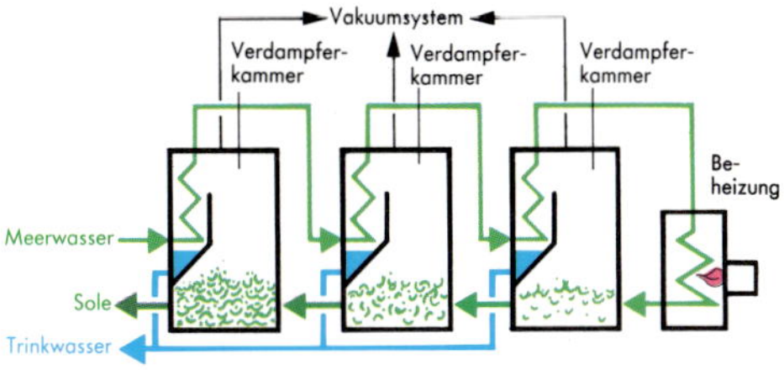

Meerwasserentsalzung: schematische Darstellung der Kompressionsverdampfung (MSF-Verdampfung)

Mega, Vorsatzzeichen **M,** Vorsatz vor Einheiten für den Faktor $10^6 = 1\,000\,000$ (Million); z.B. 1 Megahertz = 1 MHz = 10^6 Hz. In der Datenverarbeitung als Vorsatz für Bit oder Byte mit der Bedeutung $2^{20} = 1\,048\,576$ verwendet.

mega... (megalo...) [grch.], groß...

Megalithe [grch.], große, zu vorgeschichtl. Kultanlagen und Bauten verwendete Steinblöcke, →Megalithgräber, →Menhir, →Kromlech.

Megalithgräber [zu grch. líthos »Stein«] (Großsteingräber, Hünengräber), aus großen Steinblöcken errichtete, urspr. mit einem Erdhügel überdeckte vorgeschichtl. Grabbauten. Hauptformen sind der →Dolmen und das →Ganggrab, die in den Boden eingetiefte Galérie couverte (»Galeriegrab«; langer, abgedeckter, steinerner Gang) und das mit dieser nahe verwandte Steinkistengrab (oft mit Balkendecke). Auch die westeurop. Kuppelgräber sind Megalithgräber.

Megalithkulturen, Sammelbez. für europ. Kulturgruppen des ausgehenden 4. und v.a. 3. Jt.

Megalithkulturen: Steinreihen von Kermario bei Carnac in Frankreich (links) und Tempelanlage Hağar Qim auf Malta

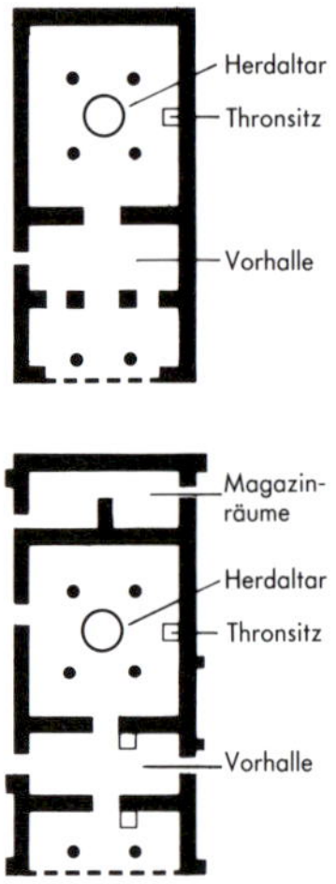

Megaron: Grundriss des Megarons im Palast von Tiryns (oben) und im Nestorpalast bei Pylos

v. Chr., gekennzeichnet durch Bauten aus großen Steinblöcken (Megalithe; z. B. Tempelanlage Ha-ġar Qim auf Malta), wie Steinreihen (z. B. bei Carnac), Steinkreise (engl. Cromlechs), Steinsäulen (Menhire) und v. a. Megalithgräber. Im weiteren Sinne werden auch versch. archäolog. und ethnolog. Kulturen außerhalb Europas als M. bezeichnet. Bedeutende M. befinden sich auf der Iber. Halbinsel, den Brit. Inseln, im nördl. Mitteleuropa und in S-Skandinavien (Trichterbecherkultur) sowie in Frankreich. – M. folgen in ihren jeweiligen Verbreitungsgebieten auf mittelsteinzeitl. (so auf den Brit. Inseln und im nördl. Europa) oder frühneolith. Kulturen. Die Theorie, dass sich die Megalithbauweise von der Iber. Halbinsel aus, wo sie bereits für das 4. Jt. v. Chr. nachweisbar ist, allmählich über W-Europa bis zu den Brit. Inseln, N-Dtl. und S-Skandinavien ausgebreitet haben soll, wird heute angezweifelt, da einige der ältesten Megalithgräber in der Bretagne und die ältesten megalith. Bauten auf den Brit. Inseln mithilfe der Radiocarbonmethode auf 4500 v. Chr. oder 4000 v. Chr. datiert werden konnten. – M. finden sich auch in Afrika, Asien, Amerika und Ozeanien. Diese sind i. d. R. jünger als die europäischen.

📖 MOHEN, J.-P.: *Die M. in Europa. Geheimnis der frühen Zivilisationen. A. d. Frz. Stuttgart u. a. 1989.*

Megalopolis 1): Blick aus der Luft auf das antike Theater mit den Resten des »Thersileions« im Vordergrund

Megalopolis [grch. »große Stadt«], **1)** Ort auf der Peloponnes, Griechenland, 4700 Ew.; Abbau großer Braunkohlevorkommen, Wärmekraftwerk. – Das antike M., 1,5 km entfernt, wurde nach der Niederlage Spartas (371 v. Chr.) als Hauptstadt Arkadiens gegründet. Z. T. gut erhaltene Reste der 8 km langen Ummauerung des großen Stadtgebiets, innerhalb Reste eines Theaters (für 20 000 Zuschauer) mit an die Orchestra anschließendem Sitzungsgebäude der Arkader, dem monumentalen »Thersileion« (nach seinem Erbauer Thersilos), dessen nahezu quadrat. Saal (66 × 52 m) von 67 Säulen gestützt war und 10 000 Personen fasste.

2) [megəˈlɔpɔlɪs], Bez. für die fast 1 000 km lange Verstädterungszone an der NO-Küste der USA zw. Boston und Washington.

Megalozyten [zu grch. kýtos »Höhlung«], abnorm große rote Blutkörperchen (bes. bei Anämien).

Megaphon [zu grch. phōnḗ »Stimme«] *das,* → Sprachrohr.

Megara, Stadt in Mittelgriechenland, 17 700 Ew. – Im Altertum Hauptort der von Dorern bewohnten Landschaft **Megaris,** bis ins 6. Jh. v. Chr. eine der bedeutendsten Städte Griechenlands, von der zahlr. Koloniegründungen ausgingen.

Megäre [grch.] *die, griech. Mythos:* eine der → Erinnyen; übertragen für zänk. Frau.

megarische Schule, von → Euklid von Megara gegründete sokrat. Philosophenschule.

Megaron [grch. »Halle«] *das,* Hauptraum der homer. und myken. Paläste (z. B. Palast von Tiryns, Nestorpalast bei Pylos), ein rechteckiger Saal mit Eingang und offener Vorhalle an einer Schmalseite. In seiner Mitte befand sich der Herd, an der O-Wand stand der Thron. Die Decke wurde von vier Holzsäulen getragen. Dieser Typus entwickelte sich in der Jungsteinzeit im ägäischen Raum.

Megatonne, Einheitenzeichen **Mt,** das Millionenfache der Masseneinheit Tonne.

Megavolttherapie, die → Hochvolttherapie.

Megawatt, Einheitenzeichen **MW,** das Millionenfache der Leistungseinheit → Watt.

Megève [məˈʒɛːv], Fremdenverkehrsort im Dép. Haute-Savoie, Frankreich, 1113 m ü. M., in der Nähe des Montblanc, 4900 Ew.; Seilbahnen.

Megged (Meged), Aharon, hebr. Schriftsteller, * Włocławek (Polen) 8. 8. 1920; seit 1926 in Palästina; setzt sich in seinen Erzählungen, Romanen und Stücken kritisch mit dem Kibbuzleben und allgemein mit der israel. Gesellschaft auseinander (»Hedwa und ich«, R., 1953; »Reise im Ab«, Erz., 1980; »Fojglman«, R., 1987).

Meghalaya, Bundesstaat im NO Indiens, an der Grenze zu Bangladesh, Hptst.: Shillong; überwiegend Gebirgsland; Anbau von Reis, Jute, Kartoffeln, Obst; gehörte bis 1970 zu Assam.

Megiddo (in der Vulgata Mageddo), Stadt im alten Palästina, im SW der Ebene Jesreel; von strateg. Bedeutung. 1468 v. Chr. von Thutmosis III. erobert; 733 assyrisch; 609 v. Chr. unterlag König Josia von Juda bei M. den Ägyptern. Zahlr. Ausgrabungen brachten reiche archäolog. Funde aus dem Chalkolithikum (4. Jt. v. Chr.), der frühen Bronzezeit und nachfolgenden Epochen; u. a. Elfenbeinschnitzereien (2. Hälfte des 2. Jt. v. Chr.), Palast und

Zitadelle aus der Zeit König Salomos sowie die »Pferdeställe« aus der Zeit König Ahabs.

Megillot [hebr. »Buchrollen«], *die* (Sg. Megilla), Bez. der in der hebr. Bibel zu einer Gruppe zusammengefassten fünf Bücher Hohes Lied, Ruth, Klagelieder Jeremias, Prediger Salomo und Esther, an bestimmten jüd. Festtagen im synagogalen Gottesdienst gelesen (»Festrollen«); das Buch Esther gilt i. e. S. als **Megilla.**

Megillot: Megilla mit Hülse, getriebenes, zum Teil vergoldetes Silber, Pergament (1. Hälfte des 18. Jh.; Kölnisches Stadtmuseum)

Megrez [-rɛs; arab. »Schwanzansatz«], *Astronomie:* Stern δ im Großen Bären, Stern 3. Größe.

Mehl, i. w. S. Bez. für pulverförmige bis feinkörnige Produkte, die durch Zerkleinern (Mahlen) aus festen Materialien hergestellt werden (Gesteins-, Ziegel-, Holz-, auch Erbsen-, Bohnen-, Senf-M. usw.); i. e. S. Bez. für die Produkte, die man durch Mahlen von Getreide erhält und die zur Herstellung von Brot, Back- und Teigwaren verwendet werden. Zur Kennzeichnung der einzelnen **M.-Typen** zieht man heute v. a. den Mineralstoff-(Asche-)Gehalt heran. Die M.-Type gibt den Anteil der Mineralstoffe in mg pro 100 g M.-Trockensubstanz an. So hinterlässt z. B. Weizen-M. Type 405 beim Verbrennen von 100 g Trockensubstanz im Durchschnitt 405 mg Asche. Je niedriger die Typenzahl, desto heller ist das M., da der M.-Kern des Korns nur etwa 0,4 %, die Schale dagegen über 5 % Mineralstoffe enthält. Zum Aufhellen von M. wurden früher chem. Substanzen verwendet; eine Bleichung des M. ist in Dtl. verboten, in anderen Ländern (z. B. in den USA) dagegen noch erlaubt. Über M.-Herstellung → Mühle.

Mehlbeere [wegen des mehligen Innern], **1)** eine Art der → Eberesche.

2) Frucht des Weißdorns.

Mehlkäfer (Tenebrio molitor), braunschwarze, 14–23 mm lange Art der Schwarzkäfer. Der M. und seine 25 mm lange, gelbe, feste Larve **(Mehlwurm)** leben in Kleie, Mehl sowie in Pflanzenmulm. Der M. wird als Futter für Insekten fressende Vögel und Terrarientiere gezüchtet.

Mehlmotte (Ephestia kuehniella), zu den Zünslern gehörender grauer Schmetterling (Flügelspannweite rd. 2,5 cm), dessen 1,5 cm lange Raupen Mehl, Grieß, Kleie fressen und mit Gespinst durchsetzen.

Mehlmotte (Spannweite 25 mm)

Mehlnährschaden, schwere Ernährungsstörung bei Säuglingen und Kleinkindern durch wochenlang fortgesetzte einseitige Ernährung mit Kohlenhydraten (Mehlen) ohne Milchzusatz, inzwischen sehr selten. Eine in unterentwickelten trop. und subtrop. Ländern verbreitete Form des M. ist der **Kwashiorkor,** bei dem der Eiweißmangel zu Wachstumsrückstand, schweren Hautveränderungen und Schäden an inneren Organen mit hoher Sterblichkeit führt. Die Behandlung besteht in Eiweißzufuhr.

Mehlpilz (Mehlräsling, Pflaumenrötling, Clitopilus prunulus), grauweißer Ständerpilz mit flachem bis trichterförmig vertieftem Hut und fleischfarbenen, herablaufenden Lamellen; intensiver Mehlgeruch; Speisepilz; häufig in Laub- und Nadelwald, bes. auf kalkarmen Böden.

Mehlpilz (Hutdurchmesser 5–12 cm)

Mehlschwalbe, → Schwalben.

Mehlspeisen, Gerichte aus Mehl oder anderen stärkereichen Stoffen, Milch, Eiern u. a., meist süße Speisen. In Österreich auch Bez. für Süßspeisen und Kuchen.

Mehltau, mehlstaubähnl. Belag auf den Blättern vieler Pflanzen, der aus Echten **(Erysiphaceae)** oder Falschen M.-Pilzen **(Peronosporaceae)** besteht. Die Pilze entziehen der Pflanze durch Saugorgane die Nahrung. Zum **Echten M.** gehören z. B. Getreide-M. und Echter M. der Weinrebe. Beim **Falschen M.** dringen die Pilze in die Interzellularräume des Blattgewebes ein, so

Megiddo: Luftaufnahme von den ausgegrabenen Resten der Stadt und der »Pferdeställe« rechts davon

beim Falschen M. des Weins (gefährlichste Krankheit der Weinrebe; Übergreifen auf die Blütenstände führt zum Totalverlust der Ernte).

Mehlwurm, die Larve des →Mehlkäfers.

Mehlzünsler (Pyralis farinalis), zu den Zünslern gehörender Kleinschmetterling, dessen Raupe Vorratsschädling ist.

Mehmed Ali [mɛxˈmɛd -] (arab. Muhammad Ali), osman. Statthalter von Ägypten (seit 1805), *Kavala (Makedonien) 1769, †Alexandria 2. 8. 1849; ließ 1811 die Führer der Mamelucken ermorden. 1831 überwarf sich M. A. mit der Hohen Pforte. Durch die Intervention der Großmächte wurde er 1841 gezwungen, sich mit der erbl. Statthalterschaft über Ägypten unter osman. Oberhoheit zu begnügen. Seine Nachkommen herrschten als Vizekönige (Khedive), 1922–53 als Könige in Ägypten.

Mehr|arbeit, Arbeit, die die gesetzlich festgelegte, regelmäßige werktägl. Arbeitszeit von acht Stunden (§3 Arbeitszeit-Ges.) bzw. (auch als »Überstunden« bezeichnet) die für das Arbeitsverhältnis übl., einzel- oder tarifvertraglich geregelte Arbeitszeit übersteigt. M. ist zwar grundsätzlich verboten, doch gibt es zahlr. Ausnahmen. Unter bestimmten gesetzl. Voraussetzungen oder aufgrund Tarifvertrags kann bzw. muss für M. ein zusätzl. Arbeitsentgelt gezahlt oder ein Ausgleich in Freizeit gestattet werden.

Walter Mehring

Mehrbereichs|öle, →Motorenöle.

mehrdimensionaler Raum, ein abstrakter mathemat. Raum von mehr als drei Dimensionen.

Mehrfach|empfang (Diversityempfang, Kurzbez. Diversity), Verfahren im Funkverkehr zur Verringerung der durch →Schwunderscheinung verursachten Störungen beim Empfang, bes. im Kurzwellenbereich. Der Empfang derselben Nachricht erfolgt mit mehreren räumlich getrennten Antennen **(Raumdiversity),** auf mehreren Trägerfrequenzen **(Frequenzdiversity)** oder mithilfe von zwei Polarisationsrichtungen der elektrischen Feldstärke **(Polarisationsdiversity).** Bei der **Empfängerdiversity** arbeitet an jeder Antenne ein Funkempfänger auf der gleichen Frequenz, dagegen wird bei der **Antennendiversity** nur ein Empfänger benötigt, an den die Antenne mit dem größten Nutzsignal angeschlossen wird.

Mehrfachkammer, im Luftbildwesen benutzte starre Kombination von zwei bis vier →Messkammern, deren Verschlüsse beim Bildflug gleichzeitig ausgelöst werden. Bei versch. Film-Filter-Kombinationen wird die M. zur **Multispektralkammer.** (→Luftbild)

Mehrfachsterne, gravitativ gebundene Gruppen von Sternen mit mindestens drei Komponenten, die analog den Doppelsternen period. Bewegungen um den gemeinsamen Schwerpunkt beschreiben. Ein System von M. ist z.B. Kastor, der aus sechs Komponenten besteht.

Mehrheitsgrundsatz, der Grundsatz, dass in Personenverbänden, Vertretungskörperschaften und Kollegialorganen bei Abstimmungen und Wahlen die Mehrheit (als Ausdruck des Gemeinwillens) entscheidet. Dem Schutz der Minderheit dienen oft besondere Minderheitenrechte. (→qualifizierte Mehrheit, →absolute Mehrheit, →relative Mehrheit)

Mehrheitswahl, →Wahlrecht.

Mehring, 1) Franz, Politiker und Historiker, *Schlawe in Pommern (heute Sławno) 27. 2. 1846, †Berlin 29. 1. 1919; seit 1891 Mitgl. der SPD (linker Flügel), bekämpfte den Revisionismus E. Bernsteins; ab 1916 führendes Mitgl. des Spartakusbundes, später Mitbegründer der USPD; untersuchte als Erster wissenschaftlich – unter marxist. Ansatz – die Gesch. der dt. Arbeiterbewegung (u.a. »Gesch. der dt. Sozialdemokratie«, 2 Bde., 1897–98).

2) Walter, Schriftsteller, *Berlin 29. 4. 1896, †Zürich 3. 10. 1981; gründete 1920 das »Politische Cabaret« in Berlin, war auch Mitbegründer der Berliner Dada-Gruppe; Zusammenarbeit mit E. Piscator; emigrierte 1938 in die USA (Rückkehr 1953). M. entwickelte für seine das Zeitgeschehen und die bürgerl. Moral schonungslos kritisierenden Songs einen eigenen Chansonstil (»Das Ketzerbrevier«, 1921; »Gedichte, Lieder und Chansons«, 1929; »Arche Noah SOS«, 1931); Romane (»Müller, Chronik einer dt. Sippe«, 1935), Erinnerungsbuch »Die verlorene Bibliothek« (1951).

📖 *W. M., hg. v.* H. L. Arnold. *München 1983.*

Mehrkampf, *Sport:* mehrere, durch Punktumrechnung als Ganzes gewertete Übungen (2–10) aus einer oder mehreren Disziplinen. Namengebend ist jeweils die Anzahl der Übungen, mehrfach wurden Änderungen vorgenommen. Vorbild ist der Fünfkampf der antiken olymp. Spiele (Pentathlon), zu den olymp. Sportarten zählen der →Moderne Fünfkampf, M. in Leichtathletik, Kunstturnen, Eisschnelllauf und Gewichtheben sowie →Biathlon, →Triathlon und →nordische Kombination.

Mehrkörperproblem (Vielkörperproblem), Problem der Bewegung eines Systems von mehr als zwei miteinander wechselwirkenden, als Massenpunkte idealisierten Körpern oder Teilchen. Die Bewegungsgleichungen solcher Systeme sind i.d.R. nur mit Näherungsverfahren lösbar. Gegenstand des M. der Himmelsmechanik ist es, die Bewegung von Massenpunkten unter dem Einfluss ihrer gegenseitigen Gravitation zu beschreiben. Anders als das →Zweikörperproblem ist das **Dreikörperproblem** nur unter speziellen Voraussetzungen bezüglich der Stellung der drei Körper exakt und bei Vernachlässigung der Masse eines

Körpers gegenüber den Massen der beiden anderen näherungsweise lösbar.

Mehrlader (Mehrladegewehr), → Gewehr.

Mehrphasenstrom, *Elektrotechnik:* Stromart aus mehreren gegeneinander phasenverschobenen Einphasenwechselströmen; am häufigsten ist der → Drehstrom.

Meidiasmaler: Szene aus »Phaon und die Frauen von Lesbos«, rotfigurige Malerei auf einer Hydria (um 410 v. Chr.; Florenz, Museo Archeologico)

Mehrprogrammbetrieb, dt. Bez. des → Multiprogramming.

Mehrprozessorsystem, das → Multiprozessorsystem.

Mehrstimmigkeit, i. w. S. das gleichzeitige Erklingen mehrerer Stimmen auf versch. Tonstufen; i. e. S. synonym mit → Polyphonie als Ggs. zu → Homophonie.

Mehrwert, bei K. Marx die Differenz zw. dem durch Arbeitsleistung des Arbeitnehmers geschaffenen Wert und dem dafür gezahlten Lohn, die als »Profit« dem Unternehmer zufließt. (→ Marxismus)

Mehrwertsteuer, Bez. für die am 1. 1. 1968 eingeführte → Umsatzsteuer mit Vorsteuerabzug, bei der die jeweilige Wertschöpfung der einzelnen Produktions- oder Verteilungsstufe steuerlich erfasst wird.

Mehta, Zubin, ind. Dirigent, *Bombay 29. 4. 1936; 1961–67 Leiter des Montreal Symphonic Orchestra, daneben 1962–78 Leiter des Los Angeles Philharmonic Orchestra sowie 1978–91 der New Yorker Philharmoniker, seit 1981 auch Leiter der Israel. Philharmonie; seit 1998 Generalmusikdirektor an der Bayer. Staatsoper in München.

Méhul [me'yl], Étienne Nicolas, frz. Komponist, *Givet (Dép. Ardennes) 22. 6. 1763, †Paris 18. 10. 1817; schuf, beeinflusst von C. W. Gluck und L. Cherubini, zahlreiche Opern, u. a. »Ariodant« (1798), »Uthal« (1806), »Joseph« (1807); ferner Ballette, Sinfonien, Kammer- und Kirchenmusik.

Meibom-Drüsen [nach dem Mediziner H. Meibom, *1638, †1700], in der Faserplatte der Augenlider liegende, an der hinteren Lidkante ausmündende Talgdrüsen; sie fetten den Lidrand ein und verhindern das Überfließen der Tränenflüssigkeit.

Meichsner ['maɪksnər], Dieter, Schriftsteller, *Berlin 14. 2. 1928; Autor zeitkrit. Romane, Hör- und Fernsehspiele (u. a. »Weißt Du, warum?«, R., 1952; »Preis der Freiheit«, Fernsehspiel, 1966; »Schwarz Rot Gold«, Fernsehspiele, 1982 ff.; »Bergpredigt«, Fernsehspiel, 1983).

Dieter Meichsner

Meid, Hans, Radierer und Maler, *Pforzheim 3. 6. 1883, †Ludwigsburg 6. 1. 1957; in der Nachfolge von M. Slevogt einer der bedeutendsten dt. Buchillustratoren (u. a. Illustrationen zu Goethes »Wahlverwandtschaften«, 1931), auch Einzelblätter und Grafikzyklen sowie Ölbilder und Aquarelle.

Meidiasmaler, att. Vasenmaler des späten 5. Jh. v. Chr. Nach Meidias, seinem Töpfer, wird er M. genannt. Sorgfalt der Zeichnung, differenzierter Stil und reicher Linienfluss der Gewänder sind für seine Arbeiten charakteristisch. (→ Vase)

Zubin Mehta

Meidner, Ludwig, Maler, Schriftsteller, *Bernstadt in Schlesien (heute Bierutów) 18. 4. 1884, †Darmstadt 14. 5. 1966; 1919–35 in Berlin tätig (Mitgl. des Sturmkreises); als Jude und »entarteter« Künstler verfemt, lebte er bis zur Emigration nach Großbritannien (1939–53) in Köln. M. ist ein bed. Vertreter des Expressionismus, v. a. in seinen Selbstbildnissen und Porträts von Zeitgenossen sowie in seinen visionären Landschafts- und Städtebildern. In seinen Dichtungen wird die Sprache hymnisch gesteigert (»Im Nacken das Sternenmeer«, 1918; »Septemberschrei«, 1920; »Gang in die Stille«, 1929).

Ludwig Meidner: »Apokalyptische Landschaft« (1913; Privatbesitz)

Meier [lat. maior »der Größere«], im MA. urspr. Verwaltungsbeamter (→ Hausmeier), bes. der auf dem Fronhof einer Grundherrschaft sitzende herrschaftl. Gutsverwalter; später der Besitzer eines Erbpachthofes **(M.-Hof),** bes. in NW-Deutschland.

Friedrich Meinecke

Meier, **1)** Gerhard, schweizer. Schriftsteller, *Niederbipp (Kt. Bern) 20. 6. 1917; veröffentlichte Gedichte (»Das Gras grünt«, 1964), Prosaskizzen (»Papierrosen«, 1976) und die Romantrilogie »Baur und Bindschädler« (»Toteninsel«, 1979; »Borodino«, 1982; »Die Ballade vom Schneien«, 1985); weiterhin u. a. »Land der Winde« (R., 1990). Sein Werk ist durch eine immer komplexer werdende Montage von Wahrnehmungen, Erinnerungen und Reflexionen bestimmt.

2) ['maɪə], Richard Alan, amerikan. Architekt, *Newark (N. J.) 12. 10. 1934; gestaltet seine Bauten in Anlehnung an die Formensprache des →internationalen Stils und zielt unter Einbeziehung der Landschaft sowie des histor. Umfelds auf höchste ästhet. Präzision. – *Werke:* Atheneum in New Harmony, Ind. (1975–79); High Museum of Art in Atlanta, Ga. (1984); Museum für Kunsthandwerk in Frankfurt am Main (1979–84); Hauptquartier für Canal plus in Paris (1988–92); Stadthaus in Ulm (1988–93); Museum für zeitgenöss. Kunst in Barcelona (1990–95).

Meier-Denninghoff, Brigitte, →Matschinsky-Denninghoff.

Meier Helmbrecht, mhd. Verserzählung, →Wernher der Gartenaere.

Meile

Für die Meile gibt es zwei Urformen: einmal die alte römische »mila«, die als Wegstrecke von 1000 Doppelschritten definiert war, zum anderen die alte gallische »leuca« mit 1½ römischen Meilen, die als eine Wegstunde festgelegt war, also als die Strecke, die man zu Fuß in einer Stunde zurücklegen konnte. In einigen Ländern waren beide Meilen nebeneinander gebräuchlich, so in Frankreich: »mille« und »lieue«, in Spanien: »milla« und »legua«, und in Großbritannien: »mile« und »league«.

Meile [lat. milia passuum »1000 Doppelschritte«], alte Längeneinheit (Wegemaß) unterschiedl. Größe (im antiken Rom 1479 m), v. a. noch in den angelsächs. Ländern als →Mile sowie als →Seemeile in Gebrauch. Früher betrug die M. in Dtl. $^1/_{15}$ Äquatorgrad = 7420,4 m **(geograph. M.),** im metr. System dann 7500 m; in Preußen 7532,5 m; in Sachsen 9062 m (Post-M.); in Österreich 7586,66 m; in der Schweiz 4800 m.

Henri Meilhac (zeitgenössischer Holzstich)

Meilen, Bezirkshauptort im Kanton Zürich, Schweiz, am N-Ufer des Zürichsees, 10 900 Ew.; Maschinenbau, Nahrungsmittelindustrie.

Meiler [wohl zu mlat. miliarium »Anzahl von tausend Stück« (nach der Vielzahl des aufgeschichteten Holzes)], mit Erde bedeckter, schwelender Holzhaufen für die →Köhlerei.

Meilhac [mɛ'jak], Henri, frz. Theaterschriftsteller, *Paris 21. 2. 1831, †ebd. 6. 7. 1897; verfasste (meist mit L. Halévy) Lustspiele und Vaudevilles sowie zahlr. Operetten- und Operntexte, die von J. Offenbach (u. a. »Die schöne Helena«, 1864), J. Massenet (»Manon«, 1884, mit P. Gille) und G. Bizet (»Carmen«, 1875) vertont wurden.

Meili, Richard, schweizer. Psychologe, *Schaffhausen 28. 2. 1900, †Muri bei Bern 5. 7. 1991; arbeitete bes. über Intelligenzforschung, Persönlichkeitsentwicklung und diagnost. Psychologie.

Meinberg, Bad, →Horn-Bad Meinberg.

Meinecke, Friedrich, Historiker, *Salzwedel 30. 10. 1862, †Berlin 6. 2. 1954; Schüler J. G. Droysens, H. von Sybels und H. von Treitschkes; Prof. in Straßburg (ab 1901), Freiburg im Breisgau (ab 1906), Berlin (1914–28); Herausgeber der »Histor. Zeitschrift« (1894–1935); politisch liberal, Gegner des Nationalsozialismus; 1948 erster Rektor der Freien Univ. Berlin. M. prägte nachhaltig die Entwicklung der dt. Geschichtsschreibung vom Kaiserreich bis zur staatl. Neuordnung nach 1945 und die Ausbildung der Ideengeschichte (u. a. »Weltbürgertum und Nationalstaat«, 1908; »Die dt. Katastrophe«, 1946).

Mein|eid [ahd. mein »falsch«], die vorsätzl. (sonst →Falscheid) eidl. oder eidesgleiche Bekräftigung einer (bewusst) falschen Aussage vor Gericht oder einer anderen zur Abnahme von Eiden zuständigen Stelle durch Parteien, Zeugen und Sachverständige; wird nach § 154 StGB mit Freiheitsentzug nicht unter einem Jahr bestraft (im minder schweren Fall sechs Monate bis fünf Jahre). Strafmilderung ist zulässig beim Aussagenotstand (→Aussage), z. B. wenn ein Zeuge bei Angabe der Wahrheit selbst strafrechtlich verfolgt werden könnte, sowie bei rechtzeitiger Berichtigung der falschen Aussage (§§ 157, 158 StGB). – Beruht in einem Zivilprozess das Urteil auf einem M., so ist →Wiederaufnahme des Verfahrens zulässig. – Der M. ist im *österr.* (§§ 288, 290, 291 StGB) und im *schweizer.* Strafrecht (Art. 306 ff. StGB) ähnlich geregelt.

Meinerzhagen, Stadt im Märkischen Kreis, NRW, am Fuß des Ebbegebirges im westl. Sauerland, 21 800 Ew.; Metall verarbeitende, Elektroind., Anlagenbau, Armaturenbau; Fremdenverkehr.

Meinhardiner, mittelalterl. dt. Dynastengeschlecht, das um 1130 als Grafen von Tirol bezeugt ist. Sie erbten 1253 die Grafschaft Görz; 1267/71 Teilung in die Linien Görz (1900 erloschen) und Tirol (1363 an Habsburg).

Meinhof, Ulrike, Journalistin, *Oldenburg (Oldenburg) 7. 10. 1934, †(Selbstmord) Stuttgart 8./9. 5. 1976; baute mit A. Baader (→Baader-Meinhof-Gruppe) u. a. eine terroristische Organisation (»Rote-Armee-Fraktion«) auf; wurde 1972 verhaftet (Prozessbeginn: 1974).

Meinhold, Wilhelm, Schriftsteller, *Netzelkow (heute zu Lütow, auf Usedom) 27. 2. 1797,

†Charlottenburg (heute zu Berlin) 30. 11. 1851; ahmte in seinem Roman »Maria Schweidler, die Bernsteinhexe« (1843) Geist und Sprache der Chroniken des 17. Jh. so täuschend nach, dass man die Echtheit der »Chronik« glaubte, bis sich M. als Autor zu erkennen gab.

Meiningen, Krst. des Landkreises Schmalkalden-M., Thür., an der Werra, zw. Thüringer Wald und Rhön, 23 000 Ew.; Landestheater, Theatermuseum, Max-Reger-Archiv; elektron., feinmechan., Textil-, Möbelindustrie. – Barockes ehem. Residenzschloss Elisabethenburg (1682–92), neugot. Stadtkirche (1884–89). – 982 erstmals erwähnt; kam 1008 an das Bistum Würzburg, 1542 an Henneberg-Schleusingen, 1583 an die Ernestiner; 1680–1918 Residenzstadt des Herzogtums Sachsen-Meiningen.

Meiningen: Das barocke, ehemalige Residenzschloss Elisabethenburg wurde 1682-92 erbaut

Meiningen Stadtwappen

Meininger, Hoftheatertruppe des Herzogs Georg II. von Sachsen-Meiningen (*1826, †1914), die sich unter seiner Leitung (ab 1866) zu einem Ensemble von bed. Einfluss auf das europ. Theater des Realismus entwickelte. Ihr Bemühen um histor. Genauigkeit (Kostüm, Bühnenbild, ungekürzter Originaltext), einheitl. Regie und Ensembleführung zielte auf ein stilistisch geschlossenes Bühnengesamtkunstwerk.

Meinl (Julius M. AG), Wien, österr. Handelsunternehmen (v. a. Nahrungs- und Genussmittel) mit eigenen Produktionsbetrieben; gegr. 1862.

Meinong, Alexius Ritter von Handschuchsheim, Philosoph und Psychologe, *Lemberg 17. 7. 1853, †Graz 27. 11. 1920; Schüler F. Brentanos; Begründer des ersten Labors für experimentelle Psychologie in Österreich. M. nahm in seiner Gegenstandstheorie eine den vier Grundarten psych. Erlebens (Vorstellen, Denken, Fühlen und Begehren) entsprechende Gegenstandsklassifizierung vor.

Meinrad (Meginrat), Benediktiner in Reichenau, *in Württemberg Ende des 8. Jh., †(erschlagen) 21. 1. 861; seit 828 Einsiedler; um seine Klause entstand später das Kloster →Einsiedeln. Heiliger, Tag: 21. 1.

Meinrad, Josef, österr. Schauspieler, *Wien 21. 4. 1913, †Großgmain (bei Salzburg) 18. 2. 1996; bes. erfolgreich in kom. Charakterrollen, v. a. am Wiener Burgtheater (seit 1947) in Stücken von F. Raimund und J. N. Nestroy, auch Film- und Fernsehrollen; Träger des Ifflandringes (seit 1959), den er testamentarisch an Bruno Ganz weitergab.

Josef Meinrad

Meinungsforschung (Demoskopie), die Methode, durch Befragung genau umrissener Bev.-Gruppen deren Einstellung zu aktuellen, bes. polit., wirtschaftl. und sozialen Fragen zu ermitteln, um so Aufschlüsse über die Meinungen und Lebensverhältnisse der Bev. zu gewinnen; Teilbereich der empir. Sozialforschung. Die M. beruht auf der Erfahrung, dass ein Querschnitt durch die Meinungen und Verhaltensweisen einer relativ kleinen Zahl von Menschen oft ein ziemlich genauer Spiegel der Gesamtmeinung oder des Gesamtverhaltens ist (öffentl. Meinung), sofern die Zusammensetzung der befragten Gruppe nach Merkmalen wie z. B. Alter, Geschlecht, Beruf, Einkommen, Wohnweise gleich ist wie die Gesamtgruppe (»repräsentative Stichprobe«). Häufige Themen von M. sind die Marktsituation (→Marktforschung), Bedarfs- und Geschmacksrichtungen von Verbrauchern (Verbraucherforschung), Wirkungen von Werbemaßnahmen (Werbeforschung) und polit. Einstellungen (Wählerforschung). Da die von der M. vermittelte Information auch meinungsbildend wirken kann, besteht bes. im letzteren Fall die Möglichkeit der Meinungsbeeinflussung (M. vor Wahlen; Selffulfilling Prophecy). – Nach einzelnen Versuchen im 18. Jh. liegen die Anfänge der modernen M. in den USA, wo nach 1920 die ersten Probeabstimmungen zur Vorhersage der Wahlergebnisse vorgenommen wurden und v. a. G. H. Gallup die M. weiterentwickelte. (→Institut für Demoskopie Allensbach)

📖 KÖLTRINGER, R.: *Gültigkeit von Umfragedaten. Wien 1993.* – NOELLE-NEUMANN, E.: *Öffentl. Meinung. Die Entdeckung der Schweigespirale. Neuausg. Frankfurt am Main u. a. ⁴1996.*

Meinungsfreiheit, durch Art. 5 Abs. 1 GG jedermann gewährleistetes Recht, sich ohne Zwang oder Druck eine eigene Meinung zu bilden, diese zu äußern **(Meinungsäußerungsfreiheit)** und zu verbreiten. Der freien Meinungsbildung dient die ebenfalls durch Art. 5 Abs. 1 GG gewährleistete →Informationsfreiheit. Als Mittel der Meinungsäußerung und -verbreitung sind Wort, Schrift und Bild bes. genannt. Ebenso geschützt sind aber auch Meinungsbekundungen in anderen Formen, z. B. Tragen von Symbolen. Art. 5 GG erfasst auch die

Pressefreiheit und die Freiheit der Berichterstattung durch Rundfunk und Film. Die M. findet ihre Schranken in den Vorschriften der allg. Gesetze, die im konkreten Einzelfall ein höherwertiges Gut schützen, den gesetzlichen Bestimmungen zum Schutze der Jugend und in dem Recht der persönl. Ehre (Art. 5 Abs. 2 GG). Eine →Zensur findet nicht statt. – Die M. wird auch in *Österreich* (Art. 13 Staatsgrund-Ges.) und in der *Schweiz* als ungeschriebenes Freiheitsrecht durch Rechtsprechung des Bundesgerichts garantiert.

Golda Meir

Meiose [grch.] *die* (Reduktionsteilung), die Reduktion des bei der Befruchtung verdoppelten Chromosomenbestandes um die Hälfte, um die Zahl der Chromosomen pro Zelle konstant zu halten. Diese Reduktion auf den haploiden (einfachen) Chromosomensatz wird durch zwei kurz aufeinander folgende Teilungen erreicht, wobei meist die zweite Teilung nach dem Schema einer Mitose abläuft.

Kurt Meisel

Meir, Golda, früher Meyerson, israel. Politikerin, *Kiew 3. 5. 1898, †Jerusalem 8. 12. 1978; lebte seit 1906 in den USA, ging 1921 nach Palästina; trat ab 1946 führend in der Jewish Agency for Palestine hervor. 1949–74 war sie Abg. in der Knesset, 1949–56 Min. für Arbeit und soziale Sicherheit, 1956–65 Außenmin. und 1969–74 MinPräs. sowie 1966–68 Gen.-Sekr. der Mapai und 1969–77 der Israel. Arbeitspartei.

Hans Meiser

Meiringen, Bezirkshauptort im Kt. Bern, Schweiz, im Haslital, 4500 Ew.; Hasli-Museum; Fremdenverkehr; Holzschnitzerei, Handweberei; in der Nähe Aareschlucht, Reichenbach- und Alpbachfälle.

Meise, Singvogel, →Meisen.

Meisel, Kurt, österr. Schauspieler, Regisseur, Theaterleiter, *Wien 18. 8. 1912, †ebd. 5. 4. 1994; 1960–64 Oberspielleiter am Bayer. Staatsschauspiel in München, 1972–83 Intendant ebd.; 1966–70 Oberregisseur und stellv. Direktor am Burgtheater in Wien.

Meisen (Paridae), Familie der Singvögel in offenen Landschaften und Wäldern der N-Halbkugel und Afrikas; meist in Höhlen brütende Standvögel oder Teilzieher; in Mitteleuropa u. a.: **Kohlmeise** (Parus major), etwa 14 cm lang, Bauch gelb mit schwarzem Längsband, Kopf schwarz, im Übrigen grünlich, grau und weiß; **Blaumeise** (Parus caeruleus), etwa 11 cm lang, bes. hellblau und gelb; **Sumpfmeise** (Parus palustris), grau mit schwarzem Kopf; **Haubenmeise** (Parus cristatus), bräunlich, mit Haube, in Nadelwäldern.

Meißen 2)
Stadtwappen

Meisenbach, Georg, Kupferstecher, *Nürnberg 27. 5. 1841, †Emmering (Kr. Ebersberg) 24. 9. 1912; erfand 1881 die →Autotypie.

Meiser, Hans, evang. Theologe, *Nürnberg 16. 2. 1881, †München 8. 6. 1956; 1933–55 erster Landesbischof der Evang.-Luth. Landeskirche von Bayern; war im Kirchenkampf einer der schärfsten Opponenten der Dt. Christen.

Meisner, Joachim, kath. Theologe, *Breslau 25. 12. 1933; 1982–89 Vors. der Berliner Bischofskonferenz; seit 1983 Kardinal; seit 1989 Erzbischof von Köln.

Meißel [zu ahd. meiʒan »(ab)schneiden«], Werkzeug aus Stahl mit keilförmig geschärfter Schneide zur spanenden Bearbeitung **(Meißeln)** von Werkstücken. Beim Meißeln von Hand wird der M. mit dem Hammer geschlagen **(Flach-M., Kreuz-M., Spitz-M.).** An Werkzeugmaschinen werden M. in den M.-Halter eingespannt und als **Dreh-** oder **Hobel-M.** in spezieller Form und Ausführung verwendet. M. heißen auch die für schwere Arbeiten in Druckluft- oder Elektrowerkzeugen sowie beim Gesteinsbohren **(Bohr-M.)** eingesetzten Werkzeuge.

Meisen: Der Ruf der Blaumeise ähnelt dem Vibrieren einer hell klingenden Saite

Meißen, 1) Landkreis im RegBez. Dresden, Sachsen, 698 km² und (1996) 164 600 Einwohner.

2) Krst. von 1) in Sachsen, an der Elbe, 31 800 Ew.; FH; keram., Maschinenbau-, elektrotechn., Metallwaren-, Schuh-, Nahrungsmittel- u. a. Ind.; Staatl. Porzellan-Manufaktur (→Meißner Porzellan). In der Umgebung Kaolinvorkommen und Weinbau. – Vom Ufer der Elbe aus zieht sich die alte Stadt mit Fachwerkhäusern zum Burgberg hinauf, auf dem der got. Dom und die Albrechtsburg (1471–85) liegen: der Dom (an der Stelle eines roman. Vorgängerbaus nach 1240 begonnen) mit Fürstenkapelle (um 1425) und Georgskapelle (um 1530, Grablege der Wettiner), Skulpturen der Naumburger Werkstatt (um 1260); Triptychon von L. Cranach d. Ä. (1534). Bed. auch die spätgot. Frauenkirche und die Franziskanerkirche (jetzt Museum), spätgot. Rathaus (um 1472); die roman. Nikolaikirche ist Gedenkstätte für die Opfer des 1. Weltkrieges. – Die 929 von König Heinrich I. als Zentrum der dt. Herrschaft im mittleren Elbegebiet errichtete Reichsburg **Misni** war Sitz der Markgrafen (seit 1046; Markgrafschaft M. seit 982), der Bischöfe und seit 1068 der Burggrafen von M.;

Meißen 2): Blick über die Elbe auf den Burgberg mit der 1471–85 errichteten Albrechtsburg und den bis auf die Mitte des 13. Jh. zurückgehenden gotischen Dom im Hintergrund

Stadtrecht seit Ende des 12. Jh.; kam 1089/1125 mit der Markgrafschaft M. an die Wettiner (1485 albertin. Linie); 1543 wurde im Afrakloster die Landes-, später Fürstenschule eingerichtet; 1710 Gründung der Porzellanmanufaktur (Meißner Porzellan).

3) Bistum in Mittel-Dtl., 968 gegr. und dem Erzbistum Magdeburg unterstellt; 1581 aufgehoben; 1929 als exemtes Bistum wieder errichtet (1980 in **Dresden-M.** umbenannt).

Meißner (Hoher M.), 4 km langes Plateaugebirge im nördl. Hess. Bergland, in der Kasseler Kuppe 754 m ü. M., Basaltdecke über Braunkohlenflözen; der Abbau (vorübergehend eingestellt) lässt sich bis 1555 zurückverfolgen. Der M. ist Teil des Naturparks **M.-Kaufunger Wald** (442 km²).

Meißner Porzellan: Johann Friedrich Böttger, Deckelgefäß (um 1719; Dresden, Porzellansammlungen)

Meißner, 1) Alexander, Funktechniker, * Wien 14. 9. 1883, † Berlin 3. 1. 1958; baute 1911 das 1. Drehfunkfeuer für die Navigation der Luftschiffe. 1913 entwickelte M. aus der Elektronenröhre durch Rückkopplung einen Hochfrequenzgenerator, der v. a. den Empfängerbau stark vereinfachte.

2) Otto, Jurist, * Bischweiler (Elsass) 13. 3. 1880, † München 27. 5. 1953; wurde 1920 Leiter des Büros des Reichspräs. (1923 Staatssekretär), 1934–45 Chef der Präsidialkanzlei Hitlers (seit 1937 Staatsmin.); 1949 im Nürnberger »Wilhelmstraßenprozess« freigesprochen.

Meißnerformel, die programmat. Grundlage der → Freideutschen Jugend, am 13. 10. 1913 auf dem Hohen Meißner verkündet: »Die Freideutsche Jugend will aus eigener Bestimmung, vor eigener Verantwortung, mit innerer Wahrhaftigkeit ihr Leben gestalten.«

Meißner-Körperchen (Meißner-Tastkörperchen) [nach dem Physiologen G. Meißner, * 1829, † 1905], Tastsinnesorgan (Mechanorezeptoren) im Unterhautbindegewebe.

Meißner-Ochsenfeld-Effekt [nach den Physikern F. W. Meißner, * 1882, † 1974, und R. Ochsenfeld, * 1901], 1933 entdeckte physikal. Erscheinung, nach der das Innere eines Supraleiters 1. Art stets frei ist von Magnetfeldern. Beim Übergang in den supraleitenden Zustand werden infolge von Induktion durch die widerstandslosen Supraströme die Feldlinien eines äußeren Magnetfelds aus dem Innern (bis auf eine dünne Randschicht) herausgedrängt. Dagegen zeigen Supraleiter 2. Art vollständige Feldverdrängung nur unterhalb einer unteren krit. magnet. Feldstärke, und die Supraleitung bricht oberhalb einer oberen krit. magnet. Feldstärke zusammen.

Meißner Porzellan, das seit 1710 hergestellte Porzellan (erstes europ. Hartporzellan) der von August dem Starken gegr. Manufaktur in Meißen,

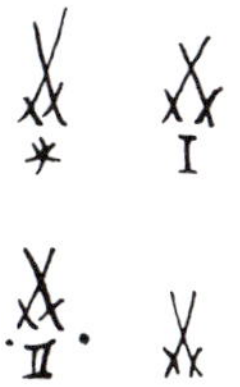

Meißner Porzellan: Als Porzellanmarke dienen seit 1723 die gekreuzten Schwerter

die 1710–19 von J. F. Böttger geleitet wurde. Der Maler J. G. Höroldt (seit 1720) entwickelte eine Palette zum Brand geeigneter Farben, der Bildhauer und Porzellanmodelleur J. J. Kändler (seit 1731) bildete die plast. Möglichkeiten des neuen Werkstoffs aus. Die Formen und Dekore des M. P. blieben lange Zeit vorbildlich. Seit Ende 1990 gehört die Staatl. Porzellan-Manufaktur Meißen dem Land Sachsen. – Marke des M. P. sind seit 1723 die gekreuzten Schwerter (Symbol des Erzamts der sächs. Kurfürsten) in Verbindung mit anderen Zeichen.

📖 *Meißener Porzellan. Eine kleine Galerie. Text v.* H. Sonntag, *Fotos v.* J. Karpinski. *Würzburg 1996.*

Ernest Meissonier: »Campagne de France« (1814; Paris, Musée d'Orsay)

Meissonier [mɛsɔ'nje], **1)** Ernest, frz. Maler und Grafiker, *Lyon 21. 2. 1815, †Paris 31. 1. 1891; malte kleinformatige Genrebilder, bei denen er wie in seinen Historienbildern auf dokumentar. Genauigkeit bedacht war.

2) (Meisonier) Juste-Aurèle, frz. Ornamentstecher, *Turin 1693 oder 1695, †Paris 31. 7. 1750; einer der Hauptmeister des frz. Rokokoornaments; lieferte Vorlagen für höf. Festdekorationen, Möbel und Geschirre.

Meistbegünstigung, Zugeständnis in Handelsverträgen, wonach der eine Vertragsstaat dem anderen alle handelspolit. Vergünstigungen (v. a. Zollvorteile) gewährt, die er dritten Staaten einräumt. In der Regel ist die M. gegenseitig und ohne spezielle Gegenleistung wirksam **(unbedingte M.);** hängt sie von gleichwertiger Gegenleistung ab, handelt es sich um **bedingte M.** Die M. kann sich auf alle Bereiche der Handelspolitik **(unbeschränkte M.)** oder auf bestimmte Bereiche oder einen begrenzten Kreis von Ländern beziehen **(beschränkte M.).** M. verhindert die Diskriminierung von Ländern im internat. Handel und trägt zur internat. Arbeitsteilung bei. Allerdings wird die M. oftmals durch nichttarifäre Handelshemmnisse (Kontingentierung der Wareneinfuhr, differenzierte Frachttarife u. a.) unterlaufen. Bedeutendstes M.-Abkommen ist das →GATT.

Meister [zu lat. magister], **1)** *Kunstgeschichte:* Hilfsbez. für einen seinem Stil nach fassbaren, aber nicht mit Namen bekannten Künstler. So werden Künstler v. a. des MA. nach einem Ort ihres Schaffens (→Naumburger Meister) oder nach einem Hauptwerk (→Hausbuchmeister) benannt, auch nach einer Eigentümlichkeit ihrer Werke (Meister der Bandrollen), nach ihrem Monogramm (Meister →E. S., →Meister H. L.) oder nach Jahreszahlen (Meister von 1473).

2) *Sport:* der Sieger eines als Meisterschaft ausgeschriebenen Wettbewerbs.

3) *Wirtschaft:* Handwerker, der seine Ausbildung mit der M.-Prüfung abgeschlossen hat. Die in der Ind. verwendeten Bez. beziehen sich auf die Inhaber gehobener Positionen (z. B. als Werk-M.) aufgrund einer Fachausbildung, genießen jedoch keinen gesetzl. Schutz. Die **M.-Prüfung** ist in den Grundzügen in der Handwerksordnung i. d. F. v. 28. 12. 1965, bes. in den §§ 45–51, geregelt, ferner in der VO über gemeinsame Anforderungen in der M.-Prüfung im Handwerk vom 12. 12. 1972. Voraussetzung für die Zulassung zur M.-Prüfung sind der Besuch einer Fachschule, Besitz eines Gesellenbriefs oder Abschluss einer industriellen Facharbeiterprüfung und mehrjährige Berufspraxis (teilweise ersetzbar durch Fachoberschulbesuch). Die Prüfung besteht aus prakt. und theoret. Teilen und schließt mit der Anfertigung eines **M.-Stücks.** Als Beurkundung wird der **M.-Brief** ausgestellt. **Ober-M.** ist im Handwerk der Vors. einer Innung, in der Ind. die untere Führungskraft im Betrieb. – Der Begriff M. kommt auch im Beamten- und Besoldungsrecht vor, z. B. Polizeimeister.

Meister, Ernst, Schriftsteller, *Hagen 3. 9. 1911, †ebd. 15. 6. 1979; schrieb Gedichte zur Existenzproblematik (u. a. »Flut und Stein«, 1961; »Sage vom Ganzen den Satz«, 1972). 1979 erhielt er (postum) den Georg-Büchner-Preis.

Meister Bertram (Meister B. von Minden), Maler, *Minden (?) um 1340, †Hamburg 1414 oder 1415; malte, ausgehend von der böhm. Kunst, Altartafeln von volkstümlich erzählender Art: Grabower Altar (1379; Hamburg, Kunsthalle), Passionsaltar (1379; Hannover, Niedersächs. Landesmuseum).

Meister des Bartholomäusaltars, Maler, *um 1445, †Köln um 1515; benannt nach dem Bartholomäusaltar aus St. Columban in Köln (zw. 1505 und 1510; München, Alte Pinakothek), ein bed. Werk der →Kölner Malerschule. Bezeichnend für seine Gemälde sind eine subtile Farbgebung und reiche ornamentale Dekoration.

Meister des Hausbuchs, →Hausbuchmeister.

Meister des Marienlebens, Maler, tätig um 1460–90 in Köln, benannt nach den acht Tafeln eines Marienaltars aus St. Ursula in Köln (um 1460–65; heute sieben Tafeln in München, Alte Pinakothek, eine in London, National Gallery). Seine Werke sind durch Erzählfreude, anmutige Eleganz der Figuren und eine lichte Farbigkeit gekennzeichnet. Weiteres BILD Gotik

Meister des Tucheraltars, um die Mitte des 15. Jh. in Nürnberg tätiger Maler, benannt nach dem von der Familie Tucher gestifteten Altar in der Frauenkirche (um 1445). In der gedrungenen Körperlichkeit der dargestellten Figuren klingt neben niederländisch-burgund. Einflüssen auch die ältere böhm. Tradition nach.

Meister E. S., Kupferstecher, →E. S.

Meister Francke, Maler, →Francke.

Meister H. L. (Meister des Breisacher Hochaltars), Bildschnitzer, Kupferstecher, Zeichner, †1533(?); tätig am Oberrhein, benannt nach dem H. L. signierten und um 1523–26 datierten Hochaltar des Breisacher Münsters, der in der Fülle seiner bewegten Skulpturen zu den großartigsten Leistungen der dt. Spätgotik gehört. Der gleiche Formwille spricht u.a. aus dem Altar in Niederrotweil bei Breisach (um 1515–20).

Meister H. W., Bildhauer, →Witten, Hans.

Meistermann, Georg, Maler und Glasmaler, *Solingen 16. 6. 1911, †Köln 12. 6. 1990. Ausgehend vom Spätkubismus und beeinflusst bes. von A. Manessier schuf er Gemälde, graf. Arbeiten, kirchl. und profane Glasfenster.

Meistersang (Meistergesang), im 15. und 16. Jh. zunftmäßig betriebene Liedkunst. Die **Meistersinger** waren meist in Städten sesshafte Dichter-Handwerker, die sich in Singschulen organisierten und das Hauptsingen in der Kirche und das Zechsingen in Wirtshäusern praktizierten. Die Meistersinger verehrten als Stifter die »vier gekrönten Meister«: Frauenlob, der um 1315 in Mainz die erste Meistersingerschule gegr. haben soll, Barthel Regenbogen, den Marner und Heinrich von Mügeln. Die Regeln, Praktiken und Terminologie des M. waren v.a. in der Tabulatur verzeichnet: Es waren nur die »Töne« (Versmaß und Melodie) der zwölf Meister erlaubt. Um 1480 reformierte H. Folz den M. grundlegend: Seitdem konnte nur der ein »Meister« werden, der einen »neuen Ton« (Melodie und Text) schuf, wobei er sich am vorgeschriebenen Stoffrepertoire orientieren musste. Die Beurteilung und Preisverleihung oblag den »Merkern«. Formal galt die dem Minnesang ähnl. dreiteilige **M.-Strophe,** die aus zwei gleich gebauten Stollen (Aufgesang) und einem nach Metrum, Reim und Melodie davon unterschiedenen Abgesang besteht. Der Liedervortrag war solistisch, ohne Instrumentalbegleitung. – Die bedeutendste Samml. ist die Colmarer Liederhandschrift. Die Zentren des M. lagen in S- und SW-Dtl., erste wesentl. Impulse waren zunächst von Mainz, später dann von Nürnberg (Hans Sachs) ausgegangen. Meistersingervereinigungen bestanden in Ulm bis 1839, in Memmingen bis 1875. – Oper von R. Wagner »Die Meistersinger von Nürnberg« (1868).

📖 NAGEL, B.: *M. Stuttgart* [2]*1971. – Repertorium der Sangsprüche u. Meisterlieder des 12. bis 18. Jh., hg. v.* H. BRUNNER *u.a., auf 16 Bde. ber., Tübingen 1986ff.*

Meisterschaft, im Sport (regelmäßig) ausgeschriebene Bestenermittlung in einer Sportart oder (verschiedenen) Disziplin(en) nach unterschiedl. territorialem Geltungsbereich (z.B. Landes-M., Europa-M., Welt-M.) oder hinsichtlich der zugelassenen Teilnehmer (z.B. Studenten-M.).

Meister vom Stuhl, Vorsitzender einer Loge in der →Freimaurerei.

Meister von Flémalle [-fle'mal], fläm. Maler, *um 1375, †Tournai 26. 4. 1444; benannt nach drei angeblich aus der Abtei Flémalle bei Lüttich stammenden Altartafeln (um 1430; Frankfurt am Main, Städelsches Kunstinst.). Die Identität des M. von F. mit Robert Campin, dem Lehrer von Rogier van der Weyden, gilt als gesichert. Er entwickelte einen neuen Stil, in dem die Welt in scharfer, klarer Zeichnung und hell-kühler Farbe detailgetreu dargestellt und plast. Monumentalität und Räumlichkeit erreicht werden. Seine Arbeiten hatten Einfluss auf die gesamte Malerei des 15. Jahrhunderts.

Meister des Marienlebens: »Die Begegnung an der Goldenen Pforte«, ursprünglich in Sankt Ursula in Köln (um 1460; München, Alte Pinakothek)

Meister von Hohenfurth (Meister von Vyšší Brod), um die Mitte des 14. Jh. tätiger böhm. Maler, benannt nach neun Tafeln (vor 1350) mit Szenen aus dem Leben Christi, die aus dem ehem. Zisterzienserkloster in Hohenfurth stammen (heute Prag, Národní Galerie) und wohl zu einem Altar gehörten. In ihnen verbindet sich die heim. Tradition mit italien. Einflüssen.

Meister von Wittingau, im letzten Viertel des 14. Jh. tätiger böhm. Maler, benannt nach einem um 1380 für die Augustinerklosterkirche St. Ägidius in Wittingau (Třeboň) geschaffenen Altar, von dem drei Tafeln erhalten sind (Prag, Národní Galerie). Sie zeigen den Einfluss frankofläm. Kunst. Mit den gestreckten Proportionen der Figuren, der weichen Modellierung und dem leuchtenden Kolorit bilden sie eine Vorstufe zum Schönen Stil.

Meister von Wittingau: Auferstehung Christi, Tafel des Altars der Augustinerklosterkirche Sankt Ägidius in Wittingau (um 1380; Prag, Národní Galerie)

Meistgebot, höchstes Gebot in Versteigerungen. Es muss, damit der Zuschlag erfolgen kann, die Höhe des Mindestgebotes erreichen.

Meit, Conrad, auch Conrat M., Bildhauer, *Worms um 1480, †Antwerpen 1550 oder 1551; zw. 1506 und 1510 für Kurfürst Friedrich III., den Weisen, in Wittenberg tätig, seit 1512 Hofbildhauer der Statthalterin Margarete von Österreich in Mecheln; einer der bedeutendsten Meister der sich der Formklarheit der Renaissance nähernden Richtung der dt. Plastik; schuf Kleinbildwerke in Marmor, Alabaster, Buchsbaum und die großen Grabdenkmäler für Margarete, ihren Gatten Philibert II. von Savoyen und dessen Mutter im Chor von S. Nicolas de Tolentin in Brou (1526–32).

Lise Meitner

Meitner, Lise, österr.-schwed. Physikerin, *Wien 7. 11. 1878, †Cambridge (Großbritannien) 27. 10. 1968; 1922–33 Prof. in Berlin, seit 1914 Mitgl. des Kaiser-Wilhelm-Inst. für Chemie, Berlin; 1938 Emigration nach Dänemark, später Schweden, Abteilungsleiterin an der Ingenieurwiss. Akademie in Stockholm. Hauptarbeitsgebiete: Kernphysik und Radioaktivität. Sie entdeckte mit O. Hahn mehrere radioaktive Isotope der natürl. Zerfallsreihen und lieferte 1939 mit O. R. Frisch die erste theoret. Erklärung für die von Hahn und F. Straßmann entdeckte Kernspaltung.

📖 GRIESER, D.: *Köpfe. Portraits der Wissenschaft. Wien 1991.* – KERNER, C.: *Lise, Atomphysikerin. Die Lebensgeschichte der L. M. Weinheim [8]1995.*

Meitnerium [nach Lise Meitner] *das,* chem. Symbol **Mt,** bei der Gesellschaft für Schwerionenforschung in Darmstadt 1982 erzeugtes chem. Element mit der Ordnungszahl (Kernladungszahl) 109; das Isotop ^{266}Mt entstand durch Verschmelzung von ^{209}Bi und ^{58}Fe nach Emission eines Neutrons und hat eine Halbwertszeit von 3,4 Millisekunden.

Mékambo, Ort in NO-Gabun, in der Nähe die bedeutendsten Eisenerzvorkommen Afrikas.

Mekka (Al-Makka), Stadt im W Saudi-Arabiens, in der Landschaft Hidjas, 550 000 Ew. – Als Geburtsort Mohammeds heiligste Stadt und wichtigster Wallfahrtsort des Islam; islamisch-theolog. Hochschule und Schule für islam. Rechtsprechung, mehrere Medresen und Bibliotheken; für Nichtmuslime unzugängl. Stadt (einschließlich der näheren Umgebung). – Islam. Hauptheiligtum ist die Kaaba im Hof der Hauptmoschee (775–785, mit sieben Minaretten). Weitere Wallfahrtsstätten sind der Brunnen von Semsem und die Gräber der Gefährten und der ersten Gemahlin Mohammeds, Chadidja, auf dem Friedhof Al-Mala. – Altarab. Handelsstadt, bereits im 1. Jh. n. Chr. als **Makoraba** erwähnt; stand nach dem Zerfall des ägypt. Kalifenreiches seit 1517 politisch unter der Oberhoheit der Osmanen, unter denen 1517–1916/24 die nach Unabhängigkeit strebenden Scherifen das Emirat M. innehatten; 1926 Saudi-Arabien eingegliedert.

📖 FAROQHI, S.: *Herrscher über M. Die Geschichte der Pilgerfahrt. München u. a. 1990.* – BURCKHARDT, J. L.: *In M. u. Medina. An den hl. Stätten des Islam. Berlin 1994.*

Meknès, Prov.-Hptst. in Marokko, 410 000 Ew.; Zentrum eines Landwirtschaftsgebietes; Nahrungsmittel-, Textilind.; Flughafen. – Bed. Altstadt (Alte und Neue Mellah) mit Sultanspalast, Moscheen, alten Stadttoren (z. B. Bab el-Mansour el-Aleuj, 1732 fertiggestellt); durch den Boufeekrane von der Neustadt (»Europäerstadt«) getrennt.

Mekong [»Mutter der Gewässer«] *der,* Strom in China und SO-Asien, rd. 4 500 km lang, entspringt auf dem Hochland von Tibet, durchfließt die südchines. Prov. Yunnan, bildet die Grenze von Birma und Thailand gegen Laos, durchfließt Kambod-

Philipp Melanchthon: zeitgenössisches Porträt aus der »Cosmographia« (1544) von Sebastian Münster in nachträglicher, offensichtlich katholischer Sichtweise mit Bocksbart und dem Teufel, der dem Mitstreiter Luthers seine Gedanken ins Ohr bläst (Heidelberg, Universitätsbibliothek)

scha und mündet mit einem über 70 000 km² großen Delta im südl. Vietnam in das Südchines. Meer. Das 1957 gegr. **M.-Komitee** (UN-Hilfe) der Anliegerstaaten Kambodscha, Laos, Thailand, Vietnam soll Energiegewinnung, Bewässerung und Schifffahrt fördern.

Mekonium [lat.-grch.] *das,* das →Kindspech.

Mélac [meˈlak], Ezéchiel Graf (seit 1702) von, frz. General, ⚔ Malplaquet 12. 9. 1709; verwüstete 1689 im →Pfälzischen Erbfolgekrieg die Pfalz und ließ u. a. Mannheim und Heidelberg zerstören.

Melaka (früher Malakka, Malacca), **1)** Hauptstadt von 2), Malaysia, an der W-Küste der Malaiischen Halbinsel, 296 000 Ew.; chem., Nahrungsmittelind., Holzverarbeitung; Fischerei; Hafen, Flugplatz. – Aus portugies. Zeit Reste der Saint Paul's Church (1521), Festungstor Porta de Santiago (16. Jh.), niederländ. Stadthuys (17. Jh.), Cheng Hoon (1704, ältester chines. Tempel Malaysias). – Um 1400 Niederlassung von Einwanderern aus Sumatra (Sultanat); Ausgangspunkt für die Ausbreitung des Islam in SO-Asien; seit 1511 unter portugies., seit 1641 unter niederländ. Herrschaft, 1795–1818 von Briten besetzt, 1824 von den Niederlanden an Großbritannien abgetreten.

2) Gliedstaat Malaysias, im S der Malaiischen Halbinsel, 1650 km², (1991) 504 000 Ew. (rd. 50% Malaien), Hptst. ist M.; Reisanbau, Kautschukplantagen; wenig Zinnerzbergbau; Industrieparks und Freihandelszonen.

Melamin [Kw.] *das* (Triaminotriazin, Cyanursäuretriamid), kristalline, schwach bas. Verbindung, die überwiegend durch Zyklisierung von Harnstoff hergestellt wird. Das in zwei tautomeren Formen auftretende M. dient v. a. zur Herstellung von Melaminharzen.

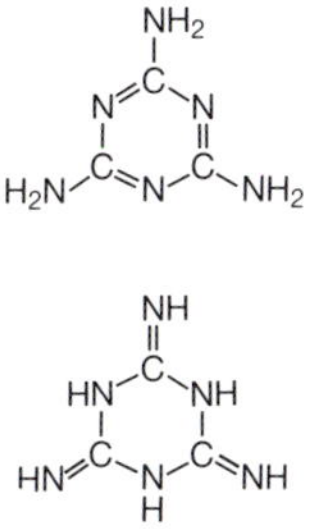

Melamin: Die zwei tautomeren Formen

Melaminharze, durch Polykondensation von Melamin mit Formaldehyd hergestellte →Aminoplaste, die zur Herstellung von Formteilen (z. B. Elektroisolierteile), zur Beschichtung von Holzwerkstoffen, als Einbrennlacke u. a. verwendet werden. Die farblosen und transparenten M. besitzen hohe Oberflächenhärte, Abriebfestigkeit und Flammbeständigkeit. Sie sind außerdem gute elektrische Isolatoren mit hoher Kriechstromfestigkeit.

melan... (melano...) [grch.], schwarz...

Melancholie [grch. »Schwarzgalligkeit«] *die,* von Schmerz, Traurigkeit oder Nachdenklichkeit geprägte Gemütsstimmung; der Melancholiker stellt eines der vier →Temperamente dar. (→Depression)

Melanchthon, Philipp, eigtl. P. Schwarzert, reformator. Theologe, Humanist, *Bretten 16. 2. 1497, †Wittenberg 19. 4. 1560; seit 1518 Prof. für grch. Sprache in Wittenberg; 1519 Anschluss an die Reformation und engster Mitarbeiter Luthers; seit dem →Marburger Religionsgespräch (1529) an allen wichtigen Religionsgesprächen beteiligt. M. beeinflusste entscheidend den Aufbau des evang. Kirchen- und Schulwesens und erwarb sich bleibende Verdienste bei der Organisation des Hoch- und Lateinschulwesens; wurde dafür später »Praeceptor Germaniae« (»Lehrer Dtl.s«) genannt; nach

Meknès: Das 1732 vollendete Stadttor Bab el-Mansour el-Aleuj gilt als schönstes Stadttor des Maghreb

Luthers Tod Führer des dt. Protestantismus; versuchte erfolglos, im Streit um dessen theolog. Erbe zw. seinen Anhängern, den →Kryptokalvinisten (auch »Philippisten«), und den Gnesiolutheranern zu vermitteln. Immer auf Ausgleich bedacht und deshalb von verschiedenen Seiten oft heftig angegriffen, versuchte er in seinem Werk den christl. und den humanist. Denkansatz, die kirchl. Tradition und die reformator. Neubesinnung zu verbinden.

M. verfasste mit der »Augsburg. Konfession« (1530) und deren Verteidigungsschrift (»Apologie«, 1530/31) sowie mit den »Loci communes rerum theologicarum« (»Grundwahrheiten der Theologie«, 1521) die erste systemat. Darstellung der evang. Glaubenslehre.

Philipp Melanchthon: Autogramm

📖 *P. M. Ein Wegbereiter der Ökumene, hg. v.* J. Haustein. *Göttingen 1997.* – Scheible, H.: *M. Eine Biographie. München 1997.*

Melaneside, *Anthropologie:* die Menschen Ozeaniens mit Kerngebiet in Melanesien; Merkmale: krauses Haar und sehr dunkle Hautfarbe.

Melanesien [aus grch. mélas »schwarz« und nẽsos »Insel«], das Inselgebiet im westl. Pazif. Ozean nordöstlich von Australien, rd. 967000 km² mit über 5 Mio. Ew. (überwiegend Melanesier). M. umfasst Neuguinea, den Bismarck- und den Louisiadearchipel, die Salomon- und Santa-Cruz-Inseln, die Neuen Hebriden (Vanuatu), die Fidschiinseln, Neukaledonien und benachbarte Inseln. Geologisch besteht es aus alten Gesteinen, die durch junge Faltung gehoben oder durch starke vulkan. Tätigkeit aufgebaut sind. Klima: feuchttropisch; Pflanzenwelt: vorwiegend Regenwald; Saum- und Wallriffe. (→Ozeanien)

Melanesier, die einheim. Bev. Melanesiens (über 5 Mio.); sprachlich den melanes. Sprachen (i.e.S. nur 1,1 Mio. Sprecher) zuzurechnen. Entscheidend für die soziale Ordnung ist die Bindung an den Klan; vielfach Männer- und Geheimbünde, auch Cargo-Kulte. Die hoch stehende Kunst der M. wird als Kunsthandwerk weiterhin betrieben.

Dame Nellie Melba (zeitgenössischer Holzstich)

melanesische Sprachen, zu den →austronesischen Sprachen gehörende Sprachgruppe mit mehreren Untergruppen, deren Verbreitungsgebiet die Inseln des westl. Pazifiks von Neukaledonien bis zum Bismarckarchipel und den Admiralitätsinseln sowie Küstenstriche von Neuguinea umfasst.

Melange [meˈlãʒə, frz.] *die,* **1)** *allg.:* Mischung, z.B. von Kaffeesorten.

2) *österr.:* Milchkaffee (halb Kaffee, halb Milch).

Melanine, durch enzymat. Oxidation der Aminosäure Tyrosin entstehende gelbl. bis braune oder schwarze Pigmente bei Tieren und Menschen; bewirken die Färbung der Haut und ihrer Anhangsorgane (Haare, Federn). Lokale Melaninansammlungen sind z.B. Leberflecke und Sommersprossen. M. sind als Lichtschutzsubstanz (bes. gegen UV-Strahlung) von Bedeutung.

Melanismus [grch.] *der, Biologie:* Dunkelfärbung der Körperoberfläche durch Melanine.

Melanit [grch.] *der,* Mineral, eine Abart des →Granat.

Melanom [grch.] *das,* meist melaninhaltige, schiefergrau bis schwarz gefärbte, äußerst bösartige, schnell auf dem Lymph- oder Blutweg metastasierende Geschwulst der Haut, Schleimhaut, Hirnhäute oder des Auges **(Melanozytoblastom).** Das im frühen Lebensalter auftretende **juvenile M.** (hautfarben bis graubraun) ist gutartig.

Melanose [grch. »Schwarzsucht«] *die,* abnorme flächenhafte Dunkelfärbung der Haut oder der Schleimhaut durch vermehrte Ablagerung von Melaninen; Kennzeichen bei der Addison- und der Basedow-Krankheit oder einer Arsenvergiftung. Die vorübergehende M. bei Schwangerschaft ist keine Krankheit.

Melanozyten [grch.], zur Melaninbildung befähigte Zellen in der Haut der Warmblüter und des Menschen; dienen der Pigmentierung von Haut und Haaren.

Melanozytenstimulierendes Hormon, Abk. **MSH** (Melanotropin, Intermedin), im Zwischenlappen der Hirnanhangdrüse gebildetes Polypeptidhormon, das bei Menschen und Tieren die Bildung von Melanin sowie dessen Verteilung in den Melanozyten der Haut bewirkt.

Melanterit [grch.] *der,* Mineral, →Eisenvitriol.

Melaphyr [grch.] *der,* erdgeschichtlich älteres vulkan. Gestein von basalt. Zusammensetzung, meist von dunkelgrüner Farbe; Hauptbestandteile sind Plagioklas, Pyroxen und Olivin.

Melasse [frz., von span. melaza] *die,* bei der Zuckergewinnung zurückbleibende zähflüssige, braun gefärbte Mutterlauge, die außer Zucker (bis 50%) und Wasser (20%) noch organ. und anorgan. Stoffe, bes. Stickstoffverbindungen und Kaliumsalze, enthält. M. wird zu Alkohol vergoren und als Zusatz zum Viehfutter verwendet.

Melatonin [grch.] *das,* Abk. **MCH,** Hormon der Zirbeldrüse, das bei Fischen und Amphibien eine Aufhellung der Haut bewirkt. Bei Säugetieren (einschl. Mensch) hemmt es die Schilddrüsenfunktion; außerdem beeinflusst M. die Aktivität der Keimdrüsen.

Melba, Dame (seit 1918) Nellie, eigtl. Helen Porter Armstrong, austral. Sängerin (Koloratursopran), *Richmond (bei Melbourne) 19. 5. 1861,

†Sydney 23. 2. 1931; feierte 1887–1926 in allen internat. Musikmetropolen Erfolge als Opern- und Konzertsängerin.

Melbourne ['melbən], Hauptstadt des austral. Bundesstaates Victoria (seit 1851) an der Mündung des Yarra in die Bucht von Port Phillip, zweitgrößte Stadt Australiens, 3,19 Mio. Ew.; Sitz eines anglikan. und eines kath. Erzbischofs, drei Univ., weitere Hochschulen, Fachschulen, Forschungsinstitute, Staatsbibliothek, Nationalgalerie und -museum von Victoria. Wichtigster Ind.standort von Victoria; Schwermaschinen-, Fahrzeugbau, Bekleidungs-, Schuh-, chem., Nahrungsmittelind., Erdölraffinerie. Zweitgrößter Hafen Australiens, internat. Flughafen; Fährverkehr nach Devonport (Tasmanien). – Die City, schachbrettartig angelegt, ist wichtiges Geschäftszentrum mit Banken, Versicherungen, Industrieverw., Börse. – M. gilt mit seinen Bauten aus dem späten 18. und 19. Jh. als die am ausgeprägtesten englische unter den australischen Hauptstädten: neugot. kath. Saint Patrick's Cathedral, anglikan. Saint Paul's Cathedral (ab 1880; Erweiterung 1931), Townhall (1867–70); zahlreiche Wolkenkratzer. – M. wurde 1835 gegründet und 1837 nach dem damaligen brit. Premiermin. Lord M. benannt; seit 1842 Stadtrecht, 1901–27 Sitz der Bundesreg.; 1956 Austragungsort der Olymp. Sommerspiele.

Melchior [hebr. »König des Lichts«], einer der Heiligen → Drei Könige.

Johann Peter Melchior: »Der geschmückte Hut« (1769; Mannheim, Städtisches Reiß-Museum)

Melchior, 1) Johann Peter, Bildhauer und Modelleur, getauft Lintorf (heute zu Ratingen) 10. 3. 1747, †Nymphenburg (heute zu München) 13. 6. 1825; war als Modellmeister für die Porzellanmanufakturen Höchst, Frankenthal und Nymphenburg tätig, schuf v.a. Kinderfiguren und Genregruppen im Stil des Rokoko. In seiner vom Klassizismus bestimmten Spätzeit entstanden vorzügl. Porträts (Reliefmedaillons in Biskuitporzellan).

Melbourne: Die Saint Patrick's Cathedral wurde Ende des 19. Jh. nach englischem Vorbild im neugotischen Stil erbaut

2) ['melkiɔ:], Lauritz, eigtl. Lebrecht Hommel, amerikan. Sänger (Tenor) dän. Herkunft, *Kopenhagen 20. 3. 1890, †Santa Monica (Calif.) 18. 3. 1973; bedeutendster Wagner-Tenor seiner Zeit, war 1926–50 Mitgl. der Metropolitan Opera in New York.

Melchisedek [hebr. »König der Gerechtigkeit«], nach 1. Mose 14,18 Priesterkönig von Salem (Jerusalem) zur Zeit Abrahams; im N.T. (Hebr. 7) als Vorbild des Hohepriesteramtes Jesu Christi gedeutet.

Melchiten (Melkiten) [zu syr. malka »Kaiser«], urspr. jene ägypt., syr. und palästinens. Christen, die die Konzilsbeschlüsse von Chalkedon (451) gegen den Monophysitismus annahmen; als auf der Seite des Kaisers stehend »die Kaiserlichen« genannt; im 17. Jh. unter dem Einfluss kath. Missionare Spaltung der M. (endgültig 1724) und Bildung eines neuen, mit der kath. Kirche unierten Patriarchats Antiochia; seit 1838 melchit. »Patriarchat von Antiochia und dem ganzen Orient, Alexandria und Jerusalem«; Residenz des Patriarchen ist Damaskus, der Ritus ist byzantinisch; heute rd. 500 000 unierte M. gegenüber rd. 750 000 der orth. Patriarchate Antiochia, Alexandria und Jerusalem.

Melde (Atriplex), Gattung der Gänsefußgewächse, mit unscheinbaren, grünl., eingeschlechtigen Blüten, meist einjährige Kräuter; häufig auf Schutt, z.T. Salz liebend. Die **Garten-M.** (**Span. Spinat,** Atriplex hortensis) kann wie Spinat verwendet werden.

Meldepflicht, die Verpflichtung, bestimmte Tatsachen den Behörden mitzuteilen. M. besteht u.a. im Einwohnermeldewesen hinsichtlich der Aufenthaltsmeldung, bei Geburten (→Geburten-

Melbourne Stadtwappen

Melde: Gartenmelde (Höhe 30 - 125 cm)

buch), bei →meldepflichtigen Krankheiten, im Gewerberecht, nach dem Wehrpflicht-Ges. und im Rahmen der Sozialversicherung (z.B. M. des Arbeitgebers bezüglich der versicherungspflichtigen Beschäftigten). Für das Einwohnermeldewesen wurden durch das Melderechts-Rahmen-Ges. i.d.F.v. 24. 6. 1994 die Grundzüge der M. geregelt, ergänzend gelten die Melde-Ges. der Länder. Danach hat sich jeder Bürger, der einen Wohnraum bezieht oder auszieht, innerhalb einer Woche bei der zuständigen Meldebehörde an- bzw. abzumelden. Bei mehreren inländ. Wohnungen ist eine als Hauptwohnsitz zu deklarieren. Die M. für den Bezug von Hotels u.Ä. ist landesrechtlich unterschiedlich geregelt. Die Meldebehörden der Länder führen Melderegister. Eingehend geregelt ist das Verfahren der Datenübermittlung und des Datenschutzes. – Das *österr.* Melde-Ges. verlangt, dass die Unterkunft in Wohnungen innerhalb von drei Tagen, in Beherbergungsbetrieben innerhalb von 24 Stunden anzumelden ist. In der *Schweiz* ist die M. für Schweizer durch das kantonale Recht geregelt. Die Anmeldung in Beherbergungsstätten erfolgt unmittelbar dort. Ausländer haben sich vor Ablauf des 3. Aufenthaltsmonats bei der Fremdenpolizeibehörde des Aufenthaltsortes zu melden.

Georges Méliès

Max Mell

Melisse: Zitronenmelisse (Höhe 30–90 cm)

meldepflichtige Krankheiten, in der *Humanmedizin* Infektionskrankheiten, die nach dem Bundes-Seuchen-Ges. i.d.F.v. 18. 12. 1979 vom behandelnden Arzt innerhalb von 24 Stunden an das zuständige Gesundheitsamt gemeldet werden müssen. Meldepflichtig sind in jedem Fall (Verdacht, Feststellung, Todesfall): Botulismus, Cholera, Enteritis infectiosa, Fleckfieber, Kinderlähmung, Lepra, Milzbrand, Ornithose, Paratyphus A, B und C, Pest, Pocken, Rückfallfieber, Shigellenruhr, Tollwut, Tuberkulose, Tularämie, Typhus abdominalis u.a. Meldepflicht bei feststehender Erkrankung und bei Todesfällen besteht u.a. für: Brucellose, Diphtherie, Leptospirose, Malaria, Q-Fieber, Rotz, Tetanus, Toxoplasmose, Trachom, Trichinose. In der *Veterinärmedizin* →Tierseuchen.

Meldewesen, die gesetzl. Bestimmungen über die →Meldepflicht und die damit befassten Behörden. Das M. dient in erster Linie der Identitätsfeststellung, der Vorbereitung von Wahlen und der Sicherung der öffentl. Ordnung.

Meldorf, Stadt im Kr. Dithmarschen, Schlesw.-Holst., 2,5 km von der Nordsee entfernt, 7500 Ew.; Dithmarscher Landesmuseum mit Freilichtmuseum; Holz-, Textilverarbeitung; Hafen (Krabbenfischerei). – Der »Dom« (13. Jh.) ist die Hauptkirche Dithmarschens. – 1265 als Stadt bezeugt.

Meleagros (lat. Meleager), *grch. Mythos:* ein Sohn des Königs von →Kalydon und der Althaia. Bei seiner Geburt verkünden die Moiren, sein Leben sei an ein Holzscheit gebunden, das Althaia verwahrt. – M. erlegt gemeinsam mit Atalante den Kalydon. Eber **(Kalydon. Jagd),** dessen Fell er ihr schenkt; darüber gerät er mit den Brüdern der Althaia in Streit und erschlägt sie. Althaia wirft daraufhin das Scheit ins Feuer. – Seit dem 6. Jh. v. Chr. beliebtes Thema in der bildenden Kunst.

Melegnano [meleɲ-] (früher Marignano), Stadt in der Prov. Mailand, Oberitalien, 18500 Ew. – Hier schlug am 13./14. 9. 1515 Franz I. von Frankreich die Schweizer Söldner und gewann damit Mailand zurück.

Melekess (1972–93 Dimitrowgrad), Stadt im Gebiet Uljanowsk, Russland, am Samaraer Stausee, 127000 Ew.; Maschinenbau, Nahrungsmittel- u.a. Industrie.

Melezzatal, tiefer Talzug in den S-Alpen zw. Schweiz und Italien, 35 km lang; auf Tessiner Seite **Centovalli,** auf italien. Seite **Valle Vigezzo** gen.; von der Schmalspurbahn Locarno–Domodossola durchfahren.

Melibocus *der* (Melibokus, Malchen), höchster Berg (517 m ü. M.) am W-Abfall des Odenwalds zur Bergstraße, bei Bensheim.

Méliès [me'ljɛs], Georges, frz. Filmpionier, * Paris 8. 12. 1861, † ebd. 21. 1. 1938; entdeckte 1896 den Film als Publikumsattraktion; baute das erste feste Filmstudio in Montreuil bei Paris. M. führte die Spielhandlung in den Film ein und warb dafür berufsmäßige Schauspieler an; Erfinder des Trickfilms, mit dessen Hilfe er film. Phantasmagorien schuf (»Die Reise in den Mond«, 1902; »Die Reise durch das Unmögliche«, 1904). M. gründete 1897 die erste Filmproduktion der Welt.

📖 *G. M. – Magier der Filmkunst, hg. v.* F. KESSLER *u. a. Frankfurt am Main u. a. 1993.*

Melilla [me'liʎa] (arab. Mliya, berber. Tamlit), Hafenstadt an der marokkan. Mittelmeerküste, span. Enklave, 12,3 km², 58100 Ew.; Fischfang und Fischverarbeitung, Schiffbau; Flugplatz. – Malerische Altstadt. – Seit 1497 in span. Besitz.

Melioration [lat. »Verbesserung«] *die,* kulturtechn. Maßnahmen zur Bodenverbesserung landwirtsch. genutzter Flächen, z.B. Entwässerung nasser Böden, Moorkultivierung, Bewässerung.

Melisma [grch.] *das, Musik:* melod. Verzierung, Koloratur. Beim **melismat. Gesang** kommen mehrere Noten auf eine Textsilbe, im Ggs. zum **syllab. Gesang,** bei dem i.d.R. nur eine Note auf jede Textsilbe kommt.

Melisse [grch.-lat. »Bienenblatt«] *die* (Melissa), Gattung der Lippenblütler; in Europa nur die aus dem Orient stammende **Zitronen-M. (Garten-M.,** Melissa officinalis) mit stark nach Zitrone duftenden Blättern und kleinen weißen Blüten; wird als Gewürz- und Heilpflanze angebaut.

Melissus, Paulus, eigtl. Paul Schede, Dichter und Humanist, * Mellrichstadt (Kr. Rhön-Grabfeld) 20. 12. 1539, † Heidelberg 3. 2. 1602; verfasste kunstvolle neulat. Liebesgedichte und führte als einer der Ersten das Sonett in die dt. Literatur ein; bed. ist auch seine Übersetzung der frz. Ausgabe der Psalmen von T. Beza und C. Marot (1572).

🕮 Schäfer, E.: *Dt. Horaz. Conrad Celtis, Georg Fabricius, Paul M., Jakob Balde. Die Nachwirkung des Horaz in der neulatein. Dichtung Deutschlands. Wiesbaden 1976.*

Melitopol, Stadt im Gebiet Saporoschje, Ukraine, 174 000 Ew.; Werkzeugmaschinen-, Dieselmotorenbau; um M. Obstbau.

Melitose [grch.] *die,* die → Raffinose.

Melk, Bezirks-Hptst. in NÖ, rechts der Donau, 6 200 Ew.; Apparatebau, Metallwarenherstellung, Donaukraftwerke; Fremdenverkehr. – Auf einem Felsen über der Stadt **Stift M.** (1702–36 von J. Prandtauer u. a. erbaut), das auf ein 1089 gegr. Benediktinerkloster zurückgeht. Es ist eine der bedeutendsten Barockschöpfungen in Europa; bed. u. a. die Bibliothek und die Stiftskirche (1702–26; Innenausstattung v. a. von J. M. Rottmayr). Südlich von M. Renaissanceschloss Schallaburg (1100 gegr., 1576–1600 ausgebaut). – An der Mündung der Pielach in die Donau lag zu röm. Zeit das Kastell **Namare;** um 990 Erwähnung einer Burg und Siedlung; 1227 Markt-, 1898 Stadtrecht.

Melk: Das auf einem Felsen über der Stadt liegende Stift Melk wurde 1702-36 erbaut

Melk Stadtwappen

Melk, Heinrich von, mhd. Dichter, → Heinrich von Melk.

Melkiten, die → Melchiten.

Melkmaschine (Melkanlage), Anlage zum maschinellen Melken von Milchkühen, bestehend aus Saugpumpe mit Druckausgleichsgefäß und den an die Stallleitung angeschlossenen einzelnen **Melkwerkzeugen** mit Milchsammelgefäß, Pulsator (Druckwechsler) und je vier **Zitzenbechern.** Der über die Euterzitze geschobene Zitzenbecher birgt ein luftdicht eingesetztes Gummirohr (Zitzengummi), das infolge der Pulsation eine Massagewirkung ausübt. In den Milchschläuchen herrscht ständig Unterdruck, während die Pulsschläuche abwechselnd mit Unterdruck (Saugtakt) und Umgebungsdruck (Entlastungstakt) beaufschlagt werden. Nach etwa 4–7 Minuten versiegt der Milchstrom.

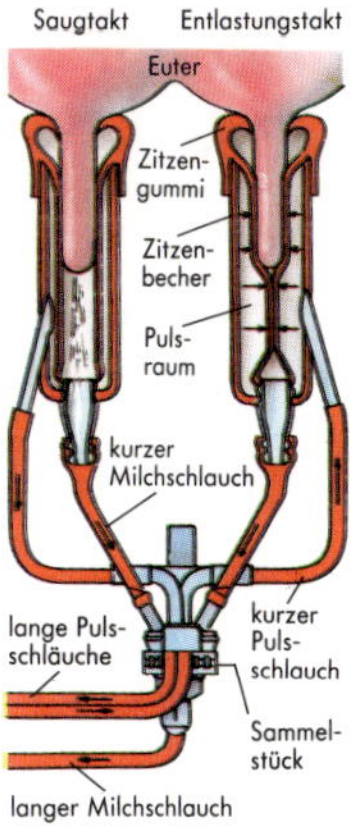

Melkmaschine: Schema eines Melkwerkzeugs

Mell, Max, österr. Schriftsteller, * Marburg (heute Maribor) 10. 11. 1882, † Wien 12. 12. 1971; schrieb, von christlich-humanist. Geist geprägt, dramatisierte Legendenspiele (»Das Apostelspiel«, 1923; »Das Nachfolge-Christi-Spiel«, 1927); auch Erzählungen (»Das Donauweibchen«, 1938), Gedichte, Essays, Übersetzungen.

Mellan [mɛ'lã], Claude, frz. Kupferstecher und Zeichner, getauft Abbeville 23. 5. 1598, † Paris 9. 3. 1688; entwickelte eine eigene Stichtechnik, bei der er Helldunkelwirkungen durch Verdickungen parallel verlaufender Linien erreichte. Berühmt wurde sein Blatt »Das Schweißtuch der Veronika« (um 1650), das er aus einer einzigen spiralförmig angelegten Linie aufbaute.

Melle, Stadt im Landkr. Osnabrück, Ndsachs., Solbad zw. Teutoburger Wald und Wiehengebirge, 43 900 Ew.; Möbel-, Maschinenbau-, chem., Textilind. – Matthäuskirche (13.–14. Jh.). – Seit 1443 Marktrecht; seit 1852 Stadt.

Mellit [lat. mel »Honig«] *der* (Honigstein), honiggelbes bis braunes tetragonales Mineral, $Al_2[C_{12}O_{12}] \cdot 18\,H_2O$, auf Braun- und Steinkohle.

Mellon ['melən], Andrew William, amerikan. Bankier und Politiker, * Pittsburgh (Pa.) 24. 3. 1855, † Southampton (N. Y.) 26. 8. 1937; führte die von seinem Vater 1869 gegr. Privatbank als M. National Bank fort. 1921–32 war er Finanzmin. Auf ihn geht die Gründung der Nationalgalerie in Washington zurück.

Melnikow, Konstantin Stepanowitsch, russ. Architekt, * Moskau 3. 8. 1890, † ebd. 28. 11. 1974; führender Vertreter des Konstruktivismus; entwarf den sowjet. (Holz-)Pavillon auf der Exposition In-

Konstantin Melnikow: Der Arbeiterklub Russakow in Moskau wurde 1927/28 erbaut

ternationale des Arts Décoratifs et Industriels Modernes in Paris (1925), sein Wohnhaus in Moskau (1927–29) sowie mehrere Arbeiterklubs, u.a. den Klub Russakow (ebd., 1927/28).

Melodie [grch.] *die,* Folge von Tönen versch. Höhe oder eine Folge versch. großer und versch. gerichteter Intervalle, die als Einheit aufgefasst wird. Eine M. wird daher zunächst bestimmt durch die Tonhöhenorganisation **(Diastematik)** und erst dann durch die Dauer (und die Betonung) der einzelnen Töne **(Rhythmus)** sowie die Gliederung **(Periodik),** das Zeitmaß **(Tempo)** und durch die Art der Ausführung **(Tongebung, Klangfarbe, Dynamik).** Die M. kann aus symmetrisch angeordneten Gliedern bestehen, wiederkehrende Motive aufweisen, als Periode in Vorder- und Nachsatz gegliedert sein oder sich aus zwei oder mehreren Perioden zusammensetzen, aber auch ungleichmäßig gegliedert sein, verschränkt oder unterbrochen werden.

Melodik *die,* **1)** bestimmte Art der Melodiebildung oder eines melod. Prinzips.

2) Lehre von der Melodie.

melodisch, gut sangbar, harmonisch klingend.

Melodrama [grch.], **1)** Gattung des musikal. Bühnenstücks, die auf der Verbindung von gesprochenem Wort und untermalender Begleitmusik beruht. Das M. kam im 18. Jh. in Form des Monodramas durch J.-J. Rousseau (»Pygmalion«, 1770) und v.a. G. A. Benda (»Medea«, 1775) in Mode und schlug sich nieder in zahlr. melodramat. Stücken (z.B. Goethes »Proserpina«, vertont von K. S. von Seckendorff, 1778) sowie in der Aufnahme von einzelnen, als **Melodram** bezeichneten Partien in Singspielen, Opern (L. van Beethoven, »Fidelio«, Kerkerszene; C. M. von Weber, »Freischütz«, Wolfsschluchtszene) und in Bühnenmusiken (F. Mendelssohn Bartholdy, »Ein Sommernachtstraum«; E. Grieg, »Peer Gynt«), außerdem v.a. im 19. Jh. in der Ausbildung des Konzert-M., bei dem Gedichte (Balladen) zu Klavier- oder Orchestermusik rezitiert wurden (R. Schumann, F. Liszt, R. Strauss). Im 20. Jh. kam es v.a. in Frankreich zu einer Verbindung von M. und Ballett (A. Roussel, A. Honnegger, I. Strawinsky).

Melonenbaum mit Papayafrüchten (Höhe 4–8 m)

📖 SCHIMPF, W.: *Lyrisches Theater. Das M. des 18. Jh. Göttingen 1988.* – KÜSTER, U.: *Das M. Frankfurt am Main u.a. 1994.*

2) im 19. Jh. in Frankreich und bes. in England und Amerika populäre, auf der Bühne vorherrschende Art des rührend-pathet., trivialen Dramas, das Handlungen mit stereotypen Konstellationen der Hauptfiguren in vordergründiger Spannung, unterstützt durch musikal. Untermalung und v.a. spektakuläre Bühneneffekte, präsentiert. Erfolgreiche Autoren waren R. C. G. de Pixérécourt, D. Boucicault, H. A. Jones.

📖 SCHMIDT, JOHANN N.: *Ästhetik des M. Studien zu einem Genre des populären Theaters im England des 19. Jh. Heidelberg 1986.*

3) meist auf Vorlagen des melodramat. Erbauungstheaters zurückgreifendes Filmgenre, bei dem Schauplätze und Hauptgestalten der unmittelbaren Erfahrungswelt der Zuschauer angenähert sind; dabei dominieren vereinfachende extreme Emotionalisierung und Schicksalsgläubigkeit.

Melsungen: Das dreigeschossige, 1555/56 erbaute Rathaus auf dem Marktplatz zählt zu den schönsten Fachwerkbauten in Deutschland

Melone *die* (Garten-M., Zucker-M., Cucumis melo), Kürbisgewächs der Tropen, auch in wärmeren Gebieten der gemäßigten Zonen in Kultur; die fleischigen Beerenfrüchte **(Melonen)** werden v.a. als Obst roh gegessen; eine bekannte Kultursorte ist die kleinfrüchtige, gelbschalige, bes. süße **Honigmelone.** → Wassermelone

Melone, steifer Herrenhut, → Bowler.

Melonenbaum (Papaya, Carica papaya), trop. Baum mit melonenähnl., bis 1,5 kg schweren, grünen bis gelben Beerenfrüchten **(Baummelonen, Papayafrüchte),** die als Obst gegessen werden. Der Milchsaft des M. enthält das Eiweiß spaltende Enzym Papain.

Melos (ngrch. Milos, italien. Milo), grch. Kykladeninsel, 151 km², 4600 Ew.; schwefelhaltige Thermen und Fumarolen; Abbau von Baryt, Bentonit, Mangan- und Bleierzen. – M. war bereits im 7. Jh. v. Chr. durch bed. Steinschneidekunst und Keramik bekannt; Fundort der **Venus von Milo** (→ Aphrodite).

Melos [grch.] *das,* **1)** *Musik:* Bez. für das gesangl. Element einer Tonsprache, den Charakter der Melodiebildung.

2) *Sprachwissenschaft:* → Sprechmelodie.

Melozzo da Forlì, italien. Maler, * Forlì 1438, † ebd. 8. 11. 1494; wahrscheinlich bei Ansuino da Forlì ausgebildet; malte, angeregt von A. Mantegna, Fresken, deren großartige, realistisch erfasste Gestalten fast die Monumentalität der Hochrenaissance erreichen, so in der Apsis von Santi Apostoli in Rom (vor 1481), erhaltene Fragmente heute im Quirinal (»Himmelfahrt Christi«) und in den Vatikan. Sammlungen.

Melpomẹne, *grch. Mythos:* die Muse der Tragödie.

Mẹlsungen, Stadt im Schwalm-Eder-Kreis, Hessen, an der Fulda, 13900 Ew.; Pharmawerk (Fabrikgebäude von J. Stirling, 1992), Lebensmittel- u.a. Industrie. – Altes Stadtbild (Stadtkirche, 13.–16. Jh.; Schloss, 1550–57; Rathaus, 1555/56). – 974 erstmals erwähnt, seit 1267 Stadt.

Melun [mə'lœ̃], Hptst. des Dép. Seine-et-Marne, Frankreich, 35000 Ew.; Fabrikation von Autoteilen, Flugmotoren, Musikinstrumenten, Textilindustrie; Hafen an der Seine.

Melusịne, in der altfrz. Sage eine schöne Meerfee, Gemahlin des Grafen Raymond von Poitiers, der sie in ihrer Nixengestalt überrascht, sodass sie ins Wasser zurückkehren muss; Stammmutter des Hauses Lusignan. Die Sage wurde erstmals aufgezeichnet von Jean d'Arras (1387). Der Troubadour Couldrette schuf eine metr. Fassung (1401), die zur Grundlage des dt. M.-Romans des Thüring von Ringoltingen (1456, gedruckt 1471) wurde, Nachdichtung u.a. von L. Tieck (1800). – Dramatisierungen des Stoffes von Hans Sachs, J. Ayrer. Goethes Märchen »Die neue M.« (1816) wandelte das Grundmotiv ins Heitere ab.

Melville, 1) ['melvɪl], Herman, amerikan. Schriftsteller, *New York 1. 8. 1819, †ebd. 28. 9. 1891; zunächst Seemann; lebte ab 1863 in New York; bekannt v.a. durch den Roman »Moby Dick oder Der weiße Wal« (1851), der als bed. Prosadichtung des amerikan. Symbolismus gilt; schrieb neben weiteren Romanen (»Weißjacke«, 1850; »Ein sehr vertrauenswürdiger Herr«, 1857) die trag. Erzählung »Billy Budd« (hg. 1924) und Gedichte.

2) [mɛl'vil], Jean-Pierre, eigtl. J.-P. Grumbach, frz. Filmregisseur, *Paris 20. 10. 1917, †ebd. 2. 8. 1973; wurde bekannt durch »Die schreckl. Kinder« (1949; nach dem Roman von J. Cocteau); drehte dann v.a. anspruchsvolle Kriminal- und Gangsterfilme, u.a. »Drei Uhr nachts« (1955), »Der Teufel mit der weißen Weste« (1963), »Der eiskalte Engel« (1967); wirkte auf die Nouvelle Vague.

Melville Island ['melvɪl 'aɪlənd], **1)** Insel im Kanadisch-Arkt. Archipel, zu den Parry Islands gehörend, 42149 km²; Erdgas- und Erdölvorkommen.

2) Insel vor der N-Küste Australiens, 5800 km²; Trockenwald und Savanne.

Membrạn [lat. »Haut«, »Häutchen«] *die,* **1)** *Biologie:* dünnes, feines Häutchen, das trennende oder abgrenzende Funktion hat (z.B. Trommelfell).

2) *Chemie:* dünne, meist poröse Wand (Häutchen) zur Trennung von Flüssigkeiten oder Gasen unterschiedl. Zusammensetzung. Eine **semipermeable M.** ist für mindestens eine Molekülsorte undurchlässig, wodurch sich im Gleichgewicht Druckunterschiede ausbilden. Handelt es sich bei den zurückgehaltenen Teilchen um geladene Stoffe, so treten zusätzlich noch elektr. Potenzialunterschiede auf.

3) *Technik:* flächenhafter Körper (z.B. in Mikrofonen oder Fernsprechern), ein dünnes, schwingungsfähiges Gebilde aus Metall, Kohle, Kunststoff oder Hartpapier in Form einer Platte oder eines Kegels, das zur Übertragung von Druckänderungen geeignet ist.

Membranophọne [zu grch. phōnḗ »Ton«], Musikinstrumente, bei denen der Klang durch Schwingungen einer gespannten Membran (Haut, Fell, Pergament) in Verbindung mit einem Luftvolumen als Resonator erzeugt wird (u.a. Pauke, Trommel).

Membrạnverfahren, Verfahren zur Trennung von flüssigen und gasförmigen Gemischen mithilfe selektiv durchlässiger dünner Wände (Membranen); hierbei werden unter dem Einfluss einer Druckdifferenz bestimmte Komponenten (z.B. das Lösungsmittel) als **Permeat** durch die Membran hindurchgepresst, während das **Retenat** (z.B. eine aufkonzentrierte Lösung) zurückbleibt. – Bei der **Umkehrosmose (Reversosmose, Hyperfiltration)** hält die Membran Salzionen und kleine Moleküle (Teilchendurchmesser 0,1 bis 2 nm) weitgehend zurück. Sie arbeitet mit Drücken, die wesentlich höher als der osmot. Druck der Lösung sind. – Die **Ultrafiltration** dient zur Auftrennung kolloider Lösungen (Teilchendurchmesser 1 nm bis 1 µm). Sie arbeitet mit Betriebsdrücken von 0,5 bis 10 bar. Die Trennwirkung wird durch Poren ermöglicht, die Lösungsmittelmoleküle hindurchlassen, nicht aber kolloide Teilchen. Anwendungsgebiete sind u.a. Meerwasserentsalzung, Reinstwasserherstellung (in Kombination mit Ionenaustauschern) und Konzentrierung von Obstsäften und Molke.

Herman Melville

Mẹmel, 1) *die* (litauisch Nemunas, russ. Neman, Nemen, Njemen), Fluss in N-Europa, 937 km lang, entspringt südlich von Minsk, Weißrussland, gabelt sich unterhalb von Tilsit, Litauen, in **Ruß** und **Gilge,** mündet in das Kur. Haff. Die M. bildet mit dem Ruß auf weite Strecken die Grenze zw. Litauen und dem russ. Gebiet Kaliningrad.

2) Stadt in Litauen, →Klaipėda.

Mẹmelgebiet (Memelland), der nördlich von Memel und Ruß gelegene Teil Ostpreußens, 2830 km², mit (1938) 153000 Ew.; musste im Versailler Vertrag (1919) ohne Volksabstimmung an die Alliierten abgetreten werden (ab 16. 2. 1920 unter frz. Verw.); am 10. 1. 1923 von litauischen Freischärlern besetzt. In der »Konvention über das M.« (8. 5.

1924) erhielt Litauen die Souveränität über das Gebiet (bei Anerkennung des **Memelstatuts** vom 14. 3. 1924, das dem M. Autonomie gewährte). Zw. dem Gouverneur, der im M. die litauische Reg. vertrat, und dem von einer dt. Mehrheit beherrschten Landtag kam es immer wieder zu Spannungen (insbesondere nach 1933); 1926–38 galt der Belagerungszustand. Unter dem Druck der nat.-soz. Reichsreg. gab Litauen am 22. 3. 1939 das M. an Dtl. zurück (Wiedereingliederung in die preuß. Provinz Ostpreußen). Im Winter 1944/45 verließ der größte Teil der dt. Bevölkerung das M., das 1948 in die Litauische SSR (heute Rep. Litauen) eingegliedert wurde.

📖 GORNIG, G.: *Das Memelland. Gestern u. heute.* Bonn *1991.*

Memmingen
Stadtwappen

Memento [lat.] *das,* Gebetspassage (Fürbitten) in der kath. Messe; Erinnerung, Mahnung (**memento mori!** »gedenke des Todes!«).

Memleben, Gemeinde im Burgenlandkreis, Sa.-Anh., an der Unstrut, 870 Ew. – Im 10. Jh. Königshof mit Pfalz, Sterbeort Heinrichs I. (936) und Ottos I., d. Gr. (973). Reste der Pfalz und des Benediktinerklosters (979–1552) sind erhalten.

Memnon: Die aus der Zeit um 1400 v. Chr. stammenden beiden 17,9 m hohen Sitzfiguren des Pharaos Amenophis III. (Memnonskolosse) in Theben galten den Griechen im ptolemäischen Ägypten als Bilder des Memnon

Memling, Hans (auch Jan van Mimmelynghe), niederländ. Maler, *Seligenstadt zw. 1433 und 1440, †Brügge 11. 8. 1494; vermutlich Schüler R. van der Weydens; seit 1465 in Brügge nachweisbar. Seine Altar- und Andachtsbilder sind von großer Detailgenauigkeit, sorgfältiger Zeichnung, erlesener Farbigkeit und zeigen das Bemühen um räuml. Tiefe; szenen- und figurenreiche Darstellungen wirken jedoch häufig additiv und statisch. Zu den Hauptwerken M.s gehören der Altar des Iacopo Tani mit der Darstellung des Jüngsten Gerichts (1467/68–1471/72; Danzig, Muzeum Pomorskie), der Triptychon des Sir John Donne (um 1477; London, National Gallery), Die sieben Freuden Mariä (1480; München, Pinakothek) und der Reliquienschrein der heiligen Ursula (1489; Brügge, Memling-Museum).

Memmert *der,* Düneninsel im Wattenmeer, Landkr. Aurich, Ndsachs., 5,17 km²; Vogelschutzgebiet.

Memmi, 1) [mɛˈmi], Albert, tunes. Schriftsteller frz. Sprache, *Tunis 15. 12. 1920; aus jüd. Familie; Prof. für Kultursoziologie; lebt in Paris; gilt neben F. Fanon als Haupttheoretiker des Antikolonialismus; untersucht in theoret. Arbeiten (»Rassismus«, Essays, 1982) und Romanen (u. a. »Die Salzsäule«, 1953; »Agar«, 1955; »Der Pharao«, 1988) Unterdrückungsmechanismen und die Situation sozialer Minderheiten.

2) Lippo, italien. Maler, nachweisbar 1317–47 in Siena; Mitarbeiter und Nachahmer Simone Martinis; malte v. a. zarte Madonnenbilder.

Memmingen, kreisfreie Stadt im RegBez. Schwaben, Bayern, am Rande des Allgäus, 40 700 Ew.; Leder-, Textil-, Elektro-, feinmechan. Ind., Maschinen- und Fahrzeugbau. – Gut erhaltenes altes Stadtbild: Reste der Befestigung, got. Martinskirche und Frauenkirche, ehem. Augustinerkirche (15. Jh.), ehem. Kreuzherrenkloster mit der Kirche St. Peter und Paul (1480–84; Stuckarbeiten der Wessobrunner Schule, 1709), Rathaus (1589, Rokokofassade 1765), Hermannsbau (1766, Museum). – 1128 erstmals erwähnt; wurde vor 1180 Stadt, vor 1286 Reichsstadt; erlangte ab 1749 Landesherrschaft, kam 1802/03 an Bayern.

Memnon, *grch. Mythos:* ein Sohn der Eos, König von Äthiopien, kam mit seinem Heer den Trojanern zu Hilfe und wurde von Achill getötet. Als Bilder des M. galten den Griechen im ptolemäischen Ägypten die **Memnonskolosse** in Theben, zwei 17,9 m hohe Sitzfiguren des Pharaos Amenophis III. (um 1400 v. Chr.).

Memoiren [memoˈa:rən; von frz. mémoire »Gedächtnis«, »Erinnerung«], v. a. von Persönlichkeiten des öffentl. Lebens vorgenommene literar. Darstellung des eigenen Lebens, wobei die Schilderung selbst erlebter polit., künstler. und zeitgeschichtl. Ereignisse, die Erinnerung an berühmte Zeitgenossen oder das eigene Wirken im Vordergrund stehen; im Ggs. zur objektivierten Chronik, zu den mehr Privates schildernden Lebenserinnerungen und zu der eher dem geistig-seel. Entwicklungsprozess gewidmeten Autobiographie.

Memorandum [lat.] *das,* Denkschrift.

Memorial Day [mɪˈmɔ:rɪəl ˈdeɪ] *der* (Decoration Day), in den USA seit 1868 Gedenktag für die Gefallenen v. a. des Sezessionskriegs; in den Nordstaaten am 30. Mai (seit 1971 in den meisten Staaten am letzten Montag im Mai) begangen; auch in einigen Südstaaten Feiertag.

Memory-Legierungen ['meməri-; engl. memory »Gedächtnis«], Metalllegierungen mit der Fähigkeit, sich beim Erwärmen in eine frühere Form zurückzuverwandeln. M.-L. verändern in einem bestimmten Temperaturbereich ihre Kristallstruktur. Bei hoher Temperatur liegt eine kub. Austenitstruktur (→Austenit) vor, bei Abkühlung erfolgt Umwandlung in eine leicht verformbare Martensitstruktur (→Martensit). Wird diese nach einer plast. Formänderung erwärmt, bildet sich wieder das Austenitgefüge der ursprüngl. Form. Als M.-L. wirken z.B. Nickel-Titan- und Kupfer-Zink-Aluminium-Legierungen. Sie finden u.a. Anwendung bei thermisch ansprechenden Stellelementen (z.B. Brandschutzeinrichtungen).

Menander: Kopf der römischen Kopie einer griechischen Bronzestatue (um 270 v.Chr.; Kopenhagen, Ny Carlsberg Glyptotek)

Memphis, 1) (ägypt. Menfe) altägypt. Stadt am unteren Nil, 20 km südlich von Kairo; soll durch König Menes um 2900 v.Chr. als Grenzfestung errichtet worden sein. Während des Alten Reiches und (mit Unterbrechungen) des Mittleren Reiches war M. die Hptst. Ägyptens, im Neuen Reich wichtiges militär. und Verwaltungszentrum. Erhalten sind nur Ruinen des Ptahtempels, Alabastersphinx aus der Zeit Amenophis' II., Balsamierungsstätte der Apis-Stiere, Paläste der Könige Merenptah und Apries, Kolossalfigur Ramses' II.; nahebei die Nekropolen →Sakkara und →Abusir.

2) Stadt in Tennessee, USA, am Mississippi, 653000 Ew.; Univ.; Elvis-Presley-Museum; Baumwoll- und Holzhandel; Nahrungsmittel-, chem., Papier-, Landmaschinen- u.a. Industrie.

Memphis-Sound ['memfis saʊnd], in der ersten Hälfte der 1960er-Jahre von der Plattenfirma Stax/Volt in Memphis (Tenn.) entwickelter expressiver Rhythm-and-Blues-Stil; sein Auftreten markiert den Beginn des Soul.

Menado, Stadt auf Celebes, →Manado.

Menagerie [-ʒə'ri:, frz.] *die,* veraltend für: Tierschau, Tiergehege.

Menaistraße (engl. Menai Strait), Meerenge, zw. der Insel Anglesey und Wales, 180 bis 3000 m breit; wird von zwei Brücken überspannt.

Menam *der,* wichtigster Fluss Thailands, entsteht aus der Vereinigung der Quellflüsse Ping (590 km) und Nan (627 km), die im Bergland an der birman. bzw. laot. Grenze entspringen; 365 km lang; mündet mit rd. 20000 km² großem Delta (dicht besiedelt, Reisanbau) in den Golf von Thailand. Dem Ausgleich der Wasserführung dienen u.a. der Chao-Phya-Damm (auch Chainatdamm, seit 1957) und der Bhumiboldamm (seit 1966).

Manama (Manama, Al-M.), Hauptstadt, wichtigster Hafen und wirtsch. Zentrum von Bahrain, am Pers. Golf, an der NO-Küste der Hauptinsel, 137000 Ew.; Finanzzentrum, Aluminiumind., Großraffinerie, Werft; traditionsreiches Handwerk, Oasenwirtschaft; internat. Flughafen (auf der Insel Muharrak).

Menander (grch. Menandros), der bedeutendste grch. Dichter der »neuen Komödie«, *Athen 342, †ebd. 291 v.Chr.; verfasste über 100 Komödien, die im Milieu des athen. Bürgertums spielen und dessen liebenswerte Schwächen und Leidenschaften schildern. M. wirkte bes. auf Plautus, Terenz, Molière und C. Goldoni.

Menarche [grch.] *die,* Zeitpunkt des ersten Auftretens der →Menstruation; abhängig u.a. von Ernährung, Klima und allg. Lebensstandard; in Mitteleuropa liegt die M. durchschnittlich bei 12,5 Jahren.

Menas (Abu Mena), Soldat, Märtyrer, *Phrygien (?), †(hingerichtet) 11. 11. 296; wird von den kopt. Christen als Heiliger verehrt. Die um sein Grab (rd. 40 km südwestlich von Alexandria) im 5. und 6. Jh. entstandene Stadt **Abu Mena (Menasstadt)** mit Pilgerherbergen, Bädern, Klöstern und Kirchen war bis zum 10. Jh. ein bed. Wallfahrtsort; seit 1961 Ausgrabungen des Dt. Archäolog. Instituts; UNESCO-Weltkulturerbe.

Hans Memling: Mitteltafel vom Triptychon des Sir John Donne (um 1477; London, National Gallery)

Rigoberta Menchú

Menchú [-'tʃu], Rigoberta, guatemaltek. Politikerin, *Chimel (Dep. Quiché) 9. 1. 1959; aus dem Stamm der Quiché-Indianer, musste 1981 nach Mexiko emigrieren; seit 1983 in der Menschenrechtskommission der UN, seit 1986 Beraterin der UN für die Rechte der indian. Bev.; erhielt 1992 den Friedensnobelpreis.

Mẹncius, chines. Philosoph, →Mengzi.

Mencken ['meŋkın], Henry Louis, amerikan. Schriftsteller und Journalist, *Baltimore (Md.) 12. 9. 1880, †ebd. 29. 1. 1956; übte als Gründer und Herausgeber der Ztschr. »The American Mercury« (1924–33) scharfe Kritik am amerikan. öffentl. Leben; bed. ist v. a. sein sprachwiss. Werk »Die amerikan. Sprache« (1919).

Gregor Mendel

Mende [mãd], Hptst. des frz. Dép. Lozère, am Lot, 10 900 Ew.; Textilind. – Kathedrale (14. Jh.).

Mẹnde, Erich, Politiker, *Groß Strehlitz (heute Strzelec Opolskie, bei Oppeln) 28. 10. 1916, †Bonn 6. 5. 1998; Jurist, 1945 Mitbegründer, 1960–67 Bundesvors. der FDP, 1949–80 MdB; war 1963–66 Vizekanzler und Bundesmin. für gesamtdt. Fragen. 1970 trat er aus Protest gegen die Bildung der sozialliberalen Koalition zur CDU über.

Mẹndel, Gregor Johann, Augustinerprior und Lehrer, *Heinzendorf (heute Hynčice, bei Nový Jičín) 22. 7. 1822, †Brünn 6. 1. 1884; entdeckte bei Kreuzungsversuchen an Erbsen und Bohnen 1865 die →mendelschen Gesetze für die Vererbung einfacher Merkmale. Diese richtungweisenden Ergebnisse wurden erst um 1900 von den Pflanzenforschern C. E. Correns, E. von Tschermak und H. de Vries wieder entdeckt.

📖 LÖTHER, R.: *Wegbereiter der Genetik. G. J. M. u. August Weismann. Neuausg. Frankfurt am Main u. a. 1990.*

Dmitri Mendelejew

Mendelẹjew, Dmitri Iwanowitsch, russ. Chemiker, *Tobolsk 8. 2. 1834, †Sankt Petersburg 2. 2. 1907; stellte gleichzeitig, aber unabhängig von J. L. Meyer 1869 ein →Periodensystem der chemischen Elemente auf, aufgrund dessen er Vorhandensein und Eigenschaften erst später entdeckter Elemente (Gallium, Scandium, Germanium) voraussagte.

Mẹndele Mọjcher Sforịm, eigtl. Scholem Jankew Brojde, gen. Schalom Jakob Abramowitsch, russ. Schriftsteller jidd. und hebr. Sprache, *Kopyl (Weißrussland) 2. 1. 1836, †Odessa 8. 12. 1917; gilt als Klassiker der jidd. Literatur, der er mit seiner geschliffenen realist. Prosa Weltruf verschaffte; schrieb u. a. »Dos klejne menschele« (1867), »Fischke der Krumme« (1869).

Felix Mendelssohn Bartholdy (Ausschnitt aus einem zeitgenössischen Gemälde)

Mendelẹvium [nach D. I. Mendelejew] *das,* chem. Symbol **Md,** künstlich hergestelltes, radioaktives chem. Element aus der Reihe der →Actinoide, eines der →Transurane; Ordnungszahl 101, relative Atommasse 258; die Halbwertszeit des längstlebigen Isotops ^{258}Md beträgt 57 Tage. Als erstes Isotop wurde 1955 das Nuklid ^{256}Md von den Amerikanern A. Ghiorso und G. T. Seaborg durch Beschuss des Einsteiniumisotops ^{253}Es mit Alphateilchen hergestellt.

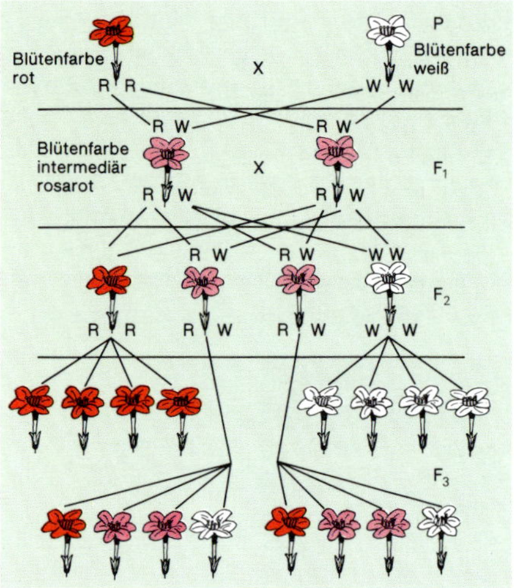

mendelsche Gesetze: schematische Darstellung eines gemäß der Uniformitätsregel und der Spaltungsregel ablaufenden intermediären Erbgangs; P Elterngeneration, F_1 erste, F_2 zweite, F_3 dritte Tochtergeneration, R Erbanlage für rote Blütenfarbe, W Erbanlage für weiße Blütenfarbe

mẹndelsche Gesetze (mendelsche Regeln), die zuerst von G. J. Mendel erkannten drei Grundregeln, die die Weitergabe von Erbanlagen beschreiben:

1) **Uniformitätsregel:** Kreuzt man reinerbige (homozygote) Individuen (P-Generation) miteinander, die sich nur in einem einzigen Merkmal bzw. in einem Gen unterscheiden (z. B. in der Blütenfarbe), so sind deren Nachkommen (F_1-Generation) untereinander alle gleich (uniform), d. h. für das betreffende Gen mischerbig (heterozygot). War das Merkmal dominant, bestimmt es die äußere Erscheinung, den Phänotyp. Wenn die Nachkommen der F_1-Generation im Phänotyp zu gleichen Teilen beiden Eltern ähnlich sehen (z. B. Mischfarbe), liegt ein intermediärer Erbgang vor.

2) **Spaltungsregel:** Werden heterozygote Individuen der F_1-Generation untereinander gekreuzt, so sind ihre Nachkommen (F_2-Generation) nicht alle gleich, sondern es treten neben heterozygoten auch homozygote Individuen auf. Bei Dominanz eines der beiden Merkmale erfolgt eine Aufspaltung im Verhältnis 3 : 1 (Dominanzregel).

3) **Gesetz der freien Kombinierbarkeit der Gene:** Werden Individuen miteinander gekreuzt, die sich in mehr als einem Gen voneinander unterscheiden, gilt für jedes einzelne Gen die Uniformitäts- und die Spaltungsregel. Die freie Kombinier-

barkeit gilt jedoch nur für Genpaare, die auf versch. Chromosomen liegen.

Mendelsohn, Erich, Architekt, *Allenstein 21. 3. 1887, †San Francisco (Calif.) 15. 9. 1953; eröffnete 1919 ein Büro in Berlin; entwarf den Einsteinturm (astrophysikal. Observatorium) in Potsdam (1920/1921) als bed. Beitrag zur Architektur des Expressionismus (BILD Potsdam), später plastisch aufgefasste Bauten mit großzügigen Schwingungen mit Licht- und Schattenwirkungen und langen Fensterbändern (z. B. Kaufhaus Schocken in Chemnitz, 1928–30). M. emigrierte 1933 nach London, übersiedelte 1939 nach Palästina (Krankenhaus in Haifa, 1937/38; Hebräische Univ. in Jerusalem, 1936–38, u. a.) und 1941 in die USA (Maimonides-Hospital in San Francisco, 1946–50; mehrere Synagogen).

📖 ZEVI, B.: *E. M. Zürich 1983.*

Mendelssohn, 1) Arnold, Komponist, *Ratibor (heute Racibórz) 26. 12. 1855, †Darmstadt 19. 2. 1933, Großneffe von F. Mendelssohn Bartholdy; neben musikal. Aufgaben in Darmstadt lehrte er ab 1912 am Hoch'schen Konservatorium in Frankfurt am Main; schrieb Opern (u. a. »Der Bärenhäuter«, 1900), Orchester-, Kammer-, Klaviermusik, Chorwerke, Lieder. Mit seinen geistl. Werken leitete er die Reform der evang. Kirchenmusik in Dtl. ein.

2) Dorothea, Schriftstellerin, →Schlegel, Dorothea.

3) Moses, Philosoph, *Dessau 17. 8. 1729, †Berlin 4. 1. 1786, Großvater von F. Mendelssohn Bartholdy. Seine Übersetzung des Pentateuchs, des Psalters und des Hohen Liedes führte die dt. Sprache in die jüd. Literatur ein und verbreitete mit ihr unter den Juden den Gedanken der Aufklärung und der Emanzipation. Von weit reichender Bedeutung war seine philosoph. Interpretation der jüd. Religion (»Phaedon oder über die Unsterblichkeit der Seele«, 1767; »Morgenstunden oder Vorlesungen über das Dasein Gottes«, 1785).

📖 HÜTTER, A.: *M. M. Philosophie zw. gemeinem Menschenverstand u. unnützer Spekulation. Cuxhaven 1990. – M. M. u. die Kreise seiner Wirksamkeit, hg. v.* M. ALBRECHT *u. a. Tübingen 1994.*

4) Peter de, Schriftsteller, *München 1. 6. 1908, †ebd. 10. 8. 1982; emigrierte 1933, ab 1941 brit. Staatsbürger; ⚭ mit Hilde Spiel; wurde 1975 Präs. der Dt. Akademie für Sprache und Dichtung; verfasste neben zeit- und literaturkrit. Essays politisch-dokumentar. Arbeiten, biograph. Werke (z. B. zu W. Churchill und T. Mann), Monographien und zahlr. Novellen.

Mendelssohn Bartholdy, Felix, Komponist, *Hamburg 3. 2. 1809, †Leipzig 4. 11. 1847, Enkel von Moses Mendelssohn; trat, von C. F. Zelter ausgebildet, mit 9 Jahren erstmals als Klavierspieler öffentlich auf, komponierte mit 17 Jahren die Ouvertüre zu Shakespeares »Ein Sommernachtstraum«. Mit der ersten Wiederaufführung (1829) der »Matthäuspassion« von J. S. Bach nach dessen Tod begründete er die moderne Bach-Pflege. Seit 1835 war M. B. Leiter des Gewandhauses in Leipzig, seit 1843 zugleich Leiter des von ihm mitgegründeten Konservatoriums. Er war als Pianist und Dirigent eine der glänzendsten Erscheinungen seiner Zeit. Seine Werke stehen formal v. a. der Klassik nahe, erweisen aber bes. in den kleinen lyr. Formen seine romant. Bindung. Meisterhaft sind seine durchsichtig klare Instrumentierung und seine geschmeidig melod. Gestaltung. M. B.s reiches Schaffen umfasst u. a. die Oper »Die Hochzeit des Camacho« (1827), die Konzertouvertüren »Die Hebriden oder die Fingalshöhle« (1830, Neufassung 1832), »Meeresstille und glückliche Fahrt« (1828–33), »Die schöne Melusine« (1833–35) sowie Sinfonien, Violin- und Klavierkonzerte, Kammermusik, Orgelsonaten, Oratorien (»Paulus«, 1832–36; »Elias«, 1845–46) und Gesangswerke.

📖 RICHTER, A.: *Mendelssohn. Leben – Werke – Dokumente. Mainz u. a. 1994.* – KÖHLER, K.-H.: *Mendelssohn. Stuttgart u. a. 1995.*

Menden (Sauerland), Stadt im Märkischen Kreis, NRW, 58 800 Ew.; Metall-, Elektro- u. a. Industrie. – 1276 erstmals als Stadt genannt.

Menderes (eigtl. Büyük M., in der Antike Mäander) *der,* Fluss in Kleinasien, Türkei, 584 km lang; nahe der Mündung in das Ägäische Meer lag die antike Stadt Milet.

Menderes, Adnan, türk. Politiker, *Aydın 1899, †(hingerichtet) Yassı Ada 17. 9. 1961; war

Erich Mendelsohn

Moses Mendelssohn (Ausschnitt aus einem Gemälde von Anton Graff, 1771)

Felix Mendelssohn Bartholdy: Beginn der Ouvertüre »Die Hebriden oder die Fingalshöhle«, Autograph der Neufassung von 1832

1946 Mitgründer, ab 1950 Vors. der Demokrat. Partei; 1950–60 MinPräs., 1960 durch einen Staatsstreich der Armee gestürzt und wegen Bruchs der Verf. zum Tode verurteilt.

Menelik II.

Mendès-France [mɛ̃dɛs'frã:s], Pierre, frz. Politiker, *Paris 11. 1. 1907, †ebd. 18. 10. 1982; Rechtsanwalt, lange Zeit Mitgl. der Radikalsozialist. Partei, seit 1942 in der Résistance aktiv; beendete als MinPräs. und Außenmin. (1954–55) den Indochinakrieg. Als Mitgl. (1960–68) der Vereinigten Sozialist. Partei (PSU) bekämpfte er das polit. System der Fünften Republik.

Mẹndig, Stadt im Landkr. Mayen-Koblenz, Rheinl.-Pf., 8200 Ew.; Basaltabbau, Kunststoff verarbeitende und Getränkeindustrie.

Carlos Menem

Mendikạnten [lat.], die →Bettelorden.

Mendọza [-θa], Hptst. der Prov. M., Argentinien, am O-Fuß der Kordilleren, 760 m ü. M.; 121700 Ew.; kath. Erzbischofssitz, 4 Univ., Weinbauforschungsinst.; internat. Flughafen; in der Umgebung Erdöl- und Erdgasvorkommen. – 1561 gegr.; 1861 vollständig durch Erdbeben zerstört und unweit der Ruinen wieder aufgebaut.

Mendọza [-θa], **1)** Ana de, →Éboli.

2) Antonio de, span. Staatsmann, *Alcalá la Real (Prov. Granada) um 1490, †Lima 21. 7. 1552; 1535–49 erster span. Vizekönig von Neuspanien (Mexiko), wo er die Grundlagen der kolonialen Ordnung schuf. Auf sein Betreiben wurde die Univ. Mexiko gegründet und die Eroberung der Philippinen begonnen.

3) Diego Hurtado de, span. Humanist, Dichter und Diplomat, →Hurtado de Mendoza.

4) Eduardo, span. Schriftsteller, *Barcelona 11. 1. 1943; erfolgreicher Autor brillant erzählter Romane, in denen Elemente des Gesellschafts- und Kriminalromans mit modernen literar. Techniken kombiniert sind: »Die Wahrheit über den Fall Savolta« (1975), »Die Stadt der Wunder« (1986), »Die unerhörte Insel« (1989), »Una comedia ligera« (1996).

5) Pedro de, span. Konquistador, *Guadix 1487, †auf See 23. 6. 1537; führte 1534/35 auf eigene Kosten eine Expedition ins Río-de-la-Plata-Gebiet und gründete 1536 Buenos Aires.

Mendrịsio, Bezirkshauptort im Kt. Tessin, Schweiz, 6500 Ew.; Architekturakademie; zahlr. histor. Bauten aus dem 14.–18. Jh. Zentrum des auch industriell geprägten **Mendrisiotto.**

Menelạos, *grch. Mythos:* König von Sparta, Sohn von Atreus, jüngerer Bruder des Agamemnon, Gemahl der →Helena, einer der tapfersten Helden vor Troja. M. irrte nach dem Fall Trojas, durch einen Sturm verschlagen, acht Jahre umher, ehe er die Heimat erreichte.

Menelạos von Alexạndria, grch. Astronom und Mathematiker um 100 n. Chr.; übertrug die Begriffe Seite, Winkel und Dreieck von der Ebene auf die Kugel und entwickelte die Grundlagen der sphär. Trigonometrie.

Menelik II. ['me:nɛlɪk, 'mɛnɛlɪk] (Menilek II.), Kaiser von Äthiopien (1889–1913), *Ankober 17. 8. 1844, †Addis Abeba 12. 12. 1913; behauptete seine Macht als Herrscher von Schoa (1855–89). Nach dem Tod von Kaiser Johannes IV. (1889) ließ er sich zum Kaiser von Äthiopien ausrufen. Gegenüber Italien, das die Schutzherrschaft beanspruchte, erreichte er durch seinen Sieg bei Adua (1896) die Unabhängigkeit Äthiopiens; schuf die Grundlagen für ein modernes Staatswesen.

Mẹnem, Carlos Saul, argentin. Politiker, *Anillaco (Prov. La Rioja) 2. 7. 1935; Jurist, Peronist, 1973–76 und 1983–89 Gouv. von La Rioja, nach dem Militärputsch von 1976 für fünf Jahre in Haft; seit 1989 Staatspräsident (wieder gewählt 1995).

Menéndez Pidal [me'nendɛθ pi'ðal], Ramón, span. Philologe und Historiker, *La Coruña 13. 3. 1869, †Madrid 14. 11. 1968; war 1925–38 und ab 1947 Präs. der span. Akademie; verfasste Werke zur span. Gesch., Sprache und Lit., bes. des MA.

Menéndez y Pelayo [me'nendɛθ i pe'lajo], Marcelino, span. Literarhistoriker, Kritiker und Philosoph, *Santander 3. 11. 1856, †ebd. 19. 5. 1912; ab 1828 Prof. für span. Lit. in Madrid, ab 1898 Direktor der Nationalbibliothek; leitete eine neue Epoche in der Erforschung der span. Literatur- und Geistesgeschichte ein, die er von einem patriot., streng kath. Standpunkt aus deutete; wies als einer der Ersten auf die Bedeutung der span.-amerikan. Dichtung hin.

Menetekel

Ein geheimnisvolles Anzeichen eines drohenden Unheils wird nach einer Stelle in der Bibel als »Menetekel« bezeichnet. Beim Propheten Daniel wird im 5. Kapitel die Geschichte des babylonischen Königs Belsazar erzählt, der sich »wider den Herrn des Himmels erhoben« hatte. Bei einem Gelage erschien dem König eine Schrift an der Wand, es waren »Finger wie einer Menschenhand, die schrieben«. Die geheimnisvolle Schrift lautete: »Mene, Mene, Tekel, Upharsin« (Daniel 5, 23). Als niemand die Schrift zu entziffern wusste, wurde der Prophet Daniel herbeigerufen, der die Worte als »gezählt« (bezogen auf die Tage der Regentschaft Belsazars), »gewogen« (aber zu leicht befunden) und »zerteilt« (in Anspielung auf die kommende Teilung des Reiches) deutete.

*Der Belsazarstoff wurde öfter literarisch bearbeitet. Besonders bekannt ist das Gedicht »Belsazer« von Heinrich Heine. Der deutsche Dramatiker Friedrich Wolf (*1888, †1953) gab einer Erzählung den Titel »Menetekel«. Ins Scherzhafte gewendet erscheint das Thema in dem Vierzeiler »Zwei Schweinekarbonaden« von Joachim Ringelnatz. Das Gedicht lautet:*

Es waren zwei Schweinekarbonaden (= Schweinekoteletts),
Die kehrten zurück in den Fleischerladen
Und sagten, so ganz von oben hin:
»Menèh tékel ûpharsin«.

Menes, sagenhafter ägypt. König (etwa 2900 v. Chr.), soll als erster König Ägyptens Ober- und Unterägypten vereinigt und Memphis gegründet haben. Seine Identität mit König Narmer ist umstritten.

Menetekel (aramäisch mene tekel ufarsin), nach Daniel 5,25–28 Orakelworte, die während des Gastmahls des babylon. Königs Belsazar von einer (Geister-)Hand an die Palastwand geschrieben und von Daniel im Sinne des Endes seiner Herrschaft und seines Reiches gedeutet wurden: »Er (Gott) hat (das Reich) gezählt, gewogen, zerteilt«; danach *übertragen:* Ankündigung baldigen Unheils; ernster Warnruf.

Menge, Zusammenfassung voneinander unterscheidbarer Objekte oder auch mathemat. Elemente (→ Mengenlehre).

Menge, Wolfgang, Schriftsteller, Film- und Fernsehautor, *Berlin 10. 4. 1924; wurde bes. bekannt mit politischen Satiren, u. a. »Ein Herz und eine Seele« (TV-Serie, 1973) um den Spießbürger Alfred Tetzlaff und »Motzki« (TV-Serie, 1993); Drehbücher u. a. zur Krimiserie »Tatort«.

Mengelberg [-x], Willem, niederländ. Dirigent, *Utrecht 28. 3. 1871, †Sent (bei Scoul, Schweiz) 22. 3. 1951; war 1895–1945 Chefdirigent des Concertgebouworkest in Amsterdam, daneben Dirigententätigkeit in Frankfurt am Main, London und New York; bed. Förderer zeitgenöss. Musik (R. Strauss, G. Mahler).

Mengen|index, Indexzahl zur Ermittlung der reinen durchschnittl. Mengenbewegung, bei der konstante Preise im Basis- und Berichtszeitraum als Gewichte dienen (Ggs. Preisindex). M. spielen insbesondere in der Produktionsstatistik als **Produktionsindizes** eine Rolle. Der wichtigste M. ist der Index der industriellen Nettoproduktion.

Mengenlehre, mathemat. Theorie, die sich mit den Eigenschaften von Mengen und den Beziehungen zw. ihnen befasst. Die **naive (nicht-axiomat.) M.** basiert auf der von G. Cantor gegebenen Definition des Begriffs **Menge:** »Unter einer Menge verstehen wir jede Zusammenfassung von bestimmten wohl unterschiedenen Objekten unserer Anschauung oder unseres Denkens, welche die Elemente der Menge genannt werden, zu einem Ganzen.« Da der Aufbau der naiven M., insbesondere die unkrit. Verwendung des Mengenbegriffs, zu Widersprüchen (z. B. russellsche Antinomie) führte, wurden axiomat. Begründungen der M. (→ Axiom) und Einschränkungen der Anwendbarkeit bestimmter log. Grundregeln vorgenommen. Die **axiomat. M.** versucht, die M. ausgehend von Axiomen aufzubauen. Sie verzichtet auf die Definition des Begriffs Menge und verwendet ihn als Grundbegriff. Eine Menge wird durch Angabe aller Elemente (bei endl. Mengen) oder durch Angabe einer Eigenschaft, der die Elemente genügen sollen, beschrieben. Grundbegriffe axiomat. Theorien der M. sind »Menge«, »Element« oder »Klasse«. Die einzige Relation ist »$\in$«, gesprochen »Element von«, z. B. $x \in A$ heißt: x ist Element von A. Zwei Mengen A und B gelten als gleich, wenn sie dieselben Elemente enthalten. Abgeleitete Begriffe sind:

1) **Teilmenge** $B \subset A$: B ist eine Teilmenge von A (andere Sprechweise: A ist Obermenge von B), wenn alle Elemente von B auch solche von A sind (BILD 1). 2) Der **Durchschnitt (Schnittmenge)** $A \cap B$ zweier Mengen ist die Menge aller Elemente, die Elemente von A und von B sind (BILD 2). 3) Die **Vereinigung** $A \cup B$ ist die Menge der Elemente, die in A oder in B liegen (BILD 3). 4) Das relative **Komplement** $A \setminus B$ besteht aus allen Elementen von A, die nicht in B liegen (BILD 4a). Ist speziell $B \subset A$, so heißt $A \setminus B$ das Komplement von B in A (BILD 4b). 5) Die **leere Menge** $\emptyset$ ist die Menge, die kein Element enthält. 6) Die **Potenzmenge** $\mathfrak{P}(A)$ von A ist die Menge aller Teilmengen von A. Als **Produktmenge** ist das → kartesische Produkt definiert.

In der »Algebra der Mengen« werden die Gesetzmäßigkeiten der Mengenoperatoren $\cap, \cup, \setminus$ untersucht. So gelten z. B. das Kommutativgesetz und das Assoziativgesetz für $\cap$ und $\cup$ und die Distributivgesetze

$$A \cup (B \cap C) = (A \cup B) \cap (A \cup C) \text{ und}$$
$$A \cap (B \cup C) = (A \cap B) \cup (A \cap C),$$

außerdem die **morganschen Gesetze**

$$C \setminus (A \cup B) = (C \setminus A) \cap (C \setminus B) \text{ und}$$
$$C \setminus (A \cap B) = (C \setminus A) \cup (C \setminus B).$$

A und B heißen **gleich mächtig,** wenn es eine eindeutige Abbildung von A auf B gibt. Für endl. Mengen beschreibt der Begriff der Kardinalzahl die Anzahl der Elemente einer Menge. Gleich mächtige Mengen erhalten dieselbe Kardinalzahl, als Formelzeichen wird das Aleph, geschrieben $\aleph$, benutzt; die Mächtigkeit der natürl. Zahlen wird mit $\aleph_0$ (Aleph-Null) bezeichnet. Eine Menge, die zur Menge $\mathbb{N}$ der natürl. Zahlen gleich mächtig ist, heißt **abzählbar** (genauer: **abzählbar-unendlich**), z. B. die Mengen der rationalen Zahlen. Mengen mit mehr Elementen, als man abzählen kann, werden als **überabzählbar** bezeichnet; die reellen Zahlen sind nicht abzählbar.

Aus der M. ergaben sich vielfältige Impulse für die mathemat. Grundlagenforschung. Viele moderne Theorien, wie die Topologie, Maßtheorie

Marcelino Menéndez y Pelayo

Wolfgang Menge

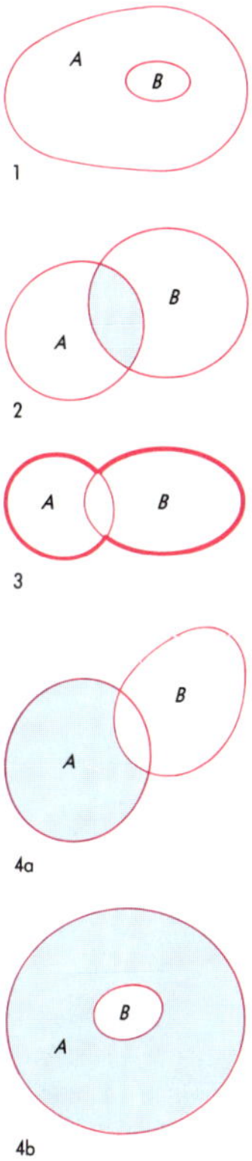

Mengenlehre: grafische Darstellung der Grundbegriffe; 1 B ist Teilmenge von A ($B \subset A$), 2 Durchschnitt der Mengen A und B ($A \cap B$), 3 Vereinigung der Mengen A und B ($A \cup B$), 4 a relatives Komplement der Menge B bezüglich der Menge A ($A \setminus B$), 4 b Komplement der Menge B bezüglich der Menge A, wobei B Teilmenge von A ist ($A \setminus B$)

Anton Raphael Mengs: »Maria Louise von Bourbon« (1763; Madrid, Prado)

oder die moderne Algebra, sind auf der Grundlage der M. entwickelt worden, die einen einheitl. Aufbau der Mathematik auf der Basis weniger Grundprinzipien ermöglicht.

📖 VILENKIN, N. J.: *Unterhaltsame M. Aus dem Russ. Leipzig* ³*1986.*

Mengennotierung (Mengenkurs), → Kurs.

Carl Menger

Menger, Carl, österr. Volkswirtschaftler, *Neusandez (heute Nowy Sącz) 23. 2. 1840, † Wien 27. 2. 1921; 1879–1903 Prof. in Wien; Mitbegründer der Wiener Schule der Nationalökonomie (→ Grenznutzenschule). Seine Beiträge zur Wert-, Preis- und Verteilungstheorie gehören zu den Grundlagen der Wirtschaftstheorie. M. löste den Methodenstreit mit G. von Schmoller aus und vertrat im Ggs. zur histor. Schule Schmollers die Notwendigkeit theoretisch-deduktiver Forschung.

Werke: Grundsätze der Volkswirthschaftslehre (1871); Untersuchungen über die Methode der Socialwiss. und der polit. Oekonomie insbesondere (1883); Die Irrtümer des Historismus in der dt. Nationalökonomie (1884).

Mengistu Haile Mariam

Mengistu Haile Mariam, äthiop. Offizier und Politiker, *1937 (nach anderen Quellen 1940); 1974 maßgeblich an der Absetzung Kaiser Haile Selassies I. beteiligt, 1974–77 Erster Stellv. Vors. des Provisorischen Militär. Verw.rates, seit 1977 dessen Vors. und damit Staatsoberhaupt; schaltete, auch unter Anwendung von Gewalt, die Opposition aus und errichtete ein Gesellschaftssystem nach den Maßstäben des Marxismus-Leninismus. Außenpolitisch lehnte er sich an die kommunist. Staatenwelt an. Nach der Verf.änderung von 1987 war er Staatspräsident. 1991 gestürzt, floh er ins Ausland.

Mengs, Anton Raphael, Maler und Kunstschriftsteller, *Aussig (heute Ústí nad Labem) 22. 3. 1728, † Rom 29. 6. 1779; tätig in Dresden (Hofmaler Augusts III.), Rom und Madrid (Hofmaler Karls III.). Anfangs dem Stil des Spätbarock verpflichtet, entwickelte er mit dem Deckengemälde »Der Parnaß« (Villa Albani, Rom, 1760/61) seinen eklekt. klassizist. Stil, der für die nachfolgende Malergeneration vorbildlich wurde; hervorragender Bildnismaler; auch theoret. Schriften.

Mengzi (Meng Tzu, Mong Dsi, latinisiert Mencius, Menzius), chines. Philosoph, *Zou (Shandong) 372 (?) v. Chr., † ebd. 289 (?) v. Chr.; bildete die Ethik des Konfuzianismus weiter, ausgehend von der angeborenen Güte der menschl. Natur, die nur der Belehrung bedürfe, um wirksam zu werden. Seine Lehren enthält das Buch »Mengzi«.

Menhir [kelt.] *der* (Hünenstein), aufrecht stehender, bis 20 m hoher Stein von kult. Bedeutung; in Frankreich, Großbritannien, Dtl., Skandinavien (→ Bautasteine) einzeln, in Reihen oder in Steinkreisen, manchmal auf oder bei Gräbern errichtet. Die meisten M. stammen aus der späten Jungsteinzeit und sind ein Merkmal der → Megalithkultur.

Ménière-Krankheit [meˈnjɛːr-, nach dem frz. Ohrenarzt P. Ménière, *1799, † 1862], Innenohrerkrankung mit anfallsweise auftretendem Drehschwindel einschl. Übelkeit und Erbrechen sowie einseitigen Ohrgeräuschen und einseitiger Schwerhörigkeit.

Menilek II. [ˈmeːnilɛk, ˈmɛnɪlɛk], Kaiser von Äthiopien, → Menelik II.

Meningen [grch.], Hirn- bzw. Rückenmarkhäute.

Meningitis [grch.] *die,* die → Gehirnhautentzündung. **M. cerebrospinalis epidemica,** die → Genickstarre.

Meningokokken (Neisseria meningitidis), gramnegative, kugelförmige Bakterien, häufigste Erreger der epidem. Meningitis.

Menippos (lat. Menippus), grch. Philosoph, *Gadara in Palästina im 3. Jh. v. Chr.; Kyniker, behandelte in Versen und Prosa Fragen der prakt. Philosophie in polemisch-satir. Form; die Werke von Seneca, Lukian und Varro lassen seinen Einfluss erkennen.

Meniskus [grch.-lat. »Halbmond«] *der,* **1)** *Anatomie:* halbmondförmige Faserknorpel im Kniegelenk; dienen der Anpassung der Gelenkflächen und als Puffer. – Bei Unfällen kann es zum **M.-Riss** oder zur **M.-Lockerung** (typ. Sportverletzung beim Fußballspielen und beim Skilaufen) kommen. Symptome der Verletzung sind u. a. sofort auftretende heftige Schmerzen im Kniegelenk, federnde Behinderung der Streckbewegung und Schwellung durch Gelenkerguss.

2) *Optik:* Linse mit zwei nach derselben Seite gekrümmten Linsenflächen, dient als Brillenglas (→ Brille).

3) *Physik:* die durch Zusammenwirken von Adhäsion und Kohäsion gekrümmte Flüssigkeitsoberfläche in einem vertikalen Rohr (→ Kapillarität).

Mennige [von lat. minium »Zinnober«] *die,* ein Bleioxid, Pb_3O_4, leuchtend rotes, in Wasser unlösl. Pulver, das durch Erhitzen von Bleioxid (PbO) im Luftstrom auf etwa 500 °C entsteht. M. wird u. a. im Gemisch mit Leinöl als Korrosionsschutzmittel verwendet.

Mennoniten (Altevangelische Taufgesinnte), nach → Menno Simons benannte, im 16. Jh. v. a. aus niederländ. und norddt. Täufergruppen hervorgegangene Religionsgemeinschaft. Die M. lehnen die Kindertaufe ab und sind für die Einführung der Glaubenstaufe (Bekenntnistaufe) Erwachsener. Sie vertreten die völlige Trennung von Staat und Kirche und lehnen jegl. Gewalt, Wehrdienst, Eidesleistung und Ehescheidung ab. Mittelpunkt ihrer Ethik ist die Nachfolge Jesu Christi im Sinne der Bergpredigt; theologisch stehen sie dem Kalvinismus nahe; oft verfolgt bzw. zur Auswanderung gezwungen (in die Ukraine, die USA, → Amische). – Heute weltweit rd. 800 000 Mitgl., zusammengeschlossen in der 1925 gegr. »Mennonit. Weltkonferenz«; in Dtl. rd. 12 000 Mitglieder.

📖 PENNER, H.: *Weltweite Bruderschaft. Ein mennonit. Geschichtsbuch, bearb. v.* H. GERLACH. *Weierhof* [5]*1995.*

Menno Simons, Täufer, * Witmarsum (heute zu Wonseradeel, Prov. Friesland) 1496, † Wüstenfelde (bei Bad Oldesloe) 31. 1. 1561; urspr. kath. Priester; schloss sich 1536 der Täuferbewegung an; wirkte seit 1541 v. a. im niederländ. und norddt. Raum (→ Mennoniten).

Menon ['menən], Vengalil Krishnan Krishna, ind. Politiker, * Calicut 3. 5. 1897 oder 1896, † Delhi 6. 10. 1974; Rechtsanwalt, 1929–47 Sekretär der »India League« in London, einflussreicher Berater J. Nehrus; war 1947–52 erster ind. Hochkommissar in London, 1952–60 Vertreter Indiens bei den UN und 1957–62 Verteidigungsminister.

Menopause [grch.] *die,* das Aufhören der Menstruation, meist zw. dem 47. und 52. Lebensjahr der Frau.

Menora [hebr. »Leuchter«] *die,* siebenarmiger Leuchter; Kultgerät in der Stiftshütte (2. Mose 25,31–40) und im zweiten jüd. Tempel in Jerusalem; er wurde 70 v. Chr. als Beute nach Rom gebracht und ist seither verschollen; seit der Antike Symbol des Judentums.

Menorca, östlichste Insel der Balearen, Spanien, 683 km², mit vorgelagerten kleineren Inseln 760 km², 62 000 Ew.; Hauptort: Mahón; Landwirtschaft, Fischfang, Fremdenverkehr; megalith. Grab- und Kultbauten.

Gian Carlo Menotti

Menotti, Gian Carlo, italien. Komponist, * Cadegliano (bei Varese) 7. 7. 1911; lehrte 1933–55 am Curtis Institute of Music in Philadelphia; gründete 1958 das »Festival dei Due Mondi« (Festival zweier Welten) in Spoleto; komponierte effektvolle Opern, u. a. »Amelia geht zum Ball« (1937), »Das Telephon« (1947), »Der Konsul« (1950), »Hilfe, Hilfe, die Globolinks« (1968), »Juana la Loca« (1979), »Goya« (1986, Neufassung 1991); Orchester- und Klaviermusik.

Mensa [lat. »Tisch«] *die,* **1)** *allg.:* Studentenspeiseraum.

2) *Astronomie:* (Tafelberg) Sternbild am Südhimmel.

3) *christl. Liturgie:* Altar, Altarplatte.

Mensch

Homo homini lupus

Dieser lateinische Satz bedeutet wörtlich übersetzt »Der Mensch (ist) dem Menschen ein Wolf«. Damit charakterisiert der englische Philosoph Thomas Hobbes in seinem staatsphilosophischen Werk »Leviathan or the matter, form, and power of a commonwealth, ecclesiastical and civil« (1794; deutsch »Leviathan oder Der kirchliche und bürgerliche Staat«) das für ihn natürlichste Verhalten des Menschen: das aus den Grundtriebkräften Selbsterhaltung und Lustgewinn resultierende Streben nach uneingeschränkter Macht. Bildungssprachlich wird diese Formulierung verwendet, um den Menschen als gefährlichsten Feind des Menschen zu kennzeichnen. Übernommen hat sie Hobbes von dem römischen Dichter Plautus. In dessen Komödie »Asinaria« heißt es: »Lupus est homo homini, non homo, quom qualis sit non novit« (»Ein Wolf ist der Mensch dem Menschen, kein Mensch, wenn er nicht weiß, wie dieser geartet ist«; Asinaria, Vers 495). Ein Kaufmann begründet dort mit diesen Worten seine Weigerung, einem ihm Unbekannten eine größere Geldsumme auszuhändigen.

Mensch [ahd. mannisco, eigtl. »der Männliche«, zu Mann], *Biologie:* das Lebewesen mit dem am höchsten entwickelten Gehirn. Im zoolog. System gehört der M. zur Klasse der Säugetiere und in die Ordnung Primaten. Durch seine Fähigkeit, begrifflich, d. h. in Abstraktionen, denken und dies entsprechend in Sprache ausdrücken zu können, nimmt er gegenüber allen Tieren eine Sonderstellung ein. Seine körperl. Merkmale (einschl. der Entfaltung des Gehirns) sowie sein Sozialverhalten und seine Emotionen können in vielen Fällen von nichtmenschl. Primaten her abgeleitet werden. Dies weist auf eine langsam erfolgte Entwicklung des M. aus seinen Vorfahren hin (stammesgeschichtl. Menschwerdung, **Hominisation**).

Entwicklungsgeschichte: Die menschl. Evolutionslinie geht von menschenaffenähnl. Formen (Propliopithecus und Aegyptopithecus) des frühen Oligozäns (vor rd. 38 Mio. Jahren) aus. Aus dem unteren Miozän (vor 17–22 Mio. Jahren) liegen Reste von mehreren menschenartigen Formen vor, unter denen der **Proconsul africanus** durch Funde am besten belegt ist. Der vor etwa 2,5 Mio. Jahren auftretende **Homo habilis** wird an den Anfang der Entwicklungslinie gestellt, die zum heutigen M. geführt hat. Ihm wird im Wesentlichen die Herstellung von Steinwerkzeugen (»pebble tools«, Geröllgeräte) zugeschrieben. Die Entwicklungsstadien im Einzelnen sind strittig, kein Zweifel besteht jedoch daran, dass zuerst die zweibeinige Körperhaltung und Fortbewegungsweise erworben wurden; erst danach erfolgte die Entfaltung des Gehirns weit über das bei höheren Affen erreichte Maß hinaus. Vor etwa 1,5 Mio. Jahren (oder noch früher) taucht der **Homo erectus** auf, der weitgehend die Körpergestalt des heutigen M. hatte; es war diejenige Art, die sich erstmals über Afrika hinaus nach Asien und Europa ausbreitete. Geschickt im Herstellen von Werkzeugen (Faustkeile, Abschläge), entwickelte er die Fähigkeit, Feuer zu machen sowie erfolgreich größere Tiere zu jagen. Von hier ging die Entwicklung über eine früharchaische und eine spätarchaische Form zum **Homo sapiens,** dessen Schädelbau sich grundsätzlich nicht mehr von dem des heute lebenden M. unterscheidet. Der Homo sapiens ist seit mehr als 100 000 Jahren durch Skelettfunde in Afrika (S-Äthiopien, Südafrika) belegt. Von dort breitete er sich über SW-Asien bis Europa aus, wo er sich (nach neueren Theorien) mit der vermutlich dort lebenden Bevölkerung des archaischen Homo sapiens vermischte und diese später ablöste. Europa und Asien wurden mindestens seit Beginn der letzten Zwischeneiszeit (vor rd. 125 000 Jahren) vom **Neandertaler** besiedelt, der vor rd. 30 000 Jahren wieder verschwand und durch den Homo sapiens abgelöst wurde. Der Neandertaler wird oft als eine bes. an die eiszeitl. Lebensbedingungen angepasste Form des archaischen Homo sapiens angesehen, der, abgesehen von der Schädelentwicklung, anatomisch dem modernen M. ähnlich war.

Anthropologie: Aufgrund von verschiedenartigen Kombinationen lässt sich die Art Homo sapiens in eine Anzahl von typolog. Kategorien einteilen. Die auffälligsten Unterscheidungsmerkmale sind neben der Haut-, Haar- und Augenfarbe (Komplex der Pigmentierung) bestimmte Körper-, Kopf- und Gesichtsformen sowie physiolog. Parameter wie Wärmeregulation und Blutmerkmale. Die Hautfarbe zeigt eine deutl. Beziehung zur Stärke der UV-Bestrahlung; sie ist in lichtreichen Gegenden dunkel (Schutz gegen UV-Strahlung) und in lichtärmeren Gegenden hell, um ausreichende Bildung von Vitamin D zu gewährleisten. Zur Entstehung der unterschiedl. Kategorien gibt es mehrere Theorien. Heute werden vier typolog. Kategorien unterschieden: die Europiden, die Mongoliden, die (aus diesen hervorgegangenen) Indianiden und die Negriden. Dazu kommen weitere typolog. Kategorien wie die Australiden, die afrikan. und asiat. Pygmiden sowie die Polynesiden. Der Prozess der Bildung der menschl. Kategorien ist eines der Ergebnisse der menschl. Evolution. Er hing v. a. von den Faktoren Isolation, Mutation und Selektion (bzw. Anpassung) ab. Da zw. den Menschen keine biolog. Kreuzungsschranken bestehen, können durch Vermischung die Grenzen zw. den o. g. Kategorien leicht verwischt werden. Heute haben eine hohe Wanderbeweglichkeit und eine weitgehende Unabhängigkeit gegenüber Klima und Ernährungsbasis zu relativ starker Durchmischung der einzelnen Kategorien geführt.

Philosophie: Die Frage nach der Stellung des M. in Bezug auf das Tierreich, das Weltganze, den Kosmos und die göttl. Mächte ist wesentl. Antrieb aller philosoph. Bemühungen seit deren Anfängen. Bereits in der Antike wurde gegenüber den mit dem Tierreich verwandten menschl. Wesensmerkmalen die übersinnl. Natur des Geistes betont. Das Vernunftvermögen unterscheidet nach Aristoteles den M. vom Tier und befähigt ihn als »zoon politikon« zum geregelten gesellschaftl. Zusammenleben. Seine Fortsetzung fand dieses Menschenbild im klass. Humanismus und in den idealist. Systemen des 18. und 19. Jh. In diesen werden das Ideal einer leiblich-seelisch-geistigen Vervollkommnung und die sittl. Autonomie als menschl. Bestimmungsmerkmale formuliert. Dualistisch zugespitzt wurde das idealist. Menschenbild durch den Rationalismus (R. Descartes); hier erschien der M. als antagonist. Einheit von Geist (res cogitans) und Körper (res extensa), wobei das leibl. Geschehen der Bestimmung durch mechanist. Gesetzmäßigkeiten, das geistige aber dem Grundsatz der Freiheit unterliegt. Der mechan. Materialismus dehnte die Theorie der kausalen Determiniertheit auf den ganzen M. aus; dieser wird zum »Maschinenmenschen« (J. O. de La Mettrie). Für den Existenzialismus ist die wesentl. Bestimmung des M. seine Freiheit, durch die er sich selbst zu dem bestimmt, was er ist. Dass der M. überhaupt »da« ist, hat keinen tieferen Sinn (»Absurdität« der Existenz; J. P. Sartre, A. Camus). Gegenüber den mannigfaltigen Bestimmungen des M. in der abendländ. Philosophie hat die moderne philosoph. Anthropologie eine antispekulative Haltung eingenommen; sie erstrebt eine Vereinigung der einzelwiss. Erkenntnisse zu einer universalen philosoph. Wiss. vom Menschen. Dagegen stehen metaphysikoffene Lehren wie die Evolutionstheorie von P. Teilhard de Chardin oder die Trieb-Geist-

Lehre M. Schelers. Insgesamt stellen sich die Selbsteinschätzungen des M. als ein Spektrum dar von einer Wertung als »Mängelwesen« (mangelhafte Organ- und Instinktausstattung, Kultur und Ethik dienen der Existenzsicherung) bis hin zur »Krone der Schöpfung« als Endzweck der Geschichte.

Religionsgeschichte: In allen Religionen nimmt der M. gegenüber allen anderen Lebewesen eine besondere Stellung ein. Judentum, Christentum und Islam begreifen ihn als Schöpfung des alleinigen personalen Gottes, vor dem sich der M. in seiner ganzen Existenz und für sie zu verantworten hat. Die ind. Religionen sehen aufgrund ihrer Lehre vom ewigen Kreislauf der Wiedergeburten keinen prinzipiellen Unterschied zw. Göttern, Menschen und den anderen Lebewesen, heben den Menschen aber dadurch hervor, dass er allein fähig ist, die Erlösung zu erlangen. Das chines. religiöse Denken sieht ihn als das Universum (Makrokosmos) im Kleinen (Mikrokosmos) an. Die jüd. und christl. Theologie betonen, im Ggs. zu dualist. Religionen, den Gedanken der Ganzheit des Menschen. Der M. ist Leib und Seele, Mann und Frau. Seine Existenz vollzieht sich in der Spannung von Bindung und Freiheit, Glauben und Vernunft, menschl. (freiem) Willen und von Gott gefordertem (Glaubens-)Gehorsam. Als »Krone« des göttl. Schöpfungswerkes ist der M. von Gott über alle anderen Geschöpfe gestellt, beauftragt, die Schöpfung verantwortlich zu gebrauchen und sie zu bewahren. Eine zentrale Stellung nimmt in allen Religionen das Problem der Begrenzung der individuellen Existenz des M. durch den Tod ein, das unterschiedlich beantwortet und kultisch-rituell bewältigt wird (→Bestattung, →Totenkult).

📖 Brugger, W.: *Grundzüge einer philosoph. Anthropologie. München 1986.* – Gehlen, A.: *Der M. Seine Natur u. seine Stellung in der Welt. Wiesbaden* [13]*1986. – Der M. Anatomie, Physiologie, Ontogenie, hg. v.* K. Sommer. *Berlin* [11]*1990.* – Henke, W. *u.* Rothe, H.: *Paläoanthropologie. Berlin u. a. 1994. – Vom Affen zum Halbgott. Der Weg des Menschen aus der Natur, hg. v.* W. Schiefenhövel *u. a. Stuttgart 1994.* – Eibl-Eibesfeldt, I.: *Die Biologie des menschl. Verhaltens. Grundriß der Humanethologie. München u. a.* [3]*1995.* – Cavalli-Sforza, L. *u.* Cavalli-Sforza, F.: *Verschieden u. doch gleich. Ein Genetiker entzieht dem Rassismus die Grundlage. A. d. Italien. Tb.-Ausg. München 1996.* – Harris, M.: *Menschen. Wie wir wurden, was wir sind. A. d. Amerikan. Neuausg. München 1996.*

Menschen|affen (Große M., Pongidae), Familie der Affen; menschenähnlich sind die Stellung der Augen und Ohren, die Andeutung einer s-förmig gekrümmten Wirbelsäule, die nackte Haut der Handflächen und Fußsohlen u. a. körperl. Merkmale, bes. in der Jugend auch die Verhaltensweisen. Die Arme der M., die als Schwingkletterer im Urwald leben, sind länger als die Beine; Daumen und große Zehe sind gegenübergestellt (opponiert). Das Gehirn ist bed. kleiner als das des Menschen; v. a. Großhirnrinde, Kleinhirn und opt. Zentrum sind stark entwickelt. Die M. sind v. a. Pflanzenfresser; sie legen Schlafnester an. Ihre Bestände sind stark bedroht. Zu den M. zählen →Orang-Utan, →Gorilla, →Schimpanse und Bonobo.

📖 *M. Die faszinierende Welt der Schimpansen, Bonobos, Gorillas u. Orang-Utans, Beiträge v.* J. Goodall *u. a. A. d. Engl. Berlin u. a. 1993.*

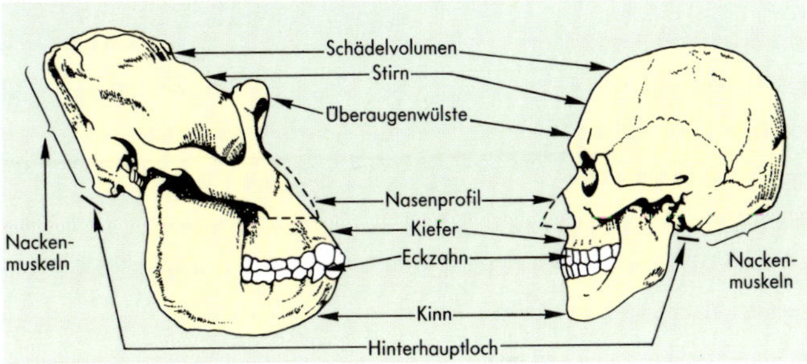

Mensch: Die wesentlichen Unterscheidungsmerkmale zwischen dem Schädel eines Menschen (rechts) und dem Schädel eines Menschenaffen (hier eines Gorillas)

Menschen|artige (Hominoidea), Überfamilie geistig höchstentwickelter Primaten: neben dem Menschen Menschenaffen und Gibbons.

Menschenfloh, Art der →Flöhe.

Menschenfresser, der Kannibale, →Kannibalismus.

Menschenhai, Bez. für den Weißen Hai und die Grauhaie (→Haie).

Menschenhandel, Straftat, die begeht, wer auf eine andere Person seines Vermögensvorteils wegen einwirkt, a) um sie in Kenntnis einer Zwangslage zur Aufnahme oder Fortsetzung der Prostitution zu bestimmen oder b) um sie ins Ausland zu entführen mit dem Ziel, sie dort zu sexuellen Handlungen zu bringen, die sie an oder vor einer dritten Person vornehmen oder von einer dritten Person an sich vornehmen lassen soll. M. ist gemäß § 180 b StGB mit Freiheitsstrafe bis zu fünf Jahren oder mit Geldstrafe bedroht (im schweren Fall, d. h. bei M. unter Einsatz von Gewalt, Drohung oder List sowie bei gewerbl. M., Freiheitsstrafe von einem bis zu zehn Jahren, § 181 StGB). Strafverschärfend wirkt auch der M. mit Personen unter 21 Jahren. – In *Österreich* ist M. nach § 217 StGB mit ähnl. Strafrahmen bedroht. In der *Schweiz* wird M. als Handel, der der Unzucht eines anderen Menschen Vorschub leistet, definiert und gemäß Art. 196 StGB mit Zuchthaus oder Gefängnis nicht unter sechs Monaten bestraft. – Die Strafgesetze über den M. wurden v.a. wegen des M. im Zusammenhang mit dem »Sextourismus« (bes. nach SO-Asien) und der daraus erwachsenden Prostitution verschärft.

Menschen|opfer, die sakrale Tötung von Menschen; weit verbreiteter kult. Akt, der vielfach im Laufe der religionsgeschichtl. Entwicklung durch das tier. Ersatzopfer abgelöst wurde (1. Mos. 22). M. dienten zur Übertragung der Macht des Geopferten (Anthropophagie; ritueller Königsmord), Tilgung von Schuld (Sühneopfer, »Sündenbock«), Abwehr drohender Gefahr (Selbstopfer röm. Truppenführer; Bauopfer, die unter den Fundamenten von Häusern und Brücken bestattet wurden) oder Begleitung Verstorbener (so die ind. Witwenverbrennung).

🕮 DAVIES, N.: *Opfertod u. M. Aus dem Engl. Neuausg. Frankfurt am Main u. a. 1983.*

Menschenraub, das Sichbemächtigen eines Menschen durch List, Drohung oder Gewalt, um ihn in hilfloser Lage auszusetzen oder in auswärtigen Kriegs- oder Schiffsdienst oder in Sklaverei zu bringen. M. wird in Dtl. nach § 234 StGB mit Freiheitsstrafe nicht unter einem Jahr bestraft (→Verschleppung). – In *Österreich* ist M. als erpresser. Entführung und Überlieferung an eine ausländ. Macht (§§ 102, 103 StGB), in der *Schweiz* als Freiheitsberaubung, Kindesentführung und Entführung ins Ausland (Art. 183, 271 Nr. 2 StGB) strafbar. – **Erpresserischer M.** (§ 239a StGB) liegt vor, wenn es der Zweck des M. ist, die Sorge des Opfers um sein Wohl oder die Sorge eines Dritten um das Wohl des Opfers zu einer Erpressung auszunutzen (Freiheitsstrafe nicht unter fünf Jahren).

Menschenrechte, Rechte, die jedem Menschen unabhängig von seiner Stellung in Staat, Gesellschaft, Familie, Beruf, Religion und Kultur bereits dadurch zustehen, dass er als Mensch geboren ist. Auch andere Merkmale wie Hautfarbe, Geschlecht, Sprache, polit. oder sonstige weltanschaul. Vorstellungen, nat. oder soziale Herkunft lassen die Gültigkeit der mit der bloßen Existenz als Mensch verbundenen M. unberührt. Zentraler Begriff der M. ist die →Menschenwürde als die unbedingte Anerkennung des Einzelnen als eines Trägers gleicher Freiheit, deren Gebrauch unabhängig von anderen Menschen erlaubt sein muss. M. werden insoweit durch staatl. Normierungen nicht geschaffen, sondern können durch diese als etwas Vorhandenes lediglich anerkannt werden.

Auch wenn die Idee der M. das Produkt einer spezifisch neuzeitlichen abendländ. Problemkonstellation war, hat sich doch eine universale Grundlage für die Diskussion der M. als individuelle Rechte etabliert. Das gilt, obwohl ihre Gültigkeit durch religiöse, polit. oder weltanschaul. Totalitarismen in Frage gestellt wird. In den Verfassungstexten formulierte M. werden i.d.R. als →Grundrechte bezeichnet.

Auf die völkerrechtl. Ebene konnten die M. erst im 20. Jh. vordringen. Dies erklärt sich aus der Grundstruktur des Völkerrechts als eines Rechts der souveränen Staaten. Der Einzelmensch erhielt durch völkerrechtl. Rechtsnormen weder Rechte noch Pflichten. Nach dem 2. Weltkrieg setzten die Vereinten Nationen (UN) die Stärkung der M.-Idee auf der internat. Ebene mit Nachdruck fort. Ein Markstein ist die **Allgemeine Erklärung der M.,** die am 10. 12. 1948 verkündet wurde, die allerdings nur empfehlenden Charakter besitzt. Verbindl. Konventionen sind dagegen zwei am 19. 12. 1966 verabschiedete, später in Kraft getretene Werke, nämlich der **Internationale Pakt über bürgerliche und politische Rechte** (Abk. IPbürgR, in Kraft seit 23. 3. 1976) und der **Internationale Pakt über wirtschaftliche, soziale und kulturelle Rechte** (Abk. IPwirtR, in Kraft seit 3. 1. 1976) als Kernstücke des internat. M.-Schutzes. Der IPbürgR wiederholt im Wesentlichen die in der Allgemeinen Erklärung der M. enthaltenen Rechte auf Freiheit und Gleichheit. Eine schwächere Verpflichtung ist in dem IPwirtR enthalten. Die tatsächl. Lage der M. wird von der UN durch versch. Kommissionen und Beauftragte beobachtet; zu ihrer Verbesserung sind zahlreiche Abkommen geschlossen worden. 1993 wurde das Amt eines **Hochkommissars für M.** geschaffen.

Auf regionaler Ebene existieren als Pakte zum Schutze der M. die Europ. Menschenrechtskonvention (EMRK) vom 4. 11. 1950 (→Europarat) mit dem →Europäischen Gerichtshof für Menschenrechte als Kontrollorgan, die Amerikan. Menschenrechtskonvention der Organisation Amerikan. Staaten (OAS) vom 22. 11. 1969 (AMRK) sowie die Afrikan. Charta der Rechte der Menschen und Völker (»Banjul-Charta«), die am 21. 10. 1986 in Kraft getreten ist.

Der gesamte völkerrechtl. M.-Schutz leidet noch immer darunter, dass er in erster Linie innerstaatl. Organen übertragen ist. Die völkerrechtl. Instrumente können nur die Staaten als solche verpflichten. Die Kontrolle über die Erfüllung der völkerrechtl. Pflichten ist wegen des Fehlens eines internat. Exekutivorgans und einer internat. obligator. Gerichtsbarkeit sehr erschwert. Nur auf regionaler Ebene (EMRK, AMRK) sind Ansätze für eine internat. Gerichtskontrolle geschaffen worden. Der Zugang des Einzelnen zu einer solchen internat. Gerichtsbarkeit stößt aber immer noch auf rechtsdogmat. Schwierigkeiten, weil der internat. M.-Schutz die Schwelle der nat. Souveränität noch nicht überwunden hat.

🕮 HANZ, M.: *Zur völkerrechtl. Aktivlegitimation zum Schutze der M. München 1985.* – HEINZ, W. S.:

M. in der Dritten Welt. München 1986. – Menschen- u. Bürgerrechte, hg. v. U. KLUG *u. a. Stuttgart 1988.* – SIEGHART, P.: *Die geltenden M. A. d. Amerikan. Kehl am Rhein u. a. 1988.*

Menschensohn, hebr. und aramäische Umschreibung für einen Menschen, in der jüd. →Apokalyptik Bez. einer messian. Gestalt, die am Ende der Zeiten erwartet und das endzeitl. Reich aufrichten wird (z.B. Dan. 7,13f.); im N.T. fast ausschl. in der wörtl. Rede Jesu gebraucht, der vom M. stets in der dritten Person spricht.

Menschenwürde, der Anspruch des Menschen, als Träger geistig-sittl. Werte um seiner selbst willen geachtet zu werden. Sie verbietet jede erniedrigende Behandlung oder die Behandlung eines Menschen als »bloßes Objekt«. Nach Art. 1 Abs. 1 GG ist die M. unantastbar; sie zu achten und zu schützen ist Verpflichtung aller staatl. Gewalt. Die prakt. Bedeutung dieser Bestimmung tritt hinter den spezielleren →Grundrechten zurück, die ihrerseits durch die M. geprägt sind.

Menschewiki [russ. »Minderheitler«], der gemäßigte Flügel der Sozialdemokrat. Arbeiterpartei Russlands, der auf dem 2. Parteitag 1903 gegenüber den von Lenin geführten »Bolschewiki« bei einer Abstimmung über das Parteistatut und den Wahlen zum Zentralkomitee in der Minderheit blieb. Führende Vertreter waren G. W. Plechanow, L. Martow, N.S. Tschcheidse. Die M., die gegenüber Lenins Kaderpartei am Prinzip der Massenpartei festhielten, spielten eine aktive Rolle in der russ. Revolution 1905/07. 1912 fand die endgültige Spaltung der Partei in Bolschewiki und M. statt. Nach der Februarrevolution 1917 gewannen die M. eine führende Stellung in Georgien und (gemeinsam mit den Sozialrevolutionären) im Petrograder Sowjet; zeitweise gehörten sie 1917 der Provisor. Reg. an. Die M. lehnten die bewaffnete Machtergreifung der Bolschewiki 1917 ab. Zunehmend verfolgt, 1921 verboten, gingen viele M. ins Exil.

Menschikow, 1) Alexander Danilowitsch Fürst (seit 1705/07), russ. Staatsmann und Feldmarschall (seit 1709), *Moskau 16. 11. 1673, †Berjosowo (Gebiet Tjumen) 23. 11. 1729, Urgroßvater von 2); einflussreichster Vertrauter und Günstling Peters d. Gr., hatte im Nord. Krieg (1700–21) großen Anteil an den Siegen über die Schweden bei Kalisch (1706) und Poltawa (1709); wurde 1703 Generalgouv. von Ingermanland; setzte nach dem Tod Peters d. Gr. (1725) die Thronbesteigung Katharinas I. durch, in deren Regierungszeit er faktisch die russ. Politik bestimmte; 1727 entmachtet und verbannt.

2) Alexander Sergejewitsch Fürst, russ. General und Staatsmann, *Sankt Petersburg 26. 8. 1787, †ebd. 1. 5. 1869, Urenkel von 1); wurde 1831 Generalgouv. von Finnland; trug als Sonderbotschafter in Konstantinopel 1853 durch ultimative Forderungen zum Ausbruch des →Krimkriegs bei, in dem er als Oberbefehlshaber der Land- und Seestreitkräfte (bis 1855) glücklos kämpfte.

Mensching, Gustav, Religionswissenschaftler, *Hannover 6. 5. 1901, †Düren 30. 9. 1978; seit 1936 Prof. in Bonn; arbeitete bes. über Religionsphänomenologie und -soziologie.

Mensch-Maschine-Kommunikation, Bez. für alle Phänomene, die mit der Benutzung von Computern durch den Menschen, insbesondere bei Dialogsystemen, zusammenhängen, auch Mensch-Maschine-Interaktion gen. Als wiss. Arbeitsgebiet ist die M.-M.-K. ein interdisziplinäres Forschungsgebiet im Schnittpunkt von Informatik, Psychologie und Arbeitswissenschaft. Wesentl. Teilgebiete sind **Software-Ergonomie** (benutzergerechte Gestaltung von Dialogsystemen und Benutzerschnittstellen) und **Hardware-Ergonomie** (menschengerechte Gestaltung von Endgeräten und Computerarbeitsplätzen). Die M.-M.-K. beschreibt die Übermittlung von Information vom Menschen zur Maschine und umgekehrt.

Mensendieck, Bess, eigtl. Elizabeth Marguerite M., niederländisch-amerikan. Gymnastiklehrerin, *New York 1. 7. 1864, †(auf testamentar. Wunsch unbekannt) 1957 oder 1958; Begründerin der **M.-Gymnastik,** die eine Analyse und Synthese der menschl. Bewegungen anstrebt.

Menses [lat. »Monate«], die →Menstruation.

mens sana in corpore sano (sit) [lat.], »ein gesunder Geist (möge) in einem gesunden Körper (wohnen)«, geflügeltes Wort aus Juvenals »Satiren«.

Menstruation [lat.] *die* (Monatsblutung, Regel, Regelblutung, Periode, Menses), die bei der geschlechtsreifen Frau periodisch (durchschnittlich alle 29,5 Tage) auftretende, 3–5 Tage dauernde Blutung aus der Gebärmutter als Folge der Abstoßung der Gebärmutterschleimhaut. Eine echte M. liegt nur dann vor, wenn im vorangegangenen Zyklus eine Ovulation stattfand. Nach der M. reift in der Follikelphase (zw. dem 6. und 15. Tag) unter dem Einfluss des in der Hypophyse gebildeten follikelstimulierenden Hormons in einem der beiden Eierstöcke ein Follikel (eitragendes Bläschen) zum Graaf-Follikel heran. Die in den Eierstöcken gebildeten östrogenen Hormone bewirken das Wachstum der Gebärmutterschleimhaut **(Proliferationsphase)** und eine Rückinformation an die Hypophyse (Rückkopplungsmechanismus). Unter dem Einfluss von hypophysärem Luteinisierungshormon platzt (etwa zw. dem 11. und 15. Tag) der Graaf-Follikel (Eisprung, Ovulation), sodass die frei werdende Eizelle durch den Eileiter in die Gebärmutter gelangen kann. In der folgenden **lutealen Phase** (Zeit vom Eisprung bis etwa 27. Tag) bildet sich der gesprungene Follikel in eine Hormon-

Alexander Danilowitsch Fürst Menschikow
(zeitgenössischer Kupferstich)

Alexander Sergejewitsch Fürst Menschikow
(zeitgenössischer Kupferstich)

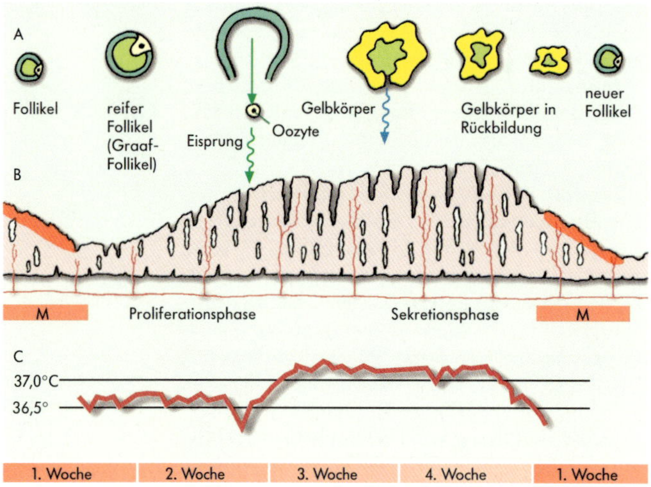

Menstruation: A Entwicklung des Follikels über Reifung, Eisprung, Bildung und Rückbildung des Gelbkörpers, B zyklische Vorgänge in der Gebärmutterschleimhaut sowie Zeitpunkt und Dauer der Menstruation (M), C Verlauf der Basaltemperatur über die Dauer eines Monatszyklus

drüse, den Gelbkörper, um. Das Gelbkörperhormon bewirkt eine Auflockerung und Nährstoffanreicherung in der Gebärmutterschleimhaut **(Sekretionsphase)** zwecks eventueller Aufnahme eines befruchteten Eies. Hat keine Befruchtung stattgefunden, gehen Gelbkörper und Ei zugrunde. Die sekretorisch umgewandelte Schleimhaut wird unter Blutung etwa am 28. Tag abgestoßen.

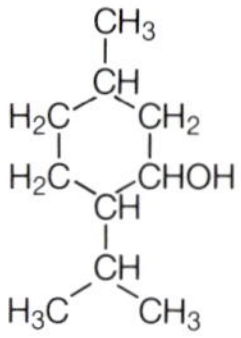

Menthol

Mensur [lat. mensura »das Messen«, »Maß«] *die,* **1)** *Chemie:* →Messzylinder.

2) *Fechten:* Abstand der beiden Gegner voneinander.

3) *Musik:* die den Klang, die Stimmung und die Spielweise bestimmenden Maßverhältnisse eines Instrumentes, z.B. bei der Orgel das Verhältnis des Querschnitts zur Länge der Pfeifen, ebenso bei Blasinstrumenten; bei Saiteninstrumenten das Verhältnis der Saiten zum Korpus sowie aller Maße der Teile des Instruments zueinander.

4) *student. Verbindungen:* (Pauken) Zweikampf mit blanker Waffe, wird noch in einigen Verbänden an dt., österr. und schweizer. Hochschulen geübt (z.T. auch in diesen Verbänden umstritten). – Die benutzten Waffen sind reine Hiebwaffen. Die M. wird von einem Unparteiischen geleitet. Jedem Fechter **(Paukant)** stehen ein **Sekundant** und ein **Testant** zur Seite. Gegen gefährl. Verletzungen sind die Fechter durch Bandagierung gesichert **(Paukwichs).** Die M. ist beendet (ausgepaukt) nach 40–60 Gängen oder durch **Abfuhr,** wenn ein schwerer Schmiss das Weiterfechten verbietet. Die Vorschriften sind im **Paukkomment** zusammengefasst.

Mensuralmusik [lat.], die in Mensuralnotation aufgezeichnete Musik des 13.–16. Jahrhunderts.

Mensuralnotation [lat.], aus der →Modalnotation hervorgegangene Notenschrift des 13.–16. Jh., die außer der Tonhöhe (durch Notenlinien und Notenschlüssel) auch durch versch. Formen der Notenzeichen das Verhältnis der Tondauer untereinander ausdrückte, im Ggs. zu der älteren →Choralnotation, die den Zeitwert der Töne nicht angibt. Um 1450 wurden anstelle der großen schwarzen Notenzeichen die schwarz umrandeten weißen Notenformen eingeführt und die schwarzen Noten auf die kleinsten Werte beschränkt: Maxima ⊓, Longa ⊓, Brevis □, Semibrevis ◇ (unsere ganze Note), Minima ◇ (unsere Halbe), Semiminima ◇ oder ♦ (Viertel), Fusa ◇ oder ♦ (Achtel), Semifusa ◇ oder ♦ (Sechzehntel). Durch Rundung des Notenumrisses entstand seit etwa 1600 aus der M. die heutige Notenschrift.

📖 Apel, W.: *Die Notation der polyphonen Musik, 900–1600. A. d. Engl. Leipzig* [4]*1989.*

mental [lat.], den Geist betreffend, gedanklich.

Mentalreservation [lat.], *Recht:* →geheimer Vorbehalt.

Mentawaiinseln, indones. Inselgruppe südwestlich von Sumatra, 6097 km², rd. 40000 Ew. (Altindonesier).

Menthol [lat.] *das* (p-Menthan-3-ol), Hauptbestandteil des Pfefferminzöls, wird aus Minzenarten oder synthetisch hergestellt; wirkt entzündungswidrig, antiseptisch und auf der Hautoberfläche leicht betäubend und kühlend; wird als Zusatz u.a. zu Zahnpasten und Kaugummi verwendet.

Mentizid [lat.] *das,* die →Gehirnwäsche.

Menton [mã'tɔ̃] (italien. Mentone), Stadt im Dép. Alpes-Maritimes, Frankreich, an der Côte d'Azur, 29500 Ew.; Fremdenverkehr: Spielkasino, Musikfestspiele, Segelsportwettbewerbe; Parfümherstellung. – M. gehörte bis 1860 zum Fürstentum Monaco.

Mentor, in der »Odyssee« der Freund des Odysseus und Lehrer des Telemachos; heute Bez. für Lehrer, Berater.

Menü [frz.] *das,* **1)** *allg.:* Speisenfolge.

2) *Datenverarbeitung:* eine auf dem Bildschirm angezeigte Liste von Programmfunktionen (Menüleiste), aus der der Benutzer auswählt und z.B. durch Drücken einer Taste bzw. Tastenkombination oder durch Bewegen eines Cursors auf ein bestimmtes Feld die nächsten Arbeitsschritte festlegt.

Menuett [frz., zu menuet »klein«, »winzig«] *das,* frz. Paartanz in mäßig raschem $^3/_4$-Takt, wurde Mitte des 17. Jh. unter Ludwig XIV. Hof- und Gesellschaftstanz. Von Frankreich aus verbreitete es sich über ganz Europa. – In der Kunstmusik besteht das M. aus einem Hauptsatz in zweiteiliger Liedform und einem ebenso gebauten, in Tonart

Menuett aus »Don Giovanni« von Wolfgang Amadeus Mozart (1787)

und Melodiebildung gegensätzl. Trio. Es wurde durch J.-B. Lully in die Kunstmusik (Oper, Ballett) eingeführt und war noch vor 1700 fester Bestandteil der Suite; seit etwa 1750 Bestandteil von Sonate und Sinfonie.

🕮 Taubert, K. H.: *Das M. Geschichte u. Choreographie. Zürich 1988.*

Menuhin, Sir (seit 1966) Yehudi, amerikan. Violinist, *New York 22. 4. 1916, †Berlin 12. 3. 1999; studierte bei G. Enescu und A. Busch, mit acht Jahren erster öffentl. Auftritt. Sein großes Repertoire umfasste auch die neue Musik. M. initiierte die Festspiele in Gstaad (1959, Leitung bis 1996) und Windsor (1969) und war 1959–68 künstler. Leiter des Bath Festivals. 1982 wurde er zum Präs. des Royal Philharmonic Orchestra London ernannt. Seit den 70er-Jahren war M. zunehmend als Dirigent tätig. Er setzte sich auch mit dem Jazz und außereurop. Musik auseinander, u.a. als Duopartner des Jazzgeigers S. Grappelly sowie des Sitarspielers R. Shankar. 1979 erhielt M. den Friedenspreis des Dt. Buchhandels.

Yehudi Menuhin

Menzel, 1) Adolph von (seit 1898), Maler, *Breslau 8. 12. 1815, †Berlin 9. 2. 1905; erlernte bei seinem Vater die Technik der Lithographie, bildete sich als Maler im Wesentlichen autodidaktisch. Mit den Lithographien zu »Denkwürdigkeiten aus der Brandenburgisch-Preuß. Geschichte« (1836) und »Die Armee Friedrichs d. Gr. in ihrer Uniformierung« (1851–37, 3 Tle.) profilierte er sich als bedeutendster Vertreter dieser Kunst in Dtl. im 19. Jh. 1839–42 schuf er 400 Federzeichnungen für Holzstiche zu F. T. Kuglers »Geschichte Friedrichs d. Gr.«. Mitte der 40er-Jahre entstanden seine ersten bed., zunächst unbeachteten Bilder von Innenräumen, Gärten und Hinterhäusern. Er griff auch aktuelle und dem beginnenden Industriezeitalter gemäße Themen auf, die zu seiner Zeit kaum als darstellungswürdig galten (»Eisenwalzwerk«, 1875). In der freien maler. Haltung, der Wiedergabe des unmittelbaren Eindrucks und mit dem besonderen Interesse an Farbwirkungen und Lichtreflexen wirkte er wegbereitend für den dt. Impressionismus. Auch in der Historienmalerei ging M. eigene Wege. Seine Darstellungen höf. Gesellschaften der friderizian. Zeit haben den Charakter von Momentaufnahmen, ohne deklamator. Pathos. Weiteres Bild S. 222

🕮 Jensen, J. C.: *A. M. Köln ²1988.* – Lammel, G.: *A. M. Münster u. a. 1995.*

Adolph von Menzel: »Fabrikplatz mit rauchenden Schloten«, Bleistiftzeichnung (1872; Berlin, Kupferstichkabinett)

2) Jiří, tschech. Filmregisseur, *Prag 23. 2. 1938; dreht überwiegend kritisch-satir. Filmkomödien (»Liebe nach Fahrplan«, 1966; »Die wunderbaren Männer mit der Kurbel«, 1978; »Kurzgeschnitten«, 1980; »Dörfchen, mein Dörfchen«, 1985; »Ende der alten Zeiten«, 1990); auch Theaterregie.

3) Wolfgang, Schriftsteller, *Waldenburg in Schlesien (heute Wałbrzych) 21. 6. 1798, †Stuttgart 23. 4. 1873; gab 1825–48 das einflussreiche »Literaturblatt« zum cottaschen »Morgenblatt« und 1852–69 selbstständig ein »Literaturblatt« heraus. Seine Kritik (1835) an den Autoren des →Jungen Deutschland veranlasste deren Verfolgung durch den Dt. Bund.

Menzel Bourguiba [mɛnˈzɛl burgiːˈba] (früher Ferryville), Stadt in N-Tunesien, am See von Biserta, 95 000 Ew.; Werft, Stahlwerk, Reifenfabrik.

Adolph von Menzel: »Das Balkonzimmer« (1845; Berlin, Nationalgalerie)

Menzies ['menzɪz], Sir (seit 1963) Robert Gordon, austral. Politiker, *Jeparit (Victoria) 20. 12. 1894, †Melbourne 15. 5. 1978; Rechtsanwalt, ab 1939 Führer der Vereinigten Austral. Nationalpartei (spätere Liberale Partei); war 1939–41 und 1949–66 Premierminister.

Menzius, chines. Philosoph, →Mengzi.

Mephisto (Mephistopheles), Gestalt der Faustsage (→Faust, Johannes); im ältesten Volksbuch von 1587 Mephostophiles genannt. Goethe konzipierte die Gestalt (»Faust«) neu.

Meppen
Stadtwappen

Meppen, Krst. des Landkreises Emsland, Ndsachs., an der Mündung der Hase in die Ems und am Dortmund-Ems-Kanal, 32 300 Ew.; archäolog. Museum; Maschinenbau, Holz-, Textil-, Erdölind., Kunststoffverarbeitung; Hafen. – Propsteikirche (15. Jh.). – M., 780 als Missionszelle gegr., erhielt 1360 Stadtrecht.

Merak, Stern 2. Größe, β im Sternbild Großer Bär.

Meran
Stadtwappen

Meran (italien. Merano), Stadt in der Prov. Bozen, Südtirol, Italien, an der Passer vor deren Mündung in die Etsch, 324 m ü. M., 33 500 Ew.; dank seiner milden Winter und seiner geschützten Lage ein viel besuchter Kurort. – Altstadt mit Laubengängen und Bürgerhäusern des 16.–18. Jh., Reste der mittelalterlichen Stadtmauern mit Pulverturm, Burg (2. Hälfte des 15. Jh.), got. Pfarrkirche St. Nikolaus (Chor und Turm, 1302–76; Langhaus, 1350–1420; Turmvorhalle mit Fresken, um 1417; Steinplastik des hl. Nikolaus an der südl. Außenwand, um 1350), Museum, Theater; Wein- und Obstanbau. In der Umgebung zahlr. alte Schlösser (Schenna, Zenoburg); im N von M. der Fremdenverkehrsort **Dorf Tirol,** 596 m ü. M. mit Schloss Tirol. – 857 zuerst erwähnt, erhielt 1317 Stadtrecht, fiel 1363 an Habsburg, war bis um 1420 Hptst. Tirols; seit 1919 gehört M. zu Italien.

Meranilen, histor. Bez. für die kroat. Küstengebiete um den Kvarner, zunächst Teil der Markgrafschaft Istrien, 1152–1248 selbstständiges Herzogtum, das nach der Verleihung 1180 durch Friedrich I. Barbarossa an Graf Berthold IV. bis zum Tod Ottos II. (1248) vom Haus Andechs-Plessenburg/ Meranien regiert wurde.

Merapi, Name mehrerer Vulkane in Indonesien: 1) auf Sumatra nördlich von Padang, 2891 m ü. M., noch tätig (letzter Ausbruch 1979); 2) auf Java nördlich von Yogyakarta, 2911 m ü. M., gefährl. Ausbrüche für das dichtbesiedelte Kulturland an seinem Fuß (zuletzt 1956, 1967); 3) auf Java nordwestlich von Banyuwangi, 2800 m ü. M., erloschen.

Ulf Merbold

Merbold, Ulf, Physiker und Raumfahrer, *Greiz 20. 6. 1941; nahm vom 28. 11. bis 8. 12. 1983 bei einem Raumflug von Spaceshuttle »Columbia« an der amerikanisch-europ. Mission Spacelab-1 teil, danach an den Missionen Spacelab IML-1 (22.–30. 1. 1992) und Euromir '94 (4. 10.–4. 11. 1994).

Merca, Hafenstadt in Somalia, →Marka.

Mercalli-Skala [nach dem italien. Vulkanologen G. Mercalli, *1850, †1914], zwölfstufige Skala der Erdbebenstärke, beruht auf fühlbaren und sichtbaren Wirkungen. International gebräuchlich sind eine **modifizierte M.-S.** (MM-Skala) und die **MSK-Skala** (Medwedew-Sponheuer-Karnik-Skala). Nach ihnen liegt der Intensitätsgrad 1 bei nur instrumentell nachweisbaren Erschütterungen vor, der Grad 2 bei gerade noch spürbaren Erschütterungen, der Grad 4 bei stärkeren Gebäudeerschütterungen, der Grad 8 bei Auftreten schwerer Gebäudeschäden, der Grad 10 bei Zerstörung zahlr. Häuser, Rutschen von Berghängen u. a.; der Intensitätsgrad 12 wird zugeordnet, wenn totale Zerstörungen sowie vielfältige Verwüstungen der Landschaft eintreten. (→Richter-Skala)

Mercantour [mɛrkã'tu:r], Gebirgsmassiv in den Seealpen, im Mont Clapier (frz.-italien. Grenze) 3045 m ü. M.; auf frz. Seite der 685 km² große Nationalpark M., der im NW bis über den Mont Pelat (3051 m ü. M.) hinausreicht; Gämsen, Steinböcke, Auerhahn, Königsadler; vorgeschichtl. Höhlenzeichnungen.

Mercaptane [mlat.], *Chemie:* →Thiole.

Mercator, Gerhard (latinisiert aus Kremer), Geograph und Kartograph, *Rupelmonde (heute zu Kruibeke, bei Antwerpen) 5. 3. 1512, †Duisburg 2. 12. 1594; schuf im Auftrag Kaiser Karls V. seit 1541 eine Erd- und Himmelskugel, 1554 eine Karte von Europa (15 Blätter). Berühmt wurde M. durch seine große, für die Seefahrt bestimmte Weltkarte

(18 Blätter; 1569) in der (bereits früher von E. Etzlaub angewendeten, jedoch nach M. benannten) **M.-Projektion:** eine konforme, normalachsige Zylinderprojektion der Erde, bei der sich die (als Geraden abgebildeten) Meridiane und Breitenkreise rechtwinklig schneiden; wegen ihrer Winkeltreue noch heute für die Navigation von Bedeutung. 1595 erschien eine Sammlung seiner Karten, der »Atlas«. Weiteres BILD Globus

📖 KRÄMER, K. E.: *M. Eine Biographie. Duisburg 1980.*

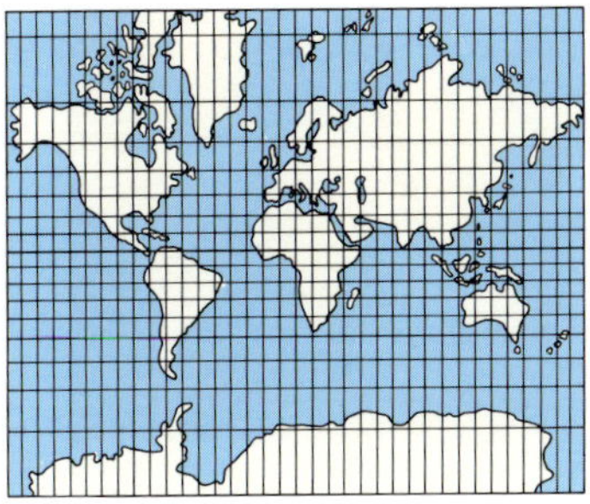

Gerhard Mercator: Bei der Mercatorprojektion schneiden sich die als Geraden abgebildeten Meridiane und Breitenkreise im rechten Winkel

Mercedarier (Nolasker, lat. Ordo Beatae Mariae Virginis de Mercede redemptionis captivorum, Abk. OdeM), 1218 als Ritterorden zum Loskauf christl. Gefangener von den Muslimen gegründeter kath. Orden (weibl. Zweig seit 1265); seit dem 14. Jh. Bettelorden; in Mission und Seelsorge tätig.

Mercedes-Benz AG, Unternehmensbereich der →Daimler-Benz AG.

Mercerisieren, →Merzerisieren.

Merchandising ['mə:tʃəndaɪzɪŋ, engl.] *das,* Bez. für umfassende, auf die Ware bezogene Marketingaufgaben der Handelsbetriebe; i. e. S. alle Maßnahmen im Zusammenhang mit der optimalen Warenplatzierung und -präsentation, i. w. S. die gesamte Warenwirtschaft im Einzelhandel sowie die Aufgaben der Warenlogistik (Auspacken, Preisauszeichnung), die z. T. von Mitarbeitern der Lieferanten **(Merchandisern)** wahrgenommen werden.

Merchant Adventurers ['mə:tʃənt əd'ventʃərəz; engl. »wagende Kaufleute«], im 14. Jh. entstandene engl. Kaufmannsgilde, die seit dem 16. Jh. die dt. Hanse aus dem engl. Handel verdrängte. Ihr Monopol wurde 1689 aufgehoben.

Mercia ['mə:sjə], angelsächs. Königreich, erstreckte sich beiderseits des Trent bis nach Wales; besaß unter König Offa (757–796) angelsächs. Vormacht, 825 unter Lehnshoheit von Wessex.

Mercier [mɛr'sje], **1)** Désiré, belg. kath. Theologe, *Braine-l'Allend (bei Brüssel) 21. 11. 1851, †Brüssel 23. 1. 1926; seit 1882 Prof. in Löwen; wurde 1906 Erzbischof von Mecheln, 1907 Kardinal; führender Vertreter der →Neuscholastik; leitete 1921–25 die Mechelner Einigungsgespräche zw. kath. und anglikan. Theologen.

2) Louis Sébastien, frz. Schriftsteller, *Paris 6. 6. 1740, †ebd. 25. 4. 1814; wandte sich theoretisch und mit eigenen Werken (u. a. »Der Schubkarren des Essighändlers«, 1769) gegen das klassizist. Drama; schrieb den utop. Roman »Das Jahr 2440. Ein Traum aller Träume« (1771) und kulturhistorisch bed. Schilderungen von Paris (»Paris, ein Gemälde«, 12 Bde., 1781–88, auch u. d. T. »Paris am Vorabend der Revolution«).

Merck, Johann Heinrich, Schriftsteller, *Darmstadt 11. 4. 1741, †(Selbstmord) ebd. 27. 6. 1791; Mitarbeiter an den »Frankfurter Gelehrten Anzeigen«, dem »Teutschen Merkur« und der »Allg. Dt. Bibliothek«; bed. Anreger und Kritiker der zeitgenöss. Literatur (Goethe, J. G. Herder, C. M. Wieland, J. C. Lavater); schrieb kleinere, den Adel offen kritisierende Romane.

Merck KGaA, Darmstadt, Unternehmen der chemisch-pharmazeut. Ind.; entstanden aus der 1654 gegründeten Engel-Apotheke (seit 1668 im Besitz der Familie Merck). Die Merck-Gruppe firmiert seit 1995 als KGaA mit E. Merck als Komplementär (74 %) und freien Aktionären als Kommanditisten (26 %).

Merckx [mɛrks], Eddy, belg. Radrennfahrer, *Meensel-Kiezegem (heute zu Tielt-Winge, Prov. Flämisch-Brabant) 17. 6. 1945; gewann u. a. 1969–72 und 1974 die Tour de France, 1968, 1970, 1972–74 den Giro d'Italia.

Mercosur, Kw. für **Mer**cado **Co**mún del Cono **Sur** (Gemeinsamer Markt im südlichen Lateinamerika), regionale Wirtschaftsorganisation in Lateinamerika; gegr. am 26. 3. 1991 durch den Vertrag von Asunción; in Kraft getreten am 1. 1. 1995; Sitz: Montevideo. Dem M. gehören Argentinien, Brasilien, Paraguay und Uruguay an. Assoziierungsabkommen bestehen mit Bolivien (seit 7. 12. 1995) und Chile (seit 25. 6. 1996). Ziele sind die Bildung eines gemeinsamen Marktes durch stufenweisen Abbau von Zöllen und Handelshemmnissen sowie die Koordinierung der Wirtschaftspolitik.

Mercouri [mɛr'kuri], Melina, grch. Schauspielerin und Politikerin, *Athen 18. 10. 1925, †New York 6. 3. 1994; ⚭ mit J. Dassin; Filme: »Sonntags nie« (1959), »Topkapi« (1964) u. a.; auch Chansonsängerin; 1967–74 wegen ihres Auftretens gegen die Militärjunta ausgebürgert; 1981–89 und seit 1993 grch. Kultusministerin.

Mercury ['mə:kjʊrɪ], Freddie, eigtl. Frederick Bulsara, brit. Rockmusiker, *Sansibar 5. 9. 1946, †London 24. 11. 1991; Sänger und Bandleader der 1970 gegr. Gruppe →Queen. Kennzeichnend für

Gerhard Mercator (zeitgenössischer Kupferstich)

Eddy Merckx

Melina Mercouri

Freddie Mercury

George Meredith

Lennart Meri

M.s Auftritte waren extravagante Kostümierung und aufwendige Lightshows. Solistisch trat er mit den Alben »Mr. Bad Guy« (1985) und »Barcelona« (1988; zus. mit Montserrat Caballé) hervor.

Mercury-Programm ['mə:kjʊrɪ-], erstes bemanntes amerikan. Raumfahrtprogramm der NASA mit sechs Flügen zw. 1961 und 1963. Mit Einmannkapseln wurden zunächst auf zwei kurzen ballist. Einsätzen (Dauer je 15 min) die Leistungsfähigkeit der Astronauten unter Schwerelosigkeit untersucht sowie die Rückkehr und Bergung der Mercury-Kapseln erprobt. Danach wurden vier bemannte Flüge auf Erdumlaufbahnen durchgeführt. Das → Gemini-Programm folgte.

Mer de Glace [mɛrdə'glas; frz. »Eismeer«], Gletscher an der frz. N-Seite des Montblanc, 33 km^2, 12 km lang.

Meredith ['merədɪθ], **1)** George, engl. Schriftsteller, * Portsmouth 12. 2. 1828, † Flint Cottage (bei Dorking, Cty. Surrey) 18. 5. 1909; Lyriker und Erzähler, der eine Synthese zw. Einflüssen der Romantik, des Positivismus sowie der Präraffaeliten anstrebte. Seine realistischen psycholog. Romane (»Richard Feverels Prüfung«, 3 Bde., 1859; »Der Egoist«, 3 Bde., 1879; »Diana vom Kreuzweg«, 3 Bde., 1885) sind in komplexem, reflexivem und metaphernreichem Stil geschrieben.

2) Oliver Burgess, amerikanischer Schauspieler, * Cleveland (Oh.) 16. 11. 1907; Charakterdarsteller der Bühne, des Fernsehens und des Films (»King Lear«, 1987); auch Regisseur.

Mereschkọwski, Dmitri Sergejewitsch, russ. Schriftsteller, * Sankt Petersburg 14. 8. 1865, † Paris 9. 12. 1941; seit 1889 ⚭ mit der Dichterin Sinaida Hippius (* 1869, † 1945); Mitbegründer des russ.

Mercury-Programm: Der amerikanische Astronaut Alan B. Shephard in einer Mercury-Kapsel vor dem Start zum ersten bemannten amerikanischen Raumflug

Symbolismus. Anfangs Lyriker, widmete er sich später philosoph. und religiösen Problemen, so in der Romantrilogie »Christ und Antichrist« (1896–1905); auch Dramen, Erinnerungen, Essays.

Mergel [lat. merga, aus kelt.] *der,* kalkig-toniges Sedimentgestein.

Mẹrgenthaler, Ottmar, Uhrmacher und Feinmechaniker, * Hachtel (heute zu Bad Mergentheim) 11. 5. 1854, † Baltimore (Md.) 28. 10. 1899; erfand 1884 die erste brauchbare Zeilensetzmaschine »Linotype«, die 1886 bei der »New York Tribune« erstmals verwendet wurde.

Mẹrgentheim, Bad, → Bad Mergentheim.

Merguiarchipel [mə'gwi:-], Inselgruppe an der W-Küste Hinterindiens, zu Birma; rd. 900 Inseln; trop. Regenwald; Kautschukpflanzungen, Zinn- und Wolframerzabbau, Fischerei.

Meri ['mɛri], **1)** Lennart, estn. Politiker, * Tallinn 29. 3. 1929; Theaterdramaturg und Publizist; nahm an ethnolog. Expeditionen in Mittelasien teil. Seine Reisebücher weisen hohes literar. Niveau auf; 1990–92 Außenmin., seit 1992 Staatspräsident.

2) Veijo, finn. Schriftsteller, * Viipuri (heute Wyborg) 31. 12. 1928; zeigt in Romanen (u. a. »Das Manilaseil«, 1957) und Erzählungen an den extremen Situationen des Krieges das Absurde menschlicher Existenz; auch Hörspiele, Dramen, Essays.

Mẹrian, 1) Maria Sibylla, Malerin, Kupferstecherin, Naturforscherin, * Frankfurt am Main 2. 4. 1647, † Amsterdam 13. 1. 1717, Tochter von 2); veröffentlichte naturwiss. Werke mit realist., kolorierten Stichen, bes. über die Insekten von Suri-

Sibylla Merian

Maria Sibylla Merian entwickelte sich schon früh zu einer eigenständigen Forscher- und Künstlerpersönlichkeit. Mit etwa 15 Jahren begann sie mit großer Geduld Seidenraupen zu züchten und deren Leben und Entwicklung genau zu beobachten. 1679 erschien darüber ihr erstes Buch: »Der Raupen wunderbare Verwandlung und sonderbare Blumen-Nahrung« mit 50 Kupferstichen und etwa 110 Textseiten. Zu dieser Zeit lebte sie mit ihrem Mann in Nürnberg; von ihm trennte sie sich 1682. Den Namen Merian hatte sie selbstbewusst immer beibehalten. Ab 1685 war sie in den Niederlanden tätig, und 1699 brach sie nach Surinam (Südamerika) auf, wo sie fast zwei Jahre lang blieb und Studien für ihr 1705 veröffentlichtes Hauptwerk »Metamorphosis insectorum Surinamensis« betrieb. Ihre realistischen Insekten- und Blumenbilder sind von hohem wissenschaftlichem und künstlerischem Wert und ein entscheidender Schritt von einer dilettierenden Beschäftigung mit dem Material zu einer naturwissenschaftlich exakten Botanik und Zoologie. Obwohl Maria Sibylla Merian eine in ganz Europa berühmte Malerin und Naturforscherin war, starb sie 1717 verarmt in Amsterdam.

nam (Hauptwerk: »Metamorphosis insectorum Surinamensis«, 1705).

📖 Kaiser, H.: *M. S. M. Düsseldorf u. a. 1997.*

2) Matthäus d. Ä., Kupferstecher, *Basel 22. 9. 1593, †Langenschwalbach (heute Bad Schwalbach) 19. 6. 1650, Vater von 1). Von überragender kulturgeschichtl. Bedeutung sind seine exakten Städtebilder zu M. Zeilers »Topographia« (1642 ff.). Er schuf auch Stadtpläne, u. a. von Basel, Köln und Frankfurt am Main; ferner Illustrationen zu dem zeitgeschichtl. Monumentalwerk »Theatrum Europaeum« (1635 ff.), fortgesetzt von seinem Sohn Matthäus d. J. (*1621, †1687).

Méribel [-ˈbɛl], frz. Wintersportstation in den Savoyer Alpen, 1600 m ü. M., in den Trois-Vallées.

Mérida, 1) Stadt in Extremadura, Provinz Badajoz, Spanien, am Guadiana, 41800 Ew.; archäolog. Museum; Zentrum eines Bewässerungsgebietes; Nahrungsmittel-, Kork- und Tabakindustrie. – 792 m lange, 60-bogige Römerbrücke (95 v. Chr.). – Die 27 v. Chr. von den Römern als **Emerita Augusta** gegründete Stadt hat viele, z. T. gut erhaltene Bauwerke aus jener Zeit.

2) Hptst. des mexikan. Staates Yucatán, 592000 Ew.; kath. Erzbischofssitz; Univ., archäolog. Museum; Handels- und Verarbeitungszentrum des Sisalanbaus, Nahrungs- und Genussmittelind., Zementfabrik. – Kathedrale (16. Jh.), Casa Montejo (1549); in der Nähe die Ruinen der Mayastädte Chichén Itzá und Uxmal. – 1542 gegründet.

3) Hptst. des Staates M., Venezuela, 1625 m ü. M. im N der Kordillere von M., 168000 Ew.; kath. Erzbischofssitz; Univ.; Handels- und Verarbeitungszentrum eines Agrargebiets (Zuckerrohr, Kaffee); höchste Drahtseilbahn der Erde (Bergstation 4771 m ü. M.). – 1558 gegründet.

Meridian [lat. circulus meridianus »Mittagskreis«] *der,* **1)** *Astronomie:* (Mittagskreis) der durch Zenit, Nadir und die Himmelspole gehende Kreis am Himmel. Er steht auf dem Horizont senkrecht und schneidet diesen im Nordpunkt (Mitternachtspunkt) sowie im Südpunkt (Mittagspunkt; → astronomische Koordinaten).

2) *Geographie:* (Längenkreis) jeder von Pol zu Pol reichende und senkrecht auf dem Äquator stehende »Halbkreis« (→ Länge).

3) *Geophysik:* (magnet. Meridian) durch die erdmagnet. Pole verlaufende Längenkreise, sie geben an jedem Ort die magnet. N-S-Richtung an.

Meridiankreis, astronom. Fernrohr in azimutaler Montierung, das um eine in O-W-Richtung liegende Achse in der Meridianebene frei drehbar ist und mit dem der höchste Stand eines Sterns (Meridianhöhe) sowie der Zeitpunkt des Meridiandurchgangs mit sehr hoher Genauigkeit (< 0,05 s) bestimmbar ist. Er ist das Hauptinstrument zur astronom. Zeitbestimmung.

Maria Sibylla Merian: »Spanischer Pfeffer«, kolorierter Kupferstich aus dem 1705 entstandenen Hauptwerk »Metamorphosis insectorum Surinamensis«

meridional, *Optik:* in der Ebene liegend, die durch die opt. Achse und den Objektpunkt aufgespannt wird. Senkrecht zur **Meridionalebene** steht die Sagittalebene (→ sagittal).

Mérimée [meriˈme], Prosper, frz. Schriftsteller, *Paris 28. 9. 1803, †Cannes 23. 9. 1870; wurde 1831 Inspekteur der histor. Denkmäler Frankreichs; steht zw. Romantik und Realismus. M. gestaltete in meisterlich knapper Sprache, vielfach mit leiser Ironie, in seinen Novellen Szenen mit schwelenden oder ausbrechenden Leidenschaften: »Colomba« (1840), »Carmen« (1845; Vorlage zu G. Bizets Oper, 1875); in seinen histor. Romanen folgte er dem Vorbild von W. Scott (»Die Bartholomäusnacht«, 1829); schrieb ferner Dramen, Balladen, histor., kunsthistor. und literar. Studien.

Prosper Mérimée

📖 Autin, J.: *P. M., écrivain, archéologue, homme politique. Paris 1983.*

Merina, einer der Hauptstämme der → Madagassen malaiischer Herkunft; etwa 3 Mio. Menschen.

Matthäus Merian d. Ä.: »Wasserburg am Inn«, Kupferstich (um 1644)

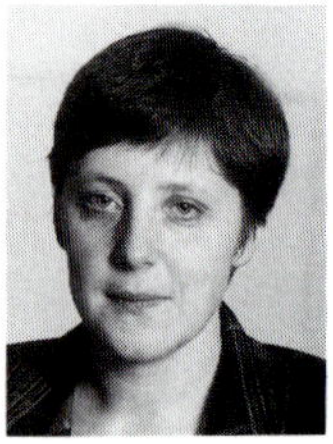

Angela Merkel

Meriniden (Ben Marin, Banu Marin), Berberdynastie in Marokko (1269–1420/65). Sie griffen auch nach Spanien über, mussten sich aber 1344 von dort zurückziehen. Nach längeren Kämpfen, auch mit den Portugiesen, unterlagen die M. 1420 den Wattasiden; der letzte Schattenherrscher der M. starb 1465. – Förderer von Kunst und Kultur.

Merino [span.] *der* (Merinoschaf), Schafrasse mit sehr feiner, gekräuselter Wolle.

Meristem [grch.] *das,* das →Bildungsgewebe.

Meristemkultur, Kultivierung pflanzl. Gewebes auf Nährböden unter sterilen Bedingungen zur Gewinnung virusfreier Klone (→Mikrovermehrung).

Astronomische und physikalische Daten des Merkur

Äquatordurchmesser	4878 km
Masse	$3{,}301 \cdot 10^{23}$ kg
mittlere Dichte	$5{,}44\,g/cm^3$
Rotationsdauer	58 d 15 h 30 min
Dauer eines Umlaufs um die Sonne	87,969 Tage
mittlere Entfernung zur Sonne	57,9 Mio. km

Meriten [lat.], Verdienste.

Merkantilismus [frz., zu lat. mercari »Handel treiben«] *der,* zusammenfassende Bez. für die zw. dem 16. und 18. Jh. durch Interventionismus und Dirigismus geprägten Eingriffe des Staates in den Wirtschaftsprozess sowie für bestimmte, in sich nicht geschlossene wirtschaftstheoret. und -polit. Konzeptionen. Ziel des M. war die Stärkung der Wirtschafts-, Handels- und Finanzkraft der absolutist. Staaten. Als Mittel dienten u.a. Förderung der großgewerbl. Produktion und des Außenhandels, Vereinheitlichung von Maßen und Gewichten, Beseitigung der Binnenzölle, aktive Bev.politik (Peuplierungspolitik). Der **französische M.**, nach seinem Mitbegründer J.-B. →Colbert auch **Colbertismus** genannt, war gekennzeichnet durch staatl. Förderung der gewerbl. Wirtschaft unter Vernachlässigung der Landwirtschaft, u.a. durch Schaffung eines einheitl. Zoll- und Marktgebietes, gewerbefördernde Infrastruktur, Steuerreform, Anwendung von Preistaxen, Produktionsvorschriften, bestimmte Ausfuhrverbote. Beim **englischen M. (Bullionismus)** lag der Schwerpunkt auf der Ausweitung des Außenhandels (Seehandel) und der Kolonisierung. Dabei bediente sich der Staat eines ausgeprägten Protektionismus (Importbeschränkung auf Rohstoffe, Förderung des Exports von Fertigwaren, Devisenbewirtschaftung, Importzölle). Ziel des **deutschen M.** (→Kameralismus) waren v.a. Sicherung der Staatsfinanzen, Erhöhung der Bev.zahl (zur Überwindung der Folgen des Dreißigjährigen Krieges) sowie Förderung von Handel und Gewerbe. – Die gegen Ende des 19. Jh. von versch. Staaten praktizierte interventionist. Wirtschaftspolitik (Abkehr vom freien Warenverkehr, Schutzzollpolitik u.a.) wird als **Neo-M.** bezeichnet.

📖 BLAICH, F.: *Die Epoche des M. Wiesbaden 1973.* – WALTER, R.: *Wirtschaftsgeschichte. Vom M. bis zur Gegenwart. Köln u.a. 1995.*

Merkel, 1) Angela, Politikerin, *Hamburg 17.7. 1954; Physikerin, in der DDR im Herbst 1989 Mitbegründerin des »Demokrat. Aufbruchs«, seit Aug. 1990 Mitgl. der CDU, seit Dez. 1990 MdB; wurde im Juni 1993 Landesvors. der CDU in Mecklenburg-Vorpommern; 1991–94 Bundesmin. für Frauen und Jugend, 1994–98 Bundesmin. für Umwelt, Naturschutz und Reaktorsicherheit; seit Nov. 1998 Generalsekretärin der CDU.

2) Inge, österr. Schriftstellerin, *Wien 1.10.1922; beschreibt eine für Täuschung und Mystifikation anfällige Welt; Zorn und Selbstironie prägen ihr Werk (u.a. »Eine ganz gewöhnliche Ehe«, R., 1987; »Aus den Geleisen«, R., 1994).

Merker, 1) im Minnesang der den Liebenden feindl. Aufpasser; 2) im Meistersang Zensor und Schiedsrichter über die Beachtung der Regeln.

Merker, Paul, Literaturhistoriker, *Dresden 24.4.1881, †ebd. 25.2.1945; ab 1917 Prof. in Leipzig, ab 1921 in Greifswald, ab 1928 in Breslau; gab mit W. Stammler das »Reallexikon der dt. Literaturgeschichte« (4 Bde., 1925–31) und (ab 1926) die »Zeitschrift für dt. Philologie« heraus.

Merkers-Kieselbach, Gemeinde im Wartburgkreis, Thür., an der Werra, 3600 Ew.; Kalibergwerk (140 km^2 unterird. Ausdehnung), Schaubergwerk.

Merkfähigkeit, das Vermögen, neue Eindrücke aufzunehmen und dem Gedächtnisbesitz hinzuzufügen; intakte M. bestimmt maßgeblich die psychisch-intellektuellen Leistungen. (→Gedächtnis)

Merkmal, 1) *Biologie:* eine kennzeichnende Eigenheit z.B. des Körperbaus, seiner Biochemie, seiner Leistung oder seines Verhaltens.

2) *Logik:* die Bestimmungen, durch die sich Dinge der gleichen Art oder Arten der gleichen Gattung unterscheiden.

3) *Sprachwissenschaft:* (Marker) morpholog., semant. oder phonet. Eigenschaft eines sprachl. Elements, die dieses von anderen Elementen unterscheidet. Es wird i.d.R. in eckigen Klammern in binärer Darstellung erfasst (+bedeutet Vorhandensein, – Fehlen eines M.). So kann z.B. das Wort »Haus« morphologisch als [+Neutrum], [+Singular], semantisch als [– menschlich] beschrieben werden.

Merkur, Titel oder Titelbestandteil period. Druckschriften; in Deutschland z.B. der »Teutsche M.« von C. M. Wieland und der »Rheinische M.« von J. J. Görres.

Merkur, 1) *Astronomie:* sonnennächster Planet, Zeichen ☿; läuft in 88 Tagen in sehr exzentr. Ellipse um die Sonne, sodass seine Entfernung zur Sonne zw. 46 und 70 Mio. km schwankt. Sein Abstand von der Erde wechselt von 82 bis 217 Mio. km, sein scheinbarer Winkeldurchmesser entsprechend von etwa 15" bis 5". Der Äquatordurchmesser beträgt 4878 km, seine Masse 0,055 Erdmassen, seine mittlere Dichte 5,44 g/cm^3. Radarmessungen haben eine Rotationsdauer von 58,646 Tagen ergeben, die exakt $^2/_3$ seiner Umlaufperiode um die Sonne beträgt. Die Oberfläche des M. ist – ähnlich der des Erdmondes – von Kratern bedeckt, seine hohe Dichte weist auf einen Eisenkern hin. Das durch die Sonnennähe und die geringe Schwerebeschleunigung (etwa $^1/_3$ der der Erde) bedingte Fehlen einer Wärme speichernden Atmosphäre führt zu gewaltigen Temperaturdifferenzen; so schwankt die Äquatortemperatur im Sommer im Perihel zw. 467 °C und −183 °C nachts. Messungen der amerikan. Raumsonde Mariner 10, die sich 1975 dem Planeten bis auf 319 km näherte, lassen allerdings auf die Existenz einer außergewöhnlich dünnen Helium-Argon-Hülle schließen. Mariner 10 wies auch ein schwaches Magnetfeld von 300 nT nach. – Der M. ist von der Erde aus schlecht sichtbar, da er sich höchstens 28° von der Sonne entfernt, sodass er sich nur in der Dämmerung zeigt. In unterer Konjunktion projiziert er sich mitunter als dunkler Punkt auf die Sonnenscheibe **(M.-Durchgang).** Radioteleskop. Untersuchungen ab 1992 legen nahe, dass sich in den permanenten Schattengebieten der Kraterränder in Polnähe Eis unklaren Ursprungs befindet; nach Modellrechnungen steigt die Temperatur dort nie über −170 °C.

2) *röm. Mythos:* (lat. Mercurius) röm. Gott des Handels und Gewerbes, später dem grch. Hermes gleichgesetzt.

Merlan [frz.] *der,* Meeresfisch, → Wittling.

Merle [mɛrl], Robert, frz. Schriftsteller, * Tébessa (Algerien) 20. 8. 1908; Autor eines vielseitigen Werkes, u. a. realist. Kriegsroman »Wochenende in Zuydcoote« (1949), gesellschaftskritisch-utop. Romane (»Der Tag der Delphine«, 1967; »Malevil oder Die Bombe ist gefallen«, 1972) und histor. Romane (»Die gute Stadt Paris«, 1980; »L'enfant-roi«, 1993); verfasste auch Reportagen.

Merleau-Ponty [merlopɔ̃'ti], Maurice Jean Jacques, frz. Philosoph, * Rochefort (Dép. Charente-Maritime) 14. 3. 1908, † Paris 3. 5. 1961; Vertreter des frz. Existenzialismus und bed. Phänomenologe; entwickelte, von E. Husserl und der Gestalttheorie ausgehend, eine existenzialist. Anthropologie und Theorie der leibl. Existenz; Ansätze zu einer Theorie des gesellschaftl. Handelns mit Einfluss auf J. P. Sartre und A. Camus.

Werke: Die Struktur des Verhaltens (1942); Phänomenologie der Wahrnehmung (1945); Humanismus und Terror (1947); Das Sichtbare und das Unsichtbare (hg. 1964).

Merlin [engl.], *der,* eine Art der → Falken.

Merlin, Zauberer und Prophet in den Geschichten um König → Artus, aus der Vereinigung eines Teufels mit einer breton. Prinzessin hervorgegangen, erstmals genannt in der »Historia regum Britanniae« (1136–38) von Geoffrey of Monmouth. Der M. der ebenfalls Geoffrey zugeschriebenen »Vita Merlini« trägt Züge des kelt. Lailoken, des wilden Waldmenschen. In der Romantik wurde der M.-Stoff wieder belebt.

Meroë, Ruinenstätte in N-Sudan zw. dem 5. und 6. Nilkatarakt, seit etwa 530 v. Chr. Hptst. des meroit. Reiches Kusch, im 4. Jh. n. Chr. vom Königreich von Aksum erobert und zerstört. Erhalten sind mehrere Tempel, Paläste, röm. Bäder; östlich der Stadt Grabanlagen und Pyramiden der Könige. Gefunden wurden u. a. der Goldschatz der Königin Amanischachete (1. Jh. v. Chr., jetzt in Berlin und München) sowie Zeugnisse der **meroitischen Schrift** (um 200 v. Chr.) in einer den Hieroglyphen ähnl. Monumentalschrift und einer der demot. Schrift ähnl. kursiven Schreibschrift.

Merowinger, Königsgeschlecht der sal. Franken, erstmals fassbar durch Chlodio (um 425) und den namengebenden Merowech (um 450). Chlodwig I. (482–511) erhob das → Fränkische Reich zur führenden Macht im Abendland. Die M. verloren im 7. Jh. ihre Macht an die karoling. → Hausmeier. TAFEL S. 228

merowingische Kunst, die Kunst des Frankenreiches unter den Merowingerkönigen (5.–8. Jh.). Der histor. Epochenbez. entspricht keine stilgeschichtl. Einheit, vielmehr spiegelt sich in der Kunst der übergreifende Prozess der Auseinandersetzung heidnisch-german. mit christlich-spätantiker Kultur wider. Der Formenschatz entstammt weitgehend dem Mittelmeerraum, doch wird er durch spezifisch german. Neigungen zum Ornamentalen, Koloristischen und Flächenhaften modifiziert. Die Sakralarchitektur zeigt meist im Grundriss ein doppeltes Quadrat (Saint-Pierre in Vienne, 5. Jh.; Baptisterium in Poitiers, 6./7. Jh.). Daneben entstehen oktogonale Baptisterien sowie Basiliken, wobei sich als merowing. Sonderform die Herausbildung von Kuppeltürmen zw. Mittelschiff und Apsis abzeichnet (Bischofskirche in Nantes, geweiht um 558). Der Baudekor zeigt in der Kapitell- und Sarkophagplastik (z. B. in der Nordkrypta der Abtei von Jouarre, 7. Jh.) hohe Qualität v. a. in ornamentalen Darstellungen. Auch bed. Zeugnisse der Grabmalkunst (Grabstein von Niederdollendorf, 7. Jh.; Bonn, Rhein. Landesmuseum), der Metallkunst (Dagobert-Thron; Schatz des Grabes Childerichs I.) und der Buchmalerei (v. a. der Klöster von Luxeuil und Corbie).

Robert Merle

Maurice Merleau-Ponty

Merowinger, Stammtafel (Auswahl*)

Chlodio
König etwa 425
bis etwa 455

Merowech
König etwa 455

Childerich I.
König um 457 (Tournai)
† 482

Chlodwig I.
König 482
(ganzes Frankenreich)
* um 466, † 511
⚭ mit Chrodechilde

Reims
Theuderich I.
König 511
* um 486, † 533

Orléans
Chlodomer
König 511
* um 496/497, † 524

Paris
Childebert I.
König 511
* um 495, † 558

Soissons
Chlothar I.
König 511
(im ganzen Frankenreich 558)
* um 498/500, † 560/561
⚭ u. a. mit Arnegunde

Theudebert
König 534
† 547

Paris
Charibert I.
König 561
* 518/523, † 567

Orléans
Guntram
König 561
* um 532, † 592 (593?)

Reims/Metz
Sigibert I.
König 561
† 575
⚭ mit → Brunhilde

Soissons
Chilperich I.
König 561
* 539, † 584
⚭ mit Galswintha
und → Fredegunde

Theudebald
König 548
† 555

Austrasien
Childebert II.
König 575 (in Burgund 592/593)
* um 570, † 596

Neustrien
Chlothar II.
König 584
(im ganzen Frankenreich 613)
* 584, † 629

Austrasien
Theudebert II.
König 596
† 612

Burgund
Theuderich II.
König 596
(in Austrasien 612)
† 613

Austrasien
Dagobert I.
König 623
(im ganzen Frankenreich 629)
* etwa 608, † 638 (639?)

Aquitanien
Charibert II.
König 629
* um 618, † 632

Austrasien, Burgund
Sigibert II.
König 613
† 613

Austrasien
Sigibert III.
König 633/634
† 656

Neustrien, Burgund
Chlodwig II.
König 638/639
* 633/634, † 657
⚭ mit Bathilde

Austrasien
Dagobert II.
König 656–661, 676–679
* 652, † 679

Neustrien, Burgund
Chlothar III.
König 657
* um 649, † 673

Austrasien
Childerich II.
König 662 (im
ganzen Franken-
reich 673)
* um 655, † 675

Neustrien, Burgund
Theuderich III.
König 673 (im
ganzen Franken-
reich 679)
† 691

Neustrien
Chilperich II.
König 716
† 721

Chlodwig III.
König 690/691
* um 677, † 694

Childebert III.
König 695
* 678 (679?)
† 711

Chlothar IV.
König 717/718
† 719

Childerich III.
König 743–751
† 754

Dagobert III.
König 711
* um 698, † 715/716

Theuderich IV.
König 721
† 737

*) Verzeichnet sind nur die regierenden M. Deren genaue Verwandtschaftsverhältnisse in der Früh- und Spätzeit sind nicht mehr feststellbar.

merowingische Kunst

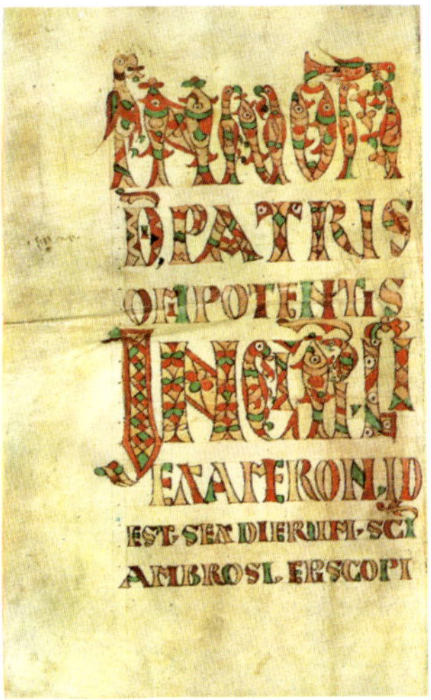
1

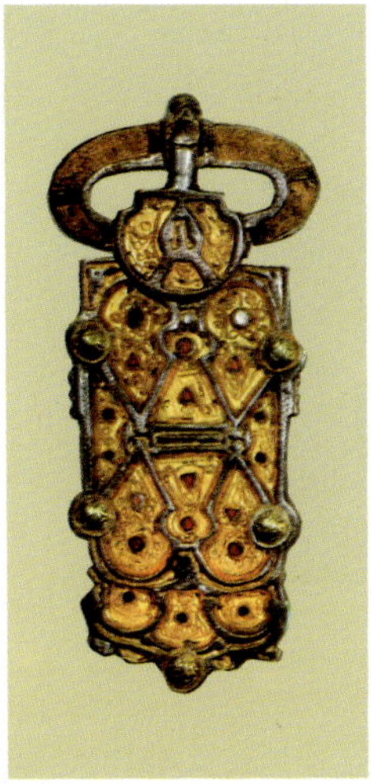
2

3

4

5

| **1** In Tiergestalt ausgeführte Buchstaben auf der Titelseite einer im Kloster Corbie angefertigten Handschrift des »Hexaemerons« (nach 388) des Kirchenlehrers Ambrosius (2. Hälfte des 8. Jh.; Paris, Bibliothèque Nationale) | **2** Gürtelschnalle aus Silber und Gold aus dem Grab der merowingischen Königin Arnegunde in der Basilika von Saint-Denis (2. Hälfte des 6. Jh.; Paris, Louvre) | **3** Krypta von Saint-Paul in Jouarre im Département Seine-et-Marne mit dem Sarkophag der heiligen Theodechilde, Tochter des Königs Theuderich I., aus dem 7. Jh. | **4** Das im 6./7. Jh. erbaute Baptisterium in Poitiers | **5** Die oberen Lehnen an dem wohl aus der Zeit Dagoberts I. stammenden bronzenen Dagobert-Thron wurden im 9. Jh. hinzugefügt (Paris, Bibliothèque Nationale)

Merrifield ['merɪfi:ld], Robert Bruce, amerikan. Biochemiker, *Fort Worth (Texas) 15. 7. 1921; erhielt für die Entwicklung eines einfachen, schnellen, inzwischen automatisierten Verfahrens zur Synthese von Peptiden und Proteinen 1984 den Nobelpreis für Chemie.

Merseburger Zaubersprüche, zwei ahd. Zauberformeln in stabgereimten Langzeilen, aufgezeichnet im 10. Jh. auf das Vorsatzblatt eines wahrscheinlich aus Fulda stammenden lat. Missales des 9. Jh.; 1841 in der Bibliothek des Domkapitels zu Merseburg entdeckt, 1842 von J. Grimm ediert. Der 1. Spruch gilt der Gefangenenbefreiung, der 2. der Heilung eines lahmen Pferdes.

Merseburg-Querfurt, Landkreis im RegBez. Halle, Sa.-Anh., 805 km², (1997) 139 600 Ew.; Krst. ist Merseburg (Saale).

Merseburg (Saale), Krst. des Landkreises M.-Querfurt, Sa.-Anh., an der Saale, 40 700 Ew.; FH; Maschinenbau, Aluminiumwalzwerk. Südlich von M. liegt →Leuna, nördlich →Schkopau. – Das Stadtbild wird beherrscht vom spätgot. Dom (Baubeginn 1015, im Wesentlichen 1504–17; reiche Ausstattung; spätgot. Flügelaltäre, roman. Taufstein, unter den zahlr. Grabdenkmälern die bed. Bronzegrabplatte Rudolfs von Schwaben, 11. Jh.) und dem bischöfl. Schloss (1480–89, im 17. Jh. umgebaut). Am Markt in der Altstadt stehen das Alte Rathaus

R. Bruce Merrifield

Merseburg (Saale): Blick über die Saale auf den bis auf das frühe 11. Jh. zurückgehenden Dom (links) und die 1480–89 errichtete und im 17. Jh. umgebaute Dreiflügelanlage des bischöflichen Schlosses

(1468–1568) und die spätgotische Marktkirche (1432–1501). Im N außerhalb der Altstadt Reste des Petersklosters (12. Jh.) und die barocke Kirche St. Viti. Rechts der Saale die roman. Neumarktkirche St. Thomas (12./13. Jh.). – Auf dem Schlosshügel entstand um die im 9. Jh. belegte Burg eine Siedlung, bei der König Heinrich I. vor 930 eine Pfalz errichtete. Kaiser Otto I. gründete 968 das Bistum M.; 932 als Sitz eines Grafen genannt. Spätestens seit 974 bestand eine Marktsiedlung (vor 981 Markt-, Münz- und Zollrechte); ab 1004 unter bischöfl. Herrschaft (1009–18 Thietmar von M.); kam im 15. Jh. an die Herzöge von Sachsen; 1656–1738 Residenz des albertin. Sekundogeniturfürstentums Sachsen-Merseburg; 1815 fiel M. an Preußen (Prov. Sachsen).

Merseburg (Saale) Stadtwappen

Mẹrsen, niederländ. Gemeinde, ehem. karoling. Pfalz, → Meerssen.

Mersey ['mɔ:zɪ] *der,* Fluss in NW-England, 110 km lang, entspringt im Pennin. Gebirge und mündet in die Irische See.

Merseyside ['mɔ:zɪsaɪd], 1974 gebildete engl. Metropolitan Cty., 652 km², (1991) 1,40 Mio. Ew.; Zentrum ist Liverpool.

Mẹrsin, Hptst. der türk. Provinz Içel, am Mittelmeer, 420 800 Ew.; meereskundl. Zweig der TU von Ankara; Exporthafen für die Çukurova; Erdölraffinerie, Textil-, Nahrungsmittelind., Zementfabrik; Fischerei; Endpunkt einer Zweigstrecke der Bagdadbahn. – Westlich von M. legten Ausgrabungen eine hethit. Festung (14./13. Jh. v. Chr.) und vorgeschichtl. Siedlungen frei.

Merthyr Tydfil ['mɔ:θə 'tɪdvɪl], County Borough in S-Wales, 111 km², 58 700 Ew.; Spielwaren-, chem. und elektrotechn. Ind.; Maschinenbau.

Robert C. Merton

Mẹrton, 1) ['mɔ:tən] Robert Cox, amerikan. Betriebswirtschaftler, * New York 31. 7. 1944; Prof. an der Harvard Business School, lieferte wichtige Beiträge zur Portfoliotheorie (u. a. Weiterentwicklung des Aktienbewertungsmodells von H. M. Markowitz und W. F. Sharpe) und zur Berechnung des Wertes von Derivaten (z. B. Aktienoptionen). Für die Entwicklung einer entsprechenden Formel (Black-Scholes-Merton-Formel) erhielt er 1997 zus. mit M. S. Scholes den Nobelpreis für Wirtschaftswissenschaften.

2) ['mɔ:tən] Robert King, amerikan. Soziologe, * Philadelphia (Pa.) 5. 7. 1910; war 1947–74 Prof. an der Columbia Univ.; Hauptvertreter der → strukturell-funktionalen Theorie; empir. Arbeiten z. B. zur Wissenssoziologie und zur Wirkung von Massenkommunikationsmitteln.

3) Wilhelm, Unternehmer und Sozialpolitiker, * Frankfurt am Main 14. 5. 1848, † Berlin 15. 12. 1916; gründete die Metallgesellschaft AG, errichtete Stiftungen für soziale Zwecke; Mitbegründer der Handelshochschule und späteren Univ. Frankfurt am Main.

Mẹru, 1) *der,* Vulkanstock westlich des Kilimandscharo in N-Tansania, bis 4 567 m ü. M., mit 1 300 m tiefer Caldera; letzter Ausbruch 1910.

2) Stadt in Kenia, am NO-Fuß des Berges Kenia, 1 600 m ü. M., 73 000 Ew.; nahebei das **M.-Wildreservat** (1 800 km²).

Merveilleuse [mɛrvɛ'jø:z; frz. »die Wunderbare«] *die,* in Frankreich um 1800 die übertrieben modisch gekleidete Frau; männl. Gegenstück: der → Incroyable.

Mẹrw, bis 1937 Name der turkmen. Stadt → Mary.

Meryon [me'rjɔ̃], Charles, frz. Radierer, * Paris 23. 11. 1821, † Charenton-le-Pont (bei Paris) 14. 2. 1868; meisterhafte Radierungen von Landschaften und Stadtansichten, bes. von Paris; auch Porträts.

Mẹrz, 1) Gerhard, Künstler, * Mammendorf (Kr. Fürstenfeldbruck) 25. 5. 1947; tritt seit Anfang der 70er-Jahre mit Rauminstallationen hervor, die inhaltlich Bezug zur Kunst-, Literatur- und polit. Geschichte herstellen (»Den Menschen der Zukunft«, 1990).

2) Mario, italien. Künstler, * Mailand 1. 1. 1925; Vertreter der Arte povera; setzt in Bildern, Objekten, Assemblagen, Environments und Rauminstallationen elementare Kulturformen (Iglu) oder natürl. Materialien (Erde, Zweige) in Kontrast zu künstlichen (Glas, Leuchtröhren).

Merzerisiẹren [nach dem brit. Chemiker John Mercer, * 1791, † 1866] (Mercerisieren), Behandeln von Textilien aus Baumwolle mit starken Laugen bei gleichzeitigem Strecken; dient zur Verbesserung von Glanz, Farbaufnahmevermögen, Dehnung, Elastizität und Festigkeit der Baumwolle.

Mẹrzig, Krst. des Landkreises Merzig-Wadern, Saarland, an der Saar, 31 200 Ew.; keram. Werke,

Draht-, Getränkeindustrie. – Roman. Säulenbasilika (Anfang 13. Jh.). – Das aus einer röm. Siedlung hervorgegangene M. kam um 870 an die Erzbischöfe von Trier; 1332 Stadtrecht.

Merzig-Wadern, Landkreis im Saarland; 555 km^2, (1997) 106 000 Ew.; Krst. ist Merzig.

Mesa [span. »Tisch«, »Tafel«], span. Bez. für Tafelberg.

Mesa [hebr.] (Mescheda), König von Moab (um 850 v. Chr.); urspr. Vasall Israels; befreite sich nach 2. Kön. 3,4 ff. von dessen Oberherrschaft. Inschriften wurden östlich des Toten Meeres in Dibon (M.-Stele aus schwarzem Basalt, heute im Louvre) und Kerak gefunden.

Mesabi Range [məˈsɑːbɪ ˈreɪndʒ], Hügelzug in Minnesota, USA; eines der reichsten Eisenerzbergbaugebiete der Erde.

Mesalliance [mezaˈljãs, frz.] *die,* → Missheirat.

Mesa Verde National Park [ˈmeɪsə ˈvəːd ˈnæʃnl ˈpɑːk], Nationalpark in SW-Colorado, USA, 211 km^2, eingerichtet 1906; umfasst ein bis über 2 600 m hohes Plateau (Mesa Verde) mit Resten von über 300 präkolumb. Siedlungen der Anasazikultur, z. T. übereinander gebaute Pueblos, z. T. im Steilhang angelegt (Cliff-Dwellings).

Mescalin [mexikan.] *das* (Meskalin), aus Peyotl (der mexikan. Kakteenart Lophophora williamsii) oder synthetisch hergestelltes Alkaloid mit halluzinogener Wirkung (chemisch das 3,4,5-Trimethoxyphenylaminoäthan). Die rauscherzeugende Wirkung ist der von Haschisch und LSD ähnlich.

Meschduretschensk, Stadt im Gebiet Kemerowo, Russland, an der Mündung der Ussa in den Tom, 107 000 Ew.; Steinkohlenbergbau (Kusnezker Kohlenbecken).

Meschede, Krst. des Hochsauerlandkreises, NRW, an der oberen Ruhr, 32 700 Ew.; Fachbereiche der Gesamthochschule Paderborn; Leichtmetall-, Metall- und Kunststoffverarbeitung, Jachtbau, Brauerei.

Meschhed (Mashhad), Provinz-Hptst. von Khorasan, Iran, 945 m ü. M., 1,56 Mio. Ew.; Univ.; Zentrum eines reichen Anbaugebiets, Textilind., Lederwarenherstellung, Zementfabrik; an der Bahnstrecke von Teheran nach Turkmenistan, Flughafen. – Bed. Wallfahrtsort der Schiiten mit Grabmoschee (1009 erneuert, im 15. und 16. Jh. erweitert) des Imam Resa (†817); im hl. Bezirk u. a. die Gauhar-Schad-Moschee, ein Höhepunkt timurid. Baukunst (15. Jh.).

Meslenchym [grch.] *das,* embryonales Bindegewebe; lockeres mit Hohlräumen durchsetztes Gewebe, aus dem alle Arten des Binde- und Stützgewebes sowie Blutzellen hervorgehen.

Meslenterium [grch.] *das,* Gekröse (→ Darm).

Meseta [span.] *die,* span. Bez. für Hochebene, Hochplateau.

Meskal [span. aus Nahuatl] *der* (Mescal, Tequila), Branntwein aus wild wachsenden Agavenarten Mexikos.

Mesmerismus *der,* von dem Arzt F. A. Mesmer (*1734, †1815) entwickelte Lehre von der Heilkraft des »animal. Magnetismus«, eines universellen Fluidums; auch seine (ebenfalls überholten) Anschauungen von Hypnose und Suggestion.

meso... [grch.], mittel..., zwischen...

Mesoamerika, das Gebiet der präkolumb. indian. Hochkulturen, umfasst nach P. Kirchhoff (1943) das zentrale und südl. Mexiko, Guatemala, Belize, El Salvador, NW-Honduras und den N der Pazifikküste Nicaraguas.

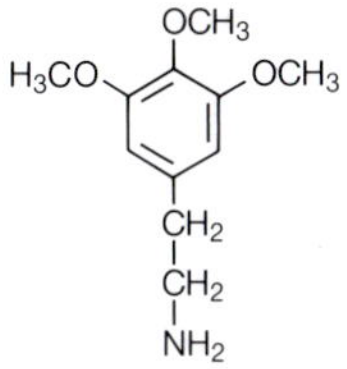

Mescalin

Meschhed: Die Luftaufnahme zeigt den heiligen Bezirk mit dem Komplex des Heiligtums des Imam Resa

mesoamerikanische Hochkulturen, die vorspan. indian. Hochkulturen im Gebiet von Mesoamerika. Hier hatte sich seit 1500 v. Chr. eine gemeinsame kulturelle Tradition herausgebildet. Diese Entwicklung erreichte ihren Höhepunkt in der klass. Zeit zw. 200 und 900 n. Chr. Dabei war das westl. Mesoamerika im Lauf der Zeit von mehreren unterschiedl. Kulturen geprägt, während der östl. und südl. Teil von der verhältnismäßig einheitl. Mayakultur beherrscht wurde. Gemeinsame Merkmale waren die Wirtschaftsgrundlage (intensiver Feldbau: Mais, Bohnen, Chili), das hierarch. Gesellschaftssystem, der auf einem 52-Jahre-Zyklus beruhende Kalender, die Hieroglyphenschrift und Grundzüge der Religion mit einer Vielzahl von Göttern; u. a. der Gott Quetzalcóatl, der Regengott (Chac bei den Maya, Tlaloc bei den Azteken), der Maisgott, der Todesgott oder der Sonnengott. Sie wurden so vielfältig dargestellt wie Tiergestalten aus der Mythologie. Weitere Gemeinsamkeiten sind die Stufenpyramide, die Verwendung von Stuck und Zement in der Architektur und eine Form der Ämterrotation (durch einen meist jährl. Wechsel des Amtsinhabers).

mesoamerikanische Hochkulturen (von oben): Die Stufenpyramide »El Castillo« in Chichén Itzá wird von einem Tempel gekrönt; Teil eines Wandgemäldes aus Teotihuacán mit der Darstellung des Regengottes Tlaloc

Die *Geschichte* der m. H. ist kaum aus schriftl. Zeugnissen zu erschließen, vielmehr tragen v. a. archäolog. und sprachwiss. Untersuchungen zu ihrer Kenntnis bei. Drei Epochen lassen sich unterscheiden: die vorklass. Zeit (1500 v. Chr.–200 n. Chr.) mit Anfängen der Kulturen von Teotihuacán im zentralmexikan. Hochland und Monte Albán sowie als früheste Hochkultur die der Olmeken an der Golfküste. In klass. Zeit (200–900) brachte die Kultur von Teotihuacán ihre größten Leistungen hervor, v. a. aber erreichte die Mayakultur ihre höchste Blüte mit den Zentren Tikal, Copán, Palenque u. a. In nachklass. Zeit (900–1521) gründeten die Tolteken das Zentrum Tula und drangen um 1000 in das Gebiet der Maya in Yucatán ein, dem sie eine neue kulturelle Hochblüte brachten (Chichén Itzá). Die Zapoteken, Träger der Kulturen von Monte Albán und Mitla, wurden um 1000 von den Mixteken vertrieben, deren Kultur sich nach 900 im Becken von Puebla um Cholula entfaltet hatte. Von Tenochtitlán (gegr. 1370) aus dehnten die Azteken ihren Machtbereich aus.

Frühe Zeugnisse der *Kunst* der m. H. sind die kolossalen Steinköpfe der Olmeken (La Venta, San Lorenzo). Steinbauwerke gab es erst in der klass. Periode, bes. bei den Maya, in Teotihuacán, bei den Zapoteken, Tolteken, später bei den Azteken: mit Tempeln gekrönte Stufenpyramiden, Paläste, Observatorien u. a. Die Metallverarbeitung breitete sich erst in der Toltekenzeit (10. Jh.) aus (Goldarbeiten der Mixteken). Bronze wurde erst kurz vor der span. Eroberung verwendet. Höhepunkt der keram. Kunst sind die Figurenurnen der Zapoteken, die mit Figuren bemalten Gefäße der Maya, die Dreifußgefäße aus Teotihuacán und die polychrome Keramik der Mixteken.

In den Schriftsystemen der m. H. kommen Hieroglyphen in versch. Formen und Entwicklungsstufen vor. Am besten bekannt sind diejenigen der Azteken und der Maya. Letztere entwickelten eine Hieroglyphenschrift mit einem begrenzten Zeichenkorpus und bestimmten Regeln in ihrer Anwendung. Weitere BILDER Chichén Itzá, Copán

📖 PREM, H. J.: *Geschichte Altamerikas. München 1989.*

Mesocco, Hauptort des → Misox, Schweiz.

Mesoderm [grch.] *das* (Mesoblast), das mittlere Keimblatt (→ Entwicklung).

Mesokarp [grch.] *das,* mittlere Schicht der pflanzl. Fruchtwand, z. B. fleischiges, meist saftiges Gewebe der Steinfrüchte, Faserschicht der Kokosnuss. (→ Endokarp, → Exokarp)

Mesolithikum [grch.] *das,* die → Mittelsteinzeit.

Mesolongion [grch.], Hptst. des grch. Verw.-Bez. (Nomos) Ätolien und Akarnien am Rand der Lagune von M., 11 400 Ew. – Im grch. Freiheitskampf seit 1821 ein wichtiges Bollwerk. Im Heroon, der Begräbnisstätte der Freiheitskämpfer, ist das Herz des Dichters Lord Byron beigesetzt.

Mesomerie [zu grch. méros »Teil«] *die* (Resonanz), Erscheinung, dass die Struktur bestimmter Moleküle mit Mehrfachbindungen nur eingren-

mesoamerikanische Hochkulturen

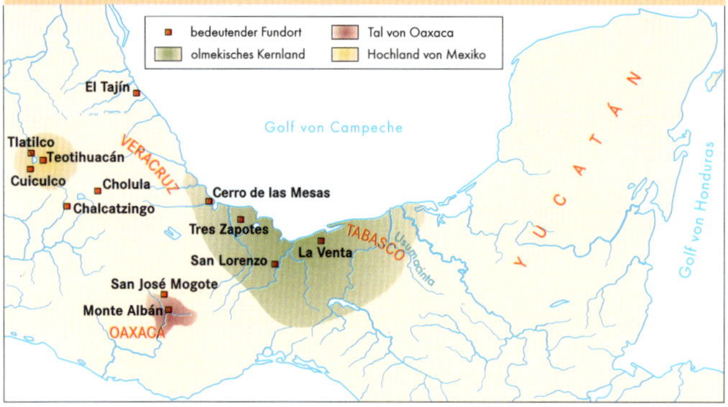

mesoamerikanische Hochkulturen: Goldener Brustschmuck der Mixteken (Oaxaca, Museo Regional)

zend durch zwei oder mehrere Strukturformeln (»Grenzstrukturen«, »Grenzformeln«) wiedergegeben werden kann. Die tatsächl. Molekülstruktur liegt als energieärmerer und daher begünstigter Zustand zw. den Grenzstrukturen. M. tritt z.B. bei →Aromaten auf.

Mesonen [grch.], Gruppe mittelschwerer instabiler →Elementarteilchen mit ganzzahliger Spinquantenzahl, bestehend aus den Pionen (π-M.), Kaonen (K-M.), Eta-M. (η-M.), D-M., F-M., B-M. und deren Antiteilchen. Mit den Baryonen gehören die M. zur Gruppe der stark wechselwirkenden Elementarteilchen, den Hadronen, haben aber im Unterschied zu den Baryonen die Baryonenzahl 0. Sie entstehen z.B. beim Stoß energiereicher Protonen und Neutronen untereinander oder mit Atomkernen, wobei die kinet. Energie der stoßenden Teilchen größer als die Ruheenergie (Ruhemasse) des zu erzeugenden Mesons sein muss. Ihre Lebensdauer liegt zw. etwa 10^{-17} und 10^{-10} s. Sie zerfallen in Leptonen und Photonen. Zur Gruppe der M. rechnen auch die **M.-Resonanzen,** äußerst kurzlebige (etwa 10^{-22} s) angeregte Zustände von M. (→Massenresonanzen). Die M. haben in der Theorie der Elementarteilchen Bedeutung für die Struktur der Nukleonen sowie als Vermittler (Feldquanten) der Kraftwirkungen zw. den Nukleonen **(M.-Theorie der Kernkräfte).** Nach den heutigen Vorstellungen sind die M. aus einem Quark-Antiquark-Paar aufgebaut; die Kraft zw. zwei Nukleonen im Atomkern kommt durch den Austausch von Quarks zustande, der auch als M.-Austausch interpretiert werden kann. Als Quanten der starken →Wechselwirkung werden die Gluonen angesehen, die die Bindung der Quarks zu M. und Baryonen bewirken.

Mesopause [grch.], die Grenzschicht zw. Meso- und Thermosphäre in der →Atmosphäre.

Mesophase [grch.], →flüssige Kristalle.

Mesophytikum [grch.] *das, Geologie:* das mittlere Zeitalter in der Stammesgeschichte der Pflanzenwelt (zw. Paläophytikum und Känophytikum), vom oberen Perm bis in die Unterkreide; durch das Vorherrschen der Gymnospermen (u.a. Gingkogewächse, Nadelhölzer, Palmfarne, Samenfarne) gekennzeichnet.

Mesopotamilen [grch. »Zwischenstromland«] (Zweistromland), Landschaft in Vorderasien, das Gebiet zw. den Flüssen Euphrat und Tigris oberhalb von Bagdad (Irak), im Allg. auch das gesamte Zweistromland zw. den ostiran. Gebirgen und der syrisch-arab. Wüste. Im Altertum bed. Kulturlandschaft, später weithin verödet; neuerdings wieder zunehmend Anbauflächen; Erdöllagerstätten. Historisch bezeichnet M. das Gebiet der altoriental. Stadtstaaten und Reiche der Sumerer, Akkader, Babylonier und Assyrer.

📖 HROUDA, B.: *M. Die antiken Kulturen zwischen Euphrat u. Tigris. München 1997.*

Mesosphäre [grch.], eine Schicht der →Atmosphäre.

Mesozoen [grch.] (Mesozoa), wenigzellige, 0,03–7 mm lange Tiere; bestehen aus einem einfachen Zellschlauch und leben meist parasitisch in wirbellosen Meerestieren.

Mesozoikum [grch.] *das* (Erdmittelalter), die erdgeschichtl. Ära zw. Paläozoikum und Känozoikum, mit den Systemen Trias, Jura und Kreide (→geologische Systeme, ÜBERSICHT).

Mespelbrunn, Gemeinde im Landkreis Aschaffenburg, Bayern, im Spessart, 2400 Ew. – Das Wasserschloss (15./16. Jh.), Stammsitz des Ministerialengeschlechts **Echter von M.,** gehört seit 1665 den Grafen von Ingelheim; 1904 restauriert.

Mesquitebaum [-ˈkiːtə-; indian.-span. Ursprungs] (Prosopis juliflora), in den Tropen und Subtropen (v.a. in Amerika) kultiviertes Mimosengewächs; die Hülsenfrüchte werden als Viehfutter verwendet, der Stamm liefert Mesquite- oder Sonoragummi.

Mesrop, eigtl. Maschtotz, armenischer Mönch, *Hatsek um 361, †Etschmiadsin 7. 2. 440; schuf die

Mespelbrunn: Das im 15. und 16. Jh. erbaute Wasserschloss wurde 1904 restauriert

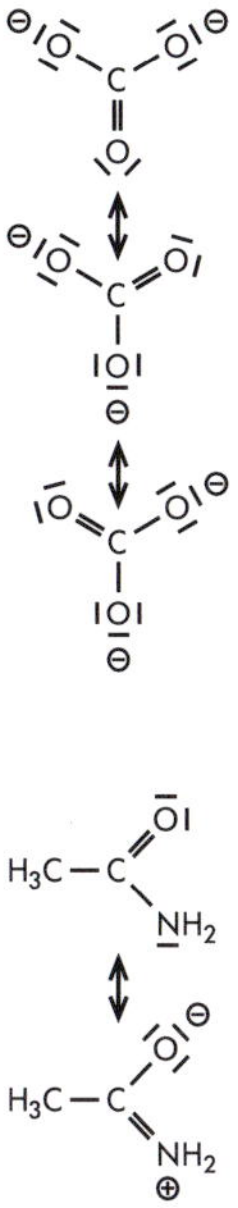

Mesomerie: mesomere Grenzstrukturen beim Carbonatanion (oben) und Acetamid

armenische Schrift und übersetzte mit dem Katholikos Sahak die Bibel ins Armenische.

Messa di voce [-ˈvoːtʃe, italien.], beim Gesang das An- und Abschwellen des Tons (vom Pianissimo zum Fortissimo und wieder zum Pianissimo).

Messaggero, Il [il mɛsadˈdʒɛro; italien. »der Bote«], italien. Tageszeitung, gegr. 1878; erscheint in Rom.

Valeria Messalina, römische Kaiserin (zeitgenössische Marmorbüste)

Messalina, Valeria, röm. Kaiserin, *um 25 n. Chr., †Rom 48; dritte Frau des röm. Kaisers Claudius, intrigant, habsüchtig, mit ausschweifendem Lebenswandel; wegen einer Verschwörung hingerichtet.

Messapilen (lat. Messapia), antiker Name des südl. Teils des heutigen Apulien.

Messbild, mit einer Messkammer aufgenommenes fotograf. Bild für die photogrammmetr. Auswertung (→Photogrammmetrie).

Messbrief, *Schifffahrt:* von einer Schiffsvermessungs- oder Registerbehörde ausgestellte Urkunde über die amtl. Vermessung eines Schiffes, die v.a. als Unterlage für die Berechnung von Versicherungsgebühren und Schifffahrtsabgaben dient.

Messbrücke, *elektr. Messtechnik:* Brückenschaltung zur Messung von Widerständen **(Widerstands-M.)** oder Impedanzen **(Impedanz-M.).** Alle M. lassen sich auf eine Grundanordnung zurückführen, die aus vier Brückenzweigen mit je einem oder mehreren zu einem geschlossenen Viereck geschalteten passiven Zweipolen (z.B. ohmsche Widerstände) besteht. Bei der **Nullmethode** werden die Elemente in einem Brückenzweig so lange variiert, bis ein Nullindikator (→Nullinstrument) die Brückenspannung $U_B = 0$ anzeigt. Diesen Vorgang bezeichnet man als **Abgleichen.** Im Gegensatz dazu wird bei der in der industriellen Messtechnik häufig angewandten **Ausschlagmethode** die Veränderung eines der vier Brückenzweige einer vorher abgeglichenen M. durch ein anstelle des Nullinstruments geschaltetes Messgerät angezeigt. M. werden nach der Art der Speisung unterschieden in **Gleichstrom-M.** (Wheatstone-, Thomson-Brücke) und **Wechselstrom-M.,** wobei zu Letzteren alle M. zählen, in denen induktive und kapazitive Glieder enthalten sind.

Messbuch, das →Missale.

Messe [von engl. mess, eigtl. »Speise«, »Gericht«], Aufenthalts- und Speiseraum für Offiziere und Mannschaften auf Schiffen.

Messe [lat. missa, zu missio »Entlassung«], **1)** *allg.:* bes. oberdt. und mitteldt. Bez. für Jahrmarkt.

2) *Liturgie:* seit dem 5. Jh. in der lat. Kirche, heute in der kath. Kirche Bez. des Gottesdienstes, abgeleitet von seiner Entlassungsformel: ite, missa est, »geht, (die Versammlung) ist entlassen«; seit 150 belegt als Form des christl. Hauptgottesdienstes, bestehend aus Wortgottesdienst und Mahlfeier nach dem Vorbild des letzten Abendmahls Jesu und seiner Jünger. Nach der Liturgiekonstitution des 2. Vatikan. Konzils gliedert sich die M. heute in: 1. Eröffnung: Introitus, Begrüßung, Schuldbekenntnis, Gloria und Tagesgebet; 2. Wortgottesdienst: Lesungen (aus A.T. und N.T.), Evangelium, Predigt, Credo, Fürbitten; 3. Eucharistiefeier: Bereitung der Gaben, Gabengebet, Präfation, Sanctus, eucharist. Hochgebet mit Wandlungsworten, Fürbitten für die Lebenden und Verstorbenen, Vaterunser, Agnus Dei, Friedensgruß, Kommunion; 4. Entlassung mit Segen. Schwerpunkte der im Anschluss an das 2. Vatikan. Konzil durchgeführten Liturgiereform waren die stärkere Beteiligung der Laien am Vollzug der M. und die Einführung der Landessprachen (bis auf besondere Anlässe) anstelle der lat. Sprache. Die reformator. Gottesdienstordnungen schließen sich liturgisch, trotz eines unterschiedl. theolog. Verständnisses des Gottesdienstes, weitgehend der traditionellen Gestalt der M. an. (→Eucharistie, →Gottesdienst, →Kommunion, →Liturgie)

📖 EMMINGHAUS, J. H.: *Die M. Klosterneuburg* ^{5}*1992.*

3) *Musik:* musikalisch-zykl. Form, bestehend aus den fünf Ordinariumsteilen Kyrie, Gloria, Credo, Sanctus (mit Benedictus) und Agnus Dei. Die freie Komposition des M.-Textes begann erst im 14. Jh. (G. de Machaut). Sie gelangte in der polyphonen Kunst der Niederländer im 15./16. Jh. zu hoher Blüte (G. Dufay, G. Binchois, J. Ockeghem, J. Obrecht, Josquin Desprez, O. di Lasso u.a.). Oft sind in diesen M. weltl. Volkslieder als Cantus firmus (Tenor) verwendet. Den Höhepunkt der M.-Musik bedeuten die A-cappella-Schöpfungen G. P. da Palestrinas. Daneben entwickelten sich seit dem 17. Jh. neue Formen, v.a. die Orchester- und Kantaten-M. (mit Chor, Soli, Orgel und Orchester): J. S. Bach (h-Moll-Messe), J. und M. Haydn, W. A. Mozart (Krönungs-M.), L. van Beethoven (Missa solemnis), F. Schubert, F. Liszt u.a. A. Bruckners späte M. sind ein Höhepunkt der symphon. Messkomposition. Auf der Basis zeitgenöss. Kompositionstechniken entstanden M.-Vertonungen u.a. von I. Strawinsky, P. Hindemith, D. Schnebel und O. Messiaen.

📖 FELLERER, K. G.: *Die M. Ihre musikal. Gestalt vom Mittelalter bis zur Gegenwart. Dortmund 1951.* – GEORGIADES, T. G.: *Musik u. Sprache. Das Werden der abendländ. Musik, dargestellt an der Vertonung der M. Berlin u. a.* ^{2}*1974, Nachdr. ebd. 1984.*

4) *Wirtschaft:* Veranstaltung mit Marktcharakter, auf der Waren eines oder mehrerer Wirtschaftszweige (Fach- oder allg. M.) an besonderen Orten angeboten werden. Die M. finden in regelmäßigem Turnus (z.B. Frühjahrs-M., Herbst-M.) statt und sind von regionaler, überregionaler, oft internat. Bedeutung. Der Zutritt ist Fachbesuchern (Wiederverkäufer, Weiterverarbeiter, Großabnehmer) vorbehalten; z.T. stehen die M. auch einem allg. Publikum zur Information offen. **Waren-M.,** die dem unmittelbaren Warenaustausch dienen, entstanden im MA. im Anschluss an Kirchenfeste oder Jahrmärkte. M. durften durch die Städte nur aufgrund besonderer M.-Privilegien veranstaltet werden. Wichtige Waren-M. waren im 12. und 13. Jh. die M. der Champagne, später die von Brügge, Antwerpen, Paris, Lyon, Nischni Nowgorod, Frankfurt am Main, Köln, Leipzig, Frankfurt (Oder). **Muster-M.,** auf denen nur Waren nach ausgestellten Mustern verkauft werden, haben sich seit Mitte des 19. Jh. in ihrer heutigen Form zuerst in Leipzig entwickelt. Wichtige M.-Städte in Dtl. sind Frankfurt am Main, Hannover, Düsseldorf, Köln, München, Stuttgart, Leipzig und Berlin. Bedeutende M. im Ausland werden u.a. in Paris, Lyon, Utrecht, London, Mailand, Wien, Basel, Chicago und New York abgehalten. – Wirtschaftliche Bedeutung der M.: Überblick über das Angebot, bes. auch um Innovationen, auf einem Markt, Vergleich der Wettbewerbsfähigkeit von Anbietern, Kontakt- und Imagepflege, Geschäftsabschlüsse auf M. gelten als Konjunkturbarometer.

📖 *Europ. M.n u. Märktesysteme in MA. u. Neuzeit, hg. v.* P. Johanek *u.* H. Stoob. *Köln u.a. 1996.*

Messel, Gemeinde im Kr. Darmstadt-Dieburg, Hessen, 4100 Ew.; Fossilien- und Heimatmuseum; nahebei das 1886–1971 wirtsch. genutzte eozäne Ölschiefervorkommen, das reiche subtrop. bis trop. fossile Pflanzen- (Palmen, Lorbeer-, Walnuss-, Maulbeergewächse, Schlingpflanzen u.a.) und Tierfossilien (Urpferd Propalaeotherium messelense, Krokodile, Halbaffen, Insektenfresser, Fledermäuse, Fische, Vögel u.a.) enthält; heute nur wiss. Erforschung. 1996 wurde die Grube M. von der UNESCO zum Weltkulturerbe der Menschheit erklärt.

📖 *M., hg. v.* S. Schaal *u.* W. Ziegler. *Frankfurt am Main 1988.*

Messel, Alfred, Architekt, *Darmstadt 22. 7. 1853, †Berlin 24. 3. 1909; verwendete zunächst Stilelemente versch. histor. Epochen, reduzierte dann die Bauornamentik zugunsten einer funktionsbetonten, konstruktiven Gliederung (u.a. Warenhaus Wertheim in Berlin, 1897; Landesmuseum Darmstadt, 1892–1905).

Messen, experimentelles Bestimmen des Messwertes einer physikal. Größe (z.B. Länge, Temperatur) im Verlauf eines Messvorgangs durch quantitativen Vergleich der Messgröße mit einer Einheit (z.B. Meter, Kelvin) als Bezugsgröße.

Messenger-RNS ['mesɪndʒə-; engl. »Bote«] (Boten-RNS, mRNS), Ribonucleinsäure, die als stückweise Kopie der Desoxyribonucleinsäure entsteht und genet. Information zur Synthese von Proteinen überträgt.

Messel: Das 1975 in der Grube Messel aufgefundene Skelett des Urpferds Propalaeotherium messelense ist fast vollständig erhalten

Messeni|en (ngrch. Messinia), grch. Landschaft und VerwBez. in der SW-Peloponnes, im O durch den Taygetos (bis 2407 m ü.M.) von Lakonien getrennt; Hauptort: Kalamata. – Eine erste Blüte erlebte M. in myken. Zeit (16.–13. Jh. v.Chr.). Im **1.** und **2. Messen. Krieg** (8. und 7. Jh. v.Chr.) unterlagen die Messenier den Spartanern und wurden zu Heloten. Nach dem vergebl. **3. Messen. Krieg** (um 500/490 v.Chr.) und einem erfolglosen Aufstand (464–460 v.Chr.) stellte erst Epaminondas 369 v.Chr. die Selbstständigkeit M.s wieder her.

Messer, Werkzeug mit einem Griff und einer scharfen Klinge zum Schneiden. Bei M. mit fester Klinge ist diese mit der Angel im Heft befestigt, bei solchen mit bewegl. Klinge **(Taschen-M.)** ist das Heft einklappbar oder einschiebbar. In der Fertigungstechnik werden auch Maschinenwerkzeuge wie Meißel oder Schneidstähle, die in einen **M.-Kopf** eingespannt werden, als M. bezeichnet. –

Bedeutende Messen und Ausstellungen in Deutschland

Veranstaltung, Ort	erste Veranstaltung	Aussteller 1995	Besucher 1995
IAA – Internat. Automobil-Ausstellung, Frankfurt am Main	1897	1153	805000
CeBIT, Hannover	1986	6111	755000
Internat. Funkausstellung, Berlin	1924	765	499000
Internat. Grüne Woche, Berlin	1926	1331	495000
boot Düsseldorf – Internat. Bootsausstellung, Düsseldorf	1969	1590	399000
Frankfurter Buchmesse, Frankfurt am Main	1949	6497	320000
Hannover Messe, Hannover	1947	7086	299000
DRUPA – Internat. Messe Druck und Papier, Düsseldorf	1951	1669	193000
ANUGA – Allgemeine Nahrungs- und Genussmittelausstellung, Köln	1919	5275	189000
Ambiente, Internat. Frankfurter Messe, Frankfurt am Main	1949	4863	121000
ITB – Internat. Tourismus-Börse, Berlin	1968	5253	119000
Tendence, Internat. Frankfurter Messe, Frankfurt am Main	1949	4720	106000

M. kommen bei den Naturvölkern aus Knochen, Stein, Muschel, Bambus und Eisen vor. In der Jungsteinzeit finden sich M. aus Feuerstein, Knochen und Holz. Eisen-M. gibt es seit der Hallstattzeit. Im MA. führten die Männer M. als Werkzeuge und Waffen fast immer bei sich. Als Essgerät ist das M. in Adelskreisen seit dem 16. Jh., allg. seit dem 18. Jh. zu finden.

Franz Xaver Messerschmidt: »Ein Heuchler und Verleumder«, Bleibüste aus der Serie der »Charakterköpfe« (um 1777; Wien, Österreichische Galerie im Belvedere)

Messerfische (Notopteridae), Familie bis etwa 80 cm langer, lang gestreckter Knochenfische in Süßgewässern Afrikas und S-Asiens, z. T. Aquarienfische.

Messermuscheln, → Scheidenmuscheln.

Messerschmidt, Franz Xaver, Bildhauer, * Wiesensteig (bei Geislingen an der Steige) 6. 2. 1736, † Preßburg um den 19. 8. 1783; erfolgreicher Porträtbildhauer. Stilistisch leiten seine Werke (Bildnisbüsten und -statuen, Sakralplastik) vom Barock zum Klassizismus über; bekannt wurde die Serie der 69 »Charakterköpfe«.

Messerschmitt, Willy, Flugzeugkonstrukteur, * Frankfurt am Main 26. 6. 1898, † München 15. 9. 1978; gründete 1923 die **M.-Flugzeugbau-Gesellschaft,** Bamberg (1927 mit der **Bayerische Flugzeugwerke AG, BFW,** vereint, seit 1938 **Messerschmitt-AG,** München und Augsburg, seit 1969 **M.-Bölkow-Blohm GmbH**). 1934 baute M. das Reiseflugzeug Bf108 »Taifun« in Leichtbautechnik und aerodynam. Gestaltung (1939 Höhenrekord 9075 m). Ab 1934 entwickelte er den Jäger Bf109, das als Me109 meistgebaute Jagdflugzeug des 2. Weltkriegs. Der nur für Rekordflüge entworfene Typ Me209 hielt 1939–69 den Geschwindigkeitsweltrekord (755,13 km/h) für Flugzeuge mit Kolbenmotor. In den M.-Werken entstanden nach dem Zerstörer Me110 das von A. M. Lippisch konstruierte Raketenflugzeug Me163 »Komet«, das 1941 erstmals über 1000 km/h erreichte, und das erste (ab 1944) in Serie hergestellte Jagdflugzeug mit Turbinen-Luftstrahltriebwerk Me262. Nach 1945 entwickelte M. Fertighäuser und baute seit 1956 Übungs- und Kampfflugzeuge in Lizenz sowie Senkrechtstartflugzeuge.

Willy Messerschmitt

📖 Ebert, H. J. *u. a.: W. M., Pionier der Luftfahrt u. des Leichtbaues. Eine Biographie. Bonn 1992.*

Messfühler (Messgeber), der → Sensor.

Messgerät, Gerät zur quantitativen Erfassung von physikal., chem. u. a. Eigenschaften. M. werden nach dem Messobjekt, der Messgröße (z. B. Temperatur-M.) oder nach dem Messprinzip (v. a. mechan., pneumat., elektr. und opt. M.) eingeteilt. Sie können Teil einer Messeinrichtung sein oder auch i. e. S. eine Vorrichtung, die entweder einen oder mehrere Einheitswerte einer Messgröße verkörpert (**Maßverkörperung,** z. B. Längenmaßstäbe) oder eine beliebige Anzahl von Messwerten anzeigt. – M. bestehen i. d. R. aus dem eigentl. Messsystem (z. B. Messwerk einschl. Zeiger und Skala), dem Gehäuse und ggf. äußerem Zubehör (z. B. Messfühler). Die Anzeige kann u. a. mittels Zeiger, Flüssigkeitssäule oder Lichtstrahl auf einer Skala oder Strichmarke **(analoges M.)** erfolgen oder durch eine Ziffernanzeigeeinrichtung **(digitales M.).** Messmittel, die nur einen Messgrößenwert darstellen (z. B. Endmaße, Wägestücke), werden **Maße** genannt.

Messgewand, das liturg. Obergewand des kath. Priesters bei der Messfeier; urspr. geschlossener Überwurf mit Kopfdurchlass **(Kasel).**

Messgleichrichter, *Elektrotechnik:* Bauteil (z. B. Halbleiterdiode) oder Schaltung, mit der die Messung von Wechselströmen und -spannungen mit Gleichstrom-(Gleichspannungs-)Messgeräten ermöglicht werden soll.

Willy Messerschmitt: Die Me 262 war das erste in Serie hergestellte Jagdflugzeug mit Turbinen-Luftstrahltriebwerk

Messiaen [mɛsˈjã], Olivier Eugène Prosper Charles, frz. Komponist, * Avignon 10. 12. 1908, † Paris 28. 4. 1992; studierte 1919–30 bei M. Dupré und P. Dukas in Paris, wurde ebd. 1931 Organist an der Kirche Sainte-Trinité; Mitbegründer der »Jeune France«; 1942–78 lehrte er am Pariser Konservatorium (Schüler u. a. P. Boulez, K. Stockhausen, Y. Xenakis). Mit seinen Orchester- und Kammermusikwerken verfolgte M. eine experimentelle Richtung, die von der kath.-myst. Grundhaltung zu sinnl. Naturalismus und rechner. Abstraktion variiert.

Werke: Oper: Saint François d'Assise (1983). – Orchesterwerke: Turangalîla-Sinfonie (1946 bis 1948); Chronochromie (1960); Des canyons aux étoiles (1971–74); Un sourire (1991, für Klavier und Orchester). – Klavierwerke: Vingt regards sur l'Enfant Jésus (1944); Catalogue d'oiseaux (1956–58, 13 Stücke). – Orgelwerke: La nativité du Seigneur (1936); Messe de la Pentecôte (1950). – Kammermusik, Vokalwerke.

📖 Hirsbrunner, T.: *O. M., Leben u. Werk. Laaber 1988.*

Messianismus *der,* oft ungenau verwendete Sammelbez. für die Sehnsucht nach einer dem Messias vergleichbaren religiösen Erlöser- und/oder politisch-sozialen Führergestalt und die versch. Erwartungen, die (v.a. in Krisenzeiten) in der Geschichte mit seinem Erscheinen verknüpft worden sind: Beendigung der als unheilvoll empfundenen Zustände, Aufrichten des (ewigen) Reichs der Gerechtigkeit (Reich Gottes) bzw. Wiederherstellung des ursprüngl. →goldenen Zeitalters. (→Chiliasmus)

Messias [grch.-kirchenlat., von hebr. mašîaḥ »Gesalbter«] *der,* im A.T. und Judentum urspr. der durch Salbung eingesetzte König (2. Sam. 22, 51); nach dem Tod Salomos und dem Zerfall des Reiches der Inbegriff des erhofften idealen Herrschers aus dem Stamm Davids, der es wiederherstellen wird; in nachexil. Zeit der König des endzeitl. Gottesreichs. Wiederholt kam es in der jüd. Geschichte zu **messian. Bewegungen,** von denen der von →Bar Kochba geführte Aufstand und das Auftreten →Sabbatai Zwis die größte Bedeutung erlangten. Ihre Führer galten als M. bzw. riefen sich selbst zum M. aus. – Das N.T. und frühe Christentum sahen in Jesus Christus die messian. Erwartungen des A.T. erfüllt. Als M. wird er jedoch nur zweimal im N.T. erwähnt (Joh. 1, 41; 4, 25), sonst meist in der grch. Übersetzung als →Christus.

Messidor [»Erntemonat«] *der,* der 10. Monat des frz. Revolutionskalenders (19./20. Juni bis 19./20. Juli).

Messier [mɛsˈje], Charles, frz. Astronom, *Badonviller (Dép. Meurthe-et-Moselle) 26. 6. 1730, †Paris 11. 4. 1817; entdeckte 21 Kometen und verfasste den Messier-Katalog.

Messier-Katalog [mɛsˈje-], von C. Messier erstellter, 1774 erstmals erschienener (Nebel-)Katalog von über 100 Sternhaufen und Nebelflecken (galakt. Nebel, Galaxien). Die dabei durchgeführte Nummerierung der Objekte (M in Verbindung mit einer Zahlenangabe) wird noch heute verwendet, z.B. M 31 für den →Andromedanebel.

Messina, 1) Prov. Italiens an der NO-Küste Siziliens, 3248 km², (1995) 683 800 Einwohner.

Messkammer: Das Messbild von Golden Gate und San Francisco wurde aus einer Flughöhe von 19 000 m aufgenommen; der Bildmaßstab beträgt 1 : 170 000

2) Hptst. von 1), im NO Siziliens, bester Naturhafen an der **Straße von M.** (italien. **Stretto di M.**), 263 600 Ew.; Erzbischofssitz; Univ. (gegr. 1548), meeresbiolog. Inst.; Theater und Museen; lebhafter Handel; Werften, Nahrungsmittelind.; Fähren zum Festland. – Zu den von Erdbeben und Bomben des 2. Weltkriegs zerstörten und wieder aufgebauten Kirchen gehören u.a. der Dom und Santissima Annunziata dei Catalani aus normann. Zeit. – M., im 8. Jh. v. Chr. auf dem Boden einer älteren Siedlung als grch. Kolonie **Zankle** gegr., hieß seit dem 5. Jh. v. Chr. **Messana.** Seit dem 1. Pun. Krieg war M. der wichtige Handelsplatz in röm. Besitz; 843 von den Sarazenen, 1061 von den Normannen erobert. In normann. und bes. in stauf. Zeit wuchs seine wirtsch. und kulturelle Bedeutung. Im 15. Jh. kam M. unter span. Herrschaft. 1908 durch ein Erdbeben zerstört (84 000 Tote) und nach einem schachbrettartigen Grundriss wieder aufgebaut; schwere Schäden im 2. Weltkrieg.

Messing, Sammelbez. für Legierungen aus 55–90 % Kupfer, 45–10 % Zink und bei Sonder-M. mit weiteren Zusätzen (z.B. Aluminium, Nickel). M. ist gut verarbeitbar, sehr korrosionsbeständig und besitzt günstige Festigkeitseigenschaften. Aus M. werden v.a. Armaturen, Schiffsbauteile und Beschläge hergestellt. Als **Tombak** bezeichnet man noch heute M.-Sorten mit Kupfergehalten von 70–90 %, während als **Gelbguss** früher M.-Gusslegierungen mit etwa 55–80 % Kupfer bezeichnet wurden.

Messkammer (Messbildkamera), eine Spezialkamera zur Herstellung der **Messbilder** für die Erd- und Luftbildmessung (→Photogrammmet-

Olivier Messiaen

Messina 2)
Stadtwappen

Reinhold Messner

Oskar Meßter

rie). Neben fotograf. Emulsionen zur analogen Bildregistrierung werden auch CCD-Photoelemente (→CCD) verwendet, die Digitalbilder in Echtzeit aufnehmen. Sie werden in Digitalspeicher transferiert und können im Computer direkt verarbeitet werden. M. besitzen Objektive mit sehr hohem Auflösungsvermögen und geringer Verzeichnung. **Reihen-M.** sind M. für eine schnelle Folge von Aufnahmen.

Messner, Reinhold, Südtiroler Alpinist, Schriftsteller und Filmemacher, *Brixen 17. 9. 1944; bestieg mit Peter Habeler (*1942) 1978 als Erster den Mount Everest ohne Sauerstoffgerät und im Alleingang den Nanga Parbat. Bis 1986 hatte M. als erster Mensch alle 14 Achttausender ohne Sauerstoffgerät bestiegen. M. durchquerte 1989/90 zus. mit Arved Fuchs (*1953) zu Fuß die Antarktis.

Messschieber, Längenmessgerät (früher **Schieb-** oder **Schublehre**) zur Messung von Außen-, Innen- und Tiefenmaßen. Die Länge des Messobjekts wird dabei mithilfe zweier Messschnäbel für Außenmaße oder zweier Messschneiden für Innenmaße bestimmt, von denen der eine mit der den Strichmaßstab tragenden Schiene fest verbunden ist, während der andere (Schieber) auf der Messschiene verschiebbar ist. Der →Nonius auf dem Schieber gestattet eine Genauigkeit beim Ablesen der Lage des Schiebers gegenüber dem Strichmaßstab von meist 0,1 (oder 0,05) mm.

Messschraube (Mikrometerschraube, Mikrometer), mechan. Messgerät zur Messung von kleineren Längen oder Abständen, bei dem eine Gewindespindel mit genauer Steigung des Gewindes als Längennormal dient. Die durch volle Umdrehungen bewirkte Verschiebung der Spindel gegenüber dem fest stehenden Mutterstück wird an einer Längsteilung, die durch Bruchteile einer Umdrehung bewirkte Längsverschiebung an einer Rundteilung auf einer Messtrommel oder -hülse angezeigt. Die **Innen-M. (Innenmikrometer)** zur Bestimmung von inneren Abständen haben seitlich angesetzte Messschnäbel oder Messflächen am Spindel- und Hülsenende. Die **Tiefen-M.** zur Tiefenmessung haben eine rechteckige, auf der Bewegungsrichtung der Messspindel senkrecht stehende Messfläche an der Hülse, die auf die Stirnfläche z. B. einer Bohrung aufgesetzt wird.

Messtechnik, Gesamtheit der Verfahren und Geräte zur experimentellen Bestimmung (→Messen) zahlenmäßig erfassbarer Größen in Wiss. und Technik. Grundlage der M. ist die Bestimmung von Basisgrößen für Länge, Zeit, Masse und Temperatur **(Absolut-** oder **Fundamentalmessung).**

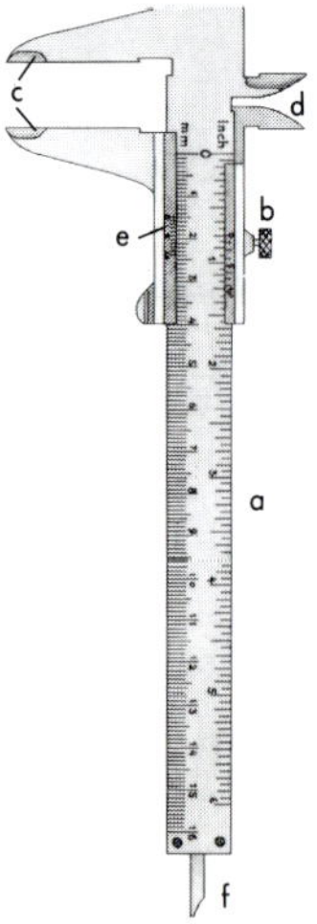

Messschieber mit Nonius sowie Skalen in Inch und Millimeter; a Messschiene, b Schieber mit Feststellschraube, c Messschnäbel für Außenmaße, d Messschneiden für Innenmaße, e Nonius, f Tiefenmaß

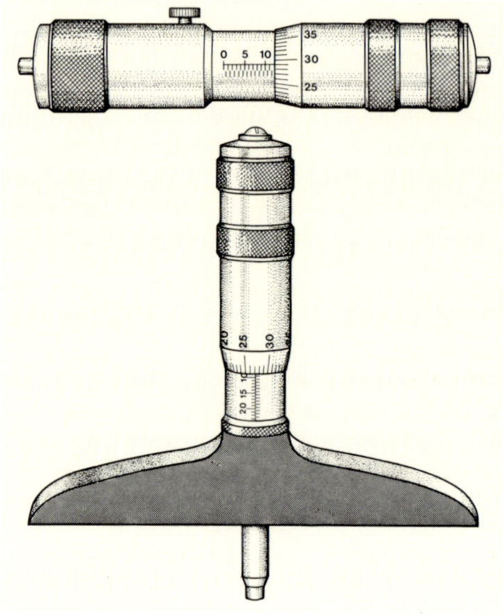

Messschraube: Innenmessschraube zur Bestimmung von inneren Abständen (oben) und Tiefenmessschraube zur Tiefenmessung

Aufgaben der M. sind die Überprüfung der Einhaltung von Maßtoleranzen in der Fertigungstechnik, die Überwachung und Steuerung techn. Vorgänge im Rahmen der Steuer- und Regelungstechnik sowie die Verbrauchszählung in der Energietechnik. Von besonderer Bedeutung ist die **elektr. M.,** da neben der Messung elektr. Größen (z. B. Spannung, Stromstärke) für nahezu alle nichtelektr. Größen elektr. Signale gewonnen werden können, die leicht zu digitalisieren sind. Die **Digital-M.** ermöglicht die direkte elektron. Weiterverarbeitung von Messwerten und eignet sich bes. zu deren störungsarmer (Fern-)Übertragung.

📖 BERGMANN, K.: *Elektr. Meßtechnik. Braunschweig u. a.* [6]*1997.* – SCHÖNE, A.: *Meßtechnik. Berlin u. a.* [2]*1997.*

Meßter, Oskar Eduard, Kinotechniker, *Berlin 21. 11. 1866, †Tegernsee 7. 12. 1943; Mitbegründer der dt. Filmind.; entwickelte 1896 einen brauchbaren Filmprojektor mit Malteserkreuz, verband Kinematographie und Sprechmaschine (1903) und führte 1914 die erste dt. Wochenschau **(M.-Woche)** vor. M. erfand außerdem Reihenbildkammern für die Luftbildtechnik. Der Oskar-M.-Konzern war eine der Keimzellen der Ufa.

Messtisch, ältestes Gerät für topograph. Aufnahmen, eine auf einem Stativ drehbare Tischplatte und die frei aufzusetzende **Kippregel.** Bei der Geländeaufnahme wird der M. auf einem Festpunkt aufgestellt und nach N orientiert. Die Geländepunkte werden dann markiert, mit der Kippregel angezielt (Winkel- und Distanzmessung) und mit dem Lineal auf dem Zeichenträger kartiert. Mit dem M. wurden im 19. Jh. die meisten Blätter der topograph. Karte 1:25000 **(M.-Blatt)** aufgenommen; heute durch Photogrammmetrie und Aufnahme mit dem Tachymeter ersetzt.

Mess|uhr (Messzeiger), Messgerät zur Längenmessung im Millimeterbereich. Ein Messbolzen wird beim Messen eingedrückt und überträgt den Messweg auf einen Zeiger, sodass der Messwert an einer Kreisskala auf 0,01 mm genau abgelesen werden kann.

Messwandler (Wandler), Messgerät oder Schaltung, die ein Eingangssignal in ein von diesem abhängiges Ausgangssignal (i. e. S. gleicher physikal. Größe) überführt. In der elektr. Messtechnik ist M. eine Sammelbez. für Spannungs- und Stromwandler. Während **Messumformer** nur mit analogen Ein- und Ausgangssignalen arbeiten, haben **Messumsetzer** in Ein- und Ausgang versch. oder rein digitale Signalstruktur (→Analog-digital-Umsetzer, →Digital-analog-Umsetzer).

Messwerk, Sammelbez. für alle Bauteile, die bei analogen Messgeräten die Umwandlung der Messgröße in einen ablesbaren Zahlenwert bewirken.

Messwesen, die Festsetzung und Darstellung der im amtl. und geschäftl. Verkehr zu verwendenden Einheiten sowie die Kontrolle ihrer Verwendung (→Eichen). Staatl. Behörde ist die Physikalisch-Techn. Bundesanstalt in Braunschweig; sie stellt die gesetzl. Einheiten dar und bewahrt die Prototypen, Einheitenverkörperungen und Normale auf. Das M., v. a. das Eichwesen, liegt sonst in der Hoheit der Länder.

Messziffer (Messzahl), statist. Verhältniszahl zur einfachen Kennzeichnung von Entwicklungen.

Messzylinder, zylindr. Glasgefäß mit Skaleneinteilung **(Mensur)** und einer Schnauze zum Ausgießen.

Mestize [span. mestizo, zu lat. mixtus »vermischt«] *der,* Mischling zw. Weißen und Indianern.

mesto [italien.], musikal. Vortragsbezeichnung: traurig, wehmütig.

Meštrović ['mɛʃtrɔvitɕ], Ivan, kroat. Bildhauer, *Vrpolje 15. 8. 1883, †Notre Dame (bei South Bend, Ind.) 16. 1. 1962; suchte die Formensprache der Wiener Sezession mit Gestaltungscharakteristika A. Rodins, A. Maillols und Michelangelos zu verbinden und in einen selbstständigen expressiven Stil umzusetzen.

Mészáros ['me:sa:rɔʃ], Márta, ungar. Filmregisseurin, *Budapest 19. 9. 1931; schildert die Situation von Frauen und Mädchen, u. a. in den Filmen »Schöne Mädchen, weinet nicht« (1970), »Die Erbschaft« (1980), »Tagebuch für meine Lieben« (1986), »Tagebuch für meinen Vater« (1990).

Met, Abk. für →**Met**ropolitan Opera.

Met *der,* weinähnl. Getränk, das durch Hefegärung aus Honig, Wasser und Gewürzen zubereitet wird. – Im german. Mythos der Trank der Götter und Helden in Walhall.

Meta, Río, linker Nebenfluss des Orinoco, 1000 km lang, entspringt am O-Rand der kolumbian. Kordilleren, mündet an der Grenze zu Venezuela.

meta..., met... [grch.], **1)** Präfix der Bedeutung zwischen, inmitten, nach, später.

2) *Chemie:* 1) Abk. **m,** Vorsilbe zur Kennzeichnung zweier Substituenten am 1. und 3. Kohlenstoffatom einer aromat. Verbindung; 2) **Meta...,** Vorsilbe zur Kennzeichnung anorgan. Säuren, die durch Wasserabspaltung aus Orthosäuren entstehen.

Metabasis [grch. »Übergang«] *die, Logik:* unzulässiger Denkschritt; fehlerhafter Übergang in einen anderen begriffl. Bereich in einem Beweis.

Metabole [grch. »Veränderung«, »Wechsel«] *die,* in Stilistik, Rhetorik und Metrik der unerwartete Wechsel in Syntax, Wortwahl oder Rhythmus.

Metabolismus [grch.] *der,* →Stoffwechsel.

Metabolisten [grch.], Gruppe japan. Architekten (seit 1959), deren Architekturtheorie von einer Analogie zw. Gestaltungs- und Bauprozessen und zellularen Wachstumsvorgängen ausgeht. Die Stadt einer künftigen Massengesellschaft soll dementsprechend eine Großstruktur bei flexiblen Bausystemen erhalten. Zu den M. gehören u. a. Kikutake Kiyonori, Tange Kenzō und Kurokawa Kishō.

Metabolit *der,* meist niedrigmolekulares Zwischenprodukt des Zellstoffwechsels.

Meta|ethik, seit Anfang des 20. Jh. im angloamerikan. Sprachraum entwickelte Theorie der Ethik, die die sprachl. Form moral. Aussagen untersucht. Die M. sucht die eth. Fragestellungen v. a. durch eine Analyse der Bedeutungen moral. Ausdrücke (gut, böse, Pflicht, sollen usw.) zu klären.

Metageschäft [italien. (a) metà »zur Hälfte«], gemeinsam durchgeführtes Geschäft, bei dem zwei oder mehrere Vertragspartner **(Metisten)** Gewinn und Verlust gleichmäßig teilen. Man unterscheidet beim M. Kredit »à meta et nom« (der Kreditnehmer hat Kenntnis von der gemeinschaftl. Kredithergabe) und Kredit »à meta unter« (der Kreditnehmer hat nur mit einer kreditgebenden Bank zu tun, er kennt den stillen Metisten nicht). Ein weiteres typ. M. ist die Wertpapierarbitrage.

Met|aldehyd, weißes, kristallines zyklisches Polymerisationsprodukt des Acetaldehyds, das als Trockenbrennstoff und Schneckengift verwendet wird.

Metalimnion [grch.] *das,* die →Sprungschicht in Binnengewässern; die Wasserschicht in stehenden

Messzylinder

Gewässern zw. Epilimnion und Hypolimnion, in der die Temperatur vertikal sprunghaft abfällt.

Metall|amide, → Amide.

Metallbearbeitungs|öle, Flüssigkeiten, die bei der spanenden Metallbearbeitung zur Schmierung, Kühlung und zum Abtransport der Späne dienen sowie einen zeitweisen Korrosionsschutz bewirken, z. B. Schneid-, Schleif- und Bohröle.

Metalldampffieber (Gießerfieber, Zinkfieber), durch Einatmen feinster Metallstäube (meist Zink) verursachtes vorübergehendes Fieber mit Krankheitsgefühl und Reizung der Atemwege.

Metalldampflampe, → Gasentladungslampe, die eine Edelgasgrundfüllung und für die Strahlungseigenschaften wichtige Metallzusätze enthält. Das nach der Zündung zuerst erscheinende Edelgaslicht wird bei Erwärmung und dem damit verbundenen Dampfdruckanstieg allmählich von den jeweiligen Farben der Strahlung der Metallatome verdrängt. Mit Ausnahme von Sonderlampen erreichen nur Quecksilber und Natrium ausreichende Betriebsdampfdrücke (→ Quecksilberdampflampe, → Natriumdampflampe). Andere Metalle besitzen zwar häufig bessere Strahlungseigenschaften, sind aber nur in chem. Verbindung genügend leichtflüchtig (Halogenmetalldampflampe).

Metalle

Warum fühlt sich Metall kälter an als Holz?

Das liegt an den unterschiedlichen Eigenschaften als Wärmeleiter. Ein Metall leitet die Hautwärme schneller ab als Holz. Holz überträgt nur $^1/_{400}$ der Wärmemenge, die durch Eisen fließt. Noch geringer ist die Wärmeleitfähigkeit der Luft. Das machen wir uns alle zunutze, wenn wir einen Pullover anziehen, dessen Wolle eine erwärmte Luftschicht am Körper bewahrt und sie nicht abströmen läßt.

Metalle [grch.-lat.], feste oder flüssige chem. Elemente mit folgenden Eigenschaften: starker Glanz (Metallglanz) durch hohes Reflexionsvermögen; sehr großes Absorptionsvermögen für Licht; hervorragende, mit steigender Temperatur abnehmende elektr. und Wärmeleitfähigkeit; meist gute plast. Verformbarkeit durch Walzen, Schmieden, Pressen, Ziehen u. Ä.; Neigung zur Bildung positiver Ionen; M. sind bei Raumtemperatur meist fest. Die meisten dieser Eigenschaften beruhen darauf, dass im metall. Kristallgitter die äußeren Elektronen nicht an einzelne Atome gebunden sind und leicht innerhalb des aus den Atomrümpfen (Ionen) gebildeten Gitters verschoben werden können. Diese Leitungselektronen bilden ein Elektronengas und absorbieren oder streuen einfallendes Licht und machen die M. undurchsichtig und glänzend. Im Gitter sitzen die positiven Ionen dicht gepackt und werden durch die bewegl. Elektronen zusammengehalten (plast. Verformbarkeit). Dabei kann ein Ion oft durch ein andersartiges ersetzt werden (Legierungsfähigkeit). Das physikal. Verhalten der M. kann theoretisch mithilfe des Energiebändermodells beschrieben werden. – Von den 93 in der Natur vorkommenden chem. Elementen zählen 67 zu den M., die übrigen zu den Nicht- bzw. Halb-M.; M. bilden untereinander Legierungen und intermetall. Verbindungen.

Einteilung: Nach der Affinität zu Sauerstoff und der Oxidationsneigung unterscheidet man zw. **unedlen M.,** die sehr leicht Oxide bilden (z. B. Alkali-M., Magnesium), **Halbedel-M.** (z. B. Zinn, Nickel, Kupfer) und **Edel-M.,** die nur schwer Oxide bilden (z. B. Gold, Silber, Platin, Iridium, Palladium, Osmium, Rhodium, Ruthenium). Nach ihrer Dichte, die zw. 0,534 g/cm^3 bei Lithium und 22,65 g/cm^3 beim Iridium liegt, unterscheidet man **Leicht-M.** (Dichte unter 4,5 g/cm^3, wie Aluminium, Magnesium, Titan) und **Schwer-M.** (Dichte über 4,5 g/cm^3). Schmelz- und Siedepunkte der M. liegen zw. −39 °C bzw. 357 °C beim Quecksilber und 3 410 °C bzw. etwa 5 700 °C beim Wolfram. Einander sehr ähnl. M. bilden z. B. die Gruppen der Alkali-, Erdalkali-, Platin- und Seltenerdmetalle. Bes. in der Technik wird zw. Eisen und seinen Legierungen einerseits **(Eisen-** bzw. **Schwarz-M.)** und den **Nichteisen-M.** (NE-M.) andererseits unterschieden; zu Letzteren gehören z. B. die **Bunt-M.** (Kupfer, Blei u. a., ben. nach ihren farbigen Erzen).

Außer Kupfer und den Edel-M., die auch gediegen vorkommen, finden sich M. in der Natur nur in Form von Mineralen (z. B. als Oxide, Sulfide, Sulfate, Carbonate) in Erzen und Salzen. Die Gewinnung und Raffination der M. aus ihren Erzen, Alt-M. (Schrott) und metallhaltigen Rückständen (z. B. Schlacke) ist Aufgabe der **Metallurgie.**

📖 MOESTA, H.: *Erze u. M. Ihre Kulturgeschichte im Experiment. Berlin u. a. [2]1986.* – HAASEN, P.: *Physikalische Metallkunde. Berlin u. a. [3]1994.*

Metalle der seltenen Erden, die → Seltenerdmetalle.

Metallfärbung, die Erzeugung von farbigen Oberflächenschichten auf Metallen durch chem. oder elektrochem. Reaktionen des Metalls mit z. B. sulfid- und selenhaltigen Lösungen (für »Altsilberfärbung«) oder Erzeugen von Oxidschichten, die nachträglich mit organ. Farbstoffen oder anorgan. Salzen gefärbt werden. Metalle, die sich schwer färben lassen, überzieht man elektrolytisch mit einer Schicht eines anderen Metalls, das gut färbbar ist, z. B. Kupfer oder Messing. Prakt. Bedeutung hat das → Brünieren, mehr dekorativ ist die → Patina.

Metallgesellschaft AG, Industrieunternehmen mit den Bereichen Bergbau, Verhüttung, Verarbeitung von Erzen und Energierohstoffen, Chemieproduktion, Anlagen- und Maschinenbau, Transport, Handel und Finanzdienstleistungen; Sitz: Frankfurt am Main; gegr. 1881 von W. Merton, seit 1928 jetziger Name; verfügt über zahlr. Beteiligungsges. im In- und Ausland, u. a. Dynamit Nobel AG, Troisdorf. Das Unternehmen geriet 1993/94 aufgrund von Fehlspekulationen bei Erdöltermingeschäften (Verlust rd. 2,3 Mrd. DM) an den Rand der Zahlungsunfähigkeit, konnte aber in den folgenden Jahren saniert werden.

metallische Bindung, Art der →chemischen Bindung.

metallische Gläser (Glasmetalle, amorphe Metalle), metall. Werkstoffe, bes. Legierungen aus Übergangs- oder Edelmetallen (Eisen, Kobalt, Nickel, Palladium, Platin) mit Nicht- oder Halbmetallen (Bor, Kohlenstoff, Phosphor, Silicium), die durch äußerst rasche Erstarrung der Schmelze entstehen. Dabei bildet sich eine regellose amorphe Struktur (unterkühlte Schmelze) wie bei Gläsern und nicht das für Metalle kennzeichnende geordnete kristalline Gefüge. M. G. besitzen gegenüber den kristallin erstarrten Metallen eine höhere Festigkeit, größere Korrosionsbeständigkeit und zeigen ein sehr gutes weichmagnet. Verhalten. Bei höheren Temperaturen ist der amorphe Zustand für Metalle instabil, sodass bei Erwärmung oberhalb einer legierungsspezif. Temperatur Kristallisation eintritt. Mögliche Herstellmethoden sind Aufdampfen auf gekühlte Substrate, Sputtern (→Kathodenzerstäubung), chem. oder elektrolyt. Abscheiden oder das rasche Abschrecken der Schmelze. M. G. werden z. B. für gewickelte Transformatorenkerne, elektr. Bauelemente für den Hoch- und Mittelfrequenzbereich, metall. Abschirmungen, magnetoelast. Sensoren, abriebfeste Tonköpfe, hochwertige Lötfolien, oberflächenverglaste Metalllager verwendet.

Metallisieren, das Beschichten nichtmetall. Werkstücke mit einer feinen Metallschicht mithilfe der →Galvanotechnik, des →Metallspritzverfahrens, durch Aufdampfen im Hochvakuum oder durch chem. Reduktion von Metallsalzen. Das M. von Kunststoffoberflächen dient v. a. zum Schutz der Oberfläche vor Wärmeeinstrahlung oder zur Erhöhung des Wärmerückhaltevermögens.

Metallismus *der,* →Geldtheorie.

Metallklebstoffe, Klebstoffe für Verbindungen zw. zwei Metallen oder zw. Metallen und anderen Werkstoffen, die u. a. im Flugzeugbau, Fahrzeugbau und in der Elektroind. eingesetzt werden. Für geringe Festigkeiten eignen sich Haft-, Kontakt- und Schmelzklebstoffe, für hohe Festigkeiten werden meist Reaktionsklebstoffe (Ein- und Zweikomponentensysteme) auf Basis von Epoxidharzen, Polyurethanharzen u. a. verwendet.

Metallkunde, Teilgebiet der Werkstoffkunde, das sich mit den Eigenschaften und dem Aufbau der Metalle und Legierungen in festem und flüssigem Zustand **(allgemeine M.)** sowie mit ihrer techn. und wirtsch. Verwendung **(angewandte M.)** befasst.

Metallogenese, Bildung und Entwicklung von Erzlagerstätten in Abhängigkeit von geotekton. und geomagmat. Zyklen.

Metallographie *die,* Teilgebiet der Werkstoffkunde, i. w. S. gleichbedeutend mit Metallkunde; i. e. S. Arbeitsgebiet der Metallkunde, das sich mit dem Gefügeaufbau der Metalle und Legierungen befasst.

metallorganische Verbindungen (Organometallverbindungen), organ. Verbindungen, bei denen ein Metallatom direkt an ein Kohlenstoffatom gebunden ist. Sie werden aus Metallen oder Metalllegierungen durch Umsetzung mit Alkylhalogeniden oder anderen m. V. hergestellt. In der präparativen Chemie werden v. a. Grignard-Verbindungen und Lithiumalkyle angewandt.

Metallreinigung, das Entfernen der Verunreinigungen (Fett, Rost, Zunder, Schmutz) von der Oberfläche von Metallgegenständen. Man unterscheidet mechan. (Schleifen, Polieren), chem. (Beizen) und elektrolyt. Metallreinigungsverfahren.

Metallschnitt, nach dem Verfahren des Holzschnitts in eine Platte aus weichem Metall geschnittenes und auf Papier abgedrucktes Bild. Im 15. Jh. wurde der M. bes. in Frankreich und im westl. Dtl. verwendet, später u. a. auch von H. Holbein d. J. Eine Sonderform ist der →Schrotschnitt.

Metallschnitt: heiliger Michael, Kölner Arbeit (um 1470)

Metallseifen, Salze der höheren Fett-, Harz- und Naphthensäuren (mit Ausnahme der überwiegend zur Körperreinigung verwendeten Natrium- und Kaliumsalze). M. finden wegen ihrer grenzflächenaktiven und katalyt. Eigenschaften u.a. Anwendung als Eindicker in Schmierfetten (z.B. Lithiumseifen), Hilfsmittel bei der Kunststoffverarbeitung (z.B. Calciumseifen als Gleitmittel) und PVC-Stabilisatoren (Blei-, Zink- und Zinnseifen).

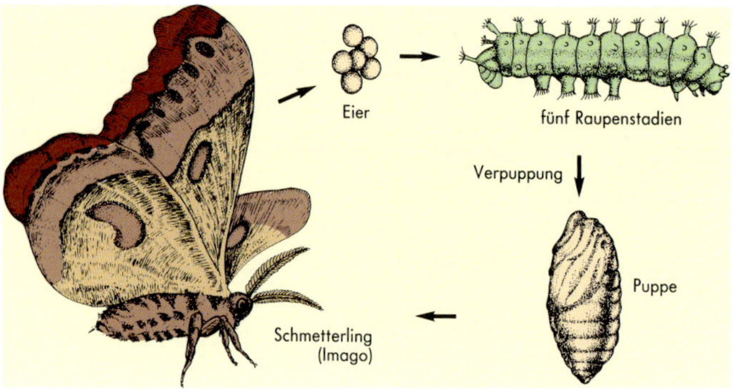

Metamorphose 4): Holometabolie am Beispiel des Schmetterlings

Metallspritzverfahren, therm. Spritzverfahren zur Herstellung von Metallüberzügen (Korrosions- und Verschleißschutz) durch Aufspritzen des in einer Gasflamme, in einem Lichtbogen oder im Plasma erschmolzenen Metalls. Beim →Flammspritzen werden vorwiegend Zink und Aluminium als Spritzmetalle verwendet, während das **Lichtbogen-** und **Plasmaspritzen** zum Auftragen hochschmelzender Werkstoffe (z.B. Wolfram, Molybdän) benutzt wird.

Metallurgie [frz., zu grch. metallourgeīn »Metalle verarbeiten«] *die,* die Wiss. von der Gewinnung der Metalle (einschl. der technolog. Verfahren) aus ihren Erzen und metallhaltigen Rückständen, ihrer Raffination und ihrer Weiterverarbeitung.

Metallwarenindustrie, Teilbereich der Eisen-, Blech- und M. (Abk. EBM-Industrie), die u.a. Werkzeuge, Heizkörper, Haushaltsherde, Stahlrohrmöbel, Feinblechverpackungen, Schlösser und Beschläge, Schneidwaren, Büro-, Schreib- und Zeichengeräte sowie Metallkurzwaren produziert.

Metallzeit, zusammenfassende Bez. für die vorgeschichtl. Epochen der Kupfer-, Bronze- und Eisenzeit.

Metamagnetismus, Erscheinung, dass manche Stoffe (z.B. Eisen(II)-chlorid) mit antiferromagnet. Verhalten in starken Magnetfeldern in einen ferromagnet. Zustand übergehen, da die magnet. Momente der ferromagnet. Bereiche (Untergitter), die sich in kleinen Magnetfeldern wegen ihrer versch. Orientierungen äußerlich kompensieren, alle in Feldrichtung klappen.

Metamerie [grch.] *die* (Segmentierung), *Zoologie:* Gliederung eines Tierkörpers in hintereinander liegende, von ihrer Anlage her gleichartige Abschnitte **(Metamere, Segmente),** z.B. beim Regenwurm äußerlich an der Ringelung erkennbar.

metamorphe Gesteine (Metamorphite), die durch die versch. Arten der Metamorphose aus magmat. **(Orthogesteine)** oder Sedimentgesteinen **(Paragesteine)** entstandenen Gesteine, z.B. Ortho- und Paragneis. Eingeteilt werden die m. G. nach der Abstammung (Ausgangsgestein), der Art der Metamorphose, dem Bildungsort (geolog. Position und Alter, Genese), der →Mineralfazies, v.a. aber nach Art des Gesteinsgefüges und des Mineralbestands. Dieser ist gekennzeichnet durch das Auftreten bestimmter, überwiegend oder ausschl. im metamorphen Bereich vorkommender Minerale, die durch Umwandlung aus dem vorhandenen Mineralbestand oder durch →Metasomatose entstanden sind. – Haupttypen der m. G. sind die kontaktmetamorphen Hornfelse sowie die regionalmetamorph gebildeten kristallinen oder metamorphen Schiefer.

Metamorphose [grch.] *die,* **1)** *allg.:* Gestaltwandel, Verwandlung.

2) *Botanik:* Umwandlung von Grundorganen unter Funktionswechsel im Laufe der Evolution, z.B. von Blättern, Sprossachsen oder Wurzeln zu Ranken, Dornen oder Knollen.

3) *Geologie:* natürl. Gesteinsumwandlung im festen Zustand durch Druck- und/oder Temperaturerhöhung. Die Anpassung an das neue physikalisch-chem. Gleichgewicht erfolgt durch Mineralreaktionen (z.B. Umkristallisation), wodurch entweder nur das Gesteinsgefüge **(isophase M.),** meist aber auch der Mineralbestand **(allophase M.)** verändert wird. M. verlaufen i. Allg. **isochemisch,** d.h. unter Beibehaltung des ursprüngl. Stoffbestandes; **allochem.** Umwandlungen mit großräumigem Stoffaustausch werden als →Metasomatose bezeichnet. – Man unterscheidet u.a. Kontakt- (Gesteinsumwandlung durch Kontakt mit schmelzflüssigem Magma), Regional-M. (etwa die Schieferung) und Ultra-M. (teilweise oder vollständige Aufschmelzung).

📖 MATTHES, S.: *Mineralogie. Berlin u. a.* [5]*1996.*

4) *Zoologie:* die indirekte Entwicklung vom Ei zum geschlechtsreifen Tier durch Einschaltung selbstständiger Larvenstadien. Eine vollkommene Verwandlung **(Holometabolie)** kommt u.a. bei Käfern, Flöhen und Schmetterlingen vor. Die Larvenstadien unterscheiden sich in Gestalt und Lebensweise vom voll entwickelten Insekt (Imago), wobei diesem ein Ruhestadium (die Puppe) vorausgeht. Bei der unvollkommenen Verwandlung **(Hemimetabolie)** z.B. bei Libellen geht das letzte Larvenstadium ohne Puppenruhe in die Imago über.

Metaphase [grch.], Stadium der Zellteilung (→Mitose).

Metapher [grch., zu metaphérein »anderswohin tragen«] *die,* bildl. Ausdruck, der durch Bezeichnungsübertragung zw. ähnl. Gegenständen oder Erscheinungen hervorgerufen wird (z.B. »das Gold ihrer Haare«). →Redefiguren (ÜBERSICHT)

Metaphorik [grch.] *die,* Bez. für den anschauungs- und assoziationsreichen Sprachstil sowie für poet. Bildlichkeit (→Metapher).

Metaphrase [grch.], 1) Übertragung, bes. die wortgetreue Umsetzung einer Versdichtung in Prosa; 2) erläuternde Wiederholung eines Wortes durch ein Synonym.

Metaphysical Poets [metəˈfɪzɪkəl ˈpəʊɪts, engl.], von J. Dryden und S. Johnson geprägte Bez. für eine Gruppe von weltl. und religiösen engl. Barockdichtern des 17. Jh. (J. Donne, G. Herbert u. a.), die durch kühne Bilder und überraschende Vergleiche der Dichtung neue Wege erschlossen.

Metaphysik [von grch. tà metà tà physiká »das, was hinter der Physik steht«], urspr. die Schriften des Aristoteles über die ersten Prinzipien und Ursachen des Seins (»Erste Philosophie«), die von Andronikos von Rhodos (1. Jh. v. Chr.) den Büchern über die Natur (Physik) nachgeordnet wurden; seit dem Neuplatonismus allg. die Lehre vom Sein bzw. Seienden und dessen Wesen, gelegentlich untergliedert in die →Ontologie, die →Kosmologie, die philosoph. →Anthropologie oder auch Psychologie und die philosoph. Gotteslehre (Theologie); »meta« wurde hier nicht mehr im Sinne von »nach«, sondern von »jenseits« verstanden, M. wurde zur Wiss. und Erkenntnislehre des Erfahrungsjenseitigen. Die bedeutendsten Systembildner der M. waren Platon, Aristoteles, Plotin, Thomas von Aquin, R. Descartes, B. de Spinoza, G. W. Leibniz und Kant (der die M. als Wiss. kritisierte). Der spekulativen M. des dt. Idealismus (J. G. Fichte, J. Schelling, Hegel) schlossen sich v. a. die intuitivist. M., die den Seinsgrund als Trieb oder Willen auffasst (A. Schopenhauer, F. Nietzsche), die induktive M. als Zusammenfassung wiss. Einzelergebnisse zu einem universalen Weltbild (G. T. Fechner, R. H. Lotze), die irrationalist. M. der Lebensphilosophie (H. Bergson, W. Solowjow u. a.), die aporet. M. (E. von Hartmann, N. Hartmann) und die antiwiss. M. der »Existenzerhellung« (K. Jaspers) an. M. Heidegger fordert »Überwindung« der M. Der Empirismus verneint die Möglichkeit einer spekulativen M. Nach Auffassungen des Positivismus und Neopositivismus sind die metaphys. Probleme sprachlich falsch gestellt oder nur Scheinprobleme.

📖 KAULBACH, F.: *Einführung in die M. Darmstadt* [5]*1991.* – CORETH, E.: *Grundriß der M. Innsbruck u. a. 1994.*

Metasequoia *die* (Urweltmammutbaum, Chinesischer Mammutbaum), Gattung der Sumpfzypressengewächse mit nur einer rezenten Art (M. glyptostroboides), von der erst 1941 (nach anderen Quellen 1944) lebende Exemplare in der chines. Provinz Sichuan entdeckt wurden. Der sommergrüne, raschwüchsige Nadelbaum ist heute als Garten- und Parkbaum weit verbreitet.

Metasomatose [grch.] *die,* Umwandlung (Metamorphose) eines Gesteins durch Änderung der chem. Zusammensetzung infolge Zufuhr von Lösungen, Gasen oder Schmelzen.

Metasprache, 1) Sprachebene, die über einer natürl. Sprache liegt und die angenommen werden muss, um die Beschreibung jeder natürl. Sprache zu ermöglichen (→Objektsprache); 2) Formelsprache, in die alle Bedeutungen natürl. Sprachen zum Zweck maschineller Übersetzung umgesetzt werden müssen.

Metasequoia: Die Art Metasequoia glyptostroboides war schon lange fossil bekannt, bevor lebende Exemplare 1941 in der chinesischen Provinz Sichuan entdeckt wurden

metastabile Zustände, *Quantenmechanik:* Anregungszustände eines Atoms, Moleküls, Festkörpers oder Atomkerns, die nicht oder nur mit sehr geringer Wahrscheinlichkeit unter Ausstrahlung eines Photons in energieärmere Zustände übergehen, sodass sie, verglichen mit anderen Anregungszuständen, eine sehr große mittlere Lebensdauer haben.

Metastase [grch. »Umstellen«, »Wanderung«] *die* (Tochtergeschwulst), durch Verschleppung und Absiedelung (Metastasierung) von Zellen eines bösartigen Primärtumors in andere Körpergebiete entstandener Sekundärtumor (→Krebs); die Verbreitung der Tumorzellen erfolgt über benachbarte Gewebespalten **(lokale M.),** über Lymphbahnen in regionäre Lymphknoten **(regionäre M.)** und auf dem Lymph- oder Blutweg in andere, auch ferne Organe **(Fernmetastase).**

Pietro Metastasio (zeitgenössischer Kupferstich)

Metastasio, Pietro Antonio, eigtl. P. Antonio Domenico Bonaventura Trapassi, italien. Dichter,

Meteora: Das heute nur noch von einigen Mönchen bewohnte Kloster Hagia Triada wurde als eines der zahlreichen, in fast unzugänglicher Schutzlage liegenden griechisch-orthodoxen Meteora-Klöster 1438 gegründet

*Rom 3. 1. 1698, †Wien 12. 4. 1782; seit 1730 Hofdichter in Wien; einer der bedeutendsten Vertreter der arkad. Rokokolyrik; schrieb erfolgreiche Opernlibretti nach klass. Stoffen (u.a. für J. A. Hasse, C. W. Gluck, W. A. Mozart), ferner Texte für Oratorien und Kantaten.

Ioannis Metaxas

Metathese [grch.] *die, Sprache:* Lautversetzung im Wort, z.B. *Wespe,* bairisch *Wepse.*

Metaurus [lat.] *der* (italien. Metauro), 135 km langer Fluss in Mittelitalien, mündet ins Adriat. Meer. – 207 v. Chr. besiegten am M. die Römer die Karthager unter Hasdrubal.

Metaxas, Ioannis, grch. General und Politiker, *Ithaka 12. 4. 1871, †Athen 19. 1. 1941; 1913–16 Generalstabschef, 1920–36 mehrmals Min., betrieb die Rückkehr König Georgs II. (1935). Nach einem Staatsstreich (April 1936) errichtete er als MinPräs. ab Aug. 1936 ein diktator. Reg.system; Symbol des grch. Widerstandes gegen den italien. Vormarsch 1940.

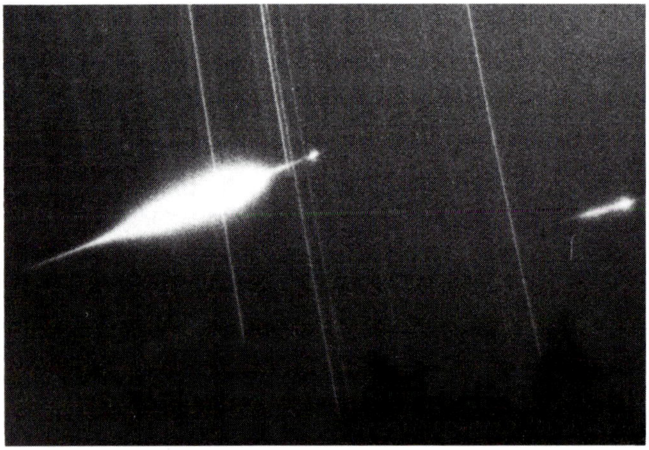

Meteor: Aufnahme einer Feuerkugel mit fest stehender geöffneter Kamera

Metazentrum, *Schifffahrt:* Schnittpunkt, den die Wirkungslinie der Auftriebskraft eines schwimmenden Körpers, bes. eines Schiffes, bei schräger Lage mit dessen senkrechter Mittelachse bildet. Das M. muss höher als der Schwerpunkt liegen, damit der Körper stabil schwimmt bzw. das Schiff nicht kentert.

Metazoa [grch.] (Metazoen, Vielzeller), Unterreich des Tierreichs, dem alle Tiere angehören, deren Körper aus zahlr. Zellen zusammengesetzt sind, die Gewebe und Organe sowie eine Differenzierung in Körperzellen und Keimzellen aufweisen; Ggs.: Protozoen.

Meteor [zu grch. metéōron »Himmelserscheinung«, »Lufterscheinung«] *der,* Leuchterscheinung beim Eindringen eines Kleinkörpers der interplanetaren Materie (eines →Meteoriten) in die Erdatmosphäre. Die dabei auftretenden Stoß- und Kompressionsprozesse führen zur Ionisation von Atomen und Molekülen atmosphär. und meteorit. Ursprungs. Diese geben ihre Energie durch Lichtemission ab und erzeugen so eine Lichtspur in einem »Kanal« hinter dem Meteoriten; nicht sichtbare Ionisationsspuren sind oft als Radarecho **(Radio-M.)** nachweisbar. Je nach der Größe des Meteoriten unterscheiden sich Stärke und Form der Leuchterscheinungen: 1) **Teleskop. M.** sind dem Auge unsichtbar und können nur im Fernrohr wahrgenommen werden; die erzeugenden Meteorite haben einen Durchmesser von $d = 0{,}1$ bis 1 mm und eine Masse von $m = 2$ µg bis 2 mg. 2) **Sternschnuppen** heißen M., deren Helligkeit -4^m (mittlere Venushelligkeit) nicht übertrifft ($d = 1$ mm bis 1 cm, $m = 2$ mg bis 2 g). 3) **Feuerkugeln (Bolide)** sind heller als -4^m ($d > 1$ cm, $m > 2$ g). M. treten als Einzelerscheinungen sowie als ausgeprägte →Meteorströme auf.

Meteora, zusammenfassende Bez. einer Anzahl grch.-orth. Klöster in Thessalien, Griechenland, in fast unzugängl. Felsgruppen der oberen thessal. Ebene. – Die Klöster (UNESCO-Weltkulturerbe; z.B. Hagia Triada, gegr. 1438) entstanden unter serb. Schutzherrschaft seit der 2. Hälfte des 14. Jh. aus Eremitagen; seit dem 16. Jh. Niedergang.

Meteor Crater [ˈmɪːtjə ˈkreɪtə], →Meteorite.

Meteor|eisen, Nickeleisen, das den Hauptbestandteil der Eisenmeteorite und den überwiegenden metall. Bestandteil der Stein- und Stein-Eisen-Meteorite bildet; es besteht aus **Kamazit,** einem kubisch raumzentrierten α-Fe(Ni) mit weniger als 7,5 % Ni, sowie aus **Taenit,** einem kubisch flächenzentrierten γ-Fe(Ni) mit 20–50 % Ni.

Meteorismus [grch. »Erhebung«, »Schwellung«] *der,* **1)** *Medizin:* die →Blähungen.

2) *Tiermedizin:* →Aufblähung.

Meteorite, extraterrestr. kleine Festkörper, die in die Erdatmosphäre eindringen und dort ganz oder z.T. verdampfen und die als →Meteor bezeichnete Leuchterscheinung verursachen. M. i.e.S. sind die zur Erdoberfläche fallenden Reststücke, i.w.S. alle Kleinkörper, die sich durch das Sonnensystem bewegen. **Mikro-M.** sind kleiner als etwa 0,1 mm (Masse bis etwa 10^{-6} g), noch kleinere Masseteilchen bilden den **meteorit.** oder **kosm. Staub.** Die Leuchtspur eines M. kann in Höhen bis zu 330 km beginnen und in wenigen Kilometern Höhe enden, wo größere M.-Massen explosionsartig zerspringen und **M.-Schauer** verursachen. M. mit Massen unter 1 t werden in der Atmosphäre so abgebremst, dass ihre Eindringtiefe in den Erdboden meist geringer als 1 m ist. Einschlagstellen mit Tiefen über 100 m und Durchmessern über 1 km **(M.-Krater, Impaktkrater, Astrobleme)** sind auf Riesen-M. zurückzuführen, die beim Aufprall vollständig verdampft sind. Der bekannteste M.-Krater (Meteor Crater, Canyon Diablo), dessen Alter auf ca. 20 000 Jahre geschätzt wird, befindet sich im zentralen Arizona, USA (Tiefe 167 m, Durchmesser 1186 m). Auch das Nördlinger →Ries wird heute auf einen M.-Einschlag vor 14,5 Mio. Jahren zurückgeführt. Indiz für M.-Einschläge sind durch Schockwellenmetamorphose gebildete Minerale oder Gesteine.

Mineralogisch unterscheidet man **Eisen-M. (Holosiderite), Stein-M. (Aerolithe)** und als Übergangsglieder zw. beiden **Stein-Eisen-M.** Eine Unterteilung der Eisen-M. erfolgt nach den durch Anschliff und leichtes Anätzen der Oberfläche zu Tage tretenden Strukturen: durch feine, parallele Linien zeichnen sich die **Hexaedrite** aus; sie bestehen aus dem Meteoreisen Kamazit. Gröber sind die →widmannstättenschen Figuren, Kennzeichen der durch Verwachsung von Kamazit und Taenit gebildeten **Oktaedrite.** Nach dem Vorhandensein oder Fehlen von eingeschlossenen Kügelchen (Chondren) werden die Stein-M. in **Chondrite** (90 %) und **Achondrite** unterschieden. Unter den Stein-Eisen-M. unterschied man früher die achondrit. **Siderolithe,** bei denen die Silikate gegenüber dem Meteoreisen überwiegen, von den **Lithosideriten,** bei denen das anteilmäßig vorherrschende Meteoreisengerüst mit Silikaten gefüllt ist. In den **Pallasiten** enthalten die Hohlräume des Meteoreisens u.a. große Olivinkristalle. Eine Vielzahl von organ. Verbindungen weisen die **kohligen Chondriten** auf (→Tektite). – Der größte bisher entdeckte M. ist ein 1920 in Namibia gefundener Eisen-M. von 54,4 t Masse. BILDER S. 246

📖 HEIDE, F.: *Kleine Meteoritenkunde. Berlin u. a. ³1988.* – BÜHLER, R. W.: *M. Urmaterie aus dem interplanetaren Raum. Neuausg. Augsburg 1992.*

Meteorobiologie [grch.], →Biometeorologie.

Meteorograph [grch.] *der,* Gerät, das gleichzeitig Temperatur, Feuchte und Luftdruck in höheren Schichten der Atmosphäre misst und registriert.

Meteorite

Am 30. Juni 1908 konnte man in England nachts im Freien die Zeitung lesen. An diesem Tag war in Sibirien, im Gebiet des Tunguska, eines Nebenflusses des Jenissei, ein Meteorit in fünf bis zehn Kilometern Höhe explodiert. Die dabei entstandene Druckwelle mähte 200 km² Wald nieder und fegte das Wasser von Seen und Flüssen in den Himmel. Die Wasserpartikel zogen westwärts, und da sie in großer Höhe das Sonnenlicht reflektierten, fielen für einige Nächte die astronomischen Beobachtungen aus. Daher konnte man mancherorts in der Nacht tagscharfe Fotografien aufnehmen. Die Londoner »Times« bekam einen Leserbrief, in dem gefragt wurde, warum man im südostenglischen Brancaster noch nachts um zwei Uhr eine Runde Golf habe spielen können.

Meteoroid [grch.] *der,* v.a. im angelsächs. Sprachraum verwendete Bez. für meteorit. Material, das sich auf Bahnen um die Sonne bewegt. Einiges davon stürzt zur Erde und kann einen →Meteor verursachen. Der dort anzutreffende Rest wird als →Meteorit bezeichnet; im Deutschen nennt man i. Allg. beide Körper Meteorit.

Meteorologie [grch.] *die* (Wetterkunde), Teilgebiet der Geophysik, das die Physik der Erdatmosphäre, nämlich die physikal. Erscheinungen in der Lufthülle und ihre Wechselwirkungen mit der festen und flüssigen Erdoberfläche und dem Weltraum sowie das Wettergeschehen untersucht (neuerdings zunehmend eingeschränkt auf die Atmosphäre bis etwa 100 km Höhe). Die **theoret.** oder **dynam. M.** untersucht die meteorolog. Prozesse

Meteorite

Obwohl ständig ein wahrer Meteoritenschauer auf die Erde niederprasselt, geht die Sache meist glimpflich ab. Das liegt daran, dass selbst die größten Meteoriten vor dem Aufprall in viele Bruchstücke zerbersten. So zerplatzte beispielsweise am 26. April 1803 ein Meteorit in zahlreiche Splitter und kam als Schauer über L'Aigle (Orne, Frankreich) nieder: In einem Gebiet von 48 km² wurden 2 000 bis 3 000 Brocken gesammelt, der schwerste wog 9 kg. Gelegentlich sind allerdings gewichtigere Trümmer dabei, wie etwa am 8. März 1976 in Jilin (China): Unter den insgesamt mehr als 4 t Gesteinsschauer war ein Bruchstück von 1,77 t. Manchmal, wenn auch sehr selten, kommt es ganz dick: Der Canyon Diablo in Arizona, 1891 entdeckt und einer der berühmtesten der Welt, hat einen Durchmesser von 1 186 m und ist 167 m tief. Den soll vor etwa 20 000 Jahren ein Meteorit mit einem Durchmesser von 25 m und einer Masse von 65 000 t geschlagen haben.

Meteorite: Der 167 m tiefe Meteoritenkrater Canyon Diablo in Zentralarizona hat einen Durchmesser von 1 186 m

und Bewegungsvorgänge mathematisch; die **synopt. M. (Synoptik)** behandelt das Wettergeschehen zu einem bestimmten Zeitpunkt in einem größeren Gebiet zum Zweck der Wettervorhersage; die **experimentelle M.** befasst sich mit meteorolog. Prozessen und Grundgesetzen; die **angewandte M.** widmet sich biolog., agrarwiss., flugtechn. u.a. Aufgaben. Der Seewetterdienst stützt sich auf die **maritime M.** (Forschungen in der Atmosphäre über See).

📖 Häckel, H.: *M. Stuttgart* ³*1993.* – Roedel, W.: *Physik unserer Umwelt: die Atmosphäre. Berlin u. a.* ²*1994.*

Meteoropathologie [grch.], wiss. Grenzfach zw. Meteorologie und Medizin; erforscht den Einfluss des Wetters auf die Gesundheit und auf Entstehung und Verlauf von Krankheiten.

Meteorstrom, Schwarm von interplanetaren Staubteilchen, die sich auf einer die Erdbahn kreuzenden oder streifenden Ellipsenbahn um die Sonne bewegen und als Auflösungspunkte von Kometen gelten. Durchquert die Erde einen solchen M., kommt es zum gehäuften Auftreten von →Meteoren. Je nach deren Leuchtkraft und Anzahl werden die Erscheinungen auch als Sternschnuppenschwärme, Meteorschauer oder -stürme bezeichnet. M. treten mit mehr oder weniger großer Regelmäßigkeit auf und scheinen von einem Punkt der Sphäre, dem Radianten, auszugehen. Ihre Benennung richtet sich nach dem Sternbild, in dem der scheinbare Radiant liegt.

Meteosat [Abk. für engl. **meteo**rological **sat**ellite], Bez. für europ. geostationäre Wettersatelliten der ESA. M. 1, 1977 gestartet, sendete bis Nov. 1979. Von M. 2 wurden 1981–88 Bilder empfangen. Es folgten M. 3 1988 und die neue Generation M. MOP (erster Einsatz ab 1989).

1

2

3

Meteorite: 1 Steinmeteorit aus Pultusk in Polen, 2 Stein-Eisen-Meteorit, Pallasit, aus Imilac, Atacama in Chile, 3 Eisenmeteorit, Oktaedrit, geschnittene Platte aus Rietmond, Namibia, mit widmanstättenschen Figuren

Meter [frz. mètre, von grch. métron »Maß«] *das* oder *der,* Einheitenzeichen **m,** eine Längeneinheit. Das M. ist eine Basiseinheit des internat. Einheitensystems (→SI-Einheiten). Das M. sollte urspr. der 10-millionste Teil eines Erdmeridians sein (**Meterkonvention** 1875); das in Sèvres aufbewahrte **Urnormal** aus Platin-Iridium weicht jedoch hiervon geringfügig ab. 1960 wurde das M. über die Vakuumwellenlänge λ der orangeroten Spektrallinie des Kryptons definiert ($1\,m = 1\,650\,763{,}73\,\lambda$). Um eine wesentl. Steigerung der Genauigkeit des Längenstandards zu erzielen, hat die 17. Generalkonferenz für Maß und Gewicht am 20. 10. 1983 beschlossen, auf einen unabhängigen Längenstandard zu verzichten und das M. von der Basiseinheit der Zeit abzuleiten: Das M. ist die Länge der Strecke, die das Licht im Vakuum während der Dauer von 1/299 792 458 Sekunden zurücklegt. – Mit Vorsätzen lassen sich dezimale Vielfache und Teile des M. bilden.

Meter-Kilogramm-Sekunde-Ampere-System [-am'pɛ:r-], Abk. **MKSA-System,** ein →Maßsystem.

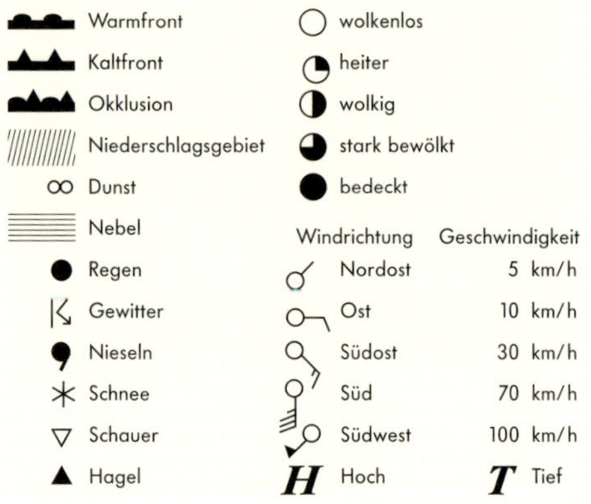

Meteorologie: Auswahl aus den internationalen meteorologischen Zeichen

Meterkonvention, Staatsvertrag, der am 20. 5. 1875 in Paris unter maßgebl. Beteiligung des Dt. Reiches durch die Vertreter von 17 Staaten unterzeichnet wurde; der M. gehören (1996) 48 Staaten an. Die M. dient der Vervollkommnung und Verbreitung der →metrischen Einheiten. Organe sind u. a. die →Generalkonferenz für Maß und Gewicht und das Internat. Büro für Maß und Gewicht in Sèvres bei Paris, wo u. a. der Meterprototyp aufbewahrt wird.

Meterwellen, →Wellenlängenbereich.

Methadon [Kw.] *das,* synthet. Morphinderivat; stark wirksames schmerzstillendes Mittel mit

Suchtpotenzial; unterliegt dem Betäubungsmittelgesetz. Da M. die Entzugserscheinungen bei Heroinabhängigen unterdrückt, wird es (mit geringen Erfolgsquoten) in versch. Ländern (z. B. USA, Niederlande, Dtl.) in der Suchttherapie eingesetzt. Da M. oral gegeben wird, entfällt die Heroininjektion mit den Gefahren der Übertragung von Aids oder einer Hepatitis.

Met|hämoglobin *das* (Hämiglobin), oxidierte Form von → Hämoglobin; nicht mehr zum Sauerstofftransport fähig.

Methan [zu Methyl] *das,* einfachster Kohlenwasserstoff aus der Gruppe der Alkane. Das farblose, bläulich brennende Gas hat einen Brennwert von 39,8 MJ/m^3. Es bildet sich durch Pyrolyse oder anaerobe bakterielle Zersetzung aus organ. Substanzen und ist deshalb wesentl. Bestandteil von Erd-, Raffinerie-, Kokerei-, Bio-, Grubengas u. a. M. entsteht auch durch Methanisierung (aus Kohlenmonoxid und Wasserstoff), bei der → Kohlevergasung und → Kohlehydrierung. Es wird meist in Gemischen mit anderen Gasen als Brenngas verwendet. Als chem. Rohstoff dient es zur Herstellung von Synthesegas, Blausäure, Acetylen, Chlormethanen. – M. gehört zu den Spurengasen, die zum → Treibhauseffekt beitragen.

Methanal *das,* → Formaldehyd.

Methanol [Kw. aus **Methan** und Alkoh**ol**] *das* (Methylalkohol), der einfachste Alkohol, der als Methylester in vielen Pflanzenstoffen (z. B. im Lignin) enthalten ist; M. fällt deshalb auch bei der Holzverkohlung in Form von → Holzgeist an. M. wird heute großtechn. durch katalyt. Umsetzung von Kohlenmonoxid bzw. -dioxid mit Wasserstoff hergestellt. Das für die M.-Synthese erforderl. → Synthesegas wird aus Erdgas oder Erdölrückständen gewonnen. M. ist eine farblose, brennbare Flüssigkeit, Dichte 0,787 g/cm^3 (bei 25 °C), Siedepunkt 64,5 °C. Es ist mit Wasser und organ. Lösungsmitteln mischbar und wird v. a. zu Methyltert.-butyläther (Kraftstoffzusatz), Formaldehyd (Kunstharze), Essigsäure und Dimethylterephthalat (Polyesterfasern) weiterverarbeitet. Daneben hat es als Kraftstoffkomponente und Lösungsmittel Bedeutung. **M.-Vergiftungen** können nach Einnahme von 5 bis 15 g M. eintreten; die tödl. Dosis beträgt beim Erwachsenen 50 bis 150 g. Vergiftungserscheinungen: Übelkeit, Erbrechen, heftige Leibschmerzen, Bewusstlosigkeit, Tod durch Atemlähmung. Sehstörungen können zu dauernder Erblindung führen.

Methanzahl, Abk. **MZ,** Maß für die Zündneigung und Klopffestigkeit gasförmiger Kraftstoffe, vergleichbar der → Oktanzahl bei flüssigen Kraftstoffen.

Methin..., Bez. der chem. Nomenklatur für die Kohlenwasserstoffgruppe =CH–.

Methionin *das,* Abk. **Met,** schwefelhaltige essenzielle Aminosäure, chemisch 2-Amino-4-(methylthio)buttersäure.

Methode [von grch. méthodos »Weg«, »Gang einer Untersuchung«] *die,* das planmäßige Verfahren zur Erreichung eines bestimmten Zieles; speziell Charakteristikum für wiss. Vorgehen (z. B. die deduktive, induktive, experimentelle Methode).

Meteosat: Die Erde mit ihrer Atmosphäre, aufgenommen von Meteosat 2 am 18. 9. 1983 aus rund 36 000 km Höhe

Methode der finiten Elemente, → Finite-Elemente-Verfahren.

Methode der kleinsten Quadrate, Prinzip der Fehler- und Ausgleichsrechnung zur Ermittlung des wahrscheinlichsten Wertes (beste Näherung) einer Beobachtungsgröße. Die M. d. k. Q. wurde von C. F. Gauß (1809) und A. M. Legendre (1806) entwickelt. Sind x_i ($i = 1, \ldots, n$) die mit statist. Fehlern behafteten Beobachtungsergebnisse für n unabhängige Messungen der zu bestimmenden Größe, so ist der beste Näherungswert X dadurch gegeben, dass für ihn die Summe

$$\sum_{i=1}^{n} (\bar{X} - x_i)^2$$

ein Minimum wird.

Methodik [grch.] *die,* in der Pädagogik die Lehre von den Lehr- und Unterrichtsverfahren auf den einzelnen Stufen für die versch. Stoffe.

Methodios, Apostel der Slawen, → Kyrillos und Methodios.

Methodismus *der,* aus der anglikan. Kirche hervorgegangene, von den Brüdern John und Charles → Wesley während ihrer Studienzeit in Oxford in den 1720er-Jahren begründete religiöse Erweckungsbewegung. Im Mittelpunkt stand die individuelle Vergewisserung des eigenen Glaubens und Angenommenseins durch Gott auf der Grundlage der reformator. Rechtfertigungslehre. In kleinen Gruppen (»Klassen«) sollten die Anhänger, ange-

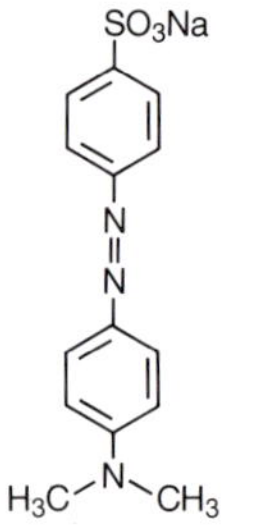

Methylorange

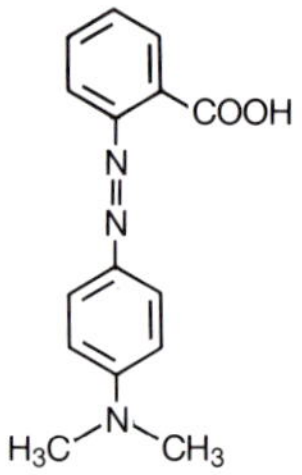

Methylrot

$(CH_3)_3C{-}O{-}CH_3$

Methyl-tert.-butyläther

leitet von einem »Klassenleiter«, systematisch zu geistl. Fortschritt geführt werden. Dieses method. Vorgehen trug ihnen den Spottnamen **Methodisten** ein. Die Berufung von Laienpredigern durch J. Wesley hatte den Bruch mit der anglikan. Kirche und die Bildung eigener methodist. Gemeinden zur Folge. Die schnelle Ausbreitung des M. im angelsächs. Raum führte 1784 in Nordamerika mit der Formierung der **Bischöfl. Methodistenkirche** zur Bildung einer eigenständigen methodist. Kirche; in der Folgezeit entstanden durch Abspaltungen und Neugründungen weitere methodist. Kirchen. Heute sind im »Weltrat methodist. Kirchen« (gegr. 1881) 62 Mitgl.kirchen mit insgesamt rd. 50 Mio. Mitgl. in 90 Ländern zusammengeschlossen. Bes. stark verbreitet ist der M. in den USA (rd. 13 Mio. Mitgl.). Die **Evang.-methodist. Kirche in Dtl.** (rd. 94000 Mitgl.) ist ein Zweig der **United Methodist Church,** der mit rd. 20 Mio. Mitgl. größten methodist. Kirche.

Methodologie [grch.] *die,* Lehre von den in den Einzelwiss. angewendeten Methoden, als Teil der Logik zentraler Gegenstandsbereich der modernen Wissenschaftstheorie.

Methoxy..., Bez. der chem. Nomenklatur für die vom Methanol abgeleitete einbindige Atomgruppierung $-O-CH_3$.

Methusalem [hebr.] (Vulgata: Mathusala), Gestalt des A.T., der Urvater vor der Sintflut, der nach Genesis 5,27 969 Jahre alt wurde; daher sprichwörtlich: »so alt wie Methusalem«.

Methyl..., Bez. der chem. Nomenklatur für die vom Methan abgeleitete einbindige Kohlenwasserstoffgruppe $-CH_3$.

Methyl|alkohol, das →Methanol.

Methyl|amino..., Bez. der chem. Nomenklatur für die Atomgruppe $-NH-CH_3$.

Methyl|äther (Methylether, Dimethylether), einfachster Äther, schwach narkotisch wirkendes, feuergefährl. Gas; Verwendung zur Synthese von Essigsäure, Dimethylsulfat und zu Methylierungen.

Methylbutadi|en, das →Isopren.

Methylcellulose, →Celluloseäther.

Methylchlorid (Chlormethan), →Chlorkohlenwasserstoffe.

Methusalem

Methusalem brachte laut Genesis 5, 25–27 wahrlich Eindrucksvolles zustande. So zeugte er seinen wohl ersten Sohn Lamiech im Alter von 187 Jahren und sorgte auch die nächsten 782 Jahre für weitere Nachkommenschaft, »dass sein ganzes Alter ward neunhundertneunundsechzig Jahre, und starb«. Es scheint überhaupt eine recht gesunde Familie gewesen zu sein, denn schon Methusalems Vater Henoch brachte es auf 365 und der schon erwähnte Lamiech auf 777 Jahre.

Methylchlorsilane, techn. Bez. für Chlormethylsilane, eine Gruppe chlorhaltiger siliciumorgan. Verbindungen, die wichtige Ausgangsstoffe für die Herstellung von →Siliconen sind.

Methylen..., Bez. der chem. Nomenklatur für die zweibindige Kohlenwasserstoffgruppe $-CH_2-$.

Methylenblau (Methylthioniniumchlorid), bas. Thiazinfarbstoff, der zum Färben und Drucken u.a. von Papier, kosmet. Artikeln, als Lackfarbstoff sowie in der Medizin und Mikroskopie verwendet wird.

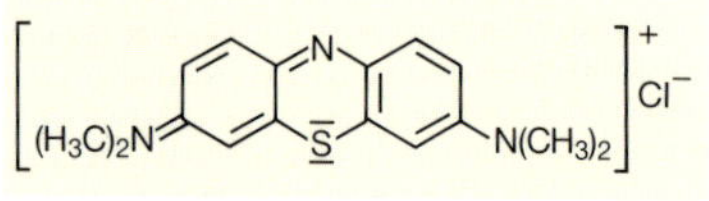

Methylenblau

Methylierung *die,* Einführung der Methylgruppe $-CH_3$ in organ. Verbindungen. Gebräuchl. M.-Mittel sind u.a. Methylhalogenide (z.B. Methyliodid), Schwefel- oder Sulfonsäuremethylester (z.B. Dimethylsulfat) und Diazomethan. M.-Mittel sind wirksame →Mutagene, Krebs erregend und können Missbildungen hervorrufen.

Methyl|orange [-ɔrãʒ] *das* (Helianthin), als Säure-Base-Indikator verwendeter Azofarbstoff, der im pH-Bereich 3,0–4,4 von Rot (sauer) nach Gelb (basisch) umschlägt.

Methylrot, als Säure-Base-Indikator verwendeter Azofarbstoff, der im pH-Bereich 4,4–6,2 von Rot (sauer) nach Gelbgrün (basisch) umschlägt.

Methyl-tert.-butyl|äther (Methyl-tert.-butylether), Abk. **MTB, MTBE,** farblose Flüssigkeit, die großtechnisch aus Isobuten und Methanol hergestellt und als →Antiklopfmittel (5–15% in Benzin) bes. in unverbleiten Ottokraftstoffen verwendet wird.

Methylviolett, Triphenylmethanfarbstoff; dient bes. zur Herstellung von Kopierstiften, Farbbändern und Stempelfarbe, daneben auch als Mikroskopierfarbstoff.

Metier [me'tje:, frz.] *das,* Handwerk, Gewerbe, Beruf.

Metis, 1979 entdeckter Mond des Planeten Jupiter.

Metohija, Beckenlandschaft im Kosovo, Jugoslawien, beiderseits des oberen und mittleren Drin, im N, W und S von bis zu 2656m hohen Gebirgen umrahmt, nach O, zum Amselfeld hin, geöffnet.

Metöken [grch. »Mitbewohner«], in Athen u.a. altgrch. Staaten die ortsansässigen Fremden; sie waren Freie, aber ohne polit. Rechte; sie durften keinen Grundbesitz erwerben, mussten aber Steuern bezahlen und Kriegsdienst leisten.

Metopen [grch.], *Baukunst:* annähernd quadrat. Platten, meist mit einem Relief, die abwechselnd mit den Triglyphen über dem Architrav dor. Tempel angebracht sind.

Metrik [zu grch. métron »(Vers-)Maß«] *die,* **1)** *Literatur:* (Verslehre) die Lehre vom Versmaß (Metrum), der schemat. Ordnung, die dem →Vers zugrunde liegt. Voraussetzung für die Ordnung ist, dass es Silben versch. Qualität gibt: Es kann (wie im Griechischen) der Wechsel von langen und kurzen Silben (Länge und Kürze) geregelt werden **(quantitierender Vers, quantitierende M.)** oder (wie im Deutschen) der Wechsel von betont und weniger betont (Hebung und Senkung) gesprochenen Silben **(akzentuierender Vers).** Bei einem dritten System (in den roman. Sprachen) wird die Zeile durch die Zahl der Einheiten bestimmt; zugleich liegen die Stellen für einige Akzente fest. In bestimmten frz. Versen herrscht der alternierende Grundsatz **(alternierender Vers),** d.h. der regelmäßige Wechsel von betont und nicht betont, unabhängig von der »natürlichen« Betonung der Silben.

2) *Mathematik:* diejenige Struktureigenschaft eines Raumes, durch die in ihm die Entfernung (der Abstand) zweier Punkte definiert wird.

3) *Musik:* Lehre vom →Metrum.

Metrik (Vers und Strophe)

In der dt. Dichtung fällt i. Allg. die Versbetonung mit der Wort- und Satzbetonung zusammen. Der Vers ist ein durch den **Rhythmus** gegliedertes Gebilde. Der Rhythmus entsteht durch Wechsel betonter Silben, **Hebungen,** und unbetonter, **Senkungen.**

Die kleinste rhythm. Einheit des Verses ist der **Versfuß.** Es gibt 2 Arten von Versfüßen: steigende und fallende. Ein steigender Versfuß mit einer Senkung heißt **Jambus:** ◡–́ (◡ = im quantitierenden Vers kurze, im akzentuierenden Vers unbetonte Silbe), –́ = im quantitierenden Vers lange, im akzentuierenden Vers betonte Silbe); z.B. *Verbot,* mit zwei Senkungen **Anapäst:** ◡◡–́, z.B. *in das Haus.* Ein fallender Versfuß mit einer Senkung heißt **Trochäus:** –́◡, z.B. *Vater,* mit 2 Senkungen **Daktylus:** –́◡◡, z.B. *Heilungen.* Dementsprechend gibt es Verse mit **steigendem,** mit **fallendem,** auch mit **wechselndem Rhythmus.** Zum Vers kann der **Reim** in versch. Stellungen und der Stabreim (Alliteration) kommen (Übersicht Reim). Das Übergreifen des Satzes über das Versende zum nächsten Vers nennt man **Enjambement.** Oft steht ein unbetontes Wort oder ein unbetonter Wortteil, **Auftakt** genannt, am Versanfang.

Versarten: Die Versarten werden unterschieden durch die Zahl und die Art der Versfüße; die wichtigsten:

1. Der **Alexandriner,** aus der frz. Dichtung übernommen, im 17. und 18. Jh. auch oft im dt. Drama benutzt, besteht aus 6 Jamben mit paarweise gebundenem Reim: ◡–́◡–́◡–́//◡–́◡–́◡–́(◡) z.B. »Nun danket alle Gott mit Herzen, Mund und Händen«.
2. Der **jambische Fünffüßer:** ◡–́◡–́◡–́◡–́◡–́(◡). Ist er reimlos, so heißt er **Blankvers.** Ihn verwenden bes. Shakespeare und das klass. dt. Drama, z.B. »Ans Vaterland, ans teure, schließ dich an« (Schiller).
3. Der **jambische Vierfüßer:** ◡–́◡–́◡–́◡–́(◡). Dieser Versart bediente sich bes. Schiller in seinen Balladen, z.B. »Die Kraniche des Ibykus«.
4. Der **trochäische Vierfüßer:** –́◡–́◡–́◡–́(◡); vgl. Schiller, »Hero und Leander«.
5. Der **trochäische Fünffüßer:** –́◡–́◡–́◡–́◡–́(◡); vgl. Schiller, »Hektors Abschied«.
6. Der **Hexameter,** mit 6 Daktylen: –́◡◡–́◡◡–́◡◡–́◡◡–́◡◡–́◡ (die Zäsur kann an versch. Stellen liegen); vgl. Goethe »Hermann und Dorothea«.

Nur mit dem Hexameter zus. (vgl. Distichon) kommt vor

7. Der **Pentameter:** –́◡◡–́◡◡–́//–́◡◡–́◡◡–. // bedeutet Einschnitt oder Zäsur; () bedeutet, dass die Silbe wegfallen kann; ⏒ oder ⏓ bedeutet, dass sowohl Länge (Hebung) als auch Kürze (Senkung) möglich ist.

Altdeutsche Verse:

Der **Alliterationsvers,** urspr. achthebige Langzeile aus 2 vierhebigen Kurzzeilen, durch Stabreim gebunden.

Der **Nibelungenvers** ist strophisch gegliedert (4 Langzeilen zu je 2 Kurzzeilen); gereimt sind nur die Langzeilen.

Knittelverse sind paarweise reimende vierhebige Verse mit einsilbigen (strenger Knittelvers) oder unregelmäßig gefüllten Senkungen (freier Knittelvers); bes. von Hans Sachs gebraucht. Schiller hat sie in »Wallensteins Lager« verwendet.

Freie Rhythmen, von Klopstock eingeführt, sind ungereimte, rhythmisch stark bewegte Verse mit wechselnden Hebungen, oft ohne stroph. Gliederung.

Regelmäßig wiederholte Versfolgen nennt man eine **Strophe.** Die Strophenformen unterscheiden sich durch die Zahl und Art der Verse, bei reimgebundenen Strophen durch die Reimstellung. Minnesang und Meistersang gliedern in **Aufgesang** (z.B. Reimordnung *a b a b*) mit 2 Stollen (je *a b*) und **Abgesang** (*c c*).

Strophenformen. Die jüngere **Nibelungenstrophe,** von Uhland verwendet (»Des Sängers Fluch«): Im Unterschied zur alten hat der 8. Halbvers nur 3 (statt 4) Hebungen. Die ersten Halbverse (= Zeilen) gehen immer weiblich aus; der Reim ist männlich:

◡–́◡–́◡–́◡//◡–́◡–́◡–́ a
◡–́◡–́◡–́◡//◡–́◡–́◡–́ a
◡–́◡–́◡–́◡//◡–́◡–́◡–́ b
◡–́◡–́◡–́◡//◡–́◡–́◡–́ b

In der dt. Dichtung werden auch fremde Strophenformen verwendet: romanische (ital., span. frz.), klassische (grch., lat.) und orientalische (pers.; →Ghasel, →Kasside).

Die wichtigsten romanischen Strophen:

1. Das **Sonett** besteht aus fünffüßigen steigenden Jamben (aber auch anderen Versarten), die zu 2 Strophen von je 4 und zu 2 Strophen von je 3 Zeilen zusammengefasst werden. Reimstellung: *abba abba cdc dcd.* In der 3. und 4. Strophe können aber auch andere Reimstellungen vorkommen: *cdc cdc cde dce* u.a.
2. Die **Terzine,** die Strophenform von Dantes »Göttlicher Komödie«, besteht aus urspr. elfsilbigen Jamben, die durch fortlaufende Reimordnung gebunden sind: *aba bcb cdc ... xyx yzyz.*
3. Die **Oktave** oder **Stanze** hat 8 fünffüßige Jamben mit Reimordnung: *ab ab ab cc;* vgl. Goethe, »Zueignung«.

Die wichtigsten klassischen (reimlosen) Strophen:

1. Das **Distichon,** bestehend aus einem Hexameter und einem Pentameter:
»Im Hexameter steigt des Springquells flüssige Säule;
Im Pentameter drauf fällt sie melodisch herab« (Schiller).
2. Die **sapphische Strophe,** eine Odenstrophe, genannt nach der grch. Dichterin Sappho:

–́◡–́◡–́◡◡–́◡–́
–́◡–́◡–́◡◡–́◡–́◡
–́◡–́◡–́◡◡–́◡–́◡
–́◡◡–́◡ (die Zäsur kann an versch. Stellen liegen).

3. Die ähnlich gebaute **alkäische Strophe,** genannt nach dem grch. Dichter Alkaios; vgl. Klopstock, »An Fanny«.

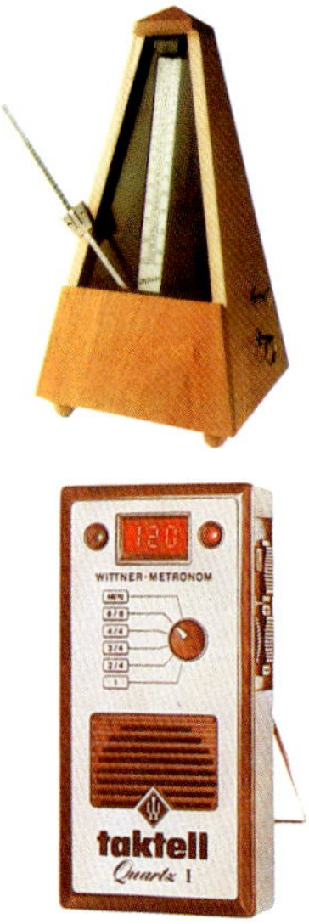

Metronom: Metronom Mälzel (oben) und elektronisches Metronom

4) *Physik:* der durch Längenmessungen zu ermittelnde Maßzusammenhang des Raumes, der nach der allg. Relativitätstheorie nicht mehr genau den Gesetzen der elementaren (euklid.) Geometrie entsprechen muss. Nach Einstein ist die M. des Raumes in ähnl. Weise wie das elektromagnet. Feld als ein physikal. Feld **(metr. Feld)** aufzufassen, das physikal. Kraftwirkungen auf die darin befindl. Materie ausübt.

metrische Einheiten, die Einheiten eines urspr. auf dem Meter, später auf dem Meter und dem Kilogramm aufgebauten →Maßsystems mit dezimaler Teilung. Dieses **metr. System** wurde später durch Hinzunahme der Zeiteinheit Sekunde als 3. Basiseinheit erweitert und nach den Anfangsbuchstaben der Basiseinheiten auch **MKS-System** genannt. Die m. E. werden in allen der →Meterkonvention angeschlossenen Ländern benutzt. Ihre Weiterentwicklung führte zu den →SI-Einheiten.

Metro [frz., Kurzform von (chemin de fer) métropolitain »Stadtbahn«] *die,* Untergrundbahn (bes. in Paris, Moskau).

Metro AG, durch Verschmelzung der Asko Dt. Kaufhaus AG, der Dt. SB-Kauf AG, der Kaufhof Holding AG sowie der Metro-Großhandel-Deutschland (gegr. 1964) zum 1. 1. 1996 entstandener Handels- und Dienstleistungskonzern, Sitz: Köln; u.a. mit den Bereichen Cash-and-carry-Großhandel (Metro), Warenhäuser (Kaufhof, Horten, Kaufhalle), Selbstbedienungswarenhäuser (Real), Elektronikmärkte (Media Markt, Saturn), Baumärkte (Praktiker), Möbelmärkte (Unger), Computermärkte (Vobis), Mode- und Schuhmärkte (Adler, Reno). Die Mehrheitsbeteiligung hält die Metro Vermögensverwaltungs GmbH & Co. KG, Düsseldorf, an der zu je einem Drittel der Metro-Gründer Otto Beisheim (*1924), die Schmidt-Verwaltungs-GmbH sowie die Franz Haniel & Cie. GmbH beteiligt sind, mittelbar die **Metro Holding AG,** Baar (Schweiz).

Metro-Goldwyn-Mayer Inc. ['metrəʊ 'gəʊldwɪn 'meɪə ɪn'kɔ:pəreɪtɪd], Abk. **MGM,** amerikan. Filmkonzern mit Filmproduktion, -verleih, Kinoketten und -zentren, Sitz: Santa Monica (Calif.); gegr. 1924 von Samuel Goldwyn (*1882, †1974) und Louis Burt Mayer (*1885, †1957). MGM übernahm 1981 den Konkurrenten United Artists Communication Co. und firmierte danach unter Metro-Goldwyn-Mayer/United Artists Communications Co. Inc. (MGM/UA). Seit 1986 wechselte MGM mehrfach den Eigentümer und ist seit 1996 im Besitz des amerikan. Financiers Kirk Kerkorian (*1917).

Metrologie [grch.] *die,* die Wiss. vom Messen.

Metronom [zu grch. métron »Maß« und nómos »Gesetz«] *das* (Taktmesser), uhrenähnl. Gerät aus einem Federwerk mit Pendel zur Festlegung musikal. Zeitmaße. Die Zahl der sicht- und hörbaren Schläge je Minute lässt sich durch ein verschiebbares Gewicht verändern und auf einer von 40 bis 208 reichenden Skala ablesen. Ein vom Komponisten z.B. als M. M. ♩ = 72 (M. M.: Metronom Mälzel) bestimmtes Tempo bedeutet, dass die Viertelnoten in diesem Stück je $^1/_{72}$ Minute Dauer haben. Das M. wurde 1816 von J. N. Mälzel (*1772, †1838) unter Benutzung früherer Konstruktionen entwickelt. Heute gibt es auch Taschenuhr-M., Blink-M. und elektron. Metronome.

Metronymikon [grch.] *das,* vom Namen der Mutter abgeleiteter Name, z.B. Apollos Beiname »Letoide«, d.h. der Sohn der Leto, im Unterschied zum →Patronymikon.

Metropole [grch.] *die,* Hauptstadt, Hauptsitz.

Metropolis, 1) bei den Griechen die »Mutterstadt« im Ggs. zu den von ihr ausgehenden »Tochter«-(Kolonial-)Städten; 2) Bez. für die Gauhauptstädte im hellenist. Ägypten; 3) Name mehrerer grch. Städte im grch. Mutterland und in Kleinasien.

Metropolit [grch.] *der,* 1) *kath. Kirche:* der Leiter einer Kirchenprovinz; er ist zugleich Erzbischof der Hauptdiözese; 2) *orth. Kirchen:* urspr. der Bischof einer Provinzhptst., heute der leitende Bischof einer autokephalen Kirche ohne Patriarchatsrang; in der russ.-orth. Kirche Titel für den Bischof eines bes. bedeutenden bzw. traditionsreichen Bistums.

Metropolitan Area [metrə'pɔlɪtn 'eərɪə, engl.] *die,* in den USA Bez. für einen städt. Siedlungskomplex, der aus einem zentralen Ort besteht, der mit einer Reihe kleinerer städt. Gemeinden wirtschaftlich verknüpft ist; mit eigenen Planungsbehörden. In Australien das städt. Gebiet um die Hauptstädte der Bundesstaaten.

Metropolitan County [metrə'pɔlɪtn 'kaʊntɪ, engl.] *die,* Verwaltungsbezirk in Großbritannien in Ballungsgebieten (seit 1. 4. 1974).

Metropolitan Museum of Art [metrə'pɔlɪtn mjʊ'zɪəm əv ɑ:t], Abk. **MMA,** bedeutendstes Kunstmuseum der USA in New York, gegr. 1870, bis in die Gegenwart vorwiegend aus privaten Stiftungen aufgebaut, seit 1880 im eigenen Gebäude am Central Park untergebracht. Die Sammlungen umfassen: europ. und amerikan. Kunst, Kunst des Nahen und Fernen Ostens, Ägyptens, Griechenlands, Roms und präkolumbian. Kunst sowie Kostüme, Waffen und Rüstungen, Musikinstrumente und Kunstgewerbe.

Metropolitan Opera [metrə'pɔlɪtn 'ɔpərə], Abk. **Met,** führendes amerikan. Opernhaus in New York, 1883 eröffnet und mehrfach umgebaut; 1966 wurde im Lincoln Center die neue M. O. eröffnet (3788 Plätze). BILD Harrison, Wallace

Metrum [lat., von grch. métron »Maß«] *das,* 1) *Literaturwiss.:* Vers- oder Silbenmaß. (→Metrik)

2) *Musik:* die Maßeinheit mehrerer, zu einer Einheit zusammengeschlossener Zählzeiten und ihre Ordnung nach wiederkehrenden Abfolgen von betonten und unbetonten Schlägen. Grundlage einer solchen Ordnung ist der →Takt; doch bilden sich immer auch übergeordnete metr. Zusammenschlüsse, z. B. zu zwei, vier, acht oder noch mehr Takten (→Periode). Zentraler Geltungsbereich des M.-Begriffs ist die Musik des 18. und 19. Jh. In der Musik nach 1950 gibt es vielfach kein M. mehr, statt dessen nur noch eine Zeitorientierung, z. B. nach Sekunden.

Metschnikow, Ilja (Elias) Iljitsch, russ. Zoologe und Bakteriologe, *Iwanowka (Gebiet Charkow, Ukraine) 15. 4. 1845, †Paris 15. 8. 1916; arbeitete u. a. über Cholerabakterien, deren Gifte und über Immunität; entdeckte 1883, dass in den Körper eingedrungene Bakterien von weißen Blutkörperchen (→Phagozytose) aufgenommen und vernichtet werden. Mit P. Ehrlich erhielt er für seine Arbeiten zur Immunität 1908 den Nobelpreis für Physiologie oder Medizin.

Metsu ['mɛtsy], Gabriel, niederländ. Maler, *Leiden Jan. 1629, begraben Amsterdam 24. 10. 1667; v. a. durch Feinheit in Kolorit und Wiedergabe des Stofflichen geprägte Genredarstellungen in stilllebenartiger Gruppierung der Figuren und Gegenstände.

Gabriel Metsu: »Das kranke Kind« (um 1665; Amsterdam, Rijksmuseum)

Mette, die →Matutin.

Metternich (seit 1679 Grafen Metternich-Winneburg), aus einem rheinischen Uradelsgeschlecht hervorgegangene Adelsfamilie, erhielt 1803 die Reichsfürstenwürde; 1813 in den (erbl.) österr. Fürstenstand erhoben. Bedeutendster Vertreter:

Klemens Wenzel Fürst von, österr. Staatsmann, *Koblenz 15. 5. 1773, †Wien 11. 6. 1859; wurde 1801 Gesandter in Dresden, 1803 in Berlin, 1806 Botschafter in Paris und nach der Niederlage Österreichs 1809 Außenmin. Durch geschickte Politik gegenüber Napoleon I., dessen Heirat mit der Königstochter Marie Louise er unterstützte, verschaffte er zunächst Österreich eine Atempause; im Sommer 1813 übernahm er durch Anschluss an die preußisch-russ. Allianz die diplomat. Führung in der letzten Phase des Kampfes gegen Napoleon (Befreiungskriege), wirkte auf dem →Wiener Kongress von 1815 führend an der Neuordnung Europas mit, betrieb erfolgreich die Restauration der vorrevolutionären Ordnung und sicherte Österreich die Vormachtstellung im Dt. Bund und in Italien. Sein polit. Ziel, die Erhaltung der staatl. Ordnung von 1815, Unterdrückung revolutionärer Bewegungen und Sicherung des Gleichgewichts der Mächte **(metternichsches System),** verfolgte er, gestützt auf die →Heilige Allianz, auf den europ. Kongressen in Aachen 1818, Troppau 1820, Laibach 1821, Verona 1822. Durch strenge Polizeiherrschaft unterdrückte er alle nat. und liberalen Strömungen (Karlsbader Beschlüsse 1819). 1821 wurde er Haus-, Hof- und Staatskanzler, 1835 Mitgl. der Regentschaft. Sein starrer Konservatismus trug zur krisenhaften Entwicklung bei, die 1848 zur Revolution führte. Am 13. 3. 1848 wurde er als Exponent der Reaktion gestürzt und floh ins Ausland (Rückkehr 1851).

📖 SEWARD, D.: *M., der erste Europäer. Eine Biographie. A. d. Engl. Zürich 1993.* – BERTIER DE SAVIGNY, G. DE: *M. Staatsmann u. Diplomat. A. d. Frz. Neuausg. München 1996.*

Klemens Wenzel Fürst von Metternich (Kreidezeichnung von Anton Graff, um 1805)

Ilja Metschnikow

Metteur [mɛ'tø:r, frz.] *der,* Setzer, der den Schriftsatz zu Seiten umbricht.

Mettlach, Gemeinde im Kr. Merzig-Wadern, Saarland, an der Saarschleife, 12 100 Ew.; Keramikmuseum, keram. Industrie. – Achteckiger »Alter Turm« (994).

Mettmann, 1) Kreis im RegBez. Düsseldorf, NRW, 407 km², (1997) 504 500 Einwohner.

2) Kreisstadt von 1) in NRW, 38 700 Ew.; Maschinen-, Werkzeug-, Besteck-, Gummiwarenind. Bei M. liegt das Naturschutzgebiet →Neandertal.

Metz, Hauptstadt der frz. Region Lothringen und des Dép. Moselle, an der Mündung der Seille in die Mosel, 119 600 Ew.; kath. Bischofssitz; Univ., Hochschule für Ingenieure, Musikhochschule, Museen, Theater, botan. Garten; internat. Messe. M. ist Handelszentrum für landwirtsch. Erzeugnisse (Wein, Rinder) sowie das Finanz- und Handelszentrum der lothring. Eisen- und Stahlind.; Metall-, Maschinen-, Haushaltswaren-, Elektro-, Beklei-

Metz Stadtwappen

Metz: Das Deutsche Tor (Porte des Allemands) geht bis auf das 13. Jh. zurück und wurde nach Beschädigung im Zweiten Weltkrieg orginalgetreu wieder hergestellt

dungs-, Tabak- und Nahrungsmittelind., Großbrauereien, Erdölraffinerie; Flusshafen. – Mittelpunkt der Altstadt mit zahlr. mittelalterl. Bauten ist der barocke Paradeplatz (nach Plänen von J. F. Blondel, 1764) mit Rathaus (1766–81) und got. Kathedrale Saint-Étienne (13.–16. Jh.; mit bed. Glasmalereien des 13.–16. Jh. sowie des 20. Jh., u. a. von M. Chagall). Von der Festungsanlage sind Römertor und Deutsches Tor (Porte des Allemands, 13. und 15. Jh.) erhalten. Das klassizist. Arsenal wurde bis 1989 zu einem Kultur- und Kongresszentrum umgebaut. – M., das gallisch-röm. **Mediomatricum** (später **Mettis**), war in fränk. Zeit die Hptst. Austrasiens und fiel 870 an das Ostfränk. Reich. Seit dem späten 12. Jh. löste es sich aus der Abhängigkeit der Bischöfe und wurde Reichsstadt. König Heinrich II. von Frankreich besetzte 1552 M.; der Westfälische Friede 1648 bestätigte Frankreich den Besitz. Im → Deutsch-Französischen Krieg 1870/71 musste die frz. Rheinarmee hier am 27. 10. 1870 kapitulieren. 1871–1918 und 1940–44 gehörte M. als Hptst. des Bez. Lothringen zum Dt. Reich.

Metze [zu messen] *die* (Metzen), altes dt., österr. und ungar. Hohlmaß sehr versch. Größe, in Preußen = 3,4 l, in Österreich = 61,5 l.

Metzger [mlat.] *süddt., westdt.:* Fleischer.

Metzger, Wolfgang, Psychologe, * Heidelberg 22. 7. 1899, † Tübingen 20. 12. 1979; arbeitete über Denk-, Gefühls-, Willens-, Entwicklungs-, Sozial- und pädagog. Psychologie; Vertreter der → Gestaltpsychologie.

Metzingen, Stadt (Große Kreisstadt) im Landkr. Reutlingen, Bad.-Württ., am Fuß der Schwäb. Alb, 21 400 Ew.; Weinbaumuseum; Metall-, Textil-, Lederind.; Obst- und Weinbau.

Metzkes, Harald, Maler und Grafiker, * Bautzen 23. 1. 1929; gestaltet Alltagsmotive, Landschafts- und Figurenbilder sowie Stillleben in einem an P. Cézanne geschulten Stil.

Metzmacher, Ingo, Dirigent, * 10. 11. 1957; seit 1988 Gastdirigent bei verschiedenen Orchestern u. a. in Dresden, Brüssel, Mailand, Bamberg; wurde 1997 Generalmusikdirektor an der Hamburg. Staatsoper.

Metzner, Franz, Bildhauer, * Wscherau (heute Všeruby, bei Pilsen) 18. 11. 1870, † Berlin 24. 3. 1919; schuf Bauplastiken und Denkmäler (u. a. die Standbilder des Leipziger Völkerschlachtdenkmals, 1906–13).

Meudon [mø'dɔ̃], Stadt im Dép. Hauts-de-Seine, Frankreich, südwestlich von Paris, an der Seine, 46 200 Ew.; staatl. Inst. für Astronomie und Geophysik, aerodynam. Versuchsanlage, biolog. Forschungsinst.; Hütten- und Stanzwerke, Karosseriebau, Sprengstoffind. – Schloss (von J. Hardouin-Mansart 1707 errichtet, heute Observatorium), Rodin-Museum.

Meumann, Ernst, Psychologe und Pädagoge, * Uerdingen (heute zu Krefeld) 29. 8. 1862, † Hamburg 26. 4. 1915; Hauptvertreter der »experimentellen Pädagogik« (»Vorlesungen zur Einführung in die experimentelle Pädagogik«, 2 Bde., 1907).

Meunier [mœ'nje], Constantin Émile, belg. Bildhauer und Maler, * Etterbeek (Region Brüssel) 12. 4. 1831, † Ixelles (Region Brüssel) 4. 4. 1905; stellte arbeitende Menschen, bes. Bergarbeiter, realistisch, aber mit einem gewissen Pathos in der Haltung in monumentalen Einzelfiguren dar (Entwurf für ein »Denkmal der Arbeit«, 1890–1905; 1930 in Brüssel aufgestellt).

Constantin Meunier: Bergmann, Bronze (vor 1899; Marl, Skulpturenmuseum Glaskasten)

Meurthe [mœrt] *die,* Fluss in O-Frankreich, 170 km lang, entspringt in den mittleren Vogesen, mündet bei Frouard in die Mosel.

Meurthe-et-Moselle [mœrtemo'zɛl], Dép. in O-Frankreich, Lothringen, 5241 km², (1990) 711 100 Ew.; Hptst. ist Nancy.

Meuse [mø:z], **1)** frz. Name der → Maas.

2) Dép. in O-Frankreich, 6216 km², (1990) 196 000 Ew.; Hptst. ist Bar-le-Duc.

Meuselwitz, Stadt im Landkr. Altenburger Land, Thür., 11 000 Ew.; Maschinenfabrik, Eisengießerei, Gummiwaren-, Textilind.; in der Umgebung Braunkohlenbergbau. – 1139 erstmals erwähnt; 1874 wurde M. Stadt.

Meuterei [zu Meute], Vereinigung (Zusammenrottung) mehrerer Personen zu Ungehorsam oder Empörung gegen Vorgesetzte, bei Gefangenen nach § 121 StGB, bei Soldaten nach § 27 Wehrstraf-Ges. strafbar. Das gemeinschaftl. Nichtbefolgen dienstl. Anordnungen auf Schiffen, verbunden mit Gefahren für Menschen, Schiff und Ladung, ist Straftat nach § 115 Seemannsgesetz. – In der *Schweiz* ist M. von Gefangenen (Art. 311 StGB) und Aufforderung zur militär. M. (Art. 63 Militär-

Mexiko

Fläche: 1958 201 km²
Einwohner: (1995) 93,674 Mio.
Hauptstadt: Mexiko
Verwaltungsgliederung: 31 Gliedstaaten, Bundesdistrikt
Amtssprache: Spanisch
Nationalfeiertag: 16. 9.
Währung: 1 Mexikanischer Peso (mex$) = 100 Centavos (¢)
Zeitzone: MEZ −7 Std.

StGB) strafbar. Das *österr.* Recht kennt nur die Soldaten-M. (§§ 18, 19 Militärstrafgesetz).

MeV, Einheitenzeichen für Megaelektronvolt, 1 MeV = 10^6 eV (→Elektronvolt).

Mevissen, Gustav von (seit 1884), Großkaufmann und Politiker, *Dülken (heute zu Viersen) 20. 5. 1815, †Bad Godesberg (heute zu Bonn) 13. 8. 1899; einer der Führer des rhein. Liberalismus, 1848/49 Mitgl. der Frankfurter Nationalversammlung, 1866–91 des preuß. Herrenhauses; wirkte bei zahlr. Unternehmensgründungen mit.

Mexicali [mɛxiˈkali], Hptst. des Staates Baja California Norte, Mexiko, an der Grenze zu den USA, 438 000 Ew.; Bischofssitz; Univ., Technikum; Handelszentrum; Fremdenverkehr; Flughafen.

mexikanische Kunst, i. e. S. die Kunst in Mexiko als eigenständige Erscheinung im Bereich der →lateinamerikanischen Kunst seit der mexikan. Revolution von 1910. Die m. K. ist geprägt von ihrem sozialrevolutionären Anspruch sowie der Suche nach einem nat. Stil unter dem Einfluss des indianisch-span. Erbes (→mesoamerikanische Hochkulturen) und der Baugedanken des 20. Jh. Die Architektur kennzeichnen Freude an Materialkombinationen (Einfluss Mies van der Rohes) und naive, wilde Farbigkeit (Tradition des Churriguerismus) der Wandgemälde oder -verkleidungen, Resultat einer Synthese von Architektur und bildenden Künsten. Bed. Bauten v. a. in der Hptst.: Universitätsstadt (1950–53; Generalplan von M. Pani und E. del Moral) u. a. mit Bibliothek (J. O'Gorman), dem Pavillon zur Erforschung kosm. Strahlen (J. G. Reyna, F. Candela) sowie dem Olympiastadion (1968; von A. P. Palacios, Reliefs von P. Ramírez-Vázquez u. a.) und dem Sportpalast (F. Candela u. a.). Die monumentale Wandmalerei (D. Rivera, D. Alfaro Siqueiros, J. C. Orozco, R. Tamayo u. a.) steht – ebenso wie die Grafik und Plastik – im Dienste des politisch-gesellschaftl. Engagements im Sinne der Muralisten. Eine bed. Ausnahme ist die Malerei von Frida Kahlo. BILDER Candela, Kahlo, Mexiko (Stadt), Muralismo, O'Gorman, Rivera.

mexikanische Literatur, →lateinamerikanische Literaturen.

mexikanische Musik, →lateinamerikanische Musik.

Mexiko (span. México, amtlich Estados Unidos Mexicanos, dt. Vereinigte Mexikan. Staaten), Staat in Mittelamerika, zw. dem Golf von M. und dem Pazifik; grenzt im N an die USA, im SO an Belize und Guatemala. Außer zahlreichen küstennahen Inseln gehören zu M. noch die pazif. Inseln Isla de Guadalupe (264 km²) und Islas Revillagigedo (830 km²).

Staat und Recht: Nach der Verf. von 1917 (mehrfach geändert) ist M. eine präsidiale Bundesrep. Staatsoberhaupt und oberster Inhaber der Exekutive (Reg.chef) ist der mit weitgehenden Vollmachten ausgestattete Präs. (auf sechs Jahre direkt gewählt). Die Legislative liegt beim Kongress, bestehend aus Senat (128 Mitgl., auf sechs Jahre gewählt) und Abg.kammer (Legislaturperiode drei Jahre). Von den 500 Abg. der 2. Kammer werden 300 nach dem Mehrheitswahlrecht gewählt, 200 Mandate werden unter den Parteien proportional verteilt; keine Partei darf mehr als 315 Sitze einnehmen. Einflussreichste Parteien: Partei der Institutionalisierten Revolution (PRI), Partei der Nat. Aktion (PAN), Partei der Demokrat. Revolution (PRD). Die Bundesstaaten, an deren Spitze Gouv. stehen, verfügen über eigene Verf. sowie Exekutiv- und Legislativorgane.

Landesnatur: Das Staatsgebiet M. bildet in klimat. wie in geologisch-geomorpholog. Hinsicht einen Übergang zw. dem nordamerikan. Kontinent und der zentralamerikan. Landbrücke. Der sich von N zum Isthmus von Tehuantepec nach S auf etwa über 200 km Breite verschmälernde Hochlandblock des nördl. und zentralen M. ist im W (Sierra Madre Occidental, bis 3150 m ü. M.) und O (Sierra Madre Oriental, bis 4056 m ü. M.) von Randgebirgen umsäumt und von zahlr. isolierten Gebirgsrücken durchzogen. Den südl. Abschluss bildet die transkontinentale Vulkanzone der Cor-

Staatswappen

(MEX)

Internationales Kfz-Kennzeichen

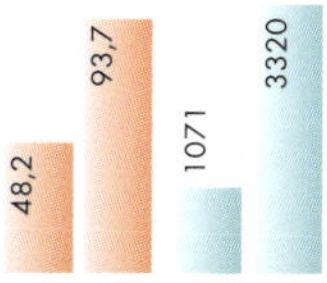

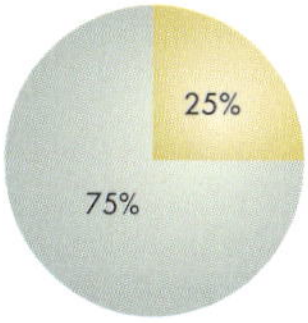

Bevölkerungsverteilung 1995

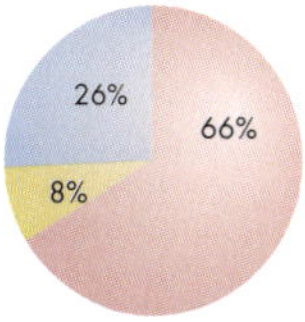

Bruttoinlandsprodukt 1995

dillera Neovolcánica (Cordillera Volcánica) mit den Vulkanen Ixtaccíhuatl (5286 m ü. M.), Popocatépetl (5452 m ü. M.) und dem höchsten Berg M.s, dem Citlaltépetl (5700 m ü. M.); sie fällt nach S zur Senke des Río Balsas (Gran Valle del Sur) ab. Jenseits des Isthmus von Tehuantepec erstreckt sich das Gebirgsland von Chiapas. Im N schließt die Kalktafel der Halbinsel Yucatán an. Tiefland gibt es nur im W als schmalen, im O als breiteren Küstensaum und auf der Halbinsel Yucatán im O. Die schmale, gebirgige Halbinsel Niederkalifornien ist im N der pazif. Küste vorgelagert. Hauptfluss ist der Río Grande del Norte (Grenzfluss gegen die USA). – Das Klima ist tropisch bis subtropisch, im N kontinental trocken mit starken Wärmeschwankungen und kühlen Wintern (kalte Stürme, die »Nortes«), im S gleichmäßiger warm bis heiß mit stellenweise reichen Niederschlägen und klimat. Höhenstufen; bis 800 m ü. M. reicht die heiße Zone (Tierra caliente), bis 1700 m ü. M. die gemäßigte (Tierra templada), darüber die kühle (Tierra fría) und auf hohen Bergen die kalte Zone (Tierra helada). In der Pflanzenwelt herrschen Steppen und Dornstrauch- sowie Sukkulentenformationen mit Kakteen-, Agaven- und Yuccaarten vor. Trop. Regenwälder gibt es nur an den feuchtesten Gebirgshängen im S, in trockeneren Lagen Buschwald und Savanne, in höheren Lagen Laub- und Nadelwälder bis zur Baumgrenze (4400 m ü. M.).

Mexiko, Verwaltungsgliederung (Stand 1995)

Verwaltungseinheit	Fläche in km²	Ew. in 1 000	Ew. je km²	Hauptstadt
Bundesdistrikt (Distrito Federal)	1 493	8 484	5 659,5	
Staaten				
Aguascalientes	5 589	862	154,3	Aguascalientes
Baja California Norte	70 113	2 108	30,1	Mexicali
Baja California Sur	73 677	375	5,1	La Paz
Campeche	51 833	642	12,4	Campeche
Chiapas	73 887	3 607	48,8	Tuxtla Gutiérrez
Chihuahua	247 087	2 793	11,3	Chihuahua
Coahuila	151 571	2 172	14,3	Saltillo
Colima	5 455	487	89,3	Colima
Durango	119 648	1 431	12,0	Durango
Guanajuato	30 589	4 393	143,6	Guanajuato
Guerrero	63 794	2 915	45,7	Chilpancingo de los Bravos
Hidalgo	20 987	2 112	100,6	Pachuca de Soto
Jalisco	80 137	5 990	74,7	Guadalajara
Mexiko (México)	21 461	11 705	545,4	Toluca
Michoacán	59 864	3 869	64,6	Morelia
Morelos	4 941	1 443	292,0	Cuernavaca
Nayarit	27 621	896	32,4	Tepic
Nuevo León	64 555	3 549	55,0	Monterrey
Oaxaca	95 364	3 224	33,8	Oaxaca de Juárez
Puebla	33 919	4 624	136,3	Puebla
Querétaro	11 769	1 249	106,1	Querétaro
Quintana Roo	50 350	703	14,0	Chetumal
San Luis Potosí	62 848	2 192	34,9	San Luis Potosí
Sinaloa	58 092	2 425	41,7	Culiacán
Sonora	184 934	2 084	11,3	Hermosillo
Tabasco	24 661	1 749	70,9	Villahermosa
Tamaulipas	79 829	2 526	31,6	Ciudad Victoria
Tlaxcala	3 914	884	225,8	Tlaxcala
Veracruz	72 815	6 735	92,5	Jalapa Enríquez
Yucatán	39 340	1 556	39,5	Mérida
Zacatecas	75 040	1 336	17,8	Zacatecas
Mexiko	1 967 183[1)]	91 120[2)]	46,3	Mexiko

[1)] nach anderen Angaben 1 958 201. – [2)] nach anderen Angaben 93 674

Bevölkerung: Den weitaus größten und wirtsch., kulturell und politisch bedeutendsten Teil stellen die Mestizen (90–95 %), bei denen wiederum die mit vorherrschendem europ. Erbteil überwiegen. Von den nur noch etwa 1 Mio. Indianern, die ausschließlich Indianersprachen sprechen, sind Azteken, Maya, Otomí, Zapoteken, Mixteken, Totonaken und Tarasken die größten Gruppen. Der Anteil der Weißen (Kreolen), der Schwarzen und Mulatten an der Gesamtbevölkerung ist sehr gering und geht ständig zurück. – M. ist nach Brasilien das bevölkerungsreichste Land Lateinamerikas und gehört mit einer Zuwachsrate von jährlich 2,0 % (zw. 1960 und 1980 je 3,3 %) zu den Ländern mit dem größten Bev.wachstum. Die Bev.zahl hat sich seit 1940 (19,7 Mio. Ew.) vervierfacht. 38 % der Bev. ist jünger als 15 Jahre. Ein Teil der Arbeitslosen bemüht sich seit Jahrzehnten, in die USA auszuwandern oder dort wenigstens vorübergehend als Landarbeiter unterzukommen, z. T. auch auf illegalem Weg (»Wetbacks« oder »Mojados«); legal 1981–90: 1,67 Mio.; 1990 waren offiziell 13,5 Mio. Ew. der USA mexikan. Abstammung. Die Bev.verteilung ist sehr ungleichmäßig. Bei einer durchschnittl. Bev.dichte von 41 Ew. je km² leben in der Zentralregion (Bundesdistrikt und zehn umliegende Bundesstaaten) auf rd. 14 % der Fläche mehr als 50 % aller Ew. V. a. durch die Landflucht wuchs der Anteil der städt. Bev. auf 75 % (1995); allein in der Hptst. leben 18,5 % der Gesamtbev.; es gibt vier Millionenstädte und 59 Großstädte. – Allg. Schulpflicht vom 6. bis 12. Lebensjahr (nur von 30 % der Kinder wahrgenommen), unentgeltl. Unterricht; Analphabetenquote 11 %. Das Schulwesen ist teils staatlich, teils privat, gelehrt wird in grundsätzlich nichtkonfessionellen Schulen. Berufs- und Fachschulen, 1717 Hochschulen, darunter die größte Univ. (Universidad Nacional, gegr. 1551) in der Hptst. – Über 90 % der Bev. sind Katholiken. Mit der Verf. von 1917 verlor die kath. Kirche ihren Status als jurist. Person und wurde zahlr. Restriktionen unterworfen, die erst 1992 aufgehoben wurden. Traditionelle religiöse Vorstellungen der Indianer (Naturreligionen) haben sich in vielfältiger Form erhalten.

Wirtschaft, Verkehr: M. zählt heute zu den Schwellenländern. Infolge der Expansion des Erdölsektors seit den 1970er-Jahren hat sich die Wirtschaftsstruktur stark verändert. M. zählt zu den industriell fortgeschrittensten Ländern Lateinameri-

Mexiko

| 1

| 2

| 3

| 4

| **1** Das Hochbecken von Oaxaca mit der Sierra Madre del Sur im Hintergrund | **2** Der in der Gipfelregion vergletscherte, 5 452 m hohe Vulkan Popocatépetl beherrscht die trockenen Hochbecken in Puebla und um die Stadt Mexiko | **3** Blick über den Marinehafen von Acapulco zur Playa Icacós, einem der schönsten Strände Mexikos | **4** Einzelhof bei San Cristóbal de las Casas im Gebirgsland von Chiapas

kas, hat aber die höchsten Auslandsschulden aller Entwicklungsländer. Durch Reprivatisierung großer staatl. Ind.unternehmen und erhöhte Auslandsinvestitionen soll die Wirtschaft stabilisiert werden. Die u.a. mit dem In-Kraft-Treten der NAFTA verbundene Liberalisierung der Wirtschaft brachte aber auch gravierende soziale Folgen mit sich. – M. ist reich an Bodenschätzen. Abgebaut werden Flussspat, Graphit, Silber-, Wismut-, Quecksilber-, Gold-, Blei-, Zink-, Antimon-, Cadmium-, Kupfer-, Mangan-, Eisenerze, Kohle, Schwefel, Phosphate u.a. Reiche Erdöl- und Erdgasfelder liegen im Golfküstenbereich (Förderung seit 1901). Der nach Verstaatlichung der Erdölind. (1938) erfolgte Rückgang in der Förderung konnte Mitte der 1970er-Jahre durch die Erschließung neuer Felder, v.a. im Schelfbereich, gestoppt werden. M. liegt in der Erdölfördermenge weltweit an 5. Stelle, bei Erdgas an 11. Stelle. Förder- und Verarbeitungszentren sind durch Pipelines (13 087 km Erdgas- und 5 142 km Erdölleitungen sowie 9 962 km Mehrfachleitungen) verbunden. Größtes Ind.zentrum ist die Hptst., daneben sind Guadalajara, Puebla und Monterrey wichtige Ind.standorte. Die Grundstoffind. wurde weitgehend verstaatlicht. Über 80% der Konsumgüter werden im Lande hergestellt. Eine wichtige Rolle spielt die entlang der Grenze zur USA angesiedelte Lohnveredelungsind. (»maquiladora«).

In der Landwirtschaft arbeiten rd. 26% der Erwerbstätigen. Etwa die Hälfte der Gesamtfläche wird landwirtsch. genutzt. Ackerbau ist vielfach nur mithilfe von Bewässerung möglich. Im S des zentralen Hochlands und in der Cordillera Volcánica wird Regenfeldbau betrieben. 1910 gehörten noch 98% des Bodens Großgrundbesitzern. Bei der Verteilung des seit 1917 durch Agrarreformgesetze enteigneten Landes wurde das alte indian. Gemeindeeigentum in Form landwirtsch. Genossenschaften (Ejidos) bevorzugt, die aber immer mehr individualisiert werden. Die Agrarreform verbesserte die soziale Lage der Landbev., der gesamtwirtsch. Nutzen ist jedoch gering, da viele Kleinbetriebe nur für die Selbstversorgung arbeiten. Grundnahrungsmittel sind Mais, Bohnen, Weizen, Gemüse und Obst, jedoch müssen Lebensmittel zusätzlich eingeführt werden. Exportorientiert ist der Anbau von Kaffee, Baumwolle, Tomaten, Obst, Gemüse und Tabak. Neben Rindern, Schweinen, Schafen, Ziegen werden v.a. Hühner gehalten. M. ist weltweit der viertgrößte Produzent von Bienenhonig. In der Forstwirtschaft spielen neben dem Holzeinschlag auch Harz-, Faser-, Chicle- und Gerbstoffgewinnung eine Rolle. Die Fischerei (v.a. Krabben und Thunfisch) wird staatlich gefördert, die Fischereigrenze wurde 1976 auf 200 Seemeilen ausgedehnt. M. ist eines der bedeutendsten Touristenländer der Dritten Welt. Hauptanziehungspunkte sind neben den pazif. Badeorten v.a. die archäolog. Stätten alter indian. Kulturen. – Ausgeführt werden Produkte der verarbeitenden Ind., Erdöl und Erdgas, Kaffee, Baumwolle, Rohzucker, Krabben, Tomaten, Bienenhonig, eingeführt Maschinen und Apparate, Eisen und Stahl, feinmechan. und opt. Erzeugnisse, Kunststoffe, Agrarprodukte u.a. Die wichtigsten Handelspartner sind die USA, die EU-Staaten, Japan und die Staaten der Lateinamerikan. Integrationsvereinigung. – Wichtigster Verkehrsträger ist der Kraftverkehr (rd. 66% des Personen- und Güterverkehrs). Von 245 400 km Straßen sind rd. 36% befestigt. Wichtigste Verbindung ist der 3500 km lange mexikan. Anteil an der transkontinentalen Carretera Panamericana; Autobahnnetz: 4300 km. Das verstaatlichte Eisenbahnnetz ist 26 435 km lang. Eine verhältnismäßig große Rolle spielt der Luftverkehr (32 internat. und 41 nat. Flughäfen). Fluggesellschaften: »Aeroméxico« und »Compania Mexicana de Aviación«. Wichtigste Seehäfen an der Golfküste sind Veracruz, Tampico, Coatzacoalcos, Tuxpan de Rodríguez Cano, Progreso und der Erdölhafen Dos Bocas; an der Pazifikküste Ensenada, Guaymas, Mazatlán, Manzanillo, Acapulco und Salína Cruz.

Geschichte: Die vorkoloniale Geschichte M.s war bestimmt von den →mesoamerikanischen Hochkulturen; seit dem 13. Jh. waren die →Azteken das mächtigste Volk. 1517 landete F. Hernández de Córdoba auf der Halbinsel Yucatán, 1519–21 eroberte H. Cortez unter Ausnutzung einheim. Rivalitäten das Aztekenreich für die span. Krone; 1536 wurde das Vizekönigreich Neuspanien begründet, das Zentrum der span. Herrschaft in Mittel- und Nordamerika, bes. wichtig wegen seines Silberreichtums. Die Grenzen Neuspaniens wurden nach N in die Gebiete des heutigen Texas, New Mexico und Kalifornien verschoben. Bis zum 17. Jh. war die indian. Bevölkerung fast völlig ausgerottet. Ende des 18. Jh. wuchsen die Gegensätze zw. Kreolen und Spaniern. Der Sturz der Bourbonen in Spanien (1808) förderte die Unabhängigkeitsbestrebungen. Sie kamen im Aufstand von

Mexiko - Wirtschaft

1810–15 unter der Führung der Priester M. Hidalgo und J. M. Morelos zum Ausbruch (1813 Unabhängigkeitserklärung und republikan. Verfassung). Der Aufstand wurde niedergeschlagen, doch als 1820 in Spanien liberale Kräfte die Macht erlangten, erhoben sich die Konservativen in M. dagegen. Der kreol. Offizier A. de Itúrbide setzte sich an die Spitze der Bewegung und ließ sich 1822 als Augustin I. zum Kaiser ausrufen. Ein erneuter Aufstand zwang ihn schon 1823 zur Abdankung, gleichzeitig löste sich die zentralamerikan. Provinz des Generalkapitanats Guatemala von M., das sich eine republikanisch-bundesstaatl. Verf. gab. Die folgenden Jahrzehnte waren gekennzeichnet durch Unruhen, schlechte Wirtschaftslage und häufigen Reg.wechsel zw. Anhängern eines Zentralstaates und Föderalisten. Zw. 1833 und 1854/55 herrschte meist General A. López de Santa Anna (dreimal Präs., seit 1853 Diktator). Im Krieg gegen die USA 1846–48 verlor M. etwa die Hälfte seines Territoriums.

1855 wurde eine neue, liberale Verf. angenommen, die v.a. die Trennung von Kirche und Staat vollzog. Der Widerstand konservativer Kreise führte zum Bürgerkrieg (1857–60); nach der Einstellung der Zinszahlungen für die Auslandsschulden durch Präs. B. Juárez García 1861 intervenierten Großbritannien, Spanien und Frankreich gegen die Umsetzung des zweijährigen Moratoriums. Auf Drängen Napoleons III. ließ sich der österr. Erzherzog Maximilian 1863 zum Kaiser von M. ausrufen. Sein Versuch einer Politik des Ausgleichs misslang; nachdem sich die frz. Truppen 1866 unter dem Druck der USA zurückgezogen hatten (die brit. und span. Truppen bereits 1862), eroberten die Anhänger von Juárez García wieder das Land, nahmen Maximilian gefangen und erschossen ihn (1867). 1876 gelangte durch Staatsstreich General P. Díaz für 35 Jahre an die Macht. Er ordnete die Staatsfinanzen und führte einen wirtsch. Aufschwung herbei, indem er nordamerikan. Kapital nach M. zog. Soziale Reformen wurden jedoch zurückgestellt, die Masse der indian. Bevölkerung lebte weiter in Abhängigkeit. 1910 brach eine Revolution aus, die sich zum Kampf der Campesinos um Land entwickelte. Ihre Führer waren E. Zapata und F. »Pancho« Villa. 1911 wurde F. Madero zum Präs. gewählt, 1913 mithilfe der USA gestürzt (kurz darauf ermordet). Aus blutigen Machtkämpfen ging 1917 V. Carranza (ermordet 1920) als Sieger hervor. In der neuen Verf. (1917) waren u.a. eine Agrarreform und das nat. Verfügungsrecht über die Bodenschätze festgelegt. Nach 1920 beruhigte sich die Lage. 1928 wurde die Nationalrevolutionäre Partei (seit 1946 Partei der Institutionalisierten Revolution, PRI) gegründet, die bis in die Gegenwart die beherrschende Kraft in M. ist und die Präs. stellt. L. Cárdenas (1934–40 Präs.) enteignete 1938 die ausländ. Erdölgesellschaften. 1942 trat M. an der Seite der Alliierten in den 2. Weltkrieg ein. Der in den 1930er-Jahren begonnene wirtsch. und soziale Wandel setzte sich nach dem Krieg fort; kennzeichnend blieb dabei die Einflussnahme des Staats auf die Wirtschaft. Außenpolitisch für die Dritte Welt engagiert, versuchte M. auch, den Einfluss der USA zurückzudrängen. Nach 1970 machte sich eine schwere Wirtschaftskrise bemerkbar. Präs. J. López Portillo (1976–82) musste im Sept. 1982 die Zahlungsunfähigkeit erklären. 1988 wurde C. Salinas de Gortari zum Präs. gewählt. Er reformierte – erstmals seit der Revolution – das mexikan. System der Verquickung von Staat, PRI und Wirtschaft, begann ein umfangreiches Privatisierungsprogramm, das wieder Kapital nach M. holte, und milderte die antiklerikalen Bestimmungen der Verfassung.

Seit 1989 haben neben der PRI auch andere Parteien am polit. Leben teil. Bei den Präsidentschafts- und Kongresswahlen im Aug. 1994 setzte sich jedoch wieder mit E. Zedillo Ponce de León ein PRI-Kandidat durch. Im Aug. 1996 wurde eine Wahlrechtsreform verabschiedet. Bei den Parlamentswahlen vom Juli 1997 verlor die PRI – zum ersten Mal in ihrer Geschichte seit 1929 – ihre absolute Mehrheit im Abgeordnetenhaus. Anfang Jan. 1994 erhoben sich im südmexikan. Gliedstaat Chiapas bewaffnete Indios. Gestützt auf den Ejército Zapatista de Liberación Nacional (EZLN; dt. Zapatistische Nat. Befreiungsarmee), fordern sie u.a. eine Landreform, Selbstverwaltung und bessere Bildungschancen. Nachdem die Reg. 1994/95 in mehreren Militäraktionen den Aufstand niederzuschlagen versucht hatte, kam es 1996 zu einer Teilverständigung (gesetzl. Verankerung der Autonomieforderung). Außenpolitisch bemühte sich M. um das Zustandekommen der nordamerikan. Freihandelszone NAFTA (in Kraft getreten am 1. 1. 1994).

📖 EWALD, U.: *M., das Land, seine Geschichte u. Kultur. Stuttgart u.a. 1994.* – GORMSEN, E.: *M. Land der Gegensätze u. Hoffnungen. Gotha 1995.* – BORIS, D.: *M. im Umbruch. Modellfall einer gescheiterten Entwicklungsstrategie. Darmstadt 1996.* – *M. heute. Politik, Wirtschaft, Kultur, hg. v.* D. BRIESEMEISTER *u.* K. ZIMMERMANN. *Frankfurt am Main* *[2]1996.*

Mexiko, 1) (span. México, amtlich Ciudad de México) Hptst. und größte Stadt Mexikos, 2240 m ü.M. in einem Becken des zentralen Hochlandes; im Bundesdistrikt (1499 km²) leben 8,24 Mio. Ew.; in der städt. Agglomeration (Zona metropolitana) 15 Mio. Ew. (nach inoffiziellen Angaben rd. 20 Mio. Ew., die damit die am schnellsten wachsende Agglomeration der Erde) ist. Die Stadt ist das Kul-

Hernando Cortez

Maximilian,
Kaiser von Mexiko

Porfirio Díaz

Ernesto Zedillo Ponce de León

Mexiko 1): Am Platz der drei Kulturen (links) sind Zeugnisse aus drei Epochen vereint: freigelegte Bauwerke aus der Spätzeit der Azteken (im Vordergrund), die 1609 erbaute Barockkirche Santiago de Tlatelolco sowie die Mitte der 1960er-Jahre entstandene Hochhausarchitektur; die Universitätsbibliothek mit einem Fassadenmosaik aus farbigem Naturstein von Juan O'Gorman entstand in den Jahren 1951–53

Mexiko 1) Stadtwappen

Reinhard Mey

Joseph Meyer (Ausschnitt aus einem zeitgenössischen Pastell)

tur- und Wirtschaftszentrum des Landes; Sitz eines kath. Erzbischofs; Nationaluniv. (gegr. 1551) und weitere acht Univ., eine TH, mehrere Fachhochschulen, sechs wiss. Akademien, Nationalbibliothek, -archiv, bed. Museen (v.a. Anthropolog. Nationalmuseum), Nationaltheater, wiss. Gesellschaften und Inst., zwei zoolog. Gärten und botan. Garten; bedeutendster Ind.standort des Landes; Sitz des ersten dt. Industrie- und Handelszentrums in Amerika; U-Bahn (68 km), internat. Flughafen. – M. ist durch Erdbeben gefährdet (schweres Beben zuletzt 1985) und durch extremen Schadstoffausstoß (70 % durch Verkehr, 30 % durch Ind.) belastet.

Stadtbild: M. wurde auf den Trümmern des aztek. →Tenochtitlán erbaut. Das histor. Zentrum wurde von der UNESCO zum Weltkulturerbe erklärt. Der Zócalo (heute »Platz der Verfassung«) wird beherrscht von der Kathedrale (1573 ff.; an der Stelle des Quetzalcóatltempels) mit reicher Innenausstattung; an der O-Seite der Nationalpalast (1523 ff., mehrfach umgebaut; an der Stelle des Palastes von Moctezuma II.) mit Fresken von D. Rivera; an der SW-Ecke das Rathaus (17./18. Jh.). Zu den ältesten Kirchen des Landes gehören San Francisco (1525, Portal 18. Jh.), San Juan Bautista (1538), La Asunción (1562). Vom Kloster La Merced (1634, später umgebaut) ist ein Kreuzgang im Mudéjarstil erhalten. Nationalheiligtum und Wallfahrtsstätte ist das Gnadenbild der Jungfrau Guadalupe Hidalgo in der Basilika Guadalupe in einem nordöstl. Vorort. Im Palacio de Bellas Artes (1900–34) bed. Fresken von J. C. Orozco, Rivera, J. D. Alfaro Siqueiros und R. Tamayo. Am Platz der drei Kulturen (1964), dem Hauptplatz der präkolumb. Stadt Tlatelolco, freigelegte Bauwerke aus der Spätzeit der Azteken, Hochhausarchitektur (Mitte der 1960er-Jahre) und die Barockkirche Santiago de Tlatelolco (1609). Im S der Stadt befinden sich in einem Park das Kulturhaus (etwa 1000 m^2 Wandgestaltung von Alfaro Siqueiros und Mitarbeitern), die Stierkampfarena (50 000 Plätze) und die Univ.stadt, u.a. mit der Univ.bibliothek (Mosaik von J. O'Gorman auf der fensterlosen Fassade, 1951–53). Das Univ.stadion wurde zum Olympiastadion ausgebaut (1968: 80 000 Plätze; Olymp. Spiele 1968); 5 km südöstlich davon das Aztekenstadion (1966: 105 000 Plätze). WEITERES BILD Candela

2) (amtlich Estado de México) Bundesstaat von →Mexiko (Staat).

Mexiko, Golf von, der westl. Teil des Amerikan. Mittelmeeres, zw. Florida, Kuba und der Halbinsel Yucatán; seine Schelfgebiete sind sehr reich an Erdöl- und Erdgaslagerstätten. (→Floridastraße, →Yucatánstraße)

Mey, Reinhard, Liedermacher, *Berlin 21. 12. 1942; wurde u.a. mit Vertonungen von Balladen F. Villons sowie Chansons nach eigenen (dt. und frz.) Texten bekannt.

Meyer, 1) Conrad Ferdinand, schweizer. Schriftsteller, *Zürich 11. 10. 1825, †Kilchberg bei Zürich 28. 11. 1898; aus Züricher Patriziat; Autodidakt von umfassender histor. und ästhet. Bildung; neigte zeitlebens zu Depressionen und starb geistig umnachtet. Die Menschen seiner vom Geschichtsbild J. Burckhardts beeinflussten Werke verkörpern oft das Renaissanceideal des außergewöhnl. Menschen, des großen Helden oder großen Sünders (»Georg Jenatsch«, R., 1876, 1882 u.d.T. »Jürg Jenatsch«). M. gestaltete Hauptpersonen und ihre Handlungen häufig bewusst zwiespältig, bes.

durch sublime psycholog. Zeichnung (»Der Heilige«, Nov., 1880; »Die Versuchung des Pescara«, Nov., 1887; »Angela Borgia«, Nov., 1891). Die Novellen kennzeichnet eine kunstvoll ausgeführte Rahmenhandlung (»Die Hochzeit des Mönchs«, 1884). Seinen literar. Ruf zu Lebzeiten erlangte er v.a. mit dem Versepos »Huttens letzte Tage« (1871). Während M. früher bes. als Prosa- und Versepiker bzw. als »Historist der Makartzeit« (H. von Hofmannsthal) Beachtung fand, wird er heute eher als einer der ersten lyr. Symbolisten dt. Sprache gesehen. Mit seinen ausgefeilten Symbolgedichten (»Der röm. Brunnen« oder »Zwei Segel«) hat er eine eigene Form der Lyrik gefunden, während seine dramat. Versuche ohne Erfolg blieben.

📖 FEHR, K.: *C. F. M. Bern u. a. 1983.* – JACKSON, D. A.: *C. F. M. Reinbek 23.–25. Tsd. 1991.*

2) Eduard, Historiker, *Hamburg 25. 1. 1855, †Berlin 31. 8. 1930; wurde 1884 Prof. in Leipzig, 1885 in Breslau, 1889 in Halle (Saale), 1902 in Berlin (bis 1923); stellte die »Geschichte des Altertums« (5 Bde., 1884–1902) in universalem Rahmen dar.

3) Hannes, schweizer. Architekt, *Basel 18. 11. 1889, †Crocifisso di Savosa (Kt. Tessin) 19. 7. 1954; 1928–30 Leiter des Bauhauses in Dessau, 1930–36 in der UdSSR (u.a. Entwicklungsplan für Groß-Moskau, 1931/32), 1939–49 in Mexiko. M. sah in Architektur und Stadtplanung in erster Linie eine soziale, kollektiv unter Anwendung wiss. Methoden zu lösende Aufgabe: Bundesschule des Allg. Dt. Gewerkschaftsbundes in Bernau bei Berlin (1928–30); Wettbewerbsentwürfe: Völkerbundpalast in Genf und Petersschule in Basel (beide 1926/27, mit H. Wittwer).

4) Hans, Geograph und Verleger, *Hildburghausen 22. 3. 1858, †Leipzig 5. 7. 1929, Enkel von 8); 1884–1914 Mitinhaber des Bibliograph. Instituts in Leipzig; bestieg 1889 als Erster den Kilimandscharo.

5) Hans, schweizer. Bankfachmann, *Aarau 20. 4. 1936; seit 1965 bei der Schweizer. Nationalbank tätig, wurde 1996 deren Präsident.

6) Hans-Joachim, Politiker (CDU), *Rostock 13. 10.1936; seit 1985 Prof. für angewandte Sprachwiss. in Berlin (Humboldt-Univ.). Er war 1990 Min. für Wiss. und Bildung in der Reg. de Maizière; seit 1990 sächs. Min. für Wiss. und Kunst, seit 1997 Präs. des Zentralkomitees der dt. Katholiken.

7) Heinz-Werner, Gewerkschafter, *Hamburg 24. 8. 1932, †Siegburg 9. 5. 1994; engagierte sich als Bergmann in der IG Bergbau und Energie (IGBE), deren Vors. er 1985 wurde; 1990–94 Vors. des DGB; seit 1987 MdB (SPD).

8) Joseph, Verleger, *Gotha 9. 5. 1796, †Hildburghausen 27. 6. 1856, Großvater von 4); gründete 1826 in Gotha das Bibliograph. Institut. M. brachte preiswerte Klassikerausgaben heraus und führte die Herausgabe in Lieferungen ein. An den historisch-geograph. (»Meyer's Universum«) und enzyklopäd. Werken seines Verlages (Konversationslexikon, 52 Bde., 1840–55) arbeitete er selbst mit. Sein Sohn Herrmann Julius M. (*1826, †1909) führte den Verlag ab 1856 weiter.

9) Julius Lothar, Chemiker, *Varel 19. 8. 1830, †Tübingen 11. 4. 1895; Prof. in Eberswalde (1866–68), Karlsruhe und Tübingen (seit 1876), stellte 1869 unabhängig von D. I. Mendelejew ein →Periodensystem der chemischen Elemente auf.

Conrad Ferdinand Meyer: Radierung von Karl Stauffer-Bern (1887; Zürich, Zentralbibliothek), darunter Autogramm

Joseph Meyer

Bildung macht frei

Dieses Motto hatte der deutsche Verlagsbuchhändler Joseph Meyer, der Gründer des Bibliographischen Instituts, seiner »Groschen-Bibliothek der deutschen Klassiker für alle Stände« (1850 ff.) vorangestellt. Es wurde bald zum Schlagwort für die Anhänger einer liberalen Schulpolitik. Im Schlusswort des Herausgebers seines 52-bändigen »Großen Conversations-Lexikons« (erschienen 1855) hat er diesen Gedanken noch einmal formuliert: »Die Intelligenz aller ist der stärkste Hort der Humanität und Freiheit.« Meyers Worte haben ihre Bedeutung bewahrt und bringen auch heute noch zum Ausdruck, dass die Unfreiheit der Unwissenheit nur durch die Durchsetzung des Rechtes aller auf Wissensvermittlung und Information beseitigt werden kann.

Krzysztof Meyer

10) Krzysztof, poln. Komponist, *Krakau 11. 8. 1943; seit 1987 Prof. für Komposition in Köln; komponiert mit avantgardist. Techniken (z.B. Klangfarben, Zwölftontechnik, Aleatorik) Opern (»Kyberiade«, 1970, Uraufführung 1986; »Die verzauberten Brüder«, 1993), Orchesterwerke (sechs Sinfonien, 1964–82; Klavierkonzert, 1992), Kammer- und Klaviermusik.

Meyer-Abich, Adolf, Philosoph und Historiker der Naturwiss., *Emden 14. 11. 1893, †Hamburg 3. 3. 1971; seit 1930 Prof. in Hamburg; Mitbegründer und Hauptvertreter des →Holismus; Beiträge zur Geistesgesch. der Naturwiss., bes. der Biologie.

Meyer-Amden, Otto, eigtl. O. Meyer, schweizer. Maler und Zeichner, *Bern 20. 2. 1885, †Zürich 15. 1. 1933; 1909–12 Schüler von A. Hoelzel in Stuttgart, 1928–32 Lehrtätigkeit in Zürich. Seine Kompositionen zeigen stilisierte Figuren (v.a. Knaben) in strenger Anordnung und verwischender Farbgebung.

Meyerbeer, Giacomo, eigtl. Jakob Liebmann Meyer Beer, Komponist, *Tasdorf (heute zu Rüdersdorf bei Berlin) 5. 9. 1791, †Paris 2. 5. 1864; lebte seit 1831 überwiegend in Paris, wurde 1842 Generalmusikdirektor der Berliner Oper. M. schrieb zunächst singspielhafte dt., dann italien. Opern und wurde schließlich mit dem Textdichter E. Scribe zum Hauptvertreter der frz. Großen Oper (fünfaktige Tragödien mit histor. Thematik) des 19. Jh.: »Robert der Teufel« (1831), »Die Hugenotten« (1836), »Der Prophet« (1849), »Die Afrikanerin« (1865); Orchesterwerke, Kantaten, Lieder.

📖 Zimmermann, R.: *G. M. Eine Biographie nach Dokumenten. A. d. Frz. Berlin 1991.*

Otto Meyerhof

Meyerhof, Otto, Biochemiker, *Hannover 12. 4. 1884, †Philadelphia (Pa.) 6. 10. 1951; bed. Forschungen über den intermediären Kohlenhydratstoffwechsel (bes. Glykolyse, alkohol. Gärung) und über die enzymat. Vorgänge in den Muskelzellen. M. erhielt für die Entdeckung gesetzmäßiger Verhältnisse zw. dem Sauerstoffverbrauch und dem Milchsäureumsatz in Muskeln 1922 (mit A. V. Hill) den Nobelpreis für Physiologie oder Medizin.

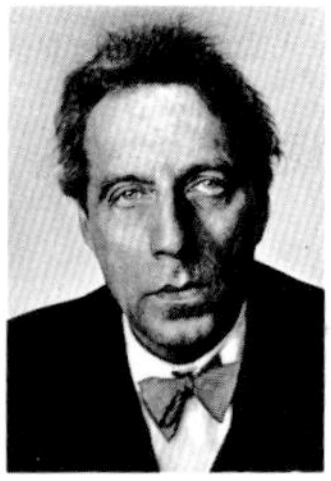
Wsewolod Meyerhold

Meyerhold (Mejerchold), Wsewolod Emiljewitsch, russ. Schauspieler, Regisseur und Theaterleiter dt. Herkunft, *Pensa 9. 2. 1874, †Moskau 2. 2. 1940; arbeitete 1898–1902 am Moskauer Künstlertheater mit K. S. Stanislawski; seit 1920 Leiter des nach ihm benannten (1923) Theaters. M. organisierte Agitproptheater, inszenierte Massenschauspiele und entwickelte einen auf das Grotesk-Pantomimische ausgerichteten Inszenierungsstil; 1938 wurde sein Theater geschlossen, 1939 wurde M. verhaftet. Schrieb u.a.: »Über das Theater« (1913).

Meyer-Lübke, Wilhelm, Romanist, *Dübendorf (Kt. Zürich) 30. 1. 1861, †Bonn 4. 10. 1936; veröffentlichte u.a. eine »Grammatik der roman. Sprachen« (4 Bde., 1890–1902) und das »Roman. etymolog. Wörterbuch« (14 Tle., 1911–20); einer der Hauptvertreter der historisch-vergleichenden Sprachwissenschaft.

Giacomo Meyerbeer: Ausschnitt aus einer Lithographie des Zeitgenossen Antoine Maurin (um 1831)

Meynen, Emil, Geograph, *Köln 22. 10. 1902, †Bonn 23. 8. 1994; ab 1941 Leiter der Abteilung für Landeskunde im Reichsamt für Landesaufnahme und in dessen Nachfolgeinstitution (Bundesforschungsanstalt für Landeskunde und Raumordnung); veröffentlichte v.a. Arbeiten zur Landeskunde von Dtl., gab zahlr. Periodika heraus.

Meyrink, Gustav, eigtl. G. Meyer, österr. Schriftsteller, *Wien 19. 1. 1868, †Starnberg 4. 12. 1932; 1889–1902 Bankier in Prag; 1903 Chefredakteur der humorist. Wiener Ztschr. »Der liebe Augustin«, Mitarbeiter am »Simplicissimus«; 1927 Übertritt vom Protestantismus zum Mahajana-Buddhismus. Verarbeitete in seinen Romanen, z.B. »Der Golem« (1915), »Das grüne Gesicht« (1917), religiös-messian. Ideen, myst. Vorstellungen, kabbalist. und buddhist. Traditionen sowie alte Sagen. Seine Novellen sind gekennzeichnet von parodist. Effekten und Satire, z.B. »Des dt. Spießers Wunderhorn« (3 Bde., 1913).

📖 Smit, F.: *G. M. Auf der Suche nach dem Übersinnlichen. A. d. Niederländ. Neuausg. München 1990.*

Meysel, Inge, Schauspielerin, *Berlin 30. 5. 1910; seit den 60er-Jahren eine der beliebtesten Volksschauspielerinnen; gestaltete in Film- und Fernsehrollen typ. Frauengestalten des Alltags.

Meysenbug, Malvida (Malwida) Freiin von (seit 1825), Schriftstellerin, *Kassel 28. 10. 1816, †Rom 26. 4. 1903; wegen ihrer demokrat. Gesinnung 1852 aus Berlin ausgewiesen; befreundet mit R. Wagner, F. Nietzsche, G. Garibaldi, R. Rolland; schrieb »Memoiren einer Idealistin« (3 Bde., 1875), »Der Lebensabend einer Idealistin« (1898).

MEZ, Abk. für **M**ittel**e**uropäische **Z**eit, →Zeit.

Mezzanin [italien.] *das, Baukunst:* niedriges Zwischen- oder Halbgeschoss, meist zw. Erd- und erstem Obergeschoss oder unter dem Dach.

mezza voce [-'vo:tʃe, italien.], Abk. **m. v.,** musikal. Vortragsbez.: mit halber, d. h. verhaltener Stimme (singen), ähnlich wie →sotto voce.

mezzo [italien.], Abk. **m,** musikal. Vortragsbezeichnung: halb, mittel; meist in Zusammensetzungen gebraucht: **mezzoforte,** Abk. **mf,** mittelstark; **mezzopiano,** Abk. **mp,** halbleise.

Mezzogiorno [-'dʒorno; italien. »Mittag«, »Süden«] *der,* zusammenfassende Bez. für die wirtschaftsschwächeren süditalien. Regionen Apulien, Basilicata, Kalabrien sowie Sizilien und Sardinien. Die seit dem 18. Jh. stagnierende wirtsch. Entwicklung führte im 20. Jh. bei der gleichzeitig wachsenden Industrialisierung N-Italiens zu ungewöhnlich scharfen Nord-Süd-Gegensätzen. Bevölkerungsdruck und Armut zwangen zahlr. Familien zur Auswanderung (Italoamerikaner) und setzten eine italien. Binnenwanderung vom S nach dem N in Gang, die bis heute anhält. Mithilfe von Gesetzen, Reformen und der 1950 eingerichteten Entwicklungsbank Cassa per il M. (1981 durch eine dem Ministerium für den M. direkt unterstellte Entwicklungsagentur ersetzt) wird versucht, die dringendsten Probleme zu lösen (Industrieansiedlung, Intensivierung und Spezialisierung in der Landwirtschaft, Bildungs- und Bevölkerungspolitik). Der S blieb aber durch Traditionalismus, Immobilismus, Patronatswesen, Klientelsystem (Mafia in Sizilien, Brigantentum Kalabriens, Camorra Neapels und Kampaniens, Banditentum Sardiniens) und durch die Bedeutung der Familienbeziehungen bis heute gekennzeichnet.

Mezzosopran [italien.], Stimmlage zw. Sopran und Alt mit einem ungefähren Umfang von g–b^2.

Mezzotinto [italien.] *das,* manuelles Verfahren zur Herstellung einer Druckform für den Kupferdruck, →Kupferstich.

mf, *Musik:* Abk. für **m**ezzo**f**orte, →mezzo.

MF, Abk. für **M**ittel**f**requenz.

MfS, Abk. für **M**inisterium **f**ür **S**taatssicherheit (→Staatssicherheitsdienst).

mg, Einheitenzeichen für Milligramm, 1 mg = 0,001 g.

Mg, chem. Symbol für →Magnesium.

MG, Abk. für **M**aschinen**g**ewehr (→Maschinenwaffen).

Mgr., 1) Abk. für **M**onsei**g**neu**r**.

2) (Msgr.) Abk. für **M**onsi**g**no**r**e.

mhd., Abk. für **m**ittel**h**och**d**eutsch.

MHD, Abk. für →**M**agneto**h**ydro**d**ynamik.

MHD-Generator, →**m**agneto**h**ydro**d**ynamischer Generator.

MHz, Einheitenzeichen für Megahertz, 1 MHz = 10^6 Hz.

mi, *Musik:* die dritte Tonsilbe der →Solmisation, in den roman. Sprachen der Name für den Ton E.

Miami [maɪ'æmɪ], Stadt an der O-Küste von Florida, USA, 365 500 Ew. (Metropolitan Area 1,99 Mio. Ew.), Zentrum der Exilkubaner; zwei Univ., Inst. für Meeresforschung, Meeresaquarium; ganzjährig bed. Fremdenverkehr; Elektronik-, Bekleidungs- u. a. Ind.; Hafen (v. a. Kreuzfahrthafen), internat. Flughafen. Über die Biscaynebay ist M. durch Schnellstraßen mit dem Seebad und Winterkurort **Miami Beach** (91 800 Ew.) verbunden.

Miao (Meau, Meo, Hmong, Hmu), Gruppe von Völkern und Stämmen in SW-China (7,4 Mio.), N-Vietnam (650 000), N-Laos (120 000), Birma und Thailand (65 000); Rodungsbauern (u. a. Anbau von Mohn), Viehzüchter.

Miasma [grch. »Verunreinigung«] *das,* Bez. für einen früher angenommenen krankheitsauslösenden Stoff in der Atmosphäre bzw. in den Ausdünstungen des Bodens.

Miass, 1) *der,* rechter Nebenfluss des Isset, Russland, 658 km lang, entspringt der O-Abdachung des Südl. Ural (hier Stauwerke), durchfließt W-Sibirien, mündet bei Schadrinsk.

2) Stadt im Gebiet Tscheljabinsk, Russland, im Südl. Ural, am Fluss M., 169 700 Ew.; mineralog. Museum; Lastkraftwagen-, Elektroapparatebau, Holzindustrie. In der Umgebung Gold-, Talk- und Marmorgewinnung.

Micellen [von lat. mica »Krümchen«] (Mizellen), *Chemie:* →Kolloide.

Mich., Abk. für den Bundesstaat **Mich**igan, USA.

Micha (Vulgata: Michäas), Prophet des A. T.; wirkte im letzten Drittel des 8. Jh. v. Chr. in Juda, Zeitgenosse Jesajas; kündigte den Untergang Jerusalems und die Zerstörung des Tempels (Mi. 3,12) als Strafe Gottes für die soziale Ungerechtigkeit im Lande an. Das **Buch M.** gehört zu den →Kleinen Propheten; es besteht aus echten Prophetenworten (Kap. 1–3) und späteren Zusätzen und wurde in nachexil. Zeit (5. Jh. v. Chr.?) zusammengestellt.

Michael, einer der Erzengel; im A. T. (Dan. 12,1) und der jüd. Apokalyptik der Schutzengel Israels; im N. T. der Bekämpfer des Teufels (Jud. 9) und Anführer der himml. Heerscharen im Kampf gegen den endzeitl. Drachen (Offb. 12,7); gilt als Vertrauter Gottes und Fürsprecher der Menschen bei Gott; Heiliger; Schutzpatron der Kirche, im MA. des Hl. Röm. Reiches und der christl. Ritter, heute zahlreicher Kirchen und Städte; Tag (zus. mit Gabriel und Raphael): 29. 9. (→Michaelistag). – In der bildenden Kunst wurde M. als Wächter und Kämpfer, als Anführer der himml. Heerscharen im Kampf gegen die Mächte der Finsternis, als Seelenwäger beim Jüngsten Gericht, als Ritter im Kampf mit dem Drachen dargestellt. BILDER Engel, Epstein, Metallschnitt

Gustav Meyrink

Inge Meysel

Malvida von Meysenbug
(Pastell von Franz von Lenbach, 1885)

Henri Michaux

Hartmut Michel

Michael, Herrscher:

Byzanz: **1) M. VIII. Palaiologos,** Kaiser (1258 bis 1282), *1224, †bei Selymbria 11. 12. 1282; Gründer des letzten byzantin. Herrscherhauses, der Palaiologen, eroberte 1261 Konstantinopel zurück (→Byzantinisches Reich), schloss die Kirchenunion mit Rom (2. Konzil von Lyon, 1274) und wehrte die Eroberungspläne Karls I. von Anjou durch Unterstützung der Sizilian. Vesper 1282 ab.

Rumänien: **2) M. I.,** König (1927–30 und 1940 bis 1947), *Sinaia 25. 10. 1921; Sohn Karls II., aus dem Haus Hohenzollern; erzwang 1944 den Übertritt zu den Alliierten; dankte am 30. 12. 1947 ab; seit 1956 in der Schweiz.

Russland: **3) Michail Fjodorowitsch,** Zar (1613–45), *Moskau 22. 7. 1596, †ebd. 23. 7. 1645; Begründer der Dynastie Romanow, 1613 zum Zaren gewählt; überließ die Reg. zunächst seinen Beratern, v. a. seinem Vater, dem Patriarchen von Moskau, Filaret (1619–33 offizieller Mitregent); schloss 1617 mit Schweden, 1618 mit Polen Frieden.

Serbien: **4) M. Obrenović,** Fürst (1839–42 und 1860–68), *Kragujevac 16. 9. 1823, †(ermordet) Topčider (bei Belgrad) 10. 6. 1868; Sohn von Miloš Obrenović; verhalf Serbien zu Ordnung, musterhafter Verw. und einem regulären Heer; erreichte 1867 den Abzug der letzten türk. Garnisonen.

Walachei: **5) M. der Tapfere,** Fürst (1593–1601), *1558, †(ermordet) 19. 8. 1601; verdrängte 1595 und 1598/99 die Osmanen aus der Walachei und Siebenbürgen; rief sich nach der Eroberung der Moldau (1600) zum Herrscher der drei rumän. Fürstentümer aus. Er wird als Verfechter des nat. Einheitsgedankens verehrt.

Duane Michals: Porträt von René Magritte (1965)

Michaelis, Georg, Politiker, *Haynau (heute Chojnów, Wwschaft Legnica) 8. 9. 1857, †Bad Saarow 24. 7. 1936; Reichskanzler und preuß. MinPräs. (Juli–Okt. 1917).

Michaelistag, Festtag des Erzengels →Michael (29. 9.); galt als Sommerende und Ernteabschluss (z. B. wird Erntedankfest seit dem 18./19. Jh. am Sonntag nach M. gefeiert).

Michael Kerullarios (Michael Cärularius), Patriarch von Konstantinopel (1043–58), *Konstantinopel um 1000, †Madyta (bei Konstantinopel) 1058. Unter ihm vollzog sich 1054 das Morgenländ. →Schisma.

Michaelsbruderschaft (Evangelische M.), aus dem →Berneuchener Kreis hervorgegangene, u. a. von den evang. Theologen Karl Bernhard Ritter (*1890, †1968) und Wilhelm Stählin (*1883, †1975) 1931 in Marburg gegr. bruderschaftsähnl. Gemeinschaft evang. Christen. Im Mittelpunkt stehen die Pflege der Messe, des Stundengebets und eines vertieften geistl. Lebens.

Michaels-Bund (Sankt-M.-B. zur Pflege des kath. Schrifttums in Bayern e. V., München), Fachverband für die kath. Volksbüchereien in Bayern.

Michals ['mɪtʃəlz], Duane, amerikan. Fotograf, *McKeesport (Pa.) 18. 2. 1932; Meister der Sequenzfotografie; erzählt in zusammenhängenden Folgen von Aufnahmen oft surreale Geschichten mit symbolisch-myst. Untertönen; auch brillante Porträts (u. a. R. Magritte, A. Warhol).

Michaux [mi'ʃo], Henri, frz. Schriftsteller, Zeichner und Maler belg. Herkunft, *Namur 24. 5. 1899, †Paris 19. 10. 1984; unternahm ausgedehnte Reisen (darüber u. a. »Ecuador«, 1929), experimentierte mit Drogen, um seine künstler. Fähigkeiten zu erweitern (»Unseliges Wunder. Das Meskalin«, Ged., 1956); auch als Maler und Zeichner bed. (Illustrationen zu eigenen Texten). Obwohl von großem Einfluss auf die zeitgenöss. Literatur, stand er abseits der literar. Strömungen. Seine von Lautréamont und den Surrealisten beeinflussten Werke zeigen imaginäre, düstere Welten: »Reise nach Groß-Garabannien« (R., 1936), »Momente« (Ged., 1973), »Eckpfosten« (Prosa, 1981).

📖 GEISLER, E.: *H. M. Studien zum literar. Werk. Stuttgart u. a. 1993.*

Michel, Hartmut, Biochemiker, *Ludwigsburg 18. 7. 1948; wurde 1987 Abt.leiter und Direktor am Max-Planck-Inst. für Biophysik in Frankfurt am Main. 1988 erhielt er für die Bestimmung der dreidimensionalen Struktur des photosynthet. Reaktionszentrums eines Bakteriums den Nobelpreis für Chemie (mit J. Deisenhofer und R. Huber).

Michelangelo [mike'landʒelo], eigtl. M. Buonarroti, italien. Bildhauer, Maler, Baumeister, Dichter, *Caprese (heute Caprese Michelangelo, Prov. Arezzo) 6. 3. 1475, †Rom 18. 2. 1564; Hauptmeister der Hochrenaissance und bedeutendster Wegbereiter des Manierismus; Schüler des D. Ghirlandaio, dann vermutlich des Bildhauers Bertoldo di Giovanni (*um 1420, †1491) in Flo-

Michelangelo

1

2

3

4

5

| **1** Azor-Sadoch-Lünette aus der 14-teiligen, um 1509–12 entstandenen Lünettenserie »Vorfahren Christi« in der Sixtinischen Kapelle in Rom, Zustand nach der 1980–94 durchgeführten Restaurierung | **2** Eingang zum Lesesaal der ab 1524 erbauten Biblioteca Medicea Laurenziana in Florenz | **3** »Die Sintflut«, um 1509–12 entstandenes Fresko in der Sixtinischen Kapelle in Rom, Zustand vor der 1980–94 durchgeführten Restaurierung | **4** Sitzfigur des Moses vom Grabmal Julius' II. (um 1515/16; Rom, San Pietro in Vincoli) | **5** »Sterbender Sklave« (um 1513/14; Paris, Louvre)

renz. Wichtig für seine Stilbildung war das Studium Giottos und Masaccios, Benedettos da Maiano und der Antike, die ihm im Hause der Medici bzw. in deren Kunstakademien erschlossen wurde. Seit 1496 arbeitete M. abwechselnd in Florenz, Rom und in den Marmorbrüchen von Carrara, ehe er 1534 endgültig nach Rom übersiedelte, wo ihn die Freundschaft zu Vittoria Colonna (seit 1538) nachhaltig beeinflusste. Ihr sind z.T. seine seit 1534 entstandenen schwermütigen und tief empfundenen Sonette und Madrigale gewidmet.

Frühzeit: Um 1491/92 entstanden die beiden Reliefs »Madonna an der Treppe« und »Kentaurenkampf« (beide Florenz, Casa Buonarroti), danach in Rom »Bacchus« (1497, Florenz, Bargello) und die »Pietà« in St. Peter (1498–1500). 1501 erhielt M.

in Florenz den öffentl. Auftrag für das überlebensgroße Marmorstandbild des »David« (Florenz, Kopie auf der Piazza della Signoria, Original in der Galleria dell'Accademia), an dem er bis 1504 arbeitete. Von den Gemälden dieser Zeit ist das Rundbild der »Madonna Doni« (1503/04; Uffizien) erhalten, das ebenso wie der nur in Teilkopien erhaltene Karton für das nicht ausgeführte Fresko der Schlacht von Cascina im Wettstreit mit Leonardo da Vinci entstand.

Mittlere Schaffensperiode: 1505 berief Papst Julius II. M. zur Errichtung seines Grabmals nach Rom. Der reizbare Künstler fühlte sich bei der Arbeit an dem Projekt nicht ausreichend unterstützt; er floh und übernahm 1508 nach der Aussöhnung mit dem Papst widerstrebend den Auftrag zur Deckenausmalung der Sixtin. Kapelle. Hier schuf er 1509–12 durch eine gemalte Architekturgliederung ein System unterschiedl. Bildträger, das eine Fülle symbol. Bezüge der skulptural aufgefassten Sehergestalten (Propheten, Sibyllen) sowie der Aktfiguren (Ignudi) in und vor der Rahmung zu den malerisch-bildhaften Szenen der Genesis dahinter in dynam. Weise veranschaulicht. Die Reinigung der Fresken der Sixtin. Kapelle (1980–94) hat zu wiss. und öffentl. Diskussionen um deren Zuschreibung geführt. Nach dem Tod des Papstes (1513) widmete sich M. wieder dem Projekt eines Grabmals für Papst Julius II. Es entstanden 1513–16 der »Moses« (Rom, San Pietro in Vincoli) und zwei Sklavenfiguren (Paris, Louvre), ab 1519 die vier »Boboli-Sklaven« (Florenz, Galleria dell'Accademia); das nicht zur Vollendung gebrachte Wandgrab wurde schließlich (1545) in San Pietro in Vincoli, aufgestellt. 1516 erhielt M. von den Medici den Auftrag für die Fassade von San Lorenzo in Florenz (Pläne nicht ausgeführt). 1520 begann er den Bau der Medici-Kapelle (»Neue Sakristei«, nicht vollendet) für San Lorenzo. Ausgeführt wurden (bis 1534) die Sitzfiguren des Giuliano und Lorenzo de' Medici und die Liegefiguren, von denen »Tag« (1524) und »Nacht« zuerst entstanden, sowie die Madonna. Mit der 1524 begonnenen Biblioteca Medicea →Laurenziana vollzog M. die Wendung zum Manierismus. 1535–41 malte er das Fresko des »Jüngsten Gerichts« an der Altarwand der Sixtin. Kapelle: Anstelle der perspektiv. Raumauffassung der Renaissance setzte er eine Bewegungsdynamik, die die Seligen aufsteigend, die Verdammten fallend im Leeren um die kraftvolle Christusgestalt kreisen lässt.

Spätwerk: Um 1535 begann M. an der »Pietà« (Florenz, Dom) zu arbeiten, die er vor 1550 unvollendet beließ, 1555 begann er mit seinem letzten bildhauer. Werk, der »Pietà Rondanini« (Mailand, Castello Sforzesco). Beide zeigen eine Reduktion der Körperlichkeit zur Zeichenhaftigkeit. Seine letzten Fresken, die »Bekehrung des Saulus« und die »Kreuzigung Petri«, im Vatikan, malte er zw. 1541 (Auftragserteilung) und 1549/50. In den beiden letzten Jahrzehnten arbeitete er v.a. an architekton. Aufgaben (Palazzo →Farnese; Platzgestaltung des →Kapitols 1). 1546 übernahm er die Bauleitung der Peterskirche in Rom, deren gewaltige Kuppel seine größte Leistung als Baumeister ist. – M. verkörpert einen neuen Typ des Künstlers; er befreite sich aus den Bindungen der Überlieferung und erschloss eine Welt zuvor unbekannter bildner. und psycholog. Ausdrucksmöglichkeiten. Nie zuvor ist das Werk eines Künstlers in gleichem Maße Selbstbekenntnis gewesen. Sein geniales Werk sprengt die kunsthistor. Kategorien, indem es den Entwicklungen vorgreift, sodass sich Künstler an den unterschiedlichsten Phasen seines Werkes orientierten.

📖 *M., 3 Bde., Bd. 1:* NOVA, A.: *M., der Architekt, Bd. 2:* GUAZZONI, V.: *M., der Bildhauer, Bd. 3:* DE VECCHI, P.: *M., der Maler. A. d. Italien. Sonderausg. Stuttgart u. a. 1988.* – DE VECCHI, P.: *M. A. d. Frz. Köln 1991.* – RICHMOND, R.: *M. u. die Sixtin. Kapelle. A. d. Engl. Freiburg im Breisgau ³1995.*

Michelozzo di Bartolommeo: Der ab 1444 erbaute Palazzo Medici-Riccardi in Florenz mit seinen drei deutlich voneinander abgesetzten Geschossen und dem ausladenden Kranzgesims gilt als der erste originale Renaissancepalast

Michelet [miˈʃlɛ], Jules, frz. Historiker, *Paris 21. 8. 1798, †Hyères 9. 2. 1874; schrieb u.a. »Histoire de France« (17 Bde., 1833–67); »Gesch. der frz. Revolution« (7 Bde., 1847–53).

Michelin S. A., Compagnie Générale des Établissements [kɔ̃paˈɲi ʒeneˈral dezetablisˈmɑ̃ miˈʃlɛ̃ -], Clermont-Ferrand, frz. Konzern, der Reifen (u.a. der Marke Uniroyal-Goodyear) produziert und auch Hotelführer (Guides Rouges), Reiseführer (Guides Verts), Landkarten herausgibt, gegr. 1830.

Michelozzo di Bartolommeo [mike'lɔttso-], italien. Baumeister und Bildhauer, *Florenz 1396, begraben ebd. 7. 10. 1472; Vertreter der florentin. Frührenaissance; als Bildhauer zeitweise in Werkstattgemeinschaft mit L. Ghiberti und Donatello; 1446–52 Dombaumeister in Florenz. Mit dem Palazzo Medici-Riccardi schuf er den Schule machenden Typus der florentin. Stadtpaläste (begonnen 1444). – Weitere Arbeiten in Florenz: Umbau von Kirche und Kloster San Marco (1437 ff.), Tribuna von Santissima Annunziata (1444 ff.).

Michels, Robert, dt.-italien. Soziologe, *Köln 9. 1. 1876, †Rom 3. 5. 1936; wurde v.a. durch seine Theorie vom »ehernen Gesetz der Oligarchie« in demokrat. Massenorganisationen bekannt; schrieb u.a. »Zur Soziologie des Parteiwesens in der modernen Demokratie« (1911).

Michelsberger Kultur, nach der Fundstätte Michaelsberg bei Untergrombach (heute zu Bruchsal) benannte jungsteinzeitl. Kulturgruppe (3. Jt. v. Chr.) im Bereich des heutigen Mittel- und Oberrheins, in der Spätphase mit Ausläufern bis Thüringen und O-Bayern, z.T. auch in Richtung Böhmen und Österreich. Leitformen der meist unverzierten, rundbodigen Keramik sind sog. Tulpenbecher, Henkelkrüge und Vorratsgefäße; typisch sind ferner Stein-, Knochen-, Horngeräte sowie Höhensiedlungen mit Palisadenzaun.

Michelson ['maɪkəlsn], Albert Abraham, amerikan. Physiker, *Strelno (heute Strzelno, bei Posen) 19. 12. 1852, †Pasadena (Calif.) 9. 5. 1931; entwickelte das **M.-Interferometer,** dessen Aufbauprinzip heute für zahlr. Interferenzgeräte genutzt wird, stellte damit 1881 den **M.-Versuch** an (1887 zus. mit E. W. Morley, *1838, †1923, in höherer Genauigkeit wiederholt), der die Unabhängigkeit der Lichtgeschwindigkeit von der Erdbewegung bewies (→Relativitätstheorie), und benutzte die Interferenzerscheinungen des Lichts zu Präzisionsmessungen (Lichtgeschwindigkeit, Sterndurchmesser, interferometr. Bestimmung des Meternormals). M. erhielt 1907 den Nobelpreis für Physik.

Albert A. Michelson

Michelstadt, Stadt im Odenwaldkreis, Hessen, Luftkurort im östl. Odenwald, 16800 Ew., Fachschule für Holz- und Elfenbeinschnitzer, Odenwaldmuseum; Metall verarbeitende, Kosmetik-, Kunststoffindustrie. – Rathaus von 1484, Stadtkirche (1461–1537); im Stadtteil Steinbach Schloss Fürstenau (14.–16. Jh.) und Einhardsbasilika (827 vollendet). – 741 wurde M. erstmals erwähnt.

Michener ['mɪtʃɪnə], James Albert, amerikan. Schriftsteller, *New York 3. 2. 1907, †Austin (Tex.) 16. 10. 1997; schrieb histor. und zeitgeschichtl. Romane (»Im Korallenmeer«, 1947; »Die Kinder von Torremolinos«, 1971; »Verheißene Erde«, 1980; »Karibik«, 1989).

James A. Michener

Michigan ['mɪʃɪgən], Abk. **Mich., MI,** Bundesstaat im Mittleren Westen der USA, 151586 km², (1995) 9,55 Mio. Ew. M. liegt auf zwei Halbinseln, **Ober-M.** zw. Oberem und Michigansee, **Unter-M.** zw. Michigansee (im W) und Huronsee, Saint-Claire-See und Eriesee (im O). Ober-M. besitzt wertvolle Eisen- und Kupfererzlagerstätten, Unter-M. Erdöl- und Erdgasfelder; Acker- (Mais, Hafer, Weizen, Zuckerrüben, Sojabohnen), Obst- und Gemüsebau, Viehzucht (Milchwirtschaft). Bed. Ind.: Kraftwagenbau (bes. in Detroit), Metall-, Maschinen-, chem., Nahrungsmittel-, Elektro-, Holz-, Papierindustrie; Sankt-Lorenz-Seeweg; Hptst.: Lansing; größte Stadt: Detroit. – Im 17. Jh. von Franzosen erschlossen, 1701 Gründung von Detroit. M. fiel 1763 an Großbritannien, 1783 an die USA; seit 1837 deren 26. Staat.

Michigan
Flagge

Michigansee ['mɪʃɪgən-] (Lake Michigan), der südwestlichste der Großen Seen Nordamerikas, 58016 km², bis 282 m tief; Haupthäfen: Chicago, Milwaukee.

Michoacán [mitʃoa'kan], Gliedstaat von →Mexiko (Staat).

Michrab, Gebetsnische, →Mihrab.

Mickey Mouse ['mɪkɪ maʊs] (Mickymaus), 1927 von W. Disney zunächst als Mortimer Mouse erfundene Trickfilmfigur. Der erste M.-M.-Film entstand 1928 (gezeichnet von Ub Iwerks); 1930 erstmals als Comicfigur. BILD Disney

Mickiewicz [mits'kjɛvitʃ], Adam Bernard, poln. Dichter, *Zaosie (heute zu Nowogrudok, Weißrussland) 24. 12. 1798, †Konstantinopel 26. 11. 1855; war 1819–23 Lehrer in Kaunas; 1824 wegen illegaler polit. Tätigkeit aus Litauen ausgewiesen, hielt sich bis 1828 in Russland auf, ging 1829 ins westl. Ausland, 1840 Prof. für slaw. Literaturen am Collège de France in Paris (1844 wegen Verbreitung polit. und religiöser Ideen des Mystizisten A. Towiański suspendiert). Bereits mit seinen frühesten Dichtungen durchbrach M. die bisher vorherr-

Adam Mickiewicz: Holzstich (um 1840) nach einer Vorlage des französischen Kupferstechers Louis Croutelle aus dem Jahr 1828

Middle Art: »Die Geschichte von Chukwumma und Rose« (1966; Bayreuth, Iwalewa Haus)

schende frz.-klassizist. Richtung und begründete die poln. romant. Schule. Unter dem Eindruck des eigenen Verbanntenschicksals steigerte M. die nationalromant. Dichtung zu einem religiös gefärbten Kult des poln. Volkes und seiner geschichtl. Mission (»Balladen und Romanzen«, 2 Bde., 1822/23; »Krim-Sonette«, 1826; »Konrad Wallenrod«, histor. Epos, 1828; »Todtenfeier«, Drama, 4 Tle., 1823–60; »Die Bücher des poln. Volkes und der poln. Pilgerschaft«, Prosa, 1832); als poln. Nationalepos gilt »Herr Thaddäus oder der letzte Eintritt in Litthauen« (1834).

Ausgabe: Dichtung u. Prosa. Ein Lesebuch, hg. v. K. Dedecius ([2]1995).

Micoquien [mikɔ'kjɛ̃] *das,* nach der Fundstätte La Micoque bei Les-Eyzies-de-Tayac (Dép. Dordogne, Frankreich) ben. Formengruppe der mittleren → Altsteinzeit, gekennzeichnet u. a. durch lang gestreckte, asymmetr. Faustkeile (Micoquekeile); Hauptverbreitungsgebiete: Mittel- und Osteuropa.

micr(o)..., mikr(o)... [grch.], klein..., gering..., fein...

Midas

Die Griechen erzählten über König Midas, den Herrscher über ein wohlhabendes Land, Legenden, die ihn als eine Art habgierigen Bauerntölpel erscheinen ließen. Beim musikalischen Wettkampf zwischen Apoll und Pan entscheidet sich nach der griechischen Mythologie König Midas ungefragt für Letzteren und wird von dem olympischen Gott dafür mit Eselsohren bestraft.

Einer anderen Sage nach gewährt ihm Dionysos den Wunsch, dass sich alles, was er berühre, in Gold verwandle. Als unter seinen Händen aber auch alle Speisen zu Gold werden, bereut Midas seinen Wunsch; seine neue Fähigkeit fällt erst nach einem Bad in einem Fluss nahe Sardes auf Geheiß des Dionysos wieder von ihm ab.

Microbodies ['maɪkrəʊbɔdɪz, grch.-engl.], *Biologie:* Zellorganellen, die versch. Oxidasen enthalten (→ Peroxysomen).

Microscọpium (Mikroskop), Sternbild am Südhimmel.

Microsoft Corp. ['maɪkrəʊsɔft kɔ:pə'reɪʃn], Redmond (Wash.), führendes Unternehmen für Entwicklung, Produktion und Verkauf von Software für Personalcomputer, gegr. 1975 von Bill Gates und Paul Allen (* 1953), um Programmiersprachen für Kleincomputer zu entwickeln.

Mịdas, myth. König aus Phrygien, sprichwörtlich wegen seiner Torheit.

Mịddelburg [-byrx], Hptst. der Prov. Seeland, Niederlande, auf der ehem. Insel Walcheren, 40 100 Ew.; Handelszentrum; Metallverarbeitung, elektrotechn., chem. Ind.; Fremdenverkehr. – Spätgot. Rathaus, ehem. Prämonstratenserabtei (15./16. Jahrhundert).

Mịddendorf, Helmut, Maler, * Dinklage 28. 1. 1953; Vertreter der Neuen Wilden; schildert in ekstat. Szenen die nächtl. Großstadt.

Middle Art [mɪdl ɑ:t], eigtl. Augustine Okoye, nigerian. Künstler, * bei Nri (Anambra) 1936; lebt als Plakatmaler in Onitsha. M. A. gilt als wichtigster Vertreter der populären Malerei Schwarzafrikas.

Middlesbrough ['mɪdlzbrə], Hptst. der engl. Cty. Cleveland, 149 800 Ew.; Teesside Polytechnic; archäolog., James-Cook-Museum; elektrotechn. Ind., Schwermaschinenbau, Schiffbau; Hafen.

Middleton ['mɪdltən], Stadt in der Metrop. Cty. Greater Manchester, England, 57 700 Ew.; Textil-, chem. Ind., Maschinenbau.

Mịdgard, im altnord. Mythos die Mittel-, d. h. die von den Menschen bewohnte Welt; aus den Augenbrauen des Urriesen → Ymir geschaffen und über einen Regenbogen mit der Götterwelt Asgard (→ Asen) verbunden; als Erdscheibe, oft auch als Burg dargestellt.

Mịdgardschlange, gewaltiges, von → Loki gezeugtes Ungeheuer des altnord. Mythos. Die M. liegt im Weltmeer rings um die als Scheibe gedachte bewohnte Erde (→ Midgard); von Thor getötet. (→ Ragnarök).

Mid Glamorgan [- glə'mɔ:gən], ehem. Cty. in Wales, umfasste die heutigen Counties Boroughs, Merthyr Tydfil, Rhondda Cynon Taff, Bridgend und den O-Teil der Cty. Neath Port Talbot.

Midị [frz. »Mittag«, »Süden«], **1)** *der,* der Süden Frankreichs, bes. das Mittelmeergebiet (Provence, Languedoc-Roussillon), i. w. S. auch der aquitan. Südwesten (Midi-Pyrénées, Aquitaine).

2) Canal du Midi, Kanal in S-Frankreich, verbindet die Garonne bei Toulouse mit dem Mittelmeer bei Sète, 241 km lang, 101 Schleusen (1666–84 erbaut; heute nur beschränkt nutzbar).

3) **Midi-Pyrénées,** Region in S-Frankreich; umfasst die Dép. Ariège, Aveyron, Haute-Garonne, Gers, Lot, Hautes-Pyrénées, Tarn und Tarn-et-Garonne, mit 45 349 km^2 die größte der frz. Regionen, (1990) 2,427 Mio. Ew.; Hptst. ist Toulouse. M.-P. umfasst den östl. Teil des Aquitan. Beckens, die Zentralpyrenäen und das südwestl. Zentralmassiv.

Midianiter, nomad. Stämmeverband in der syrisch-arab. Wüste, lebte vom Handel; fiel nach Ri. 6–8 in das Westjordanland ein (→ Gideon).

Midinette [von frz. midi »Mittag«] *die,* im 19. Jh. Pariser Schneiderin und Putzmacherin.

Helmut Middendorf: »Maniac« (1983; Privatbesitz)

Midlands ['mɪdləndz] *Pl.,* engl. Name für Mittelengland; umfasst zwei Wirtschaftsregionen, die West M. (Metropolitan County West M. sowie die Counties Warwickshire, Staffordshire, Shropshire, Hereford and Worcester) und die East M. (Counties Derbyshire, Nottinghamshire, Lincolnshire, Leicestershire und Northamptonshire).

Midlifecrisis ['mɪdlaɪfkraɪsɪs, engl.] *die,* Phase etwa in der Mitte des Lebens, in der der Betroffene sein bisheriges Leben kritisch überdenkt und gefühlsmäßig infrage stellt.

Midlothian [mɪd'ləʊðjən], Local Authority in Schottland, südlich von Edinburgh, 356 km^2, 79 900 Ew., Verw.sitz ist Dalkeith.

Midrasch [hebr. »Auslegung«] *der,* die jüdisch-rabbin. Bibelauslegung; urspr. im Synagogalgottesdienst der auf die Thoralesung folgende mündl. Vortrag, später in Einzelauslegungen schriftlich niedergelegt.

Midway-Inseln ['mɪdweɪ-], Atoll mit zwei Koralleninseln im Pazif. Ozean, 5 km^2, 450 Ew.; bis 1996 Marinebasis der USA. – Vogelschutzgebiet.

Miegel, Agnes, Schriftstellerin, *Königsberg (Pr) 9. 3. 1879, †Bad Salzuflen 26. 10. 1964; beschrieb Ostpreußen, seine Menschen, die Landschaft, Sagen, Mythen und Geschichte; Erzählerin (»Geschichten aus Alt-Preußen«, 1926; »Heimkehr«, 1962) und Lyrikerin (»Kirchen im Ordensland«, 1933) mit Vorliebe für die Ballade. Sie griff Tendenzen der Heimatkunst auf und ließ Blut-und-Boden-Romantik sowie Sympathien mit nat.-soz. Ideen erkennen.

Erich Mielke

Mielke, Erich, Politiker (SED), *Berlin 28. 12. 1907; floh 1931 nach Belgien; 1940–45 in der UdSSR; baute (mit W. Zaisser) den Staatssicherheitsdienst (»Stasi«) in der DDR auf; 1957–89 Min. für Staatssicherheit; 1959–89 Mitgl. des ZK, 1976–89 des Politbüros. Im Dez. 1989 wurde er v. a. wegen Machtmissbrauchs verhaftet. Im Okt. 1993 verurteilte ihn das Landgericht Berlin wegen des Mordes an zwei Polizisten 1931 zu sechs Jahren Haft. Dasselbe Gericht stellte im Nov. 1994 das am 4. 9. 1994 begonnene Totschlagsverfahren (wegen Mitverantwortung an den Todesfällen an der Berliner Mauer und der dt.-dt. Grenze) wegen Verhandlungsunfähigkeit M.s ein. Am 1. 8. 1995 wurde er aus dem Gefängnis entlassen.

Miene [frz.], Gesichtsausdruck, der auf aktuelles seel. Geschehen (Gefühle, Stimmungen, Spannung, Entspannung) hindeutet (→ Mimik).

Miere, versch. Nelkengewächse, z. B. die Gattung **Stern-M.** (Stellaria), u. a. mit **Vogel-M.** (**Vogelstern-M., Hühner-, Mäusedarm,** Stellaria media), rasig, auf Brach- und Nutzland, Vogelfutter; **Echte Stern-M.** (Stellaria holostea) mit lanzettartigen, ungestielten Blättern, auf trockenem Waldboden; die Gatt. **M.** (Minuartia) mit der **Frühlings-M.** (Minuartia verna) auf trockenem, hügeligem Grasboden.

Mierendorff, Carlo, Politiker (SPD), *Großenhain 24. 3. 1897, †(Luftangriff) Leipzig 4. 12. 1943; seit 1930 MdR, 1933–38 im KZ, schloss sich dem Kreisauer Kreis an.

Mieresch *die,* Nebenfluss der Theiß, → Maros.

Miesbach, 1) Landkr. im RegBez. Oberbayern, 864 km^2, (1997) 89 200 Einwohner.

2) Krst. von 1) in Bayern, 700 m ü. M., im Alpenvorland, 10 700 Ew.; Almwirtschaftsschule, Heimatmuseum; Papierfabrik u. a. Ind.; Sommerfrische, Wintersport.

Miere: Frühlingsmiere (Höhe 5–15 cm)

Miesmuschel (Pfahlmuschel, Mytilus), weltweit verbreitete, zu den Fadenkiemern gestellte Gattung der Muscheln, die sich in den Küstenregionen mit Byssusfäden an feste Unterlagen (Pfähle, Steine u. ä.) heften. Die an den europ. Atlantikküsten und in der Ostsee vorkommende 6–10 cm lange **Essbare M.** (Mytilus edulis) wird v. a. in den Niederlanden, in Frankreich und Italien gezüchtet. BILD S. 268

Mieß *die* (slowenisch Meža), rechter Nebenfluss der Drau, Slowenien, 41 km lang, entspringt am Nordhang der Karawanken und mündet bei Unterdrauburg.

Mie-Streuung [nach dem Physiker G. A. L. Mie, *1868, †1957], Erscheinung, dass bei der Lichtstreuung an Teilchen, deren Durchmesser in der Größenordnung der Lichtwellenlänge ist, mit wachsendem Durchmesser die Streuintensität in Vorwärtsrichtung stärker zunimmt als in Rückwärtsrichtung. Die M.-S. hängt im Ggs. zur →Rayleigh-Streuung von den Materialeigenschaften der streuenden Teilchen ab. Sind z.B. die Dunstteilchen der Atmosphäre so beschaffen, dass die Lichtstreuung weitgehend M.-S. ist, so tritt an die Stelle des blauen Himmelslichts weißes.

Ludwig Mies van der Rohe

Mies van der Rohe, Ludwig, amerikan. Architekt dt. Herkunft, *Aachen 27. 3. 1886, †Chicago 17. 8. 1969; seit 1912 in Berlin tätig, 1930–33 Direktor des Bauhauses in Dessau, emigrierte 1938 in die USA und wurde Leiter der Architektur-Abteilung der TH in Chicago (1938–58), seit 1944 amerikan. Staatsbürger. M.v.d.R., dessen Bauten zunächst noch von einem neoklassizist. Stil in der Nachfolge K. F. Schinkels geprägt waren, entwickelte aus der Verwendung von Stahl und Glas neue Bauformen von äußerster Einfachheit und harmon. Klarheit. Neben Le Corbusier, W. Gropius und F. L. Wright gehörte er zu den stilprägenden Architekten des 20. Jh. Seine Möbelentwürfe wirkten auf das Möbeldesign.

Werke: Weißenhofsiedlung in Stuttgart (Planung und ein Wohnblock, 1927); Dt. Pavillon, Weltausstellung Barcelona (1929, rekonstruiert 1986); Haus Lange und Haus Esters, Krefeld (1928/29); Haus Tugendhat, Brünn (1930); Illinois Institute of Technology, Chicago (Gesamtplanung, Einzelgebäude, Crown Hall, 1939–56); Wohnhochhäuser in Chicago (1951); Seagram Building, New York (1954–58); Neue Nationalgalerie, Berlin (1962–67).

Ludwig Mies van der Rohe: Die 1962–67 erbaute Neue Nationalgalerie in Berlin weist im Obergeschoss eine nicht unterteilte Ausstellungsfläche auf, die durch Symmetrie, Klarheit und technische Perfektion geprägt ist

📖 COHEN, J.-L.: *L. M. van der R. Aus dem Frz. Basel u. a. 1995.* – SPAETH, D.: *L. M. van der R. Der Architekt der techn. Perfektion. A. d. Amerikan. Stuttgart ²1995.*

Miesmuschel: Essbare Miesmuschel mit Byssusfäden

Miete [ahd. miata »Lohn«], Vertrag, durch den sich der Vermieter verpflichtet, dem Mieter eine unbewegl. (z.B. Wohnung) oder eine bewegl. Sache (z.B. Kfz) während der Mietzeit gegen Entgelt, den **Mietzins,** zum Gebrauch zu überlassen (§§ 535 ff. BGB). Die Regelung des BGB gilt grundsätzlich für Mietverhältnisse über alle Arten von Sachen. Doch bestehen für die Wohnraum-M. zahlreiche Sondervorschriften, die als »soziales Mietrecht« die vorherige, außerhalb des BGB geregelte Wohnungszwangswirtschaft abgelöst haben. Der **Mietvertrag** kann formlos abgeschlossen werden; Schriftform ist nur vorgeschrieben für M. von Grundstücken, Wohnungen, Geschäftsräumen u. Ä. auf längere Zeit als ein Jahr; hierzu werden i. d. R. Vertragsmuster benutzt (»Einheitsmietverträge«), die von Mieter- und Vermietervereinigungen herausgegeben werden und in vielen Varianten existieren. Der Vermieter ist verpflichtet: 1) dem Mieter die Sache in einem zum vertragsgemäßen Gebrauch geeigneten Zustand zu überlassen und in einem gebrauchsfähigen Zustand zu erhalten; 2) Störungen im Gebrauch vom Mieter fern zu halten. Bei Nichterfüllung kann der Mieter: 1) auf Erfüllung klagen; 2) für die Dauer der Gebrauchsbeeinträchtigung den Mietzins mindern; 3) den Vertrag, auch fristlos, kündigen, wenn der vertragsmäßige Gebrauch nicht gewährleistet wird. Der Mieter ist verpflichtet: 1) den Mietzins zu zahlen; 2) die Sache pfleglich zu behandeln und Mängel unverzüglich dem Vermieter anzuzeigen; 3) die Sache nach Beendigung der M. zurückzugeben. Bei vertragswidrigem Gebrauch kann der Vermieter nach Abmahnung auf Unterlassung klagen, falls die Pflichtverletzung erheblich ist, fristlos kündigen und für vom Mieter verschuldete Schäden Schadensersatz verlangen. Der Mietzins ist nach dem Gesetz zahlbar am Ende der Mietzeit, doch wird vertraglich meist Vorauszahlung vereinbart. Der Vermieter von Grundstücken oder Räumen hat für seine Forderungen ein gesetzl. Pfandrecht **(Vermieterpfandrecht)** an den eingebrachten pfändbaren Sachen des Mieters. Wird eine **Mietkaution** vereinbart, darf sie drei (Kalt-)Monatsmieten nicht übersteigen und ist zu verzinsen (§ 550 b BGB). Zur Weitervermietung **(Untervermietung)** bedarf der Mieter der Erlaubnis des Vermieters (Verweigerung nur aus wichtigem Grund). Die Beendigung der M. tritt mit Ablauf der vereinbarten Mietzeit ein oder mangels Vereinbarung nach Kündigung mit gesetzl. Frist, die in bestimmten Fällen vorzeitig (Tod des Mieters, Beamtenversetzung u. a.) oder fristlos (z. B. bei Verzug mit mindestens zwei Mietzahlungen, hier ist aber Heilung möglich) erfolgen kann. Wenn ein vermietetes, vom Mieter schon bezogenes Grundstück vom Vermieter an einen Dritten veräußert wird, tritt der Erwerber in Rechte und Pflichten des Vermieters ein (»Kauf bricht nicht M.«). Nach Aufhebung der seit 1960 stufenweise abgebauten Wohnungszwangswirtschaft gilt für die Wohnraummietverhältnisse das durch die Mietrechtsänderungs-Ges. geschaffene **soziale Mietrecht.** Sein Kernstück bilden die **Sozialklauseln,** die durch das Mietrechtsverbesserungs-Ges. sowie das 2. Wohnraumkündigungsschutz-Ges. (2. WKSchG) am 1. 1. 1975 in Kraft traten. Der Vermieter kann den für unbestimmte Zeit abgeschlossenen Mietvertrag nur noch kündigen, wenn er ein berechtigtes Interesse an der Beendigung des Mietverhältnisses hat, nämlich (§ 564 b BGB), wenn 1) der Mieter seine Verpflichtungen schuldhaft nicht unerheblich verletzt hat oder wenn 2) ein Eigenbedarf des Vermieters vorliegt oder 3) wenn der Vermieter durch die Fortsetzung des Mietverhältnisses an einer angemessenen wirtsch. Verwertung des Grundstücks gehindert und dadurch erhebl. Nachteile erleiden würde. Kündigung zum Zweck der Mieterhöhung ist ausgeschlossen (§ 1 Miethöhe-Ges. vom 18. 12. 1974). Die Kündigung (die nach § 564 a BGB grundsätzlich schriftlich erfolgen muss) muss spätestens am 3. Werktag eines Kalendermonats für den Ablauf des übernächsten Monats erklärt werden. Nach fünf, acht, zehn Jahren seit der Überlassung des Wohnraums verlängert sich die Kündigungsfrist um jeweils weitere drei Monate (§ 565 Abs. 2 BGB). Besonderheiten gelten für Werkmiet- bzw. Dienstwohnungen. Hat der Mieter in dem Wohnraum einen gemeinsamen Hausstand mit seinem Ehegatten oder anderen Familienangehörigen geführt, so treten diese mit dem Tod des Mieters i. d. R. in das Mietverhältnis ein.

Mieterhöhung kann nur verlangt werden, wenn der bisherige Mietzins seit mindestens einem Jahr unverändert ist und der angestrebte neue Zins den ortsübl. Betrag für gleiche Mietobjekte nicht übersteigt (§ 2 Miethöhe-Ges.). Die Beweislast dafür hat der Vermieter, wobei folgende Nachweise genügen: drei Vergleichswohnungen oder ein Sachverständigengutachten oder eine Übersicht übl. Mietentgelte, die von der Gemeinde oder von Interessenvertretern der Mieter und Vermieter erstellt oder anerkannt ist (Mietspiegel). Stimmt der Mieter dem Erhöhungsverlangen nicht bis zum Ablauf des 2. Kalendermonats nach Zugang zu, kann der Vermieter bis zum Ablauf von weiteren zwei Monaten auf Erteilung der Zustimmung klagen. Liegt die bisherige M. unter der Vergleichs-M., darf sie sich i. d. R. innerhalb von drei Jahren um höchstens 30 % erhöhen. Die seit 1983 zulässige **Staffel-M.** (nicht bei preisgebundenem Wohnraum) setzt eine Vereinbarung voraus, nach der in einem Zeitraum von bis zu zehn Jahren die M. stufenweise um einen festgelegten Betrag steigt; der Staffelmietvertrag ist nach vier Jahren kündbar. Hat der Vermieter baul. Änderungen durchgeführt, die den Gebrauchswert der Mietsache nachhaltig erhöhen, so kann er durch schriftl. Erklärung die Miete bis zu jährlich 11 % der aufgewendeten Kosten erhöhen (§ 3 Miethöhe-Ges., →Wohnungsmodernisierung). Auch Erhöhung von Betriebskosten im Sinne des § 27 der 2. Berechnungs-VO i. d. F. v. 12. 10. 1990 sowie Erhöhung von Kapitalkosten kann der Vermieter unter bestimmten Voraussetzungen durch schriftl. Erklärung auf die Mieter umlegen.

Auf Mietverhältnisse in den neuen Bundesländern (auch auf vor dem 3. 10. 1990 abgeschlossene) ist grundsätzlich das BGB anzuwenden (Art. 232 § 2 EGBGB). Die Kündigungsmöglichkeit des § 564 b Abs. 2 Nr. 3 (berechtigtes Vermieterinteresse an der Kündigung mit dem Ziel einer angemessenen wirtsch. Verwertung der Mietsache) ist dem Vermieter verwehrt. Auf die Eigenbedarfsregelung (§ 564 b Abs. 2 Nr. 2 Satz 1) kann sich der Vermieter grundsätzlich erst seit 1. 1. 1996 berufen. – Für die DDR wurde mit Preis-Ges. vom 22. 6. 1990 eine Mietpreisbindung festgelegt. Nur nach dem 3. 10. 1990 neu geschaffener, nicht mit öffentl. Mitteln geförderter Wohnraum war von der Preisbindung frei. Die Bundesreg. wurde durch den Einigungsvertrag ermächtigt, die Mieten für den übrigen Wohnraum durch Rechts-VO schrittweise unter Berücksichtigung der Einkommensentwicklung zu erhöhen (so geschehen ab 1. 10. 1991 bis 1. 1. 1997 mit versch. Staffelungen). Das System von Vergleichsmieten ist 1998 in den neuen Bundesländern eingeführt worden.

Nach *österr.* Recht zählt die M. zu den Bestandverträgen; sie liegt vor, wenn eine bewegl. oder unbewegl. Sache zum Gebrauch gegen Entgelt überlassen wird (§§ 1090 ff. ABGB). Spezielle Bestimmungen enthält das Mietrechts-Ges. 1981, das u.a. einen umfassenden Kündigungsschutz regelt. Das *schweizer.* Mietrecht wurde mit Bundes-Ges. vom 15. 12. 1989 grundlegend revidiert. Das Mobiliarmietrecht entspricht weitgehend dem dt. Recht. Im Immobiliarmietrecht bestehen zum Schutz der Mieter zahlr. Sonderbestimmungen (z.B. für Mieterhöhungen, Kündigungsschutz).

📖 STERNEL, F.: *Mietrecht aktuell. Köln ^{3}1996.*

Mi Fu: Dem Künstler zugeschriebenes Werk »Frühlingsberge und grüne Kiefern« (undatiert; Taipeh, Nationales Palastmuseum)

Mietkauf, Vertrag, bei dem dem Mieter einer Sache das Recht eingeräumt wird, die Mietsache (i.d.R. ein teures Anlagegut) nach einer bestimmten Zeit durch einseitige Erklärung zu kaufen. Die gezahlte Miete wird ganz oder teilweise auf den Kaufpreis angerechnet. Nach Abgabe der Erklärung ist (auch rückwirkend) Kaufrecht anzuwenden, vorher Mietrecht. (→Leasing)

Mietpreisbindung, eine Maßnahme der ehem. →Wohnungszwangswirtschaft.

Miet|spiegel, →Miete.

Mietzuschuss, →Wohngeld.

Mi Fu (Mi Fei), chines. Maler, Kalligraph, Kunstkritiker und Sammler, *Xiangyang (Prov. Hubei) 1051, †Huaiyang 1107; charakteristisch sind ausschnitthafte Komposition und die Vereinfachung der Naturformen, die konturenlos durch übereinander gesetzte Tupfer modelliert werden.

Toshirō Mifune

Mifune, Toshirō, japanischer Filmschauspieler, *Tsingtao 1. 4. 1920, †Mitaka (bei Tokio) 24. 12. 1997; internat. bekannter Exponent der japan. Filmkunst, v.a. als Samuraidarsteller; spielte in zahlr. Filmen von A. Kurosawa. – *Filme:* Rashomon (1950), Das Leben der Frau Oharu (1952), Die sieben Samurai (1953), Der Rikschamann (1958), Akahige (1965), Rebellion (1967).

Julia Migenes

MiG, Typenbez. für urspr. sowjetische Kampfflugzeuge der Konstrukteure Artjom I. →Mikojan und M. I. Gurewitsch (*1893, †1976). Bes. bekannt sind die gegenwärtig in Russland und anderen Ländern in Dienst stehenden Muster MiG-21 (NATO-Code-Bez. »Fishbed«), MiG-23/MiG-27 (»Flogger«), MiG-25 (»Foxbat«), MiG-29 (»Fulcrum«) und MiG-31 (»Foxhound«).

Migẹnes, Julia, amerikan. Sängerin (Sopran) grch.-puertorikan. Herkunft, *New York 13. 3. 1949; trat als Opern- wie auch als Jazz- und Musicalinterpretin hervor. Verkörperte die Titelrolle in F. Rosis Film »Carmen« (1983, nach G. Bizet).

Migmatịte [zu grch. mĩgma »Mischung«] (Mischgesteine), aus zwei oder mehreren petrographisch unterschiedl. Komponenten zusammengesetzte Gesteine. Wirtsgestein ist ein Metamorphit, während die restl. Komponenten zu den Magmatiten zählen. Der ältere metamorph gebildete Anteil wird als **Paläosom,** der jüngere magmat. Anteil als **Neosom** bezeichnet.

Mignard [mi'ɲaːr], Pierre, frz. Maler, *Troyes 17. 11. 1612, †Paris 30. 5. 1695; lebte 1636–57 in Rom, dann in Paris, malte vorzügl. Porträts der königl. Familie sowie mytholog. Bildnisse; von seinen zahlr. Wandgemälden sind die Kuppelfresken der Pariser Kirche Val-de-Grâce (1663) erhalten.

Migne [miɲ], Jacques Paul, frz. kath. Priester, Verleger, *Saint Flour (Dép. Cantal) 25. 10. 1800, †Paris 24. 10. 1875; gab im eigenen Verlag (gegr. 1836) theologische Sammelwerke heraus, z.B. die Sammlung der Schriften von Kirchenvätern und -schriftstellern: »Vollständiger Lehrgang der Patrologie« (»Patrologiae cursus completus«).

Migräne [frz. aus grch.] *die,* anfallartige, meist stundenlang anhaltende, heftige, oft einseitige und häufig mit Übelkeit verbundene Kopfschmerzen; ursächlich kommen eine konstitutionelle (oft auch erbl.) Bereitschaft zu Verkrampfungen der Hirngefäße, Allergien, hormonale Störungen und eine psych. Labilität infrage; Frauen erkranken häufiger als Männer; erste Krankheitszeichen meist zw. dem 10. und 30. Lebensjahr. M.-Anfälle können auch durch atmosphär. Einflüsse, Lichtblitze, Arznei- oder Genussmittel ausgelöst werden. – Die *Behandlung* zielt u.a. zuerst auf die Beseitigung solcher anfallauslösender Faktoren. Medikamentös haben sich Mutterkornalkaloide bewährt.

📖 SACKS, O.: *M. Neuausg. Reinbek 1996.*

MiG: Jagdflugzeug MiG-29 der deutschen Luftwaffe

Migration [lat.] *die,* **1)** *Biologie:* Form des Ortswechsels (Mobilität), bei der Einzelne oder Gruppen den Siedlungsraum ihrer Population verlassen oder wechseln.

2) *Geologie:* das Wandern von Erdöl und Erdgas aus dem Muttergestein in das Speichergestein.

3) *Soziologie:* → Wanderung.

Migros-Genossenschafts-Bund [mi'gro-], Abk. **MGB,** Zürich, schweizer. Großunternehmen des Einzelhandels; gegr. 1925 als Migros AG von G. → Duttweiler, 1941 in genossenschaftl. Form umgewandelt mit dem Spitzenorgan MGB, dem zwölf regionale Migros-Genossenschaften mit rd. 1,5 Mio. Genossenschaftern angehören. Der MGB betreibt Lebensmittelgeschäfte, Spezialläden, Verkaufswagen, Restaurants, hat eigene Produktions- und Dienstleistungsunternehmen (z. B. Migros Bank, die Secura Versicherungsges. und das Touristikunternehmen Hotelplan Gruppe), eine Genossenschaft für den Mineralölvertrieb (Migrol), Verkehrs- und Transportfirmen, einen Verlag (Ex Libris), Klubschulen u. a.

Mihailović [mi'ha:jlɔvitɕ], Dragoljub, gen. Draža M., serb. Offizier, * Ivanjica (bei Kraljevo) 27. 4. 1893, † (hingerichtet) Belgrad 17. 7. 1946; organisierte seit April 1941 den Widerstand der → Četnici gegen die dt. Besatzung, geriet jedoch in Auseinandersetzung mit den kommunist. Partisanen Titos; 1946 zum Tode verurteilt.

Mihalovici [mialɔvi'si], Marcel, frz. Komponist rumän. Herkunft, * Bukarest 22. 10. 1898, † Paris 12. 8. 1985; komponierte in einer oft folkloristisch angeregten gemäßigten Moderne, die gelegentlich bis zur Zwölftonmusik reicht; Opern, Ballette, Orchesterwerke, Kammermusik, Lieder u. a.

Mihrab [mix-, arab.] *der* (Michrab), die Gebetsnische (oder nur eine Bogenmarkierung in der Wand) der Moschee; sie zeigt die Gebetsrichtung, die Kibla, an; rechts von der M. befindet sich der → Minbar. Weitere BILDER Herat und Minbar

Mijnheer [mə'ne:r, niederländ.], Herr.

Mikado [japan. »erlauchtes Tor«], **1)** *der,* früher eine dichterisch umschreibende Bez. für den japan. Kaiser (offiziell Tenno).

2) *das,* Geschicklichkeitsspiel, bei dem aus einem ungeordneten Haufen farbiger dünner Stäbchen mit verschiedenem Spielwert möglichst viele aufgenommen werden müssen, ohne dass sich die übrigen Stäbchen bewegen dürfen.

Miki, Takeo, japan. Politiker, * Shikoku 17. 3. 1907, † Tokio 13. 11. 1988; mehrfach Min. (u. a. 1966–68 Außenmin.), war 1974–76 Vors. der Liberaldemokrat. Partei und Ministerpräsident.

Mikkeli (schwed. Sankt Michel), Hptst. der Prov. M. im südöstl. Finnland, am NW-Ufer des Saimaasees, 32 400 Ew.; Bischofssitz; Museen; Holzverarbeitung.

Miklas, Wilhelm, österr. Politiker (christlichsoziale Partei), * Krems an der Donau 15. 10. 1872, † Wien 20. 3. 1956; 1907–18 Mitgl. des Reichsrats, 1918–28 Mitgl., 1923–28 Präs. des Nationalrats; 1928–38 Bundespräs.; lehnte die Unterzeichnung des Ges. über den Anschluss Österreichs an das Dt. Reich ab und trat am 13. 3. 1938 zurück.

Mihrab der 1628 erbauten Moschee des Ahmad Al-Burdaini in Kairo; der Minbar, die Predigtkanzel, ist am rechten Bildrand zu erkennen

Mikojan, 1) Anastas Iwanowitsch, sowjet. Politiker armen. Herkunft, * Sanain (bei Tiflis) 25. 11. 1895, † Moskau 21. 10. 1978, Bruder von 2); schloss sich 1915 den Bolschewiki an, enger Mitarbeiter Stalins, 1935–66 Mitgl. des Politbüros, leitete 1926–46 als Volkskommissar, 1946–55 als Min. verschiedene Ressorts (bes. Binnen- und Außenhandel). 1964–65 war er als Vors. des Präsidiums des Obersten Sowjets Staatsoberhaupt.

2) Artjom Iwanowitsch, sowjet. Flugzeugkonstrukteur armen. Herkunft, * Sanain (bei Tiflis) 5. 8. 1905, † Moskau 9. 12. 1970, Bruder von 1); konstruierte mit dem sowjet. Mathematiker Michail Iossifowitsch Gurewitsch (* 1893, † 1976) zahlreiche Jagdflugzeuge (Typenbez. MiG), u. a. MiG-1 (1939/40), die Düsenjäger MiG-9 (1946), MiG-15 (1948), MiG-23 (1967) und den daraus entwickelten Jagdbomber MiG-27 (beide mit Schwenkflügeln).

Artjom Mikojan

mikr(o)... [grch.], latinisiert **micr(o),** klein..., gering..., fein...

Mikro, Vorsatzzeichen μ, Vorsatz vor Einheiten für den Faktor 10^{-6} (Millionstel); z. B. 1 Mikrogramm = 1 μg = 10^{-6} g = 0,001 mg.

Mikroanalyse, Untersuchung extrem kleiner Stoffproben im Unterschied zur → Spurenanalyse, bei der i.d.R. in großen Probenportionen kleine Gehalte (unter 1 Promille) zu bestimmen sind. Die Probenmassen liegen bei der M. zwischen etwa 0,1 und 1 mg, bei der Halb-M. zwischen 1 und 10 mg und bei der Ultra- oder Sub-M. unter 0,1 mg.

Mikroben, → Mikroorganismen.

Mikrobiologie, Wiss. von den Mikroorganismen; mit den Teilgebieten Bakteriologie (Bakterien), Mykologie (Pilze), Phykologie (Algen), Protozoologie (Einzeller), Virologie (Viren). Von der allgemeinen M. haben sich versch. Spezialdisziplinen abgezweigt, z.B. die **medizin. M.,** die sich bes. mit der Untersuchung von Krankheitserregern beim Menschen befasst, und die **industrielle M.,** die sich mit der Nutzung von Mikroorganismen für die Produktion bestimmter Nahrungs-, Genuss- und Arzneimittel beschäftigt. (→ Biotechnologie)

📖 SCHLEGEL, H. G.: *Allgemeine M. Stuttgart u. a. ⁷1992.*

Mikrochirurgie, Operationstechnik für Eingriffe an kleinen Blutgefäßen, am zentralen und peripheren Nervensystem, in der Hals-Nasen-Ohren- und Augenheilkunde, in der Gynäkologie sowie in der Transplantationschirurgie mithilfe opt. Vergrößerungshilfen wie Operationsmikroskop und Lupenbrille sowie sehr feinem Nahtmaterial.

Mikrocomputer [-kɔmpju:tər], 1) Datenverarbeitungssystem, bei dem alle Baugruppen (→ Mikroprozessor, Speicher und Schnittstellenbausteine zur Anbindung von Peripheriegeräten) auf einem einzigen Chip **(Einchip-M.)** integriert sind. 2) kompakter Rechner geringer Leistungsfähigkeit (→ Minicomputer), der aus einzelnen Prozessor-, Speicher- und Schnittstellenbausteinen aufgebaut und mit eigener Stromversorgung sowie einfachen Peripheriegeräten versehen ist.

Mikrodokumentation (Mikroaufzeichnung), Verfahren zur Raum sparenden Archivierung von Dokumenten, Schrift- oder Bildvorlagen durch ihre fotograf. Reproduktion in stark verkleinertem Maßstab. Die **Mikrokopien (Mikrobilder)** werden meist in Form sog. **Mikrofilme** (Raumeinsparung bis zu 98 %) hergestellt; in zunehmendem Maße werden auch Mikrofilmblätter **(Mikrofiches)** im Format DIN A 6 verwendet. – Zur Auswertung gibt es Lese- und Rückvergrößerungsgeräte mit angeschlossener Kopiereinrichtung, in denen die Mikrokopien auf einen Leseschirm vergrößert projiziert betrachtet und als Papierkopien ausgegeben werden können. – Mikrokopien werden gesetzlich als Dokumente anerkannt.

Mikro|elektronik, Teilgebiet der Elektronik, das sich mit Entwurf, Entwicklung, Herstellung und Anwendung → integrierter Schaltungen (Abk. IC) befasst. Historisch haben sich für die Fertigung von IC versch. Realisierungstechniken wie Schichttechnik, Bipolartechnik und MIS-Technik (mit den entsprechenden Schaltkreisfamilien) herausgebildet. Durch neue Entwurfs- und Fertigungsverfahren haben Anwender heute die Möglichkeit, auch bei kleineren Stückzahlen spezielle kunden- oder anwendungsspezif. IC rentabel einzusetzen (sog. ASIC, von engl. **A**pplication **s**pecific **i**ntegrated **c**ircuit).

📖 *Lexikon Elektronik u. M., hg. v.* D. SAUTTER *u.* H. WEINERTH. *Düsseldorf ²1993.* – LOHNINGER, H.: *Praxisbuch M. Vaterstetten 1993.*

Mikrofasern, Chemiefasern (v.a. Polyester, Polyamid), die feiner sind als alle natürl. Faserarten. Die Feinheit von Fasern wird in Dezitex (dtex) angegeben; das Maß 1 dtex sagt aus, dass ein Gramm eines Fadens 10 000 m lang ist. Die Feinheit von M. ist kleiner als 1 dtex. Aus M. hergestellte Textilien zeichnen sich durch sehr gutes Wärmerückhaltevermögen, bemerkenswerten Feuchtetransport und Atmungsaktivität aus.

Mikrofiche [-fiʃ; frz. fiche »Karteikarte«] *das* oder *der,* → Mikrodokumentation.

Mikrofilm, → Mikrodokumentation.

Mikrofon [engl., zu grch. phōnḗ »Stimme«, »Ton«] *das,* Anordnung zum Umwandeln von Schall in elektr. Wechselspannungen. Der auftreffende Schall erregt eine dünne Membran zu mechan. Schwingungen, die von einem elektroakust. Wandler in Tonfrequenzspannungen umgewandelt werden. Nach dem Wandlerprinzip unterscheidet man Kondensator-, elektrodynam. und piezoelektr. M. – Im **Kondensator-M.** bilden Membran und Gegenelektrode einen Kondensator, dessen Kapazität sich entspr. dem auftreffenden Schalldruck ändert und bei anliegender Gleichspannung am Ladewiderstand eine Wechselspannung erzeugt. Im **elektrodynam. (Tauchspul-)M.** bewegt die Membran eine Spule im Luftspalt eines Magneten und induziert eine elektr. Spannung. Im **piezoelektr. M.** wandelt ein piezoelektr. Wandler (z.B. aus Bariumtitanat) die Membranschwingungen in elektr. Spannungen um. – Alle M. mit Richtcharakteristik, die aus den versch. Richtungen ungleich viel Schall aufnehmen **(Richt-M.),** können dazu verwendet werden, unerwünschte von erwünschten Schallereignissen zu trennen. Je nach Art der Richtcharakteristik unterscheidet man Kugel-M., Nieren-M. (z.B. für die Aufnahme zweier einander gegenüberliegender Schallquellen) und Achter-M. (z.B. bei Live-Übertragungen von Konzerten zur Unterdrückung des auf die schallunempfindl. Seite auftreffenden Publikumsgeräusches).

Mikrofotografie, fotograf. Aufnahmeverfahren oder fotograf. Aufnahme eines Objekts, dessen Einzelheiten nur unter dem Mikroskop erkennbar

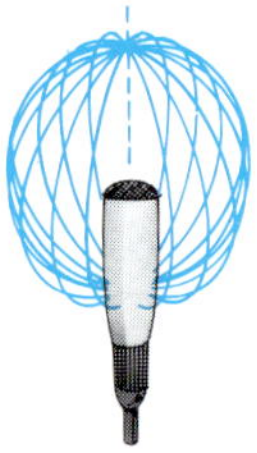

Kugelcharakteristik

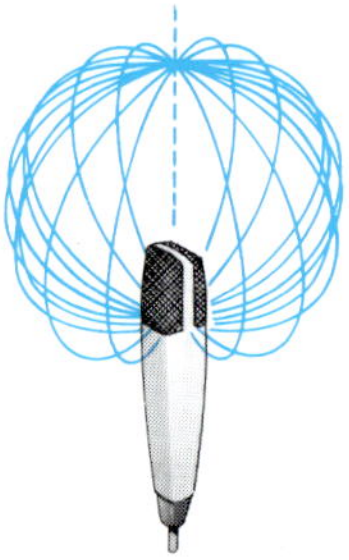

Nieren- oder Kardioid-charakteristik

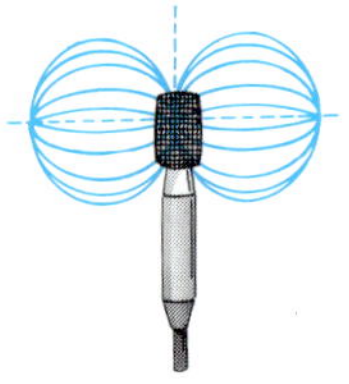

Querliegende Achtercharakteristik

Mikrofon: verschiedene Richtcharakteristiken

Mikronesien

Fläche: 702 km^2
Einwohner: (1995) 124 000
Hauptstadt: Palikir (auf Pohnpei)
Verwaltungsgliederung: 4 Gliedstaaten
Amtssprache: Englisch
Nationalfeiertage: 10. 5., 24. 10., 3. 11.
Währung: 1 US-Dollar (US-$) = 100 Cents (c)
Zeitzone: Kosrae und Pohnpei: MEZ +10 Std., Chuuk und Yap: MEZ +9 Std.

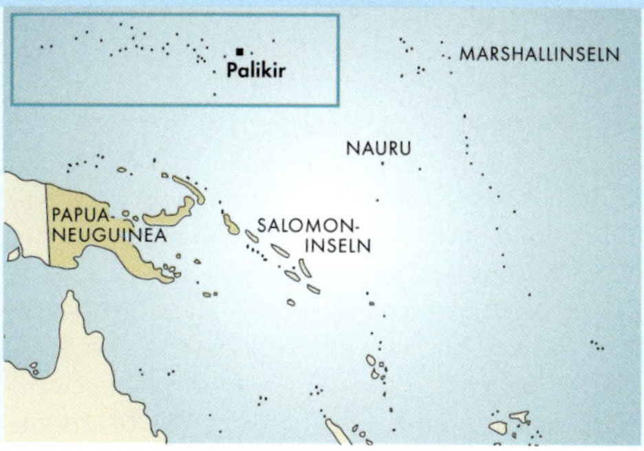

sind, mithilfe eines (Licht- oder Elektronen-)Mikroskops und (fest) verbundener Kamera.

Mịkrohärte, Maßzahl zur Kennzeichnung der →Härte von Werkstoffen. Die **M.-Prüfung** erfolgt mit Diamantprüfkörpern, die mit geringer Last in die zu prüfende Oberfläche eingedrückt werden. Die Eindrücke werden unter dem Mikroskop ausgemessen. So läßt sich die Härte kleinster Bereiche, einzelner Kristalle und dünner Schichten bestimmen.

Mịkroklima, das →Kleinklima.

Mikroklịn [grch.] *der,* Mineral, →Feldspäte.

Mikrokọsmos [zur grch. míkros »klein« und kósmos »Welt«], **1)** *Biologie:* die Welt der Kleinlebewesen.

2) *Philosophie:* die kleine Welt des Menschen, vorgestellt als verkleinertes Abbild des als großer Organismus gedachten Universums (Makrokosmos). Eine besondere Ausformung erfährt der M.-Gedanke in der Stoa; er erscheint in der Mystik und in den Naturphilosophien des MA. und der Renaissance, auch noch in Leibniz' Monadenlehre.

Mikrolịthe [grch.], **1)** *Kristallographie:* mikroskopisch kleine Kristallausscheidungen in glasreichen Gesteinen. Globulite sind kugel-, Longulite stäbchen-, Belonite nadel-, Trichite haarförmig, Margarite perlschnurartig geformt.

2) *Vorgeschichte:* kleine Feuersteingeräte, meist Spitzen und Schneiden an Waffen und Werkzeugen; bes. häufig in der →Mittelsteinzeit.

Mịkromechanik, →Mikrotechnik.

Mikromẹter, 1) *Astronomie:* in Verbindung mit einem Fernrohr benutztes Winkelmessinstrument.

2) *Einheitensystem:* Einheitenzeichen **µm,** Längeneinheit: 1 µm = 10^{-6} m = 0,001 mm.

3) *Messtechnik:* Kurzbez. für M.-Schraube (→Messschraube).

4) *Optik:* a) **opt. M.** sind mikroskopartige Geräte zum Messen kleiner Längen oder Winkel. b) Bez. für eine feine Strichteilung (Objekt-M., Objektmessplatte, Okular-M., Okularmessplatte).

Mịkron [grch.] *das,* **My,** Einheitenzeichen µ, veraltete Bez. für →Mikrometer (µm).

Mikronẹsi|en [grch. »Kleininselwelt«], Inselgebiet im nordwestl. und mittleren Pazif. Ozean, umfasst die Marianen, Karolinen, Marshallinseln, Gilbertinseln und Nauru in einem Seegebiet von fast 8 Mio. km^2 (in W-O-Richtung über 5 000 km) mit insgesamt rd. 2 700 km^2 Landfläche, etwa 440 000 Ew. (fast die Hälfte alteinheimische Mikronesier).

Mikronẹsi|en (amtlich engl. Federated States of Micronesia, dt. Föderierte Staaten von M.), Inselstaat im W des Pazif. Ozeans (zus. 607 Inseln und Atolle).

Staat und Recht: Nach der Verf. von 1979 ist M. eine föderative Präsidialrepublik. Staatsoberhaupt und Reg.chef ist der auf vier Jahre direkt gewählte Präsident. Die Legislative liegt beim Kongress (14 Abg., davon zehn auf vier und vier auf zwei Jahre gewählt).

Landesnatur: M. setzt sich aus vier Inselgruppen zusammen, die zugleich die vier Gliedstaaten bilden: zu den Ostkarolinen gehören Kosrae (früher Kusaie; fünf Inseln, 110 km^2), Pohnpei (früher Ponape; 163 Inseln, 345 km^2) und Chuuk (früher Truk; 294 Inseln, 127 km^2), zu den Westkarolinen, westlich des Palau- und Yapgrabens, die Inseln von Yap (145 Inseln, 119 km^2). Es sind teils hohe, von Korallenriffen umgebene Vulkaninseln, teils flache Koralleninseln. – Das Klima ist tropisch-ozeanisch mit Durchschnittstemperaturen von 26–28 °C und unregelmäßigen Niederschlägen (durchschnittlich 3 000–4 900 mm). Auf den vulkan. Inseln Wald- und Grasvegetation, auf den Koralleninseln Kokos- und Schraubenpalmen.

Bevölkerung: Überwiegend Mikronesier, ferner Polynesier, Asiaten, Europäer. Neben der Amts- und Schulsprache Englisch werden acht mikrones. Sprachen verwendet. Größte Städte: Moen (in Chuuk, 15 000 Ew.), Palikir (6 000 Ew.) und Kolonia (6 000 Ew.), beide auf Pohnpei. Grundschulbesuch vom 6. bis 14. Lebensjahr. Die Mehrzahl der Bev. sind Christen (zur Hälfte kath.); 23 % Analphabeten.

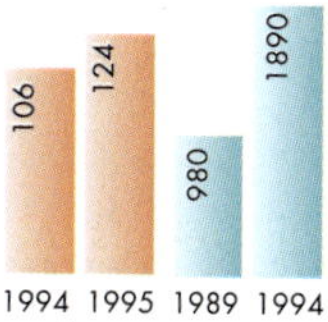

Bevölkerung (in Tausend) · Bruttosozialprodukt je Ew. (in US-$)

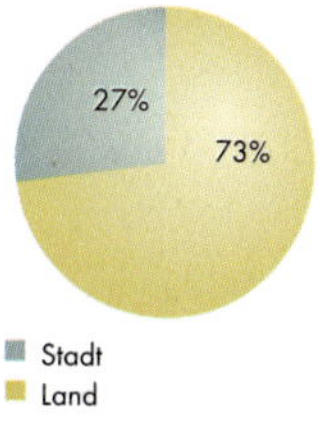

Bevölkerungsverteilung 1993

Wirtschaft, Verkehr: Die Hauptzweige sind Landwirtschaft und Fischerei, zur Eigenversorgung (jedoch nicht ausreichend) Anbau von Taro, Jamswurzel, Brotfrucht, Maniok, Süßkartoffeln, trop. Früchten; Kokospalmen v.a. zur Koprагewinnung für den Export; weitere Einnahmen aus Fischereilizenzen und Fremdenverkehr (jährlich über 20000 ausländ. Besucher); Finanzhilfen der USA. Wichtigste Exportgüter: Fischereiprodukte, Kopra, Süßkartoffeln, Kokosöl, kunsthandwerkliche Erzeugnisse. Haupthandelspartner: USA, Japan. – Schiffsverkehr zwischen den Inseln. Haupthäfen Kolonia, Truk, Okat. 226 km Straßen. Internat. Flughäfen auf Pohnpei, Truk (Moen), Yap und Kosrae.

Geschichte: Die Inseln wurden vor rd. 3500 Jahren von Ostmelanesien aus besiedelt; im 16. Jh. von Spaniern entdeckt und später kolonisiert. Spanien verkaufte sie nach dem Span.-Amerikan. Krieg 1898 an das Dt. Reich; nach dem 1. Weltkrieg unter japan. Herrschaft; während des 2. Weltkriegs von amerikan. Truppen eingenommen und ab 1947 von den USA als UN-Treuhandgebiet verwaltet. 1979 wurden die Föderierten Staaten von M. proklamiert, die 1986 in freier Assoziation mit den USA (offiziell für Außen- und Verteidigungspolitik zuständig) die eingeschränkte Souveränität erhielten. Im Dez. 1990 hob der UN-Sicherheitsrat die Treuhandschaft der USA auf. Im Sept. 1991 wurden die Föderierten Staaten von M. in die UN aufgenommen.

Mikroorganismen

In den Grundwasser führenden Basaltschichten im Tal des Columbia River wurden Mikroorganismen gefunden, die sich ausschließlich von Wasser und Gestein ernähren. Die Bakterien leben offensichtlich von Wasserstoff, der bei der Reaktion des sauerstoffarmen Grundwassers mit eisenhaltigen Mineralien entsteht. Damit wurde eine Lebensform entdeckt, die völlig unabhängig von Photosynthese, sprich Sonnenlicht existieren kann. Solche Organismen könnten am Beginn des Lebens auf der Erde gestanden haben. Spuren von ihnen finden sich eventuell auch in den Gesteinsschichten des Mars.

Mikronesi|er, die alteinheim. Bewohner der Inseln Mikronesiens; etwa 200000; anthropologisch mit den Polynesiern verwandt, aber mit stärkerem mongolidem Einschlag. Ihre Kultur, von polynes., melanes. und indones. Einflüssen geprägt, ist durch Einflüsse aus Europa, Japan und den USA stark verändert worden. Fischfang liefert den Hauptteil der Nahrung, wichtigste Anbaufrucht ist Taro. Ahnenkult und Geisterglauben wurden weitgehend vom Christentum verdrängt. Die M. waren bed. Seefahrer (mit Auslegerbooten; Stabkarten); Stein- u.a. Nutzgeld. – Ihre Sprachen gehören zu den austrones. Sprachen.

Mikro|ökonomik [grch.] (Mikroökonomie), Teil der Volkswirtschaftslehre, der das Funktionieren eines Wirtschaftssystems unter Berücksichtigung des Verhaltens von Einzelwirtschaften (privater Haushalt, Unternehmen) analysiert. Kernstück der M. sind Produktions- und Preistheorie. Die **Neue M.** ist ein Sammelbegriff für eine veränderte Perspektive in der Wirtschaftstheorie, die von Ungleichgewichten ausgeht und wichtige Modifikationen gängiger mikroökonom. Analysen liefert (z.B. Einbeziehung von Transaktionskosten). Wichtig ist der neue theoret. Ansatz zur Erklärung von Umfang und Dauer der Unterbeschäftigung.

📖 FEHL, U. *u.* OBERENDER, P.: *Grundlagen der Mikroökonomie. München* [6]*1994.* – STOCKER, F.: *Spaß mit Mikro. Einführung in die M. München u. a.* [4]*1997.*

Mikro|organismen (Mikroben), meist einzellige Lebewesen, die wegen ihrer geringen Größe (im Bereich von nur wenigen µm) nur durch Vergrößerung im Mikroskop sichtbar gemacht werden können. Es gibt eukaryont. M., die einen echten Zellkern besitzen (mikroskopisch kleine Pilze, Mikroalgen, Protozoen), und prokaryont. M. ohne echten Zellkern (Eubakterien, Archaebakterien, Cyanobakterien). M. haben Bedeutung u.a. als Krankheitserreger, als Symbionten, im natürl. Stoffkreislauf, bes. im Boden.

Mikrophagen, im Wasser lebende Tiere, die durch Einstrudeln oder Filtrieren Kleinlebewesen unzerkleinert als Nahrung aufnehmen.

Mikrophysik, die Physik der atomaren und subatomaren Vorgänge; Ggs.: →Makrophysik.

Mikroprozessor, vollständiger →Prozessor, der auf einem oder einigen wenigen integrierten Bausteinen (→Chips) untergebracht ist. M. sind i.d.R. in →MOS-Technik realisiert. Man unterscheidet M. vorwiegend hinsichtlich Arbeitsgeschwindigkeit, Befehlsformat, Befehlsvorrat, Zahl der gleichzeitig zu verarbeitenden Bits (Wortlänge) und Zahl adressierbarer Speicherzellen (→Adresse). M. sind nur in Verbindung mit weiteren Bausteinen arbeitsfähig, die i. Allg. auch als integrierte Schaltungen ausgebildet sind (→Mikrocomputer). Die Möglichkeit der freien Programmierung gestattet einen vielseitigen Einsatz der M., z.B. in Kontroll-, Regel-, Steuer-, Auswerte- und Datenverarbeitungsanlagen.

📖 MALONE, M. S.: *Der M. Eine ungewöhnl. Biographie. Berlin u. a. 1996.*

Mikroskop [grch. skopeīn »sehen«] *das,* **1)** *Astronomie:* (lat. Microscopium) Sternbild am Südhimmel.

2) *Optik:* Gerät, mit dem kleine Gegenstände vergrößert betrachtet oder abgebildet werden,

i. e. S. unter Verwendung von Lichtstrahlen (Licht-M.).

Aufbau und *Theorie:* Ein M. besteht im Wesentlichen aus zwei opt. Systemen, dem Objektiv und dem Okular, die durch einen Tubus miteinander verbunden sind, einer Beleuchtungseinrichtung sowie dem Objekttisch und Stativ zur Halterung der opt. Teile. Die Beleuchtungseinrichtung besteht i. d. R. aus einer im Stativ eingebauten Mikroskopleuchte, die sich zum Kollektor (Linse oder Linsensystem dicht vor der Lampe) und der hinter diesem befindl. Irisblende (sog. Leuchtfeldblende) justieren lässt. Der Kondensator ist ein oft kompliziertes Linsen- oder Spiegelsystem, das die Leuchtfeldblende in die Objektebene abbildet. Zur Regelung der Beleuchtungsapertur ist eine verstellbare Aperturblende am Kondensator angebracht. Das Objektiv liefert (meist in Verbindung mit einer Tubuslinse) ein vergrößertes reelles Zwischenbild des Objekts, das mit dem Okular nochmals vergrößert betrachtet werden kann; zur Einstellung versch. Vergrößerungen können mithilfe eines Revolvers die opt. Systeme ausgetauscht werden. Für beidäugiges Sehen stattet man M. mit zwei Okularen **(Binokular-M.)** aus. Nach Art der Beleuchtung unterscheidet man **Durchlicht-M.,** bei denen dünne, transparente Objekte durchstrahlt werden, und **Auflicht-M.** zur Untersuchung der Oberfläche undurchsichtiger Körper. Für beide M. sind versch. Beleuchtungsstrahlengänge möglich: Im Ggs. zur gewöhnl. **Hellfeldbeleuchtung,** bei der das gesamte beleuchtende Licht in das Objektiv eindringt, erscheinen bei der **Dunkelfeldbeleuchtung** die Objekte nur in ihren Konturen, da das nicht am Objekt gebeugte Licht am Objektiv vorbeigeführt wird. – Für die Güte eines M. sind dessen →Vergrößerung und das →Auflösungsvermögen maßgebend. Beide werden nach der abbeschen Theorie durch die numer. Apertur A des Objektivs bestimmt, die von dessen Öffnungswinkel σ und dem Medium (Brechzahl n) zw. Objekt und Objektiv abhängt: $A = n \sin \sigma$. Die maximale Vergrößerung eines Licht-M. liegt daher bei übl. opt. Systemen zw. etwa 500 A und 1000 A. Durch die Wahl kleinerer Wellenlängen λ kann das Auflösungsvermögen erhöht werden, da zwei Objektpunkte dann noch getrennt abgebildet werden können, wenn ihr Abstand größer als λ/A ist. Mit sichtbarem Licht können noch Objektpunkte mit einem Abstand von 0,2–0,5 µm aufgelöst werden.

M.-Arten und *Verwendung:* Durch Ausstattung mit opt. Zusatzsystemen, wie elektron. oder fotograf. Bildaufzeichnung (→Mikrofotografie), Projektionseinrichtungen, Videomonitoren u. a., Anwendung besonderer Untersuchungsmethoden sowie durch den modularen Aufbau ist das M. zu einem vielseitig anwendbaren opt. Gerät geworden. Bei Benutzung ultravioletten Lichts **(Ultraviolett-M.)** kann das Auflösungsvermögen gegenüber dem des Licht-M. auf über das Doppelte gesteigert werden. Noch wesentlich höhere Auflösungen werden mit dem →Elektronenmikroskop

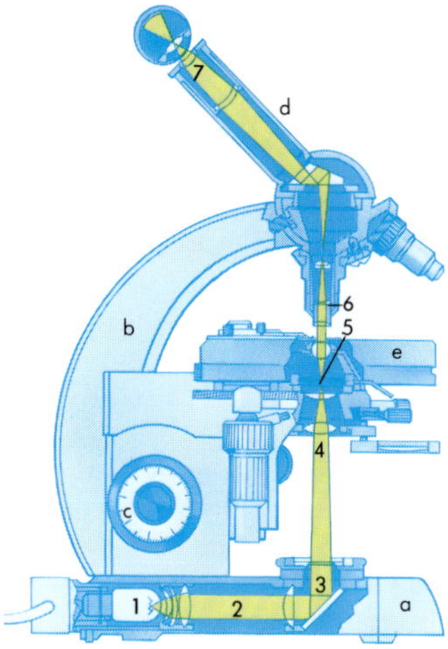

Mikroskop 2):
Durchlichtmikroskop (Strahlengang gelb markiert); a Fuß, b Stativ, c Grob- und Feintrieb zur Scharfeinstellung, d Tubus, e Objekttisch; 1 Niedervoltleuchte, 2 Kollektorlinsen, 3 Leuchtfeldblende, 4 Kondensor, 5 Aperturblende, 6 Objektiv, 7 Okular

erreicht. Das →Rastertunnelmikroskop beruht auf dem →Tunneleffekt von Elektronen durch das Vakuum. Das **akustische M.** (→Ultraschallmikroskop) arbeitet mit Ultraschallwellen, die besondere Zellstrukturen darstellen. **Immersions-M.** enthalten zur Steigerung der numer. Apertur eine Immersionsflüssigkeit (z. B. Glycerin, Öle) hoher Brechzahl. Teilchen, deren Größe unter dem Auflösungsvermögen des M. liegt, lassen sich mit dem **Ultra-M.** unter Verzicht auf die Abbildung ihrer Größe und Gestalt sichtbar machen. Der Untersuchung optisch anisotroper Substanzen (z. B. Kristalle, Minerale) mit polarisiertem Licht dienen →Polarisationsmikroskope. Mit dem **Phasenkontrast-M.** und dem **Interferenz-M.** werden auch Objekte sichtbar, die sich nicht durch Farbe oder Helligkeit (Amplitudenkontrast), sondern nur durch geringe Brechzahlunterschiede (und damit einen Phasenunterschied der Lichtwellen) von ihrer Umgebung unterscheiden. **Stereo-M.** werden zur räuml. Beobachtung und Präparation von Objekten, z. B. in der Medizin als Operations-M., eingesetzt. Das **opt. Raster-M. (Laserscan-M.)** arbeitet ähnlich wie ein elektron. Raster-M., nur dass statt eines Elektronenstrahls ein fokussierter Laserstrahl über das zu beobachtende Objekt geführt wird. Die Verstärkung der punktförmigen Bildsignale mittels eines Photomultipliers und eine nachträgliche Videoverstärkung ermöglichen eine breite Variation der Helligkeit und des Kontrasts.

Geschichte: Der erste bekannte Hinweis auf die vergrößernde Wirkung zweier Linsen stammt von G. Fracastoro (1538). Das erste zusammengesetzte M. wurde dann vermutlich von den holländ. Brillenmachern H. und Z. Janssen um 1590 gebaut und von A. van Leeuwenhoek weiterentwickelt. E. Abbe schuf ab 1869 die theoret. Grundlagen der mikroskop. Abbildung. C. Zeiss fertigte ab 1872 M.-Objektive mit den von O. Schott entwickelten opt. Gläsern an. Eine zunehmende Differenzierung setzte im M.-Bau ab 1900 mit der Ausnutzung wesentl. physikal. Effekte (Polarisation, Fluoreszenz u. a.) ein.

📖 Rzeznik, J.: *Das M. gestern, heute, morgen. Ehningen 1988.*

Mikroskopie *die,* die Anwendung des →Mikroskops und aller zu ihm gehörenden Hilfsmittel zur Untersuchung mikroskop. Objekte bzw. Objektstrukturen. Bei frischen biolog. Präparaten wird durch Zusatz indifferenter Flüssigkeiten das Austrocknen verhindert. Die Gewebeteile werden ausgebreitet oder mit Zupfnadeln zerkleinert, stärkere werden als Quetschpräparat untersucht. Dünne Schnitte von frischen Gewebeproben werden mit einem →Mikrotom hergestellt. Die Präparate werden meist auf einem Objektträger befestigt und mit einem dünnen Deckglas geschützt. – Mikroskop. Untersuchungen am lebenden Gewebe im unversehrten Verband des Organismus **(Intravital-M.)** werden z. B. am Auge und bei der **Kapillar-M.** an Haut und Schleimhäuten angewendet.

Nach den Objektstrukturen differenziert man Verfahren, die entweder die Amplitude oder die Phase der Strahlung beeinflussen. Bei den häufigsten Anwendungen des Mikroskops hat man es mit Präparaten zu tun, deren Strukturelemente in versch. Helligkeiten oder Farben erscheinen (Objekte mit **Amplitudenkontrast**). Verfahren zur Erzeugung eines Amplitudenkontrastes sind das Anfärben der Präparate und die →Fluoreszenzmikroskopie. Bei der M. an sehr dünnen, nicht einfärbbaren Objekten (z. B. lebende biolog. Präparate) werden häufig **Phasen-** oder **Interferenzkontrastverfahren** zur Erzeugung von Bildkontrasten angewendet. Zunehmend wird die M. für quantitative, rechnergestützte Messungen (Bestimmung von Extinktion, Transmission, Reflexion, Teilchenzahlen, Fluoreszenzintensitäten u. a.) herangezogen.

📖 *Handbuch der M., hg. v.* H. Riesenberg, *Beiträge v.* J. Bergner *u. a. Berlin* ³*1988.*

Mikrosporie [grch.] *die,* ansteckende Hautpilzerkrankung, die durch menschen- oder tierpathogene Microsporum-Arten hervorgerufen wird; häufig vertreten war früher bei Kindern die durch Microsporum audouinii hervorgerufene Form, bei der die Haare 3–5 mm über der Kopfhaut abbrechen und runde, fein schuppende Herde entstehen. Stärkere Verbreitung weist heute Microsporum canis auf; dieser Erreger verursacht entzündl. Herde am Körper und befällt häufiger auch Erwachsene. Die Behandlung erfolgt mit pilzabtötenden Mitteln (Antimykotika).

Mikrosystemtechnik, Gebiet der Technik, das sich mit Entwurf, Simulation, Entwicklung, Fertigung und Test miniaturisierter techn. Baugruppen beschäftigt. Die jeweilige Baugruppe besteht aus mikroelektron., mikroopt., mikromechan. oder mikrofluid. Einzelkomponenten, die mit Verfahren der →Mikrotechnik hergestellt werden. Aufgabe der M. ist es, die Wechselwirkung dieser Komponenten aufeinander abzustimmen und sie zu einem funktionsfähigen Gesamtsystem zielgerichtet zu integrieren. Eine zentrale Rolle spielen deshalb rechnergestützte Entwurfsmethoden, Aufbau- und Verbindungstechniken sowie Methoden der Signalverarbeitung. Ein komplettes **Mikrosystem** (im weitesten Sinne) besteht aus einer Sensoreinheit, die eine bestimmte physikal. oder chem. Größe aufnimmt, einer Elektronik, die die Sensorsignale verarbeitet, einem Stellglied (Aktor), das zu einer Reaktion befähigt ist, aus Leitungen, die die genannten Einheiten miteinander verbinden (mit i. d. R. elektrischer oder optischer Signalübertragung), sowie aus einer Schnittstelle zur Außenwelt.

Die Miniaturisierung unterschiedl. Funktionseinheiten und deren Integration zu einem kompletten techn. System hat eine Materialersparnis zur Folge, die meist mit Volumen- und Gewichtseinsparungen sowie geringerer therm. Trägheit verbunden ist. Dies erlaubt den Einsatz kostspieliger Werkstoffe, führt zu besserer Transportfähigkeit des Systems und macht kostengünstige Massenfertigungsverfahren nutzbar.

Verwirklicht man ein Mikrosystem durch Erzeugung unterschiedl. Strukturen – eventuell mithilfe mehrerer Verfahren – im oder auf demselben Substratmaterial, so spricht man von einem **monolithischen Mikrosystem.** Monolith. Systeme sind von ihrer Funktion auf das benutzte Material festgelegt und i. Allg. fertigungsfreundlicher, da eine komplizierte Montage weitgehend entfällt. Wird ein Mikrosystem aus versch. miniaturisierten Bauteilen, die sich ggf. auch im Material unterscheiden, zusammengefügt, bezeichnet man dies als **hybrides Mikrosystem.** Dabei können mehrere Funktionen im selben System realisiert werden. Die weit höhere Flexibilität gegenüber monolith. Systemen erfordert aber eine intensive Berücksichtigung der Wechselwirkung der Einzelteile untereinander sowie eine aufwendigere Montagetechnik.

Anwendungen von Mikrosystemen finden sich in allen Bereichen der Technik: Temperatur-, Druck- und Kraftsensoren werden in der Verfahrenstechnik zur Anlagenüberwachung und im Automobilbau eingesetzt (z.B. Beschleunigungssensoren als Auslöser für Airbags), miniaturisierte Aktoren (Miniaturmotoren) finden in der Medizintechnik Verwendung (z.B. implantierbare Mikropumpen zur Medikamentendosierung). Wegen der breiten Einsatzmöglichkeiten gilt die M. als eine der zukunftsträchtigsten Schlüsseltechnologien.

🕮 *Grundlagen der M., hg. v.* G. GERLACH *u.* W. DÖTZEL. *München u. a. 1997.* – MENZ, W. *u.* MOHR, J.: *M. für Ingenieure. Weinheim u. a. ²1997.*

Mikrotechnik (Mikrostrukturtechnik), Sammelbez. für techn. Verfahren, wie z.B. der LIGA-Technik, zur Herstellung sehr kleiner und zugleich hochpräziser Strukturen; bisweilen auch begrifflich gleichbedeutend mit → Mikrosystemtechnik. Die typ. Abmessungen der mithilfe der M. erzeugten Mikrostrukturen liegen im Bereich von 1 mm bis 1 µm und darunter, die erzielbaren Genauigkeiten bei wenigen Mikrometern bis zu einigen Nanometern. Hinsichtlich der erzielbaren Dimensionen und Toleranzen überlappen sich mikrotechn. Verfahren mit anspruchsvollen Methoden der → Feinwerktechnik. Ziel der M. ist es, funktionale Strukturen (Bauteile, Baugruppen, Systeme) zu miniaturisieren, um techn. Vorteile bei Funktion und Anwendbarkeit sowie eine wirtschaftlichere Fertigung zu erreichen. In der M. wird heute v.a. die Miniaturisierung nichtelektr. Funktionen, also mechan., fluid. und opt. Bauteile, angestrebt. Eine Einteilung der M. kann daher nach der vorherrschenden physikal. Funktion der betreffenden Mikrostruktur vorgenommen werden.

In der **Mikromechanik** dienen mikrotechn. Strukturen entweder der hochpräzisen stat. Halterung oder werden als bewegl. Bauteile benutzt. Anwendungsbeispiele sind Halterungen und Positionierelemente für miniaturisierte Bauteile (z.B. Glasfasern), miniaturisierte Membranen und Motorkomponenten. Elemente der **Mikrofluidik** benötigt man, wenn kleine Mengen von Gasen oder Flüssigkeiten transportiert, vermischt oder untersucht werden müssen. Sie finden z.B. Anwendung in Durchflusssensoren, Düsen für Tintenstrahldrucker und in miniaturisierten Pumpen. Ein großer Bereich der **Mikrooptik** sind miniaturisierte opt. und optoelektron. Bauteile (→ Optoelektronik), die zunehmend zur Informationsübertragung und -verarbeitung mittels opt. Signale benötigt werden.

Als Verfahren der M. kommen z.B. alle → Dünnfilmtechniken der Halbleiterfertigung zur Anwendung. Zur Herstellung bewegl. Mikrostrukturen wurden u.a. sog. Opferschichttechniken entwickelt, bei denen die zur Beweglichkeit notwendigen Hohlräume oder Spalten durch Aufbringen eines Materials mit der entsprechenden Geometrie vorgeformt sind. Nach dem Aufbau der eigentl. Mikrostruktur wird dieses Material selektiv abgeätzt und die benötigten Zwischenräume entstehen. Die Herstellung extrem kleiner Mikrostrukturen, bei denen molekulare oder atomare Größenordnungen eine Rolle spielen, ist Gegenstand der → Nanotechnologie.

🕮 BÜTTGENBACH, S.: *Mikromechanik. Einführung in Technologie u. Anwendungen. Stuttgart ²1994.* – *Weitere Literatur:* → Mikrosystemtechnik

Mikrotom [zu grch. tomé̄ »Schnitt«] *das,* Präzisionsinstrument zur Herstellung feinster Schnitte von eingebetteten biolog. und anderen Objekten zur mikroskop. Untersuchung. Die Schnittdicke gewöhnl. M. liegt bei einigen µm, moderne **Dünnschnitt-** oder **Ultra-M.** für elektronenmikroskop. Präparate liefern Schnitte bis zu 20 nm Dicke.

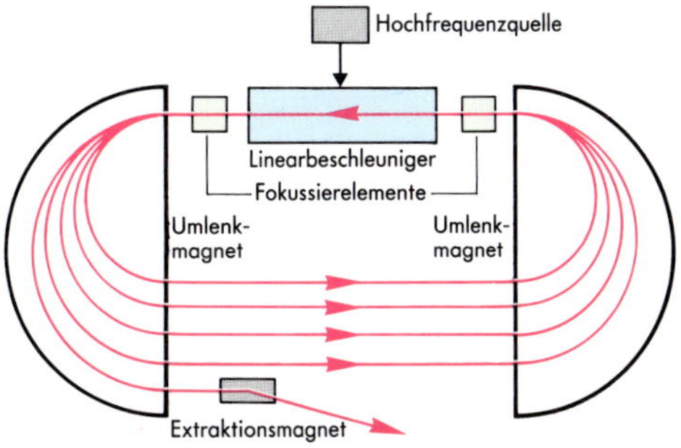

Mikrotron: schematische Darstellung eines Rennbahnmikrotrons; der Elektronenstrahl ist rot eingezeichnet

Mikrotron [zu mikro... und Elektron] *das,* Teilchenbeschleuniger für Elektronen, der nach dem Zyklotronprinzip arbeitet. Beim **klass. M.** (Elektronenzyklotron) bewegen sich die Elektronen in einer Beschleunigungskammer zw. den Polen eines konstanten Magnetfeldes auf Kreisbahnen, die sich in einem Punkt tangential berühren und in dem sie durch das starke elektr. Feld eines Hohlraumresonators beschleunigt werden. Diese M. arbeiten nur im Impulsbetrieb, die Maximalenergie ist auf rd. 30 MeV begrenzt. Höhere Energien (bis zu etwa 1 GeV) werden im sog. **Rennbahn-M.** erreicht, bei dem der Magnet in zwei jeweils um 180° ablenkende Hälften zerlegt und auseinander gezogen wird. In dem Zwischenraum kann ein kleiner Hochfrequenz-Linearbeschleuniger mit fokussierenden Linsen an seinen beiden Enden untergebracht werden. Mit dem Mainzer M. (Abk.

MAMI) werden Energien von 855 MeV im kontinuierl. Betrieb erzielt.

Mikrovermehrung (Meristemvermehrung), Verfahren der Pflanzenvermehrung aus Sprossspitzen oder Bildungsgewebe. Knospen von Kräutern, Stauden, Gehölzen werden auf Agar-Agar-Nährboden gesetzt und zum Sprossen der oberird. Teile gebracht **(Meristemkultur).** Dann wird durch Zugabe von Wuchsstoffen die Bewurzelung zum gewünschten Zeitpunkt ausgelöst; Anwendung bei Erdbeeren, Rhododendron, Aprikose, Pfirsich, Pflaume u.a. gärtner. Kulturpflanzen.

Mikrowaage, sehr empfindl. Analysenwaage, misst mit größter Genauigkeit; maximale Belastung 1–20 g.

Mikrowellen, Sammelbegriff für den die elektromagnet. Dezimeter-, Zentimeter- und Millimeterwellen umfassenden →Wellenlängenbereich mit Frequenzen zw. 300 MHz und 300 GHz (→Mikrowellentechnik). Die **M.-Spektroskopie** ist ein Verfahren zur Erforschung des Aufbaus von Molekülen und Atomen mithilfe von M. (→Hochfrequenzspektroskopie). Als Nachrichtenträger nutzt man M. wegen ihrer guten Bündelungsfähigkeit und der quasiopt. Ausbreitung. Die Wärmeerzeugung beruht auf der Absorption der M.-Energie, z.B. bei der Kunststoffverarbeitung oder zur Erwärmung von Speisen.

Die **M.-Astronomie** ist ein Teilgebiet der →Radioastronomie; sie befasst sich mit der Untersuchung der von Himmelskörpern ausgehenden M.-Strahlung, d.h. dem kurzwelligen Bereich der Radiofrequenzstrahlung.

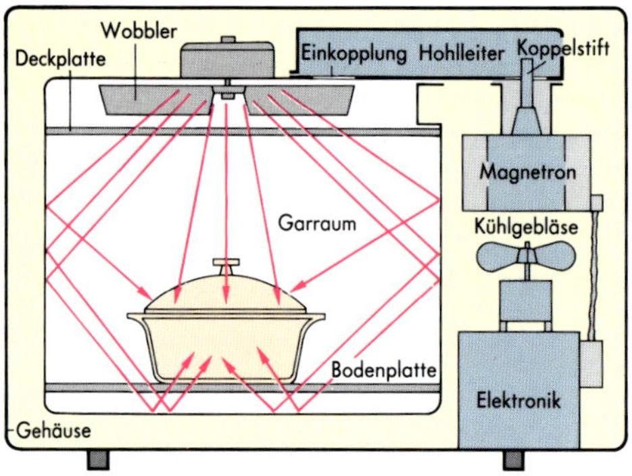

Mikrowellenherd: Schema eines Mikrowellengeräts; die Mikrowellen sind rot eingezeichnet

Mikrowellenbehandlung, Form der Elektrotherapie durch Einwirkung von Mikrowellen; angewendet z.B. bei Entzündungen, Abszessen, Gelenk- oder Wirbelsäulenerkrankungen.

Mikrowellenherd (Mikrowellengerät), elektr. Haushaltsgerät zur Wärmebehandlung (Garen) von Lebensmitteln mittels Mikrowellenerwärmung, wobei die Wärme im Gegensatz zu konventionellen Verfahren direkt im Inneren des Garguts entsteht. Die Erzeugung der Mikrowellen erfolgt in einem →Magnetron, von wo sie über Koppelstift und →Hohlleiter in den Garraum eingeleitet werden. Dieser besitzt metall. Wände, an denen die auftreffenden Wellen reflektiert werden. Ein »Wellenrührer« (Wobbler) in der Nähe der Eintrittsöffnung sorgt für eine gleichmäßige Verteilung des elektromagnet. Felds im Garraum. Das M. ist mit versch. Sicherheitsvorrichtungen ausgestattet: Das Magnetron wird durch ein Kühlgebläse, einen Übertemperaturregler sowie eine Glas- oder Porzellanplatte im Garraum (Grundlast) vor Überhitzung geschützt; elektr. und mechan. Verriegelung der Tür, ein Drahtgitter im Sichtfenster sowie eine doppelte Türabdichtung schützen vor dem unkontrollierten Austreten von Mikrowellen.

Mikrowellentechnik (Höchstfrequenztechnik), Teilgebiet der Hochfrequenztechnik, das sich mit der Erzeugung, Verstärkung, Weiterleitung und Anwendung von Mikrowellen befasst. Dieses Gebiet ist dadurch bes. gekennzeichnet, dass die sonst in der Elektrotechnik angewandte Technik konzentrierter Schaltelemente i. Allg. nicht mehr anwendbar ist, da die Abmessungen der Bauelemente in die Größenordnung der Wellenlänge im freien Raum und darüber kommen. Es müssen Ausbreitungseffekte, z.B. auf Leitungen, berücksichtigt werden, ferner treten Abstrahlungseffekte (Antennenwirkung) auf. In Elektronenröhren und Halbleiterbauelementen muss man die Laufzeit der Elektronen berücksichtigen, wenn sie in die Größenordnung der Periodendauer der Mikrowellen kommt. Zur Erzeugung von Mikrowellen dienen Mikrowellen-Halbleiterbauelemente (z.B. →IMPATT-Dioden, Gunn-Dioden [→Gunn-Effekt]) und v.a. für größere Leistungen Mikrowellenröhren, z.B. →Klystron, →Magnetron. Zur leitungsgebundenen Übertragung von Mikrowellen nutzt man →Hohlleiter.

Die wichtigsten Anwendungen der M. sind: Nachrichtenverkehr über Richtfunkverbindungen auf der Erde (nur bei opt. Sichtverbindung möglich) und über Satelliten, Flugfunkverkehr, Radar, Funknavigation, Flugzeuglandeführungssysteme und Hochfrequenzspektroskopie. Mikrowellenenergie wird in der Wärmetechnik angewendet, z.B. in der Medizin, zur Erwärmung von Speisen, zur Aushärtung von Kunststoffen.

Mikrozensus, Stichprobenerhebung, die eine →Volkszählung ergänzt.

Miktion [lat.] *die,* das Harnlassen.

MIK-Wert [MIK, Abk. für **m**aximale **I**mmissions**k**onzentration], diejenige Konzentration luftverunreinigender Stoffe in bodennahen Schichten der Atmosphäre, die bei Einwirkung von bestimmter Dauer und Häufigkeit für Mensch, Tier und Pflanze als unbedenklich gelten kann.

Milane [frz.] (Milvinae), Unterfamilie lang- und schmalflügeliger Greifvögel. In Mitteleuropa: **Roter Milan (Gabelweihe, Königsweihe,** Milvus milvus), etwa 60 cm lang, überwiegend rotbraun, Schwanz tief gegabelt; **Schwarzer Milan** (Milvus migrans), bis über 50 cm groß, schwarzbraun gefärbt, Schwanz schwach gegabelt.

Milan I. Obrenović [-vitç], Fürst (1868–82; als Milan IV.) und König (1882–89) von Serbien, * Mărășești (bei Focșani, Rumänien) 22. 8. 1854, † Wien 11. 2. 1901; Neffe und Nachfolger von Michael Obrenović; erlangte auf dem Berliner Kongress (1878) die Unabhängigkeit Serbiens vom Osman. Reich sowie einen bedeutenden Gebietszuwachs. Durch innenpolitische Auseinandersetzungen geschwächt, dankte er zugunsten seines Sohnes Alexander Obrenović ab.

Milano, italien. Name von → Mailand.

Milano Marittima, italien. Seebad, Vorort von → Cervia.

Milben (Acari, Acarina), weltweit verbreitete Ordnung etwa 0,1–30 mm langer Spinnentiere in allen Lebensräumen an Land und in Gewässern; mit meist vier Beinpaaren und kauenden oder stechend-saugenden Mundwerkzeugen. – M. ernähren sich als Pflanzen- und Abfallfresser, als Säftesauger an Pflanzen oder (bei Tier und Mensch) als Blutsauger, auch Gewebe- oder Hornfresser.

Milch, 1) *allg.:* in den M.-Drüsen der weibl. Säugetiere gebildete Flüssigkeit; bei der Frau die Muttermilch. Unter M. versteht man in Europa i. Allg. Kuh-M., die als »zubereitete M.« in den Handel kommt. M. anderer Tiere (z. B. von Schaf oder Ziege) darf nur gekennzeichnet als solche in den Handel kommen. Die durch Melken gewonnene Kuh-M. zählt zu den wichtigsten Nahrungsmitteln. Sie besteht durchschnittlich zu 87,3 % aus Wasser, zu 3,8 % aus Milchfett, zu 3,4 % aus Milchprotein, zu 4,8 % aus M.-Zucker (→ Lactose) und zu 0,7 % aus Salzen (v. a. Phosphate, Citrate und Chloride von Calcium und Kalium; an Spurenelementen finden sich Fluor, Jod, Mangan, Kupfer und Zink). Im M.-Fett sind die Vitamine A und D_1 gelöst, nachgewiesen wurden ferner die Vitamine E, K, B_1, B_2, B_6, B_{12}, C, Biotin, Niacin, Pantothensäure, Folsäure.

Das M.-Fett und die M.-Proteine geben infolge ihrer Lichtdispersion der M. die weiße bis gelblich weiße Farbe. Beim Stehenlassen der M. steigen die Fetttröpfchen wegen ihres geringen spezif. Gewichts nach oben und bilden eine Rahmschicht (Sahne). Durch Homogenisieren (Zerstörung der Hüllmembranen der Fettkügelchen) oder Pasteurisieren (Denaturierung der Hüllmembranen) wird dieser Vorgang verzögert. Frische M. **(Voll-M.)** hat eine Dichte zw. 1,029 und 1,034 g/cm^3; die Dichte der unter der Rahmschicht verbleibenden Mager-M. ist höher. Die **Mager-M.** enthält, abgesehen vom fehlenden Fett, die gleichen Substanzen im selben Verteilungszustand wie die Vollmilch.

Verarbeitung: In der Molkerei wird die M. auf den landesgesetzlich festgelegten Fettgehalt für Trink-M. eingestellt und pasteurisiert. In Dtl. sind gesetzlich zugelassen: Hocherhitzung auf mindestens 85 °C, Kurzzeiterhitzung auf 71–74 °C bei 40 s Dauer, Dauererhitzung auf 62–65 °C bei mindestens 30 min Dauer, Ultrahocherhitzung auf 135–140 °C bei 6–10 s Dauer und Sterilisation bei 110–112 °C und 10–20 min Dauer.

Der größte Teil der M. kommt in Dtl. als **Konsum-M.** auf den Markt. Konsummilchsorten sind **Voll-M.** (mindestens 3,5 % Fett), **teilentrahmte (fettarme) M.** (1,3 bis 1,8 % Fett) und **entrahmte M.** (höchstens 0,3 % Fett). **Dauer-M. (H-M.)** ist ultrahocherhitzte M. der Güteklasse I, die unter sterilen Bedingungen in sterile Packungen abgefüllt wird. – **Sterilisierte M.** ist nach anerkannten Verfahren nach der Abfüllung in Packungen sachgemäß erhitzte M., wobei der keimdichte Verschluss unverletzt bleiben muss. Ein je nach Verarbeitungsstätte unterschiedl. Anteil der angelieferten M. wird unter laufender Kontrolle zu **M.-Produkten** weiterverarbeitet: Sahne, Butter, Butterschmalz (Butterfett), Käse, Quark, Lactose, Kondens-, Trocken-M., Joghurt, Kumys, Kefir und M.-Mischgetränke; ferner fallen an: Butter-, Sauer-M. und Molke.

Wirtschaft: 1996 betrug die Weltmilcherzeugung 534 Mio. t, innerhalb der EU-Länder wurden 121 Mio. t (1995) M. erzeugt, in Dtl. 27,866 Mio. t (1995). Innerhalb der EU-Länder gilt seit 1984 eine Garantiemengenregelung zur Eindämmung der Überproduktion bzw. zur Schaffung eines ausgeglichenen Angebot-Nachfrage-Verhältnisses.

Milane (von oben): Roter Milan (Länge bis zu 60 cm); Schwarzer Milan (Länge bis über 50 cm)

Milan I. Obrenović, König von Serbien

Milben

Wie können Insektenforscher Verbrechen aufklären?

Zum Beispiel durch die Untersuchung der Käfer-, Fliegen- und Spinnentierpopulation am Tatort. Der in diesem Zusammenhang berühmteste Fall ereignete sich 1982 in den USA. Ein Detective, der in den kalifornischen Bergen den Tatort eines Sexualmordes untersucht hatte, litt in den folgenden Tagen unter zahlreichen Milbenstichen. Bei der Befragung Tatverdächtiger traf er auf einen Mann, der dieselben Milbenstiche aufwies. Bei intensiven spinnenkundlichen Untersuchungen stießen die Entomologen (Insektenforscher) vor Ort auf einen der wenigen Plätze, an denen die Milbenart Eutrombiculina belkini vorkommt. Die kleinen Tierchen brachten »lebenslänglich«.

Rechtliches: Grundsätzl. Regelungen enthält das M.- und Margarine-Ges. vom 25. 7. 1990. Danach bedürfen milchwirtsch. Unternehmen grundsätzlich der Betriebserlaubnis. M. und M.-Erzeugnisse unterliegen der Marktordnung der EG. Die für Dtl. maßgebenden Regelungen (z.B. festgelegte Anlieferungs-Referenzmengen) enthält die M.-Garantiemengen-VO i.d.F.v. 16. 7. 1992.

📖 KIELWEIN, G.: *Leitfaden der Milchkunde u. Milchhygiene. Berlin u. a.* [3]*1994.* – SPREER, E.: *Technologie der Milchverarbeitung. Hamburg* [7]*1995.*

2) *Botanik:* der →Milchsaft der Pflanzen.

3) *Zoologie:* die milchweiße Samenflüssigkeit der männl. geschlechtsreifen Fische **(Milchner).**

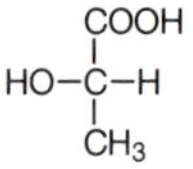

L (+)-Milchsäure

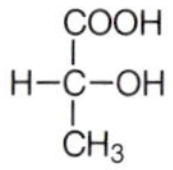

D(–)-Milchsäure

Milchsäure

Milch, Erhard, Generalfeldmarschall (seit 1940), *Wilhelmshaven 30. 3. 1892, †Wuppertal 25. 1. 1972; Flieger, 1938–45 Generalinspekteur der Luftwaffe, 1941–44 Generalluftzeugmeister; in Nürnberg 1947 zu lebenslanger Haft verurteilt, 1954 entlassen.

Milchbaum, Art der Gattung →Brotnussbaum.

Milchdrüsen (Mammadrüsen), Milch produzierende Hautdrüsen der Säugetiere (einschl. des Menschen), die sich stammesgeschichtlich aus Schweißdrüsen entwickelt haben. Die Milchsekretion wird vom Hormon Prolactin gesteuert. Milch wird so lange gebildet, wie gesaugt wird.

Milchgebiss, die ersten Zähne (→Gebiss).

Milchglas, undurchsichtiges, meist durch Zusatz von Aluminiumphosphaten in Kombination mit Bariumcarbonat getrübtes, lichtdurchlässiges und lichtverteilendes →Trübglas.

Milchlattich: Der mehrjährige, von Juli bis September blühende Alpenmilchlattich wächst im Gebirge an feuchten Standorten

Milchlattich (Cicerbita), Gattung der Korbblütler in Europa und Nordamerika; milchsaftreiche, hohe Kräuter mit hohlem Stängel und meist blauen Blüten. In den Alpen, dem Alpenvorland und den höheren Mittelgebirgen kommt der bis zu 1,2 m hohe **Alpen-M.** mit blauvioletten Blütenköpfchen vor.

Milchlinge (Reizker, Lactarius), Gattung der Lamellenpilze mit meist trichterförmigem, zentral gestieltem Hut, weißen Sporen und häufig weißem, auch wässrig klarem oder orangerotem Milchsaft. Bekannte und gute Speisepilze sind →Brätling, **Edelreizker** (Lactarius deliciosus), orange- bis ziegelrot, mit orangefarbenen Lamellen, Milchsaft orangerot; **Blutreizker** (Lactarius sanguifluus), ähnlich dem Edelreizker, aber mit weinrotem Milchsaft.

Milchnährschaden, sehr seltene Ernährungsstörung des Säuglings durch einseitige Ernährung mit Kuhvollmilch (zu wenig Kohlenhydrate, zu viel Eiweiß) mit übel riechendem, festem, weißem Stuhl (»Kalkseifenstuhl«) und Zeichen einer Dystrophie.

Milchner, der männl. geschlechtsreife Fisch.

Milchsaft, 1) *Botanik:* (Latex) Zellsaftemulsion in den Milchröhren einiger Pflanzen; milchige, weiß, gelb oder rötlich gefärbte, an der Luft trocknende Flüssigkeit; enthält u.a. Salze, Alkaloide, äther. Öle und Gummiharze.

2) *Physiologie:* (Chylus) die trüb-weißl. Flüssigkeit der Lymphgefäße des Dünndarms nach Aufnahme fetthaltiger Nahrung. Der M. wird von den Dünndarmzotten über den Milchbrustgang in die venöse Blutbahn geleitet.

Milchsäure (α-Hydroxypropansäure), kristalline (reine Enantiomere) oder viskose (Racemat), hygroskop., wasserlösl. Hydroxycarbonsäure, die als optisch aktive Formen, D(–)- und L(+)-M., sowie als optisch inaktives Racemat, D,L-M., natürlich vorkommt. L(+)-M. entsteht in den Muskeln nach starker Arbeitsleistung (Muskelkater). Ebenso bilden die M.-Bakterien racemat. M. als Stoffwechselendprodukt (M.-Gärung); vorhanden in saurer Milch, Sauerkraut usw. Technisch erfolgt die Herstellung der M. durch M.-Gärung. Sie wird u.a. als sog. Genusssäure sowie als Säuerungs- und Konservierungsmittel in der Nahrungsmittelind. verwendet. Die Salze und Ester der M. heißen **Lactate.**

Milchsäurebakteri|en, anaerobe, grampositive, unbewegliche Bakterien, die aus Kohlenhydraten durch Milchsäuregärung Energie gewinnen; von wirtsch. Bedeutung bei der Konservierung von Milch- und Pflanzenprodukten durch Milchsäure und beim Backen (Sauerteig: CO_2-Bildung). Sie gehören auch zur Darmflora des Menschen.

Milchschorf, Form des endogenen Ekzems bei Säuglingen mit Rötungen, Schuppen- und Krustenbildung im Bereich des Kopfes und der seitl. Gesichtsanteile. Die Behandlung erfolgt mit Corticosteroiden, Pflegesalben und -cremes, Ölbädern sowie Klimatherapie (Gebirgs- oder Meeresklima); auch durch diätet. Umstellung.

Milchstern (Ornithogalum), Gattung der Liliengewächse; Zwiebelpflanzen mit grasähnlichen Blättern und weißen, sternförmigen Blüten, z.T. Zierpflanzen.

Milchstraße, schwach leuchtendes, unregelmäßig begrenztes Band, das sich nahezu längs eines Großkreises über den Himmel erstreckt und im Fernrohr in Einzelsterne, Nebel und Sternhaufen auflöst. Die M. ist die Symmetrieebene eines rotierenden Sternsystems, des →Milchstraßensystems.

Milchstraßensystem (Galaxis), ein →Sternsystem, dem neben der Sonne und allen mit bloßem Auge sichtbaren Fixsternen (etwa 5000) noch weitere rd. 200 bis 300 Mrd. Sterne angehören. Das M. besteht aus einer galakt. Scheibe von etwa 120000 Lichtjahren (Lj) Durchmesser und 3500 Lj Dicke mit einer zentralen Verdickung von 15000 Lj Durchmesser, die vom nahezu sphär. (v.a. aus Kugelsternhaufen bestehenden) **galakt. Halo** (Durchmesser rd. 165000 Lj) umgeben wird. Die nur schwer zu bestimmende Gesamtmasse des M. wird mit 120 bis 190 Mrd. Sonnenmassen angegeben; statist. Bewegungsanalysen lassen aber auch eine rd. zehnmal so große Gesamtmasse zu, die in der →dunklen Materie »versteckt« ist. Die Sonne ist etwa 30000 Lj vom Zentrum des M. **(galakt. Zentrum)** entfernt, das jedoch durch dazwischenliegende dichte Wolken →interstellarer Materie nicht sichtbar ist, und liegt 45 Lj nördlich der galakt. Ebene. Während der mittlere Sternabstand in der Sonnenumgebung bei etwa 5 bis 6 Lj liegt, enthält das galakt. Zentrum auf engem Raum einige 100 Mio. Sterne (mittlerer Abstand dort einige Lichtwochen); von einigen Astronomen wird auch die Existenz eines →Schwarzen Lochs im galakt. Zentrum nicht ausgeschlossen. Die äußere Form des M. ist von einem Beobachtungsort innerhalb des Systems nur schwer zu erschließen, doch weisen radioastronom. Messungen auf eine Spiralstruktur hin. Während in den Spiralarmen überwiegend junge Sterne anzutreffen sind, enthalten die kugelförmigen →Sternhaufen des galakt. Halo hauptsächlich alte Sterne (bis zu 20 Mrd. Jahre). Die Rotation des M. **(galakt. Rotation)** führt zu einer Umlaufbewegung der Sonne um das galakt. Zentrum innerhalb von etwa 200 Mio. Jahren, was einer Rotationsgeschwindigkeit am Ort der Sonne von rd. 220 km/s entspricht.

📖 Burkert, A. *u.* Kippenhahn, R.: *Die Milchstraße. München 1996.*

Milchzähne, die ersten Zähne (→Gebiss, →Gebissformel).

Milchzucker, die →Lactose.

mildernde Umstände, die besonderen tatsächl. Verhältnisse eines Straffalles, die die regelmäßige Strafe als zu streng erscheinen lassen (z.B. häusl. Milieu, Reue). Das dt. StGB sieht in versch. gesetzlich bestimmten Fällen bei dem Vorliegen von m. U. eine geringere Strafe vor; der Milderungsmaßstab ist §49 StGB zu entnehmen. – Das *österr.* StGB enthält eine nicht abschließende Aufzählung von m. U. (§34 StGB). Art. 64 des StGB der *Schweiz* nennt neun mildernde Umstände.

Mile [maɪl, engl.], Längeneinheit in den USA und Großbritannien, entspricht der →Meile; Einheitenzeichen **mile** nach ISO und in Großbritannien, Einheitenzeichen **mi** in den USA (statute mile): 1 mile = 1 mi = 1760 yd = 1,609344 km. Für Luft- und Seefahrt wird die →Seemeile verwendet.

Milet (grch. Miletos), altgrch. Stadt im westl. Kleinasien, an der Mündung des Mäander ins Ägäische Meer. Schon um 1600 v.Chr. kret., dann myken. Faktorei, stieg M. seit dem 10. Jh. v.Chr. zur mächtigsten Stadt Ioniens auf und wurde zu einem Zentrum der grch. Kultur. Im Ion. Aufstand gegen die pers. Herrschaft (500–494 v.Chr.) war M. führend und wurde 494 von den Persern zerstört. Seit 479 v.Chr. wurde M. mit rechtwinkligem Straßensystem wieder aufgebaut und erlebte unter Alexander d. Gr. eine neue Blütezeit. Dt. Ausgrabungen seit 1899 legten u.a. das Markttor (2. Jh. n.Chr.) und das gut erhaltene röm. Theater (um 100 n.Chr., 30000 Plätze) frei. Bild S. 282

Milford Haven ['mɪlfəd 'heɪvn], Hafenstadt in SW-Wales, 13900 Ew.; Fischereihafen, Erdölhafen mit Großraffinerien.

Milhaud [mi'jo], Darius, frz. Komponist, *Aix-en-Provence 4. 9. 1892, †Genf 22. 6. 1974; gehörte zur »Groupe des Six« in Paris. Sein umfangreiches

Milchlinge: Edelreizker (Hutdurchmesser 5-15 cm)

Darius Milhaud

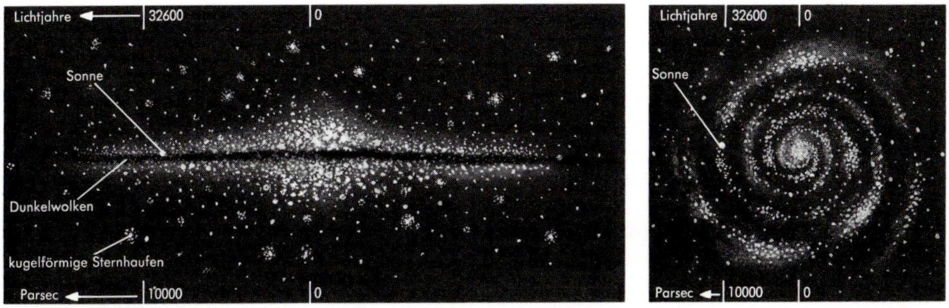

Milchstraßensystem: schematische Darstellungen der Seitenansicht (links) und der Nordansicht des Milchstraßensystems; die Sonne ist jeweils stark vergrößert dargestellt und die Rotation wird entgegen dem Uhrzeigersinn angenommen

Werk ist geprägt durch Polytonalität und die Verarbeitung vielfältiger Einflüsse (Jazz, jüd. Kultmusik, lateinamerikan. und afrikan. Musik u. a.).

Werke: Opern: »Les malheurs d'Orphée« (1926); »Christophe Colombe« (1930); »Médée« (1939); »David« (1954); »Saint Louis, Roi de France« (1972, Opernoratorium). – Ballette, 12 Sinfonien, Konzerte, Kammermusik, Klavier-, Chorwerke, Lieder, Schauspiel-, Filmmusik.

Miliaria [lat. milium »Hirse(korn)«] *Pl.,* → Friesel.

Milet: Das gut erhaltene römische Theater aus der Zeit um 100 n. Chr. fasste 30 000 Zuschauer

Miliartuberkulose [lat.], durch Erregerausbreitung auf dem Blut- oder Lymphweg entstehende, über den ganzen Körper verbreitete Tuberkulose mit zahlr. kleinsten Herden (Miliartuberkel). Betroffen sind v. a. Lunge, Gehirnhaut und Bauch sowie Leber und Milz.

Milieu [miˈli̯ø:; frz. »Mitte«] *das,* Umfeld, Umgebung. Die *Soziologie* versteht unter M. die Gesamtheit der natürl., wirtsch., sozialen und kulturellen Gegebenheiten, die auf einen Menschen oder eine soziale Gruppe einwirken. Die **Milieutheorie** vertritt die Auffassung, dass Entwicklung und Eigenart (bes. Intelligenz, Charakter, Verhalten) des Menschen v. a. durch die soziale Umwelt, nicht durch die genet. Anlage bestimmt sind. Sie wurde ebenso wie die vom Nativismus vertretene Lehrmeinung, zumindest bestimmte Fähigkeiten und Vorstellungen seien angeboren, weithin zugunsten einer vermittelnden Theorie aufgegeben.

militant [lat.], kämpferisch.

Militär [frz. aus lat. militaris] *das,* Sammelbegriff für 1. die Gesamtheit der Streitkräfte, 2. eine Zahl von Angehörigen der Streitkräfte.

Militär|akademi|en, → Militärschulen.

Militär|attaché [-ʃe], Offizier, der als Mitglied einer diplomat. Vertretung für Militärfragen zuständig ist.

Militärdienst, svw. → Wehrdienst.

Militärdiktatur, die Ausübung unbeschränkter oder unkontrollierter polit. Macht durch einen Militärbefehlshaber oder eine militär. Gruppe (Militärjunta).

Militärgeographie, Zweig der Kriegswissenschaften. Die für die Kriegführung geographisch wichtigen Verhältnisse werden in Länderbeschreibungen und militärgeograph. Karten dargestellt.

Militärgerichtsbarkeit, durch militär. Behörden ausgeübte Gerichtsbarkeit über Militärpersonen. In Dtl. besteht keine M. Nach Art. 96 GG ist jedoch die Einrichtung von Wehrstrafgerichten zulässig. Gegenwärtig werden militär. Straftaten von den Strafgerichten der ordentl. Gerichtsbarkeit geahndet. (→ Militärjustiz)

Militärgeschichte, Teildisziplin der Geschichtswiss.; sie untersucht das Militär als Institution und als Faktor des wirtsch., gesellschaftl. und polit. Lebens. In ihrer allg. Erkenntnisabsicht unterscheidet sich die M. nicht von der allg. Geschichtswiss.; sie ist nicht an Zwecke der militär. Führung gebunden. Als Begriff hat sich M. in Dtl. erst nach dem 2. Weltkrieg gegen die älteren Bez. Kriegsgeschichte und Wehrgeschichte durchgesetzt. **Kriegsgeschichte** war eine Fachdisziplin der Generalstabswiss.; sie behandelte bes. die Geschichte der Feldzüge, Schlachten, Kriegskunst und -mittel (Kriegswiss.) und diente der Auswertung histor. Vorgänge im Sinne einer prakt.-techn. Nutzanwendung. Zugleich war sie Teil der militär. Traditionspflege. Die Einführung der Bez. **Wehrgeschichte** als Disziplin der Wehrwiss. vor dem 2. Weltkrieg erfolgte im Zuge der Bemühungen, die Kriegswiss. begrifflich neu zu fassen und über das militär. Handwerk hinaus zu erweitern. In der Bundeswehr ist Wehrgeschichte als Lehrfach 1968 eingeführt worden, die wiss. Forschung wird als M. betrieben.

Militärgeschichtliches Forschungsamt, dem Bundes-Min. der Verteidigung unterstehendes Inst. in Potsdam (seit 1994) zur wiss. Erforschung militärgeschichtl. Fragen aller Teilstreitkräfte.

Militärgrenze, im 16.–19. Jh. der streng militärisch eingerichtete Landstrich an der türk. Grenze Österreich-Ungarns **(österr. M.);** bildete 1849–66 ein eigenes österr. Kronland. 1851 wurde die siebenbürg., 1872/73 auch die Banater M. aufgehoben und Ungarn angeschlossen; 1881 wurde die kroatisch-slawon. M. mit Kroatien-Slawonien vereinigt. Die Grenzer waren Bauernsoldaten, zum dauernden Waffendienst in den Grenzregimentern verpflichtet, dafür großenteils von Abgaben befreit. (→ Krajina)

Militärischer Abschirmdienst, Abk. **MAD,** militär. Geheimdienst zum Schutz militär. Anlagen gegen Spionage und Sabotage; Zentrale ist das **Amt für Sicherheit der Bundeswehr.**

militärischer Gruß, → Gruß.

militärische Satelliten, Satelliten, die ausschließlich oder teilweise militär. Aufgaben haben: Beobachtung, Aufklärung, Überwachung, Frühwarnung (»Himmelsspione«), Vermessung, Navigation, Kommunikation sowie Erkundung des globalen Wettergeschehens. Für Kampfaufträge sind **Killersatelliten** (Antisatellitenwaffen) vorgesehen. Über die Hälfte der bisher ins Weltall beförderten Satelliten dienen militär. Zwecken.

militärische Straftaten, → Wehrrecht (Wehrstrafrecht).

militärisch-industrieller Komplex, auf C. W. Mills und D. D. Eisenhower zurückgehende Bez. für eine industrielle, militär., wiss. und polit. Interessenverbindung, die aufgrund ihrer engen Verflechtung nicht mehr parlamentarisch zu kontrollieren ist und so zu einem nicht legitimierten Machtzentrum im Staate wird.

Militarismus *der,* Zustand des Übergewichts militär. Grundsätze, Ziele und Wertvorstellungen in der Politik eines Staates und der Übertragung militär. Prinzipien auf alle Lebensbereiche. Merkmale des M. sind u.a. Überbetonung militär. Formen, Vorherrschaft des militär. Machtprinzips im öffentl. Leben, Ausbreitung militärisch-autoritärer Ordnungsformen (persönl. Gehorsam, Disziplin) im zivilen Bereich, Verherrlichung des Kriegs, bevorzugte Stellung des Militärs. Der M. ist nicht daran gebunden, dass Militärpersonen die Regierung des Landes ausüben.

Militärjustiz, in der Schweiz Sondergerichtsbarkeit, die in Anwendung des Militärstraf-Ges. vom 13. 6. 1927 und des Militärstrafprozesses vom 23. 3. 1979 Straftaten von Militärpersonen, in bes. Fällen auch von Zivilpersonen beurteilt (1. Instanz Divisionsgerichte, 2. Instanz Militärappellationsgerichte, letzte Instanz Militärkassationsgericht).

Militärkabinett, in vielen Monarchien dem Herrscher als oberstem Kriegsherrn unmittelbar zugeordnete Behörde für Heeresangelegenheiten.

Militärmusik, die Gesamtheit der im militär. Bereich verwendeten Musik, umfasst Signal- und Kommandogaben im Fanfarenmelos (Trompete, Flügelhorn), die histor. Formen der Musik für Trompeter und Pauker sowie für Pfeifer und Trommler, die Musik der neuzeitl. Militärkapellen und das Soldatenlied. Die Geschichte der M. reicht bis zu den Römern (Signale der Tuba- und Tibiabläser) zurück. Auf mittelalterl. Tradition fußen die Spielleute (Trommler und Pfeifer der Landsknechte). Die eigentl. Militärkapelle geht auf die Trompeter der an den Kreuzzügen beteiligten Fürsten zurück. Seit dem 17. Jh. vollzog sich in den europ. Armeen eine Reorganisation der M.; sie fand ihren Ausdruck in der Nachahmung der → Janitscharenmusik und in der zunehmenden Annäherung an den Bereich der Kunstmusik, so etwa im Ersetzen der Pfeifer durch Oboisten und in der seit dem 19. Jh. erhobenen Forderung nach Beherrschung eines Streichinstruments durch die Militärmusiker sowie in Dtl. seit 1874 in der Ausbildung der M.-Meister an den Musikhochschulen in Berlin, München und Dresden. Aus dem 19. Jh. datiert die Festlegung der Harmoniemusik (gemischte Besetzung aus Holz- und Blechblasinstrumenten) für die Infanterie, eine reine Blechbesetzung für Kavallerie, Artillerie (Trompeten) und Jäger (Waldhorn), während 1935 die Fliegertruppe das Saxophon übernahm (seit 1845 bereits in der frz. Militärmusik).

Militärpolizei, Bez. für militär. Verbände mit polizeil. Funktionen; im angloamerikan. Bereich **Military Police** (Abk. M. P.).

Militärrecht, → Wehrrecht.

Militärregierung, 1) *allg.:* eine aus Militärs bestehende Regierung, oft durch Putsch zur Macht gelangt.

2) *Völkerrecht:* die in einem besetzten Gebiet mit der Ausübung der Staatsgewalt betraute militär. Kommandostelle.

Militärschulen, Einrichtungen zur Aus- und Weiterbildung des militär. Führungspersonals, militär. Spezialisten sowie der Beamten der Militärverwaltung. **Militärakademien** sind Ausbildungsstätten zur weiteren Qualifizierung von Offizieren, u.a. zur Vorbereitung auf den Generalstabsdienst.

Militärseelsorge, die besondere, die allg. Seelsorge ergänzende kirchl. Betreuung der Militärangehörigen durch hauptamtl. Militärgeistliche. Rechtsgrundlagen sind in Dtl. für die kath. Kirche das Reichskonkordat von 1933 und die Statuten für die Seelsorge in der dt. Bundeswehr von 1989, für die evang. Kirchen der »Vertrag der EKD mit der Bundesrep. Dtl. zur Regelung der evang. M.« von 1957; ausführende Organe der Militärbischöfe sind das Kath. Militärbischofsamt und das Evang. Kirchenamt für die Bundeswehr. Die evang. Kirchen in den neuen Bundesländern halten am in der DDR praktizierten Modell der an die jeweiligen Ortsgemeinden der Militärstandorte gebundenen M. fest und streben eine vertragl. Neuregelung der M. in diesem Sinne an.

Militärsport, i.w.S. der gesamte beim Militär betriebene Breiten- und Leistungssport, i.e.S. Bez. für spezielle sportl. Disziplinen, die militär. Charakter tragen, wie z.B. der militär. Fünfkampf. Dieser besteht aus Schießen, Hindernisschwimmen, Hindernislauf, Handgranatenweit- und -zielwerfen sowie Geländelauf.

Internat. M.-Wettkämpfe veranstaltet jährlich der 1948 gegründete »Conseil International du Sport Militaire« (CISM).

Military ['mɪlɪtərɪ, engl.] *die,* → Vielseitigkeit.

John Stuart Mill
(Ausschnitt aus einem Gemälde von George Frederick Watts, um 1865)

Arthur Miller

Glenn Miller

Military Police ['mɪlɪtərɪ pə'liːs, engl.], Abk. **M. P.,** → Militärpolizei.

Miliz [frz., aus lat. milita »Gesamtheit der Soldaten«] *die,* im 19. Jh. Bez. für Bürger- oder Volksheer im Ggs. zum stehenden Heer. Im 20. Jh. Bez. einerseits für Polizei- und paramilitär. Verbände, andererseits für eine besondere Organisationsform v. a. der Landstreitkräfte (M.-Heer), die gekennzeichnet ist durch einen im Frieden geringen Präsenzgrad der Truppen sowie durch einen sehr kurzen »Grundwehrdienst« und zahlreiche auf diesen aufbauende Wehrübungen. Eine Armee kann entweder fast vollständig (wie in der Schweiz) oder teilweise (als Ergänzung zur stehenden Truppe) nach dem M.-Prinzip aufgebaut sein. Die Rekrutierung der »Milizionäre« kann auf der Grundlage der Wehrpflicht erfolgen (wie in der Schweiz), ist aber auch auf freiwilliger Basis (wie in der National Guard in den USA) möglich.

Milizparlament, Bez. für ein Parlament, dessen Abg. nur nebenamtlich tätig sind und das nur zu kurzen Sessionen zusammentritt; z. B. die Schweizer Bundesversammlung.

Mill, 1) James, engl. Philosoph, Historiker, Nationalökonom, *Northwaterbridge (Schottland) 6. 4. 1773, †Kensington (London) 23. 6. 1836; neben J. Bentham und seinem Sohn John Stuart M. Hauptvertreter des (engl.) Utilitarismus, dem er im Sinne der Assoziationspsychologie eine philosoph. Grundlage gab; in seiner nationalökonom. Theorie von A. Smith und D. Ricardo beeinflusst.

2) John Stuart, engl. Philosoph und Nationalökonom, *London 20. 5. 1806, †Avignon 8. 5. 1873, Sohn von 1); war 1866–68 Mitgl. des Unterhauses. M. vertrat eine positivist. Grundhaltung. In seinem »System der deduktiven und induktiven Logik« (2 Bde., 1843) suchte M. eine Wissenschaftsmethodik zu entwickeln, die, auf Politik und Soziologie angewendet, ebenso exakte Prognosen aufzustellen erlaubt, wie sie I. Newtons Theorie für die Physik ermöglichte. Diesem Ziel dient die Entwicklung der induktiven Logik, der Lehre von den richtigen Verallgemeinerungen aus genauen Einzelbeobachtungen. – Mit seiner späteren Frau Harriet Taylor (*1807, †1858) verfasste M. »Grundsätze der politischen Ökonomie« (2 Bde., 1848), in dem u. a. die Frauenarbeit und die Ursachen des niedrigen Frauenlohns analysiert werden. Aus weiterer gemeinsamer Arbeit entstanden »Über die Freiheit« (1859) und »Hörigkeit der Frau« (1869), in denen die Autoren die in der zivilisierten Welt fortdauernde Versklavung der Frau in materieller und geistiger Hinsicht konstatieren und verurteilen.

🕮 Wolf, J.-C.: *J. S. M.s »Utilitarismus«. Ein krit. Kommentar. Freiburg im Breisgau u. a. 1992.*

Millais [mɪ'leɪ], Sir (seit 1885) John Everett, brit. Maler, *Southampton 8. 6. 1829, †London 13. 8. 1896; Mitbegründer der → Präraffaeliten.

Millás [mi'as], Juan José, span. Schriftsteller, *Valencia 1. 1. 1946; behandelt in seinen Romanen (u. a. »Dein verwirrender Name«, 1988; »Das war die Einsamkeit«, 1990) die psych. Probleme, die sich aus der Bewältigung der Francozeit und der Suche nach neuen Perspektiven ergeben.

Mille [lat.] *das,* Tausend (röm. Zahlzeichen: M).

Millefioriglas [italien. mille fiori »tausend Blumen«], → Glas.

Millennium [lat.] *das,* Jahrtausend.

Miller, 1) Alice, schweizer. Schriftstellerin, *12. 1. 1923; bezieht eine krit. Position gegenüber der Psychoanalyse und der traditionellen Erziehung; untersucht Ursachen und Folgen von Kindesmisshandlungen (»Das Drama des begabten Kindes«, 1979; »Du sollst nicht merken«, 1981; »Das verbannte Wissen«, 1988).

2) ['mɪlə], Arthur, amerikan. Dramatiker, *New York 17. 10. 1915; 1956–60 ⚭ mit M. Monroe; 1965–69 Präs. des Internat. PEN-Clubs. Einer der führenden zeitgenöss. Bühnenautoren, der in seinen realist., zeit- und gesellschaftskrit. Dramen bes. der analyt. Methode H. Ibsens verpflichtet ist (»Alle meine Söhne«, 1947; »Der Tod des Handlungsreisenden«, 1949; »Hexenjagd«, 1953). Außerdem schrieb er u. a. »Brennpunkt« (R., 1945), »Nicht gesellschaftsfähig« (Drehbuch, 1961), »Zwischenfall in Vichy« (Dr., 1964), »Nach dem Sündenfall« (Dr., 1964), »Spiel um Zeit« (Dr., 1981), »Zeitkurven« (Autobiographie, 1987), »Everybody wins. A screenplay« (Dr., 1990), »The Last Yankee« (Kom., 1993).

3) Ferdinand von (seit 1875), d. Ä., Erzgießer, *Fürstenfeldbruck 18. 10. 1813, †München 11. 2. 1887, Vater von 7); seit 1844 Direktor der Königl. Erzgießerei in München, aus der über 175 große Gusswerke hervorgingen, u. a. die → Bavaria in München, das Goethe-Schiller-Denkmal in Weimar (1857).

4) ['mɪlə], Glenn, amerikan. Posaunist, Orchesterleiter, Arrangeur und Komponist, *Clarinda (Ia.) 1. 3. 1904, †bei Flugzeugabsturz zw. England und Frankreich 15./16. 12. 1944; gründete 1937 eine Band und wurde mit dem typ. »G.-M.-Sound« (vier Saxophone, führende Klarinette) sehr populär; leitete im 2. Weltkrieg ein Armeeorchester.

5) ['mɪlə], Henry, amerikan. Schriftsteller, *New York 26. 12. 1891, †Los Angeles (Calif.) 7. 6. 1980; 1939/40 Aufenthalt in Europa; Vertreter eines extremen Individualismus von provozierender Aggressivität, dessen Werk fast ausschließlich eine surrealistisch-visionäre Spiegelung seiner individuellen Gefühlswelt darstellt. Die mit bewusst krassem Realismus dargestellte Sexualität in seinen

Carl Milles: Der Orpheusbrunnen vor dem Konzerthaus in Stockholm entstand 1930–36

Romanen und Erzählungen ist als Teil seiner Bestrebungen zur Umwertung des als lebensfeindlich empfundenen bürgerlich-puritan. Wertesystems der nordamerikan. Gesellschaft zu verstehen (»Wendekreis des Krebses«, R., 1934; »Wendekreis des Steinbocks«, R., 1939; Romantrilogie: »Sexus«, 1949; »Plexus«, 1952; »Nexus«, 1957; »Stille Tage in Clichy«, R., 1966; »Opus pistorum«, Erz., hg. 1983). M. wirkte bes. auf die Autoren der Beatgeneration und des Postmodernismus.

📖 DEARBORN, M.: *H. M. Eine Biographie. A. d. Amerikan. Tb.-Ausg. München 1993.* – FERGUSON, R.: *H. M. Ein Leben ohne Tabus. A. d. Amerikan. Neuausg. München 1994.*

6) ['mɪlə], Merton Howard, amerikan. Betriebswirtschaftler, *Boston (Mass.) 16. 5. 1923; seit 1961 Prof. an der University of Chicago; entwickelte zus. mit F. Modigliani die **Modigliani-M.-Theoreme** (1958, 1961), die die Zusammenhänge von Marktwert, Kapitalstruktur und -kosten von Unternehmen beschreiben. M. erhielt 1990 zus. mit H. Markowitz und W. Sharpe für Forschungen zur modernen Finanzierungstheorie von Unternehmen und zur Theorie der Finanzmärkte den Nobelpreis für Wirtschaftswissenschaften.

7) Oskar von, Ingenieur, *München 7. 5. 1855, †ebd. 9. 4. 1934, Sohn von 3); Begründer des →Deutschen Museums (München 1903). M. organisierte 1882 in München die erste Elektrizitätsausstellung Deutschlands und war 1884–90 Direktor der AEG. Er gründete 1890 ein Ingenieurbüro für Energiewirtschaft in München, baute 1891 die erste Überlandleitung von Lauffen am Neckar nach Frankfurt am Main (rd. 180 km) und errichtete das Walchensee-Kraftwerk (1918–24).

Millerand [mil'rã], Alexandre, frz. Politiker, *Paris 10. 2. 1859, †Versailles 6. 4. 1943; Rechtsanwalt, 1899–1904 als erster sozialist. Minister Mitgl. der bürgerl. Regierung Waldeck-Rousseau; wandte sich nach 1905 der Rechten zu; 1920–24 Präs. der Rep.; unterstützte die nationalist. Politik R. Poincarés.

millersche Indizes [nach dem brit. Kristallographen W. H. Miller, *1801, †1880], *Kristallographie:* zur Kennzeichnung von Netzebenenscharen und Kristallflächen verwendete Zahlentripel *(h k l).* Es sind die reziproken und ganzzahlig gemachten Werte der Achsenabschnitte im jeweiligen kristallograph. Achsenkreuz. Die Bravais-Indizes *(h k i l)* beziehen sich auf das vierachsige hexagonale bzw. trigonale Achsenkreuz.

Milles, Carl, schwed. Bildhauer, *Lagga (bei Uppsala) 23. 6. 1875, †Lidingö (bei Stockholm) 19. 9. 1955. Nach impressionist. Anfängen schuf er später ausdrucksvoll bewegte Figuren, oft mit raumgreifenden Gruppen (u. a. Orpheusbrunnen in Stockholm, 1930–36; Auferstehungsfontäne in Washington, D. C., 1951 vollendet).

Millet [mi'lɛ, mi'jɛ], Jean-François, frz. Maler, *Gruchy (bei Cherbourg) 4. 10. 1814, †Barbizon 20. 1. 1875; wandte sich unter dem Einfluss von H. Daumier Ende der 1840er-Jahre der Darstellung des bäuerl. Lebens zu und ließ sich 1849 in →Barbizon nieder, wo er zwar nicht in der freien Natur malte, jedoch grundsätzlich die realist. Naturauffassung der Schule von Barbizon teilte, sie jedoch in der Zeitlosigkeit und Distanz seiner Darstellung überhöhte (u. a. Die Ährenleserinnen, 1857; Angelusläuten, 1859; beide Paris, Musée d'Orsay); Zeichnungen, Radierungen, Holzschnitte. BILD S. 286

Millett ['mɪlɪt], Kate, eigtl. Katherine Murray, amerikan. Schriftstellerin, *Saint Paul (Minn.) 14. 9. 1934; aktive Anhängerin der Frauenbewegung,

Henry Miller

Oskar von Miller

Glenn Miller

Am 15. Dezember 1944 bestieg Glenn Miller, Major der amerikanischen Luftwaffe und Leiter der berühmten Army Air Force Band, auf einem englischen Militärflugplatz sein Flugzeug, um ins befreite Paris zu fliegen. Dort wollte er vor alliierten Soldaten ein Weihnachtskonzert geben. Er sollte nie ankommen. Die Umstände seines Todes sind bis heute nicht geklärt. Man vermutet, dass sein Flugzeug wegen vereister Tragflächen oder eines Motorschadens in den Ärmelkanal stürzte.

Glenn Miller war seit 1929 Posaunist in verschiedenen Orchestern des Chicago-Stils und des Swing und gründete 1937 eine eigene Bigband. Mit ihr entwickelte er den typischen »Glenn-Miller-Sound« (vier Saxophone und führende Klarinette), eine publikumswirksame Tanzmusik mit Jazzcharakter. Seine größten Erfolge hatte er zwischen 1939 und 1941 mit Titeln wie »In the Mood« und »Chattanooga Choo Choo«. 1942 löste er sein erfolgreiches Orchester auf, meldete sich zum Militär und widmete sich der musikalischen Truppenbetreuung. 1944 wurde seine Army Air Force Band nach Großbritannien verlegt, von wo aus sie mit Rundfunksendungen und Konzertauftritten die Kampfmoral der in Europa stationierten US-Soldaten heben sollte.

Robert A. Millikan

Karl Millöcker

Willy Millowitsch

Slobodan Milošević

schrieb u.a. »Sexus und Herrschaft« (1970); ferner autobiograph. Romane.

Milli [zu lat. mille »tausend«], Vorsatzzeichen **m,** Vorsatz vor Einheiten für den Faktor 10^{-3} (Tausendstel); z.B. 1 Millimeter = 1 mm = 0,001 Meter.

Milliarde *die,* Abk. **Md.** oder **Mrd.,** tausend Millionen, d.h. die Zahl 10^9 = 1000000000; in den USA auch Billion genannt.

Millikan ['mɪlɪkən], Robert Andrews, amerikan. Physiker, *Morrison (Ill.) 22. 3. 1868, †Pasadena (Calif.) 19. 12. 1953; bestimmte ab 1911 in mehreren Versuchen als Erster die Ladung des Elektrons (elektr. Elementarladung) aus der Fallgeschwindigkeit geladener Öltröpfchen im elektr. Feld **(M.-Versuch),** bestätigte das einsteinsche Grundgesetz für den Photoeffekt und bestimmte damit den Wert des planckschen Wirkungsquantums, arbeitete über UV- und Röntgenstrahlung; 1923 Nobelpreis für Physik.

Millimeterpapier, mathemat. Zeichenpapier mit aufgedruckten Kästchen von 1 mm Kantenlänge.

Millimeter-Quecksilbersäule, Einheitenzeichen **mmHg,** zugelassene Einheit zur Messung des Blutdrucks und des Drucks anderer Körperflüssigkeiten; entspricht dem Druck einer 1 mm hohen Quecksilbersäule bei Normfallbeschleunigung (9,80665 m/s²): 1 mm Hg = 133,322 Pa = 1,33322 mbar.

Millimeterwellen, elektromagnet. Wellen mit einer Wellenlänge zw. 10 und 1 mm bzw. Frequenzen von 30 bis 300 GHz. Die M. decken u.a. einen wichtigen →Wellenlängenbereich in der →Radioastronomie ab.

Million [italien.] *die,* Abk. **Mio.** oder **Mill.,** tausend mal tausend, d.h. die Zahl 10^6 = 1000000.

Millöcker, Karl, österr. Komponist, *Wien 29. 4. 1842, †Baden (bei Wien) 31. 12. 1899; neben J. Strauß (Sohn) und F. von Suppé der Hauptvertreter der klass. Wiener Operette, u.a. »Gräfin Dubarry« (1879); »Der Bettelstudent« (1882); »Gasparone« (1884); »Der arme Jonathan« (1890).

Millowitsch, Willy, Volksschauspieler, *Köln 8. 1. 1909; Direktor (seit 1940), Regisseur und Hauptdarsteller des M.-Theaters (ein Familienunternehmen) in Köln; zahlr. Fernsehübertragungen; auch Filmrollen.

Mills, Charles Wright, amerikan. Soziologe, *Waco (Tex.) 28. 8. 1916, †New York 20. 3. 1962; marxistisch beeinflusste, krit. Arbeiten zur soziolog. Theorie und zu wissenssoziolog., sozialpsycholog. und polit. Fragen der sozialen Schichtung (»Die amerikan. Elite«, 1956).

Millstatt, Marktgemeinde an der Drau, im Bez. Spittal, Kärnten, Österreich, Badeort am **Millstätter See** (13 km², 12 km lang, bis 140 m tief), 3300 Ew.; vom ehem. Benediktinerstift (um 1070) sind der frühroman. Kreuzgang und die Kirche (12.–16. Jh.) erhalten.

Milne [mɪln], Edward Arthur, brit. Astrophysiker, *Hull 14. 2. 1896, †Dublin 21. 9. 1950; Arbeiten über den Zustand der Fixsternmaterie (Plasma) und theoret. Untersuchungen des dynam. Gleichgewichtszustandes von Sternen, auch Studien zur →Kosmologie (kosmolog. Prinzip).

Jean-François Millet: »Die Ährenleserinnen« (1857; Paris, Musée d'Orsay)

Milner ['mɪlnə], Alfred, Viscount (seit 1902), brit. Politiker, *Gießen 23. 3. 1854, †Sturry Court (Cty. Kent) 13. 5. 1925; trug als Hochkommissar für Südafrika und Gouv. der Kapkolonie (ab 1897) zum Ausbruch des Burenkriegs (1899–1902) bei. Nach dessen Beendigung Gouv. der eroberten Burenstaaten und weiterhin (bis 1905) Hochkommissar, förderte er den Wiederaufbau von Wirtschaft und Verw. Südafrikas. 1916 ins brit. Kriegskabinett berufen; 1919–21 Kolonialminister. M. war ein führender Vertreter des brit. Imperialismus.

Milo, italien. Name der Insel →Melos.

Milošević ['milɔʃəviç], Slobodan, serb. Politiker, *Požarevac 29. 8. 1941; wurde 1986 1. Sekretär der KP, 1990 Vors. der Sozialist. Partei Serbiens, war 1989–97 Präs. Serbiens; trug durch seinen extrem serbisch-nationalist. Kurs (ab 1987; u.a. Aufhebung der Autonomie im Kosovo 1989/90 hohe Mitverantwortung an den blutigen Kriegen in Kroatien sowie Bosnien und Herzegowina (1991–95), unter internat. Druck zum Abkommen von Dayton (21. 11. 1995) bzw. zum Frieden von Paris (14. 12. 1995) gezwungen; als Präs. →Jugoslawiens (Juli 1997 gewählt) hauptverantwortlich für die Eskalation der internat. Kosovokrise (1998/99); im Mai 1999 vom Internat. Kriegsverbrechertribunal für Jugoslawien in Den Haag angeklagt.

Miloš Obrenović ['milɔʃ ɔ'brɛnɔvitç], Fürst von Serbien (1817–39 und 1858–60), *Dobrinja 18. 3. 1780, †Topčider (bei Belgrad) 26. 9. 1860; Stammvater der Dynastie →Obrenović; 1815 Führer im serb. Freiheitskampf gegen die Türken, wurde nach dem Tod seines Gegners Karadjordje 1817 zum Fürsten gewählt und vom Osman. Reich anerkannt. Er regierte despotisch, musste 1839 abdanken, wurde 1858 zurückberufen.

Miłosz ['miu̯ɔʃ], Czesław, poln. Dichter und Publizist, *Seteiniai (Litauen) 30. 6. 1911; bed. Lyriker und Romancier; war 1945–51 Kulturattaché in den USA und Frankreich; 1951 Emigration nach Paris und in die USA (1970 amerikan. Staatsbürger); 1961–78 Prof. für Slawistik in Berkeley (Calif.). M. schrieb »Verführtes Denken« (1953), den Kindheitsroman »Das Tal der Issa« (1955), die Autobiographie »West- und östl. Gelände« (1959), »Collected Poems« (Ged., 1988) u. a. Themen seiner in klarer, oft klassisch anmutenden Sprache geschriebenen Lyrik sind existenzielle und (geschichts)philosoph. Probleme, in seinen Essays behandelt er die Lage der Intellektuellen im stalinist. Polen und seine Lage als Emigrant. Bed. Übersetzer. 1980 erhielt er den Nobelpreis für Literatur.

Czesław Miłosz

Milstein ['mɪlstaɪn], **1)** César, brit. Molekularbiologe argentin. Herkunft, *Bahia Blanca 8. 10. 1927; erhielt 1984 für die Erarbeitung der Technik zur Herstellung monoklonaler Antikörper den Nobelpreis für Physiologie oder Medizin mit G. J. F. Köhler und N. K. Jerne.

2) Nathan, amerikan. Violinist russ. Herkunft, *Odessa 31. 12. 1904, †London 21. 12. 1992; lebte seit 1929 in den USA; brillanter Interpret klass. und romant. Violinmusik; schrieb u. a. Variationen für Solovioline.

Nathan Milstein

John Milton: Kupferstich des englischen Künstlers William Faithorne aus dem Jahr 1670, darunter Autogramm

Mịltenberg, 1) Landkreis im RegBez. Unterfranken, Bayern, 716 km², (1997) 129 100 Ew.

2) Krst. von 1) in Bayern, am Main, 9 800 Ew.; Holz-, Papierindustrie, Maschinen-, Elektromotorenbau; Brauereien; Weinbau. – Zahlr. Fachwerkhäuser aus dem 15.–18. Jh. (z. B. Gasthof »Riesen«, 1590), Rathaus (15. Jh.), Amtskellerei (16./17. Jh.), Pfarrkirche (im Kern 14. Jh.), barocke Franziskanerkirche (17. Jh.), Reste der Stadtbefestigung. – Erhielt vor 1285 Stadtrecht.

Miltenberg 2) Stadtwappen

Mịltiades (grch. Miltiades), athen. Feldherr, *um 550, †Athen um 489 v. Chr.; seit 516 v. Chr. Tyrann auf dem Thrak. Chersones. Nach dem Scheitern des Ion. Aufstandes floh er 493 nach Athen. M. trug 490 entscheidend zum Sieg über die Perser bei Marathon bei, scheiterte aber 489 gegen das perserfreundl. Paros und starb bald darauf an einer dabei erlittenen Verwundung.

Milton ['mɪltən], John, engl. Dichter, *London 9. 12. 1608, †ebd. 8. 11. 1674; 1638/39 Reisen nach Frankreich und Italien; kämpfte während des engl. Bürgerkriegs aufseiten des Parlaments; forderte in zahlr. Schriften u. a. die Demokratisierung der Kirche, eine allseitige, praxisbezogene Erziehung (»Von der Erziehung«, 1644), Pressefreiheit (»Areopagitica«, 1644) und das Recht der Ehescheidung. Unter Cromwell 1649–60 Staatssekretär im außenpolit. Amt; nach Rückkehr der Stuarts kurze Zeit gefangen gesetzt; zog sich dann, vereinsamt und erblindet, auf sein literar. Schaffen zurück. M.s Hauptwerk ist das 10 565 Blankverse umfassende Epos »Paradise lost« (10 Bücher, 1667; 1674 auf 12 Bücher erweitert, dt. u. a. als »Das verlorene Paradies«), das die Schöpfung des Menschen und den Sündenfall behandelt und durch seine kühnen allegor. Bilder bes. auf Klopstock und die engl. Romantik gewirkt hat; 1671 fortgesetzt mit dem Epos »Paradise regained« (4 Bücher, dt. u. a. als »Das wiedergewonnene Paradies«). Als Dramatiker trat M. mit dem frühen Maskenspiel »Comus« (1634) und dem bibl. Lesedrama mit autobiograph. Hintergrund »Samson Agonistes« (1671) hervor; verfasste auch meisterhafte Sonette.

📖 *The Cambridge companion to M., hg. v.* D. DANIELSON. *Cambridge u. a. 1989.*

Milton Keynes ['mɪltən 'keɪnz], Stadt (New Town) in der südengl. Cty. Buckinghamshire, nördlich von London, 136 300 Ew.; Open University (Fernstudium); Gewerbeparks.

Mịlva, eigtl. Maria Ilva Biolcati, italien. Sängerin, *Goro (bei Ferrara) 17. 7. 1939; trat internat. mit anspruchsvollen Chansons und Songs aus Stücken von B. Brecht hervor.

Milwaukee [mɪl'wɔ:kɪ], größte Stadt von Wisconsin, USA, wichtiger Hafen an der Mündung mehrerer Flüsse in den Michigansee, 628 100 Ew. (Agglomeration 1,43 Mio. Ew.); kath. Erzbischofssitz; kath. Marquette-Univ. u. a. Bildungseinrichtungen; Maschinen-, Geräte- und Fahrzeugbau, Elektronik-, chem. und Textilindustrie.

Milz (Lien, Splen), in den Blutkreislauf eingeschaltetes größtes lymphat. Organ der Wirbeltiere und des Menschen; liegt beim Menschen im oberen linken Teil der Bauchhöhle zw. Magen und Zwerchfell. Die M. hat die Form einer Bohne (etwa 12 cm lang und 8 cm breit) und wiegt 150–200 g. Sie besteht aus einer von Bauchfell überzogenen, von glatten Muskelfasern durchsetzten M.-Kapsel, von der zahlreiche bindegewebige Stränge **(Trabekel, Balken)** in das M.-Innere ziehen. Die Trabekel umschließen ein feinmaschiges

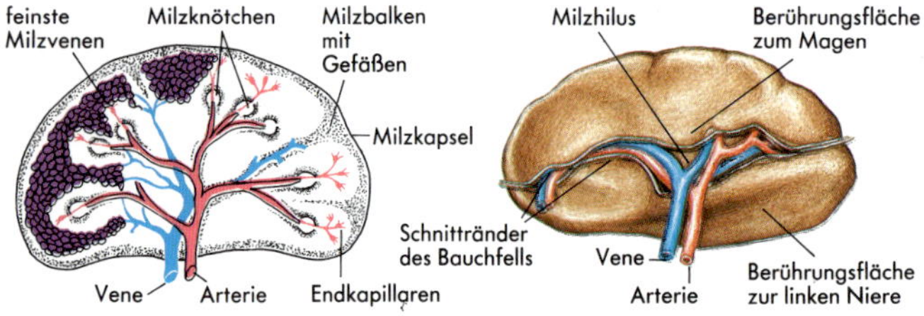

Milz: Schnittzeichnung durch die menschliche Milz (links) und Darstellung der Milz mit Milzhilus sowie den Berührungsflächen zum Magen und zur Niere

Bindegewebsnetz, das mit Blut gefüllt ist **(rote Pulpa).** In ihr finden sich in bestimmten Abschnitten grauweißliche Inseln lymphat. Gewebes, die **M.-Knötchen** (Malpighi-Körperchen), die in ihrer Gesamtheit als **weiße Pulpa** bezeichnet werden. Funktion: Bildung von Lymphozyten sowie Antikörpern bei schweren Infektionskrankheiten (durch die starke Beanspruchung vergrößert sich die M. erheblich), Auffangen von Blutverunreinigungen (»Blutfilter«, z.B. für Bakterien, Pigmente), Abbau von roten (überalterten) Blutkörperchen, Bildung von Blut während der Embryonalzeit. – Die M. ist nicht unbedingt lebensnotwendig. Nach ihrer operativen Entfernung übernehmen die anderen lymphat. Organe des Organismus (Leber, Knochenmark, Lymphknoten) ihre Funktion. Da die M. einen offenen Blutkreislauf hat, sind Verletzungen nicht heilbar. Kontraktionen bei vermehrtem plötzl. Sauerstoffbedarf können **Seitenstechen** (M.-Stechen) bewirken.

Mimose: Schamhafte Mimose

Milzbrand (Anthrax), meldepflichtige infektiöse Tierkrankheit (v.a. bei Wiederkäuern und Schweinen) mit Fieber, Schüttelfrost, Koliken und Atemnot. Erreger ist der M.-Bazillus (Bacillus anthracis). Die bei Tieren häufigste Form des M. ist der **Darm-M.** mit typisch vergrößerter, schwarzroter Milz. – M. ist durch Kontakt mit infizierten Tieren, aber auch Fellen, Häuten, Lumpen und Bürsten (Schmierinfektion), Einatmung der Erreger (die Sporen bleiben jahrzehntelang virulent) oder infizierte Nahrungsmittel auf den Menschen übertragbar und befällt die Haut (M.-Karbunkel), seltener Lungen **(Hadernkrankheit)** und Darm. Die Behandlung (Isolierstation) besteht in der möglichst frühzeitigen Gabe hoch dosierter Antibiotika (v.a. Penicillin G).

Milzfarn (Ceterach), Gattung der Streifenfarngewächse; Blätter oberseits dunkelgrün und kahl, unterseits dicht mit graubraunen, breiten Schuppenhaaren bedeckt. In Mitteleuropa der **Spreuschuppige M.** (Ceterach officinarum) in warmen Felsspalten und Mauern; Wedel 5–20 cm lang.

Milzkraut (Chrysosplenium oppositifolium), niedriges, ausdauerndes Steinbrechgewächs mit trugdoldig gehäuften, grünl. Blüten zw. gelben Hochblättern; an Quellen und sumpfigen Stellen.

Mimikry: Der harmlose Hornissenschwärmer, ein Schmetterling aus der Familie der Glasflügler, sieht aus wie eine Hornisse

Mimamsa [Sanskrit »Erörterung«] *die,* urspr. die methodische Auslegung der ved. Opfertexte und Ritualhandlungen, die sich zu einem philosoph. System entwickelte; lehrt Ewigkeit, Unfehlbarkeit und Kraft der Veden (→Veda).

Mimas, ein Mond des Planeten →Saturn.

Mime [grch.] *der* (lat. Mimus), in der Antike Darsteller eines →Mimus; heute veraltend für (bed.) Schauspieler.

Mimese [grch.] *die,* Form der Schutz- und Tarntrachten bei Tieren, die sich in spezif. Verhaltensweise, in Färbung und Zeichnung oder Körperform äußert und ihre Träger vor der Gefahr schützt, als Beute erkannt zu werden und im Unterschied zur →Mimikry nicht abschreckend wirkt. **Zoo-M.** liegt bei Übereinstimmung mit einem anderen Tier vor, **Phyto-M.** bei Ähnlichkeit mit einer Pflanze oder ihren Teilen und **Allo-M.** bei Nachahmung unbelebter Gegenstände.

Mimesis [grch.] *die,* Nachahmung; seit der Antike ein viel umstrittenes Prinzip der Ästhetik und Kunsttheorie oder -philosophie. Nach E. Auerbach

Mimese: Phytomimese der als »Wandelndes Blatt« bezeichneten Gespenstschrecke (links) und Allomimese der »lebenden Steine«, die kaum als Pflanze zu erkennen sind

die »Interpretation des Wirklichen durch die literar. Darstellung« (»dargestellte Wirklichkeit«).

Mimik [lat.-grch.] *die,* Ausdrucksgeschehen und -formen im Bereich des menschl. Gesichts (auch bei höheren Säugetieren vorkommend). Die M. ist abzugrenzen von der →Pantomimik und der →Physiognomik. Beim Theater wird sie von der Deklamation und den körperl. Ausdrucksbewegungen (Gebärde, Geste) unterschieden.

Mimikry [engl., eigtl. »Nachahmung«] *die,* Sonderfall einer tier. Schutzanpassung, bei der ein gut geschütztes Tier, das über eine →Warntracht verfügt, von einem ungeschützten Tier anderer Artzugehörigkeit in Körperform oder Farbe nachgeahmt wird, z.B. die Hornisse durch den (harmlosen) Hornissenschwärmer.

Mimir, im altnord. Mythos der Hüter einer Quelle an der Wurzel von →Yggdrasil, deren Genuss höchste Weisheit verleiht. Odin schöpft aus ihr seine geistige Überlegenheit. Nach späterer Dichtung fällt M. dem Streit zw. Asen und Vanen zum Opfer, aber Odin holt sich noch von dessen abgeschlagenem Haupt Rat.

Mimose [lat. aus grch.] *die* (Mimosa), *Botanik:* Gattung der Mimosengewächse mit doppelt gefiederten Blättern, z.T. stachlig, mit gelben, weißl. oder violetten Blüten in Köpfchen oder Ähren. Bei der halbstrauchigen, aus Brasilien stammenden Tropenpflanze **Schamhafte M. (Sinnpflanze,** Mimosa pudica) klappen in Gelenkpolstern bei der geringsten Erschütterung und Berührung die Blättchen nach oben zusammen und schließlich das ganze Blatt abwärts; durch den Stängel greift der Reiz abwärts auf andere Blätter über. Nach einiger Zeit richten sich die Blätter wieder zurück. Verdunklung wirkt ähnlich (»Schlafstellung«). – Die Bezeichnung M. wird häufig auch fälschlich für die blühenden Zweige einiger Akazienarten verwendet.

Mimus [lat.] *der* (grch. Mimos), **1)** Mime, Schauspieler.

2) antike Form der improvisierten Darstellung kom. Alltagsszenen mit Gebärde, Tanz und Gesang. Entwickelte sich neben der antiken Komödie als eigene kom. Gattung; gespielt wurde ohne Maske und Kothurn, mit männl. und weibl. Darstellern, häufig auf Jahrmärkten. Als literar. Form zuerst bei Sophron im 5.Jh. v.Chr.; dann bei Theokrit und Herodas von Kos.

min, Einheitenzeichen für →Minute.

Mina al-Ahmadi [-'axmadi], Stadt und Erdölgroßverladehafen in Kuwait, am Pers. Golf; 27 000 Ew.; Erdölraffinerie.

Minamata-Krankheit, chron. Quecksilbervergiftung durch Verzehr von mit Industrieabwässern kontaminierten Meeresfischen; trat zuerst bei Anwohnern der Minamatabucht (Japan) auf.

Minangkabau, jungindones. Volk im Padanghochland W-Sumatras, Indonesien; über 6 Mio. Menschen; Holzhäuser mit reich beschnitzten Giebeln; mutterrechtl. Gesellschaftsordnung.

Mimik

Mimikforschung

Der Vergleich des mimischen Ausdrucks in unterschiedlichen Kulturen ist für den Forscher schwierig, da er bei Angehörigen fremder Kulturen nur beschreiben kann, was er sieht und was ihm die Fremden mitteilen. Besonders bei kurzzeitiger Beobachtung wird er das Verhalten der Fremden vor allem nach den eigenen Gesichtspunkten interpretieren. Ein Lachen wird sicher auf der ganzen Welt als Ausdruck der Freude gesehen, doch bereits beim »Mitlachen«, bei Schadenfreude oder Häme müssen auch die unterschiedlichen Umstände des Verhaltens erkannt und richtig gedeutet werden. So wird in einigen Kulturen beispielsweise nicht – auch nicht begrifflich – zwischen bestimmten Formen der Trauer und Wut unterschieden: Die beiden für uns klar trennbaren Gefühle sind in ein uns fremdes »Mischgefühl« verschmolzen. Genauere Daten zur Mimik liefern Film- und Videoaufnahmen, besonders mithilfe von Zeitlupe und Einzelbildern, bei denen auch die jeweilige Situation festgehalten ist. Man kann auch freiwilligen Versuchspersonen bestimmte Reize bieten und ihre mimische Reaktion festhalten oder – umgekehrt – den Versuchspersonen Fotos oder Videos mit bestimmten Gesichtsausdrücken vorlegen, die dann von ihnen gedeutet werden.

Minarett [arab. »Platz, wo Feuer oder Licht ist«] *das* (Minar, Manara), schlanker, galerieumgebener Turm einer Moschee, von dem der Muezzin die Gläubigen zum Gebet ruft. BILDER S. 290, 291

Minas Gerais ['minaʒ ʒe'rais], Binnenstaat Brasiliens, 588 384 km², (1993) 16,14 Mio. Ew.; Hptst.: Belo Horizonte. M. G. gehört größtenteils zum Brasilian. Bergland und ist der wichtigste

Minarett

Die Moscheen des 7. Jahrhunderts hatten noch kein Minarett: Der erste Ruf zum fünfmaligen täglichen Gebet erschallte in der Frühzeit vom Dach, der zweite von der Schwelle der Moschee aus. Wann die ersten Türme für den Gebetsruf erbaut wurden, weiß man nicht genau; der symbolische Wert des Turms an sich hat aber wahrscheinlich mehr zum Bau der Minarette beigetragen als die Notwendigkeit, den Gebetsruf des Muezzin weithin hörbar zu machen. Die ältesten erhaltenen Minarette sind die beiden konischen Türme mit der spiralig aufsteigenden Außenrampe von Samarra. Zylindrische, oft reich geschmückte Ziegeltürme wurden vom 10. Jahrhundert an in den asiatischen Teilen der islamischen Welt erbaut. Charakteristisch für das mittelalterliche Ägypten sind die dekorativen, gelegentlich pompösen Türme mit quadratischer Basis, vieleckigen Zwischenstockwerken und zylindrischem Oberstock. Die osmanischen Türme, die hoch und schlank wie spitze Bleistifte in den Himmel ragen, sind vom 16. Jahrhundert an weit verbreitet.

Bergbaustaat Brasiliens mit reichen Eisen- und Manganerzen; ferner werden u.a. Gold, Schmucksteine, Ind.diamanten, Quarz, Bauxit, Nickelerz, Graphit abgebaut. Anbau von Reis, Bohnen, Mais, neuerdings im S wieder Kaffee sowie intensive Rinderweidewirtschaft im Norden.

Minbar [arab.] *der* (Mimbar), Kanzel in der Moschee für die Freitagspredigt; befindet sich rechts von der Gebetsnische (Mihrab).

Mindanao, zweitgrößte und südlichste Insel der Philippinen, mit Nebeninseln 94630 km², (1990) 14 Mio. Ew.; stark gegliedert, gebirgig und vulkanisch geprägt (Apo, 2954 m ü.M.), reich an Seen, Sümpfen; trop. Monsunwald; Anbau von Abacá (Manilafaser), Kopra, Reis, Mais. Haupthäfen sind Davao und Cagayan de Oro.

Mindel *die,* rechter Nebenfluss der Donau, 75 km lang, entspringt westlich von Kaufbeuren. Nach ihr ist die **Mindel-Eiszeit** des alpinen Vereisungsgebietes benannt.

Mindelheim, Krst. des Landkreises Unterallgäu, Bayern, an der Mindel, 13900 Ew.; Museen; Maschinen- und Werkzeugbau, Strumpf-, Möbel- u.a. Industrie. – Histor. Stadtbild mit Stadttoren, Stadtmauerresten, Pfarrkirche (1712 umgebaut) mit Glockenturm (15. Jh.), Liebfrauenkapelle (15. Jh.), Jesuitenkirche (17./18. Jh.), Franziskanerinnenkloster Hl. Kreuz (17./18. Jh.) mit Refektorium (1739/40). Die **Mindelburg** (um 1370, mehrfach umgebaut) war Sitz des Georg von →Frundsberg. – 1046 erstmals genannt; vor 1256 Stadt.

Minden, Krst. des Kreises Minden-Lübbecke, NRW, 83300 Ew., an der Weser, die nördlich der Stadt vom Mittellandkanal überquert wird; Wasser- und Schifffahrtsamt, Abt. Bauwesen der FH Bielefeld; vielseitige Ind. (Chemie, Metall, Elektronik, Papier, Keramik, Holzverarbeitung); Häfen an der Weser und am Mittellandkanal. – Frühgotischer Dom (Hallenkirche) mit roman. Westbau (um 1150) und spätroman. Querschiff; ehem. Benediktinerinnen-Klosterkirche St. Marien (12.–14. Jh.); got. St. Simeoniskirche (1305 begonnen, Chor 1434); St. Martini (nach 1300); Rathaus (Ende 13. Jh., Oberbau erneuert), Neues Rathaus (1974–78). – 798 erstmals gen.; wurde nach 1050 Stadt, um 1230 Stadtrecht; Mitgl. der Hanse; fiel 1648 an Brandenburg. – Das Bistum Minden (nach 800 gegr.) erlosch 1648 und fiel als Fürstentum an Brandenburg.

Minbar in der im 15. Jh. erbauten Freitagsmoschee im indischen Mandu; links neben der Minbar ist die Gebetsnische, der Mihrab, zu erkennen

Minarett: Der frei stehende, konische Turm mit spiralig aufsteigender Außenrampe in Samarra (»Malwija«) wurde 846–852 erbaut

Minden-Lübbecke, Kr. im RegBez. Detmold, NRW, 1152 km², (1997) 318400 Ew.; Krst. ist Minden.

Mindere Brüder, Bez. für die →Franziskaner.

Minderheit (Minorität), als ergänzender Begriff zu Mehrheit in der Verfassungsdiskussion seit der Antike eine Bez. für den jeweils in einer Abstimmung unterlegenen Teil einer Gesamtgruppe. M. gibt es auf versch. Gebieten: 1) im Verfassungs- und Staatsrecht bei zu treffenden polit. Entscheidungen; 2) im Bereich der polit. Geschichte und des Völkerrechts als Bez. für eine Gruppe von Menschen, die nicht alle als wichtig erachteten Merkmale der Mitgl. eines polit. Verbandes (Nation, Staat) aufweisen (wollen); 3) im religiösen Bereich als Abweichung von einer dominierenden Religionsgemeinschaft unter Beanspruchung gleicher Geltung; 4) in den Sozialwiss. als Bez. für Menschen und soziale Gruppen, denen Anderssein bezüglich der gesamtgesellschaftlich bestimmenden Merkmale zugesprochen wird oder die dieses für sich beanspruchen **(Randgruppen);** 5) in sozialpsycholog. Sicht für Menschen, die sich in ihrer Persönlichkeitsstruktur, in ihrem Verhalten und in ihrer Konstitution von anderen Menschen und deren sozialen Normen unterscheiden. M. bezeichnet nicht nur einen vorhandenen Tatbestand oder ein Zahlen- oder Machtverhältnis, sondern eine soziale Beziehung, innerhalb derer, durch die Normen einer bestimmenden Gruppe, andere Menschen, Gruppen und Verhaltensweisen mit weniger Anerkennung ausgestattet werden und infolgedessen in ihren Lebens- und Durchsetzungschancen begrenzter sind, als es die bestehenden Möglichkeiten zulassen.

Angehörige von M. werden in zahlr. Staaten verfassungs- und völkerrechtlich durch Individualrechte geschützt. Dieser »mittelbare« M.-Schutz begründet sich in Dtl. u.a. aus dem Gleichheitsgrundsatz (Art. 3, Abs. 1 GG) und dem Diskriminierungsverbot (Art. 3, Abs. 3 GG), dem »Internat. Pakt über bürgerl. und polit. Rechte« (Polit. Pakt) und dem »Internat. Pakt über wirtsch., soziale und kulturelle Rechte« (Sozialpakt) der UN (1966), dem »Internat. Abkommen zur Beseitigung jeder Form von Rassendiskriminierung« (1965), der »Europ. Konvention zum Schutze der Menschenrechte und Grundfreiheiten« (1950). Alle diese Verträge (Ausnahme Sozialpakt) verpflichten die Unterzeichnerstaaten zur Gleichbehandlung von rass., religiösen, nat. und ethn. M. im innerstaatl. Recht. Dem M.-Schutz dient in Dtl. des Weiteren das Erfordernis →qualifizierter Mehrheiten (z.B. für Verf.änderungen), die Gewährleistung von Grundrechten, die durch Gesetze nicht beliebig einschränkbar sind, auch das Verhältniswahlrecht, das u.a. M. die Beteiligung an der parlamentar. Repräsentation sichern soll; auf sozialer Ebene z.B. die Vertretung von Arbeitern und Angestellten im Betriebsrat entsprechend ihrem zahlenmäßigen Verhältnis im Betrieb.

📖 HECKMANN, F.: *Ethn. M.en, Volk u. Nation. Soziologie inter-ethn. Beziehungen. Stuttgart 1992.* – BODEN, M.: *Nationalitäten, M.en u. ethn. Konflikte in Europa. Ursprünge, Entwicklungen, Krisenherde. Ein Handbuch. München 1993.* – MARKEFKA, M.: *Vorurteile – M.en – Diskriminierung. Ein Beitrag zum Verständnis sozialer Gegensätze. Neuwied u.a. ⁷1995.* – *M.en als Konfliktpotential in Ostmittel- u. Südosteuropa, hg. v.* G. SEEWANN. *München 1995.*

Minderjährige, Kinder und Jugendliche bis zur →Volljährigkeit. M. unterstehen elterl. Sorge, sie sind beschränkt delikt- und geschäftsfähig.

Minderung, die nachträgl. Herabsetzung des Kaufpreises wegen eines vom Verkäufer zu vertretenden Mangels der gekauften Sache (→Kauf; § 462 BGB). Entsprechendes gilt beim →Werkvertrag, beim →Reisevertrag und bei der Miete (§ 537 BGB) wegen eines Sach- oder Rechtsmangels, durch den der Mieter im Gebrauch der Sache mehr als unerheblich beeinträchtigt wird. – Ähnl. Regelungen gelten in *Österreich* (§§ 932, 1167 ABGB) und in der *Schweiz* (Art. 205 ff., 368 ff. OR).

Minderwertigkeitsgefühl, Begriff der →Individualpsychologie (A. Adler), das allg. Gefühl des Versagens vor den Ansprüchen der Umwelt oder der Unterlegenheit, Unsicherheit und Schwäche gegenüber den Leistungen oder dem Wert von Mitmenschen in körperl., geistiger oder moral. Beziehung. Ein **Minderwertigkeitskomplex** entsteht durch ständige Verdrängung von übermäßigen (»überwertigen«) M. ins Unterbewusste.

Mindestgebot, das Gebot, auf das der Zuschlag erteilt werden darf, bei der öffentl. Versteigerung mindestens die Hälfte des gewöhnl. Verkaufswertes der Sache, bei der Zwangsversteigerung von Grundstücken 70% des Verkehrswertes.

Mindestgeschwindigkeit, **1)** *Luftfahrt:* bei Flugzeugen die kleinste Eigengeschwindigkeit, die Starrflügelflugzeuge einhalten müssen, um nicht durch Zusammenbruch des aerodynam. Auftriebs ihre Steuerbarkeit zu verlieren.

2) *Straßenverkehr:* für Kfz auf bestimmten Straßen vorgeschriebene Geschwindigkeit, die nicht unterschritten werden darf.

Mindestpreis, gesetzlich oder behördlich festgesetzter Verkaufspreis, der über-, aber nicht unterschritten werden darf; ein Mittel staatl. Preispolitik, um ruinöse Konkurrenz zu verhindern.

Mindestreserven, Guthaben, die die Kreditinstitute bei der Zentralbank in Höhe eines bestimmten Prozentsatzes **(M.-Satz)** ihrer Einlagen unterhalten müssen. In Dtl. bestimmt der Zentralbankrat der Dt. Bundesbank die Höhe der M.-Sätze innerhalb gesetzl. Höchstgrenzen. M. sind unverzinslich; sie schmälern daher die Rentabilität der Kreditinstitute. Urspr. zur Sicherung der →Liquidität gedacht, dienen M. heute eher währungspolit. Zielen, da die Notenbank über die Festsetzung der M. **(M.-Politik)** die Geldmenge beeinflussen kann. Durch eine Verringerung der M.-Sätze wird die Liquidität der Kreditinstitute und damit deren Bereitschaft zur Kreditgewährung vergrößert; höhere M.-Sätze schränken das Kreditangebot tendenziell ein.

Mindọro, eine der elf großen Inseln der Philippinen, 9 735 m^2, rd. 670 000 Ew., verwaltungsmäßig in die Provinzen Oriental M. und Occidental M. gegliedert.

Mindszenty ['mindsɛnti], József, eigtl. J. Pehm, ungar. kath. Theologe, *Csehimindszent (bei Szombathely) 29. 3. 1892, †Wien 6. 5. 1975; wurde 1944 Bischof von Veszprém, 1945 Erzbischof von Esztergom und Primas von Ungarn, 1946 Kardinal; 1949 als Gegner des Kommunismus verhaftet, des Hochverrats angeklagt und zu lebenslanger Haft verurteilt; lebte nach seiner Befreiung während des ungar. Aufstandes (1956) bis 1971 im Asyl in der amerikan. Botschaft in Budapest; seitdem in Wien; 1974 im Gefolge der vatikan. Ostpolitik ge-

Minden
Stadtwappen

Minarett:
Schema der Sultan-Ahmed-Moschee in Istanbul und der Großen Moschee in Medina

József Mindszenty

gen seinen Willen amtsenthoben und vom Apostol. Stuhl als Persona non grata betrachtet; 1990 durch die ungar. Reg. rehabilitiert; 1991 Überführung seiner sterbl. Überreste zur feierl. Bestattung im Dom von Esztergom.

Mine [frz.] *die,* **1)** *Bergbau:* Bergwerk, Erzlager, unterird. Gang.

2) *grafische Technik:* Schreibeinlage in Blei-, Bunt-, Kopierstiften sowie Tinten- oder Pastenbehälter, z.B. Kugelschreiberminen.

3) *Waffentechnik:* Sprengkörper unterschiedl. Bauart und Form. Grundsätzlich unterscheidet man zwischen Land- und Seeminen. **Land-M.** werden unter oder auf der Erde – vielfach in der Form von großflächigen M.-Feldern – verlegt und i. Allg. durch Druckzünder ausgelöst. Nach der Zweckbestimmung unterscheidet man bei den Land-M. hauptsächlich **Schützen-** und **Panzer-M.** (z.B. Panzerabwehrwurfmine). Die **See-M.** ist ein passiver Sprengkörper zur Vernichtung von Schiffen. Grundsätzlich unterscheidet man zwei Arten: Die **Ankertau-M.** ist ein verankerter, unter der Wasseroberfläche auf einer vorher eingestellten Tiefe stehender Schwimmkörper, der durch Berührung (Beschädigung von Zündkappen, Erschütterung, Neigung oder Drehung) gezündet wird. Die **Grund-M.,** die auf dem Meeresboden liegt, hat eine Fernzündung durch magnet., akust. oder Druckeinwirkung oder eine Vereinigung dieser Systeme, die das Räumen der M. verhindern soll.

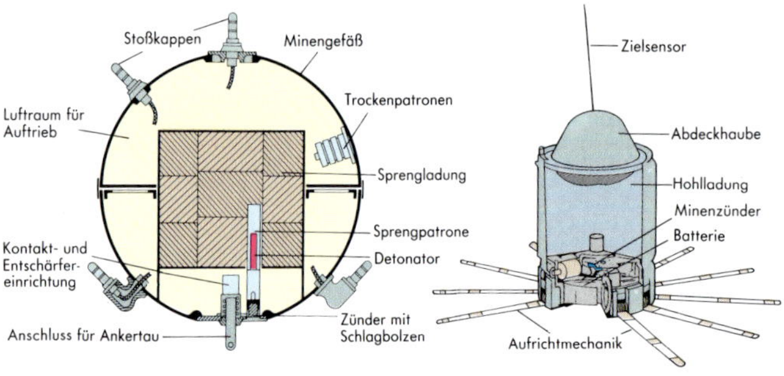

Mine 3): Schnittzeichnung einer Ankertaumine (links) und einer Panzerabwehrwurfmine

Minenräumpanzer, Kampfpanzer mit Anbaugerät zum Räumen von Minen.

Minensuchboot, schwach bewaffnetes, aus amagnet. Material gebautes Kriegsschiff mit besonderen Einrichtungen zum Suchen und Räumen (daher auch **Minenräumboot**), aber auch zum Legen von Seeminen.

Minensuchgerät, Gerät zum Auffinden von Landminen. Man unterscheidet einfache M. (bis zu 2 m lange Minensucheisen und kleinere Minensuchstäbe) und elektromagnet. M., die nach dem Prinzip des Metallsuchgeräts arbeiten.

Minerale [lat.] (Mineralien), chem. Elemente oder anorgan., selten organ., meist kristalline Verbindungen, die als Bestandteile der Erdkruste, des Erdmantels oder von Meteoriten in der Natur vorkommen, auch auf Planeten und Monden, oder sich bei techn. Schmelz- und Kristallisationsvorgängen bilden. Sie bauen die Gesteine auf oder kommen als Ausblühungen an der Erdoberfläche vor. – M. mit gleicher chemisch-stöchiometr. Zusammensetzung und gleichem Kristallstrukturtyp bilden eine **Mineralart.** Zur Beschreibung und Bestimmung dienen neben chem., mikroskop. und röntgenograph. Daten auch »äußere Kennzeichen«: Kristallform, Dichte, Härte, Spaltbarkeit, Glanz, Farbe, Strich und Lichtdurchlässigkeit.

Von den etwa 2000 bekannten M. kommen nur wenige gesteinsbildend in der Erdkruste vor, z.B. Quarz, Feldspat, Glimmer, Hornblenden, Olivin. Etwa 10 Mineralarten (v.a. Silikate) bauen über 90% der Erdkruste auf. Bes. Sulfide und Oxide haben Bedeutung als Erze. – Anhand der chem. Zusammensetzung unterscheidet man neun **Mineralklassen:** 1) Elemente, 2) Sulfide, Arsenide, Antimonide, 3) Halogenide, 4) Oxide und Hydroxide, 5) Carbonate, Nitrate, Borate, 6) Sulfate, Chromate, Molybdate, Wolframate, 7) Phosphate, Arsenate, Vanadate, 8) Silikate, 9) organ. Verbindungen.

📖 *Mineralien aus aller Welt, hg. v.* W. Schumann. *München* ³*1995.* – *GU-Naturführer Mineralien u. Kristalle, hg. v.* R. Hochleitner. *München* ⁶*1996.*

Mineralfasern, Sammelbez. für Fasern aus anorgan. Rohstoffen. Man teilt die M. ein in Naturfasern (→Asbest) und industriell hergestellte Fasern (z.B. Glas-, Gesteinsfasern).

Mineralfazies (Mineralfaziesprinzip), von dem finn. Mineralogen Pentti Eelis Eskola (*1883, †1964) begründetes Gliederungsschema von Gesteinen in Abhängigkeit von Bildungsdruck und -temperatur. Zunächst für metamorphe Gesteine entwickelt, wurde sie später auch auf magmat. Gesteine ausgedehnt und weiter verfeinert. Die einzelnen Fazies umfassen jeweils alle Gesteine, die in dem durch die Mineralkombination des namengebenden Gesteins definierten Temperatur-Druck-Bereich gebildet wurden. Die M. schließt auch die Zonengliederung der metamorphen Gesteine (→Regionalmetamorphose, →Kontaktmetamorphose) ein.

Mineralisation *die* (Mineralisierung), Abbau organ. Stoffe bis zu anorgan. (»mineralischen«) Verbindungen (z.B. Kohlendioxid, Ammoniak, Wasser), v.a. durch die Tätigkeit von Mikroorganismen im Boden oder an der Erdoberfläche, auch durch die Einwirkung von Druck und Temperatur im Erdinnern (z.B. bei der Inkohlung). Da die M. die Elemente wieder in eine von Pflanzen verwertbare Form bringt, ist sie für die Erhaltung der natürl. Bodenfruchtbarkeit entscheidend.

Mineralisator [lat.] *der,* meist gas- oder dampfförmiger, seltener leicht schmelzender fester Stoff, der während der Gesteinserstarrung oder der Ausscheidung von Mineralen auf Gesteinsklüften die Kristallisation begünstigt; von besonderer Bedeutung sind Wasserdampf oder Fluorgas unter hohem Druck.

Mineralocorticolide, →Nebennierenrindenhormone.

Mineralogie [lat.-grch.] *die,* Wiss., die sich mit der Untersuchung der Minerale befasst. Sie wird allg. in die Gebiete →Kristallographie, spezielle M. (Beschreibung der Minerale nach ihrer Entstehung, ihren äußeren Eigenschaften und ihrer Verbreitung), →Petrologie sowie Lagerstättenkunde und techn. Gesteinskunde eingeteilt.

📖 Rösler, H. J.: *Lehrbuch der M. Leipzig* [5]*1991.*

Minerallöle, Sammelbez. für die aus mineral. Rohstoffen (Erdöl, Braun- und Steinkohle, Holz, Torf) gewonnenen flüssigen Destillationsprodukte, die im Wesentlichen aus Gemischen von gesättigten Kohlenwasserstoffen bestehen.

Minerallölsteuer, dem Bund zufließende Verbrauchsteuer auf importierte oder im Inland gewonnene Mineralöle, die als Treib-, Heiz- oder Schmierstoffe verwendet werden. Rechtsgrundlage ist das M.-Ges. i. d. F. vom 21. 12. 1992. Je nach Mineralölart gelten unterschiedl., für Heizöle ermäßigte Steuersätze **(Heizölsteuer).** Ein Teil des M.-Aufkommens (1995: 64,68 Mrd. DM) wird zweckgebunden für den Straßenbau verwendet.

Mineralquelle, Quelle, deren Wasser je kg mindestens 1000 mg gelöste Stoffe oder mindestens 250 mg freies Kohlendioxid (Säuerlinge) enthält. Ferner gehören zu den M. alle Quellwässer mit therapeutisch wirksamen Bestandteilen wie Eisen, Jod, Arsen, Schwefel oder Radon.

Mineralsäuren, Sammelbez. für anorgan. Säuren, z. B. Schwefel-, Salz- und Salpetersäure.

Mineralstoffe (Mineralsalze), i. w. S. alle natürlich vorkommenden oder künstlich hergestellten anorgan. Salze; i. e. S. die bei tier. und pflanzl. Organismen für den Aufbau von Körpersubstanzen notwendigen (und beim Veraschen der Körpersubstanzen zurückbleibenden) anorgan. Verbindungen, z. B. der Elemente Natrium, Kalium, Calcium, Magnesium, Stickstoff, Phosphor, Schwefel, Chlor sowie der →Spurenelemente. – Die M. müssen von Mensch und Tier ständig mit der Nahrung zugeführt werden.

Mineralwasser, Wasser aus unterird. →Mineralquellen (natürl. M.); es ist zulässig, dem Wasser Kohlendioxid (»Kohlensäure«) zu entziehen oder zuzusetzen und Eisenverbindungen zu entfernen (Enteisenung); der Mineralstoffgehalt wird eingestuft zw. 50 mg/l und mehr als 1500 mg/l. Künstl. M. werden als Tafelwasser bezeichnet.

Minerva, altitalische Göttin, Beschützerin des Handwerks; später der grch. Athene gleichgesetzt.

Minette [frz., zu mine »Bergwerk«] *die,* **1)** dunkles Ganggestein (Lamprophyr), das überwiegend aus Kalifeldspat und Biotit besteht.

2) sedimentäres oolith. Eisenerz im Dogger Lothringens und Luxemburgs; Grundlage der dortigen und der saarländ. Eisenindustrie.

Bernhard Minetti

Minetti, Bernhard, Schauspieler, *Kiel 26. 1. 1905, †Berlin 12. 10. 1998; wirkte 1930–45 am Berliner Staatstheater unter L. Jessner und G. Gründgens, 1951–56 am Schauspielhaus in Frankfurt am Main, dann v. a. in Berlin; bedeutender Charakterdarsteller; auch in Film und Fernsehen.

Ming, chines. Dynastie (1368–1644), →China (Geschichte).

Mingäçevir (früher Mingetschaur), Stadt in Aserbaidschan, an der Kura, 91 000 Ew.; Elektro-, Gummi- u. a. Ind.; oberhalb von M. 605 km² großer Stausee (Fassungsvermögen 14,1 Mrd. m³) und Wasserkraftwerk mit 359 MW.

Mingrelilen, histor. Name der fruchtbaren Schwarzmeerküstenebene im W Georgiens. – In der Spätantike Teil des Byzantin. Reiches, im 7. Jh. von Arabern erobert, gehörte später zum westgeorg. Königreich Imeretien; 1550–1803 selbstständiges Fürstentum, ab 1803 unter russ. Schutzherrschaft; kam 1857/67 unter russ. Verwaltung.

Charlie Mingus

Mingus ['mɪŋgəs], Charlie, eigtl. Charles M., amerikan. Jazzbassist, Komponist und Orchesterleiter, *Nogales (Ariz.) 22. 4. 1922, †Cuernavaca (Mexiko) 5. 1. 1979; wirkte bes. auf experimentellen Gebieten der Jazzentwicklung.

Minho ['miɲu], **1)** portugies. Name des Flusses →Miño.

2) (früher Entre Douro e Minho) histor. Prov. im westl. Hochportugal, am Atlantik, zw. der span. Grenze und dem unteren Douro; vom Küstenstreifen auf über 1500 m ansteigendes Bergland, dicht besiedelt.

mini... [engl. aus lat.], klein, kleinst.

Minia (Minja, Minya, El-M.), Gouvernoratshptst. in Oberägypten, am Nil, 203 000 Ew.; Univ., Echnaton-Museum; Zentrum des Baumwollhandels und der -verarbeitung; Zuckerfabrik; Hafen.

Miniatur [mlat. miniatura »mit Zinnober gemaltes Bild«] *die,* Bildschmuck in Handschriften, davon abgeleitet auch kleines, oft medaillonförmiges Bild auf Gebrauchs- und Ziergegenständen.

Miniaturmalerei, Pinsel- oder Federzeichnung in Handschriften, ausgeführt in Aquarell- oder Deckfarben, auch als Grisaille und z. T. unter Verwendung von Blattgold. Sie umfasst figürl. Darstellungen und Ornamentik (Ausgestaltung

Miniaturmalerei: Elisabeth I., Miniatur des englischen Porträtisten Nicholas Hilliard (1572; London, National Portrait Gallery)

der Anfangsbuchstaben, des Zeilenausgangs, Verzierung des Blattrands). Die M. gelangte in Antike, Byzanz und Abendland (→Buchmalerei), bei den Maya, Mixteken und Azteken (Bilderhandschriften) und in der islam. Kunst zu großen Leistungen. Höhepunkte bildeten die pers. M. des 14.–17. Jh. sowie die M. unter den ind. Mogulherrschern (16. Jh.) und an den Fürstenhöfen der Rajputen (16. Jh.–19. Jh.). – Weitere BILDER u.a. Adahandschrift, Chrétien de Troyes, Fehde, Hafis, Hrabanus Maurus, Legenda aurea, Maiestas Domini

Minicomputer [-kɔmpju:tər], Rechner mit einer Wortlänge (Zahl der gleichzeitig zu verarbeitenden Bits) von 12, 16 oder 18 Bits. M. eignen sich für die Bearbeitung einfacher bis mittelschwerer Probleme, bes. bei der Prozesssteuerung.

Minidisk, verschleißfreier, beiderseitig genutzter CD-ähnl. Tonträger von 6,4 cm Durchmesser für digitale magnetoopt. Aufzeichnung und Wiedergabe von Schallereignissen, der mit einem speziellen M.-Rekorder vom Benutzer mehrfach bespielbar ist und berührungslos abgetastet wird. Speicherkapazität bis über 70 min.

Minigolf, →Bahnengolf.

Minimalart ['mɪnɪməlɑ:t, engl.] *die* (Minimal Art), Kunstrichtung seit den 60er-Jahren des 20. Jh., v.a. in den USA; nach der ersten zusammenfassenden Ausstellung (1966) im Jewish Museum, New York, auch **Primary Structures** genannt; entstand als Gegenreaktion auf den abstrakten Expressionismus: Einfachste geometr. Formen oder Ordnungen werden ohne eigene kompositionelle Differenzierung in den Raum gestellt oder zu kalkulierten Systemen (z.B. Platten auf dem Boden) gereiht. Ziel ist die absolute Identität der Form mit sich selbst ohne jede illusionist., assoziative Zutat. Vertreter sind u.a. D. Judd, R. Morris (beide auch wichtige Theoretiker), C. Andre, S. LeWitt, T. Smith und D. Flavin. Parallelen finden sich in der →Farbfeldmalerei und im Hardedge. Die M. wirkte auch auf Conceptart und Land-Art; ihr verwandt sind Tendenzen der Arte povera in Italien.

minimal invasive Chirurgie (endoskopische Chirurgie, umgangssprachl. Schlüssellochchirurgie), Sammelbegriff für moderne Operationstechniken, die eine großflächige Durchtrennung von Gewebe und Öffnung der Körperhöhle vermeiden. Bei der m. i. C. werden kleine Röhrchen, die Trokare, entweder durch natürl. oder kleine künstl. Öffnungen in das Körperinnere geschoben. Diese Trokare sind die Führungsröhrchen für das Endoskop und die Instrumente. – Vorteile sind die kleinen Operationswunden und der minimale Blutverlust und damit eine geringere Belastung der Patienten sowie eine Verkürzung des Krankenhausaufenthalts.

Minimalmusic ['mɪnɪməlmju:zɪk, engl.] *die,* Musikrichtung, die sich seit etwa 1960 im Zwischenbereich von Avantgarde, ind. Musiktraditionen, Freejazz und psychedel. bzw. meditativen Tendenzen der Rockmusik entwickelte. Sie ist durch die Reduzierung des musikal. Materials auf wenige Elemente, durch gleichförmigen Ablauf (etwa in Form ständiger Wiederholung kurzer Tonformeln) sowie durch ein aus der additiven Überlagerung (z.B. Phasenverschiebung) gebildetes Klangspektrum gekennzeichnet. Hauptvertreter: La Monte Young, S. Reich, T. Riley, P. Glass.

Minimalpaar|analyse, Methode der strukturellen Linguistik zur Analyse zweier aufgrund eines einzigen distinktiven Merkmals bedeutungsverschiedener sprachl. Äußerungen (Minimal-

Minimalart: Dan Flavin, »Ursula's One and Two Picture ⅓« (1964; New York, Guggenheim Museum)

paare), z. B. »leiden« und »leiten« im Hinblick auf die Stimmhaftigkeit/Stimmlosigkeit des Konsonanten im Inlaut.

Minimum [lat.] *das,* **1)** *allg.:* Kleinstwert.

2) *Analysis:* →Extremwert.

3) *Meteorologie:* niedrigster Stand (des Luftdrucks).

Minipille, niedrig dosiertes Gestagenpräparat zur Empfängnisverhütung; wirkt über Schleimverdickung im Gebärmutterhals und Erschwerung der Eieinnistung, jedoch nicht als Ovulationsverhütung. Die Hormonbelastung ist bei der M. am niedrigsten, die Sicherheit dagegen geringer als bei anderen Präparaten.

Minister [lat. »Diener«] *der,* Mitgl. einer Reg., meist der Leiter eines obersten Zweiges der Staatsverwaltung **(Fach-, Ressort-M.),** mitunter auch ohne Geschäftsbereich **(M. ohne Portefeuille)** und **M. für Sonderaufgaben.** In Dtl. werden die Mitgl. der Bundesreg. als Bundes-M., die der Länder als Landes-M. bezeichnet.

Das öffentlich-rechtl. Amt des (Bundes-)M. wird teils durch die Verf., teils durch andere Ges., bes. das Bundes-M.-Ges. bestimmt; es wird durch Ernennung seitens des Staatsoberhauptes auf Vorschlag des Bundeskanzlers begründet und endet durch Tod, Rücktritt oder Entlassung sowie durch jedwede Erledigung des Amtes des Bundeskanzlers. Die M. tragen die Verantwortung für ihren Geschäftsbereich innerhalb der vom Bundeskanzler bestimmten Richtlinien der Politik. Jeder M. ist verpflichtet, auf Ersuchen sein Amt bis zur Ernennung eines Nachfolgers geschäftsführend weiter wahrzunehmen. – In *Österreich* heißen M. nur die Bundes-M. In der *Schweiz* ist M. der Titel für einen diplomat. Vertreter. Die Mitgl. der Bundesreg. werden als Bundesräte bezeichnet.

Minister|anklage, das Verfahren, in dem ein Regierungsmitgl. (Min. oder Regierungschef) wegen schuldhafter Verletzung der Verf. oder eines sonstigen Gesetzes vor dem Staats- bzw. Verfassungsgerichtshof angeklagt werden kann. Das GG kennt keine M. Lediglich der Bundespräs. kann durch den Bundestag vor dem Bundesverfassungsgericht mit dem Ziel der Amtsenthebung angeklagt werden. In den meisten Bundesländern dagegen kann die M. gegen Mitgl. der Landesreg. erhoben werden. – In *Österreich* gibt es die Anklage vor dem Verfassungsgerichtshof wegen schuldhafter Rechtsverletzungen. Die *Schweiz* kennt keine Ministeranklage.

Ministerialen [zu lat. ministerialis »im (kaiserl.) Dienst Stehender«, «Beamter«], im Hl. Röm. Reich die Oberschicht urspr. unfreier **Dienstmannen (Dienstleute)** im Hof-, Verwaltungs- und Kriegsdienst; seit dem 11. Jh. ritterlich lebende Dienstleute, die gegen Gewährung eines »Dienstlehens« zuerst in den geistl. Herrschaftsgebieten ritterl. Dienste leisteten; seit Konrad II. (1024–39) als Vögte oder Burggrafen und Landrichter zur Verw. des Reichsgutes und der Landesgüter herangezogen; gewannen schließlich die Erblichkeit ihrer Lehen; als **Reichs-M.** Stütze der sal. und bes. der stauf. Reichspolitik. Die M. gingen im 13./14. Jh. im niederen Adel auf.

Ministerium [lat.] *das,* oberste Reg.- und Verwaltungsbehörde unter Leitung eines Fachministers (Ressortministers). Das M. ist in Abteilungen, diese sind in Referate gegliedert. Zu den fünf klass. M. (Auswärtiges, Inneres, Justiz, Finanzen, Verteidigung) traten im 19. und 20. Jh. weitere hinzu. Das **Kabinett (Gesamt-M.)** wird vom Reg.chef geleitet (Kanzler, Premierminister, Ministerpräsident). Die Ministerien wirken mit bei der Gestaltung der Ressort- und Reg.politik (u. a. durch Ausarbeitung von Plänen und von Entwürfen zu Gesetzen, VO und Verwaltungsvorschriften) sowie bei der Rechtsanwendung.

Ministerium für Staatssicherheit, Abk. **MfS,** →Staatssicherheitsdienst.

Ministerpräsident, in vielen Staaten Bez. für den Reg.chef, in Dtl. für den Leiter einer Landesregierung. Chef der Bundesreg. ist in Dtl. und auch in Österreich der →Bundeskanzler.

Ministerrat, in vielen Staaten (z. B. in Frankreich) Bez. für die Spitze der Reg.; auch ein engerer Ministerausschuss für besondere Aufgaben. In der EU ist der M. der aus je einem Min. der Mitgliedsstaaten bestehende »Rat«. In der DDR war der M. bis 1990 die Regierung.

Ministerverantwortlichkeit, die besondere Verantwortlichkeit der Inhaber staatsleitender Ämter (Reg.chef, Min.) gegenüber dem Parlament. Sie besteht für die Verfassungs- und Gesetzmäßigkeit sowie für die polit. Zweckmäßigkeit der zum Verantwortungsbereich eines Min. gehörigen Handlungen (polit. M.), auch für Handlungen des Staatsoberhaupts, für die der Min. durch →Gegenzeichnung die Verantwortung übernommen hat.

Ministrant [lat.] *der* (Messdiener), *kath. Kirche:* mit liturg. (Hilfs-)Funktionen beauftragter Gehilfe des Priesters bei der Messe; zunehmend gibt es auch weibl. Ministranten.

Mink [engl.] *der,* amerikan. Verwandter des Nerz (→Marder).

Minkowski, Hermann, Mathematiker, *Alexotas (heute zu Kaunas, Litauen) 22. 6. 1864, †Göttingen 12. 1. 1909; arbeitete bes. auf dem Gebiet der Zahlentheorie, schuf in seinen Schriften »Raum und Zeit« (1908) und »Zwei Abhandlungen über die Grundgleichungen der Elektrodynamik« (1910) die mathemat. Grundlagen der speziellen Relativitätstheorie.

Wilfried Minks: Bühnenbild zu einer Inszenierung der »Antigone« von Sophokles in Bremen im Jahr 1966

Minkowski-Raum [nach H. Minkowski], vierdimensionaler euklid. →Raum (auch Raum-Zeit-Kontinuum oder Raum-Zeit-Welt gen.), in dem sich die Gesetze der speziellen Relativitätstheorie bes. einfach darstellen lassen. Er wird von den drei Raumkoordinaten $x = x_1$, $y = x_2$, $z = x_3$ und der Zeitkoordinate $ict = x_4$ (i imaginäre Einheit, *t* Zeit, *c* Lichtgeschwindigkeit) aufgespannt. Ein Punkt (Ereignis) des M.-R. wird als **Weltpunkt,** ein Ortsvektor als **Weltvektor,** die Bahn eines Teilchens als **Weltlinie** bezeichnet.

Liza Minnelli

Minks, Wilfried, Bühnenbildner, Regisseur, *Binai (heute Zbyny, Nordböhm. Gebiet) 21. 2. 1931; wirkte 1959–62 in Ulm, 1962–73 in Bremen; Zusammenarbeit mit P. Zadek und K. Hübner; Ausgangspunkt bei eigenen Inszenierungen (seit 1972) sind seine Bildideen.

Minn., Abk. für den Bundesstaat **Minn**esota, USA.

George Minne: Brunnen mit fünf knienden Knaben, Marmor (1906; Essen, Museum Folkwang)

Minne *die,* mittelalterl. Bez. für die Beziehung zw. dem Ritter und der von ihm als Ideal der Frau verehrten Dame **(hohe M.);** nach höf. Selbstverständnis war sie mehr (idealisiert-asket.) Liebeswerben als Liebeserfüllung. M. galt als oberste Tugend des strebenden und dienenden Ritters. **Niedere M.** war die Zuneigung zu einem Mädchen nichtadligen Standes. (→Minnesang)

Minne, George, Baron (seit 1930), belg. Bildhauer und Grafiker, *Gent 30. 8. 1866, †Sint-Martens-Latem (bei Gent) 20. 2. 1941. Symbolismus und zeitweilig auch Jugendstil wurden richtungweisend für seine Werke; er gestaltete schlanke, vergeistigte Figuren, die z. T. an spätgot. Plastik erinnern (Brunnen mit fünf knienden Knaben, 1906; Essen, Museum Folkwang); sein Spätwerk ist näher an der Natur orientiert. Er schuf auch zahlr. Zeichnungen und Holzschnitte.

Minneapolis [mɪnɪ'æpəlɪs], Stadt in Minnesota, USA, am Mississippi, 368 000 (Agglomeration M.-Saint Paul: 2,54 Mio.) Ew.; Anglikan. Bischofssitz, Univ. u. a. Bildungseinrichtungen, Theater, Museen; wirtschaftl. und kulturelles Zentrum von Minnesota; führender Weizenmarkt, bed. Getreidemühlen, Maschinenbau, Elektronik- u. a. Ind.; Endpunkt der Schifffahrt auf dem Mississippi, internat. Flughafen. – Um das 1819/20 auf dem linken Ufer des Mississippi errichtete Fort Snelling entwickelte sich ab 1838 die Siedlung Saint Anthony. 1855 wurde die Siedlung M. gegründet, seit 1867 Stadt.

Minnelli, 1) Liza, amerikanische Sängerin und Schauspielerin, *Los Angeles 10. 3. 1946, Tochter von 2) und der Filmschauspielerin Judy Garland; bekannt durch Filme (»Cabaret«, 1971; »Lucky Lady«, 1975, u. a.) und Shows.

2) Vincente, amerikan. Filmregisseur, *Chicago (Ill.) 28. 2. 1910 (1913?), †Los Angeles (Calif.) 25. 7. 1986, Vater von 1); ∞ mit Judy Garland; drehte v. a. Musicals und Komödien, u. a. »Ein Amerikaner in Paris« (1951).

Minnesang, Lyrik, die sich mit der ritterlich-höf. Kultur in der 2. Hälfte des 12. Jh. entwickelte und den Höhepunkt in den Jahren 1180–1220 hatte. Ihre Träger **(Minnesinger, Minnesänger)** waren Angehörige des Fürstenstandes, des Adels und der Ministerialen, später auch bürgerl. Dichter, ihre wichtigsten Pflegestätten die Höfe kunstsinniger Fürsten (Hof der Babenberger in Wien, Hermanns von Thüringen auf der Wartburg). – Das Besondere des M. ist die Liebesauffassung (→Minne) und die dichter. Form, die sich nach frz.-provenzal. Vorbild (→Troubadour) entwickelte; daneben war die mittellat. Liebeslyrik der →Vaganten nicht ohne Einfluss. Die Liedstrophe des M. ist dreigeteilt (→Aufgesang und Abgesang). Der Reim ist kunstvoll; seine Reinheit wird streng gefordert. Neben dem Lied wurde der →Leich gepflegt; eine Sondergattung war das →Tagelied. Die Dichter waren zugleich Komponisten, jedes Lied hatte seine Weise. Sammlungen aus dem 13. Jh. sind die

→Jenaer Liederhandschrift und die →Manessische Handschrift. Zur Geschichte des M. →deutsche Literatur.

📖 *Der Dt. M. Aufsätze zu seiner Erforschung, hg. v.* H. FROMM, *2 Bde. Darmstadt* $^{1–5}$*1972–85. – Des M. Frühling, bearb. v.* H. MOSER *u.* H. TERVOOREN, *Bde. 1 u. 2. Stuttgart* $^{37–38}$*1982–88.* – RÄKEL, H.-H.: *Der dt. M. Eine Einführung mit Texten u. Materialien. München 1986.* – SCHWEIKLE, G.: *M. in neuer Sicht. Stuttgart u. a. 1994.*

Minotaurus: Die attische schwarzfigurige Amphora zeigt die Tötung des Minotaurus durch den Königssohn Theseus (550–530 v. Chr.; Paris, Louvre)

Minnesota [mɪnɪˈsəʊtə], Abk. **Minn., MN,** Bundesstaat im Mittleren Westen der USA, am oberen Mississippi, 218 601 km², (1995) 4,61 Mio. Ew.; die Hptst. Saint Paul bildet mit dem benachbarten →Minneapolis eine Metropolitan Area; Moränenhügelland mit etwa 12 000 Seen; überwiegend Ackerland (Getreide, Futterpflanzen), Viehzucht, Molkereiwirtschaft; die in M. geförderten Eisenerze (Mesabi Range) sind weitgehend erschöpft; Maschinenbau, chem., elektron., Nahrungsmittel-, Papierindustrie. – Ab Mitte des 17. Jh. erschlossen Franzosen das Gebiet, in dem v. a. Dakota (Sioux) lebten, später z. T. auch Ojibwa (Chippewa). Der östl. Teil kam 1763 in brit. Besitz und 1783 im Rahmen des Northwest Territory an die USA. Der größere Teil westlich des Mississippi fiel 1762 zunächst an Spanien und wurde 1803 von den USA im Louisiana Purchase (→Louisiana) erworben. 1849 als Territorium organisiert, 1858 als 32. Staat in die Union aufgenommen.

Miño [ˈmiɲo, span.] (portugies. Minho) *der,* Fluss im NW der Iber. Halbinsel, 310 km, entspringt im Bergland von Galicien, Spanien, bildet im Unterlauf z. T. die spanisch-portugies. Grenze, mündet in den Atlant. Ozean.

Mino da Fiesole, italien. Bildhauer, *Poppi (bei Arezzo) 1429, †Florenz 1484; Schüler des Desiderio da Settignano. Seine Bildnisbüsten waren bahnbrechend für die Porträtkunst der Frührenaissance, schuf auch Grabmäler und Tabernakelaltäre.

Mino da Fiesole: Porträtbüste des Piero de' Medici (1453; Florenz, Museo Nazionale del Bargello)

minoische Kultur, →ägäische Kultur.

Minorat [zu lat. minor »kleiner«, »jünger«] *das,* →Jüngstenrecht.

minore [italien. »kleiner«], *Musik:* Bez. für Moll, Mollakkord, Molltonart (mit der »kleinen« Terz); als Satzüberschrift zeigt **Minore** den Mollteil eines in einer Durtonart stehenden Stückes und bei einem in Moll stehenden Stück den Wiedereintritt der Haupttonart nach dem mit →maggiore bezeichneten Durteil an.

Minorität [lat.] *die,* →Minderheit.

Minoriten [mlat.], →Franziskaner.

Minos, myth. König von Kreta, Sohn des Zeus und der Europa, Vater der Ariadne und der Phädra; zwang die Athener, jährlich oder alle neun Jahre sieben Jungfrauen und sieben Jünglinge auszuliefern, die er dem →Minotaurus vorwarf. M. war berühmt als gerechter Herrscher und wurde nach seinem Tod Richter in der Unterwelt. Nach ihm ist die minoische Kultur benannt.

Minot [ˈmɪnət], George Richards, amerikan. Mediziner, *Boston (Mass.) 2. 12. 1885, †ebd. 25. 2. 1950; ab 1928 Prof. an der Harvard University; führte mit W. P. Murphy und G. H. Whipple die Leberdiät zur Behandlung der perniziösen Anämie ein; erhielt 1934 mit ihnen den Nobelpreis für Physiologie oder Medizin.

George R. Minot

Minotaurus, *grch. Mythos:* ein Ungeheuer mit Menschenleib und Stierkopf, hervorgegangen aus der Verbindung von →Minos' Gattin Pasiphae mit einem Stier, wurde im Labyrinth von Knossos gefangen gehalten. Theseus besiegte ihn mit der Hilfe der Ariadne.

Minsk, Hptst. von Weißrussland sowie des Gebiets M., am Swislotsch, 1,67 Mio. Ew.; Univ. und weitere Hochschulen, Akademie der Wiss. (1935–39), mehrere Museen, Philharmonie, Zoo; wichtiger Industriestandort mit Maschinen-, Lkw-, Traktoren-, Radio-, Fernsehgerätebau, Uhren-, Nahrungsmittel-, Textilind.; U-Bahn, internat. Flughafen. – 1067 erwähnt, kam 1326 an Litauen,

Minos

Für die späteren Griechen war die vergangene Größe Kretas mit den Mythen um König Minos verbunden. Danach verliebte sich Zeus in die phönikische Königstochter Europa. Er nahm die Gestalt eines schönen weißen Stiers an und entführte Europa nach Kreta. Unter einer Platane in Gortyn gebar sie drei Söhne: Minos, Rhadamanthys und Sarpedon. Asterios, König Kretas, heiratete Europa und adoptierte ihre Kinder. Minos wurde sein Nachfolger als Herrscher über die Insel. Der Palast des Minos ist Knossos, dessen gigantische Ruinen noch bis in historische Zeit sichtbar waren und die Kulisse für die nachfolgenden Mythen abgaben.

1793 an das Russ. Reich; seit 1919 Hptst. Weißrusslands.

Minstrel [engl. »Gefolgsmann«] *der,* **1)** berufsmäßiger Rezitator und Sänger im mittelalterl. England; oft swv. mit Spielmann und Jongleur.

2) in Nordamerika ab Ende des 18. Jh. Bez. für fahrende Spielleute, die Lieder und Tänze der Afroamerikaner vortrugen (mit entspr. Kostümierung und schwarz gefärbtem Gesicht) und deren Lebensgewohnheiten parodierten **(Negrominstrelsy).** Hieraus entwickelte sich die **M.-Show** mit einer feststehenden Programmfolge von Liedern, Tänzen, Varieteenummern, Sketchen u.a.

Minuend [lat.] *der,* bei der →Subtraktion die Zahl, von der abgezogen wird.

Minus [lat. minus »weniger«] *das,* **1)** *allg.:* Fehlbetrag; durch Mangel hervorgerufener Nachteil.

2) *Mathematik:* →Minuszeichen.

Minuskel [lat. minusculus »etwas kleiner«] *die,* **1)** *Rechtschreibung:* der Kleinbuchstabe im Unterschied zum Großbuchstaben (Majuskel).

2) *Schriftwesen:* Schriftart, die im Unterschied zur →Majuskel nicht aus gleich hohen Buchstaben besteht, sondern Ober- und Unterlängen aufweist. Die um 780 entstandene **karoling. M.** war Vorbild für die Kleinbuchstaben der →Antiqua.

Minussinsk, Stadt in Russland, Region Krasnojarsk, im S Ostsibiriens, 72 000 Ew.; Mittelpunkt des vom Jenissei durchflossenen fruchtbaren **Minussinsker Beckens** (Agrargebiet), in dem auch Steinkohle (Förderzentrum Tschernogorsk) und Eisenerz gefördert wird; Maschinenbau, Holz-, Bekleidungs-, elektrotechn. Industrie.

Minuszeichen, mathemat. Zeichen – (gesprochen minus), Rechenzeichen für die Subtraktion, Vorzeichen vor negativen Zahlen.

Minute [lat.] *die,* **1)** gesetzl. SI-fremde Einheit der Zeit, der 60. Teil der Stunde, Einheitenzeichen **min** für Zeitdauer (1 min = 60 s) oder hochgestellt für Zeitpunkt ^{min}.

2) (früher auch Alt-M.) Einheitenzeichen ', gesetzl. SI-fremde Einheit des ebenen Winkels, 60. Teil des Winkelgrades: $1' = 1°/60 = (\pi/10\,800)$ rad.

Minya Gongga (Minja Konka), Gebirge in China, →Gongga Shan.

Minze (Mentha), Gattung der Lippenblütler mit rd. 20 Arten, v.a. im Mittelmeergebiet und in Vorderasien; Blätter und Stängel enthalten äther. Öl (Menthol). In Mitteleuropa kommen fünf Arten wild vor, u.a. die 15–30 cm hohe **Acker-M.** (Mentha arvensis) mit behaarten Stängeln, die 20–80 cm hohe **Wasser-M.** (Mentha aquatica) und die 10–30 cm hohe **Polei-M.** (Mentha pulegium). Angebaut werden die bis 90 cm hohe **Grüne M.** (Mentha spicata), die als Küchengewürz dient, und die bis 80 cm hohe **Pfeffer-M. (Haus-M.,** Mentha x piperita), eine Kreuzung zw. Grüner M. und Wasser-Minze. Aus ihr wird das Pfefferminzöl gewonnen, das als Aromastoff für Genussmittel und Arzneien verwendet wird; aus den Blättern wird Tee hergestellt.

Minze (von oben): Ackerminze (Höhe bis zu 30 cm), Wasserminze (Höhe bis zu 80 cm) und Pfefferminze (Höhe bis zu 80 cm)

Mio., Abk. für: Million(en).

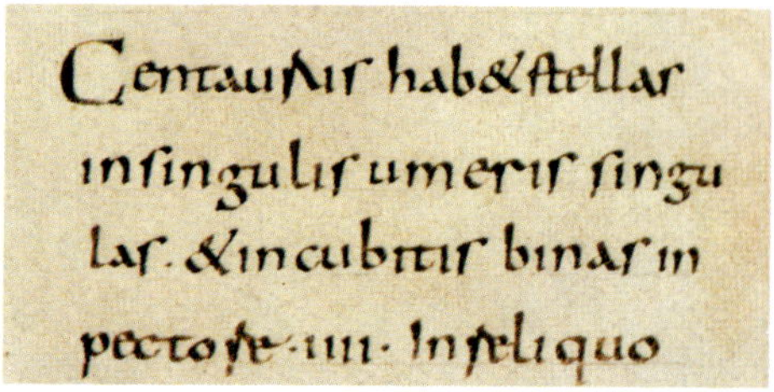

Minuskel 2): karolingische Minuskel aus einer Wiener Handschrift aus dem Jahr 821

Miosis [grch.] *die,* Pupillenverengung durch Licht, Medikamente, Vagusreizung oder Sympathikuslähmung. Auch im Schlaf verengt sich die Pupille (der Vagotonus ist gesteigert).

Miozän [grch.] *das, Geologie:* zweitjüngste Abteilung des →Tertiärs.

Mips [Abk. für engl. **m**illion **i**nstructions **p**er **s**econd, »Millionen Befehle pro Sekunde«], *Datenverarbeitung:* Maß für die Leistungsfähigkeit eines Computers.

Miquel ['mi:kwɛl], Johannes von (seit 1897), Politiker, *Neuenhaus 19. 2. 1828, †Frankfurt am Main 8. 9. 1901; Rechtsanwalt, Mitgründer des Nationalvereins (1859) und der Nationalliberalen Partei (1866); führte als preuß. Finanzmin. (1890–1901) eine die dt. Finanzordnung nachhaltig beeinflussende Reform des Steuerwesens durch.

Miquelon [mi'klɔ̃], →Saint-Pierre-et-Miquelon.

Mir [russ. »Welt«, »Gemeinde«] *der,* russ. bäuerl. Dorfgemeinde als Gesamtheit ihrer Mitgl. und als Körperschaft. Nach der Aufhebung der Leibeigenschaft (1861) war der M. als Institution mit kollektiver Steuerhaftung und regelmäßiger bzw. fallweiser Umverteilung des bäuerl. Gemeindebesitzes gesetzlich verankert. Durch die Agrargesetze von P. A. Stolypin (1907) allmählich abgebaut, 1917 endgültig abgeschafft.

Mir [russ. »Frieden«], Name der im Februar 1986 als Nachfolger für Saljut-7 gestarteten sowjet. Raumstation. Seit dem 8. 2. 1987 ist M. ständig bemannt. Durch die Ankopplung von Labormodulen an den Basisblock wurde die Station kontinuierlich ausgebaut. Dem ersten Modul »Kvant 1« (1987) folgten die Module »Kvant 2« (1989; mit Ausstiegsluke), »Kristall« (1990; mit zwei weiteren Andockstellen), »Spektr« (1995) und »Priroda« (1996). Sechs russ. Bodenstationen sorgen für Daten-, Sprechfunk- und Fernsehverbindungen. Die Besatzungen aus jeweils zwei oder drei Raumfahrern, die mit Sojus-TM-Raumschiffen transportiert werden, arbeiten meist vier bis sechs Monate in der Station. Ein Anliegen des M.-Programms ist die Ausweitung der Aufenthaltsdauer des Menschen in Schwerelosigkeit. – Dem ersten Rendezvous eines amerikan. Spaceshuttle und M. am 6. 2. 1995 folgte die erste fünftägige Ankopplung durch den Raumtransporter »Atlantis« ab dem 29. 6. 1995. Weitere geplante Andockmanöver sollen der Vorbereitung des Baus einer internat. Raumstation dienen. – Im März 1997 trat in der M. aufgrund eines Lecks im Kühlsystem ein gesundheitsschädl. Kühlmittel aus; damit verbunden kam es zu einem Temperaturanstieg bis auf 36 °C. Bei einer Havarie mit dem unbemannten Versorgungsraumschiff Progress M-34 im Juni 1997 wurden drei Solarzellenausleger abgerissen. Durch die Kollison fiel im Modul »Spektr« der Druck ab, sodass dieses Modul von der M. abgeriegelt werden musste. Im Okt. 1997 gelang es der Besatzung, neue Solarzellen zu installieren und damit die nach der Havarie halbierte Energieversorgung wiederherzustellen.

Mir: Spaceshuttle »Atlantis« während seines Anflugs auf die Raumstation Mir im März 1996

Mira, Stern im Sternbild Walfisch (Omicron Ceti), 1596 als erster veränderl. Stern von D. Fabricius entdeckt. M. ist ein roter Überriese und Prototyp einer Klasse langperiodisch veränderl. Sterne (→ Mira-Sterne).

Mirabeau [mira'bo], Honoré Gabriel Riqueti, Graf von, frz. Politiker, * Le Bignon (bei Nemours, Dép. Loiret) 9. 3. 1749, † Paris 2. 4. 1791. Wegen seines ausschweifenden Lebenswandels mehrfach Haftstrafen, 1777 zum Tode verurteilt, jedoch 1782 begnadigt. Nach einer geheimen Mission in Berlin 1786/87 schrieb er »Über die Preuß. Monarchie unter Friedrich d. Gr.« (1788; mit J. Mauvillon) und »Geheime Geschichte des Berliner Hofes« (1789). Der gefürchtete Publizist begründete seine Popularität als sein eigener Verteidiger in spektakulären Prozessen und zu Beginn der Frz. Revolution als Vertreter des dritten Standes in den Generalständen; die Nationalversammlung beherrschte er mit seiner brillanten Rhetorik. Seine Forderungen nach einer konstitutionellen Monarchie mit absolutem Vetorecht des Königs brachten ihn in Konflikt mit den »Patrioten«; auch der Hof, zu dem er Geheimverbindungen hatte, misstraute ihm. Sein früher Tod begünstige die radikale Entwicklung der Frz. Revolution.

Honoré Gabriel Riqueti Graf von Mirabeau: Miniatur des französischen Porträtmalers Joseph Boze (1789; Versailles, Musée National)

📖 WITTKOP, J. F.: *Graf M. Neuausg. Frankfurt am Main u. a. 1989.*

Mirabelle [frz.] *die,* eine Pflaumenart (→ Pflaumenbaum).

Mirabilit [lat.] *der,* Mineral, das → Glaubersalz.

Mirach, Stern 2. Größe, β im Sternbild Andromeda.

Mirage [mi'ra:ʒ, frz.], Name versch. Überschallkampfflugzeuge des frz. Luftfahrtunternehmens Dassault-Breguet.

Mirakel [lat.] *das,* **1)** Wunder, Wundertat.

2) im MA. Gattungsbegriff für Erzählungen wunderbarer Gebetserhörung und Gnadenerweise eines Heiligen. Als M. **(Mirakelspiel)** bezeichnet man auch die dramatisierten Heiligenlegenden des MA., die Leben und Wundertaten der Heiligen und der Jungfrau Maria behandeln. Seit dem 12. und 13. Jh. bes. in Frankreich verbreitet, dann auch in England, den Niederlanden und in Dtl. Im 14. und 15. Jh. wurden Marienmirakel, häufig Bearbeitungen von erzählenden Vorlagen, beliebt; im 20. Jh. wieder aufgenommen.

Johannes von Miquel

Miranda, ein Mond des Planeten → Uranus.

Mirandola, italien. Humanist, → Pico della Mirandola.

Mira-Sterne, pulsierende, langperiodisch veränderl. Sterne, ben. nach ihrem Prototyp → Mira; sie weisen Helligkeitsänderungen von mehreren Größenklassen auf; die Perioden des Lichtwechsels liegen zw. 80 und etwa 1000 Tagen.

Mirath, Stadt in Indien, → Meerut.

Joan Miró: Die Wanddekoration am UNESCO-Gebäude in Paris entstand in den Jahren 1955–58

Mirbeau [-'bo], Octave, frz. Schriftsteller, * Trévières (Dép. Calvados) 16. 2. 1848, † Paris 16. 2. 1917; schrieb Romane und Dramen mit z. T. radikal zivilisationskrit. Tendenz: »Der Abbé« (R., 1888), »Der Garten der Qualen« (R., 1899), »Tagebuch einer Kammerzofe« (R., 1900, verfilmt von L. Buñuel, 1963), »Geschäft ist Geschäft« (Dr., 1903).

Mirjam [hebr.], in der Vulgata Maria, Gestalt des A. T., Schwester von Moses und Aaron; Prophetin.

Mirko, eigtl. M. Basaldella, italien. Bildhauer, * Udine 28. 9. 1910, † Boston (Mass.) 25. 11. 1969; Bruder von →Afro. Seine abstrakten Plastiken, Denkmäler und Brunnen sind von Kubismus und Totems beeinflusst; schuf die Gedenkstätte für die Fosse Ardeatine bei Rom mit einem bronzenen Gittertor vor dem Ort der Erschießung der italien. Geiseln durch dt. Militär.

Miró, Joan, katalan. Maler und Grafiker, * Montroig del Camp (heute zu Barcelona) 20. 4. 1893, † Palma de Mallorca 25. 12. 1983; lebte lange in Paris, stark beeindruckt von P. Picasso und H. Matisse, M. Ernst und P. Klee; wirkte dann in den USA und in Barcelona. M. bildete einen stark abstrahierenden, oft an Kinderzeichnungen erinnernden Surrealismus aus, wobei die Linie neben der Farbe als wichtiges bildkonstituierendes Mittel eingesetzt wird; schuf auch Collagen, Reliefs, Objektmontagen, Assemblagen, Arbeiten aus Keramik (Wanddekoration für das UNESCO-Gebäude in Paris, 1955–58, und das Wilhelm-Hack-Museum in Ludwigshafen am Rhein, 1978–79), Bildteppiche.

📖 GIMFERRER, P.: *J. M. Auf den Spuren seiner Kunst. A. d. Katalan. Stuttgart 1993.* – PLATSCHEK, H.: *J. M. mit Selbstzeugnissen u. Bilddokumenten. Reinbek 1993.*

Mirrlees ['mə:li:z], James Alexander, brit. Volkswirtschaftler, * Minnigaff (Schottland) 5. 7. 1936; 1968–95 Prof. in Oxford und seither in Cambridge, Mitbegründer der Informationsökonomie, einer wirtschaftswiss. Theorie, die die Konsequenzen unterschiedl. Informationsbedingungen für die Funktionsweise ökonom. Systeme analysiert. M. erhielt 1996 zus. mit W. Vickrey den Nobelpreis für Wirtschaftswissenschaften für seine Arbeiten über die wirtsch. Anreize bei asymmetr. Informationsverteilung.

MIRV [Abk. für engl. **m**ultiple **i**ndependently **t**argetable **r**eentry **v**ehicles], der Gefechtskopf einer Interkontinentalrakete, der kurz vor dem Zielgebiet mehrere kleinere atomare Gefechtsköpfe ausstößt, die einzeln auf verschiedene Ziele gelenkt werden.

Mirza [mir'za; pers. »Emirssohn«] (Mirsa), pers. Titel, dem Namen nachgestellt für Prinzen, vor dem Namen für literarisch gebildete Beamte.

Misanthrop [grch.] *der,* Menschenfeind; Ggs.: Philanthrop.

Joan Miró: »Holländisches Interieur I« (1928; New York, Museum of Modern Art)

Mischabel *die,* vergletscherte Berggruppe der Walliser Alpen in der Schweiz, zw. Matter- und Saastal, im **Dom** 4545 m ü. M.

Mischbatterie (Wassermischer), Auslauf- oder Durchlaufarmatur zur Einstellung einer gewünschten Wassertemperatur durch Mischung kalter und warmer Wasserströme.

Misch|ehe, 1) eine Ehe zw. Ehepartnern unterschiedl. Konfessions- oder Religionszugehörigkeit. – In den *christl. Kirchen* die Ehe zw. Angehörigen versch. christl. Konfessionen (auch **konfessions-** bzw. **bekenntnisverschiedene Ehe** gen.); setzt nach kath. Kirchenrecht die kirchl. Erlaubnis, die kanon. Form der Eheschließung (→Eherecht, kirchliches) und die Verpflichtung beider Partner voraus, die Kinder kath. taufen und erziehen zu lassen. Die Ehe zw. einem kath. und einem ungetauften Partner stellt ein Ehehindernis dar, von dem der zuständige Bischof →Dispens erteilen kann. In den evang. Kirchen gibt es i. Allg. keine rechtl. Beschränkungen für die M. mehr. – Im *Islam* ist die Ehe eines Muslims mit einer Christin oder Jüdin gültig, mit einer Angehörigen einer anderen Religion auflösbar; die Muslimin darf nur einen Muslim heiraten. Die *jüd. Tradition* erlaubt keine M. und fordert den Übertritt des nichtjüd. Partners zum Judentum.

2) in der Zeit des Nationalsozialismus Bez. für eine »Ehe zw. einem Angehörigen dt. oder artverwandten Blutes mit einer Person anderer rass. Zugehörigkeit« (→Rassengesetze).

Misch|element, →chemische Elemente.

Mischen, 1) *allg.* und *Verfahrenstechnik:* Stoffverteilungsprozess, bei dem zwei oder mehrere Stoffe in ein Gemisch mit möglichst vollkommener Gleichverteilung überführt werden. Durch M. kann die Geschwindigkeit physikal. Vorgänge oder chem. Reaktionen erhöht werden. Das M. dient auch zur Herstellung von einheitl., aus mehreren Komponenten bestehenden Endprodukten.

2) *Audio-* und *Videotechnik:* das Zusammenfassen mehrerer Ton- oder Bildsignale mit dem Ziel, eine zeitl. Abfolge von Klangereignissen oder Fernsehbildern entsprechend bestimmter technisch-künstlerischer Vorgaben zu erzeugen. Als Hilfsmittel dienen entsprechende Ton- und Bildmischpulte (→Mischpult). Zu den häufigsten Arten des Zusammenfügens zweier Signale zählt das **additive M.** durch Amplitudenänderung der Signale. Dazu gehören sowohl in der Bild- wie auch der Tontechnik das Auf-, Aus- und Überblenden. Speziell in der Videotechnik angewendet wird das **nichtadditive M.,** bei dem nur die Anteile der beiden zu mischenden Bilder mit dem jeweils größeren Signalpegel durchgelassen werden, d.h. nur die jeweils helleren Bildstellen des einen oder anderen Bildes. Es entsteht ein verfremdetes Bild, bei dem die beiden Eingangsbilder helligkeitsabhängig »übereinander« gezeigt werden.

3) *Nachrichtentechnik:* die Überlagerung zweier hochfrequenter elektr. Schwingungen von unterschiedl. Frequenz mittels eines nichtlinearen Schaltungselements, wobei deren Summen- und Differenzfrequenzen entstehen. Durch M. ist die Umsetzung einer Frequenz (oder eines Frequenzbandes) in einen zur Weiterverarbeitung geeigneteren Frequenzbereich möglich.

Mischgesteine, die →Migmatite.

Mischkalkulation, *Marketing:* preispolit. Verhaltensweise, bei der einzelne Produkte oder Leistungen vom Anbieter abweichend von den exakt zurechenbaren Kosten mit unterschiedlich hohen Kalkulationsaufschlägen oder sogar -abschlägen belegt werden, um den Marktbedingungen (z.B. Sonderangeboten der Konkurrenz) oder eigenen Absatzzielen (z.B. zusätzl. Kundengewinnung) besser gerecht zu werden.

Mischkonzern (Konglomerat, diversifizierter Konzern), Konzern, in dem Unternehmen versch. Wirtschaftszweige, Produktions- und Handelsstufen zusammengefasst sind, meist wegen der Risikoverteilung durch →Diversifikation.

Mischkristalle, Kristalle, die in ihrem Gitter fremde Atome oder Ionen in statist. Verteilung enthalten. Von techn. Bed. sind die M. der Metalle, die Legierungen. Sind die Komponenten in beliebigem Verhältnis mischbar (bei gleichem Kristallstrukturtyp, chem. Verhalten sowie annähernd gleichen Ionenradien), liegt eine **lückenlose** oder **unbeschränkte Mischkristallbildung** vor. Bei **beschränkter Mischkristallbildung** kann eine Komponente nur bis zu einer bestimmten Konzentration aufgenommen werden, z.B. bei den Metalllegierungen, wo es bei einer bestimmten Konzentration der Fremdelemente zur Bildung von intermetall. Phasen oder Eutektika kommt. Man unterscheidet **Substitutions-M.,** bei denen die Atome oder Ionen des Grundgitters durch solche eines oder mehrerer anderer Stoffe ersetzt sind, und **Einlagerungs-M. (interstitielle M.),** bei denen die Atome des Grundgitters ihre Plätze beibehalten, die Fremdatome hingegen auf Zwischengitterplätzen eingebaut werden. Übersteigen die Fremdatome dabei eine bestimmte stöchiometr. Zusammensetzung, entstehen **Additionsmischkristalle.**

Mischkultur, der gleichzeitige Anbau mehrerer Kulturpflanzen auf derselben Fläche.

Mischlichtlampe (Verbundlampe), elektr. Lampe, in der eine Glüh- und eine Gasentladungslampe kombiniert sind. Der Glühdraht der Glühlampe ist dabei mit der Gasentladungslampe in Reihe geschaltet und dient als Begrenzungswiderstand der Entladung, sodass eine M. ohne weitere Vorschaltgeräte betrieben werden kann.

Mischling, das Kreuzungsprodukt genetisch versch. Eltern bei Tieren und Pflanzen (→Bastard), beim Menschen zw. Angehörigen versch. Rassenkreise, z.B. des europiden und negriden **(Mu-**

James Mirrlees

Wolfgang Mischnick

latte), indianiden und europiden **(Mestize)** oder negriden und indianiden **(Zambo)** Rassenkreises.

Mischna [hebr. »Wiederholung«, »Lehre«] *die,* die um 220 n. Chr. abgeschlossene Aufzeichnung des bis dahin mündlich überlieferten jüd. Religionsgesetzes, die Grundlage des → Talmud.

Mischnick, Wolfgang, Politiker, * Dresden 20. 9. 1921; nach 1945 in der LDP der SBZ, ab 1948 in der FDP Hessens tätig, deren Landesvors. 1967–77, war 1957–90 MdB und 1961–63 Bundesmin. für Vertriebene, Flüchtlinge und Kriegsgeschädigte; 1968–90 Vors. der FDP-Bundestagsfraktion.

Mischpult (Mischer), *Audio-* und *Videotechnik:* techn. Einrichtung, mit der einzelne, gleichzeitig eingespielte Tonereignisse (Sprache, Musik, Geräusche) in einem bestimmten, veränderl. Pegelverhältnis zusammengeführt, ausgesteuert, gemischt und einem gemeinsamen Ausgangskanal zugeordnet werden können, um ein erwünschtes Klangbild zu erzeugen **(Ton-M.).** Entsprechend dem Ton-M. wird in der Videotechnik das **Bild-M.** zum → Mischen mehrerer Videosignale verwendet.

Mischsäure, die → Nitriersäure.

Mischung, *Chemie:* → Gemisch.

Mischwald, Wald, der sowohl aus Nadel- als auch aus Laubhölzern besteht.

Misereor [lat. »mich erbarmt es«] (Bischöfliches Hilfswerk M. e. V.), 1958 gegr. Einrichtung der kath. Kirche in Dtl. zur Unterstützung der kirchl. Entwicklungshilfe unter der Leitung der Dt. Bischofskonferenz; Sitz: Aachen. Die Projekte zur Verbesserung der ökonom. und sozialen Rahmenbedingungen werden nach dem Grundsatz »Hilfe zur Selbsthilfe« gefördert.

Miserikordie am Chorgestühl im Dom von Bardowick

Miserere [lat. »erbarme dich!«] *das,* **1)** *lat. Liturgie:* nach seinem Anfangswort in der Vulgata (Ps. 51) benannter Bußpsalm; häufig vertont (Josquin Desprez, O. di Lasso, Palestrina u. a.).

2) *Medizin:* Koterbrechen bei → Darmverschluss.

Miserikordi|e [lat. misericordia »Erbarmen«] *die,* Vorsprung an der Unterseite des Chorgestühls zum Anlehnen beim Stehen während längerer liturg. Handlungen.

Mises, Ludwig Edler von, amerikan. Volkswirtschaftler österr. Herkunft, * Lemberg 29. 9. 1881, † New York 10. 10. 1973; Vertreter der Wiener Schule (→ Grenznutzenschule), Kritiker der Planwirtschaft; Arbeiten v. a. zur Finanzwiss., Geld- und Konjunkturtheorie.

Werke: Theorie des Geldes und der Umlaufmittel (1912); Die Gemeinwirtschaft. Untersuchungen über den Sozialismus (1922); Kritik des Interventionismus (1929); Nationalökonomie (1940).

Mishima Yukio

MISFET, → Transistor.

Mishima [miʃ-], Yukio, eigtl. Kimitake Hiraoka, japan. Schriftsteller, * Tokio 14. 1. 1925, † (Harakiri) ebd. 25. 11. 1970; wurde internat. bekannt mit dem Roman »Geständnis einer Maske« (1949). M. schrieb Romane, Novellen, Gedichte, Nō- und Kabuki-Stücke sowohl im modernen Stil als auch an klass. japan. Vorbilder angelehnt, u. a. »Die Brandung« (R., 1954), »Nach dem Bankett« (R., 1960), »Der Seemann, der die See verriet« (R., 1963). Im Zentrum seines Werkes steht der Gegensatz von Kunst und Leben.

Miskolc ['miʃkolts], Hptst. des Bez. Borsod-Abaúj-Zemplén, Ungarn, am Sajó, 189 700 Ew.; TU, Konservatorium, Museum; Eisen- und Stahlind., Maschinenbau, Textil- u. a. Ind.; Mittelpunkt eines Weinbaugebiets. – Got. Kirche am Avasberg (13. Jh.). – M., im 13. Jh. gegr., wurde 1405 königl. Freistadt.

miso..., mis... [grch.], Hass..., Verachtung...

Misox *das* (italien. Valle Mesolcina, früher auch Val Mesocco), Talschaft der Moesa (Nebenfluss des Tessin) im Kt. Graubünden, Schweiz, 40 km lang, Hauptort: Mesocco (dt. auch Misox).

Mispel (Mespilus), Gattung der Rosengewächse mit der einzigen Art **Echte M.** (Mespilus germanica); Strauch oder kleiner Baum; heimisch in Vorderasien, in Europa fast nur verwildert vorkommend; Blätter etwas runzelig, lanzettlich; große weißl. Einzelblüten. Die kleinen, birnenförmigen Früchte sind erst nach Frosteinwirkung essbar.

Misr, arab. Name für Ägypten, auch für Kairo.

Misrata, Stadt in Libyen, → Misurata.

Miss [Kurzform von Mistress], **1)** engl. Anrede für eine unverheiratete Frau.

2) Schönheitskönigin, die in M.-Wahlen ermittelt wird; häufig in Verbindung mit einem Länder- oder Ortsnamen, z. B. M. Germany.

Miss., Abk. für den Bundesstaat **Miss**issippi, USA.

Missa [lat.] *die,* → Messe.

Missale [lat.] *das* (Messbuch), *kath. Kirche:* liturg. Buch, enthält die bei der Messe vorgeschriebenen Gebete, Gesangstexte u. a.

Missa solemnis [lat.], **1)** *Liturgie:* das feierl. Hochamt (→ Pontifikalamt).

2) *Musik:* groß angelegte Messkomposition für ein Hochamt; am bekanntesten ist die »Missa solemnis« L. van Beethovens. Eine M. s. schrieben auch z. B. J. Haydn, W. A. Mozart, F. Schubert, F. Liszt und A. Bruckner.

Missbildungen (Fehlbildungen), krankhafte Veränderungen von Form und Größe eines oder mehrerer Organe oder Organsysteme als Folge einer Störung der frühkindl. Entwicklung im Mutterleib. Ursachen sind Defekte der Erbsubstanz (Gametopathien) oder exogene Einflüsse (z. B. Infektionskrankheiten der Mutter, die Einwirkung ionisierender Strahlen oder bestimmter Medikamente, das Auftreten mechan. Einflüsse wie Lageanomalien, Sauerstoffmangel des Kindes, Mangel- oder Fehlernährung der Mutter).

Missbrauch, svw. →Rechtsmissbrauch.

Missbrauchs|aufsicht, Bemühungen der Träger der Wettbewerbspolitik, wettbewerbsgefährdende Verhaltensweisen von →marktbeherrschenden Unternehmen zu unterbinden. Die M. ist neben dem Verbot von Kartellen und der Fusionskontrolle wichtigstes Instrument der Wettbewerbspolitik. Behindern oder diskriminieren marktbeherrschende Unternehmen ihre Konkurrenten oder verlangen sie z.B. überhöhte Preise, kann das Bundeskartellamt gemäß §22 Ges. gegen Wettbewerbsbeschränkungen (GWB) dieses Verhalten untersagen oder Verträge für unwirksam erklären und Zuwiderhandlungen mit Geldbußen belegen. – Auch das *österr.* und das *schweizer.* Kartell-Ges. und das Wettbewerbsrecht in der EU beruhen auf dem Prinzip der Missbrauchsaufsicht.

Missbrauch von Kindern und Jugendlichen, →sexueller Missbrauch.

Misshandlung, →Körperverletzung.

Missheirat (Mesalliance), im älteren Recht die Ehe standesungleicher Personen, wobei die Kinder i.d.R. der →ärgeren Hand folgten; M. im Hochadel →linke Hand.

Missinglink [engl. »fehlendes Glied«] *das* (Missing Link, Zwischenglied), in der Stammesgeschichte von Tieren und Pflanzen verwendete Bez. für ein Bindeglied, das zw. Stammformen und aus ihnen hervorgegangenen Gruppen existiert haben muss (z.B. auch zw. Mensch und tier. Ahnen), fossil aber bisher nicht nachgewiesen wurde.

Missingsch [niederdt., eigtl. »meißnisch«, »aus Meißen«], der hochdt. Schriftsprache angenäherte (niederdt.) Sprachform.

Missio canonica [lat. »kirchl. Sendung«] *die, kath. Kirchenrecht:* kirchenamtl. Beauftragung mit Lehr- und Verkündigungsaufgaben in Predigt, theolog. Lehre, Religionsunterricht; entspricht in den evang. Kirchen der Vocatio (→Vokation).

Mission [lat.] *die,* **1)** *allg.:* Sendung, Vollmacht, Auftrag.

2) *Religionswissenschaft:* die Verbreitung einer Religion und die Gewinnung von Anhängern für sie; insbesondere die Verbreitung des christl. Glaubens unter Nichtchristen **(Äußere M.).** Ausgangspunkt christl. M. war v.a. die M.-Tätigkeit des Apostels Paulus im Röm. Reich. Die Christianisierung der Germanen hat in der angelsächs. (→Bonifatius) und iroschott. M., die der Slawen in der Tätigkeit der Brüder →Kyrillos und Methodios ihre Grundlage, wobei den Mönchsorden eine zentrale Rolle zukam. Der Kolonialismus führte in seinem Gefolge zur christl. M. in weiten Teilen Afrikas, Asiens und in Lateinamerika. Die Verknüpfung von Kolonialismus und M., verbunden mit der einseitigen Orientierung auf das abendländ. Welt- und Menschenbild und der Ablehnung »heidn.« Kulturen, trug erheblich zur Unterdrückung der Kulturen und Bevölkerungen in den M.-Gebieten bei, was die christl. M. z.T. in den Augen der betroffenen Völker bis ins 20. Jh. im Zwielicht erscheinen lässt. – Der Islam breitete sich nach dem Tod Mohammeds rasch aus (u.a. »Hl. Krieg«); gegenwärtig M. mit großem Erfolg v.a. in Afrika. Der Buddhismus erlebte seine größten M.-Erfolge in dem Jt. nach Buddhas Tod; neuzeitl. M.-Bestrebungen gibt es in Europa und Amerika (→Neubuddhismus). Seit dem Zerfall der UdSSR (1991) unternehmen bes. evangelikale Kirchen, der Islam und die unterschiedlichsten religiösen Sondergemeinschaften M.-Versuche in der GUS. Der Hinduismus verzichtet grundsätzlich auf M., ebenso das Judentum nach erfolglosen Versuchen in seiner Geschichte.

📖 NEILL, S.: *Geschichte der christl. M.en, hg. v.* N.-P. MORITZEN. *A.d. Engl. Erlangen ²1990.*

3) *Völkerrecht:* eine Personengruppe, die zur Erledigung besonderer Aufgaben ins Ausland entsandt wird, z.B. diplomat. M., Handels-M., Militärmission.

Missionsgesellschaften, *evang. Kirchen:* Organisationen zur Förderung der christl. Mission; seit dem 17. Jh. in W-Europa und den USA (erste M. 1649 in England), im 19. Jh. in Dtl. als freie Vereine entstanden (z.B. →Hermannsburger Mission; →Leipziger Mission); heute enge Zusammenarbeit mit den Kirchen; 1977 Gründung des Evang. Missionswerks als dt. Dachorganisation.

Missionskongregation, eigtl. »Kongregation für die Evangelisierung der Völker oder für die Glaubensverbreitung«, →Kurienkongregation.

Mispel: Frucht (oben) und Blütenzweig der Echten Mispel

Mission

Am Anfang des den Katholischen Majestäten Ferdinand I. von Aragon und Isabella von Kastilien zugedachten Bordbuchs von Christoph Kolumbus steht bezeichnenderweise ein programmatischer Missionsauftrag:

»Im gegenwärtigen Jahre 1492, nachdem Eure Hoheiten dem Krieg gegen die Mauren, die noch Europa beherrschten, in der gewaltigen Stadt Grenada ein Ende bereitet hatten, ... erwogen Eure Hoheiten als Freunde und Verbreiter des heiligen christlichen Glaubens ernstlich den Gedanken, mich, Christoph Kolumbus, nach den vorgenannten Gegenden Indiens zu entsenden, um jene Fürsten, Völker und Orte aufzusuchen und die Möglichkeiten zu erwägen, wie man sie zu unserem heiligen Glauben bekehren könne ...«

Mississauga [mɪsɪˈsɔːgə; nach einem Indianerstamm, der hier im 18. und 19. Jh. lebte], Stadt in SO-Ontario, Kanada, am W-Ende des Ontariosees im westl. Vorstadtbereich von Toronto, 463400

Ew.; Luftfahrt-, Maschinen- und Kraftfahrzeug-, chem., Stahl- u.a. Ind.; internat. Flughafen von Toronto.

Missouri 2)
Flagge

Mississịppi, 1) *der* (M. River), größter Strom Nordamerikas, in den USA, 3778 km (mit Missouri 6021 km) lang, mit einem Einzugsgebiet von 3,221 Mio. km² (etwa ⅓ der Staatsfläche der USA), entwässert den größten Teil des Gebiets zw. Kordilleren und Appalachen. Der M. entspringt im Itascasee, Minnesota. Als Dammfluss tritt der M. ab Cairo mit einer Breite von 1370 m in die alluviale M.-Ebene im Bereich der Golfküstenebene ein. Das Delta hat fünf Hauptarme, die in den Golf von Mexiko münden. Die Seeschifffahrt reicht flussaufwärts bis Baton Rouge, die Flussschifffahrt bis Minneapolis-Saint Paul. Der M. hat Anschluss an den Intracoastal Waterway und über den Illinois Waterway an das Gebiet der Großen Seen.

Mississippi 2)
Flagge

2) Abk. **Miss., MS,** Bundesstaat im S der USA, 123516 km², (1995) 2,7 Mio. Ew. (35,6% Schwarze); Hptst. ist Jackson. M. liegt größtenteils in der z.T. sumpfigen Golfküstenebene; sandige und hafenarme Küste am Golf von Mexiko. Hauptflüsse sind der M. und seine Nebenflüsse. Das Klima ist subtropisch-feucht; über die Hälfte des Gebietes ist bewaldet. Anbau von Baumwolle, Mais, Weizen, Reis, Sojabohnen; Rinderzucht; Holzwirtschaft; Erdöl-, Erdgasförderung, Papier-, Nahrungsmittel-, Möbel- u.a. Ind.; Staatsuniv. in Oxford. – 1540/41 von Spaniern (H. de Soto) erkundet. Ab 1699 von Franzosen besiedelt (Teil der Kolonie Louisiana). Der seit 1763 brit. Teil wurde 1783 an die USA abgetreten, die 1795 auch den südl., seit 1779 von den Spaniern besetzten Teil erhielten. 1798 als Territorium organisiert; 1817 als 20. Staat in die Union aufgenommen. Als Hauptbaumwollproduzent gehörte M. im Sezessionskrieg zu den abtrünnigen Südstaaten; 1870 wieder in die Union aufgenommen.

Mistkäfer:
Waldmistkäfer (Größe 16–25 mm)

Missouri [mɪ'su:ri, engl. mɪ'zʊərɪ], **1)** *der* (M. River), Strom in den USA, längster Nebenfluss des Mississippi, 3725 km lang, entsteht in Montana durch Vereinigung von Jefferson River, Gallatin River und Madison River; mündet bei Saint Louis; am Oberlauf bed. Stauwerke.

2) Abk. **Mo., MO,** Bundesstaat im Mittleren Westen der USA, 180516 km², (1995) 5,32 Mio. Ew. (10,7% Schwarze); Hptst. ist Jefferson City. Die flachwellige Grundmoränenlandschaft des Zentralen Tieflandes leitet nach SO in das Schwemmland des Mississippi über; im SW hat M. Anteil an den Ozark Mountains; Anbau von Sojabohnen, Mais, Reis, Baumwolle; Viehzucht; Bergbau: Blei-, Zink- und Eisenerz, Kohle; Luft-, Raumfahrtind., Fahrzeugbau, Nahrungsmittel-, chem. Ind., Maschinenbau.; Ind.zentrum Saint Louis; Staatsuniv. in Columbia. – Um 1735 gründeten Franzosen die erste ständige Siedlung (Sainte Genevieve) in M., das zur frz. Kolonie Louisiana gehörte. 1763 fiel M. an Spanien und kam 1803 mit dem Louisiana Purchase (→Louisiana) an die USA. 1805 als Territorium Louisiana, 1812 als Territorium M. organisiert; 1821 als 24. Staat in die Union aufgenommen. Da sich die Sklaverei trotz Zulassung (sog. M.-Kompromiss) nicht durchsetzte, blieb M. im Sezessionskrieg bei der Union.

Missouri-Synode [mɪ'su:ri-] (Lutheran Church-Missouri Synod), die zweitgrößte, 1847 aus dem Zusammenschluss dt. Einwanderer hervorgegangene luth. Kirche in den USA mit dem Zentrum Saint Louis; rd. 2,6 Mio. Mitgl.; vertritt ein streng konfessionelles Luthertum.

Misstrauensvotum, in Staaten mit parlamentar. Reg.system ein Mehrheitsbeschluss des Parlaments, der der Reg., dem Reg.chef oder einem Min. das Vertrauen entzieht und damit den Rücktritt erzwingt. In Dtl. ist nur das **konstruktive M.** gegenüber dem Bundeskanzler vorgesehen (Art. 67 GG): Abwahl des alten durch Neuwahl eines neuen Bundeskanzlers, verbunden mit dem Ersuchen an den Bundespräs., den Kanzler zu entlassen. Mit der Entlassung endet auch das Amt der Bundesmin. – Das *österr.* Verf.recht (Art. 74 Bundesverfassungs-Ges.) kennt sowohl ein M. der Bundesreg. als auch einzelnen Mitgl. gegenüber. Die *schweizer.* Bundesverf. enthält keine Bestimmungen über ein Misstrauensvotum.

Missweisung, *Geophysik:* →Deklination.

Mist, mit Einstreu vermischte tierische Exkremente.

Mistassini [mɪstə'si:nɪ] (frz. Lac M., engl. Lake M.), See in Kanada, Prov. Quebec, 2336 km², 372 m ü.M.; Abfluss durch den Rupert River zur Hudsonbai.

Mistel (Hexenkraut, Donnerbesen, Kreuzholz, Viscum), Gattung der M.-Gewächse, vorwiegend

Mistel

Die Bezeichnung Mistel leitet sich wohl von »Mist« ab, da der Samen durch Vogelmist auf die Bäume gebracht wird. Im altnordischen Mythos vom Lichtgott Baldr wird Hödr, der blinde Bruder Baldrs, von Loki dazu verleitet, einen vermeintlich harmlosen Mistelzweig auf Baldr zu schleudern. Der Zweig verwandelt sich jedoch in einen Speer, mit dem Baldr getötet wird.
Die keltischen Druiden verehrten die Mistel als heilige Pflanze. Sie bereiteten aus ihr Zaubertränke, die Mut und Kraft schenken, Krankheiten heilen, Gifte unwirksam und Menschen fruchtbar machen sollten. Die Mistel galt auch als Abwehrmittel gegen Unheil, Blitz und Verhexung. Bei den Germanen war sie Symbol der Wintersonnenwende und des Neujahrsfestes. Bei den Griechen und Römern wurde die Mistel zur Herstellung des Vogelleims für den Vogelfang mit Leimruten verwendet; medizinisch fand sie als Heilmittel (u.a. gegen Epilepsie) und als Klebstoff Verwendung.

Mistel: Die Laubholzmisteln, hier auf einer Birke, sind meist erst nach dem Laubfall zu erkennen

trop. Arten; in Dtl. nur die **Laubholz-M.** (Viscum album) und die **Nadelholz-M.** (Viscum laxum); immergrüne, strauchförmige Halbschmarotzer der Laub- und Nadelhölzer mit gelbgrünen, ledrigen Blättern; der Samen keimt unmittelbar auf dem Wirtsast; die Frucht ist eine weiße beerenartige Scheinfrucht, deren klebrige Samen durch Vogelkot verbreitet werden. – Wegen ihrer ungewöhnl. Gestalt gewann die M. große Bedeutung in Mythen (→Baldr) und Sagen (daher wohl auch der brit. Weihnachtsbrauch, M.-Zweige in die Wohnung zu hängen). Sie galt als Abwehrzauber und wird heute in der Krebs- und Bluthochdrucktherapie eingesetzt.

Mister ['mɪstə, engl.] *der,* Abk. **Mr.,** Herr (engl. Anrede).

Misti, tätiger Vulkan in Peru, in der Westkordillere, bei Arequipa; 5 842 m ü. M.

Mistinguett [mistɛ̃'gɛt], eigtl. Jeanne Florentine Bourgeois, frz. Varieteekünstlerin, *Enghien-les-Bains 5. 4. 1873, †Bourgival (bei Paris) 5. 1. 1956; berühmte Chansonsängerin und Schauspielerin der Pariser Revuetheater, v. a. des »Moulin Rouge«.

Mistinguett

Mistkäfer (Rosskäfer, Geotrupini), Gruppe der Blatthornkäfer; schwarz bis blau glänzende Käfer mit Grabbeinen. Die M. legen bis über 1 m tiefe Brutbauten an, in die sie je nach Art Dung, Pilze, frische oder verrottende Pflanzenteile einbringen; die in Dtl. häufigsten Arten sind der **Frühlings-M.** (Geotrupes vernalis) und der metallisch glänzende **Wald-M.** (Geotrupes stercorosus).

Mistra (Mistras, Mystras), Dorf und Ruinenstätte der gleichnamigen grch. Stadt in der S-Peloponnes, westlich von Sparta. – Ruinenstätte mit zahlr. Palästen, Kirchen und Klöstern aus byzantin. Zeit (UNESCO-Weltkulturerbe), u. a. die Hagii Theodori (um 1290–95) im Brontochion-Kloster. – 1249 durch die Kreuzfahrer gegr.; ab 1262 byzantinisch, ab 1348 Hptst. des Despotats M. (auch Despotat Morea), geistiger und kultureller Höhepunkt; fiel 1460 an die Osmanen, 1687–1715 an die Venezianer; Hauptort Lakoniens; verfiel mit der Neugründung Spartas (1834).

Mistral [frz.], **1)** *Meteorologie:* kalter, trockener Nordwind in Südfrankreich, bes. im Rhonetal, der häufig, v. a. im Winter und Frühjahr, Sturmstärke erreicht.

2) *Segelsport:* seit 1996 olymp. Klasse für Frauen und Männer; auch Bez. für das **Mistralbrett,** ein Surfboard mit 3,72 m Länge.

Mistral, 1) Frédéric, neuprovenzal. Dichter, *Maillane (bei Arles) 8. 9. 1830, †ebd. 25. 3. 1914; 1854 Mitbegründer, später Haupt der provenzal. Erneuerungsbewegung Félibrige (→Félibres); veröffentlichte neben einem Wörterbuch Versdichtungen (»Mireia«, 1859) und Erzählungen. 1904 erhielt er (zus. mit J. Echegaray y Eizaguirre) den Nobelpreis für Literatur.

Frédéric Mistral

2) Gabriela, eigtl. Lucila Godoy Alcayaga, chilen. Lyrikerin, *Vicuña 7. 4. 1889, †Hempstead (N. Y.) 10. 1. 1957; Lehrerin, ab 1932 im diplomat. Dienst; schrieb sehnsuchtsvoll-melanchol., nach metaphys. Trost strebende Liebeslyrik, die, von persönl. Leid veranlasst, zur Menschheitsdichtung reift: »Desolación« (1922, dt. Ausw. 1960 u. d. T. »Spürst du meine Zärtlichkeit?«), »Ternura« (1924), »Tala« (1938), »Lagar« (1954). 1945 erhielt sie den Nobelpreis für Literatur.

Gabriela Mistral

Mistress ['mɪstrɪs; engl. »Herrin«] *die,* Abk. **Mrs.,** engl. Anrede für eine Frau (in Verbindung mit dem Familiennamen).

Misurata (arab. Misrata), Stadt an der Küste Tripolitaniens, Libyen, 122 000 Ew.; Handelszentrum; Textilind., Stahl- und Walzwerk; Wärmekraftwerk, Meerwasserentsalzungsanlage, Hafen.

Mitanni, Staat der →Hurriter in N-Mesopotamien im 16.–14. Jh. v. Chr.

Mistra: Die byzantinische Hagii Theodori im Brontochion-Kloster besteht aus einem Zentralbau mit acht Kuppelstützen (um 1290–95)

Mitarbeiterbeteiligung, i. w. S. die Mitbestimmung der Arbeitnehmer, i. e. S. die Teilhabe der Arbeitnehmer am Erfolg (Gewinnbeteiligung) oder am Kapital eines Unternehmens (Vermögensbeteiligung, Miteigentum).

Mitau, früherer dt. Name der lett. Stadt →Jelgava.

Mitbestimmung, i. w. S. die Beteiligung von Personengruppen an polit. oder wirtsch. Planungen oder Entscheidungen (Partizipation), i. e. S. die Teilnahme der Arbeitnehmer am Willensbildungs- und Entscheidungsprozess in Betrieben oder Unternehmen. – Die **betriebl. M.** ist für die private Wirtschaft im →Betriebsverfassungsgesetz vom 15. 1. 1972 geregelt. Das Personalvertretungs-Ges. vom 15. 3. 1974 gilt für Beamte, Angestellte und Arbeiter im öffentl. Dienst (→Personalvertretung). Nach beiden Gesetzen haben die Arbeitnehmer sowohl bloße Mitwirkungs- als auch echte Mitbestimmungs- oder Mitentscheidungsrechte bei der Gestaltung ihrer Arbeitsbeziehungen und Arbeitsbedingungen, die sie durch gewählte Betriebs- oder Personalräte wahrnehmen. – **M. im Unternehmen** ist Teilhabe der Belegschaft an der Leitung des Unternehmens durch Wahl von Arbeitnehmervertretern in die Aufsichtsgremien. Sind darin Anteilseigner wie Arbeitnehmer in gleicher Stärke vertreten, spricht man von **paritāt. M.,** besteht hingegen ein Übergewicht der Anteilseigner, von **einfacher Mitbestimmung.**

Unternehmens-M.: Das M.-Gesetz vom 4. 5. 1976 gilt für Unternehmen mit i. d. R. mehr als 2 000 Beschäftigten, die in Form der AG, KGaA, GmbH oder Genossenschaft betrieben werden, ausgenommen →Tendenzbetriebe sowie Unternehmen, die dem Montan-M.-Ges. von 1951 unterliegen. Nach dem M.-Gesetz besteht in den Grundfragen des Unternehmens (z. B. Auflösung oder Umwandlung des Unternehmens) keine Mitbestimmung. Es bestimmt aber, dass der Aufsichtsrat gleichmäßig mit Vertretern der Anteilseigner und der Arbeitnehmer besetzt wird (in Unternehmen bis 10 000 Arbeitnehmer im Verhältnis 6 : 6, 10 000–20 000 Arbeitnehmer 8 : 8, mehr als 20 000 Arbeitnehmer 10 : 10). Die Arbeitnehmersitze müssen auf Arbeiter, Angestellte und leitende Angestellte entsprechend ihrem Anteil an der Gesamtbelegschaft verteilt werden; ihre Wahl erfolgt, je nach Belegschaftsstärke, unmittelbar durch Urwahl oder mittelbar durch Wahlmänner. Der Aufsichtsrat wählt aus seiner Mitte einen Vorsitzenden. Dieser gehört i. d. R. der Anteilseignerseite an; bei Stimmengleichheit gibt seine Stimme den Ausschlag. Als gleichberechtigtes Vorstandsmitgl. wird ein →Arbeitsdirektor bestellt.

Für Unternehmen in Form der AG oder KGaA bis 2 000 Beschäftigte gilt die einfache M. nach dem Betriebsverfassungs-Ges. von 1952 (§§ 76 ff.), das insoweit fortgilt. Dasselbe trifft für GmbH, Genossenschaften und bergrechtl. Gewerkschaften mit mehr als 500 Arbeitnehmern zu. Die Aufsichtsräte dieser Unternehmen (Ausnahme: Tendenzbetriebe) bestehen zu einem Drittel aus Arbeitnehmervertretern. Diese werden in allg., geheimer Wahl von den Arbeitnehmern gewählt.

Durch das Ges. zur Beibehaltung der M. beim Austausch von Anteilen und der Einbringung von Unternehmensteilen, die Gesellschaften verschiedener Mitgl.-Staaten der EU betreffen (M.-Beibehaltungs-Ges.), vom 23. 8. 1994 wird gewährleistet, dass die M. gewahrt bleibt, wenn die Unternehmensform aus steuerl. Gründen geändert wird.

Montan-M.: Dem Montan-M.-Ges. vom 21. 5. 1951 unterliegen AG und GmbH mit mehr als 1 000 Arbeitnehmern, wenn sie überwiegend Kohle und Eisenerze fördern oder Unternehmen der Eisen und Stahl erzeugenden Industrie sind und im alliierten Entflechtungs-Ges. vom 16. 5. 1950 namentlich aufgeführt waren oder als Montanunternehmen erst später gegründet wurden, aber dieselben Merkmale wie diese aufweisen. Ihr Aufsichtsrat setzt sich aus der gleichen Anzahl von Vertretern der Anteilseigner und Arbeitnehmer sowie aus einem neutralen Mitgl. zusammen. Er hat 11, 15 oder 21 Mitgl. Sie werden durch das nach Gesetz, Satzung oder Gesellschaftsvertrag zuständige Wahlorgan gewählt, das für die Wahl der Arbeitnehmervertreter an die Vorschläge der Betriebsräte gebunden ist. Das neutrale Mitgl. wird auf Vorschlag der Aufsichtsräte beider Seiten vom Wahlorgan bestellt. Dem Vorstand muss ein Arbeitsdirektor angehören. – Unter das M.-Ergänzungs-Ges. vom 7. 8. 1956 fallen die Gesellschaften, die zwar nicht vom Montan-M.-Ges. von 1951 erfasst werden, aber aufgrund eines Organschaftsvertrags ein oder mehrere Unternehmen beherrschen, in denen das Montan-M.-Ges. von 1951 gilt (z. B. Konzerne, Holdinggesellschaften von Montanunternehmen). Abweichend vom Montan-M.-Ges. von 1951 werden die Arbeitnehmervertreter durch von der Belegschaft gewählte Wahlmänner bestellt.

Die Montan-M. gilt auch für Konzerne, in denen der Montananteil beim herrschenden Unternehmen mindestens 20% beträgt. Unternehmen und Holdinggesellschaften, bei denen die Voraussetzungen der Anwendung des Montan-M.-Ges. und des Montan-M.-Ergänzungs-Ges. entfallen, bes. durch Umstrukturierungen, unterliegen ungeachtet der Änderungen noch für weitere sechs Jahre der Montanmitbestimmung.

Österreich: Die zentralen Bestimmungen der M. im Arbeitsrecht enthält das Arbeitsverfassungs-Ges. von 1974. Es unterscheidet je nach dem Inhalt allg. Befugnisse, die Mitwirkung in sozialen, in personellen sowie in wirtsch. Angelegenheiten. Neben allgemeinen Informations- und Beratungsrechten erhält die Belegschaft die Gelegenheit, etwa auf die Geltung überbetriebl. Rechtsvorschriften sowie v.a. auf das Arbeitsverhältnis Einfluss zu nehmen. Ein maßgebl. Einfluss kommt der Belegschaft auch im Bereich der Beendigung von Arbeitsverhältnissen zu. Für den Aufsichtsrat einer AG, GmbH oder Genossenschaft gilt eine »Drittelparität«, d.h., pro zwei sonstigen Aufsichtsratsmitgl. können Betriebsrat oder Zentralbetriebsrat je einen Arbeitnehmervertreter entsenden. Auch die Beteiligung an Ausschüssen des Aufsichtsrats ist vorgeschrieben. Im Ggs. zu den anderen Aufsichtsratsmitgl. üben die Arbeitnehmervertreter ihre Funktion ehrenamtlich aus.

Schweiz: Am 1. 5. 1994 trat das Bundesgesetz über die Information und Mitsprache der Arbeitnehmer in den Betrieben (Mitwirkungs-Ges.) vom 17. 12. 1993 in Kraft. In Betrieben mit mindestens 50 Arbeitnehmern haben diese das Recht, aus ihrer Mitte eine oder mehrere Vertretungen zu bestellen, denen gewisse Mitwirkungsrechte zustehen.

📖 NAGEL, B. *u. a.: Neue Konzernstrukturen u. M. Baden-Baden 1994.* – KLINKHAMMER, H. *u.* WELSLAU, D.: *M. in Deutschland u. Europa. Eine Einführung für Praktiker. Neuwied u. a. 1995. – Mitbestimmungsgesetze in den Unternehmen, hg. v.* P. HANAU. *München [5]1995.* – NIEDENHOFF, H.-U.: *M. in den EU-Staaten. Köln [2]1995.* – NIEDENHOFF, H.-U.: *M. in der Bundesrepublik. Köln [10]1995.*

Mitchell ['mɪtʃəl], **1)** Margaret, amerikan. Schriftstellerin, *Atlanta (Ga.) 8. 11. 1900, †(Autounfall) ebd. 16. 8. 1949; errang Welterfolg mit dem Roman »Vom Winde verweht« (1936), der aus der Perspektive der Südstaaten den Sezessionskrieg und die anschließende Rekonstruktionsperiode als melodramat. Verstrickung von Einzelschicksalen darstellt; verfilmt 1939.

2) Peter, brit. Biochemiker, *Mitcham (Cty. Surrey) 29. 9. 1920, †Bodmin (Cty. Cornwall) 10. 4. 1992; erhielt für die Entwicklung der chemiosmot. Theorie der oxidativen →Phosphorylierung (Energiegewinnung der Zellen) 1978 den Nobelpreis für Chemie.

Mitchell, Mount [maʊnt 'mɪtʃəl], höchster Berg der Appalachen, North Carolina, USA, 2037 m ü.M.

Mitchum ['mɪtʃəm], Robert, amerikan. Filmschauspieler, *Bridgeport (Conn.) 6. 8. 1917, †Santa Barbara (Calif.) 1. 7. 1997; spielte v.a. den Typus des Undurchschaubaren und Außenseiters in Kriegsfilmen und Western, u.a. in »Schlachtgewitter am Monte Cassino« (1945), »Die Nacht des Jägers« (1955), »El Dorado« (1967), »Der letzte Tycoon« (1976), »Tote schlafen besser« (1978), »Der Ambassador« (1984), »Kap der Angst« (1991), »Dead Man« (1995).

Margaret Mitchell: Plakat für die Verfilmung (1939) ihres Erfolgsromans »Vom Winde verweht« (1936) mit Vivien Leigh und Clark Gable

Mit|eigentum, 1) *Recht:* das gemeinsame →Eigentum mehrerer Personen an einer Sache.

2) *Wirtschaft:* Beteiligung der Arbeitnehmer an den Produktionsmitteln, bes. der Belegschaft am Unternehmen (z.B. Investivlohn). Das M. ist eine besondere Form der Vermögenspolitik.

Mit|erbe, eine von mehreren Personen, die zus. bei einem Erbfall erben und notwendigerweise eine **Erbengemeinschaft** (die immer →Gesamthandsgemeinschaft ist) bilden (§§2032 bis 2063 BGB). Die Erbengemeinschaft entsteht mit dem Erbfall und endet mit der Erbteilung, die durch Realteilung oder Verkauf und Verteilung des Erlöses erfolgt. Bis zur Auseinandersetzung kann jeder M. über seinen Anteil nur insgesamt, nicht in Bezug auf einzelne Gegenstände, verfügen. – Ähnl. Regelungen gelten für das *österr.* (§§555ff., 820ff. ABGB) und das *schweizer.* (Art. 602ff. ZGB) Recht.

Robert Mitchum

Mit|esser (Komedonen), als dunkle Punkte sichtbare Anhäufungen von Talg und verhornten Epithelzellen in den Ausführungsgängen der Talgdrüsen, v.a. bei →Seborrhö.

Mitfahrzentrale, Unternehmen, das sowohl Mitfahrgelegenheiten in privaten Pkw als auch Mitfahrer an Autofahrer vermittelt.

Mitgift [zu geben], das Vermögen, das der Frau von den Eltern in die Ehe mitgegeben wird (→Ausstattung).

mithelfende Famili|enangehörige, in der amtl. Statistik Personen, die im Betrieb eines Familienmitglieds unentgeltlich tätig sind, und für die keine Pflichtbeiträge zur gesetzl. Rentenversicherung gezahlt werden.

Mịthras (iran. Mithra, altind. Mitra), ein seit 1000 v. Chr. im Iran verehrter Gott des Rechts und der Ordnung; durch die Religionsstiftung Zarathustras zurückgedrängt, später wieder anerkannt. Im Röm. Reich erlangte er als mit der Sonne verbundener Erlösergott große Bedeutung, v. a. bei den Legionären (daher Heiligtümer in Garnisonsorten). Im Mittelpunkt des Mysterienkults, von dem Frauen ausgeschlossen waren, stand die Tötung eines Stiers. Der M.-Kult kennt eine Taufe und eine Art Abendmahl. Die unterird. Kultstätten **(Mithräen)** waren seit dem 2. Jh. n. Chr. im gesamten Röm. Reich verbreitet; in Dtl. erhalten u. a. in Heddernheim (zu Frankfurt am Main), Dieburg, Ladenburg und Heidelberg.

📖 CLAUSS, M.: *M. Kult u. Mysterien. München 1990.*

Mithridạtes VI. Eupạtor, König von Pontos (seit 120 v. Chr.), *Sinope (heute Sinop) um 130, †Pantikapaion (heute Kertsch) 63 v. Chr.; dehnte seine Herrschaft über die Nord- und Ostküste des Schwarzen Meeres aus und kam dabei mit Rom in Konflikt. In den drei **Mithridat. Kriegen** (89–84, 83–81, 74–63 v. Chr.) gegen Rom wurde er nach wechselnden Erfolgen von Lucullus und zuletzt von Pompeius geschlagen.

Mitkopplung, positive Rückkopplung, bei der das Ausgangssignal einer Verstärker- oder Regelstufe, evtl. nur z. T., auf den Eingang zurückgeführt wird. Sind rückgekoppelte Wechsel- und Eingangsspannung phasengleich, addieren sich beide. Die M. wird angewendet u. a. bei Oszillatoren, beim Schmitt-Trigger und beim Flipflop.

Mịtla, Ruinenstätte im mexikan. Staat Oaxaca; um 900 zunächst Kulturzentrum und Residenz der Zapoteken, wurde später von den Mixteken übernommen und ausgebaut; Paläste mit kunstvollen geometr. Dekorationen aus Steinmosaiken.

Mitlaut, *Phonetik:* der → Konsonant.

Mitleid, eine Form des Mitgefühls und der Teilnahme am Leben des anderen. Die prakt. Ausübung des M. als Barmherzigkeit ist wesentl. Bestandteil der christl. Nächstenliebe.

Mitnahme|effekt, Bez. für die nicht hinreichend zielgenaue Gestaltung staatl. Maßnahmen (z. B. finanzielle Anreize wie Subventionen), wobei z. B. auch Unternehmen in den Genuss einer Maßnahme kommen, für die diese eigentlich nicht gedacht war. M. führen zu einem nicht effizienten Einsatz öffentl. Finanzmittel.

Mito, Hptst. der japan. Präfektur Ibaraki, auf Honshū, nordöstlich von Tokio; 246 900 Ew.; Univ.; Tabak-, Textil- u. a. Ind. – Alte Burgstadt mit einer der bekanntesten japan. Parkanlagen.

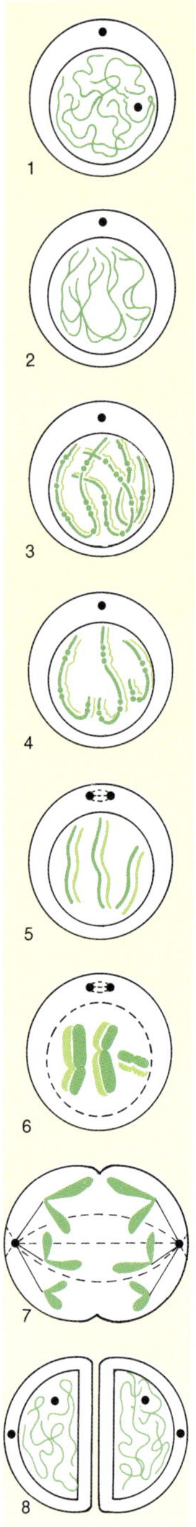

Mitose: schematische Darstellung der einzelnen Stadien; 1 und 2 Prophase, 3-6 Metaphase, 7 Anaphase, 8 Telophase

Mitochọndri|en [grch.] (Chondriosomen), längl. oder rundl. Organellen in allen kernhaltigen Zellen. M. sind von zwei Membranen umhüllt, enthalten eigene DNS und vermehren sich durch Teilung. Die innere M.-Membran besitzt kamm- oder röhrenförmige Einfaltungen (Crista- und Tubulustyp) und enthält die Enzyme der Atmungskette sowie der oxidativen Phosphorylierung (ATP-Bildung). In den M. sind die Enzyme des Zitronensäurezyklus und des Fettsäureabbaus lokalisiert.

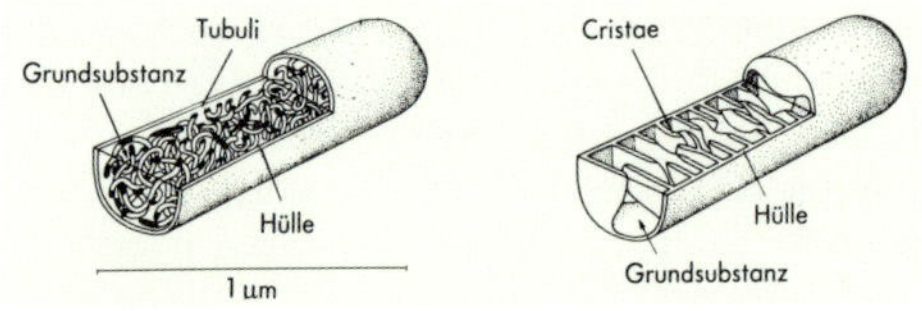

Mitochondrien vom Tubulustyp (links) und vom Cristatyp

Mitọse [grch.] *die* (indirekte Kernteilung, Äquationsteilung), Kernteilungsvorgang, bei dem aus einem Zellkern zwei Tochterkerne gebildet werden, die gleiches (mit dem Ausgangsmaterial identisches) Genmaterial und die gleiche Chromosomenzahl haben. Die Chromosomen werden während der zw. zwei M. liegenden Interphase verdoppelt. Es werden vier Phasen durchlaufen: 1) **Prophase:** Die Chromosomen werden als fadenförmige Gebilde im Zellkern sichtbar; die Kernspindel formt sich, die Kernmembran und der Nucleolus (Kernkörperchen) werden aufgelöst. 2) **Metaphase:** Die Spindelfasern zw. den vorgebildeten Zentromeren (Einschnürung, die jedes Chromosom in zwei Schenkel teilt) und den Polen sind gebildet; die Chromosomen ordnen sich in einer Ebene zw. den Polen an. 3) **Anaphase:** Die Zentromeren verdoppeln sich, und die Chromatiden (Chromosomenspalthälften) wandern entlang den Spindelfasern zu den Polen. 4) **Telophase:** Die Chromosomen an den beiden Polen entfalten (entspiralisieren) sich, der Spindelapparat wird ab-

Mitra 3): Mitren aus den Beständen der Hofburgkapelle in Wien (16.–18. Jh.; Wien, Kunsthistorisches Museum)

gebaut, es werden neue Kernmembranen und Nucleoli gebildet.

Mitra [grch. »Binde«] *die,* **1)** bei Homer ein zur Rüstung gehörender Metallgürtel.

2) bei altoriental. Herrschern eine breite Kopfbinde; bei Griechen und Römern eine aus einem Schal drapierte Kopfbedeckung bes. der Frauen.

3) *kath. Kirche:* (Bischofsmütze, Inful) die an der Rückseite mit zwei herabhängenden Zierbändern versehene Kopfbedeckung der Kardinäle, Bischöfe und infulierten Prälaten bei Pontifikalhandlungen.

Mitralklappe, zweizipflige Segelklappe zw. linkem Vorhof und linker Kammer des menschl. Herzens. **Mitralinsuffizienz,** Herzklappenfehler mit unzureichender Schließfähigkeit der Segelklappe.

Mitropa, →Deutsche Bahn AG.

Mitropoulos [-pulɔs], Dimitri, amerikan. Dirigent grch. Herkunft, *Athen 1. 3. 1896, †Mailand 2. 11. 1960; war 1949–58 Dirigent des New York Philharmonic Orchestra, seit 1954 auch der Metropolitan Opera; setzte sich v. a. für die italien. Oper sowie die Musik des 20. Jh. ein.

Mitscherlich, 1) Alexander, Chemiker, *Berlin 28. 5. 1836, †Oberstdorf 31. 5. 1918, Sohn von 3); entwickelte ab 1874 ein technisch brauchbares Verfahren zur Gewinnung von Zellstoff aus Holz (Sulfitverfahren).

2) Alexander, Arzt, Psychoanalytiker, *München 20. 9. 1908, †Frankfurt am Main 26. 6. 1982, ⚭ mit 4); Prof. u. a. in Frankfurt am Main (ab 1966), leitete dort ab 1960 das Sigmund-Freud-Institut (für Psychoanalyse); übertrug Erkenntnisse der Psychoanalyse auf die Psychosomatik, die Gesellschaftskritik und die Friedensforschung; erhielt 1969 den Friedenspreis des Dt. Buchhandels.

Werke: Auf dem Weg zur vaterlosen Gesellschaft (1963); Krankheit als Konflikt. Studien zur psychosomat. Medizin, 2 Bde. (1966/67); Die Unfähigkeit zu trauern (1967, mit Margarete M.); Die Idee des Friedens und die menschliche Aggressivität (1969); Toleranz, Überprüfung eines Begriffs. Ermittlungen (1974); Das Ich und die Vielen (1978).

3) Eilhard Alfred, Chemiker, *Neuende (heute zu Wilhelmshaven) 7. 1. 1794, †Schöneberg (heute zu Berlin) 28. 8. 1863, Vater von 1); entdeckte die Isomorphie bei Kristallen, die Polymorphie chem. Verbindungen und die Schwefelmodifikationen. M. klärte die Struktur vieler organ. Verbindungen auf (z. B. Milchsäure, Harnsäure), konstruierte 1824 ein sehr exaktes Goniometer, klärte die Inversion des Rohrzuckers auf und entwickelte eine Methode zum Nachweis von Phosphor.

4) Margarete, Ärztin, Psychoanalytikerin, *Gravenstein (Dänemark) 17. 7. 1917, ⚭ mit 2). – *Werke* (neben der Zusammenarbeit mit ihrem Mann): Das Ende der Vorbilder (1978); Die friedfertige Frau (1985); Die Zukunft ist weiblich (1987).

Mitschurin, Iwan Wladimirowitsch, russ. Botaniker, *Landgut Werschina (Gebiet Rjasan) 27. 10. 1855, †Mitschurinsk 7. 6. 1935; züchtete über 300 neue Obstsorten, die es ermöglichten, die Obstbaumgrenze in Russland nach N auszudehnen. Er befasste sich mit der gegenseitigen Beeinflussung von Unterlage und Pfropfreis.

Mitschurinsk (bis 1932 Koslow), Stadt im Gebiet Tambow, Russland, in der Oka-Don-Ebene, 109 000 Ew.; Forschungs- und Lehranstalten für Landwirtschaft und Obstbau, auf I. W. Mitschurin zurückgehend; Kolbenringfabrik, Nahrungsmittel-, Textilind.; Eisenbahnknotenpunkt.

Mitsotakis, Konstantinos, grch. Politiker, *Kanea (auf Kreta) 18. 10. 1918; war 1946–67 und seit 1977 Parlamentsabg., 1951–67 wiederholt Minister; als Gegner der Obristen während der Militärdiktatur mehrmals verhaftet; 1980–81 Außenmin., 1984–93 Präs. (Vors.) der Neuen Demokratie und 1990–93 Ministerpräsident.

Mitsubishi-Gruppe [-biʃi-], locker verbundene japan. Unternehmensgruppe (»strateg. Familie«, Keiretsu); besteht aus Unternehmen versch. Ind.zweige, des Handels sowie des Bank- und Versicherungswesens. Sie geht zurück auf das größte japan. Handelsunternehmen Mitsubishi Shoji Kaisha Ltd., Tokio (gegr. 1870, seit 1971 **Mitsubishi Corp.**). Zur M.-G. gehören u. a. die **Mitsubishi Electric Corp.** (elektrotechn. Erzeugnisse, gegr. 1921), die **Mitsubishi Chemical Corp.** (Chemieprodukte, gegr. 1934), die **Mitsubishi Heavy Industries Ltd.** (Schiffe und Flugzeuge, gegr. 1950), die **Mitsubishi Motors Corp.** (Automobile) sowie die **Mitsubishi Bank Ltd.** (japan. Großbank, gegr. 1880), die 1996 mit der Bank of Tokyo Ltd. zur Tokyo Mitsubishi Bank Ltd. fusionierte.

Mitsui-Gruppe, locker verbundene japan. Unternehmensgruppe (»strateg. Familie«, Keiretsu), hervorgegangen aus einem 1673 in Tokio gegründeten Textilhandels- und Darlehensgeschäft; umfasst u. a. Unternehmen des Bank- und Versicherungswesens, der Schiffbau- und Maschinenbauindustrie, der chem. und elektron. Industrie, des Handels und des Transports.

Mitsunaga, eigtl. Tokiwa M., auch Fujiwara M., japan. Maler, tätig um 1158–79 am Kaiserhof in Kyōto; schilderte in 60 Querrollen das Leben am Hof (z. T. durch Kopien bekannt). Zugeschrieben werden ihm u. a. die zu den genialen Leistungen des →Yamato-e gehörenden drei Bildrollen, die in dramat. Massenszenen und mit eindringl. Charakterisierung die Geschichte des Höflings Ban Dainagon erzählen.

Mithridates VI. Eupator
(Münze um 90 v. Chr., Silber, Originaldurchmesser 3,5 cm; Berlin, Münzkabinett)

Alexander Mitscherlich 2)

Margarete Mitscherlich

Konstantinos Mitsotakis

Mittag, *Astronomie:* der Zeitpunkt des oberen Meridiandurchgangs (der oberen Kulmination) der Sonne. Aus der Höhe der Sonne zur Zeit ihrer oberen Kulmination **(M.-Höhe)** kann unter Berücksichtigung der von der Jahreszeit abhängigen Deklination die geograph. Breite **(M.-Breite)** des Beobachtungsortes bestimmt werden.

Mittag, Günter, Politiker, *Stettin 8. 10. 1926, †Berlin 18. 3. 1994; war 1962–73 und 1976–89 Sekretär des ZK der SED für Wirtschaft und 1966–89 Mitgl. des Politbüros sowie 1984–89 stellv. Vorsitzender des Staatsrats der DDR; hielt trotz anfängl. Versuche, das System der Planwirtschaft zu entbürokratisieren, an der zentralist. Wirtschaftsplanung fest (1980 abschließende Zusammenfassung der Volkseigenen Betriebe der DDR in Kombinate). Im Zuge des polit. Umbruchs in der DDR (1989/90) inhaftiert, wurde M. 1992 aus Gesundheitsgründen aus der Haft entlassen.

Mittagsblume (Mesembryanthemum), Gattung der Eiskrautgewächse, bes. im südl. Afrika; ein- oder zweijährige krautige, meist am Boden kriechende Pflanzen mit fleischigen Blättern und kleinen bis mittelgroßen, weißen, gelbl., rötl. oder lilafarbenen Blüten. Eine bekannte Art ist das verwildert auch an den Küsten des Mittelmeeres vorkommende, in vielen Farben blühende **Eiskraut (Eisblume,** Mesembryanthemum crystallinum).

Mittagskreis, *Astronomie:* der →Meridian.

Mittäterschaft, Form der Beteiligung mehrerer an einer Straftat, bei der jeder Einzelne einen die Tat fördernden Beitrag leistet und, in Abgrenzung zur Beihilfe (oft schwierig), die Tat als eigene will. Nach §25 StGB wird jeder Mittäter als →Täter bestraft. – Das *österr.* StGB (§12) behandelt alle Beteiligten, d.h. Täter und Teilnehmer (→Teilnahme), gleich. In der *Schweiz* wird M. ebenfalls als Täterschaft bestraft.

Mitteis, Heinrich, Jurist und Rechtshistoriker, *Prag 26. 11. 1889, †München 23. 7. 1952; Prof. u.a. in Köln, Heidelberg und Zürich; verknüpfte die Rechtsgeschichte mit der polit. und der Geistesgeschichte.

Werke: Der Staat des hohen MA. (1940); Dt. Rechtsgeschichte (1949); Dt. Privatrecht (1950); Die Rechtsidee in der Geschichte (hg. 1957).

Mittel, *Mathematik:* →Mittelwert.

Mittelalter, Abk. **MA.** (lat. medium aevum), der Zeitraum zw. Altertum und Neuzeit in der europ. Geschichte. Den Begriff M. prägten die Humanisten des 15./16. Jh. für die Zeit zw. dem Ende der Antike, der ihrer Ansicht nach eine Epoche des allg. Verfalls der lat. Sprache und Bildung folgte, und der Renaissance (Wiedergeburt antiker Gelehrsamkeit). Während die Aufklärung das »finstere M.« missachtete, verklärte die Romantik diese Epoche als Idealzeit der gläubigen, ritterl. Gemeinschaft des christl. Abendlandes. Trotz grundsätzl. Bedenken aus universalhistor. Sicht hat sich die Epochenbez. M. in der modernen Geschichtsschreibung behauptet. Als problematisch erweist sich sowohl die Abgrenzung des M. von Antike und Neuzeit als auch die Periodisierung innerhalb des M. Ein eindeutiger Beginn des M. lässt sich nicht festlegen; die Spanne entsprechender Datierungen reicht von der Krise des Röm. Reiches im 3. Jh. über den Untergang Westroms (476) bis zur Kaiserkrönung Karls d. Gr. (800). Als Übergang von der Antike zum M. gilt die Zeit der Völkerwanderung (4.–6. Jh.), in der durch die Begegnung von Antike, Germanentum und Christentum wesentl. Grundlagen der frühmittelalterl. Gesellschaft entstanden. Als Zäsur wird auch das Vordringen des Islams in den Mittelmeerraum ab dem 7. Jh. angesehen. Im Ergebnis von Völkerwanderung und islam. Expansion bildete sich bis zur Mitte des 8. Jh. das Mächtesystem heraus, in dem Byzanz, das Reich der Kalifen und das aufstrebende Fränk. Reich die dominierenden Faktoren darstellten. Später hatten v.a. das Hl. Röm. Reich und (seit dem 13. Jh.) Frankreich eine Vormachtstellung im Abendland. Das Ende des M. wird v.a. mit dem Beginn des Zeitalters der großen Entdeckungen (1492 Landung von C. Kolumbus in Amerika) bzw. mit dem Einsetzen der Reformation (1517), auch mit der Entfaltung des Humanismus verbunden. – Teilabschnitte des M. sind **Früh-M.** (5./6. Jh. bis etwa 10./11. Jh.), **Hoch-M.** (11. Jh. bis etwa Mitte des 13. Jh.), **Spät-M.** (13. Jh. bis Ende 15. Jh./Anfang 16. Jh.). – Im Verlauf des M. vollzog sich ein allmähl. Wandel von der naturalwirtsch. Adels- und Grundherrschaft des Früh-M. über die Blüte des Rittertums und Lehnswesens im Hoch-M. (Zeitalter der Kreuzzüge) bis zum Aufstieg des Bürgertums, Städtewesens und der Geldwirtschaft im Spät-M. Trotz der Kämpfe zw. Papsttum und Kaisertum und verschiedenen häretischen Bewegungen konnte die lat. Kirche die Glaubens- und Kultureinheit bewahren. Bei allen national unterschiedl. Ausprägungen zeigte das M. gemeinsame Grundzüge in der ständisch geordneten Gesellschaft, in der religiösen Geisteshaltung, in Kunst, Literatur und Wissenschaft, die es zu einer eigenständigen Kulturepoche werden ließen.

📖 GURJEWITSCH, A. J.: *Das Weltbild des mittelalterl. Menschen. A. d. Russ. München* *[4]1989.* – VOLKERT, W.: *Adel bis Zunft. Ein Lexikon des M. München 1991.* – *Das M. in Daten. Literatur, Kunst, Geschichte 750–1520, hg. v.* J. HEINZLE. *München 1993.* – BORST, A.: *Lebensformen im M. Frankfurt am Main u. a.* *[14]1995.* – BOOCKMANN, H.: *Einführung in die Geschichte des M. München* *[6]1996.* – FUHRMANN, H.: *Überall ist M. Von der Gegenwart einer vergangenen Zeit. München 1996.* – ALT-

HOFF, G.: *Spielregeln der Politik im M. Kommunikation in Frieden u. Fehde. Darmstadt 1997.*

Mittelamerika, zusammenfassende Bez. für die Karibischen oder →Westindischen Inseln und →Zentralamerika, d.h. die Festlandsbrücke, die Nord- und Südamerika verbindet. Sie beginnt im NW an der Landenge von Tehuantepec und reicht nach SO bis zur Atratosenke, erstreckt sich also von Guatemala bis Panama, schließt aber auch mexikan. Territorium (Chiapas und die Halbinsel Yucatán) ein. Physisch-geographisch gesehen ist Mexiko nordwestlich der Landenge von Tehuantepec, das von Sierra Madre Occidental und Sierra Madre Oriental eingefasste und von kleineren Gebirgszügen durchzogene Hochland, die direkte Fortsetzung des Kordillerensystems der USA. Nach anderer Auffassung wird in M. das gesamte Gebiet des Staates →Mexiko einbezogen, da dieses kulturgeschichtlich und sprachlich zu Lateinamerika gehört. Über die Kultur →mesoamerikanische Hochkulturen, über die Geschichte →Südamerika.

mittelamerikanische Indianer, →Indianer.

Mittelasien, zusammenfassende Bez. für das Gebiet der Staaten Turkmenistan, Usbekistan, Tadschikistan, Kirgistan und den S von Kasachstan; nicht identisch mit →Zentralasien.

Mitteldeutscher Rundfunk, Abk. **MDR,** Rundfunkanstalt des öffentl. Rechts für die Länder Sachsen, Thüringen und Sachsen-Anhalt, gegr. 1991, Sitz: Leipzig; Mitgl. der ARD. (→Rundfunk)

Mitteldeutschland, 1) geographisch der mittlere Abschnitt der dt. Mittelgebirgsschwelle. Zur Elbe fließen in M. Saale, Mulde und Schwarze Elster. Über die Abgrenzung des Begriffs (entstanden aus der Sicht des ehem. Dt. Reiches) zu Ost-Dtl. besteht keine feste Übereinstimmung. Zu M. gehören der Harz (im NW), der Thüringer Wald und Frankenwald (im SW), der dt. Anteil des Erzgebirges und des Lausitzer Gebirges, die Sächs. Schweiz und das Lausitzer Bergland (im SO), der Fläming (im N). Im Inneren M.s liegen das Thüringer Becken, die Leipziger Tieflandsbucht und das Mittelsächs. Hügelland.

2) in der Bundesrep. Dtl. v.a. in den 1950er- und 1960er-Jahren häufig Bez. für die DDR.

Mitteleuropa, der mittlere Teil Europas, zw. dem ozean. W- und dem kontinentalen O-Europa, den Mittelmeerländern im S und den skandinav. Ländern im N. Im S ist es im Wesentlichen durch die Alpen begrenzt, im N durch Nord- und Ostsee; im W und O fehlen natürl. Grenzen. Meist versteht man unter M. die Stromgebiete von der Schelde bis zur Weichsel und das Stromgebiet der Donau bis zur Mähr. Pforte. Zu M. werden i. Allg. Dtl., Schweiz, Österreich, Polen, Tschech. Rep., Slowak. Rep., Ungarn, i.w.S. auch Rumänien gerechnet, gelegentlich auch die Niederlande, Belgien und Luxemburg. (→Ostmitteleuropa)

Vor- und Frühgeschichte: Für das erste Auftreten des Menschen in der →Altsteinzeit M.s zeugen die Menschenfunde von Mauer bei Heidelberg, Bilzingsleben (Kr. Artern) und Vértesszőllős (Ungarn). Die Steinwerkzeuge dieser Homo-erectus-Gruppen gehören in den Formenkreis des Clactonien. Der Mensch von Steinheim gehörte zu den Trägern des **Acheuléen.** Wichtige Fundstätten des Spätacheuléen (späte Riß-Kaltzeit) sind Salzgitter-Lebenstedt, die Balver Höhle und Hannover-Döhren. Im westl. M. ist das aus dem Acheuléen hervorgegangene **Micoquien** stark vertreten. Gruppen des Präneandertalers lebten in der letzten Zwischeneiszeit (Eem-Warmzeit) in M. unter günstigen Klimabedingungen. Das in der frühen Würm-Kaltzeit auftretende **Moustérien** war in M. eine Kultur des Neandertalers. Während einer Klimaverbesserung der Würm-Kaltzeit (um 30 000

Mittelamerika: Staatliche Gliederung (Schätzung 1995)

Staat	Staatsform	Fläche in km²	Ew. in 1 000	Hauptstadt
Antigua und Barbuda	Königreich	442	66	Saint John's
Bahamas	Königreich	13 878	276	Nassau
Barbados	Königreich	430	262	Bridgetown
Belize	Königreich	22 965	215	Belmopan
Costa Rica	Rep.	51 100	3 424	San José
Dominica	Rep.	751	71	Roseau
Dominikan. Republik	Rep.	48 442	7 823	Santo Domingo
El Salvador	Rep.	21 041	5 768	San Salvador
Grenada	Königreich	344	92	Saint George's
Guatemala	Rep.	108 889	10 621	Guatemala
Haiti	Rep.	27 750	7 180	Port-au-Prince
Honduras	Rep.	112 088	5 654	Tegucigalpa
Jamaika	Königreich	10 990	2 447	Kingston
Kuba	Rep.	110 861	11 041	Havanna
Mexiko	Rep.	1 958 201	93 674	Mexiko
Nicaragua	Rep.	130 000	4 433	Managua
Panama	Rep.	78 678*)	2 631	Panama
Saint Kitts and Nevis	Königreich	267	41	Basseterre
Saint Lucia	Königreich	616	142	Castries
Saint Vincent and the Grenadines	Königreich	389	112	Kingstown
Trinidad und Tobago	Rep.	5 128	1 306	Port of Spain
abhängige Gebiete				
von Frankreich:				
Guadeloupe		1 705	428	Basse-Terre
Martinique		1 080	379	Fort-de-France
von Großbritannien:				
Anguilla		96	8	The Valley
British Virgin Islands		153	19	Road Town
Cayman Islands		259	31	George Town
Montserrat		102	11	Plymouth
Turks- und Caicosinseln		430	14	Grand Turk
von den Niederlanden:				
Aruba		193	70	Oranjestad
Niederländ. Antillen		800	199	Willemstad
von den USA:				
Puerto Rico		8 897	3 674	San Juan
Virgin Islands of the United States		344	105	Charlotte Amalie

*) davon Kanalzone 1 432 km² (seit 1. 4. 1982 weitgehende Souveränität Panamas)

v. Chr.) wurde sie durch das Auftreten der heutigen Menschen (Homo sapiens) im **Aurignacien** abgelöst (Cro-Magnon-Mensch). Diese Kulturstufe ist durch höher stehende Jagdtechnik, dorfartige Siedlungen sowie durch das Auftreten von Kunst- und Schmuckgegenständen gekennzeichnet (Willendorf, Dolní Věstonice, Vogelherdhöhle). Dem Aurignacien folgt in der letzten Glazialphase der Würm-Kaltzeit das **Magdalénien,** in klass. Ausprägung im nördl. Alpenvorland. Von den Kulturgruppen der →Mittelsteinzeit drangen von Frankreich aus »kleingerätige« Gruppen aus dem Umkreis des **Azilien** und des **Tardenoisien** nach Süd-Dtl. und in die dt. Mittelgebirge vor, während die Norddt. Tiefebene, Dänemark und NW-Europa von »großgerätigen« Gruppen der Maglemose- und Ertebøllekultur eingenommen wurden. Die älteste Kultur der →Jungsteinzeit in M. ist die →bandkeramische Kultur. In der Norddt. Tiefebene und S-Skandinavien entwickelte sich die →Trichterbecherkultur, während sich in West-Dtl. die →Michelsberger Kultur herausbildete. Im Jungneolithikum beeinflussten Kulturen von der Iberischen Halbinsel (Glockenbecherkultur) und vom Balkan (schnurkeram. Kultur) die mitteleurop. Kulturen.

In der frühen →Bronzezeit bildeten sich in der Nähe der nordalpinen und mitteldt. Kupferlagerstätten neue Zentren **(Straubinger** und **Aunjetitzkultur),** von denen sich die Kenntnis von Bronzegegenständen allmählich bis Nord-Dtl. ausbreitete und hier zur Entstehung des **Nord. Kreises** der Bronzezeit führte, der auch S-Skandinavien umfasste und seinen ungewöhnl. Reichtum vermutlich dem Bernsteinhandel verdankte. In der gesamten Bronzezeit wurde das ganze südl. M. von O-Frankreich bis W-Ungarn von der **Hügelgräberkultur** beherrscht. Gleichzeitig bildete sich zw. Elbe und Weichsel ein zunächst nur schwach ausgeprägter Formenkreis, aus dem die **Lausitzer Kultur** hervorging. Die verwandte **Urnenfelderkultur** verdrängte in der jüngeren Bronzezeit die Hügelgräberkultur.

Die ältere →Eisenzeit stand im südl. M. im Zeichen der **Hallstattkultur,** im N bestand die bronzezeitl. Kultur fort und breitete sich sogar nach S aus. Während im O die →Hallstattkultur mit dem illyrisch-venet. Volkstum verbunden zu sein scheint, können als Träger der westl. Hallstattkultur Kelten angenommen werden. Die Spätstufe der Lausitzer Kultur geriet zunehmend unter Hallstatteinfluss. Im Grenzgebiet zw. Lausitzer Kultur und Nord. Kreis bildeten sich die **Hausurnenkultur** und die **Gesichtsurnenkultur.** In der späten Hallstattzeit vollzog sich im Nord. Kreis der Übergang zur eisenzeitl. Kultur **(Jastorfkultur).** Die jüngere Eisenzeit stand im S-Gebiet im Zeichen der kelt. →La-Tène-Kultur, die auf der Grundlage der westl. Hallstattkultur entstand und durch händler. und krieger. Kontakte mit der Mittelmeerzivilisation zu beachtlicher Kulturhöhe erblühte. (ÜBERSICHT Vorgeschichte)

Zur weiteren Geschichte →Europa und entsprechende Abschnitte der einzelnen Staaten.

mitteleuropäische Zeit, Abk. **MEZ,** →Zeit.

Mittelfell (Mittelfellraum, Mediastinum), als Teil des Brustfells zw. den beiden Lungenflügeln liegende Scheidewand; auch der zw. den beiden Brustfellsäcken liegende, das Herz, die großen Blutgefäße, Luft- und Speiseröhre enthaltene Raum.

Mittelfranken, RegBez. in Bayern, 7246 km^2, (1997) 1,67 Mio. Ew.; umfasst die kreisfreien Städte Ansbach, Erlangen, Fürth, Nürnberg, Schwabach und die Landkreise Ansbach, Erlangen-Höchstadt, Fürth, Neustadt a. d. Aisch-Bad Windsheim, Nürnberger Land, Roth, Weißenburg-Gunzenhausen; Verw.sitz: Ansbach.

Mittelfrequenz, *Elektrotechnik:* Bez. für den Bereich der zw. 200 und 10 000 Hz liegenden Frequenzen von elektr. Wechselströmen bzw. -spannungen. M. werden z. B. in der elektr. Energietechnik für die induktive Erwärmung verwendet.

mittelfristige Finanzplanung (mehrjährige Finanzplanung), die Planung von Einnahmen und Ausgaben des Staates, die als Ergänzung des jährl. Budgets für einen längeren Zeitraum aufgestellt und jährlich aktualisiert wird **(gleitende Planung).** In Dtl. sind Bund und Länder seit 1967 (Gemeinden seit 1973) verpflichtet, eine fünfjährige Finanzplanung vorzunehmen. Durch die m. F. sollen die Kontinuität der jährl. Haushaltsplanung gefördert und die Erfassung der Folgekosten neuer Budgetansätze gesichert werden.

Mittelgebirge, das durch geringere relative Höhenunterschiede und einen eigenen Formen-

Mittellandkanal

schatz vom Hochgebirge unterschiedene Gebirge, in den gemäßigten Breiten bis 2000 m ü. M., in trop. Bereichen auch höher; leicht gewellte Hochflächen, rundl. Berge, mäßig steile Hänge, reichhaltige Schuttdecken; nur selten treten glaziale Formen auf, z. B. der Schluchsee im Schwarzwald.

Mittelgewicht, Gewichtsklasse im Boxen (Amateure bis 75 kg, Berufsboxer bis 72,574 kg), Gewichtheben (Männer) bis 76 kg, Judo (Männer) bis 86 kg, Ringen bis 82 kg, Taekwondo bis 78 kg.

Mittelgrund, *Schifffahrt:* Untiefe, die das Fahrwasser in zwei Arme teilt; durch gelb-schwarze **M.-Tonne** gekennzeichnet.

Mittelhochdeutsch, Abk. **mhd.,** →deutsche Sprache.

Mittelholzer, Walter, schweizer. Flieger und Schriftsteller, *St. Gallen 2. 4. 1894, †(verunglückt) in den Tiroler Alpen 9. 5. 1937; gründete 1919 die erste schweizer. Fluggesellschaft; Flugexpeditionen u. a. nach Spitzbergen, Iran, Äthiopien; Pionier der Luftfotografie; wurde 1931 Direktor der Swissair.

Mittelkurs, das arithmet. Mittel zw. Geld- und Briefkurs (Ankaufs- und Verkaufskurs).

Mittelländisches Meer, das →Mittelmeer.

Mittellandkanal, Schifffahrtskanal in NRW, Ndsachs. und Sa.-Anh., verbindet das westdt. Fluss- und Kanalsystem mit Weser und Elbe; zw. Hörstel am Dortmund-Ems-Kanal und Magdeburg-Rothensee an der Elbe 321,3 km lang, für Schiffe bis 1000 t befahrbar, 1938 fertig gestellt. Der M. wird durch Pumpwerke mit Wasser aus der Weser gespeist. Doppelschleusen bei Anderten (Hannover) und Sülfeld (Wolfsburg) und Schiffshebewerke in Magdeburg-Rothensee und -Hohenwarthe. Die staugeregelte Weser, die der M. bei Minden auf zwei Brücken quert, ist über Schleusen erreichbar.

mittellateinische Literatur, die lat. Literatur des europ. MA. (etwa 500–1500); Ausgangspunkt und Vorbild war die antike lat. Literatur (bes. die Spätantike). Traditionelle Gattungen in Poesie und Prosa wurden weiterhin gepflegt, zugleich aber neue Gattungen (z. B. Heiligenvita, Klostergeschichte, Sequenz und geistl. Spiel) entwickelt, die auch die volkssprachl. Literaturen befruchteten. Neben die Formen der antiken quantitierenden Metrik trat die rhythm. Dichtung. Die m. L. der karoling. Zeit bis gegen Ende des 9. Jh. war stärker als in anderen Perioden auf ein Zentrum ausgerichtet. Aus Italien, England, Irland und Spanien zog Karl d. Gr. Gelehrte und Dichter an seinen Hof: Paulinus von Aquileja, Petrus von Pisa, Alkuin aus York, Theodulf von Orléans und Paulus Diaconus. Sammlung und Austausch der auf den engl. Inseln und in anderen Randgebieten Europas bewahrten Bildungstraditionen waren die Grundlage der geistigen Erneuerung und kulturellen Reform. In bewusster Abkehr vom Latein der Merowinger wurde die Einhaltung der antiken Sprachnormen angestrebt, v. a. durch Grammatiken und Abhandlungen über Orthographie (Alkuin). Neben den gelehrten Schriften zu den Artes liberales, zu exeget. und dogmat. Fragen, zur Geschichte (Einhards »Vita Caroli Magni«) und Bildung (Hrabanus Maurus) pflegten die karoling. Autoren auch ep. und lyr. Gattungen. Gegen Ende des 9. Jh. traten in St. Gallen Notker Balbulus als Dichter von Sequenzen und Tutilo als Verfasser von Tropen hervor. Auch der »Waltharius« entstand wahrscheinlich in St. Gallen. Im 10. und 11. Jh. traten an die Stelle der monast. Dichterschulen und literar. Zentren individueller geprägte Autoren (Hrotsvith von Gandersheim) und Werke (»Ruodlieb«). Während der Renaissance des 12. Jh. entfalteten sich alle Gattungen der m. L. zu hoher Blüte. Antike und Christentum wurden in ihrer Inspirationsfunktion durch die unmittelbare historisch-polit. und psychisch-soziale Erfahrung ergänzt. So finden sich u. a. neben den »Carmina Burana« oder der Lyrik des Archipoeta als erste mittelalterl. Staatslehre der »Policraticus« des Johannes von Salisbury sowie die (schriftl.) Hauptquelle aller Artusgeschichten, die »Historia regum Britanniae« des Geoffrey of Monmouth. Religions- und Naturphilosophie suchten Schöpfung und Universum rational zu ergründen (Abälard); vor dem wachsenden Selbstbewusstsein der volkssprachl. Literaturen sicherte die m. L. ihren Standort in rhetorisch-poetolog. Schriften. Im Spät-MA. (13.–15. Jh.) schwand wegen der zunehmenden Bedeutung der Nationalliteraturen der Einfluss der m. L.; ihr Schwerpunkt lag v. a. bei der wiss. (Scholastik) und moralisch-didakt. Literatur (Morallehren, Grammatiken, Vokabularien, Einführungen in die Artes liberales, Fürstenspiegel). In der religiösen Lyrik dominierte die Hymnendichtung; Legenden-, Mirakel- und Exemplarsammlungen wurden zusammengefasst (»Legenda aurea«, »Gesta Romanorum«). (→neulateinische Literatur)

📖 BRUNHÖLZL, F.: *Geschichte der lat. Literatur des Mittelalters, 2 Bde. München 1975–92.* – BERSCHIN, W.: *Griechisch-lateinisches Mittelalter. Bern u. a. 1980.* – LANGOSCH, K.: *Lat. Mittelalter. Einleitung in Sprache u. Literatur. Darmstadt [5]1988.* – LANGOSCH, K.: *Mittellatein u. Europa. Führung in der Hauptliteratur des Mittelalters. Darmstadt 1990.* – CURTIUS, E. R.: *Europ. Literatur u. lat. Mittelalter. Tübingen u. a. [11]1993.*

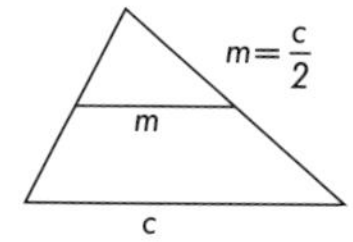

Mittellinie

Mittellini|e, im Dreieck (Trapez) die Gerade *m* parallel zur Grundseite *c* im halben Abstand von der Gegenecke (Gegenseite). Ihre Länge im Trapez ist das arithmet. Mittel der Parallelen.

Mittelmächte, Bez. für die im 1. Weltkrieg verbündeten Staaten Dt. Reich und Österreich-Ungarn (wegen ihrer geograph. Mittellage zw. den Gegnern in W- und O-Europa), auch für ihre Bündnispartner Osman. Reich und Bulgarien.

Mittelmark, Hauptteil der alten Kurmark Brandenburg, zw. Berliner und Baruther Urstromtal, umfasst die Landschaften Zauche, Teltow, die Platte von Storkow-Beeskow und die Lieberoser Platte.

Mittelmeer (Mittelländisches Meer, Europäisches M.), das 3,02 Mio. km^2 große Nebenmeer des Atlant. Ozeans zw. S-Europa, Vorderasien und N-Afrika, das über die Straße von Gibraltar mit dem Atlant. Ozean, über den Sueskanal und das Rote Meer mit dem Ind. Ozean Verbindung hat. Zu ihm gehören die Randmeere Adriat., Ägäisches, Marmara- und Schwarzes Meer. Die Straße von Tunis und die Straße von Messina verbinden westl. (Algerisch-Provenzal. und Tyrrhen. Becken) und östl. M. (Ion. und Levantin. Becken). Die größte Tiefe (5121 m) liegt im östl. M. westlich der Peloponnes; die durchschnittliche Tiefe beträgt etwa 1450 m. Entstehungsgeschichtlich ist das M. eine Bruchzone innerhalb eines Erdgürtels, mit erloschenem und noch tätigem Vulkanismus (Vesuv, Stromboli, Ätna). Im Jungtertiär war das M. für einige Zeit eine tief liegende Wüstenlandschaft.

Das Wasser des M. hat einen hohen Salzgehalt (36,3‰ im W, 39,1‰ im O). Der Wasserspiegel des M. steht etwas tiefer als der seiner Nachbarmeere. Das ruft sowohl in der Straße von Gibraltar als auch in den Dardanellen und im Bosporus einen ins M. gerichteten Ausgleichstrom an der Oberfläche und einen entgegengesetzt fließenden Tiefenstrom hervor. Die Strömungen und die Gezeiten des M. sind schwach. Das Klima im M.gebiet ist so bezeichnend, dass man unter **M.-Klima** (Etesienklima) einen auch anderswo zu findenden Typus versteht: Winterregen und Sommertrockenheit bei Jahresmitteln von 13–22 °C. Wegen der Nährstoffarmut der oberen Schichten ist der Fischreichtum des M. sehr begrenzt. Am wichtigsten ist Küstenfischerei: Thunfisch, Sardelle, Sardine, Languste, Tintenfisch, Austern, Schwämme. Das M. ist eines der am stärksten verschmutzten Meeresgebiete. Der Schiffsverkehr ist seit dem Altertum sehr bed.; nach der Eröffnung des Sueskanals (1869) wurde das M. zur wichtigsten Schifffahrtsstraße.

📖 *Fauna u. Flora des M., hg. v.* R. RIEDL. *Hamburg* ^{3}*1983. – Das M., bearb. v.* S. VON BOLETZKY *u. a. Neuausg. München 1985.*

Mittelmeer|anämie, die → Thalassämie.

Mittelmeere, Nebenmeere, die weitgehend durch Festländer und untermeer. Schwellen von den offenen Ozeanen abgetrennt sind: drei von ihnen – das Arkt., Amerikan. und Europ. Mittelmeer – gehören dem Atlant. Ozean an, das vierte, das Australasiat. Mittelmeer, dem Pazif. Ozean.

Mittelmeerklima, → Mittelmeer.

Mittelmeerraum (Mittelmeergebiet, Mediterraneis, Mediterraneum), zusammenfassende Bez. für das Mittelmeer und die es umgebenden Länder **(Mittelmeerländer),** deren wirtsch. und kulturelle Verflechtungen seit der Frühzeit den M. zu einem wichtigen polit. Faktor machten.

Pflanzenwelt: Der M. war urspr. mit Wäldern bedeckt. Durch die frühe Besiedlung wurde der Wald (aus Eichen, Pinien, Edelkastanien) bis auf geringe Reste allmählich zerstört und durch die Macchie abgelöst. Weite Gebiete des M. sind von Heiden mit Hartlaubgehölzen bedeckt.

Tierwelt: Es überwiegen die europ. Faunenelemente, doch gibt es auch zahlr. äthiop. und oriental. Einflüsse (Magot als einziger Affe auf Gibraltar und in Marokko). Zahlreich sind die Wärme und Trockenheit liebenden Arten (Schlangen, Eidechsen, Geckos, Spinnen und Skorpione). Der M. ist wichtig für die durchziehenden und überwinternden Vogelarten Mittel- und N-Europas.

Vor- und Frühgeschichte: Älteste archäolog. Spuren des Menschen im M., der wegen seiner günstigen klimat. Verhältnisse während des ganzen Eiszeitalters bewohnbar war, sind aus Kieseln geschlagene Werkzeuge (Geröllgeräte), belegt durch Funde in Ain Hanech (Algerien) und in der Höhle Vallonet (S-Frankreich). Dem älteren Acheuléen werden die bei Ternifine (Algerien) entdeckten menschlichen Schädelreste zugeordnet. Wie das Acheuléen, so bildet das Moustérien eine zirkummediterrane Kultur der Altsteinzeit. Skelettreste des Neandertalers wurden auf der Iber. Halbinsel und in Palästina gefunden. Um 30000 v. Chr. verbreiteten sich jungpaläolith. Bev.gruppen mit versch. Varianten des Aurignacien über den M. Die Mittelsteinzeit stand in N-Afrika, auf der Pyrenäenhalbinsel und auf Sizilien im Zeichen des Capsien. Die frankokantabr. Kunst der Altsteinzeit fand ihre Fortsetzung in den Felsmalereien der ostspan. Kunst, zu denen es in N-Afrika Entsprechungen gibt. In der Jungsteinzeit ging die Kulturtrift von Vorderasien (→ Fruchtbarer Halbmond) über das östl. Mittelmeer und brachte in Europa das Bauerntum mit Ackerbau und Viehzucht zum Durchbruch, während die jungsteinzeitl. Kulturen des W bes. von N-Afrika ausgegangen zu sein scheinen. Am Ende dieses Prozesses kam es zu Wechselwirkungen zw. den Kulturen im M. und in Europa, v. a. zu den im Donauraum (Bandkeramik) gereiften Kulturen. Die älteste jungsteinzeitl. Kultur in Griechenland ist die Sesklokultur mit hoch entwickelter Keramik. Auf Kreta, dem lange eine beherrschende Stellung zukam, entwickelte sich die Jungsteinzeit teils vom Orient, teils von Ägypten her. Für Italien ist die Stentinello-Molfetta-Kultur kennzeichnend. Auf den Inseln (Malta u.a.) entstanden Megalithbauten. Die span. Glockenbecherkultur, die schon dem Beginn der Metallzeit angehört, erreichte Sardinien und Sizilien.

Die Bronzezeit beginnt in Kleinasien und auf Kreta zu Beginn des 3. Jt. v. Chr. (→ägäische Kultur), die Übergangsentwicklung zur frühen Eisenzeit im 13. Jh. v. Chr. Bis ins 8. Jh. v. Chr. vollzogen sich die Entscheidungen, die zur Prägung der geschichtl. Völker- und Stammesgruppen führten, v. a. die Herausbildung der grch. Kultur. Im O war die bedeutendste Wanderung die der Dorer. In Italien trat die Stadtkultur der Etrusker in Erscheinung, in N-Afrika die phönik. Kolonie Karthago.

Mittelmotor, ein in Fahrtrichtung vor der Hinterachse eingebauter Fahrzeugmotor.

Mittel|ohrentzündung (Otitis media), Entzündung der Schleimhaut des Mittelohrs. Symptome der **akuten M.** sind Ohrenschmerzen, Ohrgeräusche und seröse, schleimige oder eitrige Absonderung (Ohrenfluss) als Folge von Entzündungen des Nasen- und Rachenraums (tubogene Ursache) oder allgemeinen Infektionskrankheiten wie Scharlach, Masern oder Grippe (hämatogene Ursache); Behandlung mit Antibiotika, Wärmeanwendung am Ohr und in Einzelfällen durch Trommelfellschnitt. Die **chron. M.** kann auf den Warzenfortsatz des Schläfenbeins übergreifen und Hirnhautentzündung oder Hirnabszess auslösen.

Mittel|ozeanischer Rücken, untermeer. Gebirgssystem, das sich über 60 000 km als längstes Gebirge der Erde durch die Ozeane zieht. Am Fuß ist der M. R. bis zu 4 000 km breit. Die Spitzen erheben sich 1 000–3 000 m über die Tiefseebecken, teilweise durchstoßen sie die Meeresoberfläche und bilden Inseln. Auf dem Kamm öffnet sich eine 20–50 km breite **Zentralspalte.** Der M. R. stellt Spreizungszonen der Erdkruste dar, an denen die Platten der Erdkruste auseinander driften (→Kontinentalverschiebung). Dazwischen steigt basalt. Material aus der Tiefe auf, das neue ozean. Krusten bildet. Deshalb nimmt das Alter der Tiefseeböden vom M. R. zu den Kontinenten hin zu. Die tekton. Aktivität führt zu Erdbeben und Vulkanismus.

Mittelpaläolithikum, Abschnitt der →Altsteinzeit.

Mittelpunkt, *Mathematik:* Eine in einer Ebene oder im Raum gelegene Punktmenge hat den M. *M*, wenn jede durch *M* gehende Verbindungsstrecke zweier Punkte der Menge durch den Punkt *M* halbiert wird. Allg. nennt man das Symmetriezentrum einer punktsymmetr. Figur (z. B. Kreis, Ellipse) M. oder Zentrum.

Mittelpunktleiter, →neutraler Leiter.

Mittelpunktschaltung, →Gleichrichter.

Mittelpunktschule (Zentralschule), zentrale schul. Einrichtung, die von Schülern mehrerer Gemeinden gemeinsam besucht wird.

Mittelschule, 1) Schulart in Sachsen, die Haupt- und Realschule zusammenfasst (integrierte Klassen für Haupt- und Realschüler).

2) frühere Bez. der heutigen →Realschule.

Mittelschwergewicht, Gewichtsklasse im Gewichtheben (Männer, 91 kg).

Mittelsenkrechte (Mittellot), die im Mittelpunkt einer Strecke errichtete Senkrechte. Die M. auf den Seiten eines Dreiecks schneiden sich im Mittelpunkt des Umkreises.

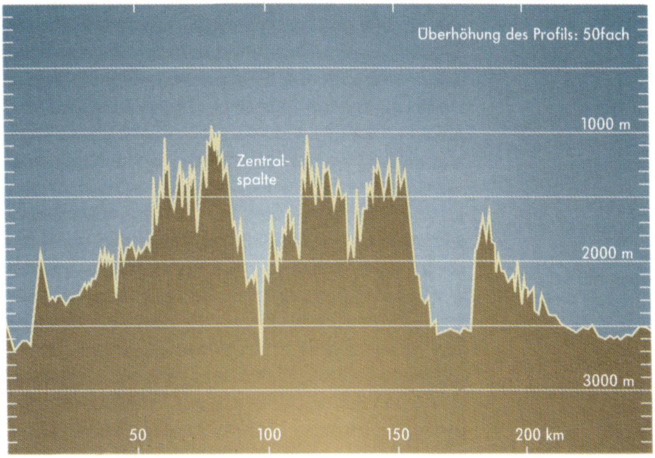

Mittelozeanischer Rücken im Atlantik bei 57° nördlicher Breite

Mittelsibirisches Bergland, russ. Landschaft zw. Jenissei und Lena, im N vom Nordsibir. Tiefland, im S von den Gebirgen Südsibiriens begrenzt, im Putoranagebirge bis 1701 m ü. M.; im Zentralteil ausgedehnte, 500–700 m ü. M. gelegene Hochländer, an den Rändern stärker zerschnitten.

Mittelstaaten, Gruppe von Staaten im Dt. Bund (bes. Bayern, Württemberg, Baden, Hessen-Darmstadt, Hannover, Sachsen), die zw. den Großmächten (Österreich und Preußen) und den Kleinstaaten eine besondere Politik anstrebten.

Mittelstand (Mittelschicht), Sammelbez. für die Gruppen zw. der gesellschaftl. Ober- und Unterschicht. Als Kriterien für die Zugehörigkeit zu dieser sozial nicht einheitl. Schicht gelten einerseits Einkommens- und Vermögensverhältnisse, andererseits auch subjektive Merkmale wie Denkweise und Lebensstil. Der »alte M.« umfasst die selbstständigen Inhaber gewerbl., kaufmänn. und landwirtsch. Mittel- und Kleinbetriebe, d. h. große Teile des alten Bürgertums, ferner die freien Berufe, auch große Teile des Beamtentums; dazu kommen als »neuer M.« Teile der »Unselbstständigen« wie Angestellte und Facharbeiter.

Mittelstandspolitik (Mittelstandsförderung), betriebsgrößenorientierte Strukturpolitik, die dem Ausgleich von Wettbewerbsnachteilen kleiner und mittlerer Unternehmen (Abk. KMU) gegenüber Großunternehmen dient. Ziel der M. ist die Sicherung der Existenz- und Wettbewerbsfähigkeit der mittelständ. Wirtschaft, die Steigerung ihrer Leistungs- und Innovationsfähigkeit sowie die erfolgreiche Anpassung an den Strukturwandel. Zu den Instrumenten der M. gehören neben steuer- und wettbewerbsrechtl. Maßnahmen allg. Finanzhilfen des Bundes und der Länder, z.B. Darlehen aus dem ERP-Sondervermögen, zinsgünstige Kredite (z.B. durch die Kreditanstalt für Wiederaufbau oder die Dt. Ausgleichsbank), Übernahme von Kreditbürgschaften, Projektförderung, verbilligte oder kostenlose Unternehmensberatung, Förderung der Existenzgründung, der Berufsausbildung und Weiterbildung, des Technologietransfers, Zuschüsse für Forschungs- und Entwicklungsvorhaben. Der M. dienen auch europ. Förderprogramme.

Mittelsteinzeit: Weibliche Gottheit aus Sandstein, Höhe 14,5 cm (Belgrad, Nationalmuseum)

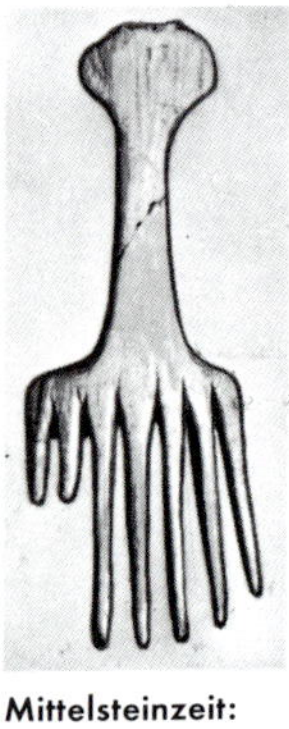

Mittelsteinzeit: Kamm aus Knochen, Länge 8,7 cm (Dänemark)

Mittelsteinzeit (Mesolithikum), Übergangszeit von der →Altsteinzeit zur →Jungsteinzeit (etwa 8000–5000 v.Chr.). Maßgeblich für die Gliederung der M. war in allen altweltl. Gebieten zuerst die in Frankreich ermittelte Abfolge Azilien und Tardenoisien. In den Nord- und Ostseeländern lieferte die Moorarchäologie zusätzl. Datierungsmittel, die eine enge Verzahnung der Archäologie mit der Klima- und der Vegetationsgeschichte ermöglichten. Durch Geochronologie und Radiokarbondatierung konnte die mittelsteinzeitl. Kulturentwicklung eng mit der geschichtl. Zeitrechnung verknüpft werden. Als Beginn gilt jetzt i. Allg. das Präboreal (8. Jt. v.Chr.). Der M. geht das Spätpaläolithikum voraus, dessen Beginn mit der Allerödzeit zusammenfällt. Bereits hier erfolgte der Wandel in Kultur und Lebensweise, weshalb in manchen Untersuchungen Spätpaläolithikum und Mesolithikum zusammengefasst werden. In Verbindung mit naturwiss. Ergebnissen wird heute die M. in Dtl. in die Abfolge Frühestmesolithikum – Beuronien A bis C (nach Beuron in Bad.-Württ.) – Spätmesolithikum gegliedert, während in Westeuropa die Einteilung in Azilien und Tardenoisien im Wesentlichen beibehalten wurde.

Die raschen Veränderungen von Klima, Pflanzen- und Tierwelt nach der letzten Eiszeit verlangten von den Menschen der M. eine hohe Anpassungsfähigkeit. Neben Jagd (v.a. Hirsch, Reh, Wildschwein) und Sammelwirtschaft (Hasel-, Wassernuss, Beeren) gewann der Fischfang zunehmend an Bedeutung. Die frühesten Belege von Wasserfahrzeugen (Einbaum) und Fischreusen stammen aus der nordwesteurop. Mittelsteinzeit. Als Wohnbauten sind Hütten aus Schilf und Astwerk nachgewiesen. Das geringe Ausmaß der durch Grabungen erschlossenen Siedlungen spricht dafür, dass die Bev. in kleinen Gruppen lebte. Die Bestattungen (oft Mutter-Kind-, Familiengräber) verbinden den Bereich des Sozialen mit dem der Religion. Bei den Steingeräten herrschen geometrisch geformte Mikrolithe vor, die v.a. als Spitzen, Widerhaken oder Seitenschneiden von Pfeilen und Speeren sowie als Einsätze von Werkzeugen aus Holz und Knochen dienten, ferner Kern- und Scheibenbeile. – Auf dem Gebiet der Kunst sind geometr. Ornamentik und stilisierte figürl. Darstellungen auf Gebrauchsgegenständen aus Knochen und Geweih typisch. In O-Spanien und N-Europa finden sich Felsbilder mit Jagd- und Kultszenen. In Vorderasien vollzog sich im 9./8. Jt. v.Chr. bereits der Übergang zu Bodenbau und Viehzucht. Weiteres BILD Mikrolithe

📖 PROBST, E.: *Deutschland in der Steinzeit. Neuausg. Gütersloh 1991. – Die Menschen der Steinzeit. Jäger, Sammler u. frühe Bauern, hg. v.* G. BURENHULT. *A.d. Engl. Hamburg 1994.*

Mittelstimmen, im mehrstimmigen Tonsatz die Stimmen zw. der obersten (Diskant, Sopran) und der tiefsten Stimme (Bass), im Chorsatz z.B. Alt und Tenor.

Mittelstreckenlauf, *Leichtathletik:* Sammelbez. für Laufstrecken länger als 400 m bis 1 engl. Meile (1609,3 m). Die Läufe beginnen aus dem Hochstart. Es wird (mit Ausnahme der ersten 100 m beim 800-m-Lauf) nicht in Einzelbahnen gelaufen.

Mittelstreckenraketen, zu den Mittelstrecken-Nuklearkräften gehörende Raketenwaffen, insbesondere die aufgrund des INF-Vertrags (→INF) verschrotteten amerikanischen Pershing II (Reichweite bis 1800 km) und die sowjet. SS-20 (Reichweite 5000 km).

Mittelwasser, →Wasserstand.

Mittelwellen, Abk. **MW,** *Funktechnik:* elektromagnet. Wellen mit Wellenlängen zw. 182 m und 1000 m, d.h. mit Frequenzen zw. 1650 kHz und 300 kHz; häufig werden auch die Grenzwellen zu den M. gerechnet. I. e. S. wird als M.-Bereich der Frequenzbereich zw. 526,5 kHz und 1606,5 kHz (mit Wellenlängen zw. 569 m und 186 m) bezeichnet, in dem alle M.-Sender arbeiten.

Mittelwert (Mittel), *Statistik:* Bez. für einen Wert $\bar{x}$, den man n vorgegebenen Werten $x_1, x_2, \ldots, x_n$ nach einer bestimmten Vorschrift zuordnet und der zw. dem größten und dem kleinsten dieser Werte liegt. Man unterscheidet den **arithmet. M. (arithmet. Mittel, Durchschnitt)**

$$\bar{x}_a = \frac{1}{n}(x_1 + x_2 + \ldots + x_n),$$

den **geometr. M. (geometr. Mittel)**

$$\bar{x}_g = \sqrt[n]{x_1 \cdot x_1 \ldots x_n},$$

den **harmon. M. (harmon. Mittel)**

$$\bar{x}_h = n \bigg/ \left(\frac{1}{x_1} + \frac{1}{x_2} + \ldots + \frac{1}{x_n}\right)$$

und den **quadrat. M. (quadrat. Mittel)**

$$\bar{x}_q = \sqrt{\frac{1}{x_1}(x_1^2 + x_2^2 + \ldots + x_n^2)}.$$

Treten die einzelnen x_i-Werte mit versch. Gewichten (Häufigkeiten) p_i auf, so gilt z.B. für das **gewogene (gewichtete) arithmet. Mittel**

$$\bar{x}_{ga} = \sum_{i=1}^{n} p_i x_i \bigg/ \sum_{i=1}^{n} p_i.$$

Bei kontinuierlich veränderl. Größen wird zur Bildung eines M. über ein entsprechendes Intervall (meist Zeit oder Ort) integriert und das Integral durch dieses Intervall geteilt. Für den **Median** (Zentralwert) z einer Datenmenge gilt $x_i \geq z$ und $x_i \leq z$ für jeweils mindestens die Hälfte der Werte x_i.

Mittelwort, → Partizip.

Mittenwald, Marktgemeinde im Landkreis Garmisch-Partenkirchen, Oberbayern, Luftkurort und Wintersportplatz am Fuß von Karwendel- und Wettersteingebirge, 913 m ü. M., im Tal der Isar, 8300 Ew.; Fachschule für Geigenbau, Geigenbaumuseum; chem. Ind., Streich- und Zupfinstrumentenherstellung; Fremdenverkehr; Bergbahnen. – Barocke Pfarrkirche (1738–40). BILDER Karwendelgebirge, Lüftlmalerei

Mittenwald
Stadtwappen

Mitterer, Felix, österr. Schriftsteller, *Achenkirch (Bez. Schwaz) 6. 2. 1948; schreibt Volksstücke, Kinderbücher, Erzählungen sowie Hör- und Fernsehspiele (»Superhenne Hanna«, Kinderbuch, 1977; »Kein Platz für Idioten«, Volksstück, 1979; »An den Rand des Dorfes«, Erz.n und Hörspiele, 1981; »Die Kinder des Teufels«, Dr., 1989; »Verkaufte Heimat«, Drehbuch, 1989; »Munde«, Dr., 1990; »Ein Jedermann«, Dr., 1991).

Mitterhofer, Peter, Tischler, *Partschins (bei Meran) 20. 9. 1822, † ebd. 27. 8. 1893; baute 1864–69 vier Modelle von Typenkorb-Schreibmaschinen, zwei in Holz mit Stechschriftbuchstaben und zwei in Metall für Typendruck.

Mittermaier, Rosi (Rosa Anna Katharina), Skiläuferin, *Reit im Winkl 5. 8. 1950; Olympiasiegerin 1976 im Abfahrtslauf und im Slalom, Kombinationsweltmeisterin 1976, Gewinnerin des alpinen Weltpokals 1976.

Mitternacht, der Zeitpunkt 12 Stunden nach Mittag, seit dem 1. 1. 1925 Beginn der Stundenzählung des Tages (24 bzw. 0 Uhr), in der *Astronomie* der Zeitpunkt des unteren Meridiandurchgangs (der unteren Kulmination) der Sonne. Je nachdem, ob es sich dabei um die wahre oder mittlere → Sonne handelt, unterscheidet man **wahre** oder **mittlere (scheinbare) Mitternacht.**

Mitternachtspunkt, der → Nordpunkt.

Mitternachtssonne, durch die Schiefe der Ekliptik bedingte Erscheinung, dass die Sonne in

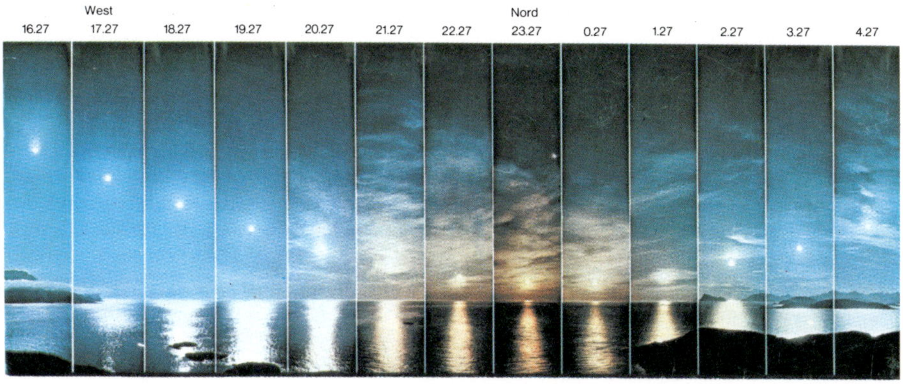

Mitternachtssonne: Die von ein und demselben Ort fotografierten Bilder zeigen den zwischen 16.27 und 4.27 stündlich fortschreitenden Sonnenstand

den Polargebieten (zw. Pol und Polarkreis) zur Sommerszeit auch um Mitternacht über dem Horizont bleibt, an den Polarkreisen nur am Tag der Sommersonnenwende. (→Polarnacht)

François Mitterrand

Mitterrand [mitɔ'rã], François, frz. Politiker, *Jarnac (Dép. Charente) 26. 10. 1916, †Paris 8. 1. 1996; studierte Rechtswiss. und Philologie; 1944 Mitgl. der Provisor. Regierung de Gaulles, in der Vierten Rep. mehrfach Min., 1959–62 Senator, bemühte sich seit Errichtung der Fünften Republik um die Sammlung der Linken (u.a. Präsidentschaftskandidat der Linksföderation gegen de Gaulle 1965). 1971 wurde er Vors. der neu konstituierten Sozialist. Partei (PS). Bei den Präsidentschaftswahlen 1974 unterlag er knapp V. Giscard d'Estaing. Nach seiner Wahl zum frz. Staatspräs. (1981, 1988 wieder gewählt) suchte M., gestützt auf die absolute Mehrheit seiner Partei, ein Reformprogramm durchzuführen (u.a. Festsetzung von Mindestlöhnen, Familienbeihilfen, Rentenerhöhungen, Verstaatlichung von Banken und Schlüsselindustrien). Nach dem Mehrheitsverlust der Sozialist. Partei bei den Parlamentswahlen 1986 konnte M. durch die »Cohabitation« (Zusammenarbeit) mit den anderen Parteien seine Politik v.a. in der Außenpolitik fortsetzen: eigenständige frz. Nukleararverteidigung, Fortentwicklung der europ. Integration. Der dt. Vereinigung stimmte er nach anfängl. Zögern zu.

📖 BENDER, K.-H.: *M. u. die Deutschen (1938–1995) oder die Wiedervereinigung der Karolinger. Bonn 1995.* – PÉAN, P.: *Eine frz. Jugend – F. M. 1934–1947. A. d. Frz. München 1995.* – GIESBERT, F.-O.: *F. M. Aus dem Frz. Berlin 1997.*

Mitterwurzer, Friedrich, Schauspieler, *Dresden 16. 10. 1844, †Wien 13. 2. 1897; wirkte in Helden- und Charakterrollen am Wiener Burgtheater; gilt mit seinem psychologisch-realist. Stil als Bahnbrecher moderner Schauspielkunst.

Mittler, in den Religionen eine Gestalt, die zw. Gottheit und Menschheit steht und diese aufgrund ihres (göttl.) Auftrags oder (priesterl. oder prophet.) Wissens miteinander in Verbindung bringt, um das Heil, das hl. Wissen oder die (eth.) Forderungen der Gottheit zu vermitteln. Judentum bzw. Islam sehen in Mose und den Propheten bzw. Mohammed den M.; für das Christentum fallen in der Person des Erlösers Jesu Christi der M. und das zu vermittelnde Heil zusammen (Hebr. 9,15).

mittlere quadratische Abweichung, *Statistik:* →Streuung.

mittlerer Bildungsabschluss (nicht offiziell: mittlere Reife), Bez. für das Abschlusszeugnis einer Realschule, einer entsprechenden Abendschule, einer Berufsfach- oder Berufsaufbauschule oder der qualifizierte Abschluss einer 10. Hauptschulklasse oder integrierten Klasse für Haupt- und Realschüler; auch Abschluss der Klasse 10 an Gymnasien.

Mittlerer Erzgebirgskreis, Landkreis im Reg.-Bez. Chemnitz, Sachsen, 596 km², (1996) 97300 Ew., Krst. ist Marienberg.

Mittlerer Osten, nicht eindeutig festgelegter Begriff für den östl. Teil der islam. Welt. Im Unterschied zum Nahen Osten (ehem. Osman. Reich) und Fernen Osten (Hinterindien, China, Japan) versteht man unter dem M. O. Iran, Afghanistan und Vorderindien.

Mittlerer Westen (engl. Middle West, Midwest), Bez. für das Gebiet der USA zw. dem oberen Missouri, dem O-Rand der Great Plains, dem Gebiet der Großen Seen und den Ozark Mountains sowie dem Ohio im Süden.

Mittsommerfest, Fest der Sommersonnenwende, wird vor allem in Skandinavien gefeiert; auch andere Bez. für Johannisfest.

Mittweida, 1) Landkreis im RegBez. Chemnitz, Sachsen, 785 km², (1996) 144500 Einwohner.

2) Krst. von 1), Sachsen, an der Zschopau im Mittelsächs. Hügelland, 16700 Ew.; Hochschule für Technik; Maschinenbau, Textil- und feinmechan. Industrie. – Spätgotische Stadtkirche St. Marien (15. Jh.). – In der 2. Hälfte des 12. Jh. gegr., seit 1286 Stadt.

Mittwoch (früher Wodanstag, engl. wednesday, lat. dies Mercurii, frz. mercredi), der dritte Tag der Woche.

Mittwochsgesellschaft, die politisch-weltanschaulich unabhängige »Freie Gesellschaft für wiss. Unterhaltung«, gegr. 1863 zur Förderung und Verbreitung wiss. Erkenntnisse von M. A. von Bethmann Hollweg u.a. Sie tagte bis 1944 an jedem 2. Mittwoch des Monats und vereinigte bed. Persönlichkeiten des wiss. und kulturellen Lebens, auch führende Mitgl. des Widerstandes gegen Hitler.

Mitverschulden, der rechtlich zurechenbare Anteil des Geschädigten an der Entstehung des Schadens. Um diesen Anteil verkürzt sich der Anspruch auf Schadensersatz gegen den Schädiger (§ 254 BGB).

Mixedmedia [mɪkst'mi:dɪə, engl.], *Kunst:* →Multimedia.

Mixedpickles ['mɪkstpɪklz, engl.], in gewürztem Essig eingelegte kleine Blumenkohlrosen, Pfeffergurken, Perlzwiebeln, Karotten u.a.

Mixgetränke, Mischgetränke aus Weinen, Spirituosen, Fruchtsäften, Gewürzen, Eis u.a., alkoholhaltig (z.B. Cocktails) oder alkoholfrei (z.B. Milch-M.).

mixolydischer Kirchenton, auf dem Grundton g stehende →Kirchentonart (ÜBERSICHT).

Mixteken [miʃ-], Gruppe mexikan. Indianer in den Staaten Puebla und Oaxaca, Mexiko, etwa

350 000 Menschen. Die M. hatten in vorspan. Zeit eine bed. Kultur (Goldschmuck, Bilderhandschriften, Keramik). Sie vertrieben die Zapoteken aus Mitla und Monte Albán.

Mixteken: Reliefkunst auf einem Steingefäß mit menschlicher Maske (Wien, Museum für Völkerkunde)

Mixtur [lat.] *die, Orgel:* gemischte Stimme aus bis zu acht Pfeifenreihen; sie geben eine Auswahl der Obertöne des angeschlagenen Tones an, meist hoch liegende Quinten und Oktaven. Die M. geben dem Orgelklang den ihm eigenen Charakter.

Miyajima [-dʒima] (Itsukushima), Insel in der japan. Inlandsee, südwestlich von Hiroshima; shintoist. Tempel, Pagoden. Wahrzeichen ist das im Meer stehende →Torii.

Miyazaki [-zaki], Hauptstadt der japan. Präfektur M., auf der Insel Kyūshū, 293 600 Ew.; Univ., histor. Museum; Seidenspinnereien, Möbelind.; Hafen, Flugplatz.

Miyazawa [-zawa], Kiichi, japan. Politiker, *Tokio 8. 10. 1919; mehrfach Min. (u.a. 1974–76 Außenmin.); 1991–93 Vors. der Liberaldemokrat. Partei und Ministerpräsident.

Mizar ['mi:zar; arab. »Mantel«], Stern 2. Größe, im Großen →Bären.

Mizoram [mɪ'zɔ:ræm], Bundesstaat (seit 1987) im NO von →Indien, an der Grenze zu Birma und Bangladesh; gebirgig; überwiegend von den tibetobirman. Mizo (Lushai) bewohnt, die Brandrodungsfeldbau betreiben. 1972 durch Teilung des Staates Assam als Unionsterritorium geschaffen.

MJ, Einheitenzeichen für Megajoule, 1 MJ = 10^6 J (→Joule).

Mjölnir *der* (Mjöllnir), *nord. Mythos:* der Hammer Thors, der Blitz und Donner bringt.

Mjøsa ['mjøsa] (früher Mjøsen, dt. Mjösensee), größter See Norwegens, 368 km², bis 449 m tief, nördlich von Oslo.

Mk., Abk. für **Mark**usevangelium (N.T.).

MKS, Abk. für →**M**aul- und **K**lauen**s**euche.

MKS-System, das **M**eter-**K**ilogramm-**S**ekunde-System, älteres →Maßsystem.

ml, Einheitenzeichen für Milliliter, 1 ml = 0,001 l.

Mladá Boleslav (dt. Jungbunzlau), Stadt im Mittelböhm. Gebiet, Tschech. Rep., an der Iser, 48 500 Ew.; Automobil- (Škoda), Textil-, Nahrungs- und Genussmittelindustrie. – Got. Marienkirche, Häuser mit Sgraffitomalereien. – Jungbunzlau, 995 als Burgort, 1334 als Stadt bezeugt, war bis 1588 ein Zentrum der Böhm. Brüder.

MLF, Abk. für engl. **M**ulti**l**ateral **F**orce (»Multilaterale Atomstreitmacht«), →Bahama-Konferenz.

Mljet (italien. Meleda), kroat. Adriainsel in Mitteldalmatien, 100 km², stark bewaldet, z.T. Nationalpark, Hauptort: Babino Polje.

mm, Einheitenzeichen für Millimeter, 1 mm = 0,001 m.

mmHg, Einheitenzeichen für →Millimeter-Quecksilbersäule.

Mn, chem. Symbol für →Mangan.

Mňačko ['mnjatʃko], Ladislav, slowak. Schriftsteller, *Valašske Klobouky (bei Zún) 29. 1. 1919, † Preßburg 24. 2. 1994; gilt als bedeutendster zeitgenöss. slowak. Schriftsteller; im 2. Weltkrieg Partisan; war Kommunist; Journalist und Redakteur, ging 1967 nach Israel; nach vorübergehender Rückkehr verließ er 1968 die ČSSR. M.s literar. Wirkung liegt in seinem sachl. Reportagestil (»Verspätete Reportagen«, 1963; »Jenseits von Intourist. Satir. Reportagen«, 1979); polit. Aufsehen erregte der Roman »Wie die Macht schmeckt« (1968), in dem er Kritik an gesellschaftl. Missständen und am stalinist. System übte; weitere Romane sind »Der Tod heißt Engelchen« (1959), »Die Nacht von Dresden« (1966), »Die Aggressoren« (1968, über Vietnam), »Einer wird überleben« (1973), »Der Gigant« (1978).

Ladislav Mňačko

Mnemosyne, *grch. Mythos:* die Göttin des Gedächtnisses, Mutter der neun Musen.

Mnemotechnik [grch.] (Mnemonik), die Gedächtniskunst (von G. Bruno methodisch bereits hoch entwickelt). Als Lern- und Merkhilfen werden Merkverse, graf. Darstellungen u. Ä. benutzt. – In der *Informatik* spricht man von **mnemon. Codes** (engl. mnemonics), wenn die symbol. Abkürzung eines Begriffs dessen Bedeutung erkennen lässt (z.B. ADD für Addieren).

Mnouchkine [mnuʃ'ki:n], Ariane, frz. Regisseurin, *Boulogne-Billancourt 3. 3. 1939; gründete 1964 das Theaterkollektiv »Théâtre du Soleil«, seit 1970 in Vincennes, dessen aufwendige Inszenierungen von internat. Ruf sind, u.a. »1789« (1971, 1974 verfilmt), »Molière« (Theaterfilm, 1978), »Mephisto« (1979, nach K. Mann) sowie ein mit den Mitteln des japan. und ind. Theaters inszenierter Shakespeare-Zyklus (1981–84).

Ariane Mnouchkine

Mo, chem. Symbol für →Molybdän.

Möbel

1

2

4

3

5

1 Stuhl der ägyptischen Prinzessin Sitamun, einer Tochter des Pharao Amenophis III. (14. Jh. v. Chr.; Kairo, Ägyptisches Museum) | **2** Von dem französischen Kunstschreiner (deutscher Herkunft) Adam Weisweiler gebauter Schreibtisch der Königin Marie Antoinette (1784; Paris, Louvre) | **3** Liege im Empirestil (um 1800; Privatbesitz) | **4** Baldachinbett aus Westfalen (1834; Berlin, Museum für Völkerkunde) | **5** Henry van de Velde, »Schreibtisch und Stuhl« (1897/98; Berlin, Kunstgewerbemuseum)

Möbel: Stuhl des italienischen Architekten und Designers Ettore Sottsass (1980)

Mo., Abk. für den Bundesstaat **M**issouri, USA.

Moabiter, mit Israel verwandtes Volk (1. Mose 19,36 f.); siedelte bereits vor der israelit. Landnahme im Ostjordanland.

Moas [Maori], ausgestorbene Vogelordnung; flugunfähige straußenähnl. Laufvögel; bewohnten in etwa 20 Arten Neuseeland. Die größten Arten wurden über 3 m groß.

Mob [engl., aus lat. mobile vulgus »aufgewiegelte Volksmenge«] *der,* Pöbel, Gesindel; unorganisierte Massenansammlung aggressiver und triebenthemmter Menschen.

Mobbing [zu engl. to mob »über (jemanden) herfallen«] *das,* in den 1990er-Jahren aufgekommene Bez. für gezielt gegen eine Person gerichtete, andauernde und wiederholt erfolgende feindselige Handlungen (z.B. üble Nachrede, Beleidigungen, Schikanen, sexuelle Belästigung, tätl. Angriffe) durch eine oder mehrere Personen (Kollegen) am Arbeitsplatz; bei M. durch Vorgesetzte wird von **Bossing** gesprochen. M. kann beim M.-Opfer Verlust des Selbstvertrauens, psychosomat. Beschwerden, Depressivität, Existenzängste, Verlust der Arbeitsmotivation oder (innere) Kündigung bewirken. Als Ursachen für M. werden u.a. genannt: Stress fördernde Arbeitsbedingungen (z.B. Monotonie, Zeitdruck, schlechte Arbeitsorganisation, schlechte Arbeitsplatzgestaltung), Kommunikationsprobleme und Begünstigung intriganten Verhaltens.

📖 Leymann, H.: *M. Reinbek 40.–44. Tsd. 1996.* – Esser, A. u. Wolmerath, M.: *M. Der Ratgeber für Betroffene u. ihre Interessenvertretung. Köln 1997.*

Möbel [von frz. meuble, zu mobil], bewegl. Stück einer Innenraumausstattung: **Kasten-M.** (Truhen, Schränke, Kommoden), **Tafel-M.** (Tische, Pulte), **Sitz-** und **Liege-M.** (Bänke, Stühle, Sofas, Sessel, Betten). Holz-M. des 2. Jt. v. Chr. wurden in Ägypten gefunden. Aus röm. Zeit sind Bronze- und Stein-, auch Holz- und Korb-M. bekannt. Im MA. war das wichtigste Kasten-M. die Truhe. Im 15. Jh. kamen aus Rahmenwerk und Füllung gearbeitete M. auf; mit reichen Schnitzereien

(Maßwerk, Faltwerk) wurden bes. die Schränke verziert. Von größerem Typenreichtum sowie klar und harmonisch gestaltet waren die M. der Renaissance (in Italien mit →Intarsien als Flächendekoration), wuchtig und überreich geschmückt die M. des Barocks (Louis-quatorze-Stil, →Boulle; in Dtl. Dielenschränke der Hansestädte). Das Rokoko liebte spielerisch-leichte Formen, bes. in Frankreich (Louis-quinze-Stil); in England bevorzugte man einen schlichteren Stil (→Chippendale). Die dt. M. standen unter frz. Einfluss. Nur A. und D. Roentgen entwickelten einen eigenen Stil und belieferten die Fürstenhöfe in Paris, Dresden und Sankt Petersburg. In der 2. Hälfte des 18. Jh. wandte man sich wieder geradlinigen, einfacheren Formen zu, im Empire in Anlehnung an antike Vorbilder. Der Umschwung zum Biedermeier setzte um 1830 ein mit schlichten, gediegenen M. Der Historismus in der 2. Hälfte des 19. Jh. zeigte überladene Tendenzen, gegen die sich der Jugendstil Ende des 19. Jh. und der Funktionalismus des Bauhauses im 20. Jh. wendeten. Die industrielle Fertigung und neue Werkstoffe brachten eine Umwälzung für den M.-Bau der Gegenwart mit zweckentsprechenden und Raum sparenden Formen (z. B. den Körperformen angepasste Sitz-M.; glatte Flächen; Anbau-M., Ausbau von Wand zu Wand und bis unter die Decke). Die allg. Tendenzen des Industriedesigns der 1980er-Jahre (Hightech, Minimalismus) prägten insbesondere auch die Entwürfe renommierter M.-Designer dieses Jahrzehnts. Sie verlagerten z. T. den Schwerpunkt von funktionalist. Aspekten auf ästhet. Gesichtspunkte und verliehen ihren M. den Charakter von Kunstobjekten. Daneben finden sich im modernen internat. M.-Design Tendenzen, Formen außereurop. Mobiliars aufzugreifen.

📖 MANG, K.: *Geschichte des modernen M. Neuausg. Stuttgart 1989. – M. Von der Renaissance bis zum Jugendstil, hg. v.* G. NAGEL. *München* [6]*1994.*

Moberg ['mu:bærj], Carl Artur Vilhelm, schwed. Schriftsteller, *Algutsboda (heute Emmaboda; Verw.bezirk Kalmar) 20. 8. 1898, †Väddo (Verw.bezirk Stockholm) 8. 8. 1973; beschrieb realistisch die gesellschaftl. Veränderungen in seiner Heimat (»Die harten Hände«, R., 1930), in »Reit heute nacht!« (R., 1941) die Auseinandersetzung mit dem Nationalsozialismus und in »Bauern ziehen übers Meer« (R., 1949), »Neue Heimat in fernem Land« (R., 1952) und »Dein Augenblick« (R., 1963) die Auswanderung in die USA. M. schrieb auch populäre Dramen.

Mobil Corp. ['məʊbɪl kɔ:pə'reɪʃn], amerikan. Holdinggesellschaft, tätig im Erdöl- und Erdgasgeschäft, in der chem. Industrie und im Bereich anderer Energieträger (Kohle, Uran); Sitz: Wilmington (Del.). – Die Vorläufergesellschaften, Vacuum Oil Co. of Rochester (gegr. 1866) und die Standard Oil Co. of New York (SOCONY, gegr. 1882), schlossen sich 1931 zur Socony-Vacuum Oil Co. Inc. zus., die 1955 in Socony Mobil Oil Co. Inc. und 1966 in Mobil Oil Corp. umbenannt wurde. 1976 wurde im Zusammenhang mit dem Erwerb von Unternehmen die M. C. gegr., die über Gesellschaften in mehr als 125 Ländern, ein Pipelinenetz von 56 000 km und 20 eigene Raffinerien verfügt. Konzernumsatz (1996): 80,8 Mrd. US-$, Beschäftigte: rd. 50 400.

Möbel (von links): Schaukelstuhl von Michael Thonet (1860); Stahlrohrstuhl nach einem Entwurf von Mart Stam für die Firma Thonet (1926)

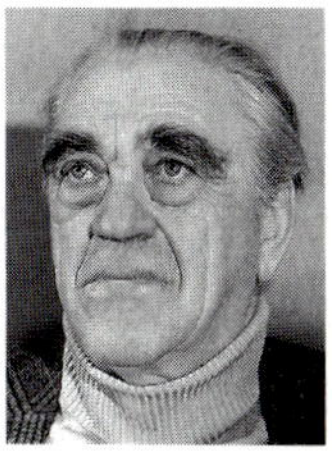

Carl Artur Vilhelm Moberg

mobile [italien.], musikal. Vortragsbezeichnung: beweglich, rege.

Mobile [lat.] *das,* eine Art der kinet. Plastik, bei der die einzelnen Objekte an dünnen Metall- oder Kunststoffstäben hängen und durch Luftströmungen in Bewegung geraten. Als Name 1932 von

Möbel

Der Stuhl entwickelte sich aus dem Hocker, einem drei- oder vierbeinigen Sitz, der im Altertum noch überwog. Der antike Stuhl mit ausschwingenden Beinen oder gedrechselten Pfosten war vor allem Sitzmöbel der Frauen; als Amtsstuhl wurde in Rom ein Faltstuhl verwendet. Im Mittelalter trat der Stuhl in verschiedenen Formen auf: Er war aus Pfosten zusammengesetzt oder kastenförmig gestaltet, außerdem gab es Faltstühle. Diese Stühle waren vorwiegend in Kirchenbesitz.
Nur allmählich fanden Stühle in Bürger- und Bauernhäuser Eingang und gehörten dort zunächst dem Hausherrn und seiner Frau, während die anderen Mitglieder der Hausgemeinschaft auf Hockern oder Bänken saßen. Erst nach 1500 wurde in ganz Deutschland der Klappstuhl verwendet. Der Pfostenstuhl erhielt seit dem 16. Jahrhundert Sitz- und Rückenpolster, die mit Leder oder kostbaren, gemusterten Stoffen bezogen wurden. In der zweiten Hälfte des 19. Jahrhunderts war der Stuhl das erste Möbel, das in industrieller Fertigung hergestellt wurde.

M. Duchamp für die Frühwerke A. Calders geprägt. BILD Calder

Mobile [məʊ'bi:l], Stadt und Seehafen in Alabama, USA, an der Mündung des M. River in den Golf von Mexiko; 196300 Ew.; kath. Erzbischofssitz, Univ. (gegr. 1963); Zellstoff-, Papier-, Holz-, Textil-, chem. Ind., Schiffbau, Erdölraffinerien; Fluss- und Seehafen. – Von frz. Siedlern wurde 1702 etwa 40 km nördlich der heutigen Stadt ein Fort errichtet und 1711 an der heutigen Stelle die Stadt, die bis 1720 als Hauptstadt von Louisiana diente. Während des Sezessionskrieges war M. einer der wichtigsten Häfen der Konföderierten. In der Schlacht in der Mobile Bay (August 1864), der letzten Marineschlacht des Bürgerkriegs, durchbrach eine Unionsflotte unter Admiral David G. Farragut die durch Forts, Minen und Sperren stark geschützte Bucht und vernichtete die Schiffe der Konföderation. Die Stadt konnte erst am 12. 4. 1865 von Unionstruppen eingenommen werden.

Möbius-Fläche

Eine Möbius-Fläche kann man sich leicht selbst herstellen, indem man ein Ende eines längeren Papierstreifens um 180° dreht und dann mit dem anderen Ende verklebt. Jetzt kann man einen durchgehenden Strich auf beide Seiten des Streifens malen, ohne einmal abzusetzen. – Möbius-Bänder wurden früher als Transmissionsriemen für Maschinen verwendet, da eine gleichmäßige Abnutzung gewährleistet war.

Mobutu Sese-Seko

Möbius-Fläche

Mobilfunk, ortsungebundenes Telekommunikationsnetz. In Dtl. werden derzeit folgende M.-Netze betrieben: Das 1985 eingeführte analoge C-Netz wurde 1995 in **C-Tel** umbenannt; seit 1992 stehen die beiden digitalen M.-Netze **D1** (Betreiber: Dt. Telekom MobilNet GmbH) und **D2** (Mannesmann M. GmbH) zur Verfügung; 1994 wurde als drittes digitales M.-Netz **e-plus** (e-plus M. GmbH, ein Firmenkonsortium von VEBA und Thyssen) eingeführt; 1997 wurde mit dem digitalen M.-Netz **E2** (E2 M. GmbH & Co KG, ein Unternehmen der VIAG AG und British Telecom) ein weiteres Netz aufgebaut. D1 und D2 beruhen auf dem GSM-Standard (→GSM), e-plus und E2 auf dem europ. DCS-1800-Standard.

In den M.-Netzen werden die Verbindungen über **Funkzellen** (Waben) aufgebaut. Meldet sich ein Funktelefon durch Einschalten des Geräts im Netz an, wird in der Netzdatenbank, dem **HLR** (Abk. für engl. home location register), von der im →Mobiltelefon installierten SIM-Karte automatisch der Standort des Geräts erfasst (über die Anmeldung bei dem betreffenden Netzknoten) und die Zugangsberechtigung geprüft. Zusätzlich erfolgt eine automat. Abfrage, ob das sich einbuchende Mobiltelefon als gestohlen gemeldet ist. Bei Geräten, die bereits in das Netz eingebucht sind, wird im Stand-by-Modus in regelmäßigen Abständen ein Funkkontakt zw. Funktelefon und Festsender hergestellt. Das Netz weiß daher stets, wo das Funktelefon angeklingelt werden muss. In diesem Fall erfolgt die Kommunikation nicht zw. Mobiltelefon und HLR, sondern zw. Mobiltelefon und der jeweiligen örtl. Datenbank **VLR** (Abk. für engl. visitor location register), solange die gemeinsame Rufzone des Netzübergabepunkts **MSC** (Abk. für engl. mobile switching center) nicht verlassen wird. Ändert sich mit dem Wechsel aus einer Funkzelle in eine andere zugleich der Rufbereich, der mehrere Waben umfassen kann, wird das vom Mobiltelefon aufgrund des veränderten empfangenen Codes registriert. Das Mobiltelefon meldet dem HLR über einen Funkkontakt dann automatisch den neuen Standort. Grenzüberschreitender M. ist in den D-Netzen möglich (der GSM-Standard wird in etwa 50 Staaten verwendet), wenn zw. den jeweiligen nat. Netzbetreibern ein **Roaming-Abkommen** abgeschlossen worden ist, das die Verteilung der Entgelte regelt.

Mobilgarde (frz. Garde mobile), **1)** 1848 in Paris errichtete, 1849 wieder aufgelöste Truppe zum Schutz der Republik.

2) die Territorialmiliz Napoleons III., die im Krieg 1870/71 einen großen Teil des frz. Heeres bildete.

Mobilien [zu lat. mobilis »beweglich«], *Recht:* bewegl. Sachen, bewegl. Besitz; Ggs.: →Immobilien.

Mobilisation *die, Petrologie:* die bei der Metamorphose und Ultrametamorphose durch Erhöhung von Temperatur und Druck verursachten Auflösungs- und Aufschmelzungsvorgänge, bei denen Gesteine verformbar und beweglich werden (**Mobilisat**) und ihren ursprüngl. Ort verlassen.

Mobilität [von lat. mobilitas »Beweglichkeit«] *die,* allg. die Bewegung von Menschen in sozialen Räumen und/oder ihre räumlich-regionale Beweglichkeit; auch ihre gedankl. Beweglichkeit. M. kann ein Kennzeichen eines Einzelnen, einer Gruppe oder einer Gesellschaft sein. Unterschieden werden u.a. räuml. Bewegungsvorgänge von Personen, Personengruppen, Schichten oder Klassen einer Gesellschaft **(räuml. M., Migration)** wie Binnen-, Aus- und Einwanderung sowie Bewegungsvorgänge innerhalb der sozialen Strukturen einer Gesellschaft **(soziale M.)** wie berufl. M. In den Wirtschaftswiss. wird auch von M. der Produktionsfaktoren gesprochen (z.B. M. des Kapitals). Hohe M. ist ein Kennzeichen dynam. Industriegesellschaften.

Mobilmachung (Mobilisierung), i.e.S. die Überführung der Streitkräfte in den Kriegszu-

Moçambique

Fläche: 801 590 km²
Einwohner: (1995) 16,4 Mio. Ew.
Hauptstadt: Maputo
Verwaltungsgliederung: 11 Provinzen
Amtssprache: Portugiesisch
Nationalfeiertag: 25. 6.
Währung: 1 Metical (MT) = 100 Centavos (CT)
Zeitzone: MEZ + 1 Std.

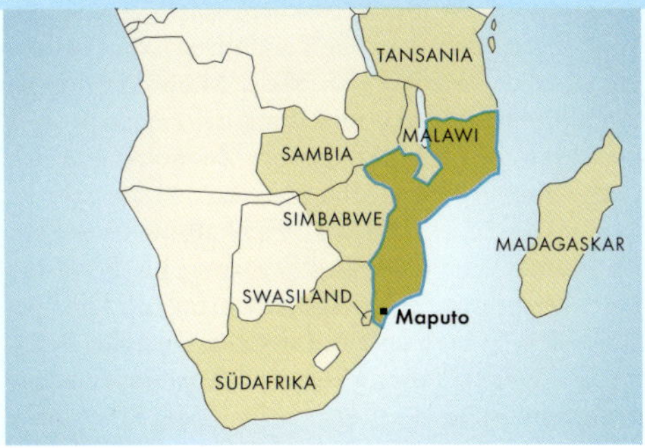

stand, i. w. S. der Übergang vom Friedens- in den Kriegs- bzw. Verteidigungszustand im militär. und zivilen Bereich eines Staates.

Mobiltelefon, Bez. für ein ortsungebundenes, netzunabhängies Telefon; im Unterschied zum schnurlosen Telefon arbeitet das M. zwar auch mithilfe funktechn. Übertragung, wird aber nicht am analogen Festnetz angeschlossen, sondern nutzt eines der Mobilfunknetze (→ Mobilfunk). Der Anschluss des M. an das Mobilfunknetz erfolgt durch die **SIM-Karte** (SIM, Abk. für engl. subscriber identity module), die die notwendigen individuellen Daten des Teilnehmers enthält (Gerätekennung, Rufnummer, Kontoverbindung, Anschrift). Zum Schutz vor Missbrauch sind M. durch eine persönl. Identifikationsnummer (**PIN,** Abk. für engl. personal identification number), die für jedes Telefonat eingegeben werden muss, gesichert. (→ Handy)

Möbius-Fläche (Möbius-Band) [nach dem Mathematiker A. F. Möbius, * 1790, † 1868], einseitige Fläche, d. h. eine Fläche, bei der man an jeden Punkt ohne Überschreitung eines Randes gelangt.

Mobutu Sese-Seko, bis 1972 Joseph-Désiré Mobutu, kongoles. General und Politiker, * Lisala 14. 10. 1930, † Rabat 7. 9. 1997; wurde 1960 Generalstabschef, ließ nach einem Putsch Ende 1960 Min.-Präs. P. Lumumba verhaften und an dessen Gegner in der (damaligen) Prov. Katanga ausliefern. 1961 gab er die Reg.gewalt an den von ihm (1960) entmachteten Staatschef J. Kasavubu zurück. In einem 2. Militärputsch ergriff M. 1965 die Macht, ernannte sich zum Staatspräs.; gestützt auf die Einheitspartei Mouvement Populaire de la Révolution (MPR), regierte er seitdem diktatorisch. Durch Rückgriff auf angeblich afrikan. »Authentizität« (u. a. Umbenennung von Fluss und Staat Kongo in »Zaire«) suchte er seine Macht zu stabilisieren. Die mit seiner Diktatur einhergehende Korruption zerstörte zunehmend die Wirtschaft seines Landes. Im Zuge einer sich vom östl. Teil des Kongostaates unter Führung von L. Kabila ausdehnenden Aufstandsbewegung wurde M. 1997 gestürzt.

Moçambique (amtlich República de M., dt. auch Mosambik), Staat in SO-Afrika, grenzt im O an den Ind. Ozean, im S an Swasiland, im SW an die Rep. Südafrika, im W an Simbabwe, im NW an Sambia und Malawi, im N an Tansania.

Staat und Recht: Nach der Verf. vom 30. 11. 1990 ist M. eine präsidiale Rep. mit Mehrparteiensystem. Staatsoberhaupt ist der Präs. (direkt gewählt); er ist Oberbefehlshaber der Streitkräfte, ernennt die Reg. unter Vorsitz des MinPräs., bestimmt den Reg.kurs und kann den Notstand verhängen. Die Legislative liegt bei der Versammlung der Rep. (210 Abg.). Seit Aufhebung des Monopolanspruchs der Frente de Libertação de M. (FRELIMO) entstanden zahlr. Parteien, u. a. RENAMO (Resistência Nacional Moçambicana; Nat. Widerstand M.s) und die UD (União Democrática), ein Bündnis von drei kleinen Parteien.

Landesnatur: M. umfasst das 200–400 km breite Küstentiefland (mit einer Küstenlänge von 2 795 km), das im N und W zu 1000 m hohen ausgedehnten Hochländern ansteigt, die von Inselbergen überragt werden. Höchste Erhebung ist der Monte Binga mit 2 436 m ü. M. Das Klima ist im N und im zentralen Teil tropisch, vom Monsun bestimmt, im SO, unter dem Einfluss des SO-Passats, subtropisch. Es überwiegen Trockensavannen mit z. T. ausgedehnten Wäldern, entlang der Flüsse Feuchtsavannen mit Galeriewäldern, an der Küste und an den Flussmündungen Mangrovenwälder. Hauptflüsse: Sambesi, Limpopo.

Bevölkerung: 98 % gehören zu 76 ethn. Gruppen von Bantuvölkern (Makua, Tsonga, Malawi, Shona u. a.). Die Rückwanderung von fast 5 Mio. Binnenflüchtlingen in ihre Heimatorte und die Rückkehr von 1,7 Mio. Flüchtlingen aus den Nachbarländern sowie von rd. 15 000 Mosambikanern aus der ehem. DDR ergeben große Probleme. Etwa 50 % der Bev. gehören Naturreligionen an, je 20 % sind Christen und Muslime. – Es besteht 7-jährige Schulpflicht; Unterrichtssprache ist Portugiesisch; 60 % der Bev. sind Analphabeten. Univ. in Maputo (gegr. 1962).

Staatswappen

MOC

Internationales Kfz-Kennzeichen

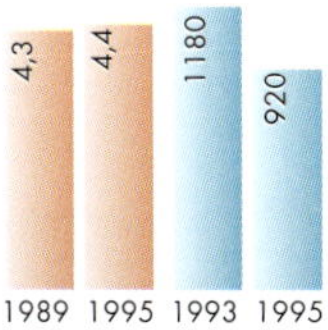

Bevölkerung (in Mio.)
Bruttosozialprodukt je Ew. (in US-$)

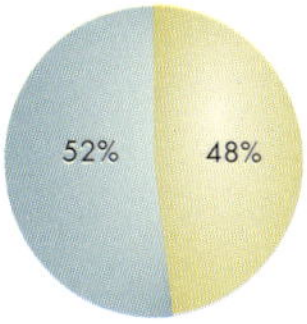

Stadt
Land

Bevölkerungsverteilung 1995

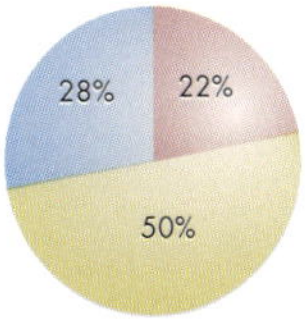

Industrie
Landwirtschaft
Dienstleistung

Bruttoinlandsprodukt 1995

Samora Machel

Joaquim Alberto Chissano

Wirtschaft, Verkehr: Durch den 17-jährigen Bürgerkrieg ist die Wirtschaft stark geschädigt. Wichtigster Zweig ist die Landwirtschaft. Für den Eigenbedarf werden bes. Mais, Maniok, Hülsenfrüchte, Hirse, Reis und Bataten angebaut, auf Plantagen v.a. für den Export Zuckerrohr, Sisal, Cashewnüsse, Tee, Baumwolle, Kokospalmen (Kopra) und Zitrusfrüchte. Viehhaltung ist wegen der Tsetsefliege (bes. im N) gering; Fischerei für Eigenversorgung und Export (Garnelen). Die Bodenschätze (u.a. Kupfer-, Eisenerz, Tantalit, Betonit, Gold, Edelsteine) werden noch wenig genutzt; nennenswert ist nur der Abbau von Steinkohle und Bauxit; Erdgasförderung bei Beira; Meersalzproduktion. Stromerzeugung durch das Cabora-Bassa-Wasserkraftwerk; Stromexport in die Rep. Südafrika. Industrie: v.a. Nahrungsmittel-, Textilind., Stahlwerk, Erdölraffinerie; wichtigster Ind.standort ist Maputo. Haupthandelspartner: EU-Länder, USA, Rep. Südafrika, Japan. – M. ist ein wichtiges Transitland; Eisenbahnnetz 3131 km, Verbindungen nach Swasiland, Südafrika, Simbabwe, Malawi; Straßennetz 28000 km, davon 5000 km befestigt. Haupthäfen: Maputo, Beira, Nacala; internat. Flughäfen: Maputo, Beira, Nampula. Nat. Fluggesellschaft »Linhas Aeras de Moçambique«.

Geschichte: Ab 1505 besetzten die Portugiesen die arab. Handelsplätze an der Küste und drangen im Sambesital ins Landesinnere vor. M. erhielt 1609 einen eigenen Gouverneur. Vom 16. bis 19.Jh. versuchten Araber, Osmanen, Niederländer, Franzosen, Briten und Österreicher, sich der ostafrikan. Küstengebiete zu bemächtigen. Anfang des 20.Jh. unterwarfen die Portugiesen M. vollständig; es wurde 1951 Überseeprovinz. 1962 entstand die Befreiungsorganisation FRELIMO, die seit 1964 den Kampf um die Unabhängigkeit führte. M. erhielt 1973 innere Autonomie und 1975 völlige Unabhängigkeit. Proklamiert wurde die Volksrep. M. unter Staatspräs. S. Machel; die marxistisch orientierte FRELIMO wurde Staatspartei. Die Rep. Südafrika unterstützte den bewaffneten Kampf der antimarxist. Gruppierung RENAMO, was einen langen Bürgerkrieg (über 700000 Tote und über 1 Mio. Flüchtlinge) auslöste. Nach dem Tod Machels 1986 leitete Staatspräs. J. M. Chissano eine Politik der allmähl. Annäherung an den Westen ein. 1989 löste sich die FRELIMO offiziell vom Marxismus-Leninismus. 1990 wurde der Staatsname in Rep. M. geändert, die Einparteienherrschaft aufgehoben und ein marktwirtsch. System sowie freie Wahlen angestrebt. Nach 16 Jahren Bürgerkrieg unterzeichneten im Okt. 1992 in Rom Staatspräs. Chissano und RENAMO-Führer Dhlakama einen Waffenstillstands- und Friedensvertrag. Von Dez. 1992 bis Dez. 1994 überwachte eine UN-Friedenstruppe den Waffenstillstand und die Demobilisierung der Bürgerkriegsparteien. Mit den allgemeinen Wahlen vom Okt. 1994, bei denen die FRELIMO eine knappe Mehrheit im Parlament errang (44,3% der Stimmen und 129 der 250 Parlamentssitze gegenüber 37,8% der Stimmen und 112 Sitzen der RENAMO), fand der Friedensprozess seinen Abschluss. Präs. J. A. Chissano wurde zur selben Zeit mit 53,2% der Stimmen in seinem Amt bestätigt. Im Nov. 1995 wurde M. Mitgl. des Commonwealth of Nations.

Moche: Goldschmiedearbeit der Mochekultur (um 400 n. Chr.; Lima, Archäologisches Museum Rafael Larco Herrera)

Moçambique

📖 *Zum Beispiel Mosambik, bearb. v.* S. PATER. *Göttingen 1988.* – STEINER, L.: *Mosambik. Stuttgart 1992.* – NEWITT, M.: *A history of Mozambique. London 1995.*

Moche ['motʃe], Ort und Tal im nördl. Peru, in der Küstenebene südlich von Trujillo; auch Bez. der Kultur der Mochica und bes. ihres Keramikstils. Vom M.-Tal breitete sich die M.-Kultur von 200 bis 800 aus und umfasste auf dem Höhepunkt ihrer Entwicklung alle Küstentäler Perus. Tempel, Paläste und Hausplattformen wurden aus Adobeziegeln errichtet; die »Sonnenpyramide« erreichte eine Höhe von 41 Metern. Gefäßmalerei und Goldbearbeitung (v.a. Metallguss) standen in hoher Blüte.

Mock, Alois, österr. Politiker, *Euratsfeld (bei Amstetten) 10. 6. 1934; Jurist, Mitgl. der ÖVP, 1979–89 Bundesobmann seiner Partei, 1978–83 Vors. der Europ. Demokrat. Union, 1983–87 der Internat. Demokrat. Union, 1987–89 Vizekanzler; hatte als Außenmin. (1987–95) großen Anteil an der Aufnahme seines Landes in die EU.

Moctezuma II. [-'suma] (eigtl. Motecuhzoma, auch Montezuma), Herrscher der Azteken (seit 1502), *um 1466, †Tenochtitlán 30. 6. 1520. Während seiner Herrschaft wurde der Aztekenstaat von H. Cortez erobert, der M. gefangen nehmen ließ. Die Ankunft der Spanier war von den Azteken als die geweissagte und erwartete Wiederkehr des Gottes Quetzalcóatl missverstanden worden.

modal [lat.], *Grammatik:* die Art und Weise bezeichnend, den →Modus betreffend.

Modalität [lat.] *die, Philosophie:* in der Ontologie die Seinsweise eines Seienden (ob es wirklich, möglich oder notwendig ist); in der Logik der Grad der Bestimmtheit einer Aussage, ob ihr Inhalt als möglich (problematisch), behauptend (assertorisch) oder notwendig (apodiktisch) gedacht wird.

Modallogik, Teil der formalen →Logik, der sich mit Aussagen beschäftigt, die mit den Modalitäten »möglich« und »notwendig« gebildet sind.

Modalnotation *die,* Notenschrift des späten 12. und frühen 13. Jh., eine Vorstufe der →Mensuralnotation, in der mehrstimmige musikal. Werke bes. der Pariser Notre-Dame-Schule aufgezeichnet sind; verwendet werden die quadrat. Noten der Choralnotation. Die M. deutet erstmals neben der Tonhöhe auch den rhythmischen Ablauf (Modus: Grundrhythmus) der Stimmen an.

Modalsatz, ein Nebensatz (Adverbialsatz), der das Geschehen des Hauptsatzes nach Art und Weise bestimmt. (ÜBERSICHT Syntax)

Modalverb, Verb, das in Verbindung mit einem Infinitiv die Art und Weise einer Handlung (z.B. »können«, »dürfen«) verändert.

Mode [frz., von lat. modus »Art und Weise«] *die,* der sich wandelnde Geschmack (in den verschiedensten Lebensbereichen); Zeitgeschmack (bes. im Hinblick auf die Art, sich zu kleiden). – Während die Kleider-M. in den mittelalterl. Gesellschaften bis in die beginnende Neuzeit auf die Zugehörigkeit zu einem bestimmten Stand verwies, hat die M. seit Ausbildung der Ind.gesellschaft ihre heutige Bedeutung als Mittel sozialen Wettbewerbs breiter Schichten und der Schichtangehörigen untereinander gewonnen. Bestimmend für die Kleider-M. wirkten lange Zeit die Zentren polit. Macht: zunächst Burgund, in der Renaissance die Stadtstaaten in N-Italien, dann der span. und später der frz. Hof. Neben der von den Höfen ausgehenden und im Wesentlichen nur für den Adel bestimmenden M. zeigte sich mit Aufkommen des Bürgertums eine zweite M.-Strömung, die sich teils an die höf. M. anlehnte, teils eigene Wege ging. Das Entstehen einer leistungsfähigen M.-Industrie im 19. Jh. ließ immer breitere Schichten an der mod. Entwicklung teilhaben. Gleichzeitig begünstigte der wachsende Wohlstand des Bürgertums die Ausbildung exklusiver M.-Zentren, die um die Jh.mitte zur Begründung der →Haute Couture durch C. F. Worth in Paris führte. Im 20. Jh. gewann die M. v.a. durch Massenmedien (spezielle M.-Zeitschriften) und Werbung, unterstützt durch

Modus	Kombination	Beispiel	rhythmische Bedeutung mittelalterliche Theorie	heute
1.	3 2 2 ...	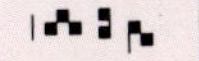	LBL BL BL	
2.	... 2 2 3		BL BL BLB	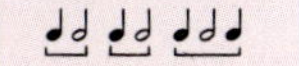
3. (oder 6.)	1 3 3 ...	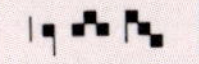	L BBL BBL	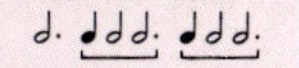
4.	kommt sehr selten vor und ist umstritten			
5.	1 1 1 ...		L L L	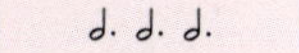
6. (oder 3.)	4 3 3 ...	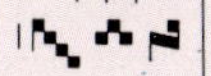	BBBB BBB BBB	

Modalnotation: Die sechs Modi der Modalnotation; L steht für Longa (lange Note), B für Brevis (kurze Note)

Mode: 1958 entworfenes Tageskleid im Stil der 1920er-Jahre

Moctezuma II.

Nach der Ermordung des gefangenen aztekischen Herrschers Moctezuma II. durch die Spanier im Jahr 1520 wurde sein Leichnam von seinen einstigen Untertanen auf einem Scheiterhaufen verbrannt. Ein aztekischer Text der frühen Kolonialzeit berichtet:

»Und der Leib Motecuhzomas riecht nach verbranntem Fleisch und stinkt beim Verbrennen. Und während er brannte, tadelt ihn mancher und spricht im Zorn, nicht mehr aus freundlichem Herzen: ›Dieser Schuft, der ganzen Welt hat er Furcht eingeflößt, in der ganzen Welt empfand man ihm gegenüber Furcht und Schrecken. Dieser Mann hier, wenn man ihn mit der kleinsten Sache beleidigte, so tötete er ihn sogleich, vieles davon war erlogen, wofür er die Leute büßen ließ, war falsch, war erfundenes Gerede.‹ Und viele andere, die ihn tadelten, murmelten nur zwischen den Zähnen, brummten nur, schüttelten die Köpfe.«

Modeschauen, eine kaum begrenzte Breitenwirkung. Das Durchsetzungsvermögen von M.-Strömungen beruht darauf, dass eine M., die von den sozialen Oberschichten – ihrem Bedürfnis nach Differenzierung und Exklusivität folgend – akzeptiert wird, von anderen Bev.schichten nachgeahmt und damit verbreitet wird. Im Rahmen der modernen Konsum- und Überflussgesellschaft erweist sich M. daher als Ausdruck sozialer Anpassung und Nivellierung. Insbesondere in der Kleider-M. hat sich eine Spezialisierung (nach Altersklassen, Anlässen, Tätigkeiten u.a.) herausgebildet, die in Verbindung mit einer Überhöhung des »Neuen« einen sehr kurzen M.-Zyklus entstehen ließ. Hiergegen und gegen den normierenden Charakter von M. sind Anti-M. entstanden (z.B. Jeans-M.), um Protest und Differenzierung auszudrücken, die allerdings ihrerseits wieder z.T. von der M.-Industrie aufgenommen und mit normierendem Charakter versehen werden. Weitere BILDER →Kleidung

Mode: »New Look«-Kostüm von Christian Dior aus dem Jahr 1948

📖 LOSCHEK, I.: *Reclams M.- u. Kostümlexikon. Stuttgart* [3]*1994.* – HOLLANDER, A.: *Anzug u. Eros. Eine Geschichte der modernen Kleidung. A. d. Engl. Berlin 1995.* – LOSCHEK, I.: *M. im 20. Jh. Eine Kulturgeschichte unserer Zeit. München* [5]*1995.*

Model [engl.] *das,* Fotomodell.

Model [aus lat. modulus »Maß«] *der,* **1)** *Drucktechnik:* Holzstempel für den Textildruck (Modeldruck), auch für Papier- und Tapetendruck.

2) *Handwerk:* Holz-, Ton- oder Kunststoffform mit alten tradierten Mustern für Knet- oder Gusserzeugnisse, z.B. Gebäck, Butter, Wachs.

Modell [italien.] *das,* **1)** *allg.:* Muster, Entwurf, z.B. in der Baukunst →Architekturmodell; Vorbild, Beispiel.

2) *Kunst:* in Malerei und Bildhauerkunst ein Naturgegenstand, bes. der Mensch, als Vorbild künstler. Gestaltung. In der Bildhauerkunst kann das M. auch ein genaues Vorbild des endgültigen Werkes sein, z.B. ein Gips-M., das in Stein oder Holz übertragen oder in Bronze gegossen wird.

3) *Mode:* der ausgeführte Entwurf der Mode Schaffenden, der als Einzelstück Verwendung findet oder abgewandelt als Vorlage für die serienmäßige Herstellung (Konfektion) dient.

4) *Wissenschaften* und *Technik:* materielles oder Gedankenobjekt, das einem Untersuchungsgegenstand in bestimmten Eigenschaften oder Relationen entspricht (Struktur-, Funktions- oder Verhaltensanalogie) und für sonst nicht mögl. oder zu aufwendige experimentelle Untersuchungen, mathemat. Berechnungen, Erklärungs- oder Demonstrationszwecke oder zur Optimierung des Originals verwendet wird. **Techn. M.** dienen bes. zur Veranschaulichung von Strukturen und Konstruktionen, zur Unterrichtung und als wiss. Versuchsobjekt **(M.-Versuche).** In der Gießerei werden M. zur Herstellung von Gussformen verwendet. **Wirtschaftstheoret. M.** sind ein vereinfachtes Abbild des tatsächl. Wirtschaftsablaufs, z.T. in mathemat. Formulierung.

Modelleisenbahnen, naturgetreue, maßstäblich verkleinerte Nachbildungen von Eisenbahnen und Eisenbahnanlagen. Übliche Verkleinerungsmaßstäbe sind 1:220 (sog. **Spur Z;** Spurweite 6,5 mm), 1:160 (**Spur N;** 9 mm), 1:120 (**Spur TT;** 12 mm), 1:87 (**Spur H0;** 16,5 mm), 1:64 (**Spur S;** 22,5 mm), 1:45 (**Spur 0;** 32 mm), 1:32 (**Spur I;** 45 mm), 1:22,5 (**Spur G;** 54 mm).

Modellflugzeuge, →Flugmodell.

Modellschule (Schulversuch), Schule, an der (z.T. auch nur in bestimmten Klassen oder Stufen) neue Unterrichts- und Erziehungsformen und neue pädagog. und organisator. Konzepte erprobt werden. Bevor eine Schulart öffentl. Regelschule wird, wird sie häufig und nach Bundesländern unterschiedlich lange als Schulversuch geführt, z.B. die Varianten der Gesamtschulen, Ganztagsschulen, die integrierten Klassen für Haupt- und Realschüler. Andere werden später nicht in das allg. Schulwesen übernommen (etwa die Laborschule von H. von Hentig), jedoch werden häufig Anregungen aufgegriffen. Viele staatlich anerkannte Privatschulen haben oder hatten M.-Charakter, z.B. die Landerziehungsheime, die Montessori- und Waldorfschulen, bes. die Hiberniaschule.

Modem [Kw. aus **Mo**dulator-**Dem**odulator] *der,* auch *das,* Gerät zur Übertragung digitaler Daten eines Computers über Fernsprechleitungen, wobei die Datensignale auf hochfrequente Trägerschwingungen moduliert und am Empfangsort durch Demodulation wieder in digitale Daten zurückverwandelt werden. Ein M. wird i. Allg. an eine serielle →Schnittstelle des Computers angeschlossen **(externes M.)** oder als Steckkarte in den Computer eingesetzt **(internes M.)**. M. sind u.a. erforderlich für die →Datenfernverarbeitung und die Teilnahme an →Onlinediensten und/oder am →Internet über das Fernsprechnetz.

Moden [engl.-lat.], Eigenschwingungen (Resonanzfrequenzen) oder bestimmte Wellenformen in schwingungsfähigen Systemen, i.e.S. in opt. Resonatoren (bes. in Lasern und Masern) und Wellenleitern (z.B. Hohl- und Lichtleiter), denen stationäre Feldverteilungen der elektromagnet. Wellen entsprechen.

Modena, 1) Prov. Italiens, in der Region Emilia-Romagna, 2690 km², (1995) 608600 Einwohner.

2) Hauptstadt von 1), Italien, am Rand der Poebene, 174700 Ew.; Erzbischofssitz; Univ., PH, geophysikal. Observatorium; Auto-, Maschinenbau-, Leder-, Schuh-, Nahrungsmittelindustrie. – Der Dom San Geminiano (dreischiffige Basilika, 1099 begonnen, 1184 geweiht) mit 88m hohem Glockenturm, die Piazza Grande und die Torre Civica wurden zum UNESCO-Weltkulturerbe erklärt; mehrere Paläste, u.a. Palazzo dei Musei (1753) und Palazzo Ducale (1634; heute Militärakademie). – Das röm. **Mutina** wurde 183 v.Chr. an der Via Aemilia gegründet; seit 1288 stand M. meist unter Herrschaft der →Este, wurde 1452 mit Reggio nell'Emilia Herzogtum, kam 1814 an das Haus Österreich-Este; 1860 mit dem neuen Königreich Italien vereinigt.

moderato [italien.], Abk. **mod.,** musikal. Vortragsbezeichnung: gemäßigt; häufig in Zusammensetzungen, z.B. **allegro m.,** mäßig schnell, **andante m.,** mäßig gehend.

Moderlieschen (Länge 9 cm)

Moderator [lat.] *der,* **1)** *Publizistik:* Leiter einer Gesprächsrunde, bes. im Hörfunk und Fernsehen; i.e.S. Redakteur, der die Beiträge einleitet und kommentiert; auch der Leiter von Arbeitsgruppen oder Konferenzen.

2) *Reaktortechnik:* Bez. für Stoffe, in denen hochenerget. (schnelle) Neutronen, wie sie z.B. bei Kernspaltungen entstehen, durch elast. Stöße auf niedrige (therm.) Energien abgebremst werden. (→Kernreaktor)

Modena 2): Ansicht der Westfassade des im 13. Jh. vollendeten romanischen Doms San Geminiano (Baubeginn 1099)

Moderkäfer (Lathridiidae), weltweit verbreitete, artenreiche Familie 1–3mm langer Käfer; ernähren sich von Schimmelpilzen, leben im Falllaub, unter Baumrinden u.a. verschimmelnden Materialien, auch in feuchten Kellern.

Modena 2) Stadtwappen

Moderlies|chen (Leucaspius delineatus), nur 9cm langer einheim. Karpfenfisch in stehenden oder langsam fließenden Gewässern. Das Männchen betreibt Brutpflege.

modern [frz.], neuzeitlich, zeitgemäß, heutig; modisch.

Moderndance ['mɔdən dɑ:ns, engl.] *der,* amerikan. Form des Ausdruckstanzes (→Tanz), der dem strengen Kanon des klass. Balletts die freie Bewegung des tanzenden Körpers entgegensetzt. Als Stilepoche ist der M. auf die Zeit von 1926 (New Yorker Debüt von M. Graham) bis 1958 (Tod der Tänzerin D. Humphrey) beschränkt. Durch die Arbeiten von T. Tharp, L. Dean u.a. wurde aus dem M. der →Newdance.

moderne Architektur. Die Veränderung der wirtsch. und sozialen Strukturen um die Wende zum 20. Jh. sowie der Protest gegen Stilnachahmung und Historimus am Ende des 19. Jh. waren in Europa und Amerika die auslösenden Faktoren für die experimentelle m. A.; ihre wesentl. Aufgaben: die Entwicklung neuer Raumkonzeptionen und Formensprachen auf der Grundlage der neuen Bedürfnisse, Materialien und Konstruktionsverfahren. Durch die neuen gesellschaftl. Bedingungen für den Wohn- und Siedlungsbau, für Industrie- und Verwaltungsbauten, Kulturzentren und Sporthallen, Verkehrs- und Stadtplanung wurde mit der Verwendung von

Stahl und Beton (Stahlbeton), von großen Glas- und Aluminiumflächen, von Kunststoffen sowie von serienmäßig konstruierten Fertigteilen aus allen Materialbereichen die Auffassung von Architektur und ihrer Formensprache im Sinne des →Funktionalismus revolutioniert. Lässt man die Entwicklungstendenzen in der Ausbildung der Stahlskelettbauweise des 19. Jh. unberücksichtigt, so kann der Beginn der m. A. auf die Zeit um 1890 festgelegt werden. L. H. Sullivan und die Chicagoer Schule brachten mit ihrer Forderung, dass die Form immer der Funktion zu entsprechen habe, einen neuen Kanon des Bauens ein. Die Tendenz zu klar gegliederten und aus der Funktion entwickelten Baukörpern zeigten auch die europ. Richtungen des →Jugendstils (P. Behrens, H. van de Velde, O. Wagner, J. M. Olbrich, A. Loos, J. Hoffman, V. Hortha, H. P. Berlage, C. R. Mackintosh), des Dt. →Werkbundes, des →Bauhauses und der De Stijl-Gruppe. Das kub., horizontale, sachlich nüchterne Prinzip setzte sich Mitte der 1920er-Jahre gegenüber gegenläufigen Tendenzen (etwa dem Expressionismus einiger Bauten von P. Behrens, E. Mendelsohn, H. Poelzig, B. Taut) durch. Des Weiteren kann der Begriff des »organ. Bauens« (→organische Architektur), wie er von F. L. Wright in Amerika konzipiert wurde, als Maxime für alle bedeutenden Schulen und Architekten des 20. Jh. gelten. Neben Wright gehörten L. Mies van der Rohe, Le Corbusier und W. Gropius zu den einflussreichsten Architekten der 1. Hälfte des 20. Jh. Vorbildl. Siedlungsbauten schufen J. Oud, E. May und H. Häring. In Finnland wirkte A. Aalto. Der internat. Durchbruch der m. A. erfolgte mit den v. a. in den 1920er-Jahren entwickelten Stileigentümlichkeiten (→Internationaler Stil), und zwar in den USA in den 1930er-Jahren, in den lateinamerikan. Ländern in den 1940er-Jahren (v. a. Brasilien und Mexiko) und in den 1950er-Jahren in Japan.

In den 1950er-Jahren wurden innerhalb der m. A. neue Impulse wirksam, die unter dem Namen →Brutalismus zusammengefasst werden und eine Erneuerung der experimentellen m. A. und ihres funktionalen und organ. Denkens darstellen. Daneben entwickelten sich weitere, z. T. gegenläufige oder auch ineinander übergehende Strömungen (Funktionalisten, Strukturalisten, rationale Architektur).

Zur Kennzeichnung der Richtung der Architektur der 1970er- und 1980er-Jahre, die auf Elemente früherer Stile zurückgreift (R. Venturi, C. W. Moore, R. Stern, J. Stirling, Isozaki Arata, P. Portoghesi, P. Johnson), übernahm der amerikan. Architekturtheoretiker Charles Jencks (*1939) 1975 den sonst recht vielschichtigen Begriff →Postmoderne. In den 1990er-Jahren zeichnet sich der Beginn einer neuen Entwicklung mit der Architektur des vom russ. Konstruktivismus inspirierten Dekonstruktivismus ab (F. O. Gehry, Zaha Hadid, P. Eisenman, R. Koolhaas, B. Tschumi, Coop Himmelblau, G. Behnisch u. a.). Wachsende Bedeutung kommt der Hightech-Architektur (Sir N. Foster, R. Rogers, R. Piano u. a.) sowie dem →ökologischen Bauen zu.

🕮 *M. A. in Dtl. 1900 bis 1950, Expressionismus u. neue Sachlichkeit, hg. v.* V. M. LAMPUGNANI *u.* R. SCHNEIDER, *Ausst.-Kat. Deutsches Architektur-Museum, Frankfurt am Main. Stuttgart 1994.* – FRAMPTON, K.: *Die Architektur der Moderne. Eine krit. Baugeschichte. A. d. Engl. Stuttgart* ⁵*1995.* – GAVINELLI, C.: *Die Neue Moderne. Architektur in der zweiten Hälfte des 20. Jh. A. d. Italien. Stuttgart u. a. 1997.*

moderne Kunst, Sammelbegriff für die seit etwa 1870 aufgekommenen verschiedenartigen Kunststile in Malerei, Grafik und Plastik. In Ablehnung der offiziellen Akademiekunst entstand in Frankreich der →Impressionismus. Als Gegenbewegung zum Neoimpressionismus entwickelte sich der →Symbolismus. In seiner Neigung zum Ornamentalen und zur Flächenhaftigkeit setzten sich im →Jugendstil die Tendenzen fort, sich von einer illusionist. Bildkonzeption zu lösen. Entschiedener brachen die Expressionisten mit den realistisch-illusionist. Traditionen des 19. Jh.; ihr Interesse galt der von Regeln weitgehend befreiten subjektiven Ausdruckssteigerung des Bildes. Diese Auffassung vertreten auch die →Neue Sachlichkeit oder der den traditionellen Kunsttechniken eine Absage erteilende →Dada.

Zur kontinuierl. Entwicklung einer »konkreten«, von der »Wirklichkeit« mehr und mehr unabhängigen Formensprache führte dagegen der Ansatz von P. Cézanne. Auf der Grundlage der von ihm erarbeiteten Strukturprinzipien bei der Wiedergabe der sichtbaren Erscheinungen der Wirklichkeit baute der →Kubismus von P. Picasso und G. Braque als bahnbrechende Kunstrichtung im ersten Jahrzehnt des 20. Jh. auf. Er bildete die Voraussetzung sowohl für den italien. →Futurismus als auch für die vollständig von figürl. Wiedergabe losgelöste Auffassung der konstruktivist. Malerei und →Objektkunst (u. a. →Konstruktivismus, De →Stijl). Das →Bauhaus leistete einen wichtigen Beitrag auf nahezu allen künstler. Gebieten. Kubismus, Futurismus und bes. der russ. Konstruktivismus und Suprematismus schufen neue Bildgattungen: Collage, Assemblage und Montage erweiterten den Begriff des Tafelbildes und eröffneten dem Bild plast. Dimensionen. Für die Plastik wurde zu Beginn des 20. Jh. die Auseinandersetzung mit außereurop. und prähistor. Arbeiten richtungweisend (Picasso, C. Brâncuşi, H. Moore,

A. Giacometti). Von vielen Bildhauern der Folgezeit wurde die Beziehung zum Figürlichen ganz aufgegeben, ihr Formenrepertoire ist organisch oder geometrisch bestimmt; die Verwendung von Altmaterialien führte zur Objektkunst.

Einen Weg der Interpretation der Wirklichkeit beschritten die Künstler des →Surrealismus (M. Ernst, S. Dalí, R. Magritte). Die innerhalb der surrealist. Bewegung teilweise praktizierte Écriture automatique wurde in den 1940er- und 1950er-Jahren in den USA zur Grundlage des →abstrakten Expressionismus. Bes. in seiner europ. Ausprägung (Tachismus, →informelle Kunst) fußt er zugleich auf der abstrakten Kunst, wie sie bis in die 1950er-Jahre in vielen Richtungen vertreten wurde. Als Gegenrichtung zum abstrakten Expressionismus entstanden zugleich →Hardedge und →Farbfeldmalerei, die die Tendenzen konkreter Kunst aufnahmen. →Happening und →Fluxus der 1960er-Jahre suchten die Grenze zw. Publikum und (improvisierenden) Akteuren zu verwischen, das Publikum war zur Mitgestaltung angehalten (jeder ist Künstler). Ähnlich rechnen Y. Klein, P. Manzoni und L. Fontana mit der Aktivierung des Betrachters, wenn das Gemälde bzw. die Farbe und/oder das Material in ihren Bildern nur noch sich selbst zum Gegenstand haben. Sie führten damit die moderne Malerei und Plastik in eine konzeptionelle Richtung, ebenso wie die →Minimalart. Die →Conceptart ist v.a. dadurch charakterisiert, dass die kreative Geste weitgehend durch das Nachdenken über Formen der Kunst und ihre grundsätzl. Positionen ersetzt wird. Der Betrachter wird über den Intellekt in die konzeptionelle Strategie der künstler. Zusammenhänge als aktiver Mitdenker einbezogen. Dem gleichen Ziel dienen die in der neuen →Prozesskunst verwendeten Medien (Fotografie, Film, Videoaufzeichnungen) zur Wiedergabe von Prozessen der Land-Art, →Body-Art und des →Performance. Die →Pop-Art wie auch die versch. Formen des →Realismus, die in den 1960er- bzw. 1970er-Jahren auftraten, interpretieren wieder die Objektwelt, indem sie den Zivilisationsprozess der Gegenwart künstlerisch darstellen. Ausgehend von einer Problematisierung des Raums, die in der Bildhauerkunst allg. Thema geworden war, erweiterte sich das Objekt in den 1960er-Jahren zum →Environment. Als neues Element wurde die Bewegung in die Objekt- und Raumkunst einbezogen, vorbereitet durch die visuellen Experimente der →Op-Art. Es entstanden verwandelbare Objekte, bewegbare Maschinen und Lichtprojektoren (→kinetische Kunst).

Neben einer von sozialkrit. oder ökolog. Anliegen getragenen Kunst zeichnete sich seit Mitte der 1970er-Jahre ein neues Interesse an einer gestisch-intuitiven und individuellen Malerei ab. In Dtl. wird dieser Neoexpressionismus u.a. vertreten von G. Baselitz, J. Immendorf, M. Lüpertz und A. Kiefer. Vergleichbare Tendenzen zeigen sich in den USA im farbenfrohen Pattern-Painting und in Italien in der →Arte cifra der Transavanguardia. Sie lösten eine Bewegung aus, die in Dtl. als →Neue Wilde, in den USA als »New-Image-Painting« und in Frankreich als »Figuration libre« bezeichnet wird. In ihrem unbekümmerten Umgang mit vergangenen Stilen, Formen, Farben, Kitsch und v.a. in dem Rückzug auf Subjektivität und Gefühl wird ein Bruch mit der klass. Moderne und der intellektuellen Kunst der Folgezeit gesehen. Aus diesen Gründen, aber auch in Hinblick auf den Pluralismus der Stile und den Trend, die Grenzen zw. den einzelnen Kunstgattungen zu verwischen, wird auf die zeitgenöss. Kunst – nicht unumstritten – auch der Begriff →Postmoderne angewendet.

📖 HAFTMANN, W.: *Malerei im 20. Jh.*, 2 Bde. *München* [5–8]*1987–93.* – HAMMACHER, A. M.: *Die Plastik der Moderne. A. d. Amerikan. u. Niederländ. Frankfurt am Main u.a. 1988.* – DANTO, A. C.: *Kunst nach dem Ende der Kunst. A. d. Engl. München 1996.* – WELSCH, W.: *Unsere postmoderne Moderne. Berlin* [5]*1997.*

Moderner Fünfkampf, olymp. Mehrkampf (seit 1912) in fünf Disziplinen für Männer und Frauen, bei dem urspr. an mehreren aufeinander folgenden Tagen Fechten, Schwimmen (200 m Freistil), Schießen (Luftpistole), Geländelauf (3000 m) und Reiten (15 Sprünge) zu absolvieren waren; seit 1993 auf einen Tag reduziert (One-Day-Event); die Ergebnisse werden in Punkte umgerechnet.

Modernisierung, mit dem Fortschrittsbegriff verbundene Bez. für gezielte Veränderungen einer Gesellschaft, in histor. Perspektive oft angewandt für die planmäßige Beschleunigung des Wandels von der Agrar- zur Industriegesellschaft oder für Maßnahmen zur Weiterentwicklung der Industriegesellschaft.

Modernismus [lat.] *der,* **1)** *allg.:* Bejahung des Modernen, bes. in Kunst und Literatur.

2) *kath. Kirche:* von dem Freiburger Dogmatiker Carl Braig (*1853, †1923) geprägte Bez. für das Ende des 19. Jh. innerhalb der kath. Kirche (zuerst in Frankreich) einsetzende, von Aufklärung und Liberalismus beeinflusste Streben kath. Theologen nach einem Ausgleich zw. kirchl. Lehre und modernem Denken. Im Ggs. zur (päpstlich geförderten) →Neuscholastik vertraten die »Modernisten« einen historisch-krit. Denkansatz (Bibelkritik; Erweis der Dogmen als geschichtlich gewordener und somit wandelbarer Beschreibungen christl. Glaubensinhalte) und sahen sich kirchlicherseits den Vorwürfen des Historismus und

Otto Modersohn: »Herbst im Moor« (1895; Bremen, Kunsthalle)

Evolutionismus ausgesetzt. 1907 verurteilte Papst Pius X. den M.; 1910 schrieb er den **Antimodernisteneid** vor, der bis 1967 zusätzlich zum Glaubensbekenntnis vor Antritt eines kirchl. Amtes und auch von Professoren der Theologie und Philosophie an katholisch-theolog. Fakultäten abgelegt werden musste.

3) *Literatur:* (span. Modernismo) poet. Richtung in der span. und lateinamerikan. Literatur, etwa 1890–1910 (begr. von R. Darío), die Anregungen der frz. Romantiker, der Parnassiens und des Symbolismus aufnahm und eine poet. Erneuerung durch eine rein ästhetisch bestimmte Kunst des »L'art pour l'art« propagierte.

Modernjazz ['mɔdəndʒæz, engl.], übergreifende Bez. für den Jazz zw. 1940 und 1960. Zum M. zählen v.a. Bebop, Cooljazz und Hardbop.

Paula Modersohn-Becker: »Bauernkind«, um 1904/05 (Bremen, Kunsthalle)

Modersohn, Otto, Maler, *Soest 22. 2. 1865, †Rotenburg (Wümme) 10. 3. 1943; seit 1901 ⚭ mit Paula M.-Becker; Mitbegründer der Künstlerkolonie »Worpswede«, malte stimmungsvolle Landschaftsbilder (v.a. die Umgebung von Worpswede) in meist dunklen, gedämpften Farben.

Modersohn-Becker, Paula, geb. Becker, Malerin, *Dresden 8. 2. 1876, †Worpswede 20. 11. 1907; seit 1901 ⚭ mit O. Modersohn; kam 1898 nach Worpswede; seit 1900 Aufenthalte in Paris. In ihren Bildern (v.a. Frauen, Kinder, Selbstbildnisse, Stillleben) suchte sie das Ursprüngliche in Menschen und Dingen zu erfassen. Ihre Ausdrucksmittel sind durch starke Formvereinfachungen und flächenhafte Farbwirkungen gekennzeichnet.

📖 MURKEN-ALTROGGE, C.: *P. M.-B. Leben u. Werk. Köln ⁶1995.*

Mo Di (Mo Ti, latinisiert Micius), chines. Philosoph, *etwa 480 v. Chr., †etwa 390 v. Chr.; vertrat im Ggs. zu den von Konfuzius entwickelten, nach Verwandtschaft und persönl. Nähe gestaffelten Solidaritätsvorstellungen das Prinzip einer »allumfassenden« Liebe und lehnte die traditionellen Klassenunterschiede ab; wandte sich gegen Angriffskrieg und Luxus.

Modiano [mɔdja'no], Patrick, frz. Schriftsteller, *Paris 30. 7. 1945; schreibt am Nouveau Roman geschulte Romane in präziser Sprache mit Rückblenden in die Zeit des 2. Weltkriegs und die Judenverfolgung, u.a. »Villa triste« (1975), »Die Gasse der dunklen Läden« (1978), »Eine Jugend« (1981), »Straferlaß« (1988), »Dora Bruder« (1997).

Modifikation [lat.] *die,* **1)** *allg.:* Abänderung.

2) *Biologie:* nichterbl. Veränderung einer Tier- oder Pflanzenart durch äußere Einflüsse (Anpassungsreaktion).

3) *Kristallographie:* eine von mehreren mögl. kristallinen Zustandsformen einer Substanz.

Modigliani [modi'ʎa:ni], **1)** Amedeo, italien. Maler, Bildhauer, *Livorno 12. 7. 1884, †Paris 25. 1. 1920; lebte seit 1906 meist in Paris; malte zunächst fauvist. Porträts, seit 1909 entstanden plast. Arbeiten, die den Einfluss afrikan. Plastik zeigen. Die Stilisierung übertrug er in seine Malerei und fand nach 1910 einen Porträtstil mit überlängten Formen, in dem er die Individualität der Dargestellten (v.a. Köpfe und Akte junger Frauen) bewahrt und ihnen einen lyrisch-melanchol. Ausdruck verleiht.

📖 ROSE, J.: *A. M. Sein Leben, sein Werk, seine Zeit. A. d. Engl. Neuausg. Frankfurt am Main 1994.*

2) Franco, amerikan. (seit 1946) Volkswirtschaftler italien. Herkunft, *Rom 18. 6. 1918; seit 1950 Prof., seit 1962 am Massachusetts Institute of Technology; Vertreter des Postkeynesianismus; erhielt 1985 für seine Lebenszyklushypothese des Sparens und wirtschaftstheoret. Arbeiten über die Einschätzung des Marktwertes von Unternehmen **(M.-Miller-Theorem)** den Nobelpreis für Wirtschaftswissenschaften (→Miller, Merton).

Mödl, Martha, Sängerin (dramatischer Sopran), *Nürnberg 22. 3. 1912; wurde 1953 Mitglied der

Württemberg. Staatsoper in Stuttgart; gefeierter Gast an den bed. Opernhäusern der Welt sowie bei Festspielen (Bayreuth, Salzburg), v.a. als Wagner-Interpretin.

Mödling, Bezirks-Hptst. in NÖ, am Alpenostrand südlich von Wien, 20300 Ew.; Missionsethnograph. Museum St. Gabriel; wichtiges Ind.-zentrum: Maschinenbau, Möbel-, Elektro- u.a. Ind. – Mittelalterl. Stadtbild, spätgot. Pfarrkirche mit barocker Einrichtung, Renaissance-Rathaus (1548). – 903 erstmals genannt, seit 1875 Stadt.

Modrow [-oː], Hans, Politiker, *Jasenitz (heute Jasienica, bei Stettin) 27. 1. 1928; 1967–89 Mitgl. des ZK der SED, 1973–89 Bezirkssekretär der SED in Dresden, Vors. des Ministerrats der DDR (Nov. 1989 bis April 1990). Ab Dez. 1989 Mitgl. des Parteivorstandes, ab Febr. 1990 Ehrenvors. der PDS, war 1990–94 MdB; ab 1999 MdEP. – Im Aug. 1995 verurteilte ihn das Land-Ger. Dresden wegen Fälschung der Kommunalwahlergebnisse von 1989 zu einer mehrmonatigen Freiheitsstrafe auf Bewährung.

Modul [von lat. modulus »Maß«, »Maßstab«] *der,* **1)** *Baukunst:* der halbe untere Säulendurchmesser, eine relative Maßeinheit, mit deren Hilfe Dimensionen und Proportionen in der antiken Formenlehre bestimmt wurden; in der Renaissance und im 20. Jh. aufgegriffen **(Modulordnung).**

2) [moˈduːl] *das, Datenverarbeitung:* austauschbares Teil eines Geräts (Hardware) oder eines Programms (Software), das eine geschlossene Funktionseinheit bildet und mit anderen M. über Schnittstellen verbunden ist. **Hardware-M.** sind meist bestückte Leiterplatten, die elektrisch und mechanisch nicht zerstörungsfrei getrennt werden können; **Software-M.** sind häufig Unterprogramme.

3) *Maschinenbau:* das Verhältnis des Teilkreisdurchmessers zur Zähnezahl eines Zahnrads.

4) *Mathematik:* a) Verallgemeinerung des Begriffes »linearer Raum« für den Fall, dass die »Operatoren« einem Ring entnommen sind; b) eine Konstante, die in der Theorie der ellipt. Integrale auftritt; c) der Faktor, durch den sich der dekad. Logarithmus vom Logarithmus zu einer anderen Basis unterscheidet.

5) *Physik:* eine Materialkonstante, z.B. Elastizitätsmodul.

Amedeo Modigliani: »Pablo Picasso« (1915; Genf, Galerie Moos)

MODULA-2, höhere Programmiersprache, die auf → PASCAL aufbaut und als wichtigste Erweiterung ein Konzept von »Moduln« besitzt. Ein Modul ist hierbei eine Zusammenfassung von Programmelementen wie Konstanten, Datentypen, Prozeduren und anderen Moduln zu einer Einheit.

Modulation [lat.] *die,* **1)** *Musik:* der Übergang von einer Tonart in eine andere. Die M. wird be-

Modulation 1) von a-Moll nach e-Moll, Notationsschema (links) und Ausführungsbeispiel aus einem dreistimmigen Satz von Johann Sebastian Bach; darunter Modulation von a-Moll nach G-Dur, Notationsschema (links) und Ausführungsbeispiel aus den »Kinderliedern« Op. 42 von Max Reger

wirkt durch harmon. Umdeutung der Dreiklänge und durch Einführung von chromat., der Ausgangstonart leiterfremden Tönen, die für eine neue Tonart Leittonbedeutung haben. Wird eine Tonart nur vorübergehend berührt, spricht man von **Ausweichung.**

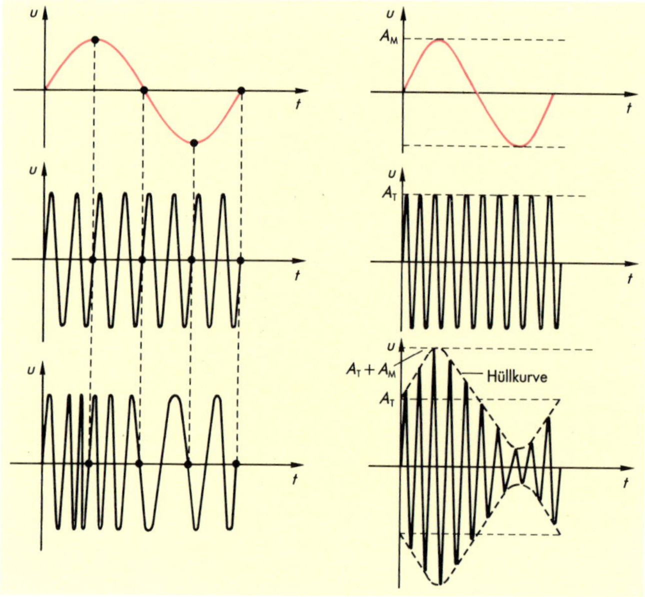

Modulation 2) bei einer Frequenzmodulation (links) und einer Amplitudenmodulation; die Trägerschwingung (jeweils in der Mitte) wird durch eine Modulationsschwingung (rot) moduliert; aufgetragen ist die Amplitude *u* der Schwingung gegen die Zeit *t*; A_M Amplitude der Modulationsschwingung, A_T Amplitude der Trägerschwingung)

2) *Nachrichtentechnik:* Veränderung von Signalparametern eines **Trägers** in Abhängigkeit von einem modulierenden Signal (z.B. **modulierende Schwingung, M.-Schwingung**). Der Träger ist dabei ein Zeitvorgang (z.B. Schwingungs-, Puls- oder Rauschvorgang). Die M. wird gewöhnlich dazu verwendet, niederfrequente Nachrichtensignale (z.B. Sprache, Musik, Bilder, Daten) hochfrequenten Schwingungen aufzuprägen, um sie den Eigenschaften eines geeigneten Übertragungsmediums (z.B. Funkstrecke, Lichtwellenleiter, Koaxialkabel) anzupassen oder um mehrere Nachrichten gleichzeitig über einen einzelnen Nachrichtenweg zu senden. Beim umgekehrten Vorgang, der →Demodulation, wird auf der Empfangsseite das ursprüngl. niederfrequente Signal wieder aus der Trägerschwingung zurückgewonnen. Harmon. Schwingungen gestatten die M. von Amplitude (Amplituden-M.), Frequenz (Frequenz-M.) oder Phase (Phasen-M.). Im einfachsten Fall ist der Träger eine Sinusschwingung. Bei der im Kurz-, Mittel- und Langwellenbereich gebräuchl. **Amplituden-M.** (Abk. **AM**) wird die Amplitude A_T der hochfrequenten Trägerschwingung durch die niederfrequenten Schwingungen der Nachricht beeinflusst. Die positiven Halbwellen vergrößern die Amplitude der Trägerschwingung, die negativen verkleinern sie, beides um so mehr, je größer die Amplitude A_M der M.-Schwingung ist. Das Verhältnis A_T/A_M bezeichnet man als **M.-Grad.** Die niederfrequente Modulationsschwingung bildet die Hüllkurven der modulierten Schwingung. Diese lässt sich auch als Überlagerung der Trägerschwingung mit zwei Schwingungen darstellen, deren Frequenzen durch die Summen- bzw. Differenzfrequenz **(Seitenfrequenzen)** gegeben werden; ihre Amplituden sind halb so groß wie A_T. Period. Folgen von Rechteckimpulsen ermöglichen die M. von Amplitude (Pulsamplituden-M.), Frequenz (Pulsfrequenz-M.), Phase (Pulsphasen-M.) und Dauer der Einzelimpulse (Pulsdauer-M.).

In der Rundfunksendetechnik unterscheidet man entsprechend der Stelle im Signalübertragungsweg, an der die M. erfolgt, **Vorstufen-M., Zwischenfrequenz-M. (ZF-M.)** und **Endstufen-M.** Als Träger für breitbandige Signale eignen sich insbesondere Mikrowellen und Licht. Zur Übertragung von Informationen mithilfe von Licht als Signalträger **(Licht-M.)** werden vorzugsweise Laserstrahlen moduliert. Man unterscheidet dabei unabhängig von der zu modulierenden Größe **äußere (externe) M.** (Laserstrahl wird außerhalb des Lasers moduliert), **innere (interne) M.** (Lichterzeugung wird selbst beeinflusst) und **Auskoppel-M.** (die Lichtenergie im opt. Resonator wird gesteuert ausgekoppelt).

Modus [lat.] *der,* **1)** *allg.:* Art und Weise, Maß, Regel.

2) *Grammatik:* Aussageweise des Verbs, die den Geltungsgrad der Aussage verdeutlicht (Indikativ, Konjunktiv, Imperativ).

3) *Philosophie:* die Art und Weise, in der eine Substanz in Erscheinung tritt. In der Logik nennt man die versch. syllogist. Schlussfiguren Modi (→Syllogismus).

Modus Vivendi, 1) *bildungssprachlich:* Form eines erträgl. Zusammenlebens zweier oder mehrerer Parteien (ohne Rechtsgrundlage).

2) *Völkerrecht:* auf Vereinbarung zw. Völkerrechtssubjekten beruhende, vorläufige Regelung.

Moeller-Barlow-Krankheit ['mœlər-'bɑ:ləʊ-; nach dem Chirurgen Julius Otto Moeller, *1819, †1887, und dem brit. Internisten Thomas Barlow, *1845, †1945] (Säuglingsskorbut), v.a. bei Säuglingen und Kleinkindern auftretende Krankheit; dem →Skorbut ähnlich, durch Mangel an Vitamin C in der Nahrung bedingt. Sie äußert sich in Blässe und Appetitlosigkeit, Schwellung der Glieder und Gelenke, Blutungen in Haut und Schleimhäuten.

Moeller van den Bruck ['mœ-], Arthur, Schriftsteller, *Solingen 23. 4. 1876, †(Selbstmord) Berlin 30. 5. 1925; übte als Gegner von Parlamentarismus und Liberalismus auf die jungkonservative Bewegung Einfluss aus; versuchte, nat. und soziale Gedanken zu verbinden. Der Titel seines Buches »Das dritte Reich« (1923) diente dem Nationalsozialismus (sinnentstellend) als politisches Schlagwort.

Moers ['mø:rs], Stadt im Kr. Wesel, NRW, am Niederrhein, 107100 Ew.; Grafschafter Museum (im Schloss), Motorradmuseum, Schlosstheater; Steinkohlenbergbau; chem. Ind., Spanplatten-, Armaturenherstellung. – Erstmals erwähnt im 8. Jh.; 1300 Stadtrecht. Die **Grafschaft M.** (mit Krefeld) kam 1600 an das Haus Nassau-Oranien (M. wurde zur niederländ. Festung ausgebaut; 1763 geschleift), 1702 an Preußen (mit Moers).

Mofa *das,* Abk. für **Mo**torf**a**hrrad, Fahrrad mit Hilfsmotor, ein →Kraftrad.

Mofette [frz.] *die, Geologie:* kühle (unter 100 °C), postvulkan. Kohlendioxidaustrittsstelle; z. B. die Hundsgrotte bei Neapel, M. im Gebiet des Laacher Sees.

Moffo, Anna, amerikan. Sängerin (Sopran) italien. Herkunft, *Wayne (Pa.) 27. 6. 1930; sang an den bed. Opernbühnen der Welt und wirkte bei Festspielen (Salzburg) sowie in Fernsehshows, Musik- und Spielfilmen mit.

Mofolo, Thomas, lesoth. Schriftsteller, *Khojane 22. 12. 1876, †Teyateyaneng 8. 9. 1948; verfasste mit »Chaka, der Zulu« (1925) den ersten histor. Roman der modernen afrikan. Literatur.

Mogadischu (Muqdisho, italien. Mogadiscio), Hptst. und Wirtschaftszentrum von Somalia, an der Küste des Ind. Ozeans, rd. 1 Mio. Ew.; Univ., Hochschule für islam. Kultur und Recht; Nahrungsmittel-, Textil-, Lederind., Fischfang; wichtigster Hafen des Landes, internat. Flughafen.

Mögel-Dellinger-Effekt [nach dem Ingenieur Ernst Hans Mögel, *1900, und dem amerikan. Physiker John Howard Dellinger, *1886, †1962], →Ionosphäre.

Mogelpackung, Bez. für eine Warenverpackung, die aufgrund ihrer äußeren Gestaltung eine Füllmenge vortäuscht, die nicht der Realität entspricht und somit gegen das Eichgesetz verstößt.

Mogiljow (weißruss. Mahiljoŭ), Hptst. des Gebiets M. in Weißrussland, am Dnjepr, 368200 Ew.; Hochschulen; Landmaschinen-, Lkw-Bau, Chemiefaserind.; Hafen.

Möglichkeit, eine der →Modalitäten neben »Wirklichkeit« und »Notwendigkeit«; 1) logisch möglich ist das, was widerspruchsfrei gedacht werden kann, 2) ontologisch möglich ist das, was sich unter bestimmten Voraussetzungen realisiert (das sachhaft Mögliche).

Möglichkeitsform, *Sprachwiss.:* der →Konjunktiv.

Mogul [pers. mughul, eigtl. »der Mongole«], muslim. Dynastie in Indien (1526–1858), die mongolisch-türk. Abstammung war. Die Herrscher über das M.-Reich (→Indien, Geschichte) wurden auch mit dem Titel »Großmogul« bezeichnet.

Mohács ['moha:tʃ], Stadt im südl. Ungarn, an der Donau, 21200 Ew.; Maschinenbau, Baustoff-, Holz- und Seidenind.; Hafen. – Bei M. besiegte am 29. 8. 1526 Sultan Suleiman II. König Ludwig II. von Ungarn und Böhmen. – Am 12. 8. 1687 erlitten die Türken bei M. eine Niederlage durch die Kaiserlichen unter Karl V. von Lothringen und Ludwig (»Türkenlouis«) von Baden.

Mohammadia (früher Perrégaux), Stadt in NW-Algerien, 53700 Ew.; Zentrum eines bewässerten Anbaugebietes für Frühgemüse, Wein, Zitrusfrüchte, Baumwolle; versch. Ind.; Straßen- und Eisenbahnknotenpunkt.

Mohammed [arab. »der Gepriesene«] (Muhammad), eigtl. Abul Kasim Muhammad Ibn Abd Allah, Stifter des →Islam, *Mekka um 570, †Medina 8. 6. 632; Angehöriger der Haschimiten, der führenden Sippe des in Mekka herrschenden Stammes der Koraisch; heiratete um 595 →Chadidja, die ihm u. a. →Fatima gebar; durch diese Heirat stieg er in die Oberschicht Mekkas auf. Auf seinen Handelsreisen als Kaufmann kam er mit den Lehren der jüd. und christl. Religion in Berührung; ein Visionserlebnis fasste er als seine persönl. Berufung zum Gesandten Gottes auf (Sure 96, 1–5) und predigte seither die »Offenbarungen Gottes«, die im →Koran zusammengefasst worden sind. M. verstand sich als zu den Arabern gesandter Prophet, mit dem (nach Mose, den alttestamentl. Propheten und Jesus) die Offenbarung des wahren Glaubens (der Religion Abrahams) abgeschlossen ist. Nach dem Tod Chadidjas (619) und Auseinandersetzungen um seine die Religion und Struktur

Mohammed

Mohammed zugeschriebener Bericht über den Beginn der Offenbarungen:

»Damals hielt ich einen Monat fromme Einkehr (in einer Höhle auf dem Berg) Hira. Dann stieg ich hinab, und als ich schon den Talgrund erreicht hatte, vernahm ich plötzlich, (wie ich gerufen wurde). Ich schaute nach vorn, nach hinten, nach rechts und nach links, erblickte aber niemanden. Wieder wurde ich gerufen; ich hob den Kopf, und siehe, da saß er hoch in der Luft auf seinem Thron – nämlich der Engel Gabriel! ›Hüllt mich ein! Hüllt mich ein!‹, schrie ich. Sie gossen Wasser auf mich. Der erhabene Gott schickte (die folgenden Verse) auf mich herab (Sure 74, 1–4): ›Der du dich eingehüllt hast! Steh auf und warne! Und deinen Herrn, den preise! Und deine Kleider, die reinige!‹«

Moers
Stadtwappen

Anna Moffo

Mohammed Siad Barre

der altarab. Stammesgesellschaft infrage stellende Predigt wanderte er 622 mit seinen v.a. den sozialen Unterschichten entstammenden Anhängern nach Medina aus (→Hidjra); dort wuchs seine Anhängerschaft rasch. Von Medina aus vollzog sich unter M.s Führung (u.a. nach militär. Auseinandersetzungen mit Mekka) die religiöse und polit. Einigung der arab. Stämme unter dem Islam; 630 konnte er Mekka besetzen und das altarab. Heiligtum →Kaaba als Mittelpunkt seiner Religion und als Ziel des →Hadjdj in Besitz nehmen.

🕮 PARET, R.: *M. u. der Koran. Stuttgart [7]1991.* – ARMSTRONG, K.: *Muhammad. Religionsstifter u. Staatsmann. A. d. Engl. Neuausg. München 1995.*

Mohammed V. ben Youssef

Mohammed (türk. Mehmed), Sultane des Osman. Reiches. **1) M. II. Fatih** [»der Eroberer«], (1451–81), *Adrianopel (heute Edirne) 30. 3. 1432, †bei Gebze 3. 5. 1481; eroberte 1453 Konstantinopel, dann die letzten byzantin. Besitzungen in Griechenland sowie Trapezunt, drang auf dem Balkan gegen Ungarn vor, unterstellte sich die Krim; nahm 1480 Otranto; stand mit italien. Höfen und Handelsrepubliken in Beziehungen.

2) M. IV. (1648–87), *Konstantinopel 30. 12. 1641, †Adrianopel (heute Edirne) 17. 12. 1692; errang außen- und innenpolit. Erfolge, erlitt 1683 vor Wien eine entscheidende Niederlage; wurde nach dem Verlust Ungarns von den Janitscharen entthront.

3) M. V. Reschad (1909–18), *Konstantinopel 2. 11. 1844, †ebd. 3. 7. 1918; kam durch die Jungtürken zur Macht, kämpfte seit 1914 (ohne führenden Einfluss) an der Seite Deutschlands.

Mohammedaner *der,* veraltete abendländ. Bez. für die →Muslime.

Mohammedia (bis 1961 Fédala), Hafenstadt an der Atlantikküste Marokkos, 105100 Ew.; Erdölraffinerie, Metall-, Textil-, chem. u.a. Ind., Fischverarbeitung; Seebad, Flugplatz.

Mohammed Resa Pahlewi

Mohammed Resa Pahlewi [-paxlɛ'vi], Schah von Iran (1941–79), *Teheran 26. 10. 1919, †Kairo 27. 7. 1980; bestieg nach der Abdankung seines Vaters Resa Schah 1941 den Thron; geriet 1953 in einen Verf.konflikt mit MinPräs. M. Mossadegh, der noch im selben Jahr gestürzt wurde. M. führte im Rahmen seines autoritären Reg.systems (gestützt v.a. auf die Geheimpolizei und die Armee) versch. innenpolit. Reformen durch (»Weiße Revolution«, u.a. eine Agrarreform) und intensivierte mithilfe der Öleinnahmen die Industrialisierung; ab 1959 ⚭ in 3. Ehe mit Farah Diba; 1967 Krönung zum Kaiser; ging unter dem wachsenden Druck der fundamentalistisch-islam. Opposition im Jan. 1979 außer Landes. Nach Ausrufung der »Islam. Republik« (April 1979) verurteilte ihn ein Revolutionsgericht in Abwesenheit zum Tode; lebte zuletzt im Exil in Ägypten. Weiteres BILD Iran

Mohammed Siad Barre, somal. Offizier und Politiker, *Distrikt Lugh 1919, †Lagos 2. 1. 1995; führte 1969 den Putsch gegen die demokratisch gewählte Reg. und war bis zum Umsturz 1991 Staatspräsident.

Mohammed V. ben Youssef [-ju-], Sultan (1927–57), König (1957–61) von Marokko, *Fès 10. 8. 1909, †Rabat 26. 2. 1961; erhob 1947 erstmals Anspruch auf die Unabhängigkeit seines Landes, wurde 1953 von der frz. Regierung abgesetzt und verbannt. 1955 konnte er nach Marokko zurückkehren und sein Land zur Unabhängigkeit (2. 3. 1956) von Frankreich und Spanien führen.

Mohär [engl., von arab. muhayyar »Stoff aus Ziegenhaar«] *der* (Mohair), Bez. für die von Angoraziegen (M.-Ziegen) gewonnene, aus 12–30 cm langen, stark glänzenden, feinen, wenig filzenden Haaren bestehende Wolle.

Mohavewüste [engl. məʊ'hɑːvɪ-], die →Mojavewüste.

Mohawk ['məʊhɔːk], nordamerikan. Indianerstamm, →Irokesen.

Mohawk River ['məʊhɔːk 'rɪvə] *der,* rechter Nebenfluss des Hudson River im Bundesstaat New York, USA, 238 km lang.

Mohenjo Daro [mo'hɛnʒo-], Ruinenstätte in Pakistan, die größte bekannte Siedlung der Induskultur (→Harappakultur) des 3. Jt. v. Chr. Die Ausgrabungen seit 1922 legten Reste von Häusern, Bädern, Brunnen und Abwasseranlagen frei (UNESCO-Weltkulturerbe).

Mohikaner (engl. Mohegan), nordamerikan. Indianerstamm aus der Gruppe der Algonkin, Reste (stark vermischt) in Connecticut, USA. Ein Teil der früher am Hudson lebenden, nahe verwandten **Mahican** begründete mit einigen Delaware einen neuen Stamm in Wisconsin. Die M. wurden durch J. F. Coopers Roman »Der Letzte der Mohikaner« (1826) bekannt.

Mohl, Robert von (seit 1837), Staatsrechtslehrer und Politiker, *Stuttgart 17. 8. 1799, †Berlin 4. 11. 1875; war u.a. Prof. in Heidelberg, 1848/49 Mitgl. der Frankfurter Nationalversammlung, 1874/75 des Reichstags. M.s Hauptverdienst liegt in seinen Schriften zur Staatsrechtslehre. »Das Staatsrecht des Königreichs Württemberg« (1829–31, 2 Bde.) ist die erste Darstellung, die Verf. und Verw. getrennt betrachtet; in »Die Polizei-Wissenschaft nach den Grundsätzen des Rechtsstaates« (1832–34, 3 Bde.) entwickelt er eine eigene Rechtsstaatskonzeption.

Möhler, Johann Adam, kath. Theologe, *Igersheim (bei Bad Mergentheim) 6. 5. 1796, †München 12. 4. 1838; seit 1826 Prof. in Tübingen, seit 1835 in München; Wegbereiter der kath. Konfessionskunde; begriff, von der Romantik beeinflusst, das Christentum als das in der Geschichte (der Kir-

Lucia Moholy: Porträt von Anni Albers, der Ehefrau des Malers Josef Albers

chen) fortlebende, sich ständig erneuernde Christusgeschehen.

Mohn (Papaver), Gattung der M.-Gewächse mit rd. 100 Arten in den gemäßigten Gebieten der N-Halbkugel; einjährige, Milchsaft führende Kräuter und Stauden mit kugeligen, eiförmigen oder längl. Kapselfrüchten; z.T. Nutz- und Zierpflanzen. Bekannte Arten: **Klatsch-M.** (**Feuer-M., Feld-M.,** Papaver rhoeas), bis 90 cm hoch, mit scharlachroten Blüten; auf Äckern und Ödland. **Island-M.** (Papaver nudicaule), 30–40 cm hoch, Blüte gelb; in der arkt. und subarkt. Region; wird als Schnittblume in verschiedenfarbigen Sorten kultiviert. **Schlaf-M.** (Papaver somniferum), 0,4–1,5 m hoch, mit violetten bis weißen Blüten, die am Grund dunkle Flecken haben; im östl. Mittelmeergebiet, seit langem in Vorderasien und Indien angebaut. Aus dem Milchsaft der unreifen Fruchtkapseln wird Opium gewonnen. Das durch kaltes Pressen der weißen, blauen oder schwarzen Samen gewonnene M.-Öl wird als Speiseöl sowie industriell genutzt. Blaue (opiumfreie) Samen werden auch in der Bäckerei verwendet.

Reinhard Mohn

Mohn, Reinhard, Verleger, *Gütersloh 29. 6. 1921; übernahm 1947 das väterl. Unternehmen (→Bertelsmann AG); unter seiner Leitung wurde der Verlag zu einem der weltgrößten Medienkonzerne, u.a. durch ein zweistufiges Vertriebssystem unter Einbeziehung des Buchhandels und unkonventionelle Werbemethoden. M. führte 1969/70 die Gewinnbeteiligung ein. 1947–81 Vorstandsvors. und bis 1991 Vors. des Aufsichtsrates der Bertelsmann AG; seither Vors. der Bertelsmann Stiftung.

Möhne *die,* rechter Nebenfluss der Ruhr, 57 km lang, entspringt bei Brilon, mündet bei Neheim-Hüsten. Die **M.-Talsperre** fasst 134,5 Mio. m^3 Wasser, der Stausee ist rd. 10,4 km^2 groß.

Moholy ['mohoj], Lucia, britische Fotografin tschech. Herkunft, *Prag 18. 1. 1894, †Zürich 17. 5. 1989; trat mit Porträt- und Architekturaufnahmen sowie Fotografien von Designobjekten hervor. 1921–34 war sie mit L. M.-Nagy verheiratet, an dessen Fotoexperimenten, kunstpädagog. und kunsttheoret. Schriften sie wesentl. Anteil hatte.

Moholy-Nagy ['mohoj'nɔdj], László, ungar. Maler, Grafiker, Bildhauer und Kunstpädagoge, *Bácsborsód (bei Baja, Bezirk Bács-Kiskun) 20. 7. 1895, †Chicago (Ill.) 24. 11. 1946; emigrierte über Amsterdam (1934) und London (1935) 1937 nach Chicago und übernahm hier die Leitung des New Bauhaus (später Institute of Design, heute Teil des Illinois Institute of Technology); wandte sich als experimentierender Künstler dem Konstruktivismus zu, war Vorreiter der Objektkunst und der kinet. Kunst; er verwendete v.a. Plexiglas und Metall, teilweise unter Einbeziehung von Licht und Bewegung (»Licht-Raum-Modulator«, 1922–30). Seit 1922 arbeitete er auch mit den Medien Fotografie und Film.

📖 *L. M.-N., übers. v.* C. NIELSEN *u.a. Stuttgart 1991.*

László Moholy-Nagy: »Licht-Raum-Modulator« (1922–30; Cambridge, Mass., Busch-Reisinger-Museum)

Mohorovičić-Diskontinuität [mɔhɔ'rɔvi:tʃitɕ-; nach dem kroat. Geophysiker A. Mohorovičić, *1857, †1936] (Mohorovičić-Fläche), Abk. **Moho,** Grenzfläche oder Übergangszone zw. Erdkruste und Erdmantel in durchschnittlich 25–40 km, unter Kontinenten bis 60 km, unter Ozeanen in 5 bis 7 km Tiefe.

Möhre (Daucus), weiß blühende Gattung zweijähriger Doldengewächse mit zwei- bis dreifach gefiederten Blättern und nestförmigen Fruchtdolden. Auf Wiesen und an Wegrändern verbreitet

Mohn (von oben): Klatschmohn (Höhe bis zu 90 cm) und Schlafmohn (Höhe 0,4–1,5 m)

Moissac: Kreuzgang der ehemaligen Benediktinerabtei Saint Pierre (um 1100)

Daniel arap Moi

Henri Moissan

Alexander Moissi

ist die **Wilde M.** (Daucus carota); die aus asiat. Wild-M. entstandene Kulturform mit fleischiger, rötl. Pfahlwurzel, **Mohrrübe** (**Garten-M., Gelbe Rübe,** Daucus sativus), ist ein wertvolles Nahrungsmittel mit hohem Vitamingehalt (Vitamine B, C und Carotin). Sorten mit kurzer rundl. Pfahlwurzel heißen **Karotten.**

Möhrenfliege (Psila rosea), 4–5 mm lange, schwarze, braunköpfige Nacktfliege, deren Maden (Eisenmaden) rostfarbene Gänge in die Wurzeln von Möhre u.a. Doldenblütlern fressen (»Eisenmadigkeit«).

Mohrenkopf, kugelförmiges Biskuitgebäck, mit Schokolade glasiert und mit Schlagsahne oder Creme gefüllt.

Mohrrübe, → Möhre.

mohrsche Waage [nach dem Pharmazeuten Carl Friedrich Mohr, * 1806, † 1879], Gerät zur Dichtebestimmung von Flüssigkeiten mithilfe des Auftriebs, den die zu untersuchende Flüssigkeit einem eingetauchten Körper verleiht.

Mohrungen, Stadt in Polen, → Morąg.

mohssche Härteskala [nach dem Mineralogen Friedrich Mohs, * 1773, † 1839], Härteskala für Minerale, → Härte.

Moi, Daniel arap, Politiker in Kenia, * Sacho (Distrikt Baringo) 1924; Lehrer, mehrfach Min. (u.a. Inneres, 1964–78) und 1967–78 Vizepräs. von Kenia, setzte als Staatspräs. und Vors. der Afrikan. Nationalunion von Kenia (seit 1978) 1982 das Prinzip der Einparteienherrschaft durch. Trotz Aufhebung dieses Prinzips 1991 verfolgt er weiterhin gegenüber oppositionellen Kräften einen repressiven Kurs.

Mo i Rana [mu-], Industriesiedlung in N-Norwegen, am inneren Ende des rd. 70 km langen Ranafjords; Stahlwerk, Kokerei, Düngemittelfabrik; Hafen; zentraler Ort der Gem. Rana (25 100 Ew.).

Moiré [moa're; frz., zu engl. mohair, nach dem Glanz der Mohärwolle] *das,* bei der Überlagerung zweier Gitter oder Raster äquidistanter, undurchsichtiger Linien auf transparentem Untergrund entstehende Erscheinung. M.-Effekte werden zur Analyse von Form- und Maßabweichungen größerer Oberflächengebiete ausgenutzt, z.B. mithilfe interferometr. (holograph.) Verfahren. M. treten in der Drucktechnik als störendes, regelmäßiges Muster in gedruckten Rasterbildern auf, das durch Überlagerung mehrerer Raster bei ungünstiger Rasterwinklung entsteht. Sie bewirken in der Fernsehtechnik die als Gitter- oder Streifenmuster auftretende, v.a. durch Funkstörungen verursachte Bildstörung. – In der Textiltechnik sind M. leicht gerippte Gewebe mit Wasserwellenmusterung; echte M. werden durch Prägen, unechte M. im Webprozess erzielt.

Moiren, grch. Schicksalsgöttinnen, Töchter des Zeus. Hesiod nennt drei M.: **Klotho,** die den Lebensfaden spinnt, **Lachesis,** die ihn zuteilt, und **Atropos,** die ihn abschneidet. Von den Römern wurden die M. den Parzen gleichgestellt.

Moissac [mwa'sak], Stadt im frz. Dép. Tarn-et-Garonne, am Tarn, 12 200 Ew. – Kirche Saint Pierre (geweiht 1180) der ehem. Benediktinerabtei mit Hauptwerken der südfrz. roman. Bauplastik (um 1100).

Moissan [mwa'sã], Ferdinand Frédéric Henri, frz. Chemiker, * Paris 28. 9. 1852, † ebd. 20. 2. 1907; arbeitete v.a. über Fluorverbindungen und stellte erstmals reines Fluor dar; M. entwickelte einen Elektroofen, in dem einige Elemente mit hoher Reinheit gewonnen werden konnten; ferner arbeitete er u.a. über Diamantsynthesen, Carbide, Boride und Silicide. 1906 erhielt er den Nobelpreis für Chemie.

Moissi, Alexander, österr. Schauspieler italien. Herkunft, * Triest 2. 4. 1880, † Wien 22. 3. 1935; kam über Wien, Prag nach Berlin an M. Reinhardts Dt. Theater (1906–33); galt neben J. Kainz als Prototyp des impressionist. Schauspielers.

Moivre [mwa:vr], Abraham de, frz. Mathematiker, * Vitry-le-François (Dép. Marne) 26. 5. 1667, † London 27. 11. 1754; befasste sich u.a. mit Wahrscheinlichkeitsrechnung und untersuchte die Winkelfunktionen mit imaginärem Argument. Der **moivresche Satz** in der Formulierung $(\cos\varphi + i\sin\varphi)^n = \cos n\varphi + i\sin n\varphi$ stammt von L. Euler (n rationale Zahl).

Mojavewüste [məʊ'ha:vɪ-] (Mohavewüste), Trockengebiet mit Wüstensteppenvegetation in SO-Kalifornien, USA, mit der tiefsten Depression N-Amerikas im Death Valley (86 m u. M.); etwa 40 000 km^2; Salzabbau.

Mokassin [indian.-engl.] *der,* urspr. ein aus einem Stück angefertigter absatzloser Wildlederschuh der nordamerikan. Indianer; heute nach diesem Schnitt gefertigter Straßen- oder Hausschuh.

Mokick *das,* →Kraftrad.

Mokka (Mocha), Hafenort in Jemen, am Roten Meer, bis zum Aufschwung von Hodeida und Aden im 19. Jh. der wichtigste Seeumschlagplatz S-Arabiens und Ausfuhrhafen für jemenit. Kaffee, heute mit rd. 6000 Ew. bedeutungslos.

Mokkastein, Mineral, ein →Chalcedon.

Mokp'o, Hafenstadt in Süd-Korea, 243100 Ew.; Fischfang und -verarbeitung, chem., keram. Ind., Maschinenbau.

Mol [gekürzt aus Molekulargewicht] *das,* Einheitenzeichen **mol,** SI-Basiseinheit der Stoffmenge; definiert als die Stoffmenge eines Systems, das aus ebenso vielen Einzelteilchen besteht, wie Atome in 12 g des Kohlenstoffnuklids ^{12}C enthalten sind; die Teilchenzahl gibt die →Avogadro-Konstante an. Bei Verwendung des M. müssen die Einzelteilchen des Systems spezifiziert sein und können Atome, Moleküle, Elektronen sowie andere Teilchen oder Gruppen solcher Teilchen genau angegebener Zusammensetzung sein. – Früher wurde die Stoffmenge auch als die Menge eines chem. Elements oder einer chem. Verbindung definiert, die seiner relativen Atommasse bzw. seiner relativen Molekülmasse in Gramm entspricht **(Grammatom** bzw. **Grammmolekül).**

Mol, Gemeinde in der Prov. Antwerpen, Belgien, 30200 Ew.; Großkraftwerk, Glas-, chem., feinmechan. Ind.; Kernforschungszentrum.

Molalität [lat.], Formelzeichen b, Angabe für die Zusammensetzung von Mischphasen. Die M. einer Lösung ist der Quotient aus der Stoffmenge n des gelösten Stoffes und der Masse m des Lösungsmittels. SI-Einheit ist Mol je Kilogramm (mol/kg).

Mokassin: Mit Stachelschweinborsten bestickte Schuhe der Irokesen

molare Masse (Molmasse), Formelzeichen M, der Quotient aus der Masse m und der Stoffmenge n eines Stoffes. SI-Einheit ist kg/mol; wird sie in g/mol angegeben, hat sie denselben Zahlenwert wie die relative Atom- bzw. Molekülmasse.

Molaren [lat.], die Backenzähne, →Zähne.

molares Volumen (Molvolumen), Formelzeichen V_m. Das m. V. einer Stoffmenge n ist der Quotient aus ihrem Volumen V und der Stoffmenge. – Unter Normbedingungen beträgt das m. V. aller hinreichend idealen Gase 22,414 l/mol.

molare Wärmekapazität (ältere Bez. Molwärme), bei Elementen auch →Atomwärme; die auf die Stoffmenge bezogene →Wärmekapazität.

Molarität *die,* Formelzeichen c, ältere Bez. für **Stoffmengenkonzentration** (→Konzentration). Sie ist der Quotient aus der Stoffmenge n eines gelösten Stoffes und dem Volumen V der Lösung. SI-Einheit ist Mol je Kubikmeter (mol/m³), meist wird jedoch die Einheit mol/l verwendet.

Molasse [frz. »sehr weich«] *die, Geologie:* Sedimente in Außen- und Innensenken aufsteigender Faltengebirge, Konglomerate, Sandsteine und Mergel; i.e.S. jungtertiäre, bis mehrere 1000 m mächtige Ablagerungsserie im nördl. Alpenvorland, teils Meeres-, teils Süßwasserbildungen mit Kohlen-, Erdgas- und Erdöllagern.

Molch, Gruppe der Schwanzlurche, →Molche und Salamander.

Molche und Salamander (Salamandridae), Familie der Schwanzlurche v.a. in Europa und Asien. Es werden die zumindest zur Paarungszeit im Wasser lebenden **Molche** mit seitlich abgeflachtem Schwanz und die ganzjährig an Land lebenden **Salamander** mit rundem Schwanzquerschnitt unterschieden.

In Mitteleuropa leben der leuchtend schwarz und gelb gemusterte **Feuersalamander** (Salamandra salamandra) in einer gefleckten und in einer gestreiften Unterart sowie der einheitlich schwarze **Alpensalamander** (Salamandra atra). Das Männchen des bis 18 cm langen **Kammmolchs** (Triturus cristatus) trägt während der Fortpflanzungszeit einen hohen, gezackten Hautkamm längs der Rückenmitte, der in schwächerer Ausbildung auch das Männchen des **Teichmolchs** (Triturus vulgaris) kennzeichnet. Der rotbäuchige **Alpen-** oder **Bergmolch** (Triturus alpestris) und der im männl. Geschlecht mit einem endständigen Schwanzfaden ausgestattete **Fadenmolch** (Triturus helveticus) tragen anstelle eines Kammes eine erhöhte Längsleiste auf dem Rücken.

1a

1b

2

3

Molche und Salamander (von oben): 1a Bergmolch (Weibchen), 1b Bergmolch (Männchen), 2 Kammmolch, 3 Alpensalamander

Molcho, Samy, israel. Pantomime, *Tel Aviv 24. 5. 1936; urspr. Tänzer, seit 1957 Soloprogramme; seit den 1970er-Jahren verstärkt Lehrtätigkeit; eröffnete 1977 in Wien die erste Pantomimenschule im dt.sprachigen Raum; schrieb u.a. »Körpersprache« (1983), »Partnerschaft und Körpersprache« (1990).

Samy Molcho

Moldau, 1) (rumänisch Moldova) histor. Landschaft in Rumänien, zw. O-Karpaten und Pruth, im O flaches Tafelland, in der Mitte Hügelland, im W gebirgig, im S Anteil an der Donauebene. Das Klima ist kontinental. Anbau von Getreide, Sonnenblumen, Zuckerrüben, Kartoffeln; Nahrungsmittel- u.a. Ind.; Vorkommen von Erdöl, Salz,

Moldawien

Fläche: 33 700 km²
Einwohner: (1995) 4,432 Mio. Ew.
Hauptstadt: Chișinău
Verwaltungsgliederung: 40 Landkreise, sechs kreisfreie Städte, vier Munizipien
Amtssprache: Moldawisch (Rumänisch)
Nationalfeiertag: 27. 8.
Währung: 1 Moldau-Leu (MDL) = 100 Bani
Zeitzone: MEZ + 1 Std.

Staatswappen

MD

Internationales Kfz-Kennzeichen

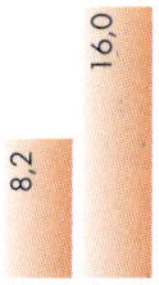

Bevölkerung (in Mio.)

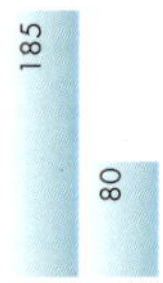

Bruttosozialprodukt je Ew. (in US-$)

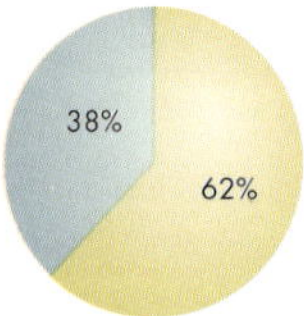

Bevölkerungsverteilung 1995

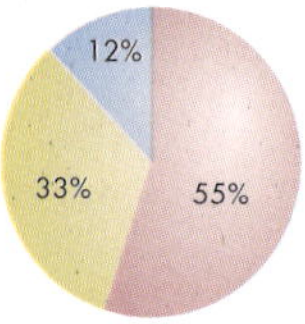

Bruttoinlandsprodukt 1994

Braunkohle. Größte Stadt ist Iași. – Das um 1352/53 zunächst als ungar. Lehen gegründete, seit 1359 unabhängige Fürstentum M. (Blüte unter Stephan III., d. Gr., 1457–1504) umfasste auch die Bukowina (1359–1775) und Bessarabien (1359–1812). Seit 1504 unter türk. Oberhoheit, zunächst von einheim. Woiwoden, seit 1711 von grch. Phanarioten (als Hospodare) regiert; erhielt durch die Konvention von Akkerman (1826) und den Frieden von Adrianopel (1829) weitgehende Autonomie. Unter Alexandru Ion I. Cuza (seit 1859) wurden die Fürstentümer M. und Walachei (Donaufürstentümer) zum Fürstentum Rumänien vereinigt.

2) *die* (tschech. Vltava), linker Nebenfluss der Elbe, Hauptfluss Böhmens, Tschech. Rep., 440 km lang, entspringt mit zwei Quellflüssen im Böhmerwald und mündet bei Melnik; am Oberlauf mehrere Staudämme mit Kraftwerken.

moldauische Sprache (moldawische Sprache), Bez. für das v. a. in Moldawien von etwa 3,34 Mio. Menschen gesprochene Rumänisch. Die moldauische Schriftsprache ist mit der rumän. identisch, bediente sich jedoch bis 1989 der kyrill. Schrift (seitdem des lat. Alphabets). Die Umgangssprache deckt sich weitgehend mit dem in der rumän. Moldau gesprochenen Dialekt.

Moldauklöster, Bez. für die im 15. und 16. Jh. in der nördlichen Moldau (Rumänien) erbauten Klöster, v. a. Humor, Voroneț, Arbore, Sucevița (1582–86) und Moldovița (UNESCO-Weltkulturerbe). In den Kirchenbauten, gestreckten Dreikonchenanlagen mit Satteldächern (meist inmitten von Befestigungsanlagen), sind byzantin. Einflüsse mit abendländ. Gotik verschmolzen. Das Ungewöhnliche der M. sind die mit Wandmalereien bedeckten Außenmauern der Kirchen. BILD S. 340

Moldawien (amtl. moldaw. Moldova, Republica Moldova; russ. Moldawija, dt. auch Moldau), Staat im SO Europas, grenzt im N, O und S an die Ukraine und im W an Rumänien. Den Bewohnern der Dnjestr-Region (Transnistrien) wurde 1992 der Status einer nat. Minderheit gewährt. Im SW des Landes besteht das autonome Gebiet Gagausien.

Staat und Recht: M. ist eine souveräne Rep. mit Präsidialsystem. Staatsoberhaupt ist der direkt gewählte Präs.; die Legislative liegt beim Einkammerparlament, die Exekutive bei der Reg. unter Vorsitz des MinPräs. Derzeit (1997) stärkste polit. Kraft ist die behutsamen Reformen zugewandte Agrardemokrat. Partei.

Landesnatur: M. entspricht dem größten Teil der histor. Landschaft Bessarabien. Es umfasst das wellige, nach S geneigte und von Flüssen und Schluchten zertalte Hügelland zw. Pruth im W und Dnjestr im O sowie einen schmalen Landstreifen links des Dnjestr, der das Gebiet Transnistrien bildet. In der Mitte erheben sich im Bereich der Zentralmoldawischen Platte die überwiegend von Eichenwäldern bedeckten Höhen der Kodry (bis 429 m ü. M.), im N liegen die Nordmoldawische Platte mit der Steppe von Bălți, im S die Südmoldawische Ebene und die Ebene Bessarabiens mit der Budschaksteppe. – Das Klima ist gemäßigt kontinental mit kurzen, schneearmen Wintern und langen, warmen und trockenen Sommern. Die Jahresniederschläge liegen zw. 350 und 550 mm.

Bevölkerung: Sie setzt sich (1989) zu 64,5 % aus Rumänen, hier Moldawier gen., 13,8 % Ukrainern, 13,0 % Russen, 3,5 % Gagausen, 2,0 % Bulgaren, 1,5 % Juden und 1,7 % Angehörigen anderer Nationalitäten zusammen. Zw. den Moldawiern einerseits und Russen, Ukrainern und Gagausen andererseits bestehen große ethn. Spannungen. Die Ukrainer wohnen bes. im O und S, die Russen östlich des Dnjestr und in Chișinău und die Gagausen in Gagausien im S. Am stärksten sind die zentralen Bezirke, der N und die Dnjestrplatte, am schwächsten ist die Budschaksteppe im S bevölkert. 47 % der Bev. leben in Städten. Die Gläubigen gehören hauptsächlich zur orth., eine Minderheit zur römisch-kath. Kirche. Es besteht eine zehnjährige Grundschulpflicht. M. verfügt über eine Akademie der Wiss., eine Univ. (in Chișinău) und sechs weitere Hochschulen.

Wirtschaft, Verkehr: Nach der polit. Unabhängigkeit begann die Umwandlung der von Moskau zentral gelenkten sozialist. Planwirtschaft zur privatwirtsch. orientierten Marktwirtschaft. Die durch Böden und Klima begünstigte Landwirtschaft ist Hauptwirtschaftszweig, in dem genossenschaftlich bewirtschaftete Betriebe bestimmend sind. Dagegen ist der Viehbestand großenteils wieder in Privatbesitz. Im industriellen Bereich arbeiten nur etwa 45% der Beschäftigten noch im staatlich kontrollierten Sektor. Die große Abhängigkeit von Rohstoffzulieferungen aus Russland (M. ist arm an Bodenschätzen) und die Abspaltung von Transnistrien, wo sich etwa 40% der Ind.kapazitäten befinden, wirken sich hemmend auf die weitere ökonom. Entwicklung M.s aus. Der Pflanzenbau ist vielfach nur bei Bewässerung ertragreich. Größte Bedeutung hat der Wein- und Obstbau. Aber auch der Anbau von Winterweizen, Sonnenblumen, Tabak, Zuckerrüben und Gemüse sowie die Viehzucht (Rinder, Schweine, Schafe; Geflügelhaltung) ist von großer Wichtigkeit. Vorherrschender Ind.zweig ist die Nahrungsmittelind. (Weine, Spirituosen, Obst-, Gemüse-, Fleischkonserven, Pflanzenöl), daneben sind Maschinen- (bes. Landmaschinen) und Gerätebau, Textil-, Bekleidungs- und Lederind. bedeutsam. Die Ind.betriebe sind v.a. in Chişinău, Tiraspol, Tighina und Bălţi angesiedelt. – Ausgeführt werden überwiegend Agrargüter und Erzeugnisse der Nahrungsmittelind. (einschl. Getränke und Zigaretten). Wichtigste Handelspartner sind die Ukraine, Russland, Rumänien, Dtl. und Weißrussland. – Das Verkehrsnetz (1340 km Eisenbahnlinien und 14500 km Straßen, davon 5000 km mit fester Decke) spielt im Transitverkehr zw. der Ukraine und den Balkanstaaten eine große Rolle. Flussschifffahrt wird auf Dnjestr und Pruth (über 1000 km lange Wasserstraßen) betrieben; in Chişinău internat. Flughafen; nat. Fluggesellschaft ist die Air Moldova.

Geschichte: 1924 errichtete die sowjet. Reg. im rumänisch-ukrain. Grenzgebiet die überwiegend von Rumänen (Moldauern, Moldawiern) bewohnte Moldauische ASSR. Diese wurde 1940 mit dem von Rumänien unter dem Druck eines stalinschen Ultimatums abgetretenen →Bessarabien zur Moldauischen SSR vereinigt. Im 2. Weltkrieg war M. 1941–44 dem rumän. Staatsgebiet eingegliedert. Nach der Rückeroberung durch die Rote Armee (1944) im alten Umfang rekonstituiert, erkannte Rumänien im Pariser Friedensvertrag (Febr. 1947) M. als Teil der UdSSR an. Am 23. 6. 1990 erklärte M. seine Souveränität innerhalb der UdSSR und am 27. 8. 1991 seine Unabhängigkeit. Das Streben der rumänischstämmigen Moldawier nach einer engen Bindung an Rumänien (Plan einer späteren Wiedervereinigung) führte zum Konflikt mit den Gagausen im S des Landes (im Aug. 1990 Ausrufung einer gagaus. Rep.) und mit der russisch-ukrain. Minderheit in dem östl. des Dnjestr liegenden Transnistrien (im Sept. 1991 Proklamation einer Dnjestr-Rep.). Beide Sezessionen erkannte die moldaw. Führung nicht an. Die ersten freien Präsidentschaftswahlen im Dez. 1991, die von den russisch-ukrain. und gagaus. Bev.gruppen boykottiert wurden, bestätigten Staatspräs. M. Snegur im Amt (seit 1990). In der Dnjestr-Region entwickelten sich die 1991 ausgebrochenen Kämpfe zw. russisch-ukrain. Separatisten (unterstützt von russ. Kosakenverbänden) und moldaw. Polizeieinheiten zu einem Bürgerkrieg. Die 14. GUS-Armee unter General Lebed griff in die Kämpfe ein und beendete sie. Nach dem Scheitern mehrerer Waffenstillstandsvereinbarungen und erfolglosen polit. Lösungsversuchen (im Juni 1992) erklärte das moldaw. Parlament offiziell die Bereitschaft M.s, Transnistrien weitgehende Autonomie zu gewähren. Ende Juli 1992 wurde eine

Moldawien: Blick auf die in den Höhen der Kodry am Fluss Răut gelegene Stadt Orhei

Friedenstruppe (russ. und moldaw. Soldaten sowie Gardisten aus der Dnjestr-Region) im Krisengebiet stationiert. Im Mai 1995 stimmten die Gagausen mehrheitlich dem Gesetz über den Sonderstatus ihrer Gemeinschaft zu.

Bei den Wahlen vom 27. 2. 1994 gewannen die kommunist. Kräfte (u.a. Agrardemokrat. Partei, Sozialist. Partei) die absolute Mehrheit. In einer Volksbefragung sprach sich am 6. 3. 1994 eine Mehrheit der Bev. für die Unabhängigkeit M.s, d.h. auch gegen eine Vereinigung mit Rumänien aus. Bei den Präsidentschaftswahlen 1996 siegte im 2. Wahlgang am 1. 12. P. Lucinschi mit Unterstützung der Linken.

📖 HOFBAUER, H. *u.* ROMAN, V.: *Bukowina, Bessarabien, M. Wien 1993.* – GÖTZ, R. *u.* HALBACH, U.: *Politisches Lexikon GUS. München* *³1996.*

Moldoveanu, höchster Berg Rumäniens, im Fogarascher Gebirge (S-Karpaten), 2544 m ü.M.

Mole [italien. molo] *die,* vom Ufer in die Wasserfläche ragendes Hafenbauwerk, das gegen Wind, Wellen und Strömung schützt.

Molekül [frz., von lat. moles »Masse«] *das* (Molekel), allg. jede Anordnung von zwei oder mehr Atomen, die durch ihre Wechselwirkung lange genug aneinander gebunden sind, um eine Einheit zu bilden und als solche beobachtet werden zu können. I.e.S. wird, v.a. in der Chemie, als M. der kleinste Teil einer Reinsubstanz bezeichnet, der noch deren chem. Eigenschaften besitzt und durch eine chem. Bindung zusammengehalten wird; solche M. können aus vielen Tausenden von Atomen bestehen (→Makromoleküle), mit →Molekülmassen bis zu einigen hundert Millionen. Zur Charakterisierung eines M. gibt man in der Summenformel die Art und die Zahl der Atome an, die es enthält, z.B. bei Wasser, H_2O, zwei Wasserstoffatome (H) und ein Sauerstoffatom (O). Bei komplizierteren M. ist diese Charakterisierung unzureichend, da z.B. das M. C_2H_6O je nach der Verknüpfung der Atome Äthanol (CH_3CH_2OH) oder Dimethyläther (CH_3OCH_3) sein kann (→Isomerie, →Mesomerie). Genauere Angaben über die Struktur von M. erhält man u.a. aus deren experimentell beobachteter Wechselwirkung mit elektromagnet. Strahlung (→Spektroskopie). Die Abmessungen von M. lassen sich nicht exakt festlegen, da ihre Elektronenhüllen keine starren Begrenzungen aufweisen und daher versch. experimentelle Methoden unterschiedl. Werte liefern. Nur im Fall genügend hochmolekularer Verbindungen lassen sich M. sichtbar machen (→Elektronenmikroskop, →Feldelektronenmikroskop).

📖 ENGELKE, F.: *Aufbau der M.e. Stuttgart ³1996.*

Moldauklöster: Kirche des Klosters Sucevița (1582–86)

Molekularbewegung, →brownsche Bewegung.

Molekularbiologie, Teildisziplin der Biologie, die den Aufbau, die Regulation des Wachstums, die Differenzierung und die Wechselwirkung von Zellen untereinander auf molekularer Ebene untersucht. Die M. ist eine interdisziplinäre Fachrichtung, die methodisch und inhaltlich Überschneidungen sowohl mit der Biochemie als auch der Biophysik zeigt.

Molekulargenetik, Forschungsrichtung der →Genetik.

Molekulargewicht, ältere Bez. für →Molekülmasse.

Molekularkräfte, die →zwischenmolekularen Kräfte.

Molekularpumpe, eine →Vakuumpumpe.

Molekularsiebe, Feststoffe mit regelmäßigen Poren- und Hohlraumsystemen, wobei Porenweiten von weniger als 0,7 nm eine Trennung von Molekülen nach ihrer Größe oder Form ermöglichen. M. werden zur Stofftrennung durch →Adsorption und als Katalysatoren verwendet. Techn. Bedeutung haben v.a. die →Zeolithe.

Molekularstrahlen (Molekülstrahlen), Strahlen aus neutralen Molekülen oder Atomen (→Atomstrahlen) im Vakuum. Zur Erzeugung von M. lässt man gasförmige Stoffe durch eine 0,1–1 mm große Öffnung in ein Hochvakuum treten, in dem sich die Moleküle mit annähernd paralleler Flugrichtung bewegen. Ihr Abstand untereinander und von den Wänden der Apparatur muss so groß sein, dass Stöße und Wechselwirkungen vernachlässigbar sind. Mit M. lassen sich u.a. die mittlere freie Weglänge und die Geschwindigkeitsverteilung von Gasen sowie die magnet. Momente von Atomen und Molekülen bestimmen.

Molekülmasse (relative M., früher: relatives Molekulargewicht), eine Verhältniszahl, die die

Molière als Schauspieler in der Rolle des »Caesar«, Kupferstich zu einem Essay »Molière und wir« in dem deutschen Jahrbuch »Der Spiegel« (1919 ff.) des Propyläen-Verlags

Masse eines Moleküls im Verhältnis zum 12. Teil derjenigen eines Atoms des Kohlenstoffisotops ^{12}C angibt; sie entspricht der Summe der Atommassen aller im Molekül enthaltenen Atome, z.B. hat Kochsalz (NaCl) eine relative M. von 58,5 = 23 (relative Atommasse von Na) +35,5 (relative Atommasse von Cl). Der Zahlenwert ist identisch mit dem Zahlenwert für die **absolute M.,** gemessen in der →atomaren Masseneinheit, und gleich dem Zahlenwert der →molaren Masse, gemessen in g/mol.

Mọlenbruch (ältere Bez. für Stoffmengengehalt bzw. -anteil), Konzentrationsmaß für einen Bestandteil einer Mischung aus zwei oder mehr Stoffen, definiert als Quotient aus der Stoffmenge (Molzahl) des Stoffes und der Summe der Stoffmengen aller Komponenten der Mischung. Der mit 100 multiplizierte M. ergibt die →Konzentration dieses Stoffes in **Molprozent** (mol-%).

Molfẹtta, italien. Hafenstadt in der Prov. Bari, Apulien, 66 100 Ew.; Fischgroßmarkt; Werft, Zement-, Möbel-, Nahrungsmittelind.; Weinkellereien. – Alter Dom (12.–13. Jh.), Neuer Dom (17.–18. Jahrhundert).

Molière [mɔlˈjɛːr], eigtl. Jean-Baptiste Poquelin, frz. Dramatiker, Schauspieler und Theaterdirektor, getauft Paris 15. 1. 1622, †ebd. 17. 2. 1673; Sohn eines wohlhabenden Tapezierers, der auch königl. Hofbeamter war; studierte die Rechte in Orléans und erwarb dort die Lizenziatenwürde; gründete 1643 die Schauspielertruppe des »L'illustre Théâtre«, musste nach deren Bankrott 1645 Paris verlassen, reiste mit einer Theatertruppe unter dem Namen »M.« durch die Provinz, schrieb die ersten Stücke im Stil der →Commedia dell'Arte. Nach ersten Erfolgen in Paris 1658 setzte er sich mit »Die lächerl. Preziösen« (1659) endgültig durch. Er genoss die Gunst Ludwigs XIV. und wurde 1661 Direktor des Theaters im Palais Royal; ab 1665 stand seine Truppe als »Troupe du roi« unter königl. Schutz. M.s Komödien sind ein Höhepunkt dieser Gattung in der europ. Literatur. Die an die spätmittelalterl. Farce und die Commedia dell'Arte anknüpfenden Stücke, u.a. »Sganarelle« (1660), »Der Arzt wider Willen« (1667), »George Dandin« (1669), »Scapins Streiche« (1671), sind theaterwirksame Situationskomödien mit zahlr. satir. Zeitbezügen. Die Reihe der großen Sitten- und »klass.«, fünfaktigen Charakterkomödien begann mit »Die Schule der Frauen« (1663), es folgten »Tartüff« (Uraufführung 1664, gedruckt 1669), mit dem M. den Typ des Heuchlers schuf, »Don Juan« (Uraufführung 1665, gedruckt 1682), »Der Menschenfeind« (1667) und »Der Geizige« (Uraufführung 1668, gedruckt 1682). Für den Hof schrieb er – ab 1664 zus. mit dem Komponisten J.-B. Lully – Komödien mit Gesangs- und Tanzeinlagen, mit denen er zum Schöpfer der Gattung der »comédie-ballet« wurde, u.a. »Der Bürger als Edelmann« (1670) und sein letztes Werk »Der eingebildete Kranke« (1673). M.s Witz und Kritik treffen sowohl Missstände der Zeit als auch allg. menschl. Schwächen; der Lächerlichkeit preisgegeben werden alle dem unverbildeten Empfinden, dem gesunden Menschenverstand und den Prinzipien von

Molière

Ein starker Hang zur Bühne und zum schauspielerischen Ausdruck, die Freude auch am Wechselspiel zwischen Theater und Publikum waren schon für den jungen Molière charakteristisch. Er wurde ja nicht nur als Autor bekannt, sondern trat auch als Schauspieler auf (wo er besonders mit komödiantisch angelegten Rollen berühmt wurde). Als Intendant (und Geschäftsführer) hatte er sich auch mit konkurrierenden Theatertruppen auseinander zu setzen. Darüber hinaus war er zahlreichen anderen Attacken ausgesetzt, etwa vonseiten des Klerus, der sich gegen zeit- und kirchenkritische Tendenzen in Molières Stücken wandte, dessen Anliegen es war, dem gesunden Menschenverstand und den Prinzipien von Natur und Vernunft zum Sieg zu verhelfen. Die vielfältigen Schwierigkeiten, mit denen Molière jahrelang zu kämpfen hatte, erforderten eine ungeheure Energie. Während einer Aufführung seiner Komödie »Der eingebildete Kranke« hatte der vom Tode gezeichnete Molière (der den vermeintlich kranken Titelhelden verkörperte) zunächst versucht, seine eigene schwere Krankheit zu überspielen. Nur wenige Stunden nach der Aufführung ist Molière gestorben.

Vernunft und Natur zuwiderlaufenden Verhaltensweisen. Weiteres BILD und AUTOGRAMM französische Literatur

📖 *M., hg. v.* R. BAADER. *Darmstadt 1980.* – GRIMM, J.: *M. Stuttgart 1984.* – STACKELBERG, J. VON: *M. Eine Einführung. München u. a. 1986.* – *Über M., hg. v.* C. STRICH *u. a. Neuausg. Zürich 1988.* – HÖSLE, J.: *M. Sein Leben, sein Werk, seine Zeit. Neuausg. München u. a. 1992.*

Mario Molina

Molina, 1) Luis de, span. kath. Theologe, Jesuit, *Cuenca Sept. 1535, †Madrid 12. 10. 1600. Seine Auffassung von der Vereinbarkeit der göttl. Vorbestimmtheit (→Prädestination) mit der menschl. Willensfreiheit (Molinismus) führte zum Gnadenstreit (1597–1607) zw. den Jesuiten und den die Vorbestimmtheit des Menschen betonenden Dominikanern.

2) Mario José, mexikan. Physikochemiker, *Mexiko 13. 3. 1943; untersuchte zus. mit S. F. Rowland die Auswirkung von Fluorchlorkohlenwasserstoffen (FCKW) auf die Ozonschicht; dafür erhielt er 1995 zus. mit Rowland und P. Crutzen den Nobelpreis für Chemie.

3) Tirso de, span. Dichter, →Tirso de Molina.

Molise, Landschaft und Region in Italien, im südl. Apennin, im Monte Greco 2283 m ü. M.; 4438 km², (1995) 331700 Ew.; umfasst die Prov. Campobasso und Isernia; Hptst. ist Campobasso.

Molke (Molken, Käswasser, Milchserum), Nebenerzeugnis der Käserei; eine grünlich gelbe Flüssigkeit, die aus geronnener Milch nach dem Abscheiden des Fettes und des →Caseins abläuft. **Süß-M. (Lab-M.)** entsteht nach Ausfällung der Milch mit Lab, während **Sauer-M.** bei der natürl. Säuerung der Milch gebildet wird. Außer dem Milchzucker, den Vitaminen und einem erhebl. Teil der Mineralstoffe der Milch enthält M. noch 0,04–0,5 % Fett und 0,2–0,8 % Eiweiß, Sauer-M. zudem noch Milchsäure. Wegen ihres beträchtlichen Nährwerts wird M. als diätet. Lebensmittel sowie Viehfutter verwendet.

Molke

Amerikanische Biochemiker haben ein Verfahren entwickelt, das aus Molke ein Auftaumittel für winterliche Straßen macht. Dabei wandeln Bakterien die Molke in Calcium-magnesium-acetat um, das bereits als Enteisungsmittel bekannt, in der chemischen Herstellung allerdings teuer ist. Mit der neuen Methode können Straßen billiger und umweltschonender eisfrei gehalten werden als mit den üblichen Salzmischungen. Das Molkeprodukt schädigt weder Straßen noch Fahrzeuge oder Pflanzen.

Molkerei (Meierei), Unternehmen zur Be- und Verarbeitung sowie zum Vertrieb von Milch und Milcherzeugnissen (Butter, Käse).

Oskar Moll: »Blick durchs Fenster: Schneelandschaft« (1935; Privatbesitz)

Moll [von lat. mollis »weich«] *das,* im Bereich der tonalen Musik das »weiche« oder »weibl.« Tongeschlecht mit der kleinen Terz (im Unterschied zum männl. →Dur mit großer Terz). Die **M.-Tonarten** haben als Grundakkord einen aus Grundton, kleiner Terz und reiner Quinte bestehenden **M.-Dreiklang.** Neben der **natürl. M.-Tonleiter** mit Halbtonschritten zw. der 2. und 3. sowie der 5. und 6. Stufe verwendet man im prakt. Gebrauch die **harmon. M.-Tonleiter,** die durch Erhöhung der 7. Stufe den Leitton einführt, und die **melod. M.-Tonleiter,** die in aufsteigender Richtung neben der 5. auch die 6. Stufe chromatisch erhöht.

Moll, 1) Balthasar, österr. Bildhauer, *Innsbruck 4. 1. 1717, †Wien 3. 3. 1785; 1751–54 Prof. an der Wiener Akademie; schuf im Auftrag von Hof und Adel v. a. Grabmäler und Porträtplastiken in der Tradition G. R. Donners, vorwiegend aus Metall (Prunksarkophage der kaiserl. Familie in der Kapuzinergruft in Wien; 1751–72). Das Spätwerk zeigt Einflüsse E. Bouchardons.

2) Oskar, Maler, *Brieg 21. 7. 1875, †Berlin 19. 8. 1947; gehörte in Paris (1907/08) dem Kreis der dt. Maler um H. Matisse an; lehrte in Breslau und Düsseldorf, lebte ab 1936 in Berlin, als »entarteter« Künstler diffamiert. Er malte Landschaften und Stillleben in abstrahierenden Formen und lichten, dekorativen Farben, deren Zartheit sich zunehmend verfeinerte.

Möll *die,* linker Nebenfluss der Drau in Kärnten, Österreich, 65 km lang, entspringt aus der Pasterze, mündet bei Möllbrücke; bei Heiligenblut der **Möllfall** (80 m); Fremdenverkehr, v. a. im oberen Mölltal.

Molla, islam. Ehrentitel, →Mullah.

Möllemann, Jürgen, Politiker (FDP), *Augsburg 15. 7. 1945; seit 1972 MdB, war 1982–87 Staatsmin. im Auswärtigen Amt, 1987–91 Bundesmin. für Bildung und Wiss., 1991–93 Bundesmin. für Wirtschaft und 1992–93 Vizekanzler.

Mollendo [mo'jendo], Hafenstadt in S-Peru, 24 200 Ew.; nahebei bed. Eisenerzabbau; 10 km nordwestlich der Naturhafen **Matarani** als wichtiger Warenumschlagsort für S-Peru und Bolivien.

Moller, Georg, Architekt, *Diepholz 21. 1. 1784, †Darmstadt 13. 3. 1852; Vertreter des Spätklassizismus; Schüler von F. Weinbrenner, leitete in Darmstadt (seit 1810 als Hofbaumeister, seit 1844 als Oberbaudirektor) das hessisch-darmstädt. Stadtbauwesen. – Bauten in Darmstadt: Hoftheater (1818–20), Ludwigskirche (1822–27), Kollegienhaus (1825/26), Neue Kanzlei (1825/26), Residenzschloss (1839); Theater in Mainz (1829/33); Erweiterungsentwürfe für das Schloss in Wiesbaden (1835). – Herausgeber der Denkmäler der dt. Baukunst (1812–36).

Mollet [mɔ'lɛ], Guy, frz. Politiker, *Flers (Dép. Orne) 31. 12. 1905, †Paris 3. 10. 1975; Lehrer, schloss sich 1942 der Résistance an, 1946–69 Gen.-Sekr. der sozialist. Partei SFIO, setzte sich für die Integration Europas ein, war u. a. stellv. MinPräs. (1951; 1958) und MinPräs. (1956–57), befürwortete 1958 die Reg.-Übernahme durch C. de Gaulle, war später entschiedener Gegner des Gaullismus.

Mölln: Auf einer Halbinsel zwischen dem Schul- und dem Ziegelsee liegt die historische Altstadt mit der im 13. Jh. erbauten Nikolaikirche

Mölln, Stadt im Kr. Herzogtum Lauenburg, Schlesw.-Holst., am Elbe-Lübeck-Kanal, 18 000 Ew.; Luftkurort inmitten einer Seenlandschaft; Till-Eulenspiegel-Museum; Eisengießerei, Textil- u. a. Industrie. – An der W-Wand der Nikolaikirche (13. Jh.) befindet sich der Grabstein Till Eulenspiegels.

Mollusken [lat.] (Mollusca), wiss. Name der →Weichtiere.

Molluskizide [lat.], Wirkstoffe zur Bekämpfung von Weichtieren (Mollusken), insbesondere von Schnecken.

Molmasse, *Chemie:* die →molare Masse.

Molnár, Ferenc, ungar. Schriftsteller, *Budapest 12. 1. 1878, †New York 1. 4. 1952; emigrierte 1930 nach W-Europa, 1940 in die USA; schrieb Novellen, Romane (»Die Jungen aus der Paulstraße«, 1907) und unterhaltsame, z. T. sozialkrit. Bühnenstücke (u. a. »Liliom«, 1909).

Molo, Walter, Reichsritter von, Schriftsteller, *Sternberg (heute Šternberk) 14. 6. 1880, †Hechendorf (heute zu Murnau a. Staffelsee) 27. 10. 1958; biograph. Romane (Schiller, Friedrich d. Gr., Prinz Eugen); auch Dramen und Lyrik.

Moloch (Länge bis zu 20 cm)

Moloch [grch., zu hebr. Molek] *der,* nach dem A. T. ein kanaanäischer Gott, dem Kinder durch Feuertod geopfert wurden; auch als Bez. des Opfers selbst gedeutet. Im übertragenen Sinne Bez. für eine Macht, die alles verschlingt.

Moloch [hebr.] *der* (Dornteufel, Moloch horridus), eine bis zu 20 cm lange, mit stacheligen Schuppendornen bedeckte, wüstenbewohnende Agame Australiens.

Molosser, in der Antike einer der Hauptstämme in →Epirus. Einer ihrer Könige war →Pyrrhos.

Wjatscheslaw Molotow

Molotow, Wjatscheslaw Michailowitsch, eigtl. M. W. Skrjabin, sowjet. Politiker, *Nolinsk (Gebiet Kirow) 9. 3. 1890, †Moskau 8. 11. 1986; schloss sich 1906 den Bolschewiki an; gehörte als einer der engsten Mitarbeiter Stalins zum inneren Führungskreis der KPdSU (1921–30 Sekretär des ZK, 1926–52 Mitgl. des Politbüros); 1930–41 Vors. des Rats der Volkskommissare. Als Außenminister (1939–49, 1953–56) unterzeichnete er im Aug. 1939 den →Deutsch-Sowjetischen Nichtangriffspakt und vertrat die Sowjetunion bei allen wichtigen internationalen Verhandlungen. Im Machtkampf gegen N. S. Chruschtschow unterlegen, wurde er 1957 aller Ämter enthoben; 1957–60 Botschafter in der Mongol. Volksrepublik.

Molotowcocktail [-kɔkteɪl; nach W. M. Molotow], mit einem Öl-Benzin-Gemisch gefüllte Flasche, die nach Anzünden des aus dem Flaschenhals herausragenden Dochtes gegen ein Ziel geworfen wird; erstmals im 2. Weltkrieg von sowjet. Truppen zur Panzernahbekämpfung eingesetzt.

Molprozent, *Chemie:* →Konzentration, →Molenbruch.

Helmuth Graf von Moltke

Moltke, 1) Helmuth Graf (seit 1870) von, preuß. Generalfeldmarschall (seit 1871), *Parchim 26. 10.

1800, † Berlin 24. 4. 1891, Onkel von 2), Großonkel von 3); seit 1819 dän. Offizier, seit 1822 in preuß., 1835–39 in türk. Dienst, nach 1840 Generalstabslaufbahn (1858–88 Chef des Generalstabs der Armee). Im Dt.-Dän. Krieg 1864 war er Generalstabschef des Oberbefehlshabers der preußisch-österr. Armee, im →Deutschen Krieg 1866 und im →Deutsch-Französischen Krieg 1870/71 gab er alle Weisungen für die Heeresführung. 1867–91 war M. konservativer Abg. im Reichstag, seit 1872 erbl. Mitglied des preuß. Herrenhauses. – Als Militärtheoretiker, der zahlr. Schriften verfasste, begriff M. die Strategie als ein »System von Aushilfen«. Wegen der Vielzahl der zu berücksichtigenden Faktoren hielt er nur den Beginn eines Feldzuges für planbar. Daher sah er seine Aufgabe v. a. in der umfassenden Vorbereitung der militär. Auseinandersetzung unter Ausnutzung aller techn. Möglichkeiten.

📖 Herre, F.: *M. Der Mann u. sein Jh. Neuausg. Frankfurt am Main u. a. 1988.*

Helmuth Graf von Moltke

Getrennt marschieren, vereint schlagen

Dieser Grundsatz militärischer Strategie wird im Allgemeinen dem preußischen Generalfeldmarschall Helmuth Graf von Moltke zugeschrieben. Seiner Vorstellung von der Aufgabe, große Massenheere zu führen und zu dirigieren, entsprach diese militärische Devise auch durchaus. Formuliert hat er sie aber in dieser Weise wohl nicht. Der Historiker und politische Publizist Heinrich von Treitschke nennt als eigentlichen Urheber des Ausspruchs den preußischen General und Heeresreformer Scharnhorst.

2) Helmuth von, preuß. Generaloberst, * Rittergut Gersdorff (Mecklenburg) 25. 5. 1848, † Berlin 18. 6. 1916, Neffe von 1); wurde 1906 als Nachfolger A. von Schlieffens Chef des Generalstabes der Armee; trug durch seine Entschlusslosigkeit zum Scheitern der dt. Truppen in der Marneschlacht 1914 bei (Rücktritt am 14. 9. 1914).

3) Helmuth James Graf von, Jurist und Widerstandskämpfer, * Kreisau (heute Krzyżowa, bei Świdnica) 11. 3. 1907, † (hingerichtet) Berlin-Plötzensee 23. 1. 1945, Großneffe von 1); gründete nach 1933 den Kreisauer Kreis; 1939–44 Sachverständiger für Kriegs- und Völkerrecht im OKW; im Jan. 1944 verhaftet, nach dem 20. 7. 1944 zum Tode verurteilt.

Helmuth James Graf von Moltke

📖 Moltke, F. von *u. a.: H. J. Graf v. M. 1907–1945. A. d. Engl. Neuausg. Berlin 1984.*

Moltmann, Jürgen, evang. Theologe, * Hamburg 8. 4. 1926; seit 1967 Prof. für systemat. Theologie in Tübingen. M. untersucht die theolog. Entfaltung der christl. Hoffnung, um der Kirche und den Gläubigern Offenheit für die Zukunft sowie polit. Engagement zu ermöglichen. – *Werke:* Theologie der Hoffnung (1965), Kirche in der Kraft des Geistes (1975), Der Weg Jesu Christi (1989).

molto [italien.], musikal. Vortragsbezeichnung: viel, sehr; wird in Zusammensetzungen gebraucht, z. B. **m. allegro,** sehr schnell.

Molton [frz., zu mollet, von lat. mollis »weich«] *der,* ein- oder zweiseitig angerautes Baumwollgewebe in Köperbindung, wobei die feinere Kette wenig, der gröbere Schuss stark zur Geltung kommen.

Molukken (Gewürzinseln, indones. Maluku), Inselgruppe Indonesiens, zw. Celebes und Neuguinea, als Prov. 74 505 km², (1990) 1,86 Mio. Ew.; Verw.sitz: Ambon. Die nördl. M. umfassen die Hauptinseln Halmahera, Morotai, Ternate, Tidore, die südl. M. Buru, Seram, Ambon, im SO die Banda- und die Tanimbarinseln. Die Inseln sind gebirgig und weisen mehrere tätige Vulkane auf; Erdbeben sind häufig. Das Klima ist tropisch. Die Bev. besteht aus Alfuren und zugewanderten Malaien und Javanern. – Die Gewürze der M. waren schon im Altertum begehrte Handelswaren; heute werden v. a. Sagopalmen, Kokospalmen und Knollenfrüchte angebaut, Fischerei, Rinder- und Büffelzucht betrieben. – Im 14. Jh. gehörten die Inseln zum indones. Großreich Majapahit, im 15. Jh. bildeten sich Sultanate. 1512 erreichten Portugiesen die M. und errichteten auf Ternate und Tidore Handelsniederlassungen; seit 1663 befanden sich die Inseln unter niederländ. Hoheit; während der Napoleon. Kriege unter brit. Besetzung, 1814 wieder an die Niederlande abgetreten. 1942–45 von den Japanern besetzt, wurden die M. nach dem 2. Weltkrieg Teil Indonesiens. Ein 1950 auf den Süd-M. ausgebrochener Aufstand (Proklamation der unabhängigen »Rep. Maluku Selatan«) wurde in den folgenden Jahren niedergeschlagen.

Molukkenkrebse, die →Pfeilschwänze.

Molvolumen, das →molare Volumen.

Molwärme, ältere Bez. für →molare Wärmekapazität.

Molybdän [grch. molýbdaina »Blei(glanz)«] *das,* chem. Symbol **Mo,** Element aus der sechsten Nebengruppe des →Periodensystems der chem. Elemente; Ordnungszahl 42, relative Atommasse 95,94, Dichte 10,28 g/cm³, Schmelzpunkt 2620 °C, Siedepunkt 4825 °C. M. ist ein hartes und sprödes (in sehr reinem Zustand dehnbares), graues, mit vielen Metallen legierbares Schwermetall. Chemisch ist M. ziemlich beständig; es löst sich weder in nichtoxidierenden Säuren noch in Laugen, dagegen wird es von oxidierenden Säuren angegriffen. Bei erhöhter Temperatur reagiert M. u. a. mit Sauerstoff und Halogenen. M. gehört zu den relativ seltenen Metallen; es steht in der Häufigkeit der chem. Elemente an 39. Stelle. In der Natur kommt es v. a. in Form der Minerale →Molybdänglanz und →Gelbbleierz vor. M. wird aus M.-Glanz, MoS_2, durch Abrösten und Reduktion mit Wasserstoff als graues Pulver gewonnen, das durch spezielle Schmelzverfahren (Lichtbogenschmelze) oder nach den Verfahren der Pulvermetallurgie (Sintern, Pressen) zu kompaktem Metall verdichtet werden kann. Es wird v. a. zur Herstellung von M.-Stählen verwendet, die sich durch hohe Korrosionsbeständigkeit, Festigkeit und Zähigkeit auszeichnen (M.-Gehalt meist 0,2–5 %). M. ist ein essenzielles Spurenelement und bei Pflanzen v. a. Bestandteil der für die Stickstofffixierung bzw. die Nitratassimilation wichtigen Enzyme Nitrogenase und Nitratreduktase.

Molybdänglanz (Molybdänit) *der,* metallisch glänzendes, sehr weiches, graues, hexagonales Mineral, MoS_2, wichtigstes Molybdänerz.

Molybdänglanz: hexagonaler Kristall auf Granit

Momaday ['mɔmədeɪ], N. (Navarre) Scott, amerikan. Schriftsteller, *Lawton (Okla.) 27. 2. 1934; gilt als Wegbereiter der modernen indianisch-amerikan. Literatur (»Haus der Dämmerung«, R., 1968; »The journey of Taim-me«, Indianermythen, 1967; »The gourd dancer«, Lyrik, 1976; »The ancient child«, R., 1989).

Mombasa, Provinz-Hptst. in Kenia, 465 000 Ew., zweitgrößte Stadt des Landes; wichtigster Hafen O-Afrikas; bed. Wirtschaftszentrum; Kaffeehandel, Nahrungsmittel-, chem. Ind., Zementwerk, Stahl-, Aluminiumwalzwerk, Kfz-Montage, Erdölraffinerie; Ausgangspunkt der Ugandabahn; Fremdenverkehr; internat. Flughafen.

Mombert, Alfred, Dichter, *Karlsruhe 6. 2. 1872, †Winterthur 8. 4. 1942; lehnte 1933, trotz Gefährdung wegen seiner jüd. Abstammung und Ausschluss aus der dt. Dichterakademie, eine Emigration ab; 1940/41 im Lager Gurs in S-Frankreich; ekstatisch-visionärer, frühexpressionist. Lyriker und Dramatiker (»Die Schöpfung«, Ged., 1897; »Der Denker«, Ged., 1901; »Die Blüte des Chaos«, 1905; »Aeon«, Dramentrilogie, 1907–11).

Moment [lat.] *der,* Augenblick, Zeitpunkt, sehr kurze Zeitspanne.

Moment [lat.] *das,* **1)** *allg.:* ausschlaggebender Umstand, Gesichtspunkt.

2) *Physik:* allg. eine physikal. Größe, z. B. Kraft, Masse, Ladung, Polstärke, die mit einem Abstand **(M. 1. Grades)** oder mit dem Abstandsquadrat **(M. 2. Grades)** multipliziert ist, z. B. →Drehmoment, Massenmoment 2. Grades (→Trägheitsmoment), elektr. und magnet. Dipol-M. (→Dipol, →magnetisches Moment).

3) *Statistik:* der →Erwartungswert von X^n heißt n-tes M. von X, wenn X eine Zufallsgröße und n eine natürl. Zahl ist.

Jürgen Moltmann

Moment musical [mɔ'mɑ̃ myzi'kal, frz.] *das,* kürzeres instrumentales Charakterstück ohne feste Formbindung, meist für Klavier.

Mommsen, 1) Hans, Historiker, *Marburg 5. 11. 1930, Urenkel von 2), Bruder von 3); seit 1968 Prof. für neuere Geschichte in Bochum, befasst sich v. a. mit der Geschichte der Arbeiterbewegung und mit Fragen des Faschismus. Er schrieb u. a. »Beamtentum im 3. Reich« (1966), »Arbeiterbewegung und nat. Frage« (1979), »Die verspielte Freiheit« (1989).

2) Theodor, Jurist und Historiker, *Garding (Kr. Nordfriesland) 30. 11. 1817, †Charlottenburg (heute zu Berlin) 1. 11. 1903, Urgroßvater von 1) und 3); nahm 1848 als Redakteur in Rendsburg an der Märzrevolution teil, wurde 1848 Prof. für röm. Recht in Leipzig (1851 entlassen), 1852 in Zürich, 1854 in Breslau, 1858 Prof. für alte Geschichte in Berlin. M. stand auf der Seite der bürgerl. Linken, war aber zurückhaltend gegenüber allzu radikalen demokrat. Strömungen. 1863–66 und 1873–79 MdL in Preußen, 1881–84 MdR; mit seinem demokratisch-nat. Ideal von Freiheit und Einheit war M. ein Gegner Bismarcks und des Antisemitismus von H. Treitschke. – Für seine »Röm. Gesch.« (Bde. 1–3, 1854/55; Bd. 5, 1885; Manuskript Bd. 4 1991 aufgefunden) erhielt M. 1902 den Nobelpreis für Literatur. Seine wiss. Leistungen wurden grundlegend für Epigraphik (»Corpus Inscriptionum Latinarum«) und Rechtsgeschichte (»Röm. Staatsrecht«, 3 Bde., 1871–88, »Röm. Strafrecht«, 1899).

Theodor Mommsen

📖 Fest, J.: *Wege zur Geschichte. Über T. M., Jacob Burckhardt u. Golo Mann. Zürich ²1993.*

3) Wolfgang Justin, Historiker, *Marburg 5. 11. 1930, Urenkel von 2), Bruder von 1); seit 1968 Prof. für neuere und neueste Geschichte in Düsseldorf, 1977–85 Direktor des Dt. Histor. Instituts in London. Schwerpunkt seiner Forschung ist der Imperialismus (»Der europ. Imperialismus«, 1979).

Mömpelgard, alter dt. Name der Stadt →Montbéliard.

Alfred Mombert
(Lithographie, 1925)

Momper, Walter, Politiker (SPD), *Sulingen 21. 2. 1945; März 1989 bis Jan. 1991 Regierender Bürgermeister von Berlin (West).

Mon (Talaing), mongolides Volk in Hinterindien, am Golf von Martaban, bes. um Moulmein,

Franz Mon: Titelseite einer Einladung zu einer Ausstellung seiner visuellen Texte

in Birma (1,3 Mio.) sowie in Thailand (150 000), spricht eine Mon-Khmer-Sprache. – Die M. standen seit dem 3. Jh. v. Chr. unter ind. Kultureinfluss und übernahmen den Hinajana-Buddhismus. Sie gründeten seit 500 n. Chr. eigene Staaten (wichtigste Zentren Lop Buri, Lamphun, Thaton, Martaban, Pegu). Nach langen krieger. Auseinandersetzungen mit den im 9. und 10. Jh. von N eingedrungenen Birmanen unterlagen die M. diesen 1757 endgültig. Die M. passten sich den Birmanen an oder wanderten nach Thailand aus.

Mona Lisa von Leonardo da Vinci (um 1503–06; Paris, Louvre)

Mon, Franz, eigtl. Löffelholz, Schriftsteller, *Frankfurt am Main 6. 5. 1926; einer der führenden Vertreter der konkreten Dichtung (→abstrakte Dichtung); Mitherausgeber des Sammelbandes »movens. Dokumente und Analysen zur Dichtung, bildenden Kunst, Musik, Architektur« (1960); verwendet als lyr. Formen u. a. Montagen, Letterngrafiken; schreibt auch experimentelle Prosa, Hörspiele und Essays.

Møn [mø:n, dän.] (Mön), dän. Ostseeinsel, südöstlich von Seeland, 218 km^2, 13 000 Ew.; Hauptort: Stege. M. ist im W flach und fruchtbar (Zuckerrübenanbau, Viehwirtschaft), nach O bis 143 m ü. M. zu Kreideklippen ansteigend. M. ist durch eine Brücke mit Seeland verbunden.

mon... [grch.] (mono...), ein..., allein..., einzeln.

Monaco [mo'nako, italien. 'mɔnako, frz. mɔna'ko] (amtlich frz. Principauté de M., dt. Fürstentum M.), Staat in Europa, an der Mittelmeerküste, landseitig vom frz. Dép. Alpes-Maritimes umschlossen.

Staat und Recht: Nach der Verf. von 1962 ist M. eine konstitutionelle Erbmonarchie. Staatsoberhaupt und oberster Inhaber der Exekutive ist der Fürst; er übt zusammen mit dem Nationalrat (18 Abg., für fünf Jahre gewählt) die Legislative aus und ernennt einen Staatsmin. zum Chef des Reg.rates, der ihm verantwortlich ist. Für Grundsatzentscheidungen steht ihm der Kronrat (sieben Mitgl., auf drei Jahre berufen) als Konsultativorgan zur Seite; außenpolit. Vertretung durch Frankreich. Einflussreichste Partei: Nat. und Demokrat. Union (U.N.D.).

Landesnatur: M. liegt an einer Bucht des Ligur. Meeres im Schutz der Seealpen. Es besteht aus den zu einer Gemeinde vereinigten Siedlungen Monte Carlo (mit Spielkasino, gegr. 1863; Kongresszentrum, 1978), La Condamine (mit Handels- und Jachthafen) und der Hptst. M.; das Gebiet von M. ist rd. 3 km lang und zw. 200 und 500 m breit, höchster Punkt des Landes am Chemin des Revoires (163 m ü. M.) im W des Landes. Das Klima ist mild, die Vegetation mediterran.

Bevölkerung: Nur ein kleiner Teil der Wohnbev. sind echte Monegassen (20,8 %); sie sprechen Monegassisch, einen provenzalisch-ligur. Mischdialekt. 47 % sind Franzosen, 16 % Italiener. M. hat die höchste Bev.-Dichte aller europ. Staaten. Allg. Schulpflicht vom 7. bis 16. Lebensjahr. In Monte Carlo besteht eine Musikhochschule. Über 90 % der Bev. sind katholisch. Seit 1887 ist M. Bischofssitz, seit 1981 Erzbischofssitz.

Wirtschaft, Verkehr: Wirtsch. Grundlagen sind Leichtind., Tourismus und der Dienstleis-

Monaco

Fläche: 1,95 km²
Einwohner: (1995) 32 000 Ew.
Hauptstadt: Monaco
Amtssprache: Französisch
Nationalfeiertag: 19. 11.
Währung: 1 Französischer Franc (FF) = 100 Centimes (c)
Zeitzone: MEZ

tungssektor. M. ging 1865 mit Frankreich eine Zoll- und 1925 eine Währungsunion ein. Das verarbeitende Gewerbe umfasst Parfümind., Mühlen, Schokolade-, Konservenfabriken, Kaffeeröstereien, Tabakwarenherstellung, Brauereien, Werften, Töpferei- und Juwelierhandwerk, Herstellung von Plastikwaren, Textilien, Präzisionsinstrumenten und Rundfunkgeräten. Die Staatseinnahmen setzen sich zusammen aus den Gewinnen des Spielkasinos, aus Rundfunkabgaben, Tabaksteuern, dem Zollausgleich mit Frankreich, der relativ geringen Unternehmensbesteuerung und dem Briefmarkenverkauf. M. ist über eine 1,6 km lange Eisenbahnstrecke an das frz. Eisenbahnnetz angeschlossen; das Straßennetz ist 50 km lang. Seit 1929 wird jährlich ein Grand-Prix-Rennen für Automobile ausgetragen (3328 m). – Die Stadt M. besitzt u. a. Schloss, Ozeanograph. Museum, Inst. für Tourismusforschung, botan. Garten.

Geschichte: Der Platz war urspr. von Phönikern besiedelt, später als **Monoikos** Kolonie des grch. Massalia (röm. **Herculis Monoeci portus**). 1331 kam es unter die Herrschaft der genues. Adelsfamilie →Grimaldi und stand mit dieser seit 1641 meist unter frz. Schutzherrschaft. 1793–1814 war M. Frankreich angeschlossen, 1815 kam es als eigenständiges Fürstentum unter die Schutzherrschaft des Königreichs Sardinien, 1861 wieder unter frz. (neu geregelt 1918 sowie 1951 und 1953; Zollunion seit 1865). Albert I. (1889–1922) gab M. 1911 eine Verf.; 1922–49 regierte Ludwig II., seitdem Rainier III. KARTE S. 348

Monaco, Mario Del, italien. Sänger, →Del Monaco, Mario.

Monade [zu grch. monás »Einheit«] *die, Philosophie:* unteilbare Einheit, Element des Weltaufbaus (so bei Euklid, Platon, den Atomisten, v. a. bei A. Conway, G. Bruno, G. W. Leibniz). Leibniz bezeichnet in seiner »Monadologie« (1714) die M. als unausgedehnte, in sich abgeschlossene (»fensterlose«), unteilbare Kraftzentren (»metaphys. Punkte«), die mehr oder weniger vollkommen die Welt spiegeln; sie sind allen äußeren, mechan. Einwirkungen entzogen und stehen, vermittelt durch die von Gott gestiftete »prästabilierte Harmonie«, zueinander in Beziehung.

Monaghan ['mɔnəhən, engl.] (irisch Muineachán), **1)** Cty. im N der Rep. Irland, 1291 km², (1991) 51300 Ew.

2) Verw.sitz von 1), 6000 Ew.; Marktort; Leichtindustrie.

Monakow, Constantin von, schweizer. Neurologe russ. Herkunft, *Gut Bobrezewo (bei Wologda) 4. 11. 1853, †Zürich 19. 10. 1930; lebte ab 1866 in der Schweiz und war ab 1885 Nervenarzt in Zürich, ab 1894 dort auch Prof.; er entdeckte mehrere (auch nach ihm benannte) Nervenbahnen und Gehirnzentren. M. war Anhänger der Lokalisationslehre. Er befasste sich zudem mit psycholog. und psychopatholog. sowie allgemeinen biolog. Fragen.

Mona Lisa [italien. »Frau Lisa«], eigtl. Monna Lisa, Gemälde von Leonardo da Vinci (um 1503–06), wahrscheinlich das Porträt der Lisa, Gattin des florentin. Edelmanns Francesco del Giocondo (daher auch unter dem Titel **La Gioconda**); das Gemälde wurde aus Leonardos Besitz oder dem Nachlass von Franz I. von Frankreich erworben (Paris, Louvre).

Monarchianer, christl. Theologen, die im 2. und 3. Jh. den Gedanken der Einheit (»Monotheismus«) und Alleinherrschaft (»monarchia«) Gottes zu wahren suchten. Sie bestritten die Gottheit Jesu Christi und fassten ihn entweder als eine Erscheinungsweise (»modus«) Gottes **(Modalisten)** oder als einen von der Kraft (»dynamis«) Gottes erfüllten Menschen **(Dynamisten)** auf.

Monarchie [grch. »Alleinherrschaft«] *die,* Staatsform, in der eine bes. legitimierte Person, der **Monarch,** selbstständiges, dauerndes Staatsoberhaupt ist (Ggs.: →Republik), eine Form der Monokratie. Durch die Erblichkeit der Thronfolge **(Erb-M.** im Ggs. zur hauptsächlich früher vorkommenden **Wahl-M.)** wird der M. Stetigkeit und Dauer zuerkannt. Wichtigste Formen der M.: In der **theokrat. M.** ist der Monarch zugleich obers-

Staatswappen

MC

Internationales Kfz-Kennzeichen

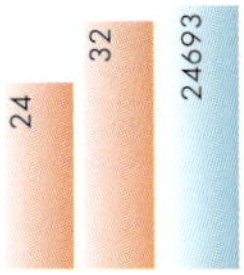

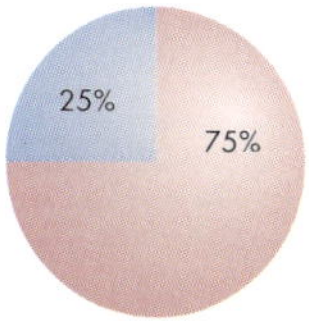

Erwerbstätige 1986

ter Priester; in der **Volks-M.** ist die Volksversammlung an der Entscheidungsgewalt beteiligt; in der **ständ. M.** ist die monarch. Gewalt durch Mitentscheidungsrechte der Stände beschränkt (z.B. Dt. Reich bis 1806); der **absoluten M.** (→Absolutismus) steht die **konstitutionelle M.** (Beteiligung der Volksvertretung an Gesetzgebung und Festsetzung des Budgets; →Konstitutionalismus) gegenüber; in der **parlamentar. M.** wird die Staatsleitung durch die dem Parlament verantwortl. Reg. ausgeübt, dem Monarchen obliegt i.d.R. nur die Repräsentation des Staates (Großbritannien).

Monarchie

Welcher europäische Monarch kam auf die längste Regierungszeit?

Ludwig XIV. von Frankreich schlug in Europa alle: Zwischen 1643 und 1715 regierte er 72 Jahre und drei Tage. Übertroffen wird er von dem ägyptischen Pharao Phiops II., dem letzten König der 6. Dynastie (2320–2160 v. Chr.). Er soll als sechsjähriges Kind den Thron bestiegen und über 90 Jahre lang regiert haben. Seine Pyramide steht bei Sakkara südlich von Kairo. Nach seinem Tod brach das Alte Reich zusammen.

🕮 MIQUEL, P.: *Europas letzte Könige. Die Monarchien im 20. Jh. A.d. Frz. Stuttgart 1994.* – NITSCHKE, W.: *Volkssouveränität oder monarch. Prinzip. Frankfurt am Main u.a. 1995.*

Monarchomachen [grch. »Monarchenbekämpfer«], eine Gruppe von Staatstheoretikern und polit. Publizisten des 16. und 17. Jh. in Frankreich, die sich die Einschränkung der fürstl. Gewalt durch die Stände im Sinne der Theorie der Herrschaftsverträge zum Ziel setzte. Dominierendes Thema war das Problem der Absetzung und der Tötung tyrann. Herrscher (Tyrannenmord), insbesondere nach der Bartholomäusnacht (1572), die die publizist. Verbreitung der schon vorher konzipierten Lehre der M. beschleunigte.

Monasterium [grch.-lat.] *das,* urspr. die Einsiedelei; seit dem frühen MA. Bez. für das Kloster.

Monastir, 1) türk. Name der Stadt →Bitola.

2) Hafenstadt in Tunesien, Hptst. des Gouvernorats M., am Mittelmeer, auf einer Halbinsel im Golf von Hammamet, 35600 Ew.; wiss. Akademien; Textilind.; Fischereihafen, Fischverarbeitung; Seebad, internat. Flughafen.

Monat [von Mond], ein durch den Umlauf des Mondes um die Erde definierter Zeitabschnitt **(Mond-M.).** Je nach Wahl des Bezugspunkts unterscheidet man dabei: **sider. M.,** die Zeit zw. zwei Konjunktionen (→Aspekt) mit dem gleichen Stern (27 d 7 h 43 min 11,5 s); **trop. M.,** die Zeit zw. zwei Durchgängen durch den Frühlingspunkt (27 d 7 h 43 min 4,7 s); **synod. M. (Lunation),** die mittlere Zeit zw. zwei Neumonden (29 d 12 h 44 min 2,9 s); **drakonit. M. (Drachen-M.),** die Zeit zw. zwei Durchgängen durch den aufsteigenden Knoten der Mondbahn (27 d 5 h 5 min 35,8 s); **anomalist. M.,** die Zeit zw. zwei Durchgängen des Mondes durch sein Perigäum, den erdnächsten Punkt seiner Bahn (27 d 13 h 18 min 33,2 s). – Im Kalender verstand man unter M. früher stets den synod. M.; zwölf synod. M. bildeten das Mondjahr. Im heutigen, durch das feste Sonnenjahr gekennzeichneten Kalender sind nach einer Regelung von Papst Gregor XIII. von 1582 die Monate zu 30 oder 31 (Februar 28 oder 29) Tagen festgesetzt.

Monatsblutung, die →Menstruation.

Monatskarten, *Kartographie:* themat. Karten, die die mittleren monatl. Naturverhältnisse der Ozeane mit besonderer Berücksichtigung der Navigation darstellen. In den dt. M., die für den Nordatlant., Südatlant. und Ind. Ozean vorliegen

Monaco

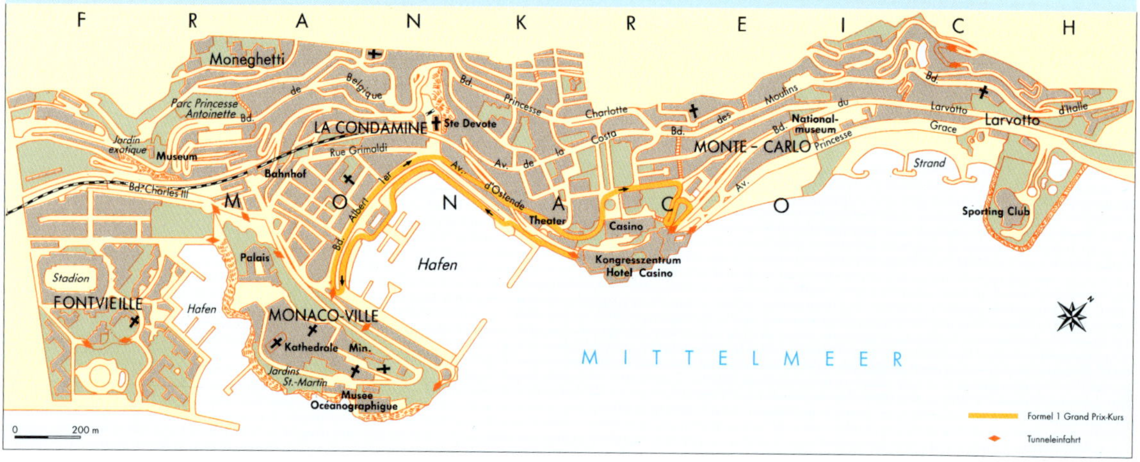

(Dt. Hydrograph. Institut Hamburg, ^{4}1967, ^{3}1971, ^{3}1960), sind dargestellt: Windrichtung, Windstärke, Meeresströmungen, Oberflächentemperatur, Oberflächensalzgehalt, Sturm-, Niederschlags-, Eis- und Nebelhäufigkeit, Lufttemperatur und Luftdruck sowie extreme Wetterlagen.

Monatssteine (Glückssteine), *Volksglauben:* bestimmte, dem Geburtsmonat zugeordnete Edelsteine, die als Amulette Glück bringen sollen, u. a. Topas (Januar), Saphir (Juni).

monaurales Hören [grch.-lat.], Hören mit einem Ohr, im Ggs. zum →binauralen Hören.

Monazit [grch.] *der,* Ce[PO_4], monoklines Mineral, gelb bis braun, enthält Oxide der Seltenerdmetalle und des Thoriums. M. kommt in sauren magmat. Gesteinen sowie in Flusssanden und Seifen vor, seltener als Kluftmineral.

Mönch [grch. monachós »Einsiedler«], **1)** *allg.:* in versch. Religionen Mann, der allein oder in einer Gruppe (→Orden) freiwillig ein durch asketisch-religiöse Grundsätze bestimmtes Leben führt. →Mönchtum

2) *Bautechnik:* ein →Dachziegel.

3) *Jägersprache:* geweihloser Hirsch (infolge hormoneller Fehlsteuerung).

Mönch, Berg im Berner Oberland, Schweiz, zw. Jungfrau und Eiger, 4107 m ü. M. BILD Jungfrau

Mönchengladbach (bis 1950 München-Gladbach), kreisfreie Stadt im RegBez. Düsseldorf, NRW, 266 900 Ew.; Akademie der Franziskaner, Fachhochschule Niederrhein (vier Bereiche), Theater, Opernhaus, botan. Garten, Museen; Sitz des Dt. Forschungsinst. für Textilind., der Kath. Sozialwiss. Zentralstelle; Mittelpunkt der rhein. Textilind. mit Textilprüfanstalt, Maschinenbau (bes. Textilmaschinen), Bau von Fahrausweisautomaten, Kabel-, Signalbau, Luftfahrt-, graf. Ind. Seit 1954 Hauptquartier der Heeresgruppe Nord und der 2. Alliierten Luftflotte des Oberbefehlshabers Mitteleuropa der NATO. – Die ehem. Benediktinerabtei-, jetzt kath. Propsteikirche St. Vitus (1228–39) mit got. Choranlage (1256–1300) hat ein dreitürmiges Westwerk (um 1180); unter dem Chor Hallenkrypta des frühen 12. Jh. Barocke Abteianlage (17. Jh., heute Rathaus). Die katholische Pfarrkirche Mariä Himmelfahrt ist eine spätgot. Basilika (1469–1533). Städt. Museum Abteiberg (1972–82, von H. Hollein). Von Schloss Rheydt (um 1180 erwähnte Wasserburg) sind Reste der Renaissanceanlage erhalten (heute Museum). – M. entstand um die gegen 973 gegr. Benediktinerabtei (1803 aufgehoben); 1183 (als **Gladbach**) erstmals erwähnt; nach 1365 Stadtrecht. Seit Anfang des 19. Jh. Zentrum der Textilindustrie (»Rhein. Manchester«).

Mönchgut, südöstl. Halbinsel von →Rügen.

Mönchseulen (Cucullia), Gattung der Eulenschmetterlinge mit kapuzenartiger Rückenbehaarung, die Raupen sind meist sehr bunt und auffällig. Einige Arten (z. B. die **Salateule,** Cucullia lactucae) können an Kulturpflanzen schädlich werden.

Monat

Warum haben Juli und August beide 31 Tage?

Bis zum Jahre 8 v. Chr. hieß der Monat August »Sextilis«, weil es der sechste Monat des alten römischen Kalenders war, der am 1. März begann. Dann benannte man diesen Monat zu Ehren von Kaiser Augustus um. Der wiederum konnte es nicht verwinden, dass »sein« Monat einen Tag kürzer war als der Vormonat Juli, der nach Julius Cäsar benannt ist. Um zu dokumentieren, dass er mindestens auf einer Stufe mit Cäsar stand, stibitzte er dem Februar einen Tag und machte »seinen« August ebenfalls 31 Tage lang. Seitdem ist der Februar der kürzeste Monat.

Mönchsgrasmücke (Sylvia atricapilla), etwa 14 cm langer, oberseits gräulichbrauner, unterseits weißlichgrauer Singvogel (Familie Grasmücken); v. a. in unterholzreichen Waldlichtungen und buschreichen Gärten NW-Afrikas und Europas bis zum Ural; Teilzieher, der in S-Europa und N-Afrika überwintert.

Mönchengladbach Stadtwappen

Mönchspfeffer (Vitex), Gattung der Eisenkrautgewächse in den Tropen und Subtropen; Bäume oder Sträucher mit kleinen, weißen, gelbl. oder blauen Blüten und kleinen Steinfrüchten. Die Früchte des an Flussufern und Küsten des Mittelmeergebiets und Zentralasiens wachsenden **Keuschlamms** (Vitex agnus-castus) werden als Pfefferersatz verwendet.

Mönchsrobben (Monachinae), Unterfamilie braungrauer bis schwärzlicher, in ihren Beständen

Mönchengladbach: Die katholische Propsteikirche Sankt Vitus, eine 1228–39 für die ehemalige Benediktinerabtei erbaute romanische Basilika mit gotischer Choranlage (1256–1300)

stark bedrohter Robben in trop. und subtrop. Meeren; im Mittelmeer und Schwarzen Meer als einzige Art die 2–4 m lange, fast überall gesetzlich geschützte **Mittelmeermönchsrobbe** (Monachus monachus).

Mönchtum, in vielen Religionen verbreitete, an asket. Idealen (v. a. Besitz- und Ehelosigkeit) orientierte, mit religiösen Motiven (z. B. authent. Nachfolge des Religionsstifters) begründete, vorübergehend oder auf Lebenszeit gewählte Lebensform von Männern (Mönche) und Frauen (Nonnen); wird im Eremitentum, in Wanderaskese oder in klösterl. Gemeinschaften realisiert. Besondere Bedeutung kommt dabei Gebet, Meditation und kult. Riten zu. Eine große Rolle spielt das M. im Buddhismus und Dschainismus. Als klass. Mönchsreligion gilt der →Lamaismus. Beispiele für das jüd. M. sind die Essener, für das islam. die Derwischorden. Zum christl. M. →Kloster, →Orden.

📖 FRANK, K. S.: *Geschichte des christl. M.* Darmstadt [5]1996.

Mond [ahd. mano, zu lat. mensis »Monat«], **1)** Begleiter eines Planeten (→Monde).

2) der einzige natürl. Begleiter der Erde **(Erdmond).**

Mond

In welcher Mondphase kommt es zur Mondfinsternis?

Eine Mondfinsternis findet immer bei Vollmond statt, da nur dann die Möglichkeit besteht, dass der Mond in den Erdschatten gerät. Der Schatten, den die Erde wirft, kann den Mond vollständig abdunkeln. Doch selbst bei totaler Mondfinsternis bleibt unser Satellit durch Streulicht und gebeugte Lichtstrahlen der Sonne immer noch rötlich sichtbar.

Astronom. Daten und *Bewegung:* Der M. umläuft die Erde auf einer nahezu kreisförmigen keplerschen Ellipse in 27 Tagen, 7 Stunden, 43 Minuten, 11,5 Sekunden **(sider. Umlaufszeit)** und dreht sich dabei einmal um seine eigene Achse (gebundene Rotation). Die M.-Bahn hat eine Exzentrizität von 0,0549 und besitzt eine Neigung von 5° 9' gegen die Ekliptik. Die mittlere Entfernung des M. beträgt 60,31 Äquatorradien der Erde oder 384 403 km; sie schwankt zw. 356 410 km und 406 740 km. Dem scheinbaren Durchmesser des M. von 31' 5" entspricht ein linearer von 3476 km (= 0,272 Erddurchmesser). Die Masse des M. beträgt $^1/_{81}$ der Erde, die mittlere Dichte ist 3,341 g/cm³ (entsprechend 0,61 der Erddichte). Die Schwerkraft an der M.-Oberfläche beträgt $^1/_6$ der ird. und die Fluchtgeschwindigkeit 2,38 km/s. Rotation und Umlaufszeit haben die gleiche Periode, sodass der M. der Erde immer die gleiche Seite zuwendet; infolge der →Libration sind $^4/_7$ seiner Oberfläche zu übersehen. Die **M.-Phasen,** deren Ablauf man als **M.-Wechsel** (Lunation) bezeichnet, werden durch die Stellung (→Aspekte) Sonne–M.–Erde bestimmt. Bei **Neu-M.** steht der M. zw. Erde und Sonne, d. h., die der Erde zugewandte Seite ist nicht beleuchtet. Bei **Voll-M.** steht der M. der Sonne genau gegenüber, d. h., die gesamte sichtbare M.-Oberfläche ist beleuchtet. Zw. Neu-M. und Voll-M. ist **zunehmender M.,** danach **abnehmender M.** Bei Voll-M. sind →Mondfinsternisse, bei Neu-M. Sonnenfinsternisse möglich. Die Zeit von Neu-M. bis Neu-M. ist die **synod. Umlaufszeit** (→Monat).

Mond

Warum gibt es bei Vollmond keine Sonnenfinsternis?

Bei einer Sonnenfinsternis steht der Mond genau zwischen Sonne und Erde und kann so die Sonne verdunkeln. Bei Vollmond aber stehen Sonne und Mond auf entgegengesetzten Seiten der Erde. Vollmond ist also immer zwei Wochen vor oder nach einer Sonnenfinsternis.

Topographie und *Gesteine:* Der M. besitzt praktisch keine Atmosphäre; infolgedessen entstehen erhebl. Temperaturunterschiede zw. Tag und Nacht (+130 bis –160 °C). Der Reflexionsgrad (Albedo) der M.-Oberfläche ist nur 0,067, etwa wie der von Lava und Bimsstein; Einzelheiten der Oberfläche bis zu etwa 100 m Ausdehnung können von der Erde aus mit Fernrohren erkannt werden. Als Großlandschaften der M.-Oberfläche lassen sich relativ hell gefärbte Hochländer **(Terrae)** von dunklen, tief liegenden Gebieten **(Maria)** unterscheiden. Charakteristisch für die Terrae sind die etwa 33 000 **Krater (Ringgebirge).** Viele von ihnen haben Durchmesser von 40 bis 80 km, die größten etwa 200 km und mehr; die Ringgebirge erheben sich oft 3 000–4 000 m, manchmal bis über 8 000 m über die innere Ringebene, die häufig einen kleinen Zentralkegel besitzt. Sie werden als Einschlagstellen größerer oder kleinerer Meteoriten gedeutet, die beim Aufprall explosiv verdampften. Bemerkenswert sind die sehr langen und breiten Rillen (Furchen) und die – bes. bei steil auffallender Sonnenstrahlung – hellen Streifensysteme, die von einigen Ringgebirgen strahlenartig ausgehen. Die großen und kleinen Maria sind fast ebene Flächen bis etwa 1 000 km Durchmesser. Die Rückseite des M. ähnelt der Vorderseite, jedoch gibt es auf ihr keine ausgedehnten Maria. – Die M.-Oberfläche ist von Gesteinstrümmern bedeckt, die eine bis zu 25 m tiefe, mehr oder weniger lockere Schicht **(M.-Regolith)** bilden. Das M.-Gestein besteht aus lunaren Basalten und Anorthositen, die u. a. aus calciumreichem Plagioklas, Olivin, Pyroxen zusammengesetzt sind. Chemisch unterscheiden sich diese Gesteine von den ird. Basalten durch ihre starke Anreicherung von Titan, Zirkonium, Hafnium, Yttrium und Lanthanoiden (außer Europium); es wurden aber auch Minerale gefunden, die auf der Erde unbekannt sind. In keiner der zur Erde gebrachten Proben konnten Wasser oder organ. Verbindungen nachgewiesen werden.

Entstehung: Physikal. Altersbestimmungen weisen darauf hin, dass sich die erste Erstarrungskruste des M. vor etwa 4,6 Mrd. Jahren gebildet hat. Die basaltähnl. Gesteine im Mare Tranquillitatis sind etwa 3,5, im Oceanus Procellarum etwa 2,5 Mrd. Jahre alt. Aufgrund ähnl. chem. Zusammensetzung von M. und Erdkruste ist ein enger genet. Zusammenhang sehr wahrscheinlich. Über den Ursprung des M. besteht Unklarheit; man diskutiert im Wesentlichen vier Modelle: die Akkretionstheorie, nach der sich Erde und M. gleichzeitig aus einem Urmaterial als Doppelplanet gebildet haben; die Abspaltungstheorie, nach der sich der M. aus der Erdkruste herausgelöst hat; die Einfangtheorie, wonach der M. in einem anderen Teil des Sonnensystems gebildet und durch die Erde eingefangen wurde; nach der Einschlagtheorie stieß ein Protoplanet mit der noch jungen Erde zusammen, beide Krusten wurden zerstört und in den Weltraum geschleudert; ein Teil des Materials kondensierte zum Mond aus. – Die Einwirkung des M. auf die Erde besteht in erster Linie in den →Gezeiten; Einflüsse auf das Wetter sind nicht nachweisbar. – Über die Erforschung des M. in neuerer Zeit →Raumfahrt, →Raumsonde. BILDTAFEL S. 352 f.

📖 GUILEY, R. E.: *Der M.-Almanach. Der M. in Fakten, Mythen, Märchen u. Geschichte. A. d. Amerikan. München 1993.*

Mondadori (Arnoldo Mondadori S.p.A.), italien. Verlag, gegr. 1909, Sitz seit 1921 in Mailand; Hauptgebiete: Belletristik, Kunstbände, Nachschlagewerke, Schulbücher, Zeitschriften.

Mondbeben, die im Vergleich zu den Erdbeben relativ schwachen Erschütterungen des Mondbodens (Magnitude etwa Stufe 2 der Richter-Skala), die durch Meteoriteneinschläge oder Energiefreisetzungen im Mondinneren hervorgerufen werden. M. dauern häufig über 100 Minuten an. Schwärme von M. treten in etwa 800 km Tiefe auf und scheinen mit dem wechselnden Erde-Mond-Abstand (Gezeitenwirkung) zusammenzuhängen.

Mondblindheit (periodische Augenentzündung), wiederkehrende Entzündung der mittleren Augenhaut (Ader-, Regenbogenhaut und Strahlenkörper) bei Pferden mit starken Schmerzen, Lichtscheu, Tränenfluss und drohender Erblindung. M. ist ein Hauptmangel (→Viehkauf).

Monde (Trabanten, Satelliten), Himmelskörper, die die Planeten begleiten und sie in keplerschen Ellipsen umlaufen. Die M. leuchten in reflektiertem Licht der Sonne und teilweise auch ihrer Planeten. Sie sind außer dem Erdmond (→Mond) so lichtschwach, dass sie nur mit opt. Hilfsmitteln gesehen werden können. Während Merkur und Venus keine M. besitzen, sind derzeit bei der Erde ein Mond, bei Mars 2, bei Jupiter 16, bei Saturn 17 (die Entdeckung von bis zu 23 Saturn-M. wurde gemeldet, ist aber nicht gesichert), bei Uranus 5, bei Neptun 8 M. und bei Pluto ein Mond bekannt. Die größten M. im Sonnensystem (Ganymed und Titan) haben Durchmesser von über 5 000 km und sind größer als der Planet Merkur, während die kleinsten bekannten M. nur etwa 10 km Durchmesser haben. Seit einigen Jahren häufen sich Beobachtungsmeldungen, die auf M. auch bei →Planetoiden hindeuten.

Astronomische und physikalische Daten des Mondes

Äquatordurchmesser	3 476 km
Masse	$7{,}350 \cdot 10^{22}$ kg
Oberfläche	$3{,}796 \cdot 10^{7}$ km²
mittlere Dichte	3,341 g/cm³
Rotationsdauer	27 d 7 h 43 min
Dauer eines Umlaufs um die Erde	27 d 7 h 43 min
mittlere Entfernung zur Erde	384 403 km

Monde, Le [lə'mɔ̃:d; frz. »die Welt«], unabhängige frz. Tageszeitung in Paris, mit internat. Geltung, gegr. 1944. **Le Monde diplomatique** erscheint in dt. Übersetzung als Beilage der »tageszeitung«.

Mondfinsternis, die Verfinsterung des Vollmondes beim Durchlaufen des Erdschattens, wenn dieser in oder nahe der Mondbahn liegt und die Sonne weniger als 13° vom Schnittpunkt der Mond- mit der Sonnenbahn entfernt ist. Dabei entstehen ein Kern- und ein Halbschatten. Bei **totaler M.** tritt der Mond ganz in den Kernschatten der Erde ein, bei **partieller** bleibt ein Teil von ihm im Halbschatten, der nur in der Nähe der Grenze zum Kernschatten eine dem Auge merkl. Lichtverminderung bewirken kann. Bei einer totalen M. bleibt der Mond in einem schwachen rötlichgrauen bis kupferroten Licht sichtbar, da durch Beugung und Streuung in der Erdatmosphäre langwelliges Licht in den Bereich des Kernschattens fällt; sie dauert höchstens 1,7 Stunden. Eine M. kann von allen Erdorten aus beobachtet werden, wenn der Mond über dem Horizont steht. Der Verlauf der Finsternis ist für alle diese Orte der gleiche. Im Mittel treten pro Jahr 1,5 M. ein; M. mit exakt gleicher Stellung von Sonne, Mond und Erde wiederholen sich in einer Periode von 18 Jahren und 10 1/3 oder 11 1/3 Tagen (je nach Schaltjahren), da innerhalb dieser Zeit die Schnittpunkte von Mond- und Sonnenbahn einen vollen Umlauf vollzogen haben und außerdem wieder Vollmond

Mond 2)

1

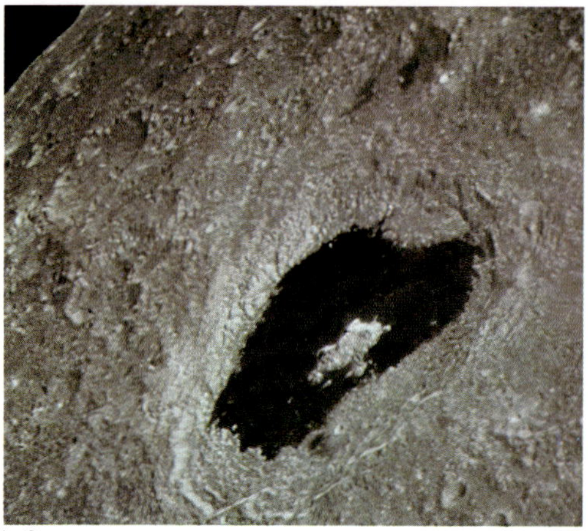

2

3

1 Mondoberfläche mit der zur Hälfte beschienenen Erdscheibe über dem Horizont, aufgenommen während der Apollo 11-Mission (1969) | **2** Der Krater Ziolkowski auf der Mondrückseite ist vermutlich durch einen Meteoriteneinschlag im hellen Terragebiet entstanden und mit dunkler Lava vollgelaufen | **3** Eine typische Landschaft der Mondrückseite; in der oberen Bildhälfte ist der Krater Daedalus zu erkennen, dessen Durchmesser etwa 80 km beträgt | **4** Blick über den Krater Littrow mit dem von der

ist **(Saros-Periode).** Auf das 20. Jh. fallen 148 M., davon 83 totale. (→Finsternis, Bild)

Mondjahr, →Jahr, →Kalender.

Mondlandung, harter Aufschlag oder weiche Landung eines Raumflugkörpers auf dem Erdmond: erster harter Aufschlag am 13. 9. 1959 durch die sowjet. Sonde Lunik 2, erste weiche unbemannte Mondlandung am 3. 2. 1966 mit Luna 9, erste bemannte Landung am 20. 7. 1969 durch das amerikan. Raumfahrzeug Apollo 11 (→Apollo-Programm).

Mondpreise, stark überhöhte Preise, v. a. die bewusst überhöhten unverbindl. Preisempfehlungen von Markenartikelherstellern, die dem Handel die Möglichkeit geben, durch starke Unterbietung den Eindruck bes. günstiger Preise zu erwecken.

Mondraute (Botrychium), Gattung der Natternzungengewächse; die **Echte M.** (Botrychium lunaria), ein niedrigwüchsiger Farn mit nur einem, in einen unfruchtbaren und einen fruchtbaren Ast gegabelten Blatt; selten, wächst auf trockenem Magerrasen.

Mondrian, Piet, eigtl. Pieter Cornelis Mondriaan, niederländ. Maler, *Amersfoort 7. 3. 1872, †New York 1. 2. 1944; war 1917 Mitbegründer des De →Stijl. In der Ztschr. »De Stijl« erläuterte er seine Theorie des →Neoplastizismus. 1919–38 lebte er in Paris, anschließend bis 1940 in London, danach in New York. – M.s Werk besteht seit 1920

| 4

| 5

Apollo 17-Mission (1972) mitgeführten Mondfahrzeug; im Hintergrund ist ein Teil des Taurusgebirges zu erkennen | **5** Die Mikrofotografie zeigt die Bestandteile des Mondstaubs: Rotationskörper aus Glas (Durchmesser 0,25–0,5 mm), Breccien (zum Beispiel unten links), Anorthosit und Feldspat (rechts daneben, hell), darüber eine Breccie mit Glaskruste und Pyroxen (das kleine golden glänzende Bruchstück)

aus Gemälden, deren Spannung auf den Formbeziehungen zw. rechteckigen, sparsam verteilten Flächen in reinen Farben und dem sie überlagernden System horizontaler und vertikaler Linien beruht. Er leistete einen der konsequentesten und einflussreichsten Beiträge im Bereich der gegenstandslosen Malerei und wirkte in erhebl. Maße auch auf die Architektur. BILD S. 354

📖 *M. and the neo-plasticist utopia, bearb. v.* S. FAUCHEREAU. *London 1994.*

Mondsamengewächse (Menispermaceae), Familie der Zweikeimblättrigen; meist trop. holzige Kletterpflanzen mit wechselständigen Blättern und eingeschlechtigen Blüten. M. enthalten häufig Alkaloide, u. a. das Pfeilgift Curare.

Mondsee, See im oberösterr. Salzkammergut, 14,2 km² groß, bis 68 m tief; fließt über die Seeache zum Attersee ab; Pfahlbaufunde der Jungsteinzeit (M.-Kultur). – Am N-Ufer die Marktgemeinde M., 2600 Ew.; Fremdenverkehr; Inst. für Limnologie. – Das Kloster M. bestand 748–1791 (seit 800 Benediktinerabtei).

Mondsonde, unbemannte Raumsonde zur Erforschung des Mondes, die vorbeifliegt, hart aufschlägt, weich landet oder zum Mondsatelliten wird. Die erste M. war Lunik 1 (1959), die in 5600 km Entfernung am Mond vorbeiflog. Mit Lunar Prospector nahm die NASA nach 25 Jahren im Jan. 1998 ihre Monderkundungen wieder auf.

Mondstein, Schmuckstein, → Adular.

Mondsüchtigkeit, der → Somnambulismus.

Mondviole, Art der Gattung → Silberblatt.

Mondvogel (Mondfleck, Phalera bucephala), Schmetterling der Familie Zahnspinner mit halbmondförmigem gelbem Fleck auf den grauen Vorderflügeln.

Monegasse *der,* Einwohner von → Monaco.

Monel® [Kw.] (Monelmetall), Legierung aus etwa 67 % Nickel, bis zu 33 % Kupfer und als Nebenbestandteile Eisen, Mangan und Aluminium sowie Spuren von Silicium, Kohlenstoff, Titan und Schwefel. M. besitzt große Korrosionsbeständigkeit und wird u. a. im Schiff-, Turbinen- und Pumpenbau benutzt.

Monergol *das,* → Raketentreibstoff.

Monet [mɔˈnɛ], Claude, frz. Maler, *Paris 14. 11. 1840, †Giverny (Dép. Eure) 6. 12. 1926; einer der führenden Meister des → Impressionismus; empfing wesentl. Anregungen von J. Boudin, J. B. Jongkind sowie von G. Courbet, É. Manet und W. Turner. Sein 1872 in Argenteuil gemaltes Bild »Impression, soleil levant« (Paris, Musée Marmottan) wurde namengebend für ihn und die Gruppe junger Pleinairisten, mit denen er 1874 in Paris ausstellte. M. konzentrierte sich in seinen Werken auf die Wahrnehmung der farbigen Erscheinungen in der Natur und ihrer Veränderungen im Licht. Er bediente sich der Technik des kurzen Pinselstrichs, um mit unvermittelt nebeneinander gesetzten ungebrochenen Farben das flüchtige Spiel des Lichts wiederzugeben. Die Form der Gegenstände trat demgegenüber zurück. Im Spätwerk löste er das Dingliche immer mehr auf zugunsten der alles erfassenden Lichtbewegung. Weitere BILDER französische Kunst, Impressionismus. BILD S. 354

📖 FOURNY-DARGÈRE, S.: *M. Aus dem Frz. Köln 1993.* – RUSSELL, V.: *M.s Garten im Wechsel der Jahreszeiten. A. d. Engl. Köln 1996.*

monetär [frz., zu lat. moneta »Münze«], die Finanzen betreffend.

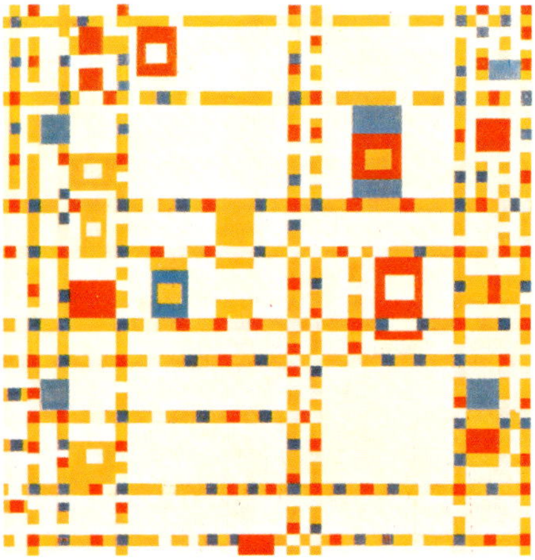

Piet Mondrian: »Broadway Boogie-Woogie« (1942/43; New York, Museum of Modern Art)

Monetarismus *der,* wirtschaftstheoret. und wirtschaftspolit. Konzeption, die von einem engen Zusammenhang zw. der Entwicklung der Geldmenge und der des nominellen Bruttoinlandsprodukts ausgeht und die Geldpolitik in den Mittelpunkt der wirtschaftspolit. Steuerung stellt. Der M. wurde als Gegenentwurf zum Keynesianismus u.a. von M. Friedman und K. Brunner (Chicago-Schule) entwickelt. In Anlehnung an die Neoklassik wird von einem grundsätzlich stabilen Wirtschaftsablauf ausgegangen; Wachstums- und Konjunkturzyklen gehen auf exogene Störungen zurück, die über die Selbstheilungskräfte des Marktes bei funktionsfähigem Wettbewerb verarbeitet werden. Anknüpfend an die →Quantitätstheorie wird davon ausgegangen, dass stetiges Wirtschaftswachstum bei stabilem Geldwert allein durch die konstante Ausdehnung des Geldangebots (Geldmenge) entsprechend der wachsenden Güterproduktion erreicht werden könne (Geldmengenziel). Im Ggs. zum Keynesianismus wird die Wirksamkeit von monetären Impulsen auf die gesamtwirtsch. Nachfrage betont, Geldpolitik als Stabilisierungspolitik jedoch abgelehnt, da destabilisierende Entwicklungen ohne staatl. Eingriffe aufgrund der Stabilität der privaten Wirtschaft vermieden werden können. Praktisch findet der M. seinen Niederschlag in einer einseitig auf Inflationsbekämpfung ausgerichteten Politik der Geldmengensteuerung, wobei unter Zugrundelegung der These von einer nicht reduzierbaren »natürl. Arbeitslosenquote« auf Maßnahmen einer Vollbeschäftigungspolitik verzichtet wird. Der M. hat in Konzepten einer angebotsorientierten Wirtschaftspolitik seinen Niederschlag gefunden, in deren Mittelpunkt neben der Geldmengensteuerung die Stärkung des privaten Sektors und der Abbau konjunktur- und wirtschaftspolit. Maßnahmen stehen (z.B. Verzicht auf Konjunkturprogramme, Deregulierung). – Die Bez. M. geht auf eine Wirtschaftslehre im 16. und 17. Jh. zurück, die die Ansammlung von Edelmetallen als Mittel der Schatzbildung betonte und Probleme des Geldumlaufs und der Münzverschlechterung untersuchte.

📖 Veltzke, H. H.: *Theorie u. Politik des M. Pfaffenweiler 1987.* – Pätzold, J.: *Stabilisierungspolitik. Bern u.a. ^{5}1993.* – Felderer, B. u. Homburg, S.: *Makroökonomik u. neue Makroökonomik. Berlin u.a. ^{6}1994.*

Monferrato (frz. Monferrat), jungtertiäres Hügelland in Piemont, Italien, zw. Po und Tanaro, bis 716 m ü. M.; bed. Weinbaugebiet; Hauptorte: Asti, Casale Monferrato. – Die Grafschaft M. fiel 1536 an die Gonzaga und wurde 1574 Herzogtum, das 1631 z.T. und 1713 vollständig an Savoyen-Piemont kam.

Mong Dsi, chines. Philosoph, →Mengzi.

Gaspard Monge, Graf von Péluse (zeitgenössischer Punktierstich)

Monge [mɔ̃ʒ], Gaspard, Graf von Péluse, frz. Mathematiker, *Beaune 10. 5. 1746, †Paris 28. 7. 1818; gilt als Begründer der darstellenden Geometrie, untersuchte die Bildung von Wasser aus Wasserstoff und Sauerstoff im elektr. Funken.

Mongo (Lolo, Bamongo, Balolo), Bantustamm im N der Demokrat. Rep. Kongo, etwa 5 Mio. Menschen; Waldlandpflanzer (Maniok, Bananen), Jäger, Fischer.

Claude Monet: »Blaue Seerosen« (nach 1916; Paris, Musée d'Orsay)

Mongolei *die,* der von den →Mongolen bewohnte NO Zentralasiens, das Gebiet der Gobi, im NW und N über den Mongol. Altai und das Changaigebirge bis zum Sajangebirge und den Gebirgen Transbaikaliens reichend. Die →Innere Mongolei gehört als autonome Region zu China, die **Äußere M.** bildet den Staat →Mongolei.

Mongolei

Fläche: 1 566 500 km²
Einwohner: (1995) 2,41 Mio. Ew.
Hauptstadt: Ulan-Bator
Verwaltungsgliederung: 18 Aimaks und 3 Städte
Amtssprache: Mongolisch
Nationalfeiertage: 11. 7. und 26. 11.
Währung: 1 Tugrik (Tug.) = 100 Mongo
Zeitzone: MEZ +7 Std.

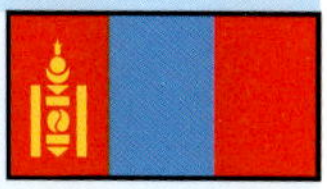

Geschichte: Auf dem Boden der M. schufen schon vor dem 13. Jh. versch. Völker Steppenreiche, so die Xiongnu (3./2. Jh. v. Chr. am Orchon), die Xianbi (5./6. Jh. n. Chr.), Uiguren (8. Jh.), Kirgisen (9. Jh.) und Kitan (10.–12. Jh.). 1206 einte →Dschingis Khan die mongol. Stämme; die M. wurde Ausgangspunkt eines durch zahlr. Heerzüge eroberten Großreichs (→Mongolen), das später in die Teilreiche der Goldenen Horde, der Ilkhane, der Dschaghatai und der chines. Mongolei zerfiel. 1636 unterstellten sich die chines. Mandschukaiser das Gebiet der Inneren M., 1691 das der Äußeren M. (Siedlungsgebiet der Chalcha). Im 16. Jh. wurde das bis dahin vorherrschende Schamanentum durch den Lamaismus abgelöst. Mehrere Aufstände (u. a. 1755–58, 1900) richteten sich gegen die Mandschuherrschaft. Nach deren Sturz durch die chines. Revolution erklärte die **Äußere M.** 1911 ihre Unabhängigkeit (Errichtung einer Monarchie unter dem höchsten lamaist. Geistlichen, dem Bogdo Gegen Khan). 1919–21 besetzten chines. Truppen erneut das Land und erzwangen den Verzicht auf die Autonomie. Die 1919/20 entstandene revolutionäre Bewegung (geführt von Suche Bator und C. Tschoibalsan) vertrieb mit der zu Hilfe gerufenen sowjetruss. Roten Armee 1921 die im Vorjahr eingedrungenen weißgardist. Truppen des Generals R. N. von Ungern-Sternberg; am 10. 7. 1921 übernahm eine »Provisor. Volksreg.« die Reg.gewalt (→Mongolei, Staat). Aus dem äußersten NW, der 1914 unter russ. Protektorat kam, wurde 1921 die Volksrep. **Tannu-Tuwa** gebildet (1944 der UdSSR angegliedert, ab 1961 Tuwin. ASSR, heute Rep. Tuwa innerhalb der Russ. Föderation). Die **Innere M.** erhielt 1947 den Status einer autonomen Region in China.

Mongolei (amtlich mongol. Mongol Uls), Staat in Zentralasien, grenzt im N an Russland, im O, S und W an China.

Staat und Recht: Nach der Verf. vom 13. 1. 1992 ist die M. eine Rep. mit Mehrparteiensystem. Staatsoberhaupt ist der auf vier Jahre direkt gewählte Präs. Die Legislative liegt beim Einkammerparlament, dem Großen Volkschural (76 Abg., auf vier Jahre in einer Kombination von Mehrheits- und Verhältniswahlrecht gewählt). Die Reg. unter Vorsitz des MinPräs. übt die Exekutivgewalt aus. Einflussreichste Parteien: Mongol. Revolutionäre Volkspartei (MRV; ehem. Kommunisten), Demokrat. Koalition (Zusammenschluss der Mongol. Nationaldemokrat. Partei und der Sozialdemokrat. Partei).

Landesnatur: Die M. ist ein überwiegend abflussloses Hochland, das von Gebirgsketten bes. im N und W (Mongol. Altai bis 4374 m ü. M., Gobialtai bis 3957 m ü. M., Changaigebirge bis 4031 m ü. M.) überragt wird, die von weiten, wüstenhaften Beckenlandschaften unterbrochen werden. Vom Changaigebirge leiten mehrere Mittelgebirgszüge zum Chentejgebirge (2800 m) über. Der O ist ein flachwelliges Hochplateau. Südlich der Gebirgszone schließt sich das Trockengebiet der →Gobi an. Das Klima ist extrem kontinental mit großen Temperaturschwankungen und geringen, meist sommerl. Jahresniederschlägen. Den größten Teil des Landes nehmen Steppen ein; in den Gebirgen z. T. Wald. Hauptfluss ist die →Selenga.

Bevölkerung: Rd. 90 % sind Mongolen (überwiegend Ostmongolen, v. a. Chalcha, daneben Dariganga, Burjaten u. a.; Westmongolen: Dürbeten, Bajaten, Dsachtschinen, Oloten, Torguten). Angehörige von Turkvölkern (7 %; Kasachen, Tuwiner, Chotonen), Chinesen, Russen u. a. sind ethn. Minderheiten. Im N, in dem Ackerbau möglich ist, leben 10–20 Ew./km², in der Gobi etwa 0,1 Ew./km². Der Übergang von der nomadisierenden zur kollektiven Viehhaltung, der 1960 abgeschlossen war, hatte die Anlage von Dauersiedlungen zur Folge. Die lamaist. Klöster wurden aufgelöst bis auf eines in Ulan-Bator. 60 % der Bev. leben in Städten (v. a. Ulan-Bator, Darchan, Erdenet, Suche-Bator). – Allg. Schulpflicht besteht vom 8. bis 15. Lebensjahr; unentgeltl. Unterricht; für Kinder nomadisierender Eltern gibt es Internate. Gut ausgebautes Berufs- und Fachschulwesen. Von 6 Hochschulen hat

Staatswappen

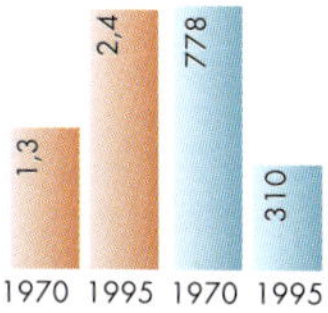

Bevölkerung (in Mio.)
Bruttosozialprodukt je Ew. (in US-$)

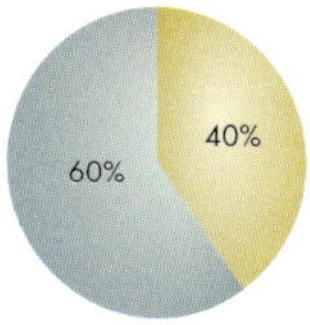

Bevölkerungsverteilung 1995

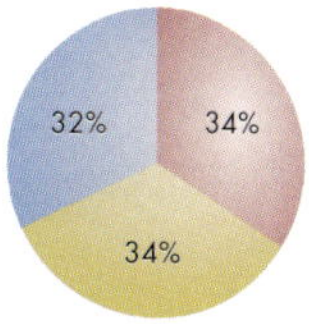

Bruttoinlandsprodukt 1995

eine Univ.rang (in Ulan-Bator; gegr. 1942). – Traditionell vorherrschend ist der lamaist. Buddhismus. Seit 1990 wurden über 120 Klöster neu oder wieder errichtet. Die turksprachigen Nationalitäten sind überwiegend sunnit. Muslime.

Mongolei: Nomadenlager in den Nordausläufern des Changaigebirges

Wirtschaft, Verkehr: Das nach sowjet. Vorbild entwickelte Wirtschaftssystem war einseitig auf Rohstofflieferungen an die Länder des RGW ausgerichtet. Mit der Umstellung der Zentralverwaltungswirtschaft auf die freie Marktwirtschaft sind schwerwiegende ökonom. Probleme (hohe Inflations- und Arbeitslosenrate, schleppende Privatisierung, Energie- und Versorgungskrise) verbunden. Strukturbestimmender Zweig der Volkswirtschaft ist die Landwirtschaft, v.a. die Viehwirtschaft. Gehalten werden Rinder (überwiegend wieder in Privatbesitz), Pferde, Schafe, Ziegen, Kamele, Yaks, v.a. in Staatsgütern auch Schweine und Geflügel. Intensiver Ackerbau ist nur im N, in den z.T. terrassierten Flusstälern, möglich. Angebaut werden Getreide, Kartoffeln, Futterpflanzen und Gemüse. Die reichen Bodenschätze sind nur z.T. erschlossen, v.a. Braun- und Steinkohlenabbau (Förderung rückläufig) sowie die Ausbeutung von Kupfer- und Molybdänerzen (seit 1981 im Tagebau bei Erdenet), Zinn-, Wolfram-, Zink-, Mangan-, Edelmetall- und Eisenerzen sowie Flussspat; seit 1995 wieder Erdölförderung. Die Ind. konzentriert sich in den Räumen Ulan-Bator, Darchan und Tschoibalsan. Nahrungsmittel-, Textil-, Leder-, Baustoffindustrie und Holzverarbeitung sind die wichtigsten Ind.zweige. Wichtigste Ausfuhrgüter sind Schlachttiere, Leder- und Strickwaren, Teppiche, Häute, Kupfer- und Molybdänerzkonzentrate, Kohle und Zinn. – Die Transmongol. Eisenbahn ist an die Transsib bei Ulan-Ude angeschlossen und führt über Ulan-Bator nach SO an die chines. Grenze mit Anschluss an Peking. Tschoibalsan ist durch eine Stichbahn mit der Transsib verbunden. Das gesamte Streckennetz beträgt 1748 km. Das rd. 48000 km lange Straßennetz besteht größtenteils aus Steppenpisten; Binnenschifffahrt auf der Selenga und dem Orchon; in Ulan-Bator internat. Flughafen.

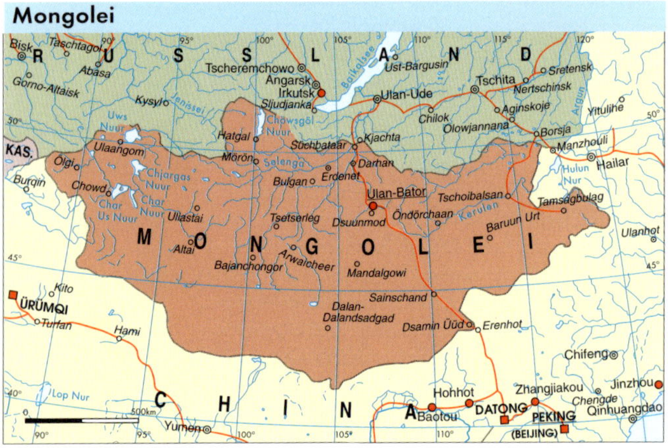

Geschichte: Nach Vertreibung der weißgardist. Truppen aus der Äußeren M. und dem Tod des Monarchen Bogdo Gegen Khan (1924) wurde unter starkem Einfluss der Sowjetunion am 26. 11. 1924 die »Mongol. Volksrep.« (MVR) proklamiert, in der die kommunist. Mongol. Revolutionäre Volkspartei (MRVP) die bestimmende polit. Kraft war. Im Rahmen einer ab 1929 radikalen gesellschaftl. Umgestaltung führte C. Tschoibalsan auch »Säuberungsaktionen« und eine Entmachtung der lamaist. Priesterschaft durch (Höhepunkt 1938, Zerstörung der meisten Klöster und Ermordung vieler Mönche). Ein Vorstoß japan. Truppen wurde 1939 mit Unterstützung der sowjet. Armee am Chalchyn Gol abgewehrt. 1945 nahmen Truppen der MVR am sowjet. Vormarsch in das von Japan besetzte N-China teil, nachdem die MVR gemeinsam mit der UdSSR Japan den Krieg erklärt hatte; im Okt. 1945 stellte ein Volksentscheid die völlige Unabhängigkeit der MVR her, die von China im Jan. 1946 anerkannt und im sowjet.-chines. Vertrag von 1950 bestätigt wurde. 1961 trat die MVR den UN und 1962 dem Rat für gegenseitige Wirtschaftshilfe bei. Im Zuge des seit den 60er-Jahren sich vertiefenden sowjetisch-chines. Gegensatzes lehnte sich die MVR eng an die UdSSR an, bes. als China 1969 den Grenzvertrag von 1962 für ungültig erklärte und Gebietsforderungen stellte. Langjähriger Staats- und Parteichef war bis 1984 J. Tsedenbal, ihm folgte S. Batmunch. Unter dem Druck der Veränderungen in der UdSSR und in Osteuropa proklamierte die Partei- und Staatsführung seit 1989 einen »Kurs der Umgestaltung«. Gleichzeitig entwickelte sich, bes. unter den Intel-

Zerfall des Mongolenreiches nach 1259

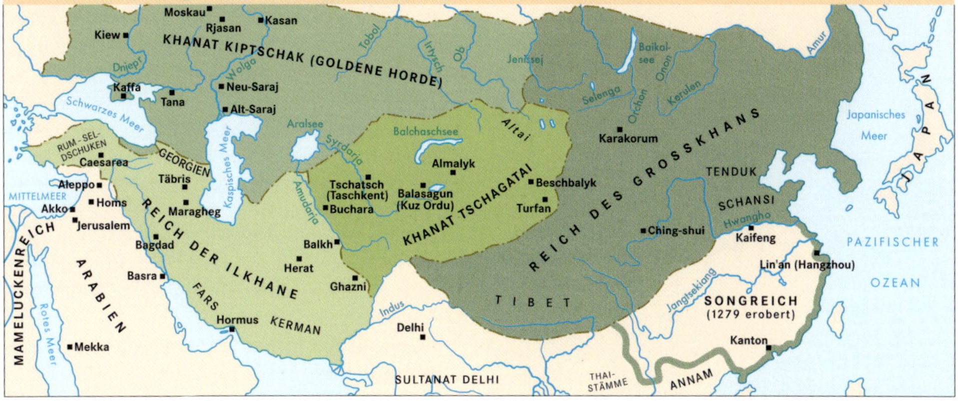

lektuellen, eine Demokratiebewegung (1990 Entstehung der ersten Oppositionsparteien), die im März 1990 den Rücktritt der Partei- und Staatsführung erzwang. Neuer Staatschef wurde P. Otschirbat. Per Verfassungsänderung wurde das Machtmonopol der MRVP aufgehoben. Aus den ersten freien Wahlen (Juli 1990) ging die MRVP als Sieger hervor; das Parlament bestätigte P. Otschirbat als Staatsoberhaupt. Die wirtsch. und gesellschaftl. Umstellung nach dem Ende der kommunist. Herrschaft verursachte gravierende Probleme: Der Mangel an Devisen und an Energie ließ die Ind.produktion und das Sozialprodukt zurückgehen. Die Parlamentswahlen im Juni 1992 gewann erneut die MRVP, die sich offiziell vom Marxismus-Leninismus losgesagt hatte. Bei der ersten Direktwahl des Staatspräs. bestätigte die Bev. 1993 Otschirbat – nach dem Bruch mit der MRVP Kandidat der Opposition – im Amt. Bei den Parlamentswahlen vom Juni 1996 siegte die Anfang 1996 gegründete Demokrat. Union und stellte die Regierung. Mit der Wahl des MRVP-Kandidaten, N. Bagabandi, 1997 zum Staatspräs. erlitt sie jedoch eine Niederlage und der Reformprozess einen Rückschlag.

Im Jan. 1993 schloss die M. (nach dem Abzug der russ. Truppen) mit Russland einen Freundschaftsvertrag, im April 1994 einen Freundschaftsvertrag mit der VR China.

📖 SCHENK, A. *u.* HAASE, U.: *M. München 1994.* – RAITH, V.: *Steppen, Tempel u. Nomaden. München 1994.*

Mongolen (mongol. Mongol), zum tungiden Zweig der mongoliden Rasse gehörende Volksgruppe mit mongol. Sprache, v.a. in Zentral-, Nord- und Ostasien. Kernland der M. ist heute die Äußere →Mongolei. In der Inneren Mongolei und in anderen chines. Provinzen bilden sie eine Minderheit (4,8 Mio.). Geringer ist die Zahl in Russland (Burjaten, Kalmücken) und Afghanistan (Moghol). Man unterscheidet Ost- (u.a. Chalcha, Dariganga, Ordos, Tschachar, Burjaten) und West-M. oder Oiraten (Bajaten, Dürbeten, Dsachtschinen, Mungaten, Oloten, Torguten, Kalmücken). Typ. Wirtschaftsform ist die Viehzucht, die aus geograph. Gründen unterschiedlich weite Wanderungen erfordert. Die damit verbundene nomadisierende Lebensweise war nach der Durchsetzung der sozialist. Staats- und Wirtschaftsordnung stark eingeschränkt. An die Stelle der traditionellen Jurte sind heute vielfach feste Häuser in Dauersiedlungen getreten. Altüberlieferte Bräuche wie Reiterspiele, Ringkämpfe und Bogenschießen werden weiterhin gepflegt. Der ursprüngl. Schamanismus wurde seit dem 13. Jh. zunehmend durch den Islam und dieser seit dem 16. Jh. durch den lamaist. Buddhismus verdrängt. – Urspr. wurde die Bez. M. nur auf einen nomadisierenden Stamm am oberen Amur angewandt, durch Dschingis Khan auf das ganze Volk ausgedehnt. Die M. schufen in der ersten Hälfte des 13. Jh. ein sich von Zentralasien bis zur heutigen Ukraine er-

Mongolen

Die Bewaffnung der mongolischen Reitereinheiten mit Bogen und Lanze war ebenso wie ihre Taktik und Strategie den alten iranischen und türkischen Reitereien entlehnt. Unter Dschingis Khan wurde daraus ein schlagkräftiges Eroberungsheer, was auf mehrere neue Elemente zurückzuführen ist: Nach iranischem Vorbild mit Belagerungsgerät und Wurfmaschinen ausgerüstete Pioniere erlaubten es den Reitern, nun auch befestigte Städte anzugreifen; ein Informationsdienst verschaffte dem Feldherrn genaue Kenntnis über die gegnerischen Stellungen. Überhaupt waren die Mongolen beweglicher als ihre europäischen Gegner, deren Kriegskunst damals im Wesentlichen darin bestand, schwer gepanzerte Reitereien in den Kampf zu führen. Die leichten mongolischen Reitereinheiten hingegen waren oft über weite Gebiete verteilt, um sich dann binnen eines Tages zu vereinigen und den schwerfälligen Feind von drei Seiten gleichzeitig anzugreifen.

Mongolen: In der Schlacht bei Liegnitz am 9. 4. 1241 besiegen die Mongolen Heinrich II. und zeigen den Verteidigern der Stadt sein abgeschlagenes Haupt, Ausschnitt einer Miniatur im Ostrauer Codex der Hedwig-Legende (14. Jh.; Los Angeles, J. Paul Getty Museum)

streckendes Großreich (1241 Vorstoß bis Schlesien und Besetzung Ungarns), das ab 1260 nach der Eroberung ganz Chinas unter Kubilai in drei Teilreiche zerfiel: das der →Goldenen Horde, das der →Ilkhane und die Mongolei mit China. Das Reich der M., in der zweiten Hälfte des 13. Jh. auf dem höchsten Gipfel der Macht, erstreckte sich damals vom Ostchines. Meer bis nach Polen und vom Himalaja bis nach Sibirien; seine Hptst. war bis 1259 Karakorum, dann Khanbalygh (das heutige Peking). Ende des 13. Jh. zerfiel das Reich in mehrere unabhängige Staaten. 1368 wurden die M. aus China vertrieben, im 15. Jh. verloren sie ihre Herrschaft in Russland. Der mongol. Herrscher Timur gründete in der 2. Hälfte des 14. Jh. ein neues Reich mit der Hauptstadt Samarkand, dem Inner- und Vorderasien untertan waren, das aber nach seinem Tod 1405 rasch zerfiel. Von Dschagatai aus gründete →Babur in Indien das Reich der Großmoguln. In Zentralasien haben die M. seither keine geschichtl. Bedeutung mehr.

📖 *Die Nomaden der M., bearb. v.* M. C. GOLDSTEIN *u.* C. M. BEALL. *A. d. Amerikan. Nürnberg 1994.*

Mongolenfalte (Nasenlidfalte, Epikanthus), weit herabfallende Deckfalte des Augenoberlides, die Lidrand und Wimpern teilweise verdecken kann; verschmilzt am inneren Augenwinkel in einem sichelförmigen Bogen mit der Nasenhaut; kommt v. a., jedoch nicht ausschließlich bei Mongoliden vor.

Mongolenfleck (Sakralfleck, Steißfleck), blaugraue Verfärbung der Haut über der Steißgegend, die bei Neugeborenen deutlich ausgeprägt ist, später aber verblasst. Der M. kommt v. a. bei Mongoliden vor, ist jedoch nicht auf diese beschränkt.

Mongolide, typolog. Kategorie für die Gesamtheit der v. a. in Zentral-, O- und S-Asien einheim. Menschen. Im W besteht eine breite Kontaktzone und Verzahnung mit den Europiden, im N lebt eine Reihe mehr oder weniger isolierter Populationen, die ebenfalls Merkmale mit den Europiden gemeinsam haben. Charakteristisch für die M. sind ein flaches Gesicht mit niedriger Nasenwurzel, betonte Jochbögen, flach liegende Lidspalte (→Mongolenfalte), dickes, straffes, dunkles Haar, dunkle Augen, gelbbräunl. Haut, i. d. R. kurzer, untersetzter Wuchs.

mongolische Kunst, →zentralasiatische Kunst.

mongolische Literatur, die überwiegend in der uiguromongol. Schrift abgefasste Literatur; Denkmäler der frühesten Epoche sind auch mit anderen Schriftsystemen geschrieben; ältestes erhaltenes Zeugnis ist die »Geheime Geschichte der Mongolen« (1227–64), eine Darstellung des Aufstiegs Dschingis Khans. Neben Heldenliedern, die auch heute noch von Rhapsoden vorgetragen werden, ist die m. L. reich an ritualistisch, schamanistisch beeinflusster Zeremonialdichtung, Segenssprüchen und Ansprachen, Weisheitssprüchen, Rätseln, Sprichwörtern und Liedern. Besonderen Raum nimmt auch die didakt. Dichtung ein. Ein großer Teil der früheren, durch die Aufnahme und Verarbeitung indisch-tibet. und buddhist. Motive gekennzeichneten Literatur ist anonym. Große Bedeutung kommt der in zahlr. Handschriften erhaltenen Geschichtsliteratur zu. Aus der im 17./18. Jh. einsetzenden Rezeption von Prosaerzählungen indisch-tibet. Ursprungs und chines. Romane entwickelte sich die reiche Prosaliteratur der Gegenwart. Die Hinwendung zur modernen Literatur erfolgte unter Daschdordschijn Natsagdordsch, wurde jedoch mit seinem Tod (1937) und dem anderer talentierter Schriftsteller v. a. mit der engen Anlehnung an die sowjet. Kultur- und Literaturpolitik (Einführung der kyrill. Schrift) unterbrochen und erst durch eine neue Generation von Schriftstellern fortgesetzt. Mit seinen Erzählungen und Übersetzungen zählt Tsendijn Damdinsüren zu den Wegbereitern der neuen Literaturbewegung, die v. a. folklorist. Novellen und Erzählungen sowie histor., wiss.-fantast. und Zeitromane hervorbrachte; zu den modernen Erzählern, die neben Gegenwartsproblemen auch die Geschichte der Mongolen verstärkt thematisieren, gehören u. a. E. Ojuun, D. Paj-Dchingijn Battulga, S. Udwal, S. Gaadamba, D. Mjagmar, D. Garmaa.

📖 HEISSIG, W.: *Geschichte der m. L., 2 Bde. Wiesbaden* [2]*1994.*

mongolische Schrift

mongolische Schrift (uiguro-mongol. Schrift), in senkrechten, von links nach rechts zu lesenden

Zeilen verlaufende Schrift. Sie geht auf ein ostsyr. Alphabet zurück, das 1204 von den Mongolen übernommen wurde. In der Mongol. Volksrep. wurde 1941–46 ein modifiziertes kyrill. Alphabet eingeführt; seit 1991 bedient man sich in der Mongolei offiziell wieder der uigur. Schrift, die auch in der Inneren Mongolei wie bisher verwendet wird.

mongolische Sprachen. Die m. S. gehören zur Gruppe der →uralaltaischen Sprachen; sie sind meist agglutinierend. Die Dialekte werden klassifiziert nach lautlichen (Alt-, Mittel- und Neumongolisch) und geograph. Gesichtspunkten: Zum Westmongolischen gehören z.B. Oiratisch und Kalmückisch, zum Ostmongolischen die Amtssprache Chalcha-(Khalkha-)Mongolisch, das Dariganga-Mongolisch, das Burjatische, zu den Randsprachen Moghol, Monguor und Santa.

Mongolismus *der, Medizin:* das →Down-Syndrom.

Mongolistik *die,* Wiss. von den sprachl. und kulturellen Gegebenheiten der Mongolen und benachbarter Kulturen.

Monheim, Stadt im Kreis Mettmann, NRW, am Rhein, 43500 Ew.; Tanzakademie; Pflanzenschutzzentrum; pharmazeut. Ind., Brauerei.

Monier [mɔn'je], Joseph, Gärtnereibesitzer, *Saint-Quentin-la-Pôterie (bei Nîmes) 8. 11. 1823, †Paris 13. 3. 1906; förderte die Verwendung von Stahlbeton im Bauwesen **(Monierbauweise).**

Monika, Heilige, →Monnika.

Moniliakrankheit [lat.], Fruchtfäule des Obstes, erregt durch die Pilze **Monilia fructigena** beim Kernobst und **Monilia laxa** beim Steinobst. Auf den Früchten bilden sich polsterartige Sporenlager (häufig in konzentr. Ringen); die Früchte fallen ab oder bleiben, allmählich mumifiziert, am Baum hängen; Behandlung mit Fungiziden.

Moniliasis [lat.] *die, Medizin:* der →Soor.

Monismus [zu grch. mónos »allein«, »einzig«] *der,* im Unterschied zum →Dualismus und →Pluralismus jede philosoph. oder religiöse Auffassung, die Bestand oder Entstehung der Welt aus einem Stoff oder aus einem Prinzip allein erklären will. Der **ontolog. M.** ist Materialismus (Materie als Prinzip) oder Idealismus bzw. Spiritualismus (Geist als Prinzip). Der **erkenntnistheoret. M.** erblickt z.B. in den Empfindungselementen (so E. Mach) den Stoff, der je nach Gesichtspunkt als physikal. oder psycholog. Objekt erscheint.

Monistenbund, von E. Haeckel u.a. 1906 gegr. Zusammenschluss von Freidenkern auf der Grundlage eines monist. Materialismus →Monismus; wandte sich gegen christlich-dogmat. Überzeugungen. Nach 1920 erfolgte die Rezeption sozialist. und pazifist. Konzeptionen; Gegnerschaft zu Antisemitismus und Rassismus. Seit 1956 »Freigeistige Aktion – Deutscher Monistenbund«.

Monitor [lat. »Mahner«] *der,* **1)** *Datenverarbeitung:* 1) Funktionseinheit zur laufenden Beobachtung und Überwachung interner Abläufe von Rechenanlagen; 2) Konzept zur Synchronisierung nebenläufiger Prozesse; 3) →Bildschirm.

2) *Fernsehtechnik:* Fernsehkontrollempfänger für Regie- und Reportagezwecke zur Prüfung von Inhalt und techn. Qualität der Kameraaufnahme oder der Aufzeichnung.

3) *Medizin:* Sichtgerät, auf das medizin. Daten (EKG u.a.) übertragen werden.

António Moniz Egas

Monitorsystem, Unterrichtsmethode (A. Bell), bei der Schüler als Helfer (Monitoren) beteiligt werden.

Moniuszko [mɔn'juʃkɔ], Stanisław, poln. Komponist, *Ubiel (heute Ubel, bei Minsk) 5. 5. 1819, †Warschau 4. 6. 1872; gilt als Begründer einer nationalen poln. Oper (»Halka«, 1848); schrieb ferner weitere Opern, Operetten, Ballette, etwa 300 Lieder, Chorwerke, Kirchen- und Klaviermusik.

Moniz Egas [mu'niʃ 'ɛɣaʒ], António Caetano, eigtl. A. C. de Abreu Freire Egas Moniz, portugies. Neurologe und Politiker (Außenmin. 1918), *Estarreja (bei Aveiro) 29. 11. 1874, †Lissabon 13. 12. 1955; Schöpfer der Gehirn-Arteriographie am lebenden Menschen (1927). Für das ebenfalls von ihm angegebene Verfahren der Leukotomie (operative Unterbrechung von Nervenfasern zw. dem Stirnhirn und tiefer gelegenen Gehirnabschnitten) erhielt er 1949 (mit W. R. Hess) den Nobelpreis für Physiologie oder Medizin.

Egon Monk

Monk, 1) Egon, Regisseur, *Berlin 18. 5. 1927; war ab 1949 Regieassistent u.a. bei B. Brecht; dann Regisseur u.a. in Rostock und Berlin (Ost); wechselte 1953 in die Bundesrep. Dtl.; 1960–68 beim NDR Leiter der Fernsehspielabteilung und seit 1970 ebd. Regisseur; drehte u.a. »Die Bertinis« (5 Tle., 1988, nach dem R. von R. Giordano).

Meredith Monk

2) [mʌŋk], Meredith, amerikan. Komponistin, Sängerin und Choreographin, *Lima (Peru) 20. 11. 1942; gründete 1978 das M. M. Vocal Ensemble und experimentierte mit der menschl. Stimme; versuchte als Choreographin und als Komponistin eine Art Gesamtkunstwerk zu schaffen, u.a. mit den Opern »Vessel« (1971) und »Atlas« (1991).

Thelonious S. Monk

3) [mʌŋk], Thelonious Sphere, amerikan. Jazzpianist und Komponist, *Rocky Mount (N. C.) 10. 10. 1920, †Weehawken (N.J.) 17. 2. 1982; gilt als einer der Wegbereiter des Bebop; schrieb zahlr. Jazzstandards (»Round about Midnight«, 1944; »Criss Cross«, 1951).

Mon-Khmer-Sprachen, Gruppe der austroasiat. Sprachen. Zu ihnen gehören: 1) die Khmergruppe mit Khmer (Kambodschanisch), Angrak, Pnar, Khmer Dong, Samreh, Budeh sowie in Vietnam Bahnar und Stieng, in den Khasi- und Jaintiabergen, Indien und Bangladesch Khasi und auf den

Nikobaren Nikobarisch; 2) das Mon (Talaing, Peguanisch) in SO-Birma.

Mon-Khmer-Völker, Sammelbez. für eine Reihe sprachlich zusammengehörender, kulturell und anthropologisch aber verschiedener Völker in Hinterindien, v.a. die Khmer, Khasi, Mon, Palaung, Wa, Lawa, die meisten Moi, ferner die Nikobarer und die kleinwüchsigen Restvölker Malakkas.

Jean Monnet

Monmouthshire ['mʌnməθʃɪə], Cty. im äußersten SO von Wales, 850 km^2, 85600 Ew., Verw.Sitz ist Cwmbran.

Monnet [mɔ'nɛ], Jean, frz. Wirtschaftspolitiker, *Cognac 9. 11. 1888, †Montfort-l'Amaury (Dép. Yvelines) 16. 3. 1979; war 1919–23 stellv. Gen.-Sekr. des Völkerbundes, 1943–44 Mitgl. des Frz. Komitees der Nat. Befreiung; stellte als Leiter des Planungsamtes (1946–50) Modernisierungsprogramme für die frz. Wirtschaft und die Überseegebiete auf **(M.-Pläne).** An der Verwirklichung des Schuman-Planes im Rahmen der Montanunion war M. wesentlich beteiligt. 1952–55 war er Präs. der Hohen Behörde der Montanunion. 1956 gründete er das »Aktionskomitee für die Vereinigten Staaten von Europa« (1975 aufgelöst). M. erhielt 1953 den Internat. Karlspreis der Stadt Aachen.

Thyde Monnier

Monnier [mɔ'nje], **1)** Henri Bonaventure, frz. Schriftsteller und Zeichner, *Paris 6. 6. 1799, †ebd. 3. 1. 1877; schuf in den von ihm selbst illustrierten Dialogen »Scènes populaires dessinées à la plume« (1830) die viel zitierte Gestalt des selbstzufriedenen Spießbürgers »Joseph Prudhomme« (dt. etwa »Biedermann«).

2) Thyde, eigtl. Mathilde M., frz. Schriftstellerin, *Marseille 23. 6. 1887, †bei Nizza 18. 1. 1967; schildert in neonaturalist. Romanen Landschaft und Leben der kleinen Leute ihrer südfrz. Heimat. Als Hauptwerk gilt der R.-Zyklus »Les Desmichels«, der z.T. auch ins Dt. übersetzt wurde: bes. bekannt Bd. 1 und 2 (1937) zus. u. d. T. »Liebe, Brot der Armen«.

Jacques Monod

Monnika (Monika), Mutter des →Augustinus, *Tagaste (Numidien) um 332, †Ostia Nov. 387; aus christl. Familie, hatte großen Einfluss auf die Bekehrung ihres Sohnes; Heilige, Tag: 27. 8.

mon(o)... [grch. mónos], allein..., ein..., einzeln...

Monoamin|oxidase (Monoaminooxidase, Abk. MAO), in den Mitochondrien u.a. der Gehirnzellen lokalisiertes Enzym, das die Konzentration biogener Monoamine (z.B. Noradrenalin, Serotonin) reguliert, die als Neurotransmitter für die Funktion des Nervensystems wichtig sind. Hemmstoffe der M., die **MAO-Hemmer** oder **MAO-Inhibitoren** (u.a. Derivate von Säurehydraziden), werden in beschränktem Umfang als Antidepressiva verwendet.

Monoceros (Einhorn), *Astronomie:* Sternbild der Äquatorzone.

Monochord [grch.] *das,* seit der Antike und weit über das MA. hinaus benutztes Tonmessgerät aus einem längl. Resonanzkasten mit darüber gespannter, durch einen verschiebbaren Steg teilbarer Saite. Das Verhältnis der Saitenlänge von 1:2 ergibt die Oktave, das von 2:3 die Quinte usw. Aus einer mittelalterl. Abart des M. entwickelte sich wahrscheinlich das →Klavichord.

monochrom [grch.], in einer einzigen Farbe gehalten (v.a. bei Kunstwerken).

Monochromasie *die,* **1)** *Medizin:* totale Farbenblindheit (→Farbenfehlsichtigkeit).

2) *Physik:* Eigenschaft einer Strahlung, nur einen sehr engen Wellenlängen-(Energie-)Bereich zu enthalten.

monochromatisch, *Physik:* einfarbig im Sinne einer Spektralfarbe des Lichts; i.w.S. durch eine elektromagnet. Strahlung definierter Wellenlänge oder eines sehr engen Wellenlängenbereichs charakterisiert oder (aufgrund des →Dualismus von Welle und Teilchen) Teilchen einheitl. Energie (eines geringen Energieintervalls) enthaltend.

Monochromator [grch.] *der,* Vorrichtung zur Aussonderung von Teilchen nach ihrer Energie (z.B. Massenspektrograph) oder elektromagnet. Wellen nach einem definierten Wellenlängen- bzw. Frequenzbereich (v.a. Spektralapparate), insbesondere von Licht einer bestimmten Spektralfarbe.

Monochromismus [grch.] *der* (monochrome Malerei), in der zeitgenöss. Malerei der Aufbau eines Bildes aus einer einzigen Farbe oder gering voneinander abweichenden Tonstufen (Y. Klein, L. Fontana u.a.).

Monod [mɔ'no], Jacques Lucien, frz. Biochemiker, *Paris 9. 2. 1910, †Cannes 31. 5. 1976; erhielt 1965 mit A. Lwoff und F. Jacob den Nobelpreis für Physiologie oder Medizin für die Entdeckung der genet. Steuerung der Enzym- und Virussynthese. In seinem Werk »Zufall und Notwendigkeit« (1970) befasste sich M. mit philosoph. Fragen der modernen Biologie.

Monodie [grch.] *die,* in der Antike der Gesang eines Einzelnen im Ggs. zu dem eines Chores; seit dem Ende des 16. Jh. der akkordisch durch den Generalbass begleitete Sologesang im musikdramat. Rezitativ und in der Opernarie.

Monodrama, Einpersonenstück monolog. Charakters, auch in Verbindung mit stichwortgebenden Nebenpersonen, Tonband, Telefon (J. Cocteau, »Geliebte Stimme«, 1930; »Das letzte Band«, 1959, S. Beckett). Das M. wurde im 18. Jh. als ein von Instrumentalmusik begleiteter Monolog, z.B. J.-J. Rousseaus »Pygmalion« (1762), geschaffen.

Monoflop *der,* monostabile →Kippschaltung.

Monogamie [zu grch. gámos »Ehe«] *die,* das geschlechtl. Zusammenleben eines männl. mit einem weibl. Lebewesen (beim Menschen und bei höheren Tieren auch als **Einehe** bezeichnet), im Ggs. zur Bigamie (Doppelehe) und zur Polygamie (Vielehe).

monogen [grch.], durch nur ein Gen bestimmt (Erbvorgang).

Monogramm [grch.] *das,* **1)** *Diplomatik:* (Handzeichen, lat. Signum, frz. Chiffre) Figur aus Buchstaben oder Zeichen als Ausdruck für Namen oder Titel. In mittelalterl. Urkunden ersetzte das M. die eigenhändige Unterschrift.

2) *Kunst:* (Künstlermonogramm, Meisterzeichen) die zuerst von den Handwerksmeistern des späteren MA. für ihre Arbeiten verwendeten Zeichen (Anfangsbuchstaben, Hausmarke). Das M. sollte die Arbeiten vor Nachahmung schützen und wurde dann Ausdruck des künstler. Selbstbewusstseins. Die Künstler aus der Frühzeit des Holzschnitts und des Kupferstichs, von denen man nur das M. kennt, werden **Monogrammisten** genannt.

Monographie [grch.] *die,* in sich abgeschlossene wiss. Abhandlung über eine Persönlichkeit oder einen einzelnen Gegenstand einer Wissenschaft.

Monohybride [grch.] *die* auch *der,* Bastard, dessen Eltern sich in nur einem Merkmal unterscheiden.

Monokel [frz., von lat. monoculus »einäugig«] *das,* mithilfe des Lidschließmuskels vor dem Auge gehaltenes →optisches Glas; früher übl. Korrekturlinse für ein Auge, auch als Modeerscheinung.

monoklines Kristallsystem [grch.], →Kristallsysteme.

monoklonale Antikörper [zu grch. klōn »Sprössling«], von einem einzelnen Zellklon produzierte →Antikörper. Mit bio- und gentechn. Verfahren gelang es, entartete Lymphozyten mit Antikörper bildenden Lymphozyten zu verschmelzen. Diese Hybridome sind fast unbegrenzt lebensfähig und bilden große Mengen des Antikörpers, auf den die Lymphozyten »programmiert« werden. M. A. werden u.a. zum Nachweis von Tumorzellresten eingesetzt.

Monokotyledonen, →Einkeimblättrige.

Monokratie [zu grch. krateīn »herrschen«] *die,* Herrschaft eines Einzelnen, sowohl die →Monarchie als auch andere Formen (Tyrannis, Diktatur). (→Aristokratie)

monokratisches Prinzip, im Ggs. zum Kollegialprinzip ein Organisationsprinzip bes. von Behörden, dem zufolge die institutionellen Befugnisse nur dem jeweiligen Leiter zustehen, dieser aber delegationsbefugt ist.

mon|okulares Sehen, das Sehen mit nur einem Auge; eine Tiefenwahrnehmung ist dabei nicht möglich.

Monokultur, Form landwirtsch. Bodennutzung; jährlich wiederkehrender Reinanbau derselben einjährigen Nutzpflanzenart auf der gleichen Fläche oder langjähriger Reinanbau von Dauerkulturen (z.B. Wein, Obst, Kaffee, Fichten); Vorteile: Erzeugung großer Mengen und arbeitssparende Bodenbearbeitung mit Maschinen; Nachteile: leichte und schnelle Ausbreitung von Pflanzenkrankheiten und Schädlingen, Verbrauch des natürl. Mineralgehalts des Bodens durch einseitige Beanspruchung.

Monolith [grch.] *der,* einzelner Steinblock, z.B. ein Menhir; auch ein kunstvoll bearbeiteter Steinblock, z.B. ein Obelisk.

monolithische Schaltung, eine in Halbleiterblocktechnik hergestellte →integrierte Schaltung mit einem Halbleiter als Grundkörper.

Monolog [grch. »Alleinrede«] *der,* literarisch-theatral. Gestaltungsmittel, das im Unterschied zum →Dialog und zur an den Partner gerichteten Rede v.a. der Selbstauseinandersetzung dient. Im Drama als künstler. Mittel des Selbstgesprächs; in der ep. Literatur v.a. als →innerer Monolog.

Monomanie [grch.] *die,* krankhafter Trieb, auch fixe Idee, z.B. Kleptomanie.

Monomere [zu grch. méros »(An)Teil«], niedermolekulare Bausteine von →Polymeren. Typische Moleküle von M. zur techn. Polymersynthese (→Kunststoffe) haben Doppelbindungen (z.B. Äthylen) oder zwei reaktionsfähige Gruppen (z.B. Diisocyanate).

Monogramm 2): 1 Hans Sebald Beham, 2 Hans Baldung, genannt Grien, 3 Albrecht Altdorfer, 4 Albrecht Dürer, 5 Matthias Grünewald (eigentlich Mathis Gothart Nithart), 6 Urs Graf, 7 Lucas van Leyden, 8 Lucas Cranach d. Ä.

Monomotapa [nach Bantu Mwame Mutapa »Herr der Bergwerke«], ehem. Bantureich im Gebiet des heutigen Simbabwe und Moçambique, dessen Herrscher den Titel »M.« führten. Es kontrollierte den seit Jahrhunderten betriebenen Bergbau (v.a. Gold) um die Stadt →Simbabwe und erlebte vom 14. bis 16. Jh. seine Blütezeit. Im 17. Jh.

Monomotapa

Vertrag zwischen dem Herrscher Monomotapa und dem König Portugals vom 1. August 1607:

»Ich, Herrscher von Manamotapa (!), schwöre, dass es mir beliebt, Seiner Majestät alle Gold-, Kupfer-, Eisen-, Blei- und Zinnminen, die sich in meinem Königreich befinden, zu schenken, unter der Bedingung, dass der König von Portugal, dem ich die besagten Minen gebe, mir meinen Staat belässt, auf dass ich dort unumschränkt regieren kann wie bisher, und wie es schon meine Vorfahren getan haben.«

geriet es unter portugies. Einfluss und verfiel dann rasch. Der letzte M. wurde 1917 von Portugal abgesetzt.

Mononukleose [grch.] *die* (infektiöse Mononukleose, Drüsenfieber, Pfeiffer-Drüsenfieber, Monozytenangina, Lymphoidzellenangina), meist gutartig verlaufende Viruserkrankung des lymphat. Gewebes, die v.a. bei älteren Kindern und jungen Erwachsenen auftritt. Erreger ist das v.a. durch Tröpfchen- und Kontaktinfektion übertragene Epstein-Barr-Virus. Die Inkubationszeit beträgt 8–21 Tage. Kennzeichen sind Fieber, Kopf- und Gliederschmerzen, Lymphknotenschwellungen sowie Mandelentzündung und Milzvergrößerung, mitunter auch Hautausschläge. *Behandlung* durch Bettruhe, Wärmeanwendung bei schmerzhaften Schwellungen, Mundpflege und Schmerzmittel.

Monophthong [grch.] *der, Phonetik:* einfacher vokal. Laut, im Unterschied zum Diphthong (Doppellaut).

monophyletisch [grch.] (monogen), von einheitl. Abstammung; Ggs.: polyphyletisch.

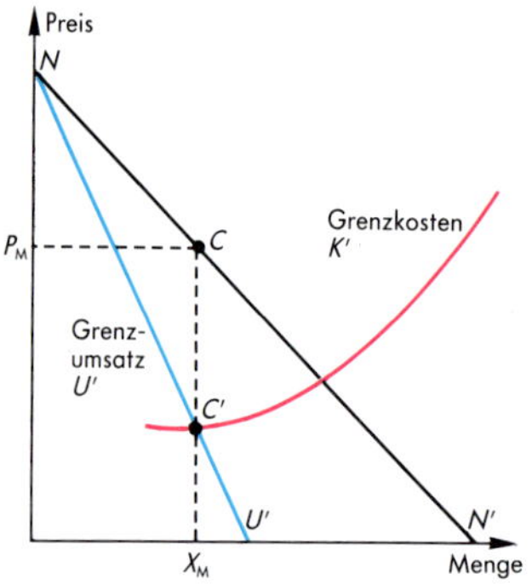

Monopol: Der »cournotsche Punkt« C liegt senkrecht über dem Schnittpunkt C' der Grenzumsatzkurve U' und der Grenzkostenkurve K'; dieser Punkt wird erreicht, wenn der Monopolist den Preis P_M oder die Verkaufsmenge X_M fixiert

Monophysiten [grch.], die Anhänger der von der alexandrin. Theologenschule (→Kyrill von Alexandria) begründeten christolog. Auffassung **(Monophysitismus),** nach der es in Jesus Christus nicht zwei Naturen (eine göttl. und eine menschl.) gegeben habe, sondern nur die eine (göttl.) des Fleisch gewordenen →Logos; nach ihrer Verurteilung auf dem 4. ökumen. Konzil (Chalkedon 451) Abspaltung der M. von der Reichskirche und Bildung eigener Kirchen (→armenische Kirche, →äthiopische Kirche, →Jakobiten, →koptische Kirche).

Monopodie [grch.] *die,* metr. Einheit, die aus nur einem Versfuß besteht, im Unterschied zur Dipodie.

Monopol [grch. »Alleinverkauf«] *das,* Marktform, bei der das Angebot in einer Hand **(Monopolist)** vereinigt ist **(Angebots-M.).** Die entsprechende →Marktform auf der Nachfrageseite heißt **Monopson (Nachfrage-M.).** Man unterscheidet natürl. (Rohstoff-)M., wirtsch. M. (z.B. Kartelle, Trusts), rechtlich gesicherte M. (Patente, Außenhandels-M.), M. aufgrund alleiniger Verfügungsmacht über Produktionsfaktoren und Produktionsverfahren sowie aufgrund spezif. Produktdifferenzierung. Bei den →Finanzmonopolen und →Staatsmonopolen behält sich der Staat die Herstellung und/oder den Vertrieb einer Ware vor. Wenn auf der Angebots- und Nachfrageseite viele Marktteilnehmer auftreten, aber jeder Anbieter bzw. Nachfrager wegen der Marktunvollkommenheit eine monopolähnl. Position einnimmt und sich innerhalb bestimmter Grenzen wie ein Monopolist verhalten kann, spricht man von monopolist. Konkurrenz. – In der Wirtschaftstheorie hat als Erster A. A. Cournot die M.-Preisbildung mathematisch exakt behandelt. Der »cournotsche Punkt« auf einer Preis-Absatz-Funktion bestimmt die gewinnmaximale Kombination der Preis-Angebotsmenge und damit den maximalen Gewinn eines Monopolisten. Die Wirkung von M. ist in der Volkswirtschaftslehre umstritten. Während liberale Richtungen die von den M. ausgehende Störung des Wettbewerbs betonen, wird in der Konjunktur- und Wachstumstheorie eine positive Wirkung der M. auf techn. Fortschritt und Stabilität des Wirtschaftswachstums behauptet. Um der Monopolisierung zu begegnen, setzt die Wirtschaftspolitik Maßnahmen wie Kartellverbot, Fusionskontrolle, Missbrauchsaufsicht ein.

Geschichte: M. gab es seit der frühesten Zeit des Tauschverkehrs. In den europ. Territorialstaaten waren vom 13. bis zum 19. Jh. die bedeutendsten M. privilegierte Unternehmungen (z.B. Handelskompanien) und die staatl. Regalbetriebe. Salz, Tabak, Zündhölzer, Branntwein waren oft Staatsmonopol. Während mit der Ausweitung des Welthandels und der Durchsetzung des Liberalismus viele alte M. abgebaut wurden, entwickelten sich seit dem ausgehenden 19. Jh. neue M. in den →Kartellen.

🕮 STÜLB, W.: *Monopolistische Konkurrenz u. Makroökonomik. Wiesbaden 1995.*

Monopol *der, Physik:* isolierte positive oder negative elektr. Elementarladung *e* **(elektr. M.)** oder isolierter magnet. Nord- oder Südpol mit der magnet. Einheitsladung *g* **(magnet. M.);** auch Bez. für die diese Ladungen tragenden Teilchen. Während elektr. M. seit langem bekannt sind, sind magnet. M. bisher noch nicht nachgewiesen. Ihre Existenz wurde 1931 von P. Dirac postuliert. Auch die →Große Vereinheitlichte Theorie der Wechselwirkungen setzt das Vorkommen von magnet. M. voraus.

Monopolkapitalismus, Terminus des Marxismus für das »höchste Stadium« der kapitalist. Wirtschaftsordnung als Ausbeutungs- und Herrschaftssystem. Danach ist der M. gekennzeichnet durch Konzentration der Produktion und des Kapitals in Monopolen auf nat. und internat. Ebene, Verschmelzung des Bank- und Ind.kapitals in den Händen einer Finanzoligarchie, Übergewicht des Kapitalexports gegenüber dem Warenexport, territoriale Aufteilung der Erde unter die kapitalistisch bestimmten Großmächte. Die bewegenden Kräfte des M. sind – gemäß dieser Sichtweise – Monopole, d.h. Unternehmen mit einer so großen ökonom. Macht, dass sie in der Lage sind, zum Nachteil des nichtmonopolist. Teils des Kapitals einen Extraprofit, den »Monopolprofit«, zu erzwingen. Nach Lenin ist der M. die Wirtschaftsordnung des Imperialismus.

Monopolkommission, durch das Gesetz gegen Wettbewerbsbeschränkung vorgeschriebenes Sachverständigengremium aus fünf unabhängigen, vom Bundespräs. berufenen Mitgl.; besteht seit 1974. Die M. muss Stand und Entwicklung der Unternehmenskonzentration und die Tätigkeit des Bundeskartellamtes unter wirtschafts- und wettbewerbspolit. Aspekten beurteilen und gibt dazu zweijährlich das »Hauptgutachten der M.« heraus.

Monopteros [grch.] *der,* offener Rundtempel, dessen Gebälk und Dach von Säulen getragen wird; beliebt in der barocken und klassizist. Gartenarchitektur.

Monosaccharide, einfach gebaute Zucker, Grundbausteine der →Kohlenhydrate. M. sind meist süß schmeckende, farblose, kristalline, leicht wasserlösl., stets optisch aktive Substanzen. Nach der Anzahl der Kohlenstoffatome unterscheidet man Triosen, Tetrosen, Pentosen, Hexosen und Heptosen sowie Aldosen und Ketosen nach Vorhandensein einer Aldehyd- bzw. Ketogruppe. M. bilden meist intramolekulare, fünf- oder sechsgliedrige zykl. Halbacetale (sog. **Furanosen** bzw. **Pyranosen**). Durch Zusammenschluss von zwei oder mehr M. entstehen Disaccharide und Polysaccharide.

monosyllabische Sprachen [grch./dt.] (einsilbige Sprachen), Sprachen, die ausschließlich oder überwiegend aus einsilbigen Wörtern bestehen, z.B. Chinesisch.

Monotheismus [grch.] *der,* die Verehrung nur eines von der Welt getrennt existierenden Gottes (Ggs. →Polytheismus) unter Leugnung der Existenz anderer Götter. Monotheist. Religionen sind Judentum, Christentum und Islam.

Monotheleten [grch.], die Anhänger der im 7.Jh. unter dem Einfluss des Monophysitismus begründeten christolog. Auffassung **(Monotheletismus),** nach der es in Jesus Christus zwei Naturen (eine göttl. und eine menschl.), aber nur einen gemeinsamen Willen (grch. »thelema«) gegeben habe; von Papst Honorius I. begünstigt, unter Kaiser Konstantin IV. jedoch auf dem 6. ökumen. Konzil (Konstantinopel 680/681) verurteilt.

monoton [grch.], **1)** *allg.:* eintönig, gleichförmig.

2) *Mathematik:* eine Folge reeller Zahlen steigt (fällt) m., wenn in ihr jedes Glied mindestens ebenso groß ist wie sein Vorgänger (Nachfolger), z.B. $^1/_2, ^2/_3, ^3/_4, ^4/_5$ ... Eine Funktion wächst m., wenn dem größeren Wert des reellen Arguments stets der größere Funktionswert entspricht.

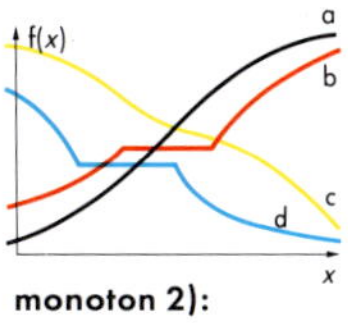

monoton 2): a streng monoton wachsende, b monton wachsende, c streng monoton fallende, d monoton fallende Funktion

Monotropie [grch.] *die,* Erscheinung, dass nur eine einzige feste →Modifikation eines Elements oder eines Kristallgitters stabil ist. Die unter bestimmten Bedingungen metastabilen Formen lassen sich irreversibel in die stabilen überführen.

Monotype ['mo:notaıp, engl.] *die,* Einzelbuchstabensetzmaschine, die 1897 von dem Amerikaner Tolbert Lanston (*1844, †1913) erfunden wurde (→Setzmaschine).

Monotypie *die,* graf. Verfahren, das nur einen einzigen Abdruck ergibt. Auf eine Glas- oder Kupferplatte werden Druck- oder Ölfarben gestrichen, dann ein Papierbogen darübergelegt und durch Druck mittels Bleistift, Daumen u.a. Linien und Flächen farbig abgedrückt.

Monopteros von Leo von Klenze im Englischen Garten in München (1833–38)

Monoxid, →Oxid.

Monozelle, Spannungsquelle (Batterie) mit nur einer Zelle, versch. Typen in international genormten Größen.

Monözie [grch.] *die* (Einhäusigkeit), das Vorhandensein beider Geschlechter auf derselben Pflanze, jedoch in eingeschlechtigen →Blüten.

Monozyten [grch.], →Blut.

Monozyten-Makrophagen-System (ältere Bez. retikulohistiozytäres bzw. retikuloendotheliales System, Abk. RES), zum Immunsystem gehörendes, im Dienst der unspezif. Abwehr stehendes System von Zellen und Geweben. Dient v.a.

Monotheismus

Die frühesten Zeugnisse eines Monotheismus, der auch theoretisch begründet ist, finden sich im Buch des Jesaja (44,6; 45,21–22):

»So spricht der Herr, Israels König, sein Erlöser, der Herr der Heere: Ich bin der Erste, ich bin der Letzte, außer mir gibt es keinen Gott.
Macht es bekannt, bringt es hervor, beratet euch untereinander: Wer hat das alles seit langem verkündet und längst im Voraus angesagt? War es nicht ich, der Herr? Es gibt keinen Gott außer mir; außer mir gibt es keinen gerechten und rettenden Gott. Wendet euch mir zu, und lasst euch erretten, ihr Menschen aus den fernsten Ländern der Erde; denn ich bin Gott, und sonst niemand.«

der Abwehr von Schadstoffen und Endoparasiten sowie der Immunregulation und der Synthese unterschiedl. biolog. Substanzen.

Monreale: Apsis mit Mosaiken im byzantinischen Stil in der 1174-89 erbauten Kathedrale

Monreale, italien. Stadt auf Sizilien, südwestlich von Palermo, 26300 Ew.; Erzbischofssitz. – Kathedrale (1174–89) in normann. Baustil mit Mosaiken im byzantin. Stil.

Monroe [mən'rəʊ, 'mʌnrəʊ], **1)** James, 5. Präs. der USA (1817–25), *Westmoreland (Va.) 28. 4. 1758, †New York 4. 7. 1831; Anhänger T. Jeffersons, als entschiedener Antiföderalist Gegner der Unionsverfassung von 1787 und oppositioneller Senator (1790–94), 1794–1807 im diplomat. Dienst (Gesandter in Paris, London, Madrid), 1811–17 Außenmin., 1814/15 auch Kriegsmin. unter J. Madison. Seine Präsidentschaft war eine Zeit der nat. Konsolidierung und einer erfolgreichen Außenpolitik (Erwerbung Floridas, 1819). 1823 verkündete M. die →Monroedoktrin.

2) Marilyn, eigtl. Norma Jean Mortenson oder Baker, amerikan. Filmschauspielerin, *Los Angeles (Calif.) 1. 6. 1926, †(Selbstmord) ebd. 5. 8. 1962; 1956–61 ⚭ mit A. Miller; in den 1950er-Jahren auf das Bild des amerikan. Sexidols reduziert (u. a. »Wie angelt man sich einen Millionär«, 1953; »Blondinen bevorzugt«, 1953); zeigte ihre Fähigkeit als Komikerin v. a. in B. Wilders »Manche mögen's heiß« (1959). – *Weitere Filme:* »Der Prinz und die Tänzerin« (1957), »Misfits – Nicht gesellschaftsfähig« (1960).

Marilyn Monroe

Monroedoktrin [mən'rəʊ-, 'mʌnrəʊ-], Bezeichnung für die am 2. 12. 1823 von Präs. J. Monroe in einer Kongressbotschaft dargelegten Prinzipien der amerikan. Außenpolitik. Monroe forderte 1. keine weitere Kolonisation der europ. Mächte auf dem amerikan. Kontinent; 2. Nichteinmischung der USA in die inneren Angelegenheiten Europas. Die urspr. defensiv gemeinte M. wurde im Zuge der zunehmend imperialist. Außenpolitik der USA schließlich von T. Roosevelt im Sinne einer internat. Polizeifunktion der USA in der westl. Hemisphäre interpretiert. Die hegemoniale Haltung wurde nach 1930 allmählich revidiert und gleichzeitig die isolationist. Politik gegenüber Europa aufgegeben.

Monrovia, Hptst. von Liberia, an der Mündung des Saint Paul River in den Atlantik, 465000 Ew.; Sitz eines methodist. und eines episkopalist. Bischofs; Univ. (gegr. 1862 als College, seit 1951 Univ.), amerikan. Kulturzentrum, Bibliotheken, Technikum, National-, Afrikamuseum; bed. Handels- und Ind.zentrum; Erdölraffinerie, chem., Zement-, Schuh-, Textil-, Nahrungsmittel- u. a. Ind.; wichtigster Freihafen Afrikas (bes. Eisenerzexport); der internat. Flughafen Robertsfield liegt 60 km östlich der Stadt. – M. wurde 1822 von freigelassenen Sklaven aus den USA gegründet.

Mons [mɔ̃:s] (fläm. Bergen), Hptst. der belg. Prov. Hennegau, 92700 Ew.; Univ., Bergakademie; Mittelpunkt des Ind.- und Steinkohlengebiets der Borinage. – Spätgot. Kathedrale (um 1450 begonnen), Belfried (1672; 87 m hoch).

Monsalvatsch [mhd. munsalvaesche, aus altfrz. mons salvage, lat. mons silvaticus »wilder Berg«] (Montsalvatsch), die Gralsburg (→Gral) im »Parzival« von Wolfram von Eschenbach und bei seinen dt. Nachfolgern; nicht lokalisierbar.

Monschau (bis 1918 Montjoie), Stadt im Kreis Aachen, NRW, am Hohen Venn, 12500 Ew.; Brauerei. – Bürgerhäuser (17. und 18. Jh.). – Der Ort unter der 1217 erstmals gen. Burg der Grafen von Montjoie erhielt vermutlich 1352 Stadtrecht.

Monseigneur [mɔ̃sɛn'jø:r; frz. »mein Herr«] *der,* Abk. **Mgr.,** in Frankreich Titel fürstl. Personen, hoher Geistlicher.

Monsieur [mə'sjø; frz. »mein Herr«] *der, Pl.* Messieurs, Abk. **M.,** frz. Anrede: Herr.

Monsignore [monsin'jo:re; italien. »mein Herr«] *der, Pl.* Monsignori, Abk. **Mgr., Msgr.,** Titel und Anrede von Prälaten der kath. Kirche.

Monsigny [mɔ̃si'ɲi], Pierre-Alexandre, frz. Komponist, *Fauquembergues (Dép. Pas-de-Calais) 17. 10. 1729, †Paris 14. 1. 1817; ein Hauptvertreter der frz. komischen Oper (»Le déserteur«, 1769; »Félix ou l'enfant trouvé«, 1777).

Mons pubis [lat.] *der* (Mons veneris), der →Schamhügel.

Monstera *die,* Gattung der Aronstabgewächse des trop. Amerika; kletternde Sträucher mit zerschlitzten oder durchlöcherten Blättern und Blütenkolben mit 30 cm langer, gelbl. Blütenscheide. Das **Fensterblatt** (Monstera deliciosa) ist eine Zimmerpflanze mit Luftwurzeln.

Monstrạnz [zu lat. monstrare »zeigen«] *die* (Ostensorium), in der kath. Kirche liturg. Gefäß für die Darbietung der geweihten (konsekrierten) Hostie zur eucharist. Verehrung. Die M. besteht i. d. R. aus Fuß, Schaft und Aufsatz in verschiedenen Ausführungen, u. a. Turm-, Sonnen- und Strahlen-M.; aus kostbaren Materialien gefertigt. Erstmals im 14. Jh. nachweisbar, ist sie wohl mit dem Fronleichnamsfest aufgekommen.

Mọnstrum [lat.] *das* (Monster), Furcht erregendes Fabelwesen, riesenhaftes Ungeheuer, Scheusal.

Monsụn [arab. mawsim »(für die Seefahrt) geeignete Jahreszeit«] *der,* Luftströmung großer Ausdehnung mit halbjährl. Richtungswechsel in den Tropen. Ursache ist die unterschiedl. Erwärmung von Meer und Land und die damit zusammenhängende jahreszeitl. Verlagerung der innertrop. Konvergenzzone. Im Sommer wehen die M.-Winde in die sich über dem Land bildenden Hitzetiefs hinein und im Winter aus dem Kältehoch der Kontinente heraus (Sommer- und Winter-M., in S- und SO-Asien SW- bzw. NO-M.). I. w. S. werden als M. alle großräumigen, jahreszeitlich wechselnden Luftströmungen mit einer Änderung der Windrichtung um mindestens 120° bezeichnet.

Monsụnwälder, lichte, regengrüne Wälder der Monsungebiete Asiens, die meist eine geschlossene Krautschicht haben; bes. die Teakbaum- und Salbaumwälder Vorderindiens.

Mont [mɔ̃], frz. Bez. für Berg. Mit M. zusammengesetzte Namen suche man auch unter den Eigennamen.

Mont., Abk. für den Bundesstaat **Mont**ana, USA.

Mọntabaur [-baʊər], Krst. des Westerwaldkreises, Rheinl.-Pf., im südwestl. Westerwald, 12 500 Ew.; Akademie der Volks- und Raiffeisenbanken; Kunststoffind. – M. liegt unterhalb der um 930 bezeugten Burg, vor 1227 **Mons Tabor** benannt; die Siedlung erhielt 1291 Stadtrechte.

Montafọn [rätoroman.] *das,* Talschaft der Oberen Ill, in Vorarlberg, Österreich, zw. Rätikon, Verwall- und Silvrettagruppe; Hauptort: Schruns; Fremdenverkehr; Rinderhaltung, Holzind., Wasserkraftwerke.

Montag [»Tag des Mondes« (eigtl. der Mondgöttin)], der erste Tag der Woche, der Name ist bei allen german. Völkern als Lehnübersetzung der röm. Bez. »dies lunae« verbreitet.

Montage [mɔnˈtaːʒə, frz.] *die,* **1)** *allg.:* Aufbau, Zusammenbau vorgeformter Teile, bes. in der Technik.

2) *bildende Kunst:* Gattungsbegriff für Werke der zeitgenöss. Kunst, die aus heterogenen Materialien montiert werden. – BILDER Collage, Assemblage.

3) *Drucktechnik:* Zusammenstellen von Text- und Bildfilmen (Diapositiven oder -negativen) zu einer standgerechten Kopierform.

4) *Filmtechnik:* Filmschnitt zur endgültigen Aneinanderreihung der Sequenzen nach durchgeführtem Roh- und Feinschnitt zur abschließenden Filmgestaltung.

5) *Literatur:* das Zusammenfügen sprachl., stilist., inhaltl. Teile unterschiedl., oft heterogener Herkunft; die Technik der M. findet sich in allen literar. Gattungen. Seit Mitte der 1960er-Jahre setzte sich die Bez. →Collage durch.

Montagebau [mɔnˈtaːʒə-], →Fertigbau.

Montagna [mɔnˈtaɲa], Bartolomeo, italien. Maler, *Orzinuovi (bei Brescia) um 1450, †Vicenza 11. 10. 1523; Hauptmeister der Schule von Vicenza; schuf Altäre in schlichter, ernster Auffassung, mit kräftigen Farben.

Montagne [mɔ̃ˈtaɲ], frz. Bez. für Gebirge. Mit M. zusammengesetzte Namen suche man auch unter den Eigennamen.

Montagne Noire [mɔ̃ˈtaɲ ˈnwaːr], Bergkette im südl. Zentralmassiv, Frankreich, bis 1210 m ü. M.

Montagnier [mɔ̃taˈɲe], Luc, frz. Virologe, *Chabris (Dép. Indre) 18. 8. 1932; beschäftigte sich zunächst mit Fragen der Krebsforschung, bes. im Zusammenhang mit Retroviren. 1983 gelang seiner Forschungsgruppe – unabhängig von der um R. Gallo – erstmals die Isolierung des Erregers der Immunschwächekrankheit Aids, der von M. zunächst als Lymphadenotropic Virus (LAV) bezeichnet wurde (→HIV).

Montagsdemonstrationen, seit einer ersten Massenkundgebung am 9. Oktober 1989 in Leipzig bis Anfang 1990 durchgeführte Demonstrationen, die auf die gesamte DDR übergriffen und wesentlich zum Sturz des SED-Regimes beitrugen.

Montaigne [mɔ̃ˈtɛɲ], Michel Eyquem, Seigneur de, frz. Schriftsteller und Philosoph, *Schloss Montaigne (heute zu Saint-Michel-de-Montaigne, Dép. Dordogne) 28. 2. 1533, †ebd. 13. 9. 1592; Jurist, war 1557–70 Parlamentsrat, 1582–86 Bürgermeister von Bordeaux. Seine Reflexionen über Philosophie, Gesch., Politik, Lit. u. a. legte er in den »Essays« (1580, 94 Kapitel; endgültige Ausgabe 1595, 107 Kapitel) nieder. Damit schuf er eine eigenständige literar. Form, die im Gegensatz zum Traktat subjektive, lockere, vielseitige Darstellung ermöglicht. M. knüpfte dabei an den antiken Skeptizismus an, den er dogmat. Wahrheitsansprüchen entgegenstellte. Mit seinem vorurteilsfreien Denken leitete er die Tradition der frz. →Moralisten ein. BILD Essay

James Monroe
(Ausschnitt eines Punktierstichs nach einem Gemälde von Gilbert Stuart, um 1817)

Monstranz:
Sonnenmonstranz (18. Jh.; Bamberg, Diözesanmuseum)

Luc Montagnier

Montblanc: Tatzenförmige Gletscherzunge im Montblancmassiv

Eugenio Montale

Montana
Flagge

Yves Montand

📖 FRIEDRICH, H. *u.* HAUSMANN, F.-R.: *M. Tübingen u. a.* *³1993.* – SCHULZ, UWE: *M. de M. mit Selbstzeugnissen u. Bilddokumenten. Reinbek ²1996.*

Montale, Eugenio, italien. Schriftsteller, *Genua 12. 10. 1896, †Mailand 12. 9. 1981; maßgebl. italien. Lyriker der Moderne, mit G. Ungaretti Begründer des Hermetismus. Seine Gedichte, veröffentlicht u. a. in den Sammlungen »Nach Finisterre« (1943) und »Satura« (1962), sind private Bekenntnisse, geprägt vom Leid des Lebens; sie zeigen Elemente des Symbolismus und des Surrealismus, verflechten Gegenwart, Vergangenheit und Erinnerung miteinander. M. schrieb auch Essays und Tagebücher. 1975 erhielt er den Nobelpreis für Literatur.

Montalembert [mɔ̃talɑ̃ˈbɛːr], Charles Forbes de Tyron, Graf von, frz. Publizist, *London 15. 4. 1810, †Paris 13. 3. 1870; wichtiger Vertreter des liberalen frz. Katholizismus.

montan [lat.], Bergbau und Hüttenwesen betreffend.

Montana [mɔnˈtænə], Abk. **Mont., MT,** einer der Kordillerenstaaten der USA, 380 848 km², (1995) 870 300 Ew. (6 % Indianer, sieben Reservationen); Hptst.: Helena, größte Stadt: Great Falls; der W ist Hochgebirge (Rocky Mountains, bewaldet), der O eine flachwellige Prärietafel (Great Plains, semiarid); Feldbau (Getreide, Kartoffeln, Flachs, Zuckerrüben), z. T. mit künstl. Bewässerung; Rinder- und Schafhaltung; Bergbau: Erdöl, Kupfer- u. a. Erze, Kohle; Holz-, Nahrungsmittelind.; Fremdenverkehr bes. im Yellowstone National Park und Glacier National Park. – Um 1740 von frz. Trappern erkundet; kam 1803 als Teil der frz. Kolonie Louisiana an die USA; nach der Entdeckung von Gold (1862) Beginn der eigentl. Besiedlung; 1864 Bildung des Territoriums M. (schwere Kämpfe gegen die Indianer, v. a. die Dakota); 1889 als 41. Staat in die Union aufgenommen.

Montana [mɔ̃taˈna], Gemeinde im Kt. Wallis, Schweiz, oberhalb von Siders (Sierre), 1 480 m ü. M., 5 000 Ew., mit dem benachbarten Crans-sur-Sierre **Crans-Montana;** Wintersportzentrum.

Montaña [mɔnˈtaɲa], die von Flüssen tief zerschnittene O-Abdachung der Anden in Peru und Ecuador; oberhalb des trop. Regenwaldes (bis 1 000–1 200 m ü. M.) trop. Bergwald, ab 2 100 m Nebelwald; landwirtsch. erschlossen, Erdölförderung, Kokaanbau.

Montand [mɔ̃ˈtɑ̃], Yves, eigtl. Ivo Livi, frz. Schauspieler und Sänger italien. Herkunft, *Monsummano Terme (Prov. Pistoia) 13. 10. 1921, †Senlis 9. 11. 1991; ab 1951 ⚭ mit Simone Signoret; in den 1950er- und 1960er-Jahren auch Chansonnier; als Schauspieler internat. bekannt durch tragende Rollen in »Lohn der Angst« (1952), »Der Krieg ist vorbei« (1966), »Z« (1968), »I wie Ikarus« (1979), »Wahl der Waffen« (1981).

Montan|industrie, i. e. S. die Unternehmen des Bergbaus; i. w. S. auch weiterverarbeitende Ind. (Hütten- und Schwerind.), die mit dem Bergbau früher eine Einheit bildete; heute durch die Begriffe Bergbau sowie Eisen- und Stahlind. ersetzt.

Montanismus *der,* um 150 in Phrygien entstandene prophetisch-eschatolog. Bewegung, benannt nach ihrem Begründer Montanus († vor 179). Die **Montanisten** erwarteten das unmittelbar bevorstehende Ende der Welt und sahen sich als die auserwählte Endzeitgemeinde an; Montanus trat als → Paraklet auf. Der nach ihrer Auffassung von den urchristl. Idealen abgefallenen Kirche setzten sie eine durch Askese und strenge Kirchenzucht geprägte Ethik entgegen. Der M. fand Anhänger in Kleinasien, Italien, N-Afrika. (→Tertullian)

Montanunion, →Europäische Gemeinschaft für Kohle und Stahl.

Montauban [mɔ̃to'bɑ̃], Hptst. des Dép. Tarn-et-Garonne, SW-Frankreich, am Tarn, 51 200 Ew.; Bischofssitz; Textil-, Lebensmittel-, Luftfahrtind. – Kathedrale (1692–1739).

Montbéliard [mɔ̃bel'ja:r] (früher dt. Mömpelgard), Stadt im frz. Dép. Doubs, am Rhein-Rhone-Kanal, 33 400 Ew.; Gießereien, Metall-, Holz- und Textilind. – Schloss (1751, Türme 15./16. Jh.), Kirche St. Martin (1603).

Montblanc [mɔ̃'blɑ̃] *der* (frz. Mont Blanc, italien. Monte Bianco), höchste Berggruppe Europas, in den Savoyer Alpen, an der Grenze zw. Frankreich und Italien, erhebt sich als vergletschertes Massiv mit steilen Felsnadeln (Aiguilles) zw. den tiefen Längstälern der Arve und der Dora Baltea bis zu 4 807 m ü. M. (Gipfel auf frz. Gebiet). Erstbesteigung 1786 durch J. Balmat und M.-G. Paccard. In 4 362 m Höhe liegt das Observatorium Vallot (1891–95 erbaut). Seilbahnen führen bis über 3 800 m. Der **M.-Tunnel** (1959–65 erbaut) ist einer der längsten Straßentunnel der Welt (11,6 km).

Mont-de-Marsan [mɔ̃ də mar'sɑ̃], Hptst. des frz. Dép. Landes, 28 300 Ew.; Holz-, Harzverarbeitung, Konservenindustrie.

Mont-Dore [mɔ̃'dɔr], seenreiches Vulkangebiet im NO des frz. Zentralmassivs, in der Auvergne, im Puy de Sancy 1886 m ü. M. Badeorte mit warmen Quellen sind La Bourboule und Le Mont-Dore (1 050 m ü. M., Wintersport).

Monte, italien., span., portugies. Bez. für Berg. Mit M. zusammengesetzte Namen suche man auch unter den Eigennamen.

Monte, Philippe de, frankofläm. Komponist, *Mecheln 1521, †Prag 4. 7. 1603; ab 1568 Kapellmeister Kaiser Maximilians II., später Rudolfs II. in Wien und Prag. M. gehört zu den fruchtbarsten Meistern der mehrstimmigen Gesangsmusik des 16. Jahrhunderts.

Monte Albán [»weißer Berg«], Zentrum der präkolumb. Kultur nahe der Stadt Oaxaca, Mexiko (2 000 m ü. M. auf einer künstlich abgeflachten Bergkuppe), Hptst. und religiöses Zentrum der Zapoteken, später der Mixteken, Blütezeit 300–900. – Erhalten sind umfangreiche Reste von Wohn- und Kultbauten, ein Observatorium, unterird. Grabkammern mit Skulpturen und Wandmalereien. Die Ruinen von M. A. gehören zum UNESCO-Weltkulturerbe.

Monte Baldo, Gebirgsstock in den Südalpen, zw. Gardasee und Etschtal, Italien, bis 2 218 m hoch.

Monte Carlo, Teil von →Monaco.

Monte-Carlo-Methode, statist. Verfahren zur numer. Bestimmung von Näherungslösungen komplexer mathemat., v. a. determinist. Probleme. Diese werden nicht vollständig durchgerechnet, sondern nach einem entsprechend konstruierten stochast. Modell (Programm) mit Zufallszahlen exemplarisch durchgespielt (mithilfe von Computersimulation). Die Menge aller Werte, die eine Zufallsvariable annehmen kann, wird dabei durch eine geeignete Stichprobe ersetzt.

Montecassino, Benediktinerabtei in Latium, Prov. Frosinone, Italien, auf einem Berg (519 m ü. M.) über der Stadt Cassino; Mutterkloster des Benediktinerordens; 529 (?) von Benedikt von Nursia an der Stelle vorchristl. Heiligtümer gegr.; zw. 581 und 589 von den Langobarden zerstört; 717 Wiederaufbau; Blütezeit im 11. Jh.; 1866 Erklärung zum italien. Nationaldenkmal; 1944 Zerstörung durch alliierte Bombenangriffe; 1945–59 Wiederaufbau. BILD S. 368

Monte Albán: Tempelplattformen auf der Südseite des nach 300 n. Chr. angelegten Zentralplatzes

Montecatini Terme (bis 1928 Bagni di Montecatini), Heilbad in der Toskana, Prov. Pistoia, Italien, 20 700 Ew.; alkalisch-salin., z. T. radioaktive Thermalquellen.

Montecristo, italien. Insel im Tyrrhen. Meer, südlich von Elba, 10 km², bis 645 m ü. M.; bekannt durch den Roman »Der Graf von Monte Christo« (1845/46) von A. Dumas dem Älteren.

Monte Albán

Der große Goldfund in der Grabkammer 7 von Monte Albán war zugleich sensationell und nicht ganz unerwartet. Schon die Spanier hatten vom Goldreichtum des Landes geschwärmt – schließlich zählte eine Goldscheibe mit einem Durchmesser von 2 m zu den 1520 von Albrecht Dürer in Brüssel bewunderten Schätzen. Der mit der Eroberung Oaxacas beauftragte spanische Hauptmann Diego de Figueira stoppte sogar seine Eroberungszüge, um sich am Gold aus den Gräbern des Landes zu bereichern. Nur die Grabkammer 7 wurde von ihm aus unbekannten Gründen nicht geplündert.

Montecassino: Die von Benedikt von Nursia gegründete, mehrfach zerstörte und 1945–59 wieder aufgebaute Benediktinerabtei

Montecuccoli, Raimund, Reichsfürst und Herzog von Melfi (seit 1679), österr. Feldherr, *Schloss Montecuccoli (bei Modena) 21. 2. 1609, †Linz 16. 10. 1680; besiegte 1664 bei St. Gotthard an der Raab die Türken; bed. Militärtheoretiker und -historiker.

Montenegro: Blick auf den Durmitor, den mit 2 522 m ü. M. höchsten Gebirgsstock im Dinarischen Gebirge

Montedison S. p. A., italien. Chemie- und Energiekonzern, Sitz: Mailand, Hauptverw. in Ravenna; 1966 aus der Fusion der »Società Edison« (gegr. 1884) und der »Montecatini Società Generale per l'industria Mineraria e Chimica« (gegr. 1888) hervorgegangen; 1987 Fusion mit dem Agrarkonzern Ferruzzi.

Montego Bay [mɔnˈteɪgəʊ beɪ], Hafenstadt an der M. B., an der NW-Küste von Jamaika, 70 300 Ew.; Touristenzentrum; Freihafenzone, internat. Flughafen.

Montélimar [mɔ̃teliˈmaːr], Stadt im frz. Dép. Drôme, im Rhonetal, 31 400 Ew.; Zement-, Textil-, Metallind.; Herstellung von (frz.) Nougat.

Montelius, Oscar, schwedischer Prähistoriker, *Stockholm 9. 9. 1843, †ebd. 4. 11. 1921; 1907–13 Reichsantiquar, entwickelte die typolog. Methode der Vorgeschichtsforschung und begründete eine Chronologie der ältesten Bronzezeit in Nord-Dtl. und Skandinavien.

Montenegro [italien. »schwarzer Berg«] (serbokroat. Crna Gora, amtl. Rep. M.), Rep. innerhalb von Jugoslawien, grenzt im NW an Bosnien und Herzegowina, im NO und O an Serbien, im S an Albanien und im SW an das Adriat. Meer. M. umfasst 13 812 km^2 und hat (1993) 626 000 Ew. Die Mehrheit sind Montenegriner, ferner Albaner, Serben, Kroaten, Makedonier und Slowenen sowie Angehörige anderer Volksgruppen; Hptst.: Podgorica.

Landesnatur: M. ist ein schwer zugängl. Gebirgsland, das hinter der Adriaküste zum verkarsteten Dinar. Gebirge aufsteigt und im Durmitor 2 522 m ü. M. erreicht. Im S und nördlich des nach Albanien hineinragenden Skutarisees kleine Niederungen. Das Küstengebiet ist mediterran geprägt, die Gebirgsregionen haben raues Klima.

Wirtschaft: Wichtigster Bereich ist die Landwirtschaft; auf rd. 6 % der Landesfläche Ackerbau; in den im Karsthochland ausgebildeten Becken (Poljen) und in den Niederungen Anbau von Mais, Weizen, Tabak und Wein, an der Küste v. a. Zitrusfrüchte, Oliven; Weideflächen auf rd. 30 % des Landes bes. für Schaf- und Rinderhaltung. Wenig Ind.; Abbau von Bauxit, Eisen-, Zink-, Chrom-, Bleierzen und Pyrit. Ind.standorte Nikšić und Podgorica (Metallurgie, Maschinenbau, Nahrungsmittel-, Textilind.). Fremdenverkehr v. a. an der Küste, infolge des Krieges jedoch rückläufig. Häfen Kotor und Bar. Der Hafen von Bar ist Endpunkt der 1976 in Betrieb genommenen Eisenbahnlinie von Belgrad. Internat. Flughafen Podgorica.

Geschichte: In der Antike war der Kern M.s (im MA. **Zeta** gen.) röm. Provinz; 7.–11. Jh. unter byzantin. Einfluss, 12.–14. Jh. als Fürstentum Teil des altserb. Reiches; seit Ende des 13. Jh. erscheint der serb. Name **Crna Gora.** Nach 1355 (Tod Stephan Dušans) und 1389 (Schlacht auf dem Amselfeld) unabhängig, wurde M. 1499 formal, 1528 direkt dem Osman. Reich angegliedert. Der Vladika (Metropolit) Danilo Petrović Njegoš (1697–1735) erreichte für M. eine relative Unabhängigkeit und machte die Würde des Vladika in seinem Hause erblich; Peter I. Petrović Njegoš (1782–1830) befriedete die rivalisierenden Stämme und schuf 1798 ein neues Staatsrecht. Danilo I. Petrović Njegoš (1852–60) verzichtete 1852 auf die Würde des Vladika und erreichte die Anerkennung des erbl. Fürstentitels und eine Festlegung der Grenzen. Unter Nikolaus I. Petrović Njegoš (1860–1918) wurde M. auf dem Berliner Kongress (1878) als unabhängiger Staat anerkannt, erhielt 1905 eine Verf. und wurde 1910 Königreich. In den Balkankriegen und im 1. Weltkrieg kämpfte M. an der Seite Serbiens. Ab 1918 Teil des Königreichs der Serben, Kroaten und Slowenen, 1941–44 italien. Protektorat (starke Widerstandsbewegung, bis Anfang Jan. 1942 der Četnici, dann kommunist. Partisanen), kam 1945 wieder zu Jugoslawien. 1989/90 wuchs wie in anderen Rep. Jugoslawiens der Unmut über das kommunist. Regime. Bei den ersten freien und demokrat. Wahlen seit 1945 errangen im Dez. 1990 die Kommunisten (seit Juni 1991 »Demokrat. Partei der Sozialisten«) eine Zweidrittelmehrheit. Präs. wurde M. Bulatović. Nachdem sich die Mehrheit der Bev. bei einem Referendum (1. 3. 1992) für den Verbleib in einem gemeinsamen Staat mit Serbien ausgesprochen hatte, proklamierten M. und Serbien am 27. 4. 1992 eine neue Bundesrep. Jugoslawien (BRJ); bei den Wahlen zum Parlament der BRJ (31. 5. und 20. 12. 1992), die von der Opposition boykottiert wurden, errangen die Sozialisten eine Dreiviertelmehrheit. Ab 1996/97 suchte sich M. stärker von Serbien zu emanzipieren, v.a. unter Staatspräs. M. Djukanović (seit 15. 1. 1998; Wahl: Okt. 1997) im Kosovokonflikt 1998/99 (u.a. Aufnahme vertriebener Kosovaren).

Monte Perdido [-pɛrˈðiðo] (frz. Mont Perdu), Kalkgebirgsstock in den Pyrenäen, 3355 m ü.M., an der spanisch-frz. Grenze. Die Berglandschaft wurde zum UNESCO-Welterbe ernannt.

Montepulciano [-ˈtʃa:no], italien. Stadt in der südöstl. Toskana, Prov. Siena, 13900 Ew.; Weinbau. – Durch Renaissancebauten bestimmtes Stadtbild; got. Palazzo Comunale (Ende 14. Jh.). Unterhalb von M. die Kirche San Biagio, ein von A. da Sangallo d. Ä. geschaffener Renaissancezentralbau (um 1540 vollendet).

Montería, Hptst. des Dep. Córdoba in Kolumbien, am Río Sinú, 269200 Ew.; Bischofssitz; Univ.; Mittelpunkt eines Viehzuchtgebietes.

Montero, Rosa, span. Schriftstellerin, *Madrid 3. 1. 1951; Journalistin. Ihre Romane behandeln realitätsnah Frauenschicksale im Spanien der Gegenwart, u.a. »Ich werde dich behandeln wie eine Königin« (1983), »Geliebter Gebieter« (1988).

Monte Rosa, Gebirgsmassiv in den Walliser Alpen, an der Grenze des schweizer. Kt. Wallis

Monte Rosa mit der 4637 m hohen Dufourspitze

und der italien. Regionen Piemont und Aostatal, in der Dufourspitze 4637 m ü.M.

Monterrey, Hptst. des mexikan. Staates Nuevo León, als Metropolitan Area 2,27 Mio. Ew.; kath. Erzbischofssitz; TH, vier Univ.; Schwer-, Kfz-, Textil-, chem. Ind.; internat. Flughafen. – M. wurde 1579 gegründet.

Montes [lat. »Berge«], im MA. in Italien Staatsanleihen; ferner die Gesellschaften, die zu ihrer Unterbringung gebildet wurden und sich vielfach zu Banken **(M. profani)** entwickelten. Zur Bekämpfung des Wuchers entstanden, zuerst von kirchl. Seite, die **M. pietatis** (in Frankreich **Monts de piété**), die gegen Pfand billige Darlehen gaben. Auf die M. gehen die Leihhäuser zurück.

Montepulciano: Die unterhalb der Stadt liegende Renaissancekirche San Biagio wurde um 1540 vollendet

Monte Sant' Angelo [-ˈandʒelo], Gemeinde in der Prov. Foggia, Italien, auf dem Monte Gargano, 796 m ü.M., 15100 Ew.; Wallfahrtsort mit dem Grottenheiligtum des Erzengels Michael.

Montespan [mɔ̃tɛsˈpã], Françoise Athénaïs de Rochechouart, Marquise de, *Tonnay-Charente (bei Rochefort) 5. 10. 1641, †Bourbon l'Archambault (Dép. Allier) 27. 5. 1707; 1668–76 Mätresse Ludwigs XIV., dem sie acht Kinder gebar. Von Madame de Maintenon verdrängt, zog sie sich 1691 in ein Kloster zurück.

Montesquieu [mɔ̃tɛsˈkjø], Charles de Secondat, Baron de la Brède et de M., frz. Schriftsteller und Staatsphilosoph, *Schloss la Brède bei Bordeaux 18. 1. 1689, †Paris 10. 2. 1755; wurde 1714 Parlamentsrat, 1716–26 Senatspräs. in Bordeaux. Bed. Vertreter der Aufklärung, der mit den »Pers. Briefen« (1721), einer kritisch-sarkast. Darstellung der frz. Gesellschaft durch zwei Perser in Form eines Briefromans, berühmt wurde. In seinem Hauptwerk »Vom Geist der Gesetze« (1748) untersucht M., ausgehend von der antiken Lehre der drei Staatsformen (Demokratie, Monarchie, Despotie), jede dieser Formen in ihrer Abhängigkeit v.a. von natürl., bes. geograph. und klimat. Bedingungen. M. wünschte die Beseitigung des Absolutismus durch die nach engl. Vorbild entworfene konstitutionelle Monarchie. Mit seiner Lehre von der →Gewaltenteilung übte er großen Einfluss auf die Frz. Revolution bis 1791 und die Verf. der USA aus.

Maria Montessori

Montesquieu: anonymes Porträt aus dem Jahr 1718, darunter Autogramm

📖 DESGRAVES, L.: *M. Aus dem Frz. Frankfurt am Main 1992.* – KONDYLIS, P.: *M. u. der Geist der Gesetze. Berlin 1996.*

Montessọri, Maria, italien. Ärztin und Pädagogin, *Chiaravalle (bei Ancona) 31. 8. 1870, †Noordwijk aan Zee (Niederlande) 6. 5. 1952; befasste sich mit der kindl. Entwicklung und Erziehung. M. forderte die Unterstützung des von innen heraus erfolgenden Antriebs des Kindes zu Selbstbildung und Selbsttätigkeit. Das Prinzip ihres didakt. Entfaltungsmaterials besteht darin, von der scheinbar isolierten Sinnesschulung zu innerer Ordnung zu führen. Ihre Methode fand internat. Verbreitung in der vorschul. und schul. Erziehung.

Werke: Selbsttätige Erziehung im frühen Kindesalter (1909); Mein Handbuch (1914); Kinder sind anders (1938).

📖 HELMING, H.: *M.-Pädagogik. Ein moderner Bildungsweg in konkreter Darstellung. Freiburg im Breisgau u. a. [15]1994.*

Maria Montessori

1896 promovierte Maria Montessori als erste Frau Italiens im Fach Medizin. Ihre Doktorurkunde musste handschriftlich abgeändert werden, denn der Vordruck sah nur männliche Absolventen vor. Später betonte sie gegenüber einer Freundin, dass sie diese Auszeichnung vor allem ihrem Mut zu verdanken habe.

Zunächst galt es, den Vater von ihrem Wunsch, Ärztin zu werden, zu überzeugen. Dann musste sie zwei Jahre warten, bis sie von der Universität Rom zum Medizinstudium zugelassen wurde. Als Frau durfte sie nicht an den üblichen Sezierkursen teilnehmen, sondern arbeitete abends allein im Anatomiesaal. Mit Willenskraft und Fleiß setzte sie sich jedoch über alle Schwierigkeiten hinweg. Als an einem Wintertag in Rom ein gewaltiger Schneesturm herrschte, blieben alle Kommilitonen der Vorlesung fern – bis auf Maria. Beeindruckt von ihrer Hartnäckigkeit hielt der Dozent seine Vorlesung für sie allein.

Weltberühmt wurde Maria Montessori als Pädagogin. Als überzeugte Christin setzte sie sich für behinderte und verwahrloste Kinder ein, denen man wenig Beachtung schenkte. Bekannt wurden ihre Studien zur Förderung der Konzentration und der Bewegungsabläufe. Kindergärten und Schulen in aller Welt arbeiten heute nach ihrer Methode.

Monteux [mɔ̃ˈtø], Pierre, frz. Dirigent, *Paris 4. 4. 1875, †Hancock (Me.) 1. 7. 1964; dirigierte 1917–19 an der Metropolitan Opera in New York, 1919–24 in Boston, war dann u.a. 1929–38 Chefdirigent des von ihm gegr. Orchestre Symphonique de Paris und ab 1961 Leiter des London Symphony Orchestra.

Montevẹrdi, Claudio, italien. Komponist, getauft Cremona 15. 5. 1567, †Venedig 29. 11. 1643; war 1582–90 Schüler von M. A. Ingegneri in Cremona, als universale Musikerpersönlichkeit 1613–43 Kapellmeister an der Markuskirche in Venedig. Komponierte neben Madrigalen, Motetten und Messen als erster Musikdramatiker (erst Ende des 19. Jh. wieder entdeckte) Opern mit außergewöhnl. rhythmischen und harmonischen Freiheiten, u. a. »L'Orfeo« (1607), »Il ritorno d'Ulisse in patria« (1641) und »L'incoronazione di Poppea« (1642). – *Weitere Werke:* »L'Arianna« (1608; erhalten nur das Lamento d'Arianna), »Madrigali spirituali« (1583), Madrigali (9 Bücher, 1587–1651), »Sanctissima virginis missa ... ac vesperae« (1610).

🕮 KONOLD, W.: *C. M. Reinbek 12.–14. Tsd. 1986.* – LEOPOLD, S.: *C. M. u. seine Zeit. Laaber ²1993.*

Montevideo, Hptst. von Uruguay und des Dep. M., auf einer felsigen Halbinsel am Río de la Plata, 1,38 Mio. Ew. (über 40 % der Bev. Uruguays); kath. Erzbischofssitz; Univ. u. a. Hochschulen, Forschungsinstitute, Nationalarchiv, -bibliothek, Museen, Goethe-Institut, Theater, zoolog. und botan. Garten; größter Ind.ort (Lebensmittelind., Fleisch- und Häuteverarbeitung für den Export, vielseitige Konsumgüterind.) und wichtigster Ausfuhrhafen des Landes; internat. Flughafen Carrasco. – Kathedrale (1790–1804); Palacio Salvo (1923–28). – 1724 gegr., 1807–30 zw. Spaniern, Argentiniern, Briten, Portugiesen und Brasilianern umkämpft, seit 1830 Hptst. Uruguays.

Montez ['mɔntɛs], Lola, eigtl. Maria Dolores Gilbert, Tänzerin, *Limerick (Irland) 25. 8. 1818, †New York 17. 1. 1861; Tochter eines schott. Offiziers und einer Kreolin, kam nach abenteuerl. Leben 1846 nach München, wo sie, 1847 zur Gräfin von Landsfeld erhoben, die Geliebte Ludwigs I. von Bayern wurde. Die damit verbundenen Irritationen zogen Anfang 1848 die Verbannung der »bayer. Pompadour« nach sich. Das Gerücht ihrer bevorstehenden Rückkehr zwang in Verbindung mit den Unruhen am Vorabend der Märzrevolution Ludwig am 20. 3. 1848 zum Thronverzicht. L. M. lebte danach in England und Spanien, seit 1852 in Nordamerika. BILD S. 372

Montezuma, Aztekenherrscher, →Moctezuma.

Montfaucon [mɔ̃fo'kɔ̃], Bernard de, frz. klass. Philologe und Kunstschriftsteller, *Schloss Soulage (Dép. Aude) 16. 1. 1655, †Paris 21. 12. 1741; Benediktiner, wurde 1687 zur Herausgabe der Schriften der grch. Kirchenväter nach Paris gerufen. M. ist einer der Begründer der grch. Paläographie.

Montfort, schwäb. Grafengeschlecht. Der Linie M.-Bregenz gehörte →Hugo von Montfort an.

Montfort [mɔ̃'fɔ:r] (M. L'Amaury), frz. Adelsgeschlecht mit Stammsitz in M. (heute Montfort-l'Amaury, bei Rambouillet); spielte eine wichtige Rolle in der frz. und engl. Geschichte v. a. des 11. bis 13. Jh. Bed. Vertreter:

1) Simon IV., Graf von, *Muret (Haute-Garonne) um 1160, †Toulouse 25. 6. 1218; führte seit 1209 den Kreuzzug gegen die Albigenser; brachte große

Claudio Monteverdi im Gewand des Kapellmeisters an der Markuskirche (aus einer Sammlung venezianischer Trachten; Venedig, Museo Correr e Quadreria Correr)

Teile ihres Adelsbesitzes im Languedoc an sich, die ihm von Papst Innozenz III. bestätigt wurden.

2) Simon de, Earl of Leicester (seit 1231/36), *Montfort um 1208, ⚔ bei Evesham (bei Worcester) 4. 8. 1265, Sohn von Simon IV. von M.; erbte durch seine Großmutter mütterlicherseits Würde und Besitzungen eines Earl of Leicester; als Schwager des engl. Königs Heinrich III. von großem Einfluss; trat an die Spitze der Opposition der Barone und gestaltete 1258 die »Provisionen von Oxford« entscheidend mit (Magnatenrat als Kontroll- und Beratungsorgan, regelmäßige »Parlamente«). M. fiel im Kampf gegen den engl. Thronfolger, den späteren König Eduard I.

Claudio Monteverdi: Beginn der Einleitungssinfonia aus »L'incoronazione di Poppea«, Autograph (1642)

Montgelas [mɔ̃ʒə'la], Maximilian Graf (seit 1809) von, bayer. Staatsmann, *München 12. 9. 1759, †ebd. 14. 6. 1838; bed. Vertreter des aufgeklärten Rationalismus; 1799–1817 leitender Minister unter Maximilian IV. (I.) Joseph.

Montgolfier [mɔ̃gɔl'fje], frz. Brüderpaar, Erfinder des Heißluftballons: Étienne Jacques de M.

Lola Montez: Ausschnitt aus einem Ölgemälde von Joseph Karl Stieler (um 1847; München, Schloss Nymphenburg)

(*Vidalon-lès-Annonay 6. 1. 1745, †Serrières 2. 8. 1799) und Michel Joseph de M. (*Vidalon-lès-Annonay 26. 8. 1740, †Balaruc-les-Bains 26. 6. 1810). Am 5. 6. 1783 stieg der erste, aus Leinwand gefertigte, mit Papier gefütterte und einem Hanfnetz überzogene, unbemannte Heißluftballon, eine **Montgolfiere,** zu einem Fesselflug auf. Dabei wurde die Luft im unten offenen Ballon durch ein Feuer aus gekämmter Wolle und feuchtem Stroh erwärmt. Am 19. 9. 1783 folgte ein Flug mit Tieren und am 21. 11. 1783 der erste bemannte freie Flug einer Montgolfiere unter der Führung von J.-F. Pilâtre de Rozier (*1754, †1785).

Bernard Law Montgomery

Montgomery [mənt'gʌmərɪ], Hptst. von Alabama, USA, 187 100 Ew. (39 % Schwarze); Univ.; Mittelpunkt eines reichen Agrargebietes.

Montgomery [mənt'gʌmərɪ], Bernard Law, Viscount M. of Alamein (seit 1946), brit. Feldmarschall (seit 1944), *Kensington (heute zu London) 17. 11. 1887, †Isington Mill (Cty. Hampshire) 24. 3. 1976; befehligte im 2. Weltkrieg u. a. 1942/43 die brit. Armee bei der Offensive von El-Alamein nach Tunis, bei der Landung auf Sizilien und beim Vormarsch durch S-Italien; führte 1944 die alliierten Landungstruppen in der Normandie. 1945/46 war er Oberbefehlshaber der brit. Besatzungstruppen in Dtl., 1946–48 Chef des Empire-Generalstabs, 1951–58 Stellvertreter des Oberbefehlshabers der NATO-Streitkräfte.

📖 MURRAY, G. E.: *Eisenhower versus M. The continuing debate. Westport, Conn., u. a. 1996.*

Montherlant [mɔ̃tɛr'lã], Henry Millon de, Graf von Guimart, frz. Schriftsteller, *Neuilly-sur-Seine 21. 4. 1896, †(Selbstmord) Paris 21. 9. 1972; aus alter kath. Adelsfamilie, Kriegsfreiwilliger im 1. Weltkrieg, lebte 1925–33 v. a. in Spanien und N-Afrika. M.s literar., z. T. autobiographisch gefärbtes Werk ist bestimmt von extremem Individualismus und elitärem Bewusstsein. In präziser Sprache und psychologisch überzeugend verherrlicht er »männl.« Werte wie Sport und Stierkampf (»Die Tiermenschen«, R., 1926) und verachtet jede Mittelmäßigkeit (»Die Junggesellen«, R., 1934). Frauenfeindl. Züge trägt der Zyklus »Erbarmen mit den Frauen« (4 Bde., 1936–39). Seine erfolgreichen, klassizistisch gebauten Dramen zeigen Ausnahmegestalten der Geschichte: »Die tote Königin« (1942), »Der Ordensmeister« (1947), »Don Juan« (1958), »Der Kardinal von Spanien« (1960) u. a.; schrieb auch umfangreiche Tagebücher (u. a. »Geh, spiel mit diesem Staub«, 1966).

Monthey [mɔ̃'tɛ], Bezirkshauptort im Kt. Wallis, Schweiz, an der Vièze, 12 300 Ew.; chem. Ind., Metallverarbeitung, nahebei Erdölraffinerie.

Montluçon [mɔ̃ly'sɔ̃], Stadt im frz. Dép. Allier, am Cher, 46 700 Ew.; Keramikmuseum; Eisen- und Stahl-, Reifen-, Konfektions-, chem. Ind., Instrumentenbau; nahebei Steinkohlenabbau. – Kirche Notre-Dame (13.–15. Jh.), Schloss der Herzöge von Bourbon (15./16. Jh.).

Montmartre [mɔ̃'martr] *der,* Stadtteil im N von Paris, auf einem Hügel **(Butte M.),** mit der Kirche Sacré-Cœur; im 19. Jh. Künstlerviertel, heute auch Vergnügungszentrum.

Montmorillonit [mɔ̃morijo-, frz.] *der,* meist weißes oder grauweißes monoklines Tonmineral mit einem Dreischichtgitter aus Magnesium-Aluminium-Eisen-Silikathydrat. M. bilden feinerdige, amorph erscheinende, gelblich graue, fein zerreibl. Massen, die wesentl. Bestandteil vieler, bes. trop. Böden, v. a. der aufsaugfähigen »Erden« (Bentonit, Umbra), sind. Infolge ihrer Quellfähigkeit (Wasserhaltigkeit), der Fähigkeit zu Kationenaustausch und Basenadsorption begünstigen sie die Fruchtbarkeit der Böden.

Montparnasse [mɔ̃par'nas], Stadtteil im SW von Paris, mit dem Friedhof M.; die Cafés des Boulevard M. waren nach dem 1. Weltkrieg Treffpunkt von Künstlern und Literaten.

Montgolfier: Auf einer zeitgenössischen kolorierten Radierung dargestellter Aufstieg einer Montgolfiere in Saint-Antoine bei Paris im Jahr 1783

Montreal: Blick über den Sankt-Lorenz-Strom auf die City der ehemaligen Olympiastadt

Mont Pèlerin Society [mɔ̃pɛl'rɛ̃ sə'saɪətɪ], internat. Vereinigung marktwirtsch. orientierter Vertreter aus Wiss., Politik und Gesellschaft, gegr. 1947 in der Schweiz durch die Neoliberalen F. A. von Hayek, W. Röpke, W. Eucken u. a.

Montpelier [mənt'pi:ljə], Hptst. des Bundesstaates Vermont, USA, 8200 Ew.; Steinbruchind. (Granit).

Montpellier [mɔ̃pəl'je], Hauptstadt des frz. Dép. Hérault, unweit vom Mittelmeer, 208000 Ew.; kath. Bischofssitz; kulturelles Zentrum des Languedoc; drei Univ., landwirtsch. Hochschule, Konservatorium, biophysikal. und biochem. Forschungszentrum; Theater; botan. Garten (gegr. 1593); Großcomputerbau, Maschinen- und Traktorenbau, Elektro-, Metall-, chem. u. a. Ind., bed. Weinhandel. – Got. Kathedrale (1364 gegr., im 19. Jh. vollendet); in der Parkanlage Promenade du Peyrou (17./18. Jh.) »Wasserschloss« (18. Jh.) und Aquädukt (18. Jh.); zahlr. Paläste des 17. und 18. Jh.; futuristisch konzipiertes Wohn- und Geschäftsviertel »Antigone« von R. Bofill. – M. wurde vermutlich in der 1. Hälfte des 8. Jh. gegründet; es gehörte 1204–1349 zu Aragonien; im 16./17. Jh. Stützpunkt der Hugenotten.

Mont Perdu [mɔ̃pɛr'dy], Gebirgsstock in den Pyrenäen, → Monte Perdido.

Montreal [mɔntrɪ'ɔ:l] (frz. Montréal), Stadt in der kanad. Prov. Quebec, auf einer Insel zw. einem Mündungsarm des Ottawa River und dem Sankt-Lorenz-Strom gelegen, 1,02 Mio. Ew. (Agglomeration 3,13 Mio., mehrheitlich frz. Abstammung); Sitz eines kath. Erzbischofs, eines anglikan. Bischofs; vier Univ., mehrere Colleges, Museen; wirtsch. Mittelpunkt Kanadas mit vielseitiger Ind.: Waggon-, Lokomotiv-, Flugzeugbau, elektrotechn. und Textilind., Petrochemie; Hafen (für große Seeschiffe erreichbar), wichtiger Verkehrsknotenpunkt, zwei internat. Flughäfen. Weltausstellung 1967; XXI. Olymp. Spiele 1976. – Château Ramezay (1705; seit 1929 Museum); Kirche Notre-Dame de Bonsecour (1771); Wahrzeichen ist die Kirche Oratoire Saint-Joseph (1924–67), eine der wichtigsten Wallfahrtsstätten N-Amerikas. – 1611 Gründung einer ersten Siedlung durch S. de Champlain; 1642 Neugründung als Ville-Marie-de-M.; 1760 von den Briten erobert, 1844–49 Hptst. von Kanada.

Montreal Stadtwappen

Montpellier Stadtwappen

Montreux [mɔ̃'trø], Kurort im Kt. Waadt, Schweiz, am Genfer See, 20300 Ew.; zum Stadtgebiet gehören die Kurorte Glion (700 m ü. M.), Caux (1054 m ü. M.) und Les Avants (970 m ü. M.). Fremdenverkehr, Kongresszentrum, Spielkasino, Theater, internat. Musik- und Fernsehfestspiele.

Mont-Saint-Michel, Le [ləmɔ̃sɛ̃mi'ʃɛl], kleine, 90 m hohe Granitinsel in der gleichnamigen Bucht im frz. Dép. Manche, rd. 100 Ew. – Ehem. Benediktinerabtei, gegr. 966, einzigartiges Baudenkmal mittelalterlicher Kloster- und Festungsbaukunst (11.–16. Jh.), von der UNESCO zum Weltkulturerbe erklärt. BILD S. 374

Montsalvatsch, → Monsalvatsch.

Montpellier: Der Aquädukt aus dem 18. Jh. führt in die terrassenartige Parkanlage Promenade du Peyrou (17./18. Jh.)

Le Mont-Saint-Michel: Die im 16. Jh. vollendete ehemalige Benediktinerabtei geht auf das 11. Jh. zurück

Montserrat, 1) [mɔntsɛˈrrat; katalan. »gesägter Berg«], zerklüftetes Bergmassiv im Katalon. Gebirge, Spanien, 1241 m ü. M. In 721 m Höhe steht das wohl bis ins 9. Jh. zurückreichende Benediktinerkloster (Basilika 1560–92, im 19. und 20. Jh. verändert; im Innern die Holzskulptur der Schwarzen Madonna von M. aus dem 12. Jh.).

2) [mɔntseˈræt], Insel (brit. Kronkolonie) im Bereich der Westind. Inseln, 102 km², (1995) 11 000 Ew. (95 % Schwarze und Mulatten); Hptst.: Plymouth. Die gebirgige Insel gehört zum inneren, vulkan. Bogen der Inseln über dem Winde (Kleine Antillen). Der Vulkan Chance's Peak (914 m ü. M.) in den Soufriére Hills ist seit 1995 wieder aktiv. Dadurch ist die Wirtschaft (v. a. Tourismus; ferner Landwirtschaft bes. für den Eigenbedarf; Offshore-Finanzzentrum; etwas Kleinind.) stark beeinträchtigt. – M., 1493 von Kolumbus entdeckt, ab 1632 v. a. von Iren besiedelt, wurde nach mehrfachem Besitzwechsel 1783 endgültig britisch. 1967 entschied sich die Bev. für den Status einer Kolonie mit innerer Selbstverwaltung.

Moor: Übergangsmoor mit Torfmoorpolstern

Montur [frz.] *die,* veraltend für Uniform, Dienstkleidung; Ausrüstung für spezielle Zwecke.

Monument [lat.] *das,* das →Denkmal.

Monumenta Germaniae Historica [lat. »Geschichtsdenkmäler Deutschlands«], Abk. **MGH,** die umfangreichste, wichtigste Sammlung mittelalterl. Quellentexte zur dt. und europ. Geschichte, hg. von der auf Anregung des Freiherrn K. vom Stein 1819 gegründeten »Gesellschaft für Deutschlands ältere Geschichtskunde«, 1826 erschien der 1. Bd.; 1875 Umwandlung des privaten Vereins in eine öffentlich-rechtl. Körperschaft, durch staatl. Zuschüsse Dtl.s und Österreichs gefördert; nach dem 2. Weltkrieg Neugründung als »MGH Dt. Institut für Erforschung des MA.« (Sitz seit 1948 in München, früher in Berlin). Nach ursprüngl. Plan waren die MGH in fünf Abteilungen gegliedert: Scriptores (Schriftsteller), Leges (Gesetze), Diplomata (Urkunden), Epistolae (Briefe), Antiquitates (Altertümer); später wurden spätmittelalterliche Quellen einbezogen (Staatsschriften, Quellen zur Geistesgeschichte).

Monument Valley [ˈmɔnjʊmənt ˈvælɪ], Naturschutzgebiet im NO Arizonas und SO Utahs, USA, in der Navajoreservation; Tafelberge, pfeiler- und turmförmige Felsen aus Sandstein, Reste von Vulkanschloten.

Monza, Stadt in der Prov. Mailand, Italien, 120 200 Ew.; Textilind., Lederhandschuhfertigung, Nähmaschinen-, Orgelbau; Automobilrennstrecke (Straßenkurs: 5,8 km, Autodrom: 4,25 km). – Im Dom (13./14. Jh.) wird die →Eiserne Krone aufbewahrt.

Moody-Index [ˈmuːdɪ-], in den USA Preisindex für Stapelwaren des internat. Handels.

Moon, estn. Ostseeinsel, →Muhu.

Moor [niederdt., verwandt mit Meer] (norddt. auch Bruch, Fehn, Fenn, Venn, Lohe, Luch, süddt. auch Filz, Moos, Ried), dauernd feuchtes, schwammiges Gelände mit charakterist. Vegetation auf einer mindestens 20–30 cm mächtigen Torfdecke mit mindestens 30 % organ. Substanz (→Torf). Grundvoraussetzung für die sich oft über Jahrtausende erstreckende Entstehung eines M. ist ein großer Wasserüberschuss, der das Wachstum feuchtigkeitsliebender Pflanzen begünstigt und anaerobe Verhältnisse schafft, die den mikrobiellen Abbau der Pflanzenreste hemmen und zur Torfbildung führen. (→Holozän)

Man unterscheidet die bei der Verlandung von Seen gebildeten **Flachmoore** (Nieder-M., Riede), die in der Regenwasserzone entstandenen **Hochmoore** (Torf-M., Heide-M.) und bei wechselnder Ausbildung beider Typen die **Übergangsmoore.** Typ. Pflanzen der Flach-M. sind Rohrkolben, Seggen, Schilf, Schwarzerle und Weide, des Hoch-M. Torfmoose, Wollgras, Glockenheide, Binse und Haarsimse. Durch Aufreißen der M.-Decke können sich **Mooraugen (Kolke)** bzw. **Moorseen** bilden. **Schlenken** sind die zw. den hohen Moospolstern **(Bülten)** liegenden wassergefüllten Senken. – Bes. reich an M. sind Russland, Finnland, Schweden und Kanada.

🕮 SUCCOW, M. *u.* JESCHKE, L.: *M.e in der Landschaft. Thun* [2]*1990.*

Moor, Margriet de, niederländ. Schriftstellerin, *Noordwijk 21. 11. 1941; studierte zunächst Gesang und Klavier, später Kunstgeschichte. Ihre virtuos konstruierten und in einer eindringlich musikal. Sprache verfassten Werke brachten ihr internat. Erfolg (»Erst grau dann weiß dann blau«, R., 1991; »Der Virtuose«, R., 1993).

Moorbad, therapeut. Anwendung von breiig aufgeschwemmten Torf-Wasser-Mischungen. Aufgrund des hohen Wasserbindungs- und Wärmespeichervermögens wird der durch Wasserdampf erhitzte Moorbrei mit höherer Temperatur als Wasser auf der Haut vertragen und gibt seine Wärme kontinuierlich über einen längeren Zeitraum ab. Der Badetorf enthält Huminsäuren, Östrogene, Gerbsäure, Mineralsalze u.a. M. werden bei Gelenkerkrankungen und bei chron. Unterleibserkrankungen der Frau angewendet.

Moordorf, Teil der Gemeinde Südbrokmerland, Landkr. Aurich, Ndsachs.; Fundort (1910) einer geometrisch verzierten Goldscheibe wohl aus der Bronzezeit; als Sonnensymbol gedeutet.

Moore ['mʊə], **1)** Brian, kanad. Schriftsteller irischer Herkunft, *Belfast 25. 8. 1921, †Malibu (Calif.) 11. 1. 1999; religiöse oder polit. Probleme und psychisch-sexuelle Konflikte seiner Romanfiguren resultieren meist aus ihrer Stellung zw. versch. Kulturen und Nationen (»Die einsame Passion der Judith Hearne«, R., 1955; »Ich bin Mary Dunne«, R., 1968; »Die Farbe des Blutes«, R., 1987; »Dillon«, R., 1990).

2) Charles, amerikan. Architekt, *Benton Harbor (Mich.) 31. 10. 1925, †Austin (Tex.) 16. 12. 1993. Seine Arbeit ist v.a. gekennzeichnet durch spieler. Umgang mit geometr. Formen, Materialien und Farben und iron. Zitaten histor. Baustile. Die Piazza d'Italia (1976–78) in New Orleans (La.) gilt als eines der Hauptwerke der Postmoderne. 1980 gewann M. den Wettbewerb für die Bebauung des Tegeler Hafengeländes, Berlin (fertig gestellt u.a. die Humboldt-Bibliothek, 1989). BILD S. 376

🕮 *Architekten – C. M., Redaktion:* D. HEZEL. *Stuttgart* [4]*1995.*

3) George, irischer Schriftsteller, *Ballyglass (Cty. Mayo) 24. 2. 1852, †London 21. 1. 1933; schrieb naturalist. Werke, später religiöse Romane, v.a. den Christusroman »The brook Kerith« (1916).

4) George Edward, brit. Philosoph, *London 4. 11. 1873, †Cambridge 24. 10. 1958; Prof. ebd., neben B. Russell Begründer der (sprach-)analyt. Philosophie; stellte in seinem metaeth. Hauptwerk »Principia Ethica« (1903) die Frage nach der Bedeutung von »gut«, das er als einfache, nicht weiter analysierbare Qualität behauptete; wies die meisten eth. Theorien als auf dem naturalist. →Fehlschluss beruhend zurück.

Henry Moore

5) Gerald, brit. Pianist, *Watford 30. 7. 1899, †London 13. 3. 1987; begann als Konzertpianist und wurde später Klavierbegleiter bed. Sänger (u.a. D. Fischer-Dieskau) und Instrumentalisten (u.a. Y. Menuhin).

Henry Moore: »Figure in a shelter« (1941; Wakefield, Art Galleries and Museums)

6) Henry, brit. Bildhauer und Grafiker, *Castleford (bei Leeds) 30. 7. 1898, †Much Hadham (Cty. Hertfordshire) 31. 8. 1986; schuf Bildwerke von beeindruckender Ausdruckskraft und Strenge, von archaischen Skulpturen und der Kunst der Naturvölker beeinflusst. Zentrales Thema seiner häufig monumentalen Plastiken ist der Mensch als Einzelfigur, oft liegend oder auch als Gruppe gestaltet. M. arbeitete v.a. in Stein und Holz, später vorwiegend in Bronze. – Während der Bombenangriffe auf London (1940/41) hielt M. in Untergrundbahnstationen und Tunnels Schutz suchende Menschen in eindringlichen Zeichnungen (»Shelter drawings«) fest. M. gehört zu den bedeutendsten Bildhauern des 20. Jahrhunderts.

📖 *H. M., hg. v.* C. Allemand-Cosneau *u. a., Ausst.-Kat. Musée des Beaux Arts, Nantes. München u. a. 1996.*

Charles Moore: Wohnhaus am Tegeler Hafen in Berlin (1985–86)

7) Roger, brit. Filmschauspieler, *London 14. 10. 1927; bekannt als TV-Serienstar und seit 1973 als James-Bond-Darsteller (»Leben und sterben lassen«, 1973; »Im Angesicht des Todes«, 1984); seit 1991 Sonderbeauftragter der Filmkunst für UNICEF.

Stanford Moore

8) Stanford, amerikan. Biochemiker, *Chicago 4. 9. 1913, †New York 23. 8. 1982. Für die Erforschung der Struktur und Reaktivität des Enzyms Ribonuclease erhielt er 1972 mit C. B. Anfinsen und W. H. Stein den Nobelpreis für Chemie.

9) Thomas, irischer Dichter, *Dublin 28. 5. 1779, †Sloperton Cottage (bei Chippenham, Cty. Wiltshire) 25. 2. 1852; Jurist; befreundet mit Lord Byron; 1803–18 Admiralitätsbeamter auf den Bermudas, bereiste 1819–23 Amerika, Frankreich und Italien. Nach Herausgabe der »Irischen Melodien« (10 Tle., 1808–34), einer Lyriksammlung mit Klavierbegleitung, die auf alte irische Melodien zurückgreift, wurde er als »Barde Irlands« gefeiert; schrieb auch populäre oriental. Verserzählungen (»Lalla Rukh«, 1817) und Gesellschaftssatiren.

Moosbeere

Mooréa [mɔre'a], zu Frz.-Polynesien gehörende Insel im S-Pazifik, eine der Inseln über dem Winde der Gesellschaftsinseln, 132 km², (1988) 7100 Ew., Hauptort ist Afareaitu; Erzeugung von Kopra, Vanille und Kaffee; Fremdenverkehr.

Moosglöckchen (Höhe 5–15 cm)

Moorkultur, Umgestaltung von Mooren zur landwirtsch. Nutzung. Die M. beginnt mit einer Senkung des Grundwasserstandes durch Gräben oder Dränröhren. Die holländ. **Fehnkultur** besteht in einer Abtorfung des Moores, wobei die hellere Oberflächenschicht (50 cm stark) als »Bunkerde« auf dem mineral. Untergrund zurückbleibt. Durch Vermischung dieses »Leegmoores« an der Oberfläche mit 10–12 cm Sand entsteht nach Kalkung mit Düngung ein ertragreicher Acker. Die heute aufgegebene **Moorbrandkultur** aus den niederländ. Hochmooren war eine v. a. auf Buchweizen ausgerichtete Monokultur ohne Düngung. Auch die **rimpausche Niedermoor-Sanddeckkultur (Dammkultur)** ist überholt; bei ihr wurde aus den Gräben etwa 15 cm Sand auf das gewachsene Moorprofil aufgetragen. Die **Niedermoor-Schwarzkultur** ist eine intensive Grünlandnutzung ohne Sand und Kalkung in einseitiger Kaliphosphatdüngung. Ihr gleicht die **Dt. Hochmoorkultur** auf Torflagen über 1 m mit einmaliger Grundkalkung und schmalen Entwässerungsgräben (»Grippen«). Der erfolgreichen Ackernutzung dient bes. die **Dt. Sandmischkultur** in wurzelechten Hochmooren mit dünnen, bis 1,5 m mächtigen Torflagen und bis 2 m tiefen Pflugfurchen sowie abwechselnden Torf- und Sandschichten.

Moorleichen, in Mooren gefundene menschl. Leichen aus vor- und frühgeschichtl. Zeit, die infolge des völligen Luftabschlusses und der fäulnishemmenden Humussäuren des Moores mumienhaft erhalten geblieben sind. Bei den bisher mehr als 1350 Funden von M., die v. a. aus Nord-Dtl., Jütland und S-Skandinavien stammen, handelt es sich entweder um ins Moor versenkte Tote, nach german. Rechtsbrauch (Tacitus, »Germania« 12) Hingerichtete, Opfer von Verbrechen oder Menschenopfer.

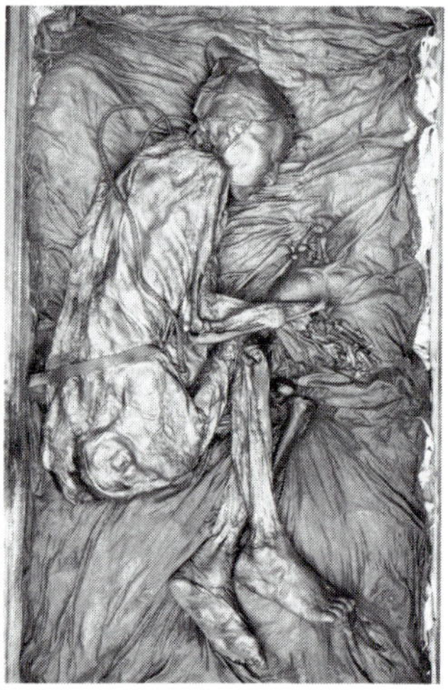

Moorleichen: Die Moorleiche von Tollund auf Jütland wurde mit einer Schlinge erwürgt (Kopenhagen, Nationalmuseet)

Moortgat [-xat], Anton, belg. Archäologe, *Antwerpen 21. 9. 1897, †Damme (bei Brügge) 9. 10. 1977; beschäftigte sich bes. mit der Entstehung der sumer. Hochkultur und war einer der Begründer der vorderasiat. Archäologie in Deutschland.

Moorwald, flechtenreicher, niedrigwüchsiger Kiefern- oder Birkenwald auf armen Sandböden oder Hochmoortorf.

Moos, Bez. für Pflanzen der Gruppe → Moose.

Mooslachat, grüne Abart des → Chalcedons.

Moosbeere (Vaccinium oxycoccus), kriechendes Heidekrautgewächs mit roten, oft braun gefleckten Beeren; Charakterpflanze der Hochmoore.

Moosbrugger (Mosbrugger), Kaspar, eigtl. Andreas M., österr.-schweizer. Baumeister, *Au (Vorarlberg) 22. 7. 1656, †Einsiedeln 26. 8. 1723; bed. Vertreter der → Vorarlberger Bauschule; sein Meisterwerk ist die Stiftskirche von → Einsiedeln.

Moosburg a.d. Isar, Stadt im Landkr. Freising, Oberbayern, am N-Rand des Erdinger Mooses, 16 400 Ew.; Landwirtschaftsschule, Heimatmuseum; Maschinenfabrik, chem., elektrotechn. Ind.; Brauereien; Kraftwerk. – Roman. Basilika mit Altar (1513/14) von H. Leinberger.

Moose (Bryophyta, Bryophyten, Moospflanzen), Abteilung der Sporenpflanzen mit etwa 24 000 Arten; weltweit verbreitete Landpflanzen, ohne Gefäßbündel und ohne echte Wurzeln (Rhizoide). Die M. enthalten in jeder Pflanze zwei Generationen, 1) eine die Gesamterscheinung der M. beherrschende, dem Farnvorkeim entsprechende Generation mit Archegonien als weibl. und Antheridien als männl. Geschlechtsorganen (→ Farne); 2) eine auf diese Generation aus der befruchteten Eizelle des Archegoniums sprossende, nur aus der Mooskapsel mit Unterteil bestehende Generation, die Sporen erzeugt (→ Generationswechsel). Aus der Spore keimt wieder die Moospflanze. – Die **Laub-M.** (Klasse Musci; z.B. → Torfmoos) sind in Blättchen und Stängel gegliedert, die aus einem fadenförmigen Vorkeim hervorgehen. Die kugeligen oder keuligen Antheridien und die flaschenförmigen Archegonien stehen an Sprossenden. Nach der Befruchtung wächst die Zygote zum diploiden Sporophyten (Sporogon) aus, der zeitlebens auf dem Gametophyten verbleibt, dessen Oberteil als Haube auf dem Deckel der Sporenkapsel einen Schutz bildet. – Die **Leber-M.** (Klasse Hepaticae), z.B. Brunnenlebermoos, haben meist eine lappige Form. Die Sporenkapsel bleibt vom Archegonium umschlossen, ohne Haube und ist auch meist ohne Deckel. – Aufgrund ihres Wasserbindungsvermögens sind M. wichtig für den Wasserhaushalt der Wälder.

📖 PROBST, W.: *Biologie der Moos- u. Farnpflanzen.* Heidelberg u. a. [2]1987. – DÜLL, R.: *Exkursionstaschenbuch der M.* Bad Münstereifel [4]1993.

Moosfarn (Selaginella), Gattung der M.-Gewächse, v.a. in den Tropen verbreitet. In europ. Gebirgen der **Gezähnte M.** (**Dorniger M.,** Selaginella selaginoides) mit spiralig angeordneten Blättern.

Moosglöckchen (Linnaea borealis), zu den Geißblattgewächsen gehörender, nordisch-alpiner 5–15 cm hoher Halbstrauch mit lang gestielten, nickenden, glockigen weißen oder blassrosa Blüten; Charakterart des nördl. Nadelwaldgürtels.

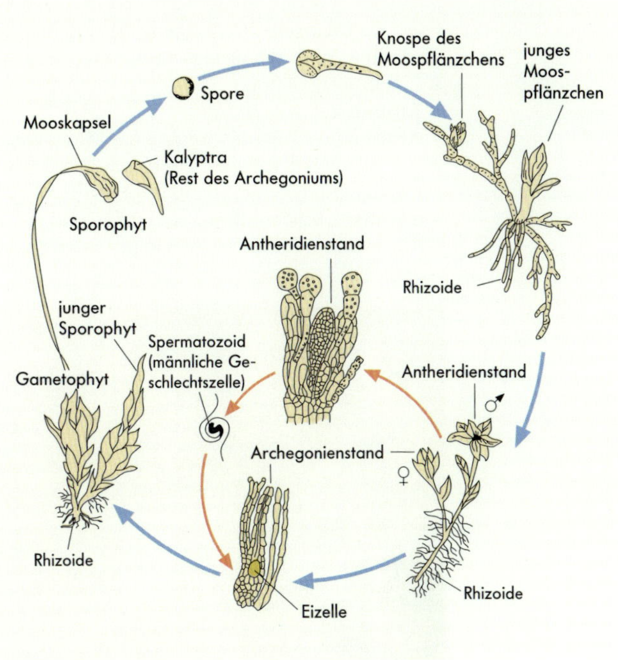

Moose: schematische Darstellung des Generationswechsels bei einem Laubmoos

Moostierchen (Bryozoen, Bryozoa), festsitzende, koloniebildende Bewohner des Meeres und Süßwassers. Jedes M. besitzt einen Fangarmkranz, der in das Innere zurückgezogen werden kann und zum Herbeistrudeln der Nahrung dient. Die Kolo-

Moorleichen

Am 8. Mai 1950 wird der Leichnam eines Mannes aus dem Moor in Tollund (Dänemark) geborgen; durch Luftabschluss und chemische Einflüsse ist er mumienähnlich konserviert und in ausgezeichnetem Erhaltungszustand. Der Tote liegt auf der rechten Seite und ist bis auf eine Lederkappe auf dem Kopf und einen Ledergürtel nackt. Um den Hals liegt ein abgeschnittener Strick aus Leder mit Schlinge, an dem der Mann wohl erhängt worden war, bevor er im Moor versenkt wurde. Das Kinn des Mannes ist glatt rasiert, seine Fingernägel sind geschnitten. Der Mageninhalt lässt als letzte Mahlzeit ein Gericht aus Getreide und zahlreichen Unkrautsamen erkennen. Sein Tod muss in der Zeit etwa um Christi Geburt erfolgt sein.

Bisher wurden über 1350 Moorleichen aus vor- und frühgeschichtlicher Zeit entdeckt, sie stammen überwiegend aus Norddeutschland, Jütland und Skandinavien. Sie geben wertvolle Aufschlüsse über Kleidung, Ernährung und Gesundheitszustand der damaligen Bevölkerung sowie über die Ursachen und Motive der Versenkung im Moor.

nien sind krusten-, moos- oder knollenartige Gebilde, die Pflanzen, Pfähle, Steine überziehen. Die Einzeltiere sind nur wenige Millimeter groß und z. T. sehr vielgestaltig.

Moped *das,* → Kraftrad.

Mops [von niederdt. mopen »den Mund verziehen«, niederländ. moppen »mürrisch sein«], bis 32 cm hohe, kurzhaarige, stämmige Haushunderasse mit großem, rundem Kopf, vielen Runzeln auf der Stirn, kurzen Ohren (sog. Knopf- oder Rosenohren) und kurzem, viereckigem Fang.

Moostierchen: moosartige Kolonie

Moradabad, Stadt in Uttar Pradesh, Indien, 417000 Ew.; handwerkl. Verarbeitung von Holz und Metall, Baumwollind. – Burg und Moschee aus dem 17. Jahrhundert.

Morag ['mɔrɔŋk] (dt. Mohrungen), Stadt in der Wwschaft Olsztyn (Allenstein), Polen, in einem Seengebiet des Balt. Landrückens, 14000 Ew.; Sperrholzfabrik, Metall-, Nahrungsmittel-, Textilindustrie. – Reste einer Deutschordensburg; spätgot. Pfarrkirche und Rathaus; Herderhaus (restauriertes Geburtshaus von J. G. Herder).

Moral [zu lat. mos »Sitte«, »Brauch«] *die,* 1) die der gesellschaftl. Praxis zugrunde liegenden und als verbindlich akzeptierten ethisch-sittl. Normen(systeme) des Handelns; 2) die sittl. Haltung eines Einzelnen oder einer Gruppe; 3) lehrreiche Nutzanwendung, sittl. Gehalt (M. einer Geschichte); 4) Solidarität einer Gruppe, Bereitschaft, sich einzusetzen.

Moralische Aufrüstung (engl. moral re-armament, Abk. MRA), sozialeth. Bewegung zur inneren Erneuerung des Menschen auf christl. Grundlage; aus der 1921 von dem luth. Frank N. D. Buchman (* 1878, † 1961) gegr. Oxford-Gruppenbewegung hervorgegangen; ihre wichtigsten Prinzipien sind die vier »Absoluta«: Ehrlichkeit, Reinheit, Selbstlosigkeit, dienende Nächstenliebe. Europ. Zentrum ist Caux (bei Montreux).

moralische Wochenschriften, Zeitschriftentypus der Aufklärung; Anfang des 18. Jh. in England aus bürgerlich-puritan. Kritik an Kultur und Lebensstil der Aristokratie entstanden. Vorbildhaft für ganz Europa wurden die von J. Addison und R. Steele hg. Zeitschriften »The Tatler« (1709–11), »The Spectator« (1711/12 und 1714), »The Guardian« (1713). Die m. W. verbreiteten die Ideen der Aufklärung in Verbindung mit Beiträgen zu Fragen des tägl. Lebens; sie führten literar. und ästhet., in England v. a. polit. Diskussionen, behandelten moral. und religiöse Fragen und waren damit wichtig für die Entwicklung des bürgerl. Selbstverständnisses im 18. Jahrhundert. In Dtl. sind für das 18. Jh. über 500 Titel nachgewiesen, u. a. »Discourse der Mahlern« (1721–23) von J. Bodmer und J. J. Breitinger, »Die vernünftigen Tadlerinnen« (1725/26) von J. C. Gottsched, »Der Wandsbecker Bote« (1771–76) von M. Claudius.

Moralismus *der,* die Verabsolutierung eth. Normen(systeme), die Überbetonung sittl. Gesetze.

Moralisten [von lat. mores »Sitten«], Beobachter menschl. Lebensweisen, die, ohne dogmat. Grundsätze des sittl. Handelns aufzustellen, seel. und soziales Verhalten kritisch beschreiben und dabei Einsicht in den empir. Menschen und seine versteckten Triebfedern zu erlangen suchen; insbesondere Bez. für die frz. Schriftsteller des 17. Jh. (F. de La Rochefoucauld, B. Pascal und J. de La Bruyère) im Anschluss an den Vorläufer M. de Montaigne. Literar. Hauptformen waren Maximen oder Aphorismen, der Essay und Briefe.

Moralität [lat.] *die,* das sittl. Verhalten aus positiv sittl. Gesinnung und nicht aus bloßer Pflicht (Legalität), die Übereinstimmung des Willens mit dem Sittengesetz (I. Kant).

Moralitäten, religiöse oder moralisch-lehrhafte Schauspiele des Spät-MA., in denen allegor. Figuren (Personifizierungen von Tugend, Laster, Glück oder Tod) auftraten; beliebt bes. in England, den Niederlanden, Italien, Frankreich. (→ Jedermann)

Moralphilosophie, die philosoph. Lehre von der → Sittlichkeit, in der früher die Lehre von Recht und Staat und die Ethik als Sittenlehre enthalten war; von I. Kant als »Metaphysik der Sitten« bezeichnet. Gegenwärtig ist M. gleichbedeutend mit → Ethik.

Moraltheologie (theologische Ethik), Teildisziplin der kath. Theologie, die normative Handlungsvorgaben für den prakt. Lebensvollzug des Christen entwickelt.

Morand [mɔ'rã], Paul, frz. Schriftsteller, * Paris 13. 3. 1888, † ebd. 23. 7. 1976; Diplomat, u. a. für die Vichy-Reg., 1953 rehabilitiert; schrieb Gedichte, Reisebücher, Essays, Biographien (u. a. über G. de

Maupassant), Erzählungen sowie zahlr. Romane über die Gesellschaft der 1920er-Jahre (»Der lebende Buddha«, 1927), später über histor. Themen.

Morandi, Giorgio, italien. Maler und Grafiker, *Bologna 20. 7. 1890, †Grizzana (Prov. Bologna) 18. 6. 1964; entwickelte aus Anregungen von Kubismus, Futurismus, Pittura metafisica und P. Cézanne eine auf Stillleben sowie Landschaft konzentrierte nuancenreiche Tonmalerei.

Moräne [frz.] *die,* von Gletschern verfrachteter und angehäufter Gesteinsschutt. Am Gletscherrand bilden sich aus dem Felsschutt **Seiten-M.;** beim Zusammenfließen zweier Gletscher werden zwei der Seiten-M. zu einer **Mittel-M.** Der ins Gletschereis geratene Schutt heißt **Innen-M.,** das fein gemahlene oder gerundete Gestein zw. Eis und Gletscherbett **Grundmoräne.** Das mitgeführte Gestein wird am unteren Ende des Gletschers als **End-M.** abgelagert. Nach dem Abschmelzen des Eises bleibt häufig eine charakterist. M.-Landschaft zurück mit M.-Seen, →Drumlins, Osern (→Os) und Findlingen (→Geschiebe). BILD S. 380

Morante, Elsa, italien. Schriftstellerin, *Rom 18. 8. 1912, †ebd. 25. 11. 1985; ⚭ mit A. Moravia; schrieb psychologisch-realist. (Familien)romane (»Lüge und Zauberei«, 1948; »Arturos Insel«, 1957; »La Storia«, 1974; »Aracoeli«, 1983), auch Erzählungen, Essays, Lyrik und Kinderbücher.

Morath, Inge, eigtl. Ingeborg M., amerikan. Fotografin österr. Herkunft, *Graz 27. 5. 1923; seit 1962 ⚭ mit Arthur Miller; bereiste als Fotojournalistin zahlr. Länder und verfasste Reportagen für »Life«, »Paris Match« u.a. Zeitschriften.

Giorgio Morandi: Stillleben (1926; Genua, Sammlung Della Ragione)

Moratorium [von lat. mora »Verzögerung«] *das,* durch Vertrag oder Staatsakt (Zwangs-M.) gewährter Zahlungsaufschub für fällige private oder staatl. in- oder ausländ. Verbindlichkeiten. Die internat. Finanzabkommen lassen M. z.B. bei Gefährdung der Währungsstabilität eines Entwicklungslandes zu (Schuldenmoratorium).

Morava, 1) tschech. Name für →Mähren.

2) *die,* tschech. und slowak. Name der →March.

3) *die,* **Velika M.** (Große M.), rechter Nebenfluss der Donau, hydrograph. Hauptachse Serbiens, 221 km lang, entsteht durch Zusammenfluss der Westl. und der Südl. Morava.

Moravia, Alberto, eigtl. A. Pincherle, italien. Schriftsteller, *Rom 28. 11. 1907, †ebd. 26. 9. 1990; ⚭ mit Elsa Morante; mit seinem vielseitigen Werk einer der erfolgreichsten und wegen seiner erot. Thematik auch meistumstrittenen italien. Autoren des 20. Jh. Seine psychologisch-realist. Romane verbinden die persönl. Konflikte der Helden, häufig sexuelle Verstrickungen, mit einer krit. Darstellung der italien. Gesellschaft während des Faschismus (»Die Gleichgültigen«, 1929; »Der Konformist«, 1951), in der Kriegs- und Nachkriegszeit (»Die Römerin«, 1947; »Cesira«, 1957; »La Noia«, 1960; »Desideria«, 1978). Im Spätwerk dominieren satirisch-spieler. Züge (»Der Zuschauer«, R., 1985). M. schrieb auch Dramen, Erzählungen, Essays und Reiseberichte.

Alberto Moravia

📖 ELKANN, A. *u.* MORAVIA, A.: *Vita di M. Ein Leben im Gespräch. A. d. Italien. Freiburg im Breisgau 1991.*

Moray [ˈmʌrɪ], Local Authority in N-Schottland, südlich des Moray Firth, 2238 km², 86300 Ew.; Verw.sitz: Elgin.

Moray Firth [ˈmʌrɪ ˈfəːθ], trichterförmige Nordseebucht an der NO-Küste Schottlands.

morbid [lat.], kränklich, im (sittl.) Verfall begriffen, morsch.

Morbidität [lat.] *die,* Erkrankungsrate, das zahlenmäßige Verhältnis zw. Kranken und Gesunden einer Bevölkerung.

Morbihan [mɔrbiˈã], Dép. in W-Frankreich, in der Bretagne, 6823 km², (1990) 618700 Ew.; Hauptstadt ist Vannes.

Morbus [lat.] *der,* die Krankheit. **M. sacer,** im Altertum und MA. gebräuchl. Bez. für Epilepsie.

Morchel [ahd. morhala, eigtl. »Möhre«] (Morchella), Gattung der Schlauchpilze; die hohlen Fruchtkörper sind gestielt, von wabenartiger Hutstruktur. **Speise-M.** (Morchella esculenta) und **Spitz-M.** (Morchella conica) sind gute Speisepilze.

Morchel: Spitzmorchel (oben) und Speisemorchel

Mord, im dt. Strafrecht im Ggs. zum →Totschlag die vorsätzl. Tötung eines Menschen, die hinsichtlich Tatmotiv, Tatausführung oder Tatzweck durch besondere Merkmale qualifiziert ist, nämlich aus M.-Lust, zur Befriedigung des Geschlechtstriebes, aus Habgier oder anderen niedrigen Beweggründen, auf heimtück., grausame Weise oder mit gemeingefährl. Mitteln sowie zur Ermöglichung oder Verdeckung einer anderen Straftat. Der Mörder wird mit lebenslanger Frei-

Moräne: Den Kaskawulsh-Gletscher (Saint-Elias-Mountains, Nordamerika) durchziehen längs durch Einmündung von Nebengletschern entstandene Mittelmoränen

heitsstrafe bestraft (§ 211 StGB). Nach einem Urteil des Bundesgerichtshofes von 1981 kann die Strafe entgegen dem Gesetzeswortlaut bei Vorliegen außergewöhnl. Umstände auf 3 bis 15 Jahre gemildert werden. – Nach *österr.* Recht ist M. die vorsätzl. Tötung eines anderen (§ 75 StGB; Freiheitsstrafe von 10 bis zu 20 Jahren oder lebenslange Freiheitsstrafe). Gemäß Art. 112 *schweizer.* StGB liegt M. vor, wenn der Täter unter Umständen oder mit einer Überlegung getötet hat, die seine bes. verwerfl. Gesinnung oder seine Gefährlichkeit offenbaren (Strafe: lebenslänglich Zuchthaus).

Mordent [italien. »Beißer«] *der, Musik:* die Verzierung einer Hauptnote durch einmaligen (beim **langen M.** durch mehrmaligen) schnellen Wechsel der Hauptnote mit ihrer unteren Sekunde.

Mörderbiene (Killerbiene), umgangssprachl. Bez. für eine im trop. Südamerika durch Kreuzung entstandene Unterart der Honigbiene, die sehr gute Honigerträge bringt, aber sehr aggressiv ist.

Mördermuschel, → Riesenmuscheln.

Mordwinen, Volk mit finnougr. Sprache in Mordwinien, v.a. an der mittleren Wolga; 1,15 Mio. Angehörige; zwei Hauptgruppen: Mokscha und Ersa; seit Ende des 18. Jh. vollständig in den russ. Machtbereich einbezogen.

Mordwini|en (Mordowien), Rep. innerhalb der Russ. Föderation, 26 200 km², (1991) 964 000 Ew.; Hptst. ist Saransk; umfasst mit der W-Abdachung der nördl. Wolgahöhen die durch Flussniederungen und Schluchten zertalte Plattenlandschaft zw. den Flüssen Sura und Mokscha sowie den O der Oka-Don-Niederung. Von der Landesfläche entfallen 28 % auf Wälder, 45 % auf Ackerland. Die Bev. besteht aus Russen (knappe Mehrheit), Mordwinen, Tataren u.a.; Landwirtschaft (Schwarzerdegebiet; Getreide, Kartoffeln, Hanf; Milchviehzucht); Maschinenbau-, elektrotechn., chem., Holzindustrie.

More ['mɔː] (latinisiert Morus), Sir Thomas engl. Staatsmann und Humanist, * London 7. 2. 1478 (?), † ebd. 6. 7. 1535; nach humanist., theolog. und jurist. Studien 1503–29 Mitgl., seit 1523 Sprecher des Unterhauses; seit 1529 Lordkanzler. Nach der Trennung der engl. Kirche von Rom durch Heinrich VIII., die er ablehnte, trat er 1532 zurück. 1534 verweigerte er den Suprematseid; daraufhin des Hochverrats angeklagt, wurde zum Tode verurteilt und hingerichtet; Heiliger, Tag: 22. 6. – M. verfasste zahlr. Schriften und hielt seit 1499 engen Kontakt zu Erasmus von Rotterdam. Sein Hauptwerk »De optimo rei publicae statu deque nova insula Utopia« (1516), der Entwurf einer idealen menschl. Gesellschaft, begründete die Utopie als literar. Gattung.

📖 HEINRICH, H. P.: *Thomas Morus mit Selbstzeugnissen u. Bilddokumenten. Reinbek 12.–14. Tsd. 1991.* – ZELL, R.: *Dialog zum Frieden in der Utopie des T. M. Binningen ³1995.*

Thomas More: Kreidezeichnung von Hans Holbein d. J. (1527; Windsor Castle), darunter Autogramm

Morea (grch. Moreas) [»Maulbeerbaum«], seit dem 9. Jh. bezeugter Name einer Landschaft im NW der Peloponnes, Griechenland; 13./15.–20. Jh. Gesamtname der Peloponnes.

Moréas [mɔre'as], Jean, eigtl. Ioannis Papadiamantopulos, frz. Schriftsteller grch. Herkunft, *Athen 15. 4. 1856, †Paris 30. 3. 1910; gründete 1890 mit C. Maurras die neoklassizist. »École romane«; schrieb Gedichte (»Die Stanzen«, sechs Bücher, 1899–1901, siebtes Buch hg. 1920), das Versdrama »Iphigénie« (1903) und Erzählungen.

Moreau [mɔ'ro], **1)** Gustave, frz. Maler, *Paris 6. 4. 1826, †ebd. 18. 4. 1898; malte bibl. und mytholog. Bilder sowie symbolist. Szenen, deren Fantastik durch eine eigenartige unnatürl. Beleuchtung gesteigert wird; übte großen Einfluss auf Fauvismus und Surrealismus aus.

2) Jean-Michel, gen. M. le Jeune, frz. Kupferstecher und Radierer, *Paris 26. 3. 1741, †ebd. 30. 11. 1814; schuf hervorragende Illustrationen von zeitgenöss. Ereignissen und zu Werken von Ovid, Boccaccio, Molière.

3) Jeanne, frz. Theater- und Filmschauspielerin, *Paris 23. 1. 1928; nuancenreiche Charakterdarstellerin, u. a. in den Filmen »Die Liebenden« (1958), »Die Nacht« (1960), »Jules und Jim« (1961), »Der Prozeß« (1962), »Viva Maria« (1965), »Die Braut trug Schwarz« (1967), »Mädchenjahre« (1979), »Querelle« (1982), »Die Dame, die am Meer spazierte« (1991); auch Filmregie und Chansonsängerin.

Morecambe and Heysham ['mɔ:kəm ənd 'hi:ʃəm], Stadt und Seebad in der engl. Cty. Lancashire, 41200 Ew.; an der Morecambe Bay Erdölraffinerie, chem. Ind.; Kernkraftwerk; Fähre zur Insel Man.

Morelia, Hptst. des mexikan. Staates Michoacán, 1890 m ü. M., 428000 Ew.; Erzbischofssitz; Univ., PH, Technikum, Regionalmuseum; Textil- u. a. Industrie. – Bed. architekton. Zeugnisse der Kolonialzeit, u. a. Kathedrale (1640 ff., Palacio de Gobierno (18. Jh.); UNESCO-Weltkulturerbe.

Morelos, Binnenstaat von →Mexiko, südlich des Bundesdistrikts.

Moreno [mə'ri:nəʊ], Jacob Levy, amerikan. Psychiater, *Bukarest 20. 5. 1892, †Beacon (N. Y.) 14. 5. 1974; begründete die →Soziometrie und die Gruppentherapie (speziell Psychodrama).

Moresca [italien.] *die* (Morisca, Moriskentanz), ein vom 15. bis 17. Jh. in ganz Europa verbreiteter pantomim. Tanz, dessen Ursprung einerseits in Fruchtbarkeitstänzen, andererseits in den Kämpfen zw. Christen und Mauren (→Morisken) gesehen wird. Seit dem 16. Jh. diente die M. als Balletteinlage in Intermedium, Komödie und Oper (z. B. in C. Monteverdis »Orfeo«). – Eine Variante der M. ist der engl. **Morris-Dance,** der ausschl. von Männern (als Masken- oder Narrentanz oder auch als Schwerttanz) ausgeführt und noch anlässlich von Umzügen der Morris-Gilden aufgeführt wird.

Moreto y Cavana [- i ka'βana], Agustín, span. Dramatiker, getauft Madrid 9. 4. 1618, †Toledo 26. oder 27. 10. 1669; Geistlicher in Toledo; war mit seinen Charakterkomödien (u. a. »Donna Diana«, 1654, Oper von E. N. von Reznicek, 1894) neben P. Calderón de la Barca der erfolgreichste span. Dramatiker des 17. Jahrhunderts.

Moretti, Marino, italien. Schriftsteller, *Cesenatico 18. 7. 1885, †ebd. 6. 7. 1979; schilderte in seinen Romanen und Novellen das provinzielle, kleinbürgerl. Leben, v. a. das der Frauen (»Die Witwe Fioravanti«, R., 1941).

Mörfelden-Walldorf, Stadt im Landkr. Groß-Gerau, Hessen, 32500 Ew.; Tresorbau, Metallindustrie.

Jeanne Moreau in dem von Michelangelo Antonioni gedrehten Film »Die Nacht« (1960)

Morgan ['mɔ:gən], **1)** Charles Langbridge, engl. Schriftsteller, *Bromley (Cty. Kent) 22. 1. 1894, †London 6. 2. 1958; war 1926–29 Theaterkritiker der »Times«; schrieb philosoph. Romane (»Das Bildnis«, 1929, »Die Flamme«, 1936) und Dramen vor dem Hintergrund seel. Konflikte.

2) John Pierpont, amerikan. Bankier, *Hartford (Conn.) 17. 4. 1837, †Rom 31. 3. 1913, Vater von 3); finanzierte mit seinem Bankhaus (seit 1895 J. P. M. & Co.) u. a. den Bau von Eisenbahnlinien der USA. Aus seiner Kunst- und Buchsamml. entstand 1924 eine Stiftung (**Pierpont M. Library,** New York).

3) John Pierpont, jr., amerikan. Bankier, *Irvington (N. Y.) 7. 9. 1867, †Boca Grande (Fla.) 13. 3. 1943, Sohn von 2); erweiterte den Einfluss des Bankhauses J. P. M. & Co., insbesondere durch die Finanzierung der Entente im 1. Weltkrieg und des Wiederaufbaus in Europa.

4) Lewis, amerikan. Ethnologe, *Aurora (N. Y.) 21. 11. 1818, †Rochester (N. Y.) 17. 12. 1881; einer der Begründer der vergleichenden Ethnologie. – *Werk:* Die Urgesellschaft (1877).

5) Thomas Hunt, amerikan. Genetiker, *Lexington (Ky.) 25. 9. 1866, †Pasadena (Calif.) 4. 12. 1945; entdeckte die geschlechtsgebundene Vererbung und den Faktorenaustausch (→Crossing-over); erhielt hierfür 1933 den Nobelpreis für Physiologie oder Medizin.

Thomas H. Morgan

Christian Morgenstern

morganatische Ehe [aus lat. matrimonium ad morganaticum »Ehe auf bloße Morgengabe«], Ehe zur →linken Hand.

morgansche Gesetze ['mɔ:gən-], →Mengenlehre.

Morgarten, Bergrücken in den schweizer. Voralpen, Kt. Schwyz, südöstlich vom Aegerisee, 1244 m ü.M. – In der Schlacht am M. (15. 11. 1315) besiegten die Waldstätte Schwyz, Uri und Unterwalden das Ritterheer Herzog Leopolds I. von Österreich; damit war die Freiheit der Waldstätte entschieden.

Morgen, 1) anbrechender Tag, früher Vormittag.

2) älteres dt. Feldmaß, urspr. das Stück Land, das man an einem M. pflügen konnte; regional verschieden zw. 0,255 ha (Preußen) und 1,25 ha in Oldenburg; häufig 0,25 ha = 2500 m².

Morgengabe, im alten dt. Recht das Geschenk des Mannes an die Ehefrau am Morgen nach der Brautnacht; vielfach als Sicherstellung für den Fall der Verwitwung gedacht.

Morgenhauptlicht, →Zodiakallicht.

Morgenland, der Orient; Ggs.: Abendland.

Morgenländisches Schisma, →Schisma.

Morgenpunkt, der →Ostpunkt.

Morgenrot, rote Färbung des östl. Himmels vor Sonnenaufgang. (→Abendrot)

Morgenstern, 1) *Astronomie:* volkstüml. Bez. für die Venus am Morgenhimmel. (→Abendstern)

2) *Waffenwesen:* im späten MA. eine Schlagwaffe mit Eisenstacheln.

Morgenstern, 1) Christian, Maler, *Hamburg 29. 9. 1805, †München 27. 2. 1867, Großvater von 2); malte unter dem Einfluss von C. Rottmann zunächst realist. Landschaften, später romantisch-pathet. Bilder von Naturereignissen.

Henry Morgenthau jr.

2) Christian, Dichter, *München 6. 5. 1871, †Meran 31. 3. 1914, Enkel von 1); schrieb Lyrik und Kabaretttexte u.a. für M. Reinhardts »Überbrettl«; auch Aphorismen, Kinderlieder; Übersetzungen. M. wurde bekannt durch seine witzigen Sprachgrotesken (v.a. »Galgenlieder«, 1905; »Palmström«, 1910; »Der Gingganz«, 1919). Sein Denken war beeinflusst von Nietzsche, dem Buddhismus und der Anthroposophie R. Steiners.

📖 BEHEIM-SCHWARZBACH, M.: *C. M. mit Selbstzeugnissen u. Bilddokumenten. Reinbek 64.–65. Tsd., [13]1995.*

Irmtraud Morgner

3) Oskar, amerikan. Volkswirtschaftler dt. Herkunft, *Görlitz 24. 1. 1902, †Princeton (N.J.) 26. 7. 1977; befasste sich mit Wirtschaftsprognosen und begründete mit J. von Neumann die Spieltheorie.

Morgenthau ['mɔ:gənθɔ:, engl.], Henry, jr., amerikanischer Politiker, *New York 11. 5. 1891, †Poughkeepsie (N. Y.) 6. 2. 1967; Mitgl. der Demokrat. Partei, 1934–45 Finanzmin., entwarf als enger Freund und Berater Präs. F. D. Roosevelts 1944 den Morgenthau-Plan.

Morgenthau-Plan, auf der 2. Konferenz von Quebec (Sept. 1944) vom amerikan. Finanzmin. H. Morgenthau jr. vorgelegte Denkschrift. Sie sah u.a. eine Entmilitarisierung, Verkleinerung und Aufteilung Dtl.s, die Internationalisierung des Ruhrgebiets und der dt. Wasserstraßen sowie die Demontage von Ind.anlagen vor. Dtl. sollte auf den Status eines Agrarlandes reduziert werden. Obwohl Präs. F. D. Roosevelt seine vorläufige Billigung bald zurückzog, beeinflusste der M. bis 1946/47 die amerikan. Besatzungspolitik in Dtl. maßgeblich.

📖 BACKER, J. H.: *Die Entscheidung zur Teilung Deutschlands. A. d. Amerikan. München 1981.*

Morgenweite, der Winkelabstand am Horizont zw. dem Aufgangspunkt eines Gestirns und dem Ostpunkt.

Eduard Mörike: Aquarell der zeitgenössischen deutschen Malerin Luise Walther (1874; Marbach am Neckar, Schiller-Nationalmuseum/Deutsches Literaturarchiv), darunter Autogramm

Morges [mɔrʒ], Bezirkshptst. im Kt. Waadt, Schweiz, am Genfer See, 13900 Ew.; Sitz des World Wide Fund for Nature, Museen; , Nahrungsmittelind., Maschinenbau; Fremdenverkehr.

Morgner, 1) Irmtraud, Schriftstellerin, *Chemnitz 22. 8. 1933, †Berlin (Ost) 6. 5. 1990; wurde bekannt mit dem fantastisch-iron. Roman »Hochzeit in Konstantinopel« (1968). Zentrale Aspekte der Frauenthematik und -emanzipation griff sie in der Laura-Salman-Trilogie auf (»Leben und Abenteuer der Trobadora Beatriz nach Zeugnissen ihrer Spielfrau Laura«, 1974; »Amanda«, 1983; der 3. Bd. blieb Fragment). 1992 erschien aus dem Nachlass der Roman »Rumba auf einen Herbst«.

2) Wilhelm, Maler und Grafiker, *Soest 27. 1. 1891, ⚔ bei Langemark 12. 8. 1917; entwickelte einen expressionist. Stil mit leuchtenden Farben und häufig religiöser und landschaftl. Thematik.

Mori, Ōgai, eigtl. M. Rintarō, japan. Schriftsteller, *Tsuwaho (Präfektur Shimane) 17. 2. 1862, †Tokio 9. 7. 1922; studierte als Militärarzt in Dtl., was zu einer intensiven Begegnung mit der europ. Literatur führte. In seinem Erzählwerk setzte er sich mit seiner Deutschlanderfahrung und der Situation des Intellektuellen in der japan. Gesellschaft auseinander, u.a. »Die Tänzerin« (1890, dt.), »Moso« (1911, dt.); zahlr. Übersetzungen aus europ. Sprachen (u.a. Goethes »Faust«).

moribund [lat.], im Sterben liegend.

Móricz ['mo:rits], Zsigmond, ungar. Schriftsteller, *Tiszacsécse (bei Debrecen) 2. 7. 1879, †Budapest 4. 9. 1942; schilderte in seinen Romanen und Erzählungen kritisch und mit illusionsloser Menschendarstellung die Gesellschaft im ländl. Ungarn, z.B. »Gold im Kote« (1911), »Waisenmädchen« (1915), Trilogie »Siebenbürgen« (1922–34).

Mörike, Eduard, Dichter, *Ludwigsburg 8. 9. 1804, †Stuttgart 4. 6. 1875; war 1834–43 Pfarrer in Cleversulzbach, 1851–66 Literaturlehrer am Stuttgarter Katharinenstift. In M.s »Gedichten« (1838, 1848) ist der Klangreichtum des Volkslieds vereint mit goethescher Gegenständlichkeit und antiker Formenklarheit, zugleich spielt romant. Märchenlaune in die Behaglichkeit des Biedermeiers hinüber; Schönheit und Wirklichkeit, Kunst und Leben stehen sich in unauflösbarer Spannung gegenüber. M.s Lieder wurden häufig vertont (R. Schumann, R. Franz, J. Brahms, H. Wolf). M. schrieb ferner die »Idylle vom Bodensee« (1846), das Märchen »Das Stuttgarter Hutzelmännlein« (1853), die Novelle »Mozart auf der Reise nach Prag« (1856), den Künstlerroman »Maler Nolten« (2 Bde., 1832; 2. Fassung 1853–75, unvollendet, hg. 1877). M. übertrug grch. und röm. Lyrik.

📖 Holthusen, H. E.: *E. M. mit Selbstzeugnissen u. Bilddokumenten. Reinbek 37.–38. Tsd., 9 1995.*

Morin *der,* zu den Flavonen gehörender gelber Naturfarbstoff; wird als Reagenz zum Aluminiumnachweis verwendet.

Moringa, nordafrikanisch-südasiat. Pflanzengattung; Laub abwerfende Bäume mit dicken flaschenförmigen Stämmen; die Rinde enthält Senfölglykoside.

Berthe Morisot: »Die Wiege« (1872; Paris, Musée d'Orsay)

Morioka, Hptst. der japan. Präfektur Iwate, auf Honshū, 283 400 Ew.; medizin. Univ., TU; Verkehrsknoten, Mittelpunkt des Pferdehandels; Holz-, Möbel- und Nahrungsmittelindustrie.

Morion [lat.] *der,* brauner bis schwarzer Quarz.

Morisca *die,* →Moresca.

Eduard Mörike

lebte während seiner Zeit als Pfarrer im schwäbischen Cleversulzbach (dem heutigen Neuenstadt am Kocher) in einem Spukhaus. In dieser Zeit schrieb er seinem Dichterfreund Justinus Kerner, der an derlei äußerst interessiert war, mehrfach ausführlich über nächtliche Geräusch- und Lichtphänomene im Pfarrhaus. Das Poltern, Krachen und Möbelrücken störte den Familienfrieden der Pfarrersfamilie nicht unerheblich. Mörike berichtete, auch bei seinen Vorgängern habe es schon gespukt.

Morisken (span. Moriscos), Mauren, die nach der Vernichtung der arab. Herrschaft in Spanien zurückblieben und vielfach – zumeist unter Zwang – das Christentum annahmen. 1609 wurde die Ausweisung der rd. 275 000 M. beschlossen und weitgehend realisiert.

Morisot [mɔri'zo], Berthe, frz. Malerin, *Bourges 14. 1. 1841, †Paris 2. 3. 1895; Schülerin und Schwägerin É. Manets, bed. Malerin des Impressionismus; schuf Landschaften, Akte, bes. Frauen- und Kinderbildnisse, für die lichte Farben, eine stärkere Betonung graf. Mittel und der zarte Gefühlsausdruck charakteristisch sind.

Möris|see, bei Herodot genannter See, in Ägypten, bedeckte im Altertum einen großen Teil der Oase →Faijum; der heutige Karunsee ist

Karl Philipp Moritz (Ausschnitt eines zeitgenössischen Gemäldes)

Moritz Kurfürst von Sachsen (Ausschnitt eines Gemäldes der Cranach-Werkstatt, Dresden, Staatliche Kunstsammlungen)

Aldo Moro

der durch Austrocknung verkleinerte Rest des Sees.

Moritat *die,* der Gesang der →Bänkelsänger, in dem ungewöhnliche, meist schaurige Begebenheiten zu Drehorgelmusik auf Jahrmärkten berichtet wurden. Der Vortrag wurde durch eine Bildtafel illustriert, der Text oft als fliegendes Blatt verkauft. Erste Belege stammen aus dem 17. Jh., seine Blütezeit hatte der M.-Sang im 19. Jahrhundert.

Moritz, Karl Philipp, Schriftsteller, *Hameln 15. 9. 1756, †Berlin 26. 6. 1793; Schauspieler; studierte in Erfurt und Wittenberg Theologie, ging 1782 nach Großbritannien, 1786 nach Italien (Freundschaft mit Goethe); 1789 Prof. für Altertumskunde in Berlin. Sein Hauptwerk ist der pietistisch gefärbte autobiographische Roman »Anton Reiser« (4 Bde., 1785–90, Bd. 5 postum 1794). Sein »Versuch einer dt. Prosodie« (1786) und »Über die bildende Nachahmung des Schönen« (1788) hatten wesentlichen Einfluss auf die dt. Klassik.

Moritz, Herrscher:

Hessen-Kassel: **1) M. der Gelehrte,** Landgraf (1592–1627), *Kassel 26. 5. 1572, †Schloss Plesse (bei Bovenden) 15. 3. 1632; führte ab 1605 den Kalvinismus ein; die luth. Landstände und Tillys Liga zwangen ihn 1627 zur Abdankung; war Mitgl. der →Fruchtbringenden Gesellschaft und selbst Dichter und Schriftsteller, machte Kassel zu einem kulturellen Mittelpunkt.

Nassau-Oranien: **2)** Prinz von Oranien, Graf von Nassau-Dillenburg, Statthalter der Niederlande, Sohn Wilhelms I. von Oranien, *Dillenburg 14. 11. 1567, †Den Haag 23. 4. 1625; wurde 1585 Statthalter von Holland und Seeland sowie 1590 Oberbefehlshaber der vereinigten niederländ. Provinzen; vertrieb 1591–94 die Spanier aus den nördl. Provinzen; ließ 1619 den holländ. Ratspensionär J. van →Oldenbarnevelt hinrichten.

Sachsen: **3)** Herzog (seit 1541) und Kurfürst (1547–53), *Freiberg 21. 3. 1521, †bei Sievershausen (heute zu Lehrte) 11. 7. 1553; Albertiner, erhielt als Bundesgenosse Kaiser Karls V. im Schmalkald. Krieg nach der Schlacht bei Mühlberg/Elbe und der Wittenberger Kapitulation (19. 5. 1547) Kurwürde und Kurlande seines ernestin. Vetters Johann Friedrich I. und begründete damit den Aufstieg des albertin. Sachsen. 1552 betrieb er die Fürstenverschwörung gegen Karl V. und zwang ihn zur Anerkennung des →Passauer Vertrags. Dann wandte sich M. gegen Markgraf Albrecht Alcibiades von Brandenburg-Kulmbach und besiegte ihn bei Sievershausen (9. 7. 1553); er selbst wurde tödlich verwundet.

📖 BLASCHKE, K.: *M. von Sachsen. Göttingen u. a. 1984.*

4) Graf von Sachsen, frz. Marschall, →Sachsen, Moritz von.

Moritzburg, ehem. Jagdschloss der Wettiner, nördlich von Dresden, 1542–46 im Renaissancestil errichtet, 1723–36 von M. D. Pöppelmann u. a. im Barockstil umgestaltet, seit 1947 Barockmuseum; 1992/93 restauriert.

Morlaken (Maurowlachen), seit dem 12. Jh. Name der O-Romanen (→Wlachen), die sich in Dalmatien, Montenegro, N-Albanien und der Herzegowina, im 15./16. Jh. nach Kroatien und Istrien ausbreiteten, dort slawisiert wurden und zur lat. Kirche übertraten.

Morley ['mɔːlɪ], Thomas, engl. Komponist, *vermutlich London 1557, †ebd. Okt. 1602; war als Madrigalkomponist und Verfasser einer umfassenden Kompositionslehre ein bed. Meister der engl. Schule.

Mormon, Buch, das hl. Buch der Mormonen; angeblich die engl. Übersetzung eines in »reformägypt.« Sprache und Schrift auf Goldplatten verzeichneten Textes, den der Gründer der Mormonen Joseph Smith (*1805, †1844) 1823 von einem Engel namens Moroni erhalten zu haben behauptete. Formal lehnt sich das Buch M. stark an das A. T. an, inhaltlich erzählt es die »Urgeschichte Amerikas« als Fortsetzung der bibl. Geschichte.

Mormonen (Selbstbez. Church of Jesus Christ of Latter-Day Saints, Kirche Jesu Christi der Heiligen der letzten Tage), 1830 von Joseph Smith (*1805, †1844) in Fayette (N. Y.) gegr. Religionsgemeinschaft; sie beruft sich auf das Buch →Mormon, die Bibel, insoweit sie »richtig übersetzt ist«, und die Offenbarungen Smiths; Ziel ist die Erreichung der Vollkommenheit durch Erkenntnis des »Großen Plans« Gottes. Am Ende der Zeiten wird Jesus Christus im Tempel von Salt Lake City Gericht halten und ein 1000-jähriges Reich errichten. Charakteristisch für die M. sind eine patriarchalisch-hierar. Ordnung, strenge moral. Grundsätze, Verzicht auf Genussmittel sowie eine starke missionar. Orientierung. Die von Smith proklamierte Mehrehe (1890 abgeschafft) hatte Anfeindungen und seine Ermordung zur Folge. Unter seinem Nachfolger Brigham Young (*1801, †1877) Gründung eines M.-Staates in der Nähe des Großen Salzsees (1896 als Utah Bundesstaat der USA) mit der Hptst. Salt Lake City. – Weltweit haben die M. rd. 6,7 Mio., in Dtl. (Tempel in Freiberg/Sachsen und Friedrichsdorf/Taunus) rd. 35 000 Mitglieder.

📖 HAUTH, R.: *Die M. Geheimreligion oder christl. Kirche? Freiburg im Breisgau u. a. 21995.* – MÖSSMER, A.: *Die M. Solothurn 1995.*

Mornellregenpfeifer, Art der →Regenpfeifer.

Moro, Aldo, italien. Politiker, *Maglie (Prov. Lecce) 23. 9. 1916, †(ermordet) Mai 1978; Prof. für Strafrecht, 1965–74 mehrfach Min., Gen.-Sekr. der Democrazia Cristiana (1959–63), war 1963–68 und 1974–76 MinPräs.; galt als Exponent des linken Flügels seiner Partei. Im März 1978 wurde er von den Roten Brigaden entführt und später ermordet.

Moroni, Hptst. der Rep. Komoren, an der W-Küste der Insel Njazidja, 22 000 Ew.; Handelszentrum; Verarbeitung landwirtsch. Produkte; Hafen, internat. Flughafen.

Moronobu, eigtl. Hishikawa M., japan. Maler und Holzschnittmeister, *Hoda (Präfektur Nara) 1618 oder 1625, †Edo (heute Tokio) 1694; erster fassbarer Meister des Ukiyo-e-Stils im Holzschnitt.

Morpeth ['mɔːpeθ], Hptst. der Cty. Northumberland, England, 14 500 Ew.; Eisenind., landwirtsch. Marktzentrum.

Morphem [grch.] *das,* kleinste bedeutungstragende Einheit einer Sprache. Man unterscheidet u. a. zw. **freien M.,** die isoliert auftreten können (z. B. »Licht«), und **gebundenen M.,** die nur in unmittelbarer Verbindung mit anderen M. vorkommen (z. B. Flexionssuffixe wie -er, -en, Wortbildungssuffixe wie -lich, -ung), ferner **lexikal. M.** (Lexeme) und **grammat. M.** (M. als Träger grammat. Kategorien, z. B. von Tempus, Kasus, Numerus), **diskontinuierl. M.,** bei denen mehrere signifikante Einheiten die M.-Bedeutung ergeben (z. B. das durch »ge« und »t« gebildete M.-Partizip »gefreit«), und **Portemanteau-M.,** bei denen sonst distinkte M.-Einheiten miteinander verschmolzen sind, z. B. frz. »au« (aus »à« und »le«).

Morphemik *die* (Morphematik), *Sprachwissenschaft:* i. w. S. die Morphologie; i. e. S. die Methode der Analyse von Form, Struktur, Funktion und Distribution der Morpheme mittels Segmentierung und Klassifikation.

Morpheus, bei Ovid der Gott der Träume, Sohn des Schlafgotts Somnus.

Morphin [von Morpheus] *das* (früher Morphium), Hauptalkaloid des Opiums; farb- und geruchlose, kristalline, stark basisch reagierende Substanz mit der Formel $C_{17}H_{19}O_3N$. M. unterliegt ebenso wie die halbsynthet. M.-Derivate Oxycodon, Hydromorphon, Hydrocodon, Codein, Heroin und die synthet. Substanzen Methadon, Levorphanol u. a. dem Betäubungsmittelgesetz. Die Hauptwirkung des M. besteht in einer sehr guten Aufhebung der Schmerzempfindung. Es wird deshalb bei schweren und schwersten Schmerzzuständen in den Fällen angewendet, in denen andere Arzneimittel nicht mehr ausreichend wirksam sind, z. B. nach schweren Operationen oder bei bestimmten Tumoren. Daneben bewirkt M. eine Herabsetzung von Unlustgefühlen, Hunger und Müdigkeit; gleichzeitig verschwinden Erregungs- und Angstzustände. Es dämpft die Erregbarkeit des Atemzentrums, führt zu Verengung der Pupillen, Darmträgheit u. a. Durch hohe Dosen von M. kommt es zur **akuten M.-Vergiftung.** Die Symptome sind Pupillenverengung, Koma, extreme Reduzierung der Atmung (bis auf 2–4 Atemzüge je Minute), ggf. Tod durch Atemlähmung.

Die **M.-Sucht (Morphinismus, chron. M.-Vergiftung)** beruht nicht nur auf einer psych., sondern hauptsächlich auf einer körperl. Abhängigkeit von der Droge. Die ersten Anzeichen treten bei fortgesetzter M.-Zufuhr innerhalb von etwa drei Wochen auf. Während M. von vielen zunächst als unangenehm empfunden wird und häufig Schwindel, Übelkeit und Erbrechen hervorruft, erleben etwa 10 % aller Menschen die M.-Wirkung als wohltuend und stimmungshebend; diese sind suchtgefährdet. Heilung kann i. Allg. nur eine →Entziehungskur mit intensiver ärztl. Betreuung bringen. Die Entzugserscheinungen (→Entzugssyndrom) setzen etwa 5–8 Stunden nach der letzten M.-Zufuhr ein und erreichen ihren Höhepunkt nach 40–72 Stunden. Nach 7–10 Tagen sind die schwersten körperl. Erscheinungen überwunden. Das starke Verlangen nach M. bleibt allerdings noch wochenlang bestehen, sodass Beaufsichtigung und psychotherapeut. Behandlung auch weiterhin erforderlich sind.

Morphinismus [grch.] *der,* Morphinsucht (→Morphin).

Morphium [grch.] *das,* →Morphin.

morpho... [grch. morphḗ »Gestalt«], die Gestalt betreffend.

Morphogenese [grch.] *die* (Morphogenesis, Morphogenie), Ausformung eines Lebewesens während seiner Entwicklung; ist von den Erbanlagen sowie von Reizen aus der Umwelt abhängig.

Morphologie [grch.] *die,* **1)** *allg.:* Lehre von den Gestalten, Formen und Organisationsprinzipien eines Sach- oder Sinnbereichs, z. B. in der Kulturtheorie (L. Frobenius, O. Spengler).

2) *Biologie:* Lehre von Form und Struktur der Organismen und den Lageverhältnissen der Organe. Neben der beschreibenden und vergleichenden M. ist die funktionelle M. von Bedeutung, da sie Wechselwirkungen zw. Struktur und Funktion als untrennbare Einheit aufzeigt.

3) *Geowissenschaften:* →Geomorphologie.

4) *Sprachwissenschaft:* a) in der traditionellen Grammatik die Formenlehre, die, vom Wort ausgehend, die Analyse der Flexionsformen und der Wortarten umfasst und auch die Wortbildung einbeziehen kann; b) in der strukturellen Grammatik die →Morphemik i. e. S.; c) in der generativen Transformationsgrammatik die morpholog. Komponente zw. syntakt. und philolog. Komponente, in der Satzbaupläne vor Einsetzen des konkreten Wortmaterials mit grammat. Merkmalen versehen werden.

Morphose [grch.] *die,* Bez. für nichterbl., durch Umwelteinflüsse verursachte Gestaltvariationen der Pflanzen bzw. einzelner Organe.

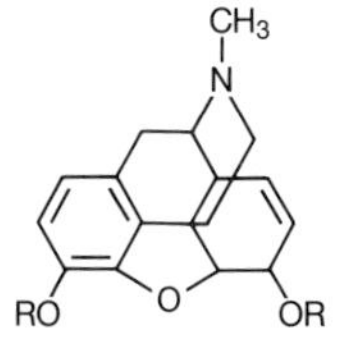

Morphin R = –H
Heroin R = –COCH3

Morphin

Mọrphosphäre *die, Sprachwissenschaft:* →Nomosphäre.

Morricọne, Ennio, italien. Komponist, *Rom 10. 11. 1928; wurde v.a. durch Filmmusiken internat. bekannt (u.a. »Spiel mir das Lied vom Tod«, 1967; »Feßle mich«, 1990); schrieb auch Bühnen- und Fernsehmusik sowie Instrumental- und Vokalwerke (u.a. »Cantata per l'Europa«, 1989).

Robert Morris: Ohne Titel (1986/87; Privatbesitz)

Mọrris, 1) Desmond John, brit. Verhaltensforscher, *Purton (Cty. Wiltshire) 24. 1. 1928; befasst sich bes. mit den Formen der nichtverbalen Kommunikation (Körpersprache) bei Tieren und Menschen (»Der nackte Affe«, 1967; »Der Mensch, mit dem wir leben«, 1977).

2) Mark, amerikan. Tänzer und Choreograph, *Seattle (Wash.) 29. 8. 1956; arbeitete in versch. Kompanien (u.a. bei P. Taylor, Lar Lubovitch, Laura Dean); gründete 1980 die »M. M. Dance Group«; fand mit seinen Tanzstücken, die auf dem Moderndance fußen, starke Beachtung. 1988–91 Direktor der »Monnaie Dance Group M. M.« in Brüssel. – *Choreographien:* New love song waltzes (1982); Jealousy (1985); Love song waltzes (1989); The hard nut (1991).

William Morris: Druckermarke der Kelmscott Press

3) Robert, amerikan. Bildhauer, *Kansas City (Miss.) 9. 2. 1931; einer der Hauptvertreter der Minimalart in den USA mit Objekten, die auf einfachen geometr. Formstrukturen basieren; auch Beiträge zu Land- und Conceptart; daneben Assemblagen, Reliefs sowie Pastell- und Enkaustikbilder.

Toni Morrison

4) William, engl. Schriftsteller, Maler und Kunsthandwerker, *Walthamstow (heute zu London) 24. 3. 1834, †Hammersmith (heute zu London) 3. 10. 1896; wandte sich gegen die maschinelle Herstellung handwerkl. Gegenstände und forderte die Wiederbelebung des Kunsthandwerks; daneben widmete er sich auch der Malerei, wobei er den Präraffaeliten nahe stand. 1861 gründete er mehrere kunstgewerbl. Werkstätten, deren künstler. und organisator. Leitung er übernahm. Zu seinen Mitarbeitern gehörten D. G. Rossetti, E. Burne-Jones, F. M. Brown und P. Webb. 1891 gründete M. die Kelmscott Press, für die er Typen und Holzschnittbuchschmuck entwarf. M. übte als Begründer des Arts and Crafts Movement großen Einfluss auf den kontinentalen Jugendstil aus. Als Sozialreformer engagierte er sich ab 1880 u.a. in der »Socialist League«. Seine polit. Anschauungen spiegeln sich in der Erzählung »Eine königl. Lektion« (1886/87) sowie der Sozialutopie »Kunde von Nirgendwo« (1890); auch Lyrik (»The earthly paradise«, 3 Bde., 1868–70) sowie kunsttheoret. Werke. Weiteres BILD Kunsthandwerk

📖 BERNAUER, M.: *Die Ästhetik der Masse. Basel 1990.*

5) Wright, amerikan. Schriftsteller, *Central City (Nebr.) 6. 1. 1910, †Mill Valley (Calif.) 25. 4. 1998; schrieb zeitkrit. Erzählungen und Romane vor dem Hintergrund konservativer Werte kleinstädt. Lebens (»Die gläserne Insel«, R., 1953; »Unterwegs nach Lone Tree«, R., 1960).

Morris-Dance ['mɔrɪs 'dɑ:ns], engl. Tanz, Variante der →Moresca.

Morrison ['mɔrɪsn], **1)** Toni, eigtl. Chloe Anthony Wofford, amerikan. Schriftstellerin, *Lorain (Oh.) 18. 2. 1931; Vertreterin der afroamerikan. Literatur. Sie entwirft in ihren historisch weit ausgreifenden Romanen ein komplexes Bild tiefer Entfremdung und der Identitätssuche der schwarzen Frau sowie gestörter familiärer Beziehungen (»Sehr blaue Augen«, 1970; »Sula«, 1973; »Solomons Lied«, 1977; »Teerbaby«, 1981; »Menschen-

William Morris: »Queen Guinevere, oder: La Belle Iseult« (1858; London, Tate Gallery)

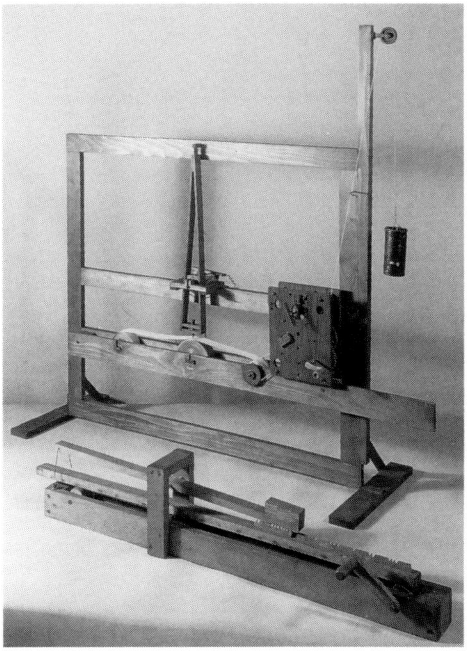

Morseapparat von Samuel Morse aus dem Jahr 1837 (Nachbildung; München, Deutsches Museum); zum Senden dient die handbetätigte Morsetaste des Gebers (vorne); der Antrieb des Papierstreifens im Empfänger erfolgt durch ein Gewicht

kind«, 1987; »Jazz«, 1992). 1993 erhielt sie den Nobelpreis für Literatur.

2) Van, eigtl. George Ivan M., ir. Rockmusiker (Gesang, Gitarre, Mundharmonika, Saxophon), *Belfast 31. 8. 1945; zählt zu den bedeutendsten weißen Bluessängern.

Morrison, Mount [maʊnt ˈmɔrɪsn], Berg auf Taiwan, →Yu Shan.

Mors, Insel im westl. Limfjord, Dänemark, 363 km², 23 100 Ew.; durch die Vilsundbrücke mit NW-Jütland verbunden. Hafen und Hauptort ist Nykøbing.

Morse [mɔːs], Samuel Finley Breese, amerikan. Maler und Erfinder, *Charlestown (heute zu Boston, Mass.) 27. 4. 1791, †New York 2. 4. 1872; war 1827–45 Präs. der von ihm mitgegründeten National Academy of Design in New York. Bedeutend sind v.a. seine Porträts sowie seine romant. Landschaftsbilder. Seit 1833 entwickelte M. den ersten brauchbaren elektromagnet. Schreibtelegrafen (→Morseapparat), zunächst mit Zickzackschrift auf Papierband, später mit dem →Morsealphabet (1838, 1844 geändert). 1843 errichtete er die erste Telegrafenlinie von Washington (D. C.) nach Baltimore (Md.), über die am 27. 5. 1844 das erste Telegramm übermittelt wurde.

Morse|alphabet (Morseschrift) [nach S. Morse], das genormte Telegrafenalphabet aus Kombinationen von Punkten und Strichen; internat. durch das Telegrafenalphabet Nr. 2 (Fünferalphabet) abgelöst, findet es in der Funktelegrafie noch Verwendung.

Morse|apparat (Morsetelegraf), von S. Morse entwickeltes Gerät zum Senden und Empfangen des →Morsealphabets über eine Doppelleitung. Zum Senden dient die handbetätigte Morsetaste, die eine Stromquelle im Rhythmus der Zeichen an die Leitung schaltet und damit die abgehenden Stromstöße erzeugt (Geber). Empfänger ist ein elektromagnetisch betätigter Schreibstift, der die ankommenden Stromstöße auf einen bewegten Papierstreifen aufzeichnet.

Mörser, 1) *Pharmazie* und *Chemie:* topfförmige Reibschale aus Metall, Achat, Hartporzellan mit keulenförmigem Stab **(Stößel, Pistill)** zum Zerkleinern von harten Stoffen.

2) *Waffentechnik:* Bez. für eine früher übl. Geschützart (→Geschütze), heute oftmals auch für Granatwerfer verwendet.

Mortalität [lat.] *die,* →Sterblichkeit.

Mörtel, Gemenge aus Bindemittel, Zuschlagstoffen, Anmachflüssigkeit (allgemein Wasser) und häufig Zusatzmitteln. Im Unterschied zum Beton haben die Zuschlagstoffe geringere Korngröße, und die bautechn. Anwendung ist unterschiedlich. Während Beton Bauelemente und Bauteile ergibt, teilweise komplette Bauwerke daraus gefertigt sind, braucht M. einen Träger, auf den er breiförmig aufgebracht wird und der entweder Bauelemente (wie Ziegel) nach dem Erhärten verbindet **(Mauer-M.)** oder gegen äußere Einflüsse schützt **(Putz-M.)** oder als Nutzschicht dient **(Estrich-M.). Luft-M.** (Kalk, Sand, Wasser) erhärtet nur an der Luft, **Wasser-** oder **hydraul. M.** (Zement, Sand, Wasser) auch unter Wasser.

Mörtelbiene (Chalicodoma parietinum), einzeln lebende Biene, die aus einem Gemisch aus Lehm, Sand, Steinchen und Sekret mehrzellige Nester an Felsen und Mauern baut.

Morteratsch, Piz, Gipfel der Berninagruppe, Kt. Graubünden, Schweiz, 3751 m ü.M., mit dem **Morteratschgletscher.**

Mortimer [ˈmɔːtɪmə], John Clifford, engl. Dramatiker, *London 21. 4. 1923; verarbeitet in seinen Stücken v.a. Stoffe aus dem engl. Mittelklassenmilieu (»Das Pflichtmandat«, Kom., 1958; »Mittagspause«, Kom., 1960; »Collaborators«, Dr., 1973); schrieb auch »Paradise postponed« (R., 1985).

Morton [ˈmɔːtn], Jelly Roll, eigtl. Ferdinand Joseph La Menthe, amerikan. Jazzpianist und Komponist, *Gulfport (La.) 20. 9. 1885, †Los Angeles 10. 7. 1941; wurde Ende der 20er-Jahre mit seiner Band »Red Hot Peppers« populär. M., der zu den bedeutendsten Pianisten und Komponisten des frühen Jazz gehört, verband in seiner Musik den

Samuel Morse

a	·–
ae	·–·–
à, å	·––·–
b	–···
c	–·–·
ch	––––
d	–··
e	·
é	··–··
f	··–·
g	––·
h	····
i	··
j	·–––
k	–·–
l	·–··
m	––
n	–·
ñ	––·––
o	–––
oe	–––·
p	·––·
q	––·–
r	·–·
s	···
t	–
u	··–
ue	··––
v	···–
w	·––
x	–··–
y	–·––
z	––··
1	·––––
2	··–––
3	···––
4	····–
5	·····
6	–····
7	––···
8	–––··
9	––––·
0	–––––
Punkt	·–·–·–
Komma	––··––
Doppelpunkt	–––···
Bindestrich	–····–
Apostroph	·––––·
Klammer	–·––·–
Fragezeichen	··––··
Notruf: SOS	···–––···
Irrung	········
Verstanden	···–·
Schlusszeichen	·–·–·

Morsealphabet

Mosaik (von links): Komödienszene mit zwei jungen Frauen und einer Wahrsagerin, Wandmosaik aus Pompeji des griechischen Mosaikkünstlers Dioskurides von Samos (Ende des 2. Jh. v. Chr.; Neapel, Museo e Gallerie Nazionali di Capodimonte); Evangelist Markus, Kuppelmosaik in der Sophienkathedrale in Kiew (Mitte des 11. Jh.)

New-Orleans-Jazz mit Elementen des Ragtime und des Blues.

Morula [lat.] *die,* Stadium der biolog. →Entwicklung.

Morungen, Heinrich von, mittelhochdt. Dichter und Minnesänger, →Heinrich von Morungen.

Morus, Thomas, engl. Staatsmann, →More.

Mosaik

In der Nähe der Stadt Piazza Armerina im Innern Siziliens befinden sich die Reste einer bedeutenden römischen Landvilla (Villa del Casale), die Anfang des 4. Jahrhunderts n. Chr. vielleicht als kaiserliche Villa errichtet wurde. Nach Zerstörungen durch die Wandalen im 5. Jahrhundert wurde sie erneuert, brannte aber im 12. Jahrhundert endgültig nieder.

In einer Talsenke gelegen, besteht sie aus verschiedenen Raumgruppen, die sich nicht gegen die Außenwelt öffnen. Die meisten Räume (u. a. Eingangshof, Wandelhalle, Palastaula, Wohntrakt und Badeanlagen) haben prachtvolle Mosaikböden, die mit über 3 000 Quadratmetern den größten erhaltenen Komplex dieser Gattung darstellen. Es sind vor allem Jagd-, Wettkampf-, mythologische und Badeszenen, die durch die Lebendigkeit und Unmittelbarkeit ihrer Darstellung noch heute faszinieren. Die Mosaiken weisen thematisch und stilistisch enge Beziehungen zu nordafrikanischen Werkstätten auf.

Mosaik [frz.-italien., aus grch. moũsa »Muse«, »Kunst«] *das,* Flächendekoration aus kleinen, meist würfelförmigen Stein-, Keramik- oder Glasstückchen, auch aus Kieselsteinen (grch.-röm.), Tonstiften (Urule, 4. Jt.) oder Platten. – Das M. wird als Schmuck von Fußböden, Wänden und Gewölben, gelegentlich auch als selbstständiges M.-Bild verwendet. Die M.-Steine werden nach einer Vorzeichnung dicht in ein feuchtes Mörtelbett gesetzt und später poliert. – Die ältesten Würfel-M. sind in Ur (Mitte 3. Jt.) bezeugt. Blüte des farbigen M., das die verlorene gleichzeitige Malerei widerspiegelt, in der hellenist. und provinzialröm. Kunst (Wand-M., Delos, 2. Jh. v. Chr.; Alexander-M. und Komödienszenen des Dioskurides von Samos aus Pompeji, Ende des 2. Jh. v. Chr.; Tunesien; Sizilien: Piazza Armerina; Rheinland: Köln; Syrien: Antiochia, 2.–6. Jh.). Die frühchristl. Wand-M. verwenden zunehmend Glassteine (Glasflüsse) und Goldplättchen, der antike illusionist. Stil wird aufgegeben (Santa Maria Maggiore, Rom, 2. Viertel des 5. Jh.). Byzanz übernimmt diesen flächig-ornamentalen Stil. Erhaltene Hauptwerke sind die M. von Ravenna (San Vitale, Sant'Apollinare Nuovo, 6. Jh.); byzantin. M. kommen auch in Aachen (um 800) und Kiew (Mitte 11. Jh.) vor. Im 11. bis 13. Jh. liegt die zweite Blütezeit der byzantin. M.-Kunst (Hosios Lukas, im 1. Drittel des 11. Jh.; Daphni, um 1100). Im 12. Jh. entstehen die großen Zyklen von Sizilien (Cefalù, Palermo, Monreale), Venedig (San Marco) sowie Murano und Torcello in Venetien, im 13. Jh. die M. des Baptisteriums von Florenz. Mit der Deesis der Hagia Sophia (Ende 13. Jh.) und den M. des Choraklosters in Istanbul (Anfang 14. Jh.) lebt in der byzantin. M.-Kunst der antike Naturalismus noch einmal auf. Der Islam übernimmt zunächst das spätantike Wand-M. (Felsendom Jerusalem, 688–691; Große Moschee von Damaskus, um 715; Moschee von Córdoba, 965). Im

13./14. Jh. kommt das Fayence-M. auf, wohl pers. Ursprungs, wofür eigene neue Techniken (Aussägen der Fayencefliesen) entwickelt werden mussten. Der nichtfigürl. M.-Schmuck überzieht dann auch die Außenwände und erlebt in Persien und Indien eine große Blütezeit im 15./16. bzw. 17. Jh. – In Italien ist seit dem 11. Jh. und bes. in der Renaissance das Platten-M. verbreitet. – Erst der Jugendstil bringt wieder eine bed. M.-Kunst aus M.-Steinchen hervor; Spitzenleistungen des 20. Jh. sind die M. in Mexiko (Univ.bibliothek; 1951–53). (→Inkrustation, →Intarsien, →Pietra dura).

📖 ROSSI, F.: *M.en u. Steinintarsien. A. d. Italien. Stuttgart u. a. ²1979.* – *Die M.en. Von der Antike bis zur Gegenwart, hg. v.* C. BERTELLI. *A. d. Italien. Augsburg 1996.*

Mosaikgene (engl. split genes), Bez. für Gene, bei denen die Abschnitte, die die Information für ein Protein tragen **(Exon),** mosaikartig durch solche unterbrochen sind, die zumindest keine für das entsprechende Protein erforderl. Information tragen **(Intron).** M. sind v. a. bei Eukaryonten, bei Archaebakterien und bei vielen Viren verbreitet.

Mosaik|krankheit, bei vielen Pflanzen durch verschiedene Viren hervorgerufene fleckige Aufhellung des Blattgrüns, oft mit Formveränderungen der Blattspreiten. Die M. der Tabakpflanze, erregt durch das Tabakmosaikvirus, äußert sich in Aufhellungen an den Blattnerven, später in hell- und dunkelgrünen Flecken.

mosaisch [nach Moses], v. a. im 19. Jh. für: jüdisch, israelitisch.

Mosambik, Staat und Stadt, →Moçambique.

Mosander [mu'sandər], Carl Gustav, schwed. Chemiker, *Kalmar 10. 9. 1797, †Ängsholm (auf Kärsö) 15. 10. 1858; entdeckte die Seltenerdmetalle Lanthan (1839), Erbium und Terbium (1843) sowie das Didym (1839).

Mosbach, Krst. des Neckar-Odenwald-Kreises, Bad.-Württ., an der Elz, 25 000 Ew.; Berufs-, Verw.- und Wirtschaftsakademie; Maschinen-, Armaturen-, Gerätebau, Schuh- u. a. Ind. – Spätgot. Stadtkirche, zahlr. Fachwerkbauten. – M. entstand um das im 8. Jh. gegr. und erstmals 976 erwähnte Kloster und erhielt vermutlich 1241 Stadtrecht.

Mosca ['mɔska], Gaetano, italien. Staatsrechtler, Soziologe und Politiker, *Palermo 1. 4. 1858, †Rom 8. 11. 1941; 1919 Senator. Seine Theorie der polit. Klasse hat die Elitetheorie von V. →Pareto beeinflusst; schrieb u. a. »Die herrschende Klasse« (1895).

Moschee [aus arab. masǧid »Anbetungsort«] *die,* islam. Gotteshaus, in dem sich die Muslime zum Gebet bei den fünfmal täglich stattfindenden Gebetsgottesdiensten und am Freitag zum Predigtgottesdienst versammeln. Das geistige Modell aller M. ist das Haus des Propheten in Medina, das einen großen ummauerten Hof, der z. T. gedeckt war (Halle), und an ihm liegende Räumlichkeiten für den Propheten und seine Frauen besaß. Es war die Stätte privater Gebete und die der Gemeinde, Ort polit. Versammlungen und Verhandlungen, theolog. Lehrstätte und Gerichtsort, Wohnung von obdachlosen Gläubigen, sogar Hospital. Die Gebetsrichtung (Kibla) in Richtung auf die Kaaba in Mekka wird durch eine Gebetsnische (Mihrab) angezeigt. Die Predigt erfolgt von einer Kanzel (→Minbar). Zur Ausstattung gehören Einrichtungen für die rituelle Reinigung, Koranständer, Leuchter, Lampen, Teppiche. In den Bau der M. integriert ist das →Minarett. – Zu den Bautypen →islamische Kunst.

📖 *Die M.n der Welt, hg. v.* M. FRISHMAN *u.* H.-U. KHAN. *A. d. Engl. Frankfurt am Main u. a. 1995.*

Moschee: Hofansicht der Großen Moschee Sidi Okba in Kairouan (Baubeginn 672), an der bis ins frühe 20. Jh. gebaut wurde

Moscherosch, Johann Michael, Pseud. Philander von Sittewald, Schriftsteller, *Willstätt (bei Kehl) 5. 3. 1601, †Worms 4. 4. 1669; wurde als »der Träumende« in die →Fruchtbringende Gesellschaft aufgenommen. Sein Hauptwerk ist die Zeitsatire »Wunderliche und warhafftige Gesichte Philanders von Sittewald« (2 Bde., 1650; erstmals 1640 u. d. T. »Les Visiones de Don Francesco de Quevedo Villegas oder Wunderbahre Satyr. Gesichte verteutscht durch Philander von Sittewalt«), in der er, über sein Vorbild, F. G. de Quevedo y Villegas' Sueños, hinausgehend, in der Ichform das höf. Wesen mit seiner Nachahmung ausländ. Moden und Sitten karikiert. BILD S. 390

Moschus [ind. »Hoden«] *der* (Bisam), das ein besonderes Riechstoffgemisch enthaltende braunrote, in getrocknetem Zustand schwarze Sekret aus dem M.-Beutel der männl. M.-Tiere (→Moschushirsche). Die M.-Beutel (enthalten bis 30 g M.) kommen getrocknet in den Handel; die Sekretinhaltsstoffe, v.a. Muscon und Muscopyridin, werden wegen ihrer abrundenden und fixierenden Eigenschaften in der Parfümherstellung verwendet, jedoch immer mehr durch ähnlich riechende, aber wesentlich billigere synthet. Substanzen (v.a. substituierte Nitrobenzolderivate wie **Ambrette-, Keton-** und **Xylol-M.**) verdrängt. – Moschusartig riechende Sekrete werden auch von anderen Tieren (z.B. M.-Ochse, M.-Bock) ausgeschieden.

Johann Michael Moscherosch: Titelkupfer der 1640 erschienenen Erstausgabe der Zeitsatire «Les Visiones de Don Francesco de Quevedo Villegas oder Wunderbahre Satyrische Gesichte», veröffentlicht unter dem Pseudonym Philander von Sittewald

Mọschusbock, ein →Bockkäfer.

Mọschus|ente (Warzenente, Cairina moschata), aus dem trop. Südamerika stammende, bis 80 cm große, langschwänzige Hausente; nacktes Gesicht mit roten Warzen, die ein moschusartig riechendes Fett absondern.

Mọschushirsche (Moschinae), Unterfamilie etwa rehgroßer Hirsche ohne Geweih; die oberen Eckzähne der Männchen sind hauerartig verlängert. Die einzige Art, das **Moschustier** (Moschus moschiferus), lebt in den Gebirgen Ost- und Zentralasiens; es besitzt einen Moschusbeutel, in dem während der Brunst durch Drüsen →Moschus abgesondert wird.

Mọschuskörner|öl (Ambretteöl), äther. Öl aus den Samen des ind. Moschuseibischs (Abelmoschus moschatus); in der Feinparfümerie verwendet.

Mọschuskraut (Bisamkraut, Adoxa moschatellina), einzige Art der Familie M.-Gewächse, in Laubwäldern der nördl. gemäßigten Zone; mit dreiteiligen Blättern und endständigem Köpfchen grünlicher Blüten.

Moschuskraut (Höhe bis zu 15 cm)

Mọschus|ochse (Schafochse, Bisamochse, Ovibus moschatus), Art der Ziegenverwandten mit weit geschwungenen Hörnern und dichtem, sehr langem schwarzbraunem Fell; bis zu etwa 2,50 m lang; sie bewohnen mit drei Unterarten Grönland, N-Kanada und die arktischen Inseln. Die Männchen riechen während der Brunst stark nach Moschus.

Mọschustier, →Moschushirsche.

Mościcki [mɔɕ'tɕitski], Ignacy, poln. Politiker und Chemiker, * Mierzanów (bei Płock) 1. 12. 1867, † Versoix (bei Genf) 2. 10. 1946; 1897–1912 Prof. für Elektrochemie in Freiburg i. Ü. (Schweiz), 1912–22 in Lemberg; war als Anhänger Marschall J. Piłsudskis nach dessen Staatsstreich 1926–39 Staatspräs.; emigrierte 1939 in die Schweiz.

Mọse, 1) bibl. Gestalt, →Moses.

2) die nach Moses benannten ersten fünf Bücher des A.T., 1.–5. Mos. (Genesis, Exodus, Levitikus, Numeri, Deuteronomium).

Mọsel *die* (frz. Moselle), linker Nebenfluss des Rheins, 545 km, entspringt in den südl. Vogesen (Frankreich), durchfließt das lothring. Stufenland, bildet auf 34 km die Grenze zw. Luxemburg und Dtl., windet sich in einem Engtal durch das Rhein. Schiefergebirge und mündet bei Koblenz. Wichtigste Nebenflüsse sind Meurthe, Ruwer und Saar von rechts, Orne, Sauer, Kyll, Lieser, Alf von links. Im Oberlauf Kanalverbindung zur Saône, zum Oberrhein, zur Marne, Maas und Saar. Die aufgrund des dt.-frz.-luxemburg. Staatsvertrags von 1956 durchgeführte **M.-Kanalisierung** (14 Staustufen mit Kraftwerken, fünf Sicherungshäfen) für 1500-t-Schiffe zw. Fronard und Koblenz verbindet seit 1964 Lothringen, die Luxemburger Schwerind. um Esch und den Trierer Wirtschaftsraum mit dem Rheinsystem. Seit 1989 ist auch die Saar, aufwärts bis Saarbrücken, für Europaschiffe befahrbar. Weinbau: →Moselweine.

Moschusochse (Körperlänge 1,8–2,5 m, Schulterhöhe bis zu 1,4 m)

Moseley ['məʊzlı], Henry, brit. Physiker, * Weymouth (Cty. Dorset) 23. 11. 1887, ⚔ auf der Halbinsel Gelibolu (Türkei) 10. 8. 1915; bestätigte 1913 die Hypothese, dass Kernladungszahl und Ordnungszahl eines Elements identisch sind; stellte das **Moseley-Gesetz** auf, nach dem die Frequenz der von einem Atom ausgesandten charakteristische Röntgenstrahlung mit steigender Ordnungszahl des emittierenden Atoms anwächst, und zwar nahezu proportional mit dem Quadrat der Ordnungszahl.

Moselle [mɔ'zɛl], **1)** frz. Name der Mosel.

2) Dép. in NO-Frankreich, 6216 km², (1990) 1,01 Mio. Ew.; Hauptstadt ist Metz.

Moselweine, Weine des Moseltals und seiner Nebentäler in Frankreich, Luxemburg und Dtl. (Weinbaugebiet Mosel-Saar-Ruwer, das viertgrößte dt. Weinbaugebiet).

Moser, 1) Edda, Sängerin (Sopran), *Berlin 27. 10. 1938, Tochter von 3); seit 1971 Mitgl. der Wiener Staatsoper; gastierte an allen großen Opernhäusern der Welt sowie bei Festspielen (u. a. Salzburg, Edinburgh). Zu ihrem Repertoire gehören v. a. Opernrollen von W. A. Mozart und Partien des italien. Fachs; machte sich auch um die zeitgenöss. Musik verdient (H. W. Henze u. a.); auch Liedsängerin.

2) Hans, eigtl. Jean Julier, österr. Schauspieler, *Wien 1. 8. 1880, †ebd. 18. 6. 1964; bekannt durch Filmkomödien; spielte meist Dialektrollen und zählte zu den beliebtesten Volksschauspielern Österreichs; ab 1954 am Wiener Burgtheater.

3) Hans Joachim, Musikforscher, *Berlin 25. 5. 1889, †ebd. 14. 8. 1967, Vater von 1); Prof. in Heidelberg, Berlin und Jena, 1950–60 Direktor des Städt. Konservatoriums in Berlin; verfasste u. a. »Gesch. der dt. Musik« (3 Bde., 1920–24), »Heinrich Schütz« (1936), »Die evang. Kirchenmusik in Dtl.« (1954).

4) Johann Jakob, Staatsrechtslehrer, *Stuttgart 18. 1. 1701, †ebd. 30. 9. 1785; u. a. Prof. in Tübingen (seit 1719) und Frankfurt (Oder) (1736–39); stellte als Erster das geltende dt. Staatsrecht vollständig dar: »Teutsches Staats-Recht« (50 Bde., 2 Ergänzungsbde., 1737–54), »Versuch des neuesten europ. Völkerrechts in Friedens- und Kriegszeiten« (12 Bde., 1777–80).

5) Karl Cœlestin, schweizer. Architekt, *Baden (Kt. Aargau) 10. 8. 1860, †Zürich 28. 2. 1936, Vater von 8); vollzog in seinen Bauten den Übergang vom Historismus zur modernen Architektur. 1928 wurde er erster Präs. der →CIAM. Die Kirche St. Antonius in Basel (1925–31) gehört zu den frühesten Werken des Internat. Stils in der Schweiz.

6) Koloman, österr. Maler und Grafiker, *Wien 30. 3. 1868, †ebd. 18. 10. 1918; wichtiger Vertreter des Jugendstils in Wien, Mitbegründer der Wiener →Sezession und der →Wiener Werkstätte.

7) Lucas, Maler, *Ulm (?) um 1390, †nach 1434; Schöpfer des Magdalenenaltars (1432) der Pfarrkirche in Tiefenbronn, der Einflüsse R. Campins und der frankofläm. Buchmalerei zeigt und einzigartig in der zeitgenöss. Malerei Süd-Dtl. dasteht. Mit seiner realist. Darstellungsweise entfernt sich M. vom →Schönen Stil und erweist sich als Vorläufer von K. Witz.

Koloman Moser: Holzschnitt aus der Wiener Zeitschrift »Ver Sacrum« aus dem Jahr 1900

8) Werner Max, schweizer. Architekt, *Karlsruhe 16. 7. 1896, †Zürich 19. 8. 1970, Sohn von 5); Vertreter des →Neuen Bauens, Gründungsmitgl. der →CIAM. – Kongresshaus in Zürich (1938–39, mit W. Haefeli), ref. Kirchen in Zürich-Altstetten und Riehen.

Edda Moser

Möser, Justus, Staatsmann, Publizist, Historiker, *Osnabrück 14. 12. 1720, †ebd. 8. 1. 1794; wirkte im erzieher. Geist der Aufklärung, deren einseitige Rationalität er jedoch verwarf; bejahte grundsätzlich die ständ. Ordnung. M. wies auf das Wirken volkstüml. Kräfte und Überlieferung in Recht und Sitte der Gemeinschaft hin.

Werke: Osnabrückische Geschichte, 3 Bde. (1768–1824); Patriot. Phantasien, 4 Bde. (1774–86).

Hans Moser

Moses (Mose, hebr. Moscheh, arab. Musa), nach dem A. T. (2.–5. Mose) Führer, Prophet und Gesetzgeber der Israeliten; Bruder des Aaron und der Mirjam; führte die Israeliten aus Ägypten (Exodus), wo sie zu Zwangsarbeiten verpflichtet waren. Als Mittler der Gottesoffenbarung kommt ihm nach alttestamentl. Überlieferung die zentrale Bedeutung bei der Ausprägung des monotheist. Jahweglaubens und der Grundlegung der israelit.

Lucas Moser: »Das Grabmahl im Haus des Simon«, Ausschnitt aus dem Giebelfeld des Magdalenenaltars der Pfarrkirche in Tiefenbronn aus dem Jahr 1432

Grete Mosheim
(Ausschnitt aus einem Gemälde des deutschen Malers Josef Oppenheimer, 1926)

Rechtsordnung zu. Nach 5. Mose 34, 1–5 starb M. auf dem Berg Nebo nach 40-jährigem Aufenthalt in der Wüste. – Historisch ist die Gestalt des M. nicht fassbar und in der Forschung wiederholt bestritten worden. Das nachbibl. Judentum hat sein Leben in zahlr. Legenden ausgeschmückt. – Bekannte Darstellungen: Sixtin. Kapelle (L. Signorelli, S. Botticelli u. a.), die Einzelfiguren des C. Sluter und des Michelangelo (BILD Michelangelo).

📖 NEHER, A.: *M. Aus dem Frz. Reinbek 23.–25. Tsd. 1989.* – BUBER, M.: *M. Gerlingen [4]1994.*

Moses ['məʊzɪz], Anna Mary, genannt Grandma M., amerikan. Farmersfrau und Laienmalerin, *Greenwich (N. Y.) 7. 9. 1860, †ebd. 13. 12. 1961; begann mit etwa 75 Jahren, naive Landschaftsbilder mit Szenen aus dem ländl. Leben (→naive Kunst) zu malen.

MOSFET, Abk. für engl. **M**etal **O**xide **S**emiconductor **F**ield **E**ffect **T**ransistor, ein in →MOS-Technik hergestellter Feldeffekttransistor (→Transistor). Beim Anreicherungstyp ist zw. Drain und Source im Ggs. zum Verarmungstyp kein permanent leitfähiger Kanal vorhanden.

Moshav [mo'ʃa:f, hebr.] *der,* landwirtsch. Gruppensiedlung in Israel, basierend auf Staatseigentum an Boden, Pflicht zur Eigenarbeit und zur gegenseitigen Hilfeleistung, genossenschaftl. Einkauf und Vermarktung. Jeder Siedler lebt und wirtschaftet auf seinem Grundstück selbstständig (Ggs. →Kibbuz). Der erste M. wurde 1921 gegründet. Der **M. Shitufi** ist eine Mischung aus M. und Kibbuz; die Bewirtschaftung erfolgt kollektiv, jede Familie ist arbeitsanteilig am Gewinn beteiligt.

Moses

»Mose sprach: ›Pharao, ich bin ein Gesandter vom Herrn der Welten! ... Ich bin mit einem Beweis von eurem (wahren) Herrn gekommen. Lass die Kinder Israels mit mir ziehen!‹ Pharao erwiderte: ›Wenn du mit einem Wunderzeichen gekommen bist, dann lass es sehen ...!‹ Da warf Mose seinen Hirtenstab hin, und sogleich war da ganz deutlich eine Schlange ... Die Ratsversammlung Pharaos rief: ›Dieser da ist ein gelehrter Zauberer! Er will euch aus eurem Land vertreiben! ...‹ (Mose muss nun zu einem Wettstreit gegen ägyptische Zauberer antreten; er bezwingt sie, und sie bekehren sich zu dem einen Gott, worauf Pharao ihnen schwere Strafen androht.) ›Ihr seid in den Glauben an Mose eingetreten, bevor ich es erlaubte. Dies sind Ränke, die ihr in der Stadt geschmiedet habt, um ihre Bewohner aus ihr zu vertreiben!‹ (Nach den sieben Plagen lässt Pharao die Kinder Israels ziehen, die Verfolger ertrinken im Meer.) Denen, die vorher unterdrückt worden waren, gaben wir (d. h. Gott) den Osten und den Westen (des Landes) als Erbteil, das wir segneten. Es erfüllte sich an den Kindern Israels das schönste Wort deines (d. h. Mohammeds) Herrn, weil sie Geduld bewahrten. Und wir zerschmetterten, was Pharao gemacht und errichtet hatte.«
Koran, Sure 7,104–137 (verkürzt).

Mosheim, Grete, Schauspielerin, *Berlin 8. 1. 1905, †New York 29. 12. 1986; 1922–34 eine der bedeutendsten Darstellerinnen in Berlin. Während der Emigration spielte sie am Dt. Theater New York; ab 1952 Gastspiele in der Bundesrep. Deutschland.

Moshi [-ʃi], Regionshptst. in Tansania, am S-Fuß des Kilimandscharo, 52 200 Ew.; luther. und kath. Bischofssitz; Handelsplatz, Zentrum des bedeutendsten Kaffeeanbaugebiets Tansanias; Flugplatz.

Mosi (Mossi, Moshi), Volk der Sudaniden in Westafrika, v. a. in Burkina Faso, auch in Ghana, der Elfenbeinküste, Mali und Togo; sprechen eine Gur-Sprache; etwa 4 Mio.; betreiben Feldbau in der Savanne, Rinderhaltung; leben z. T. auch als Saisonarbeiter in Nachbarstaaten. Die M. gründeten mehrere Staaten, die z. T. bis in die frz. Kolonialzeit bestanden.

Mösien (lat. Moesia), histor. Landschaft südlich der unteren Donau, 29 v. Chr. von den Römern unterworfen, 86 n. Chr. in die Prov. **Moesia inferior** (etwa N-Bulgarien) und **Moesia superior** (etwa das heutige Serbien) geteilt. M. war urspr. von thrak. Volksstämmen bewohnt; 382 n. Chr. von Theodosius I. den Westgoten eingeräumt; im 6. und 7. Jh. von slaw. Stämmen besetzt.

Moskau (russ. Moskwa), Hptst. von Russland und des Gebiets M., im Zentrum des europ. Teils von Russland, auf beiden Seiten der Moskwa, 8,63 Mio. Ew. (einschl. der Vororte); auf einer Stadtfläche von etwa 1 000 km^2 (davon 162 km^2 Grünfläche). M. ist die größte Stadt Russlands, Sitz des russisch-orth. Patriarchen und bedeutendstes russ. Zentrum von Wiss., Kunst und Kultur mit der Russ. Akademie der Wiss. u. a. wiss. Akademien, Lomonossow-Univ. (1755 gegr., Neubau 1948–52 auf den Lenin-Bergen), Univ. der Völkerfreundschaft »Patrice Lumumba« (1960 gegr.), russisch-orth. Univ. (1993 gegr.), 80 andere Hochschulen (darunter 40 Univ.), über 3 000 Bibliotheken (bes. Russ. Staatsbibliothek, Leninbibliothek), Goethe-Institut, etwa 70 Museen, Galerien (bes. Tretjakowgalerie), Bolschoi-Theater, →Moskauer Künstlertheater u. a. Bühnen, Philharmonie, Zoo, botan. Garten, zwei Zirkussen, Planetarium und vielen Sportstätten (1980 Austragungsort der XXII. Olymp. Spiele). In M.-Ostankino Fernsehzentrum (540 m hoher Fernsehturm) und Ausstellungsgelände. – M. ist bedeutendster Verkehrsknoten (neun Kopfbahnhöfe) und Ind.standort Russlands. Die drei Flusshäfen sind durch den M.-Kanal über die Wolga mit dem Weißen, Schwarzen, Kasp., Asowschen Meer und der Ostsee verbunden. Von den vier Flughäfen dient Scheremetjewo vorrangig dem internat. Verkehr. Das U-Bahn-Netz ist etwa 220 km lang. Um die Stadt führt ein

550 km langer Eisenbahn- und ein 109 km langer Autobahnring. Führende Ind.zweige sind Maschinenbau und Metallverarbeitung, elektrotechn./elektron., chem., Textil- und Bekleidungs-, Nahrungsmittel- sowie polygraph. und Baustoffindustrie.

Stadtbild: Der Kern der Stadt, auf einem Hügel 40 m über der Moskwa gelegen, ist der →Kreml. Um ihn entstanden seit dem MA. in konzentr. Kreisen mehrere Vorstädte (Kitaigorod u. a.), die jeweils von Mauern umgeben wurden, deren Verlauf die jetzigen Ringstraßen und Boulevards zeigen. Nach dem Brand von 1812 wurde die Stadt nach dem alten Ringschema neu errichtet. Anfang der 1930er-Jahre kam es zu einer neuen städtebaul. Entwicklung. Konstruktivist., funktional ausgerichtete Gebäude wurden geschaffen. 1935 begannen Ausbau und Modernisierung im neoklassizist. Monumentalstil (»Zuckerbäckerstil«), der in den 1950er-Jahren durch eine funktionsgerechtere sachl., industrielle Bauweise abgelöst wurde. Zahlreiche Neubauten entstanden anlässlich der Olymp. Spiele 1980 sowie mit Beginn der 1990er-Jahre. Bed. Bauten der Vergangenheit sind v. a. An-

Moskau historisches Stadtwappen

Moskau

1

2

3

4

| **1** Der Rote Platz mit der 1555–60 erbauten Basilius-Kathedrale und dem direkt an der Kremlmauer gelegenen Lenin-Mausoleum aus dem Jahr 1930 (rechts); das dahinter sichtbare, 1491 errichtete Erlösertor wurde 1624/25 mit einem gotischen Glockenturm versehen | **2** Im 1889–93 entstandenen Kaufhaus GUM sind die Galerien, hinter deren kunstvoll verzierten Fassaden sich die Geschäfte befinden, durch Brücken miteinander verbunden | **3** Der Bau des 1776 gegründeten Bolschoi-Theaters erhielt sein heutiges Aussehen in den Jahren 1821–24 | **4** Wohnhochhäuser an der Ringstraße Sadowaja mit dem Neubau (1948–52) der 1755 gegründeten Lomonossow-Universität im Hintergrund

dronikow-Kloster (14. Jh.) mit Erlöserkathedrale (15. Jh.), Simonow-Kloster (14. Jh.), Nowospasski-Kloster (15. Jh.), Nowodewitschi-Kloster mit Smolensk-Kathedrale (16. Jh.), Don-Kloster mit Kleiner (16. Jh.) und Großer (17. Jh.) Kathedrale, Danilow-Kloster (13. Jh. gegr., Väterkathedrale von 1560, Torkirche des 17. Jh., Dreifaltigkeits-Kathedrale des 18. Jh.; Konventsgebäude u. a. wurden 1983–88 als Sitz des Patriarchen von M. restauriert), die Kirchen der Georg. Jungfrau und der Jungfrau von Wladimir (beide 17. Jh.) sowie die Erzengel-Gabriel-Kirche (18. Jh.). An der O-Seite des Kreml liegt der Rote Platz mit Basilius-Kathedrale (1555–60), Lenin-Mausoleum (1930), Kaufhaus GUM (1889–93) und Histor. Museum (1878–83). Der Rote Platz und der Kreml wurden von der UNESCO zum Weltkulturerbe erklärt. Wichtige Bauten des 19. Jh.: Bolschoi-Theater (1821–24), Tretjakowgalerie, Puschkin-Museum.

Moskau
Seit 1964 der Wolga-Ostsee-Wasserweg fertig gestellt wurde, hat die Stadt direkte Verbindungen mit der Ostsee, dem Weißen Meer, dem Asowschen Meer, dem Kaspischen Meer und dem Schwarzen Meer. Das weit verzweigte Kanalsystem hat eine Länge von 2960 Kilometern.

Geschichte: M., wohl Ende des 11. Jh. als Herrschaftssitz entstanden, wurde 1147 erstmals schriftlich erwähnt und 1156 von Juri Dolgoruki befestigt; 1237 von den Tataren zerstört. Mit Verlegung des Metropolitensitzes von Wladimir nach M. (1317 oder 1325) wurde die Stadt auch kulturelles Zentrum. Seit etwa 1480 Hptst. Russlands, nahm sie im 16. und 17. Jh. einen starken wirtsch. Aufschwung. Auch nach der Verlegung des Hofs durch Peter d. Gr. nach Sankt Petersburg (1712) blieb M. Sitz vieler Zentralbehörden sowie Krönungsstadt; 1812 Einmarsch Napoleons I. (weitgehende Zerstörung durch Brand). Seit 1918 (Übersiedlung der Sowjetreg. aus Petrograd) ist M. wieder Hptst. (zunächst der RSFSR und 1922–91 der UdSSR, seither Russlands).

📖 RIESE, H.-P.: *M. Fotos:* M. BILLER *u. a. München* [2]*1993.* – MARX, C. *u.* KARGER, A.: *M. – Rußlands Haupt u. Mitte. Stuttgart 1997.*

Moskauer Kohlenbecken, Braunkohlenlagerstätte in Russland, südlich und westlich von Moskau; Gesamtvorrat etwa 24 Mrd. t. Die Kohle wird meist zur Energieerzeugung in den Heizkraftwerken Zentralrusslands verwertet.

Moskauer Konferenzen, Bez. für Konferenzen, die in Moskau stattfanden: **1) Außenministerkonferenz Okt./Nov. 1943:** Von den Außenmin. der USA, Großbritanniens und der UdSSR unter Teilnahme Chinas wurde u. a. beschlossen, den Krieg gegen die Achsenmächte bis zu deren Kapitulation fortzusetzen, die Demokratie in Italien und die österr. Unabhängigkeit wiederherzustellen sowie eine allgemeine. internat. Organisation zur Erhaltung des Friedens und der Sicherheit zu schaffen.

2) Außenministerkonferenz März/April 1947: Die USA, Großbritannien, Frankreich und die UdSSR erörterten (ohne Einigung) die dt. Frage.

Rudolf Mößbauer

Moskauer Künstlertheater (russ. Moskowski Chudoschestwenny akademitscheski teatr, Abk. MChAT), 1898 von K. S. Stanislawski und W. I. Nemirowitsch-Dantschenko als MCht gegr. Avantgardebühne (ab 1920 **Moskauer Künstler. akadem. Theater, MChat**). Als Konzeption galt: realist. Theaterstil, intensives Ensemblespiel und histor. Werktreue. Erster großer Erfolg war die Uraufführung von A. Tschechows »Die Möwe« (1898). 1902 gewann das Theater M. Gorki als Mitarbeiter. Das M. K. war viele Jahre Zentrum der europ. Theateravantgarde.

Emblem des **Moskauer Künstlertheaters**

Moskauer Vertrag (Deutsch-Sowjetischer Vertrag), am 12. 8. 1970 in Moskau von der Bundesrep. Dtl. und der UdSSR unterzeichneter Vertrag über Gewaltverzicht und territoriale Unverletzlichkeit aller Staaten in Europa auf der Basis der bestehenden Grenzen. In einem »Brief zur deutschen Einheit« stellte die Bundesrep. Dtl. fest, dass der Vertrag nicht im Widerspruch zu ihrem Ziel stehe, auf einen Friedenszustand in Europa hinzuwirken, in dem das dt. Volk in freier Selbstbestimmung seine Einheit wiedererlange.

Moskitos [span.], meist trop. Arten der → Stechmücke.

Moskwa, 1) russ. Name für Moskau.

2) *die,* linker Nebenfluss der Oka in Russland, 502 km, durchfließt Moskau.

Moslem *der,* Anhänger des Islam, → Muslim.

Mosley ['mɔzlɪ], Sir Oswald Ernald, brit. Politiker, * London 16. 11. 1896, † Orsay (bei Paris) 3. 12. 1980; 1918–31 Mitgl. des Unterhauses, wurde 1932 Gründer und Führer einer faschist. Bewegung (»British Union of Fascists«).

Mosquitoküste [-'ki-; nach den Misquito-Indianern], Niederung an der karib. Küste von Nicaragua und NO-Honduras (Mosquitia); meist Kiefernsavannen, an der Küste Mangrove und Palmsümpfe; dünn besiedelt, neben den Indianern viele Schwarze aus Jamaika. Hauptort ist Bluefields.

Mossadegh [-k], Mohammed, iran. Politiker, * Teheran um 1881, † ebd. 5. 3. 1967; Großgrundbesitzer, förderte als Führer der »Nat. Front« die antibrit. Bewegung und verstaatlichte als MinPräs. (1951–53) die Anglo-Iranian Oil Company. Als er versuchte, die Rechte des Schahs einzuschränken, wurde er gestürzt und zu drei Jahren Gefängnis verurteilt.

Mößbauer, Rudolf, Physiker, * München 31. 1. 1929; erhielt für seine Arbeiten über Kernresonanzfluoreszenz und -absorption bei tiefen Temperaturen (→ Mößbauer-Effekt) und ihre Auswertung 1961 den Nobelpreis für Physik (mit R. Hofstadter).

Mößbauer-Effekt, die praktisch rückstoßfreie Emission oder Absorption von Gammaquanten durch Atomkerne im Kristallgitter eines Festkörpers bei tiefen Temperaturen. Durch Bindung im Kristall wird die bei freien Atomen durch den Rückstoß des absorbierenden oder emittierenden Kerns verursachte Verschiebung zw. Gammaabsorptions- und -emissionslinie beseitigt. Außerdem entfällt die bei freien Atomen stets vorhandene Verbreiterung der Gammalinien durch den Doppler-Effekt. Die Bedeutung des M.-E. liegt in der Wiedergabe scharfer Energiequanten, die eine Messung kleinster Frequenz- und Energiedifferenzen mit einer Genauigkeit von 10^{-15} ermöglichen. So konnte die durch die allg. Relativitätstheorie vorausgesagte Rotverschiebung einer Gammastrahlung, die das Gravitationsfeld des Entstehungsorts verlässt, experimentell im Schwerefeld der Erde bestätigt werden. Anwendung in der Kernphysik (Bestimmung von Kernmomenten), der Festkörper- und Atomphysik (Kernradiusänderungen in angeregten Zuständen, Elektronendichte am Kern) und in der Chemie (**Mößbauer-Spektroskopie** für Feinstrukturuntersuchungen und Bindungszustände chem. Verbindungen, quantitative Analyse).

Mössingen, Stadt im Landkr. Tübingen, Bad.-Württ., am Fuß der Schwäb. Alb, 18600 Ew.; Körperbehindertenzentrum; Textil-, Holz-, Metall verarbeitende Ind.; im Ortsteil **Bad Sebastiansweiler** Schwefelquellen; roman. Kapelle (12. Jh.) im Ortsteil **Belsen.**

mosso [italien.], musikal. Vortragsbezeichnung: bewegt, lebhaft.

Most (dt. Brüx), Stadt im Nordböhm. Gebiet, Tschech. Rep., vor dem S-Fuß des Erzgebirges, 70700 Ew.; Kreismuseum; ein Zentrum des Braunkohlenbergbaus; chem., Hütten- u.a. Industrie. – M. wurde 1273 Stadt.

Most [aus lat. vinum mustum »junger Wein«], der beim Keltern gewonnene gärfähige Traubensaft, den Gehalt ermittelt die →Mostwaage; landschaftl. auch für Federweißer, Sauser, Rauscher, Bitzler; ungenau für Süßmost aus frischem Obst, für trüben Fruchtsaft oder Obstwein.

Mostaganem, alger. Wilayat-Hptst. am Mittelmeer, 115000 Ew.; Hochschule für Landwirtschaft, Zentrum eines bed. Agrargebiets (Wein, Zitrusfrüchte, Gemüse u.a.); Papierfabrik, Zucker-, Tabakind.; Hafen, Flugplatz.

Mostar, Stadt in Bosnien und Herzegowina, an der Neretva, 126100 Ew.; Verwaltungs-, Wirtschafts- und Kulturzentrum der Herzegowina; kath. und orth. Bischofssitz; Univ. (gegr. 1977); Ind.standort; Flughafen. – Orientalisch geprägtes Stadtbild, Steinbrücke über die Neretva (1566 ff., 1993 zerstört), Merinidenmoschee (z.T. 14. Jahrhundert).

Mostar, Gerhart Herrmann, eigtl. G. Herrmann, Schriftsteller, *Gerbitz (Kr. Bernburg) 8. 9. 1901, †München 8. 9. 1973; wurde bekannt durch die Romane »Der Aufruhr des schiefen Calm« (1929) und »Der schwarze Ritter« (1933); 1933 Emigration; schrieb auch Dramen, u.a. »Meier Helmbrecht« (1946).

Gerhart Herrmann Mostar

MOS-Technik [MOS: Abk. von engl. **m**etal **o**xide **s**emiconductor, »Metall-Oxid-Halbleiter«], Basistechnologie bei der Herstellung diskreter und integrierter Halbleiterbauelemente bzw. Funktionselemente, bes. Feldeffekttransistoren (→Transistor), aber auch MOS-Kondensatoren, -Widerstände und -Speicherelemente, wobei SiO_2 oder das natürl. Oxid des Substrats als Isolierschicht verwendet wird. Die MOS-T. gestattet die Herstellung integrierter Schaltungen (IC) großer Komplexität und Packungsdichte, wobei die →Planartechnik angewendet wird. Wegen größerer Fertigungstoleranzen passiver Bauelemente sowie der höheren Leistungsaufnahme der Widerstände werden in MOS-Schaltungen passive Komponenten nach Möglichkeit durch aktive ersetzt. Aufgrund der höheren Beweglichkeit von Elektronen gegenüber Löchern sind in **PMOS-Technik** hergestellte Bausteine (gekennzeichnet durch MOS-Transistoren mit p-leitendem Kanal) erheblich langsamer (typ. Arbeitsgeschwindigkeit 100 statt 30 ns/Stufe) als die in der weiterentwickelten **NMOS-Technik** hergestellten Bausteine (durch MOS-Transistoren mit n-leitendem Kanal gekennzeichnet). Die PMOS-Technik ist die ursprüngl. Herstellungsform, sie findet heute im Wesentlichen nur noch für Taschenrechner Verwendung. Für andere Anwendungen, z.B. in Halbleiterspeichern oder Mikroprozessoren, werden fast ausschl. NMOS-Schaltkreise benutzt. Da eine kostengünstige Integration nur bei direkter Kopplung aller Bauelemente erreichbar ist, werden vorwiegend n-Kanal-MOSFET vom Anreicherungstyp verwendet, die mit weniger Fertigungsschritten herstellbar sind als Verarmungs-MOSFET, mit denen die höchste Packungsdichte erreicht wird. Man kann auch MOS-Schaltungen aufbauen, bei denen n-Kanal- und p-Kanal-Komponenten auf demselben Chip integriert sind **(CMOS-Technik).** Bei diesen Schaltkreisen werden alle p-leitenden Bereiche in n-leitendem Material isoliert. Die komplizierte Fertigung lohnt sich für Anwendungen wie Rechner und Uhren, da CMOS-Bauelemente einen sehr niedrigen Stromverbrauch haben und sich durch hohe Störsicherheit u.a. auszeichnen. Weitere Entwicklungen sind ladungsgekoppelte Schaltungen sowie die

ESFI-Technik, bei der die Transistoren in einer dünnen Siliciumschicht, die auf einem nichtleitenden Substrat aufgebracht ist, erzeugt werden. Den Vorteilen der MOS-T. im Vergleich zur Bipolartechnik, z.B. hohe Integrationsdichte, geringe Verlustleistung, einfacher Fertigungsprozess und niedrige Herstellungskosten, stehen als Nachteile die geringere Arbeitsgeschwindigkeit und die niedrigere Ausgangsleistung gegenüber. Die Arbeitsgeschwindigkeit in einem MOSFET hängt von der Breite des Gate-Bereichs ab, die durch das Auflösungsvermögen des lithograph. Prozesses begrenzt wird. Zwar sind MOS-Schaltkreise nicht für Analogfunktionen geeignet, dafür jedoch bes. zur Großintegration von digitalen Schaltungen.

Most seriously affected Countries [məʊst ˈsɪərɪəslɪ əˈfektɪd ˈkʌntrɪz, engl.], Abk. **MSAC,** →Entwicklungsländer.

Mostwaage (Gleukometer), ein →Aräometer zur Bestimmung der Dichte und/oder des Zuckergehalts von Trauben- und Fruchtsäften. In Dtl., der Schweiz und Luxemburg wird die von C. F. Oechsle (*1774, †1852) entwickelte **Öchslewaage** verwendet, die angibt, um wie viel Gramm pro Kubikzentimeter die Dichte des Mostes über der von Wasser liegt (eine Dichte von 1,075 g/cm^3 entspricht 75° Öchsle). In Österreich und Italien wird die von A. W. von Babo (*1827, †1894) eingeführte **Klosterneuburger M.** (KMW) verwendet, die den im Most enthaltenen Zucker in Gewichtsprozenten angibt (in obigem Beispiel: 15,7° KMW), wobei in der Skala der zuckerfreie Extrakt pauschal in Abzug gebracht wurde. Bei Angaben in Grad Öchsle muss dagegen die Errechnung des (ungefähren) Zuckergehalts stets gesondert erfolgen, wobei der (durchschnittl.) zuckerfreie Extrakt ebenfalls abzuziehen ist.

Robert Motherwell: »Elegie für die spanische Republik LXX« (1961; New York, Museum of Modern Art)

Mosul (Mossul, arab. Al-Mausil), Provinz-Hptst. in Irak, am rechten Ufer des Tigris, 510000 Ew.; Sitz eines chaldäischen und eines syrisch-orth. Metropoliten; Univ., archäolog. Museum; Agrarzentrum, Erdölraffinerie u.a. Ind.; am linken Tigrisufer liegen die Ruinenfelder von Ninive. – M. wurde um 750 Hptst. N-Mesopotamiens, Mitte des 13. Jh. von Mongolen erobert; vom 16. Jh. bis 1918 unter osman. Herrschaft. Nach dem 1. Weltkrieg zw. der Türkei und dem Irak umstritten, dem es 1925 vom Völkerbund zugesprochen wurde (im **M.-Vertrag** 1926 offizieller Verzicht der Türkei).

Motala [ˈmuːtala], Stadt im VerwBez. (Län) Östergötland, Schweden, am Vättersee und Götakanal, 42300 Ew.; Museen; Lokomotiv- und Waggonbau, Phonoind.; Wasserkraftwerk.

Motel [aus **Mo**tor und Ho**tel**] *das,* Hotelbetrieb, meist an Fernstraßen gelegen, der bes. auf Unterbringung von Autoreisenden eingestellt ist; die ersten M. gab es in den USA.

Motette [italien. mot(t)etto] *die,* eine der zentralen Gattungen mehrstimmiger Vokalmusik der abendländ. Musikgeschichte; ihr Ursprung liegt in der nachträgl. (zunächst lat., später frz.) Textierung von Discantus-Oberstimmen des Notre-Dame-Repertoires. Noch im 13. Jh. verselbstständigte sich die M. zur wichtigsten Gattung der Ars antiqua sowohl im weltl. wie auch im geistl. Bereich. Mit Zentrum in Frankreich war die M. im 14. Jh. bereits auf dem ganzen Kontinent verbreitet. Ihre Veränderung durch kunstvolle Kompositionstechniken belegen die M. von G. de Machault. Entscheidenden Anteil an der für das 15. und 16. Jh. gültigen techn. Ausformung gewann G. Dufay. Im ausgehenden 15. Jh. vollzog sich die Rückwendung der M. zur Kirchenmusik. Maßgebende M.-Komponisten des 16. Jh. waren Josquin Desprez, G. P. da Palestrina und O. di Lasso. Neben der Fortführung der traditionellen Formen brachte das 17. Jh. die instrumental begleitete Solo-M. sowie aus der venezian. Tradition die mehrchörige M. hervor. Von den M. J. S. Bachs abgesehen, folgte die Gattung dem allg. Niedergang der Kirchenmusik, blieb aber auch im 19. Jh. als geistl. oder weltl. besinnl. Chorwerk (R. Schumann, F. Mendelssohn Bartholdy, J. Brahms, A. Bruckner, M. Reger) lebendig und fand im 20. Jh. durch die Jugendmusikbewegung, die kirchenmusikal. Erneuerung und die damit verbundene Anknüpfung an die Vorbilder der Renaissance und des Barock neue Impulse (u.a. bei H. Distler, E. Pepping, E. Krenek).

📖 BOETTICHER, W.: *Geschichte der M. Darmstadt 1989.*

Motherwell [ˈmʌðəwel], Verw.sitz von North Lanarkshire, Schottland, 30500 Ew.; Eisen- und Stahlind., Schwermaschinenbau.

Motherwell [ˈmʌðəwel], Robert, amerikan. Maler, *Aberdeen (Wash.) 24. 1. 1915, †Provincetown (Mass.) 16. 7. 1991; einer der Hauptvertreter des abstrakten Expressionismus, seit 1968 einfarbig-meditative Werke.

Mo Ti, chines. Philosoph und Sozialpolitiker, →Mo Di.

Motilität [lat.] *die,* Beweglichkeit, Bewegungsvermögen; i.e.S. Bewegungen, die unwillkürlich (reflektorisch oder vegetativ) gesteuert werden (z.B. Peristaltik), im Unterschied zur Motorik.

Motion [frz. »Bewegung«] *die, Parlamentsrecht:* Antrag, bes. der →Tadelsantrag; im *schweizer.* Recht bes. ein Antrag beider Räte (Kammern), der die Reg. verpflichtet, bestimmte Gesetzesentwürfe vorzulegen.

Motiv [lat.] *das,* **1)** *bildende Kunst:* der Gegenstand der Darstellung.

2) *Literatur:* stofflich-themat., situationsgebundenes Element, dessen inhaltl. Grundform schematisiert beschrieben werden kann.

3) *Musik:* das kleinste selbstständige Glied eines Tonsatzes, das gestaltende Bedeutung hat. Es kann Bestandteil eines →Themas, einer →Phrase, einer →Melodie, überhaupt einer jeden Art von Tonsatz sein (→Leitmotiv).

4) *Psychologie:* Beweggrund, Antrieb.

Motivation [lat.] *die, Psychologie:* die Gesamtheit der in einer Handlung wirksamen Motive, die das individuelle Verhalten aktivieren, richten und regulieren. Die **M.-Forschung** untersucht u.a. den Aufbau der M. im Sozialisierungsprozess des Kindes, die Kauf-M. und die Wähler-M. bei polit. Entscheidungen sowie pädagog. und jurist. Fragen.

Motmot [mexikan.] *der,* Art der →Sägeracken.

Motocross [engl.] *das, Motorradsport:* Schnelligkeits- und Geschicklichkeitsprüfungen im Geländefahren auf einer Rundstrecke von 1,5 bis 2,5 km Länge mit natürl. Hindernissen. Gefahren wird in den Klassen bis 125 cm^3, bis 250 cm^3, bis 500 cm^3 und Seitenwagen.

Motodrom [frz., nach Hippodrom gebildet] *das,* geschlossene Rennstrecke für Motorräder, für den öffentl. Verkehr gesperrt.

Motor [lat. »Beweger«] *der,* Maschine, die eine gegebene Energieart (z.B. therm., elektr., chem. Energie) in mechan. Bewegungsenergie (Rotationsbewegung oder auch Linearbewegung eines Kolbens) umwandelt. I.e.S. werden heute vorwiegend der →Elektromotor, der →Stirlingmotor und der →Verbrennungsmotor als M. bezeichnet.

Motorbootsport, →Motorsport.

Motorbremse, die Nutzung des Kraftfahrzeugmotors als Bremse, wenn beim Wegnehmen des Gases der Leerlaufwiderstand des nicht ausgekuppelten Motors durch die Bewegungsenergie des Fahrzeugs überwunden wird.

Motorenöle, Schmieröle für Verbrennungsmotoren, die zum Verschleiß- und Korrosionsschutz, zur Kolbenabdichtung und Reibungsminderung sowie zur Abführung von Reibungswärme dienen. Sie dürfen einerseits bei tieferen Temperaturen (Kaltstart) nicht zu dickflüssig sein und andererseits im Sommer eine Mindestviskosität nicht unterschreiten. M. werden nach ihrer Viskosität in SAE-Viskositätsklassen eingeteilt (→SAE). **Mehrbereichsöle** erfüllen die Anforderungen von zwei SAE-Klassen und sind deshalb für den Ganzjahresbetrieb geeignet. – M. bestehen aus mineral. oder synthet. Grundölen, denen zur Erzielung bestimmter Eigenschaften bis zu 20% Additive zugesetzt werden. Weil M. im Betriebsverlauf verschmutzen und die Additive abgebaut werden, muss in bestimmten Zeitintervallen ein Ölwechsel durchgeführt werden.

Motorfahrrad, Kw. **Mofa,** ein →Kraftrad.

Motorflugsport, meist mit kleinen Landflugzeugen mit Kolbenmotoren ausgetragene Wettbewerbe (Ziellandewettbewerbe, Rallye-, Rund- und Sternflüge, Kunstflug).

Motorgenerator, 1) (Umformer) elektr. Maschinensatz aus einem Elektromotor und einem oder mehreren mechanisch damit gekuppelten Generatoren zur Umformung elektr. Parameter (z.B. Spannung, Frequenz, Phasenzahl); 2) aus einem Verbrennungsmotor und einem elektr. Generator bestehender Maschinensatz, oft als Notstromaggregat.

Motorik [lat.] *die,* Gesamtheit der willkürlich gesteuerten Bewegungsvorgänge bei Mensch und Tier, im Unterschied zur Motilität.

motorisch [lat.], **1)** maschinengetrieben.

2) die Motorik betreffend.

Motorisierung, Bez. für die (zunehmende) Ausstattung von Fahrzeugen (insbesondere Kraftwagen) mit Motorantrieb. Die M. ist ein wesentl. Bestimmungsfaktor des Lebens in Industrie-, aber auch in Entwicklungsländern geworden. – Der **M.-Grad** ist das Verhältnis des Bestandes an Kfz zur Ew.-Zahl (Kfz je 1000 Einwohner).

Motorrad, ein →Kraftrad.

Motorradsport, →Motorsport.

Motorroller, ein →Kraftrad.

Motorschlitten (engl. Snowmobile), durch Verbrennungsmotor angetriebener, mit Luftschraube, auf Gleisketten oder Raupenband fortbewegter Schlitten.

Motorsegler, Segelflugzeug mit Hilfsmotor, der zum Start oder zum Überbrücken von Aufwindflauten dient. M. sind für Segelflugwettbewerbe zugelassen, wenn ein Sperrgerät die Benutzung des Hilfsmotors im Wettkampf verhindert.

Motorsport, Sammelbez. für alle mit motorgetriebenen Land- oder Wasserfahrzeugen betriebenen Sportarten (Automobil-, Motorrad-, Motorbootsport). Zum internat. **Motorradsport** gehören u.a. Straßenrennsport (Racing), Leistungsprüfungssport (Enduro), Speedway und Eisspeedway; zum **Automobilsport** u.a. Straßenrennsport (Racing), Rallye- und Tourenwagensport, Auto- und Rallyecross und Kfz-Veteranensport; zum **Motor-**

bootsport: Motorbootrenn- (Regatten auf einem durch Wendebojen markierten Rundkurs von 1500–2000 m Länge in mehreren Läufen) und Offshoresport, i. w. S. auch der Wasserskisport. Im Breitensport haben sich national weitere Disziplinen, z. B. der Turniersport, entwickelt. – Im Motorradsport ist international die Fédération Internationale Motocycliste (FIM), Sitz in Genf, höchstes Organ, im Automobilsport die Fédération Internationale de l'Automobile (FIA), Sitz in Paris, im Motorbootsport die Union Internationale Motonautique (UIM), Sitz: Brüssel.

John R. Mott

Mott, 1) John Raleigh, amerikan. Methodist, *Livingston Manor (N. Y.) 25. 5. 1865, †Orlando (Fla.) 31. 1. 1955; war 1895–1920 Gen.-Sekr., 1920–28 Vors. des von ihm gegr. Christl. Studentenweltbundes; 1915–28 Gen.-Sekr. des YMCA. 1946 erhielt er den Friedensnobelpreis (zus. mit E. G. Balch); 1948 wurde er Ehrenpräs. des Ökumen. Rates der Kirchen.

Nevill Mott

2) Sir (seit 1962) Nevill Francis, brit. Physiker, *Leeds 30. 9. 1905, †Milton Keynes 8. 8. 1996; bed. Arbeiten zur Streuung atomarer Teilchen und Supraleitfähigkeit, erhielt 1977 mit P. W. Anderson und J. Van Vleck den Nobelpreis für Physik für Untersuchungen der elektron. Struktur magnet. und amorpher Substanzen.

Motta, Giuseppe, schweizer. Politiker, *Airolo 29. 12. 1871, †Bern 23. 1. 1940; 1912–40 Bundesrat, leitete 1920–40 das polit. Departement; 1915, 1920, 1927, 1932 und 1937 Bundespräsident.

Motte Fouqué [mɔt fuˈke], Friedrich Heinrich Karl Baron de la M. F., Schriftsteller, →Fouqué.

Benjamin R. Mottelson

Mottelson [ˈmɔtəlsn], Benjamin Roy, amerikan. Physiker, *Chicago (Ill.) 9. 7. 1926; erhielt 1975 mit A. N. Bohr und L. J. Rainwater für Untersuchungen zur Struktur deformierter Atomkerne im Rahmen des Kollektivmodells den Nobelpreis für Physik.

Motten, 1) (Echte M., Tineidae) mit rd. 2000 Arten weltweit verbreitete Familie bis 4 cm spannender Kleinschmetterlinge; Kopf dicht behaart, Flügel schmal mit langen Fransen; Raupen meist in Gespinströhren, fressen v. a. an Pilzen, Körnerfrüchten, vertrocknetem Kadaver. Viele Arten werden schädlich durch Fraß an Filz, Pelzen und Wollstoffen (z. B. Fell-M., Kleider-M., Pelz-M., Tapeten-M.). Schutzmaßnahmen: Verwendung von Insektiziden, v. a. in Form von Sprüh- oder Stäubemitteln. Textilien und Pelze werden in dicht schließenden Behältern durch Zugabe von M.-Kugeln, M.-Pulver oder M.-Strips geschützt. Mottenechte Textilien sind mit Wirkstoffen (z. B. Eulane) versehen, die mit den Fasern eine dauerhafte Verbindung eingehen.

2) umgangssprachl. Bez. für kleine Schmetterlinge.

Mottenläuse (Weiße Fliegen, Aleurodina), Unterordnung der Gleichflügler; etwa 2 mm lange, geflügelte und mit weißem Wachsstaub bedeckte Insekten; Pflanzenschädlinge.

Mott Foundation [- faʊnˈdeɪʃn, engl.], 1926 von Charles Stewart Mott (*1875, †1973) in Flint (Mich.) errichtete Stiftung, die bes. auf dem Gebiet des Bildungs- und Gesundheitswesens tätig ist; gehört zu den größten Stiftungen der USA.

Motto [italien.] *das,* 1) Leitspruch, Wahlspruch; 2) Kennwort.

Motz, Friedrich von, preuß. Staatsmann, *Kassel 18. 11. 1775, †Berlin 30. 7. 1830; seit 1825 Finanzmin., reformierte die Finanzverw. und schuf mit dem Zollvertrag zw. Preußen und Hessen-Darmstadt (1828) die Basis für den Dt. Zollverein.

Mouches volantes [muʃ vɔˈlãt, frz.], →entoptische Wahrnehmungen.

Moudon [muˈdɔ̃], Bezirks-Hptst. im Kt. Waadt, Schweiz, 4300 Ew.; Fachschule für Molkereiwirtschaft, Museen; Diamantenschleifereien, Eisengießerei, Maschinenbau, Kartonagenfabrik.

Moulage [muˈlaːʒ, frz.] *der,* auch *die,* Abguss, Abdruck, v. a. ein farbiges anatom. Wachspräparat.

Moulay Idris [mulɛiˈdris], Stadt in Marokko, 27 km nördlich von Meknès, 11200 Ew.; großes Wallfahrtsfest im September. – Zw. den malerisch auf Hügeln liegenden Stadtvierteln Khiber und Tasga das Mausoleum von Idris I., das von einem klosterähnl. Baukomplex (Zawija) umgeben ist; beide Bauwerke wurden 1672–1727 im maur. Stil erneuert. – Um 788 gegr. von Idris I. (†791), dem Begründer der nach ihm benannten ersten arab. Dynastie der Idrisiden in NW-Afrika.

Moulin-Rouge [mulɛ̃ˈruːʒ; frz. »rote Mühle«], Name eines Pariser Nachtlokals am Boulevard de Clichy; 1889 eröffnet. H. de Toulouse-Lautrec schuf Plakate für die von ihm oft besuchte Bar.

Moulins [muˈlɛ̃], Hptst. des frz. Dép. Allier, am Allier, 22800 Ew.; kath. Bischofssitz; u. a. Leder-, Wirkwaren-, Möbel-, Elektroind., Maschinenbau. – Kathedrale mit Flügelaltar des Meisters von M. (flämisch-frz. Maler aus der 2. Hälfte des 15. Jh.).

Moulmein [muːlˈmeɪn] (Mawlamyine), Hptst. des Monstaates, Birma, 220000 Ew.; College der Univ. Rangun, Lehrerbildungsanstalt; Schiffbau, Nahrungsmittel-, Textil- u. a. Ind.; Ausfuhrhafen, Flugplatz.

Moulouya, Oued [wɛdmuluˈja] (Muluja), Fluss in O-Marokko, 520 km, entspringt mit zwei Quellflüssen im Hohen und Mittleren Atlas, mündet westlich der alger. Grenze in das Mittelmeer.

Mounds [maʊndz, engl.] (Effigy M.), Bez. für die zahlreichen prähistor. Erdwallanlagen im Mittelwesten der USA (von Minnesota bis Ohio), die neben kon. Grabhügeln durch ihre geometr. oder tier. Formen und durch die Abwesenheit von Bestattungen auffallen. Sie können keiner bestimmten vorgeschichtl. Kultur zugeschrieben werden. Sie treten zw. 500 v. Chr. und dem 16. Jh. n. Chr. auf, die meisten stammen aus dem 5./6. Jh. n. Chr.

Mount [maʊnt], engl. Bez. für Berg. Mit M. zusammengesetzte Namen suche man unter den Eigennamen.

Mountainbike ['maʊntnbaɪk, engl.] *das,* Geländesportrad, →Fahrrad.

Mountains ['maʊntɪnz, engl.], Berge, Gebirge.

Mountbatten [maʊnt'bætn], **1)** Louis, 1. Earl M. of Burma, (seit 1947), brit. Großadmiral, *Frogmore House (bei Windsor) 25. 6. 1900, †(ermordet) in der Bucht von Sligo 27. 8. 1979; Sohn des Prinzen Ludwig Alexander von Battenberg, Onkel von 2); 1943–46 Oberbefehlshaber der alliierten Streitkräfte in SO-Asien, eroberte das im 2. Weltkrieg von Japan besetzte Birma zurück; 1947 Vizekönig von Indien, 1947/48 dort Generalgouv., 1955–59 Erster Seelord und Stabschef der brit. Flotte, 1959–65 Chef des brit. Verteidigungsstabs; fiel einem Attentat der IRA zum Opfer.

2) Philip, Neffe von 1), Gemahl Königin Elisabeths II., →Philip, Herzog von Edinburgh.

Mount Godwin Austen ['maʊnt 'gɔdwɪn 'ɔstɪn], Berg in Kaschmir, →K2.

Mount-Palomar-Observatorium ['maʊnt 'pæləmɑ: -], nordöstlich von San Diego, Calif., auf dem Mount Palomar (1871 m ü. M.) in 1706 m ü. M. gelegenes Observatorium mit einem der größten Spiegelteleskope (Hale-Teleskop, 5,08 m Durchmesser).

Mount Rushmore National Memorial ['maʊnt 'rʌʃmɔ: næʃnl mɪ'mɔ:rɪəl], Gedenkstätte in den Black Hills, im SW von South Dakota, USA. Am Mount Rushmore wurden 1927–41 von dem Bildhauer G. Borglum die Porträtköpfe der Präsidenten G. Washington, T. Jefferson, A. Lincoln und T. Roosevelt aus dem Granitfelsen herausgemeißelt (jeweils rd. 20 m hoch).

Mount-Wilson-Observatorium ['maʊnt 'wɪlsn -], nördlich von Los Angeles, Calif., auf dem Mount Wilson (1742 m ü. M.) gelegenes Sonnenobservatorium der Carnegie-Stiftung, bekannt durch seinen 254-cm-Spiegel (Hooker-Spiegel), mit dem 1929 die Entdeckung des Hubble-Effekts gelang.

Mousse [mus; frz. Schaum] *die,* pürierte und mit Sahne aufgeschlagene kalte Speise, als Vorspeise aus Fleisch-, Wild-, Geflügel- oder Fischfarce, als süße Nachspeise aus Gelatine, Früchten, Eiern, Schokolade, Mandeln oder Vanille.

moussieren [mus-, frz.], perlen, in Bläschen schäumen (z. B. Sekt, Wein).

Moustérien [musteri'ɛ̃; nach dem Fundort Le Moustier, Dép. Dordogne, Frankreich] *das,* Kulturstufe der →Altsteinzeit, folgt zeitlich dem Acheuléen und geht dem Aurignacien voraus. Kennzeichnend sind v. a. Schaber, Hand- und Blattspitzen. Träger des M. war der Neandertaler. Aus dem M. sind die bisher ältesten Bestattungen (u. a. La Chapelle-aux-Saints, La Ferrassie, Karmel) sowie Überreste von Behausungen (z. B. in Molodowa am Dnjestr) bekannt.

Moutier [mu'tje] (dt. Münster), Bezirkshauptort im Kt. Bern, Schweiz, 7900 Ew.; Kunstmuseum; Maschinenbau, Uhren-, Glasindustrie.

Mouvement Républicain Populaire [muv'mɑ̃ repybli'kɛ̃ pɔpy'lɛ:r], Abk. **MRP,** 1944 gegr., 1967 aufgelöste frz. Partei, spielte mit ihrem Programm einer christlich-sozialen Demokratie in der Vierten Republik eine bed. Rolle (Min.-Präs. u. a. R. Schuman, G. Bidault). Außenpolitisch förderte sie das westl. Bündnissystem und die Integration Europas. 1958 unterstützte sie die Gründung der Fünften Republik.

Louis, 1. Earl Mountbatten of Burma

Mount Rushmore National Memorial mit den 1927–41 von dem Bildhauer Gutzon Borglum geschaffenen, rund 20 m hohen Porträtköpfen der amerikanischen Präsidenten George Washington, Thomas Jefferson, Theodore Roosevelt und Abraham Lincoln (von links)

Mövenpick-Konzern, schweizer. Hotel- und Gastronomieunternehmen, Sitz: Zürich, gegr. 1948; betreibt Restaurants (»Marché«) und Hotels und produziert u. a. Eiscreme, Joghurt und Kaffee; kontrolliert von Baron August von Finck (über die Carlton Holding; 54% der Stimmen).

Movimento Popular de Libertação de Angola [- liberta'sãu -], Abk. **MPLA,** 1956 gegründete marxistisch orientierte Befreiungsbewegung in Angola, führte 1961–74 einen Guerillakampf gegen die portugies. Kolonialherrschaft, seit 1974 in Konflikt mit der konkurrierenden Befreiungsbewegung UNITA, der sich nach Ausrufung der Volksrepublik Angola durch die MPLA 1975 zu einem Bürgerkrieg entwickelte (→Angola). Ab 1975 war die MPLA unter Hinzufügung der Bez.

»Partido de Trabalho« (Partei der Arbeit, Abk. MPLA-PT) die sozialist. Einheitspartei Angolas. Nach dem Sturz der kommunist. Systeme in Europa orientierte sie sich politisch mehr in Richtung Sozialdemokratie (1990) und gab ihren polit. Monopolanspruch auf.

Möwen: Heringsmöwe (Länge etwa 50 cm)

Möwen (Laridae), Familie der Möwenvögel an den Küsten aller Meere. M. haben zw. den drei Vorderzehen Schwimmhäute. Der kräftige Schnabel endet in einer Hakenspitze; oft auffallender Wechsel zw. Brut- und Ruhekleid; vielfach in Kolonien brütend. Im europ. Binnenland am weitesten verbreitet ist die etwa taubengroße **Lachmöwe** (Larus ridibundus) mit weißen Handschwingenkanten und überwiegend weißem Gefieder; der Kopf ist im Brutkleid schwarzbraun. An Küsten und Binnengewässern lebt die **Sturmmöwe** (Larus canus), etwa 40 cm lang, mit grünlich gelbem Schnabel und Füßen. Größer ist die sehr ähnl. **Silbermöwe** (Larus argentatus) mit rotem Fleck an der Spitze des Unterschnabels. Die **Heringsmöwe** (Larus fuscus), etwa 50 cm lang, unterscheidet sich von der Lachmöwe durch schwarzgraue Flügel und schwarzen Rücken. Ihr ähnelt die größere **Mantelmöwe** (Larus marinus), Flügelspannweite bis 1,7 m. Nahe verwandt sind die →Raubmöwen.

Leopold Mozart (Ausschnitt aus einem zeitgenössischen Ölgemälde)

Moyeuvre-Grande [mwajœvrəˈgrãd] (dt. Großmoyeuvre), Stadt im frz. Dép. Moselle, Lothringen, 10 300 Ew.; Eisenerzgruben und Hüttenwerk.

Wolfgang Amadeus Mozart

Aut Caesar aut nihil

Diese auf einer Büste des Gajus Julius Cäsar angebrachte Inschrift (»Entweder Cäsar oder gar nichts«) erkor sich der italienische Renaissancefürst Cesare Borgia zur Maxime. Sie drückt die Unbedingtheit dessen aus, der alles oder nichts für sich fordert. Mit diesem Zitat ermahnte auch Leopold Mozart seinen Sohn, an seine Karriere zu denken. Am 12. Februar 1778 schreibt er ihm nach Mannheim: »Fort mit Dir nach Paris! Und das bald, setze Dich großen Leuten an die Seite – aut Caesar aut nihil!«

MOZ, Abk. für **Mo**tor**o**ktan**z**ahl, →Oktanzahlen.

Mozabiten [-z-] (Mzabiten, Beni Mzab), Berberstamm im →Mzab, Algerien. Die rd. 120 000 M. sind strenggläubige Muslime, Nachfahren einer Gruppe von Rustamiden (Dynastie von Imamen der frühislam. Sekte der Ibaditen), asket., patriarchal. Theokratie, altberber. Sprache und Brauchtum; Händler, Handwerker, Ackerbauern.

Mozaraber [arab. musta ʻrib »arabisiert«], die Christen unter islam. Herrschaft im mittelalterl. Spanien. Sie genossen Toleranz und passten sich in ihrer Lebensweise weitgehend ihrer arab. Umwelt an. In der Kunst bildeten die M. zw. dem 8. und 11. Jh. den **mozarab. Stil** aus; in ihm verbinden sich roman. mit maur. Formen (→Mudéjarstil).

Mozart, 1) Leopold, Komponist, getauft Augsburg 14. 11. 1719, †Salzburg 28. 5. 1787, Vater von 2); wurde 1757 Hofkomponist des Fürsterzbischofs von Salzburg, 1763 Vizekapellmeister; komponierte Kirchenmusik, Kantaten, Sinfonien, Divertimenti und Konzerte. Seine Schrift »Versuch einer gründl. Violinschule« (1756, Neudruck 1956) gehört zu den bedeutendsten Lehrwerken seiner Zeit. Sein Verdienst liegt v.a. in der zielstrebigen musikal. Förderung seines Sohnes.

2) Wolfgang Amadeus, Komponist, *Salzburg 27. 1. 1756, †Wien 5. 12. 1791, Sohn von 1); wurde von seinem Vater früh in Klavier- und Violinspiel sowie Komposition unterrichtet (1761/62 erste Kompositionsversuche) und erregte als Wunderkind Aufsehen. Zus. mit seiner Schwester Maria Anna (*1751, †1829), gen. »Nannerl«, konzertierte der sechsjährige M. in München, später auch in Wien, Paris und London, wo er die Bekanntschaft J. C. Bachs machte. Für Konzerte in London schrieb M. 1764/65 seine ersten Sinfonien. 1769 wurde er (unbesoldeter) erzbischöfl. Konzertmeister in Salzburg. Reisen nach Augsburg, Mannheim und Paris (1777–79) brachten nicht die erhoffte Anstellung bei Hofe. Nach dem endgültigen Bruch mit dem Erzbischof von Salzburg 1781 lebte M. als freischaffender Künstler in Wien, konnte sich jedoch trotz künstler. Erfolge keine gesicherte Existenz schaffen. 1782 heiratete er Constanze Weber (*1762, †1842) aus Mannheim. 1787 wurde M. zum kaiserl. Kammerkomponisten ernannt. Er starb 1791 über der Arbeit zum »Requiem«.

In der Wiener Klassik zw. Haydn und Beethoven stehend, schuf M. Werke aller musikal. Stile und Gattungen. Sein Schaffen umspannt vokale und instrumentale, geistl. und weltl. Musik. Seine Aufnahmebereitschaft und sein Assimilationsvermögen befähigten ihn dazu, alle Anregungen der musikal. Tradition und der zeitgenöss. Musik aufzugreifen (u.a. von J. Schobert, C. P. Emanuel

Bach, J. und M. Haydn sowie den Komponisten der italien. Opera buffa, Opera seria, der Mannheimer Schule und der frz. Opéra comique) und daraus einen unverkennbaren Stil zu entwickeln. Dieser ist gekennzeichnet durch Vielfalt der themat. Erfindung; er verbindet klangl. Farbigkeit mit höchster Geistigkeit und formaler Strenge und lebt von melod., rhythm. und dynam. Kontrasten. Die Instrumentalmusik, im galanten Stil des Rokoko begonnen, vertiefte M. durch den Reichtum der Melodik und formale Differenzierung. In den Instrumentalkonzerten, bes. den Klavierkonzerten, gelang ihm ein vollkommener Ausgleich von Soloinstrumenten und Orchester. Aus der Übernahme italien. Formelemente (Rezitativ, Arie, Ensemble und Finale) entwickelte er seine Oper, für die u.a. der dramat. Aufbau und die Individualität der Figurenzeichnung charakteristisch sind. Auch schuf er aus der Verbindung trag. und kom. Züge eine neue Spielart der Oper (in »Don Giovanni«). Das dt. Singspiel hat er in der »Entführung aus dem Serail« und der »Zauberflöte« zur Oper weiterentwickelt.

In M.s Geburtshaus in Salzburg wurde 1841 von dem Verein Mozarteum ein M.-Museum eingerichtet; 1880 trat an die Stelle des alten Vereins die **Internat. Stiftung Mozarteum,** die eine Musikakademie unterhält, Konzerte veranstaltet (Musikverein) und seit 1880 Jahresberichte herausgibt. M.s Leben und Werk sind häufig dichterisch behandelt worden: »Don Juan«, Novelle von E. T. A. Hoffmann (1812); »M. auf der Reise nach Prag«, Novelle von E. Mörike (1855).

Werke: Vokalmusik: 24 Bühnenwerke, darunter die fünf Meisterwerke: »Die Entführung aus dem Serail« (1782); »Die Hochzeit des Figaro« (1786); »Don Giovanni« (1787); »Così fan tutte« (1790); »Die Zauberflöte« (1791); ferner (Auswahl): »Bas-

Wolfgang Amadeus Mozart im Alter von sechs Jahren, anonymes Ölgemälde (1762; Salzburg, Internationale Stiftung Mozarteum), darunter Autogramm

Wolfgang Amadeus Mozart: Auszug aus dem Notenskizzenbuch des achtjährigen Mozart (oben) und Anfang der Jupiter-Sinfonie (C-Dur KV 551) aus dem Jahr 1788

tien und Bastienne« (1768); »Die Gärtnerin aus Liebe« (1775); »Idomeneo« (1781); »Titus« (1791). – Kirchenmusik: 17 Messen (darunter »Krönungsmesse«, c-Moll-Messe); Requiem (1791, von seinem Schüler F. X. Süßmayr vollendet); Lieder, Kanons. – Orchesterwerke: über 50 Sinfonien, am bekanntesten die in Es-Dur (KV 543), g-Moll (KV 550) und C-Dur (KV 551, »Jupiter-Sinfonie«); Kassationen, Divertimenti und Serenaden, darunter die »Haffner-Serenade« und »Eine kleine Nachtmusik«; Märsche, Tänze, Trauermusik. – Instrumentalkonzerte: 5 für Violine, 21 für Klavier u. a. – Kammermusik: 36 Sonaten für Violine und Klavier, Klaviertrios; 2 Klavierquartette, Klavierquintett Es-Dur; Streichquartette und Quartette mit einem Blasinstrument; Duos für Streicher oder Bläser; Streichquintette. – Klavierwerke: u. a. 19 Sonaten, Rondos, Fantasien, Variationen, Klaviermusik zu vier Händen und für zwei Klaviere. – Sämtl. Werke M.s sind im Köchelverzeichnis erfasst.

📖 FELLERER, K. G.: *Die Kirchenmusik W. A. M.s. Neuausg. Laaber 1985.* – ABERT, H.: *W. A. M., 2 Tle. Leipzig [11]1989–90.* – EINSTEIN, A.: *M. Sein Charakter – sein Werk. A. d. Engl. Neuausg. Frankfurt am Main 30.–32. Tsd. 1991.* – VALENTIN, E.: *Lübbes M.-Lexikon. Neuausg. Bergisch-Gladbach 1994.* – HENNENBERG, F.: *W. A. M. Reinbek 13.–15 Tsd. 1996.* – KUNZE, S.: *M.s Opern. Stuttgart [2]1996.*

mp, *Musik:* Abk. für **m**ezzo**p**iano, →mezzo.

MP [em'pi:, engl.], Abk. für **M**aschinen**p**istole (→Maschinenwaffen).

m. p., Abk. für →**m**anu **p**ropria.

M. P. [em'pi:, engl.], Abk. für →**M**ilitary **P**olice.

MPLA, Abk. für →**M**ovimento **P**opular de **L**ibertação de **A**ngola.

Mpumalanga, Provinz im NO der Rep. Südafrika, 81 816 km^2, (1996) 2,838 Mio. Ew.; Hptst. ist Nelspruit. M. entstand durch Vereinigung des O der früheren Prov. Transvaal mit den Homelands KwaNdebele und KwaNgwane.

Sławomir Mrożek

Mr., Abk. für engl. **Mister**, frz. **M**onsieu**r**, in Österreich auch für **M**agiste**r**.

Mrągowo [mrɔɲ'gɔvɔ] (dt. Sensburg), Stadt auf der masur. Seenplatte, Wwschaft Olsztyn (Allenstein), Polen, 21 800 Ew.; Holz-, Nahrungsmittelindustrie.

MRCA, Abk. für engl. **M**ulti **R**ole **C**ombat **A**ircraft, ein Mehrzweckkampfflugzeug, →Tornado.

Mrd., Abk. für **M**illia**rd**e.

Mohammed Hosni Mubarak

Mrożek ['mrɔʒɛk], Sławomir, poln. Schriftsteller, *Borzęcin (bei Krakau) 26. 6. 1930; lebt seit 1968 in Paris; stellt mit Mitteln des absurden Theaters die aussichtslose Lage des Individuums in totalitären Systemen dar; schrieb Erzählungen (»Der Elefant«, 1957; »Hochzeit in Atomweiler«, 1959; »Das Pferd«, 1991), Dramen (»Die Polizei«, 1958; »Tango«, 1964; »Die Propheten«, 1968; »Emigranten«, 1974; »Porträt«, 1987) und Satiren (»Zabawa. Satire in lustloser Zeit«, 1992, dt. Auswahl).

Mrs. ['mɪsɪz], Abk. für engl. **M**ist**r**e**ss**.

ms, Einheitenzeichen für die Zeiteinheit Millisekunde, 1 ms = 0,001 s (→Sekunde).

MS, Abk. für →**m**ultiple **S**klerose.

m. s., *Musik:* Abk. für die Vortragsbez. **m**ano **s**inistra »mit der linken Hand (zu spielen)«.

M. S., in den USA Abk. für den akadem. Grad **M**aster of **S**cience, in Großbritannien **M. Sc.**

M-Schale, die zur Hauptquantenzahl $n = 3$ gehörige Hauptschale der →Atome, die maximal 18 Elektronen aufnehmen kann.

Mschatta [arab. »Winterlager«], Ruine eines unvollendeten omaijad. Wüstenschlosses in Jordanien, südöstlich von Amman; wahrscheinlich unter dem Kalifen al-Walid II. (743/744) erbaut.

MS-DOS [Abk. für engl. **M**icro**s**oft **D**isc **O**perating **S**ystem], Betriebssystem für →Mikrocomputer, v. a. →Personalcomputer, die über einen 16-Bit-Prozessor verfügen. Es gestattet nur Einprogrammbetrieb und kann sowohl im Dialog- als auch im Stapelbetrieb verwendet werden. Außer dem Eingabe-Ausgabe-System sind alle seine übrigen Teile (Dateiverwaltung, Kommandointerpreter, Systemprogramme) unabhängig von der Hardware. Die Dateiverwaltung erlaubt eine hierarch. Organisation des Bestands an Dateien (Baumstruktur), wodurch eine Zusammenfassung mehrerer Dateien nach bestimmten Merkmalen und auf versch. Ebenen des Dateienverzeichnisses (Directory) möglich ist. – MS-DOS wurde 1979 von der Firma Seattle Computer Products entwickelt; 1981 kaufte die Firma Microsoft die Rechte an dem System auf.

Msgr., Abk. für **M**on**s**i**g**no**r**e.

MSH, Abk. für →**M**elanozyten **s**timulierendes **H**ormon.

M-Sterne, Sterne der →Spektralklasse M.

Mt, 1) chem. Symbol für →Meitnerium.

2) Einheitenzeichen für Megatonne, 1 Mt = 10^6 t (→Tonne).

MTA, Abk. für →**m**edizinisch-**t**echnische **A**ssistenten.

MTB, Abk. für →**M**ethyl-**t**ert.-**b**utyläther.

MTU Motoren- und Turbinen-Union München GmbH, über die Dt. Aerospace AG zum Daimler-Benz-Konzern gehörendes Luft-, Raumfahrt und Maschinenbauunternehmen, Sitz: München.

Mubarak, Mohammed Hosni, ägypt. Offizier und Politiker, *Kafr al-Musailaha (Prov. Menufija) 4. 5. 1928; 1972–75 Oberbefehlshaber der Luftwaffe, seit 1975 Luftmarschall, 1975–81 Vizepräs., wurde nach der Ermordung Präs. A. as-Sadats (Okt. 1981) dessen Nachfolger (1987 und 1993 durch Volksabstimmung im Präsidentenamt bestätigt). Seit 1982 ist er auch Vors. der Nationaldemokrat. Partei. Innenpolitisch sieht er sich mit einem wachsenden islam. Fundamentalismus konfrontiert. Er unterstützt außenpolitisch die friedenspolit. Bemühungen im Nahostkonflikt.

Alfons Mucha: »Monaco, Monte Carlo«, Farblithographie (1897; Privatbesitz)

Mucha, Alfons, tschech. Maler und Grafiker, *Eibenschitz (heute Ivančice, bei Brünn) 24. 7. 1860, †Prag 14. 7. 1939; seit 1888 in Paris, wo er durch seine Plakate für Sarah Bernhardt berühmt wurde; gleichzeitig entwarf er Buchschmuck, kunstgewerbl. Gegenstände, Innendekorationen (Pavillon von Bosnien-Herzegowina, Weltausstellung Paris 1900) im Jugendstil.

Muche, Georg, Maler, *Querfurt 8. 5. 1895, †Lindau (Bodensee) 26. 3. 1987; Lehrer am Bauhaus, malte abstrakte, dann sich dem Surrealismus nähernde Kompositionen mit pflanzlich-organ. Formen. Ab 1965 befasste er sich mit einer druckgraf. Technik, der »Varioklischographie«.

Mücheln (Geiseltal), Stadt im Landkreis Merseburg-Querfurt, Sa.-Anh., 7300 Ew.; Großschlachthof; Chemieanlagenbau; Konservenfabrik; ehem. Braunkohlenzentrum im →Geiseltal. – Rathaus (1571), gotische Stadtkirche St. Jacobi (14./15. Jh.). – 1350 erhielt M. Stadtrecht.

Muchina, Wera Ignatjewna, lett. Bildhauerin, *Riga 19. 6. 1889, †Moskau 6. 10. 1953. Mit ihren monumentalen Denkmälern und Porträtplastiken gehörte sie zu den bedeutendsten Vertretern des sozialist. Realismus (»Arbeiter und Kolchosbäuerin« für die Pariser Weltausstellung 1937).

Mucine [lat. mucus »Schleim«] (Muzine), Sammelbez. für die viskosen, von besonderen Schleimzellen abgesonderten Schleimstoffe (Glykoproteine, Mucoproteine, Mucopolysaccharide); haben Schutzfunktion für die Schleimhäute, wirken als Gleitmittel (u. a. im Darmsaft und Speichel).

Mucius (Gaius M. Cordus Scaevola), der sagenhafte Stammvater des plebejischen Geschlechts der Mucier in Rom. Als der Etruskerkönig Porsenna Rom belagerte, soll M., bei einem Mordanschlag auf diesen gefangen genommen, zum Zeichen seiner Furchtlosigkeit seine rechte Hand im Altarfeuer verbrannt haben; er erreichte damit den Abbruch der Belagerung.

Muck, Carl, Dirigent, *Darmstadt 22. 10. 1859, †Stuttgart 3. 3. 1940; galt als bedeutendster Wagner-Dirigent seiner Zeit.

Carl Muck

Mücken (Nematocera), weltweit verbreitete Unterordnung der Zweiflügler; zart gebaut, mit langen dünnen Beinen und vielgliedrigen Fühlern. Wichtige Familien sind Haar-M., Dung-M., Pilz-M., Trauer-M., Gall-M., Schmetterlings-M., Netz-M., Stech-M., Gnitzen, Zuck-M., Kriebel-M. und Schnaken. Die Larven haben meist einen gut ausgebildeten Kopf und leben im Wasser oder in feuchtem Substrat. Die Vollinsekten ernähren sich teils von Pflanzensäften, teils räuberisch, bes. aber Blut saugend. – Während Schäden an Pflanzen durch Pflanzen fressende Larven gering sind, ist die hygien. Bedeutung Blut saugender Arten derart groß, dass die **M.-Bekämpfung** unumgänglich ist. Seit dem Altertum wird die Entwässerung verseuchter Sumpfgebiete zur Vernichtung der Brutplätze betrieben. In Ländern, die unter von M. übertragenen Krankheiten stark zu leiden haben, war der Großeinsatz chlorierter Koh-

Wera Muchina: Arbeiter und Kolchosbäuerin, Plastik für die Pariser Weltausstellung 1937 (Moskau, Allunionsausstellung)

lenwasserstoffe (DDT) zunächst erfolgreich; wegen sich ausbreitender Resistenz und bedenkl. Umweltbelastung infolge von →Peristenz verfügten viele Länder Anwendungsverbote. An neueren Insektiziden kommen v.a. Pyrethroide zum Einsatz. Zur biolog. M.-Bekämpfung werden gegen Larven zunehmend insektenpathogene Bakterien verwendet. Abweisenden Effekt gegen Blutsauger, Gelbfieber- und Malaria-M. eingeschlossen, besitzen Präparate mit Dimethylphthalat und Äthylbutylpropandiol.

Otto Mueller: »Zigeunerliebespaar« (um 1922; Privatbesitz)

Mucopolysaccharide (Mukopolysaccharide), im tier. und menschl. Bindegewebe enthaltene Polysaccharide, die eine wichtige Rolle als Stütz-, Schutz- und Gleitsubstanzen spielen (z.B. Hyaluronidase) oder an der Blutgerinnung beteiligt sind (Heparin).

Mudanjiang [-dʒjaŋ] (Mutankiang), chines. Stadt in der Prov. Heilongjiang, 571 700 Ew.; Holzind., Reifenfabrik, Eisen- und Stahlind.; Eisenbahnknotenpunkt an der Bahnlinie Harbin–Wladiwostok.

Armin Mueller-Stahl

Mudd [niederdt., zu Moder], graues bis schwärzl., sehr feinkörniges, kalkarmes Sediment am Grund von Meeresgewässern, reich an organ. Stoffen (Halbfaulschlamm).

Mudde [zu Mudd], Oberbegriff für die limnischen Sedimente Gyttja, Dy und Faulschlamm.

Mudéjarstil [muˈdɛxar-, span.-arab.], nach den Mudejaren (arab. Künstler und Handwerker) benannter Bau- und Dekorationsstil in Spanien (Ende 12.–15. Jh.), eine Verbindung von maur. und got. Formengut. Charakteristische Merkmale: hufeisenförmige Bögen und sehr reicher ornamentaler Stuck- und Majolikaschmuck.

Mudge [mʌdʒ], Dirk Frederik, Politiker in Namibia, *Otjiwarongo 16. 1. 1928; Farmer, einer der Führer der »Demokrat. Turnhallenallianz«, 1980–83 Vors. des (international nicht anerkannten) Ministerrats; führte nach der Entlassung Namibias in die Unabhängigkeit (1990) die Opposition im Parlament.

Müdigkeit, →Ermüdung.

Mudra [Sanskrit »Siegel«, »Zeichen«] *die,* magisch-symbol. Hand- und Fingerstellung in buddhist. und hinduist. Kulten und ind. Tänzen.

Mudschaheddin [mudʒa-] (Mudjaheddin, Mudjahedin), allg. Bez. für islam. Glaubenskämpfer. – In Afghanistan organisierten M. den muslimisch-antikommunist. Widerstand gegen die von der UdSSR nach ihrem Einmarsch (1979) eingesetzte Regierung, bes. mit militär. Aktionen von Pakistan aus. Nach Abzug der sowjet. Truppen 1989 bildeten die politisch uneinigen M. im pakistan. Peshawar eine Exilregierung. Im April 1992 übernahmen sie die Macht in Kabul; die kurz danach ausbrechenden Kämpfe zw. rivalisierenden M.-Gruppierungen riefen erneut eine Bürgerkriegssituation hervor. – Die 1965/66 in Iran gegr. M. Khalq (Volks-M.), urspr. eine Guerillagruppe mit engem Kontakt zur PLO, entwickelten sich zu einer linksgerichteten, islamisch geprägten Organisation, die ab 1971 bewaffnete Aktionen gegen das Schah-Regime unternahm, nach Errichtung (1979) der Islam. Republik ihren Widerstand fortsetzte und von der Regierung verfolgt wird.

Muehl [my:l], Otto, österr. Aktionskünstler, *Grodnau (heute zu Mariasdorf, Burgenland) 16. 6. 1925; Hauptvertreter des Wiener Aktionismus; bekannt durch happeningartige Materialaktionen zur Symbolik von Geburt, Leben, Sexualität und Tod.

Mueller [ˈmy-], Otto, Maler und Grafiker, *Liebau in Schlesien (heute Lubawka) 16. 10. 1874, †Breslau 24. 9. 1930; gehörte seit 1910 zur →Brücke, seit 1919 Lehrer an der Breslauer Akademie. Zigeuner sind das bevorzugte Motiv seiner Gemälde, Zeichnungen und Lithographien (u.a. Zigeunermappe, 1927). Weiteres BILD deutsche Kunst

Mueller-Stahl [ˈmy-], Armin, Schauspieler, *Tilsit 17. 12. 1930; ab 1954 an der Volksbühne in Ostberlin; seit 1980 in der Bundesrep. Dtl.; internat. bekannt als Filmdarsteller, u.a. in »Nackt unter Wölfen« (1963), »Jakob der Lügner« (1975), »Lola« (1981), »Die Sehnsucht der Veronika Voss« (1982), »Oberst Redl« (1985), »Utz« (1993); spielte in den USA in »Music Box« (1987), »Avalon« (1989), »Night on Earth« (1991), »Das Geisterhaus« (1993).

Muezzin [arab.] *der,* der islam. Gebetsrufer, der die Muslime fünfmal täglich vom →Minarett herab zum Gebet auffordert.

Muff [mittellat. muffala »Pelzhandschuh«], röhren- oder taschenförmige Hülle, in die die Hände zum Wärmen gesteckt werden; entstanden im 16. Jh. (aus pelzverbrämten Ärmelstulpen).

Muffe [von Muff], *Technik:* kurzes Rohrstück, oft mit Innengewinde, das zwei Maschinenteile oder Rohre **(Rohr-M.)** miteinander verbindet; auch eine Garnitur zum Schutz von Verbindungsstellen zw. Kabeln **(Kabel-M.)** und Leitungen gegen Feuchtigkeit und Beschädigungen.

Muffel, *Technik:* luftdicht verschließbares, längl. Reaktionsgefäß aus feuerfestem Material, z. B. Schamotte oder Siliciumcarbid, zum Glühen, Brennen, Schmelzen oder Härten von Substanzen. Die M. werden in sog. **M.-Öfen** von außen beheizt, sodass die Heizgase mit den reagierenden Produkten nicht in Berührung kommen.

Muffel, Bez. für das Maul mancher Haustiere (z. B. Schaf, Ziege) und für die Nase des Wildes (bes. des Elchwildes).

Muffelwild (Mufflon), ein Wildschaf (→Schafe).

Mufti [arab. »Entscheider«] *der,* Rechtsgelehrter des Islam, der in Fragen des religiösen Rechts (Scharia) berät und Rechtsgutachten abgibt.

Mufulira, Stadt im Kupfergürtel von Sambia, 1350 m ü. M., 175 000 Ew.; Kupfermine und -hütte; Bahnstation.

Mugabe, Robert Gabriel, Politiker in Simbabwe, *Kutoma (bei Harare) 21. 2. 1924; urspr. Lehrer; beteiligte sich führend am Aufbau schwarzafrikan. Befreiungsbewegungen; 1964–74 in Haft; wurde 1963 Gen.-Sekr., 1974 Präs. der Afrikan. Nationalunion von Simbabwe (ZANU); gründete mit J. Nkomo im Kampf gegen das weiße Minderheitsregime die »Patriot. Front« (PF). 1979 nahm er an der Konferenz in London teil, die die Unabhängigkeit Rhodesiens (Simbabwe) beschloss. 1980 wurde er Premiermin. von Simbabwe. Nach der Einführung des Präsidialsystems übernahm er 1987 das Amt des Staatspräs. (1990 und 1996 durch Wahl bestätigt).

Müggelberge, Reste einer eiszeitl. Endmoräne im SO von Berlin, bis 115 m ü. M.; im N vorgelagert der **Große Müggelsee,** 7,4 km² Wasserfläche, bis 8 m tief.

Muhammad Ali, 1) bis 1965 Cassius Clay, amerikan. Boxer, *Louisville (Ky.) 17. 1. 1942; wurde 1960 Olympiasieger im Halbschwergewicht, gewann 1964, 1974 und 1978 die Weltmeisterschaft der Berufsboxer im Schwergewicht, trug 25 Weltmeisterschaftskämpfe (bei 61 Profikämpfen) aus; Film »When we were kings« (1997).

2) Statthalter von Ägypten, →Mehmed Ali.

Mühe, Ulrich, Schauspieler, *Grimma 20. 6. 1953; Engagements in Karl-Marx-Stadt (heute Chemnitz) und seit 1983 am Dt. Theater Berlin; zahlr. Gastspiele, auch Film- und Fernsehrollen, u. a. »Hälfte des Lebens« (1984), »Das Spinnennetz« (1989), »Das tödliche Auge« (2 Tle., 1993).

Mühlacker, Industriestadt im Enzkreis, Große Kreisstadt, Bad.-Württ., an der Enz, 25 600 Ew.; Großsenderanlage des Süddt. Rundfunks; Maschinenbau, Elektronik-, Feinmechanik-, opt., Kunststoff- u. a. Industrie. – M. und der rechts der Enz gelegene heutige Stadtteil **Dürrmenz** wurden im 8. Jh. erstmals urkundlich erwähnt; 1930 Stadt.

Mühlberg/Elbe, Stadt im Landkreis Elbe-Elster, Brandenburg, 2 900 Ew.; Elbhafen. – In der **Schlacht bei Mühlberg** wurde am 24. 4. 1547 im Schmalkald. Krieg der sächs. Kurfürst Johann Friedrich I. von Kaiser Karl V. gefangen genommen.

Mühldorf a. Inn, 1) Landkr. im RegBez. Oberbayern, 805 km², (1997) 106 600 Einwohner.

2) Krst. von 1) in Bayern, am unteren Inn, 17 000 Ew.; Museum; Maschinenbau, Holz verarbeitende, Bekleidungsind., Orgelbau, Herstellung elektron. Bauteile. – Barocke Stadtpfarrkirche (18. Jh.) mit spätgot. Chor (15. Jh.) und roman. Turm; Bürgerhäuser. – 1322 siegte bei M. a. I. König Ludwig IV., der Bayer, über Gegenkönig Friedrich den Schönen.

Mühle, 1) *Brettspiel* zw. zwei Spielern, von denen jeder abwechselnd je neun schwarze oder weiße Steine auf ein mit Punkten versehenes Liniensystem setzen und dabei versuchen muss, eine Figur (M.) aus drei nebeneinander liegenden Steinen zu bilden (bei Gelingen wird dem Gegner jedes Mal ein Stein weggenommen). Bes. vorteilhaft ist eine **Zwickmühle,** eine Doppel-M., bei der durch das Öffnen einer M. eine zweite geschlossen wird. Verlierer ist, wer nur noch zwei Steine besitzt oder von den gegner. Steinen eingeschlossen ist.

2) *Technik:* Maschine zum Mittel- (Grieß-) und Feinmahlen, bei der das Mahlgut durch Druck-, Schlag-, Prall- oder Scherbeanspruchung zerkleinert wird. Die **Walzen-M.** arbeitet mit zwei sich gegenläufig drehenden zylindr. Walzen. **Scher-M.** beanspruchen das Mahlgut scherend zw. einer feststehenden, meist radial gerippten und einer ähnlich ausgebildeten, um eine Achse rotierenden Mahlfläche. Hierzu gehören die **Glocken-M.** (bei der sich ein Mahlkegel in einem glockenförmigen Hohlkegel dreht) und die **Scheiben-M.** (das Mahlgut wird im Spalt zw. zwei radial gerippten Scheiben, von denen eine feststeht und die andere angetrieben wird, zerrieben). **Schlag-M.** zerkleinern das Gut mithilfe von Schlagkörpern (Schlagwerke). Bei **Prall-M.** wird das Mahlgut von Roto-

Ulrich Mühe

Robert Gabriel Mugabe

Muhammad Ali

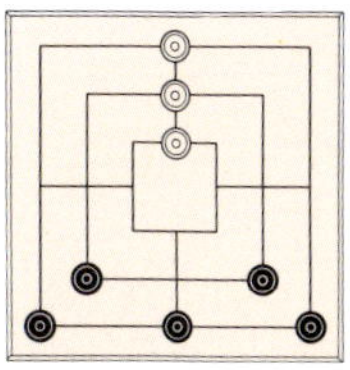

Mühle 1): Spielbrett mit Zwickmühle (schwarze Steine) und Mühle

ren gegen fest stehende Prallplatten oder sich gegenläufig zu den Rotoren drehende Prallscheiben **(Prallteller-M.)** geschleudert, bei **Luftstrahl-M.** in einem Gas- oder Luftstrom auf über 300 m/s beschleunigt. **Trommel-M.** zerkleinern das Mahlgut in rotierenden (auch schwingenden) Mahltrommeln. – Nach der Antriebsart lassen sich die M. in Wasser-M., Wind-M. und elektrisch betriebene M. einteilen. Die Bez. M. wird auch für Anlagen verwendet, die zum Zerkleinern (Schneide-M., Säge-M.), Auspressen (Öl-M.) o.Ä. dienen. – Die Gewinnung mehlartiger Erzeugnisse, bes. von Mehl aus Getreidekörnern durch Zerkleinern der Ausgangsstoffe **(Müllerei),** erfolgt in meist elektrisch betriebenen M. Die Aufbereitung des Getreides im M.-Betrieb umfasst die Getreidereinigung, das Konditionieren (Entzug oder Zugabe von Wasser bis zu dem für die Vermahlung optimalen Gutfeuchtegehalt), die Vermahlung und u.U. das Mischen des gemahlenen Gutes, um einheitl. Mehltypen zu erhalten. Bei der Vermahlung sind zw. den Walzenstühlen Sichtmaschinen angeordnet, die die gemahlenen Erzeugnisse in ihre Bestandteile (z.B. Schrot, Grieß, versch. Mehlsorten) trennen.

Mühlhausen/ Thüringen
Stadtwappen

Mühle 2): Schnittdarstellungen einer Wassermühle (links) und einer Bockwindmühle, Kupferstiche aus Band 1 der von Denis Diderot und Jean Le Rond d'Alembert 1751-72 herausgegebenen »Encyclopédie ou Dictionnaire raisonné des sciences, des arts et des métiers«

Wirtschaftliches: Nach der Geschäftsart gibt es heute fast ausnahmslos Handels-M., die Getreide kaufen, vermahlen und die Mahlerzeugnisse verkaufen. Nach dem 2. Weltkrieg ging die Zahl der M. in Dtl. stark zurück. Dachorganisationen: Arbeitsgemeinschaft Dt. Handelsmühlen e.V., Bonn; Dt. Müllerbund e.V., Bonn.

Geschichte: Wasser-M. waren schon bei den Römern im 1. Jh. v. Chr. bekannt; vereinzelt sind sie seit dem 3. Jh. n. Chr. nördlich der Alpen nachweisbar; ihre Ausbreitung beginnt jedoch erst im 11./12. Jh. Wahrscheinlich über die Araber und die Kreuzfahrer gelangte die Wind-M. mit senkrechter Flügelachse von Persien aus in den Westen; die Wind-M. mit waagerechter Flügelachse wurden im 12./13. Jh. in Europa entwickelt. Die erste Dampf-M. in London (1784) markierte den Übergang zur modernen Mühlentechnik.

📖 MAGER, J. *u.a.: Die Kulturgeschichte der M. Tübingen 1989.*

Mühlhausen/Thüringen (1975–90 Thomas-Müntzer-Stadt Mühlhausen), Krst. des Unstrut-Hainich-Kreises, Thür., an der oberen Unstrut, 39200 Ew.; PH Erfurt-M., Bauernkrieg-Gedenkstätte, Heimatmuseum; Textil-, Elektronik-, Fahrzeugzubehör-, Holz-, Lederind. – Fast vollständig erhaltene mittelalterl. Stadtbefestigung, Bürgerhäuser des MA. und der Renaissance; got. Pfarrkirchen St. Blasius (um 1260/70; um 1350) und St. Marien (um 1200; 1317–1380; Thomas-Müntzer-Gedenkstätte); Barfüßerklosterkirche (13./14. Jh.; heute Gedenkstätte Dt. Bauernkrieg); Rathaus (um 1300, erweitert v.a. 16. Jh.) mit bedeutendem Stadtarchiv (u.a. Mühlhausener Reichsrechtsbuch, zw. 1224/30, älteste dt. private Rechtsaufzeichnung). – 967 erstmals erwähnt, 1180–1802 freie Reichsstadt, ab 1408 Mitgl. der Hanse; 1802 an Preußen.

Mühlheim am Main, Stadt im Landkr. Offenbach, Hessen, 25900 Ew.; Polizeischule, Museum; Leder-, Metall-, Elektro- u.a. Industrie. – 815 erstmals genannt, 1939 Stadt.

Mühlviertel, stark zertaltes Granit- und Gneisbergland nördlich der Donau, Oberösterreich, 500–800 m ü.M., im NW zum Böhmerwald ansteigend, benannt nach den Donauzuflüssen **Große Mühl** (54 km lang) und **Kleine Mühl** (32 km lang); reich an Burgen und Schlössern; Fremdenverkehr; Landwirtschaft.

Mühsam, Erich, Politiker und Schriftsteller, *Berlin 6. 4. 1878, † (ermordet) KZ Oranienburg 10. 7. 1934; schrieb satir., von radikalanarchist. Gesinnung erfüllte Balladen, Dramen und Essays sowie die zeitgeschichtlich bed. Autobiographie »Namen und Menschen. Unpolit. Erinnerungen« (hg. 1949); war 1919 Mitgl. der Münchner Räteregierung.

Muhu (dt. und schwed. Moon), waldlose, zu Estland gehörende Ostseeinsel, aus Kalkgestein und Dolomit aufgebaut, bis 24 m ü.M., 204 km²; schließt mit der Insel Saaremaa (durch 4 km langen Damm verbunden) die Rigaer Bucht nach N ab.

Muisca (Chibcha), Indianer aus der Sprachgruppe der Chibcha in den Kordilleren O-Kolumbiens, die in vorspan. Zeit unter der Herrschaft unabhängiger Fürsten ein bed. Reich mit einer Hochkultur geschaffen hatten (hervorragende Goldverarbeitung, Keramik).

Erich Mühsam (um 1925)

Muisca: Mensch mit Zepter, Votivgabe aus kupferhaltiger Goldlegierung (Höhe 9 cm)

Mujibur Rahman [mu'dʒibur rax'man], Scheich, Politiker in Bangladesh, * Tungipura 17. 3. 1920, † (ermordet) Dhaka 15. 8. 1975; ab 1966 Präs. der Awami-Liga, proklamierte im März 1971 Ostpakistan zum unabhängigen Staat Bangladesh. Nachdem Indien im Krieg mit Pakistan (Dez. 1971) die Errichtung einer souveränen Rep. Bangladesh durchgesetzt hatte, übernahm M. R. 1972 die Reg.gewalt. 1975 wurde er Staatspräs. (mit diktator. Vollmachten ausgestattet); im Aug. 1975 durch einen Militärputsch gestürzt.

Mujibur Rahman

Mukařovský ['mukarʒɔfski:], Jan, tschech. Literaturtheoretiker, * Písek 11. 11. 1891, † Prag 8. 2. 1975; bedeutendster Vertreter des tschech. Strukturalismus, Mitbegründer der → Prager Schule.

Mukatschewo (ukrain. Mukatschewe, tschech. Mukačevo, ungar. Munkács), Stadt in der Ukraine, am SW-Rand der Waldkarpaten, 88 000 Ew.; Maschinen-, Gerätebau, Möbel-, Textil-, Nahrungsmittelind. – Ende des 12. Jh. erstmals erwähnt, gehörte M. bis 1240 zum Kiewer Reich. Danach in wechselndem Besitz; im 14. Jh. kam es zu Ungarn, gehörte 1920–38 zur Tschechoslowakei, bis 1945 wieder zu Ungarn.

Mukden, früherer Name der chines. Stadt → Shenyang.

Muko|viszidose [lat.] *die* (Mucoviscidose, zyst. Fibrose), rezessiv erbliche Stoffwechselkrankheit (Gendefekt am Chromosom 7) mit Störung der Absonderung von Drüsensekreten der Bauchspeicheldrüse, der Darm- und Bronchialschleimhaut. Bei betroffener Bauchspeicheldrüse kommt es zur chron. Entzündung **(zyst. Pankreasfibrose)** mit Verdauungsstörungen (Fettstuhl), bei betroffenem Bronchialsystem zu Bronchiektasen mit chron. Bronchitis und wiederkehrenden Lungenentzündungen. Früherkennung und Langzeitbehandlung verbessern die Lebenssituation. Die Behandlung umfasst v. a. den Ersatz der fehlenden Bauchspeicheldrüsenenzyme, den Ausgleich der Elektrolytverluste, hochkalor., eiweißreiche Diät, Lösung des Bronchialsekrets und Antibiotikagaben zur Verhütung von Atemwegsinfekten. – Selbsthilfeeinrichtung ist die Dt. Gesellschaft zur Bekämpfung der M., Bonn.

📖 GOTTSCHALK, B. *u.* WUNDERLICH, P.: *M. Ursachen u. Auswirkungen von M. / Cystischer Fibriose (CF). Stuttgart 1992.*

Mukran, Stadtteil von Saßnitz, Meckl.-Vorp., auf der Insel Rügen. Trajekthafen nach Klaipėda (Memel) in Litauen.

Mulatte [span.] *der,* → Mischling.

Mulch, Bodenbedeckung aus Pflanzenteilen, z. B. Stroh, Torf; schützt vor Austrocknung, unterdrückt den Unkrautwuchs.

Mulde, 1) *Geologie:* die Synklinale (→ Falte).

2) *Geomorphologie:* von sanften Hängen begrenzte, flache längl. oder rundl. Hohlform.

Mulde *die,* linker Nebenfluss der Elbe, entsteht nördlich von Colditz durch Zusammenfluss der **Zwickauer M.** (128 km, entspringt im W-Erzgebirge) und der **Freiberger M.** (102 km, entspringt auf dem Kamm des O-Erzgebirges). Die M., ein windungsreicher Flachlandfluss (124 km), mündet bei Dessau. An der oberen Zwickauer M. die (1982 fertig gestellte) **Eibenstock-Talsperre** (76,9 Mio. m^3) und die **Muldenberg-Talsperre** (5,8 Mio. m^3); Energieerzeugung, Hochwasserschutz.

Muldentalkreis, Landkr. im RegBez. Leipzig, Sachsen, 877 km^2, (1996) 123 700 Ew., Krst. ist Grimma.

Muldoon [mʌl'du:n], Sir Robert David, neuseeländ. Politiker, * Auckland 25. 9. 1921, † ebd. 5. 8. 1992; Mitgl. der Nationalpartei, war 1975–84 Premierminister.

Mulhacén [mula'θen], höchster Berg (3 478 m ü. M.) der Iber. Halbinsel, in der Sierra Nevada Andalusiens, Spanien.

Mülhausen (frz. Mulhouse), Stadt im frz. Dép. Haut-Rhin, an der Ill und dem Rhein-Rhone-Kanal, 108 400 Ew., die zweitgrößte Stadt des Elsass; Univ. (gegr. 1970), Textilfachschule; Automobil-, Eisenbahn- u. a. Museen, Zoo, botan. Garten. Textilind., Maschinenbau, Auto-, chem. Ind., Waffenfabrikation, Druckereien, Gerbereien, Nahrungsmittelind. Renaissancerathaus (1552). – M., zuerst 803 genannt, wurde unter den Staufern Ende des 13. Jh. Reichsstadt und war Mitgl. der Dekapolis. Seit 1515 gehörte es als »Zugewandter Ort« der schweizer. Eidgenossenschaft an; schloss sich 1798 Frankreich an, gehörte 1871–1918/19 zum dt. Reichsland Elsass-Lothringen.

Mülhausen Stadtwappen

Mülheim an der Ruhr, kreisfreie Stadt im RegBez. Düsseldorf, NRW, im Rheinisch-Westfäl. Ind.gebiet, 176 000 Ew.; Museen, meteorolog.

Mülheim an der Ruhr Stadtwappen

Fritz Muliar

Amt, Max-Planck-Inst. für Kohlenforschung und Strahlenchemie, Theater; Stahl- und Maschinenbau, Elektronik- und Elektro-, Leder-, Nahrungsmittel-, Genussmittel- u.a. Ind.; große Hafenanlagen und Großschifffahrtsweg zum Rhein und zum Rhein-Herne-Kanal. – Im 9. Jh. erstmals erwähnt; wuchs aus mehreren Gemeinden, u.a. Styrum, Saarn, Broich, zusammen; seit 1808 Stadt.

Mülheim-Kärlich, Stadt im Kr. Mayen-Koblenz, Rheinl.-Pf., im Neuwieder Becken, 10200 Ew.; keram. Ind., Kernkraftwerk (Inbetriebnahme 1987, nach heftigen polit. und jurist. Auseinandersetzungen seit 1988 außer Betrieb). Nahebei Tongrube mit altsteinzeitl. Funden.

Muli [lat. mulus] *das, österr.:* Maultier.

Muliar, Fritz, österr. Schauspieler, *Wien 12. 12. 1919; Protagonist der Altwiener Volkskomödie, v.a. Nestroy-Rollen; zunächst Kabarettist; 1974–86 Ensemble-Mitgl. des Burgtheaters; populärer Darsteller des »Schwejk« in der Fernsehserie (1970/72) nach dem Roman von J. Hašek; Meister des jüd. Witzes (»Das Beste aus meiner jüd. Witze- und Anekdotensammlung«, 1974).

Harry Mulisch

Mulisch ['my:li:ʃ], Harry Kurt Victor, niederländ. Schriftsteller, *Haarlem 29. 7. 1927; schreibt Romane, Dramen, Essays und Lyrik, häufig zu existenziellen Fragen (»Das steinerne Brautbett«, R., 1959; »Die Elemente«, R., 1988; »Die Entdeckung des Himmels«, R., 1992).

Mull [engl.], leichtes, feinfädiges Gewebe in Leinwandbindung, meist aus Baumwolle; als Gardinenstoff, in der Medizin als Kompresse, Binde und Tupfer verwendet.

Mull [niederdt. »Staub«, »Müll«], Humusform bei intensivem biolog. Abbau der Pflanzenreste.

Karl Müllenhoff

Müll, vorwiegend feste Abfallstoffe aus Haushalten (kommunale Abfälle) und Ind.- bzw. Gewerbebetrieben (gewerbl. Abfälle), die meist in speziellen Behältern (M.-Tonnen, M.-Container) gesammelt, von der M.-Abfuhr abtransportiert und nach versch. Methoden der M.-Beseitigung bzw. -Rückführung weiterverarbeitet oder abgelagert werden. In Haushalten wird zw. **Haus-M.** (Verpackungsmaterial, Küchenabfälle u.a.) und **Sperr-M.** (großvolumige Abfälle) unterschieden, bei **Gewerbe-** oder **Ind.-M.** zw. hausmüllartigen Abfällen (z.B. Bauschutt) und →Sondermüll (der jedoch auch in Haushalten anfallen kann). Neben der kontrollierten Ablagerung auf →Mülldeponien wird der M. (mit Ausnahme der Sonderabfälle) in speziellen Anlagen verbrannt (→Müllverbrennung), kompostiert (→Müllkompostierung) oder wieder verwertet (→Recycling). Allein die Menge des in Dtl. jährlich anfallenden Haus-M. und hausmüllähnl. Gewerbeabfalls beträgt im Durchschnitt über 31 Mio.t. Sie ist durch gezielte Gesetze und Maßnahmen der Abfallvermeidung reduzierbar. Dazu gehören insbesondere produktbezogene Maßnahmen des Produzenten (→Verpackungsverordnung) und ein verändertes Verbrauchs- und Wegwerfverhalten der Käufer. (→Abfallbeseitigung, →radioaktive Abfälle, →Weltraummüll)

Hermann J. Muller

Mullah [pers. »Herr«] *der* (Mulla, türk. Molla), (Ehren-)Titel für einen islam. Rechts- oder Religionslehrer.

Mülldeponie (Deponie), Ablagerungsort von Abfallstoffen. Ungesetzlich sind **ungeordnete M.** (offene M., »Müllkippen«), auf denen Abfälle unbehandelt und unkontrolliert gelagert werden, sowie **wilde M.** in Wald und Flur. **Geordnete M.** sind wannenförmige Senken oder Geländeeinschnitte mit wasserundurchlässigem Untergrund, der ein Eindringen flüssiger Abfälle ins Oberflächen- und/oder Grundwasser verhindern soll. Neben den Gruben-M. werden wegen deren umwelttechn. Nachteile (schwieriges Abdichten der Wände, ständiges Abpumpen des Sickerwassers von der Sohle) heute zunehmend Halden-M. errichtet. Eine Nutzung der bei den Gärungs- und Faulprozessen in M. entstehenden Methangase (→Biogas) wird weltweit angestrebt. Je nach Füllart der Deponie wird der Müll vorzerkleinert oder zu Ballen verpresst (Ballen-M.), der deponierte Abfall durch ständiges Planieren verdichtet u.a. Die z.T. 100 m hohen Müll- und Schuttberge werden mit Erde überdeckt und bepflanzt (Rekultivierung). In der **Inert-M.** werden nur mineralisierte (inerte) Materialien ohne auslaugbare Schadstoffe abgelagert. Es ist Ziel der Abfallpolitik, den Anteil der Inert-D. gegenüber den anderen Betriebsformen der M. zu steigern.

📖 BILITEWSKI, B. *u.a.: Abfallwirtschaft. Eine Einführung. Berlin u.a.* [2]*1994.*

Müllenhoff, Karl, Germanist, *Marne (Kr. Dithmarschen) 8. 9. 1818, †Berlin 19. 2. 1884; 1846 Prof. in Kiel, ab 1858 in Berlin, ab 1864 Mitgl. der Akademie der Wiss.; beeinflusste die dt. Altertumskunde maßgeblich durch seine quellenkundl. und mytholog. Forschungen und seine »Dt. Altertumskunde« (8 Bde., 1870–1900).

Muller ['mʌlə], Hermann Joseph, amerikan. Biologe, *New York 21. 12. 1890, †Indianapolis (Ind.) 5. 4. 1967; konnte durch Röntgenbestrahlung bei Taufliegen künstl. Mutationen auslösen; hierfür erhielt er 1946 den Nobelpreis für Physiologie oder Medizin.

Müller, 1) Adam Heinrich Ritter von Nittersdorff (seit 1826), Staats- und Gesellschaftstheoretiker, *Berlin 30. 6. 1779, †Wien 17. 1. 1829; seit 1813 in österr. Dienst, 1815–27 Generalkonsul in Leipzig. Publizistisch vertrat er eine romant. Staats- und Gesellschaftslehre. Er wandte sich gegen rationale Gesellschaftsordnungen, Individualismus und die Annahme von Marktgesetzlichkeiten und betonte die organ. Ganzheit von Staat und Wirtschaft; er war ein Anhänger des korporativen Ständestaates und trat wirtschaftspolitisch für den Protektionismus ein.

Werke: Die Lehre von Gegensätzen (1804); Die Elemente der Staatskunst (3 Bde., 1809).

2) Friedrich, gen. Maler M., Maler und Dichter, *Bad Kreuznach 13. 1. 1749, †Rom 23. 4. 1825; kam 1774 nach Mannheim, wurde 1777 Hofmaler; durch Goethes Vermittlung ab 1778 in Rom. Als Maler und Dichter vertrat M. einen sinnlich-derben Realismus; er schrieb Idyllen (»Die Schafschur«, 1775; »Das Nußkernen«, 1811), Gedichte, Dramen.

3) Friedrich Max, brit. Indologe, Sprach- und Religionswissenschaftler dt. Herkunft, *Dessau 6. 12. 1823, †Oxford 28. 10. 1900, Sohn von 19); förderte die Vedaforschung durch seine Ausgabe der »Rig-Veda-Sanhita« (6 Bde., 1849–74); Begründer der vergleichenden Religionswissenschaft.

4) Gebhard, Jurist und Politiker, *Füramoos (heute zu Eberhardzell, Kr. Biberach) 17. 4. 1900, †Stuttgart 7. 8. 1990; 1947–52 Landesvors. der CDU; 1948–52 Staatspräs. von Südwürttemberg-Hohenzollern; 1953–58 MinPräs. von Bad.-Württ.; 1958–71 Präs. des Bundesverfassungsgerichts.

5) Georg Elias, Psychologe, *Grimma 20. 7. 1850, †Göttingen 23. 12. 1934; Mitbegründer der experimentellen Psychologie; schrieb u. a. »Zur Analyse der Gedächtnistätigkeit und des Vorstellungsverlaufes« (3 Tle., 1911–17).

6) Gerhard, evang. Theologe, *Marburg 10. 5. 1929; 1982–93 Landesbischof der Evang.-Lutherischen Landeskirche Braunschweig; 1990–93 leitender Bischof der VELKD.

7) Gerhard-Kurt, Grafiker und Maler, *Leipzig 1. 10. 1926; belebte die Technik des Holzstichs neu, bekannt durch seine monumentale, streng statuar. Malerei zu histor. und polit. Themen.

8) Heiner, Schriftsteller, Dramatiker, *Eppendorf (Landkr. Freiberg) 9. 1. 1929, †Berlin 30. 12. 1995; auch Regisseur, 1970–76 Dramaturg, 1992 (mit anderen) Leiter des Berliner Ensembles; 1990–93 Präs. der Akademie der Künste Berlin. M. gilt als einer der innovativsten (auch heftig umstrittenen) dt. Dramatiker des 20. Jh. Bereits in seinen frühen, z. T. mit seiner Frau Inge M. (*1925, †1966) verfassten, an den Lehrstücken B. Brechts orientierten Produktionsstücken (»Der Lohndrücker«, 1957; »Der Bau«, 1965) setzte sich M. kritisch mit Problemen der sozialist. Entwicklung in der DDR auseinander (1961 Ausschluss aus dem Schriftstellerverband, 1988 Wiederaufnahme). Danach griff er häufig klass., antike und mytholog. Stoffe sowie Dramen Shakespeares auf (»Philoktet«, 1965; »Macbeth«, 1972). In den 1970er-Jahren problematisierte er v. a. das Verhältnis von Staat und Revolution (»Zement«, 1974; »Die Schlacht«, 1975; »Germania Tod in Berlin«, 1977). M. entwickelte eine auf traditionelle Ausdrucksmittel verzichtende Dramaturgie und eine schockierende Bildwelt, die seiner Absage an vernunftorientierte Geschichtsmodelle entspricht (»Hamletmaschine«, 1978; »Wolokolamsker Chaussee I–V«, 1987). 1992 erschienen »Krieg ohne Schlacht – Leben in zwei Diktaturen« (Autobiographie) und »Gedichte«. 1993 debütierte M. mit einer Inszenierung von R. Wagners »Tristan und Isolde« in Bayreuth. M. erhielt 1985 den Georg-Büchner-Preis, 1990 den Kleist-Preis.

Heiner Müller

📖 THEWELEIT, K.: *H. M. Traumtext. Basel 1996.* – TSCHAPKE, R.: *H. M. Berlin 1996.*

9) Hermann, Politiker (SPD), *Mannheim 18. 5. 1876, †Berlin 20. 3. 1931; 1916–18 und 1920–31 MdR, 1919/20 Reichsaußenmin., 1920 und 1928–30 Reichskanzler.

10) Herta, rumäniendt. Schriftstellerin, *Nitzkydorf (rumän. Nițchidorf, bei Temesvar) 17. 8. 1953; lebt seit 1987 in der Bundesrep. Dtl.; setzte sich in ihren Prosawerken mit dem dörfl. Leben in den dt.sprachigen Enklaven Rumäniens auseinander (Romane »Niederungen«, 1982; »Barfüßiger Februar«, 1987), später mit der Wirklichkeit in Dtl. (»Reisende auf einem Bein«, E., 1989; »Heute wäre ich mir lieber nicht begegnet«, R., 1977); erhielt 1994 den Kleist-Preis.

Herta Müller

11) Johannes, Mathematiker und Astronom, → Regiomontanus.

12) Johannes von (seit 1791), schweizer. Historiker, *Schaffhausen 3. 1. 1752, †Kassel 29. 5. 1809; preuß. Historiograph (ab 1804), als Anhänger Napoleons I. Generaldirektor des Unterrichtswesens im Königreich Westfalen (1808); Verfasser der »Geschichte der Schweizer. Eidgenossenschaft« (5 Bde., 1786–1808).

13) Johannes Peter, Physiologe und Anatom, *Koblenz 14. 7. 1801, †Berlin 28. 4. 1858; gilt als Begründer der neuzeitl. Physiologie.

14) Josef, Politiker, *Steinwiesen (Kr. Kronach) 27. 3. 1898, †München 12. 9. 1979; vor 1933 in der BVP; ab 1939 in der Abwehrabteilung des OKW, verhandelte als Vertreter der Widerstandsbewegung mit der Kurie und der brit. Reg., 1944 inhaftiert; 1945 Mitbegründer und 1945–49 Vors. der CSU, 1947–49 stellv. MinPräs., 1947–49 und 1950–52 Justizmin. in Bayern.

15) Karl Alex, schweizer. Physiker, *Basel 20. 4. 1927; Prof. am IBM-Forschungslaboratorium in Rüschlikon, Forschungen zur Hochtemperatur-Supraleitung; Nobelpreis für Physik 1987 zus. mit J. G. Bednorz für die Entdeckung einer bereits bei –238 °C supraleitenden keram. Substanz.

Karl Alex Müller

16) Ludwig, evang. Theologe, *Gütersloh 23. 6. 1883, †(Selbstmord) Berlin 31. 7. 1945; am 25. 4. 1933

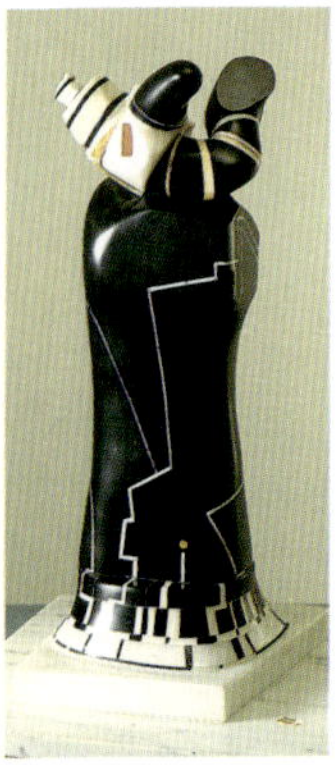
Robert Müller: »Cornuto«, Marmor mit Intarsien, Höhe 58 cm (1978)

von Hitler zu seinem »Bevollmächtigten« für die Angelegenheiten der evang. Kirche berufen; seit 1933 Reichsbischof der Dt. Evang. Kirche; 1935 durch den Reichskirchenausschuss entmachtet. (→Kirchenkampf)

17) Paul Hermann, schweizer. Chemiker, *Olten 12. 1. 1899, †Basel 13. 10. 1965; arbeitete v.a. über Wirkung, Toxizität und Struktur der Chlorkohlenwasserstoffe. Er entwickelte 1939 das →DDT und erhielt hierfür 1948 den Nobelpreis für Physiologie oder Medizin.

18) Robert, schweizer. Bildhauer, *Zürich 17. 6. 1920; Schüler von Germaine Richier. Sein Werk umfasst Eisen- und Stahlplastiken, die aus konkaven und konvexen Elementen zusammengeschweißt sind; auch Zeichnungen, Collagen.

19) Wilhelm, Dichter, *Dessau 7. 10. 1794, †ebd. 1. 10. 1827, Vater von 3); schrieb sangbare, meist in leichtem Volksliedton gehaltene Lieder (»Im Krug zum grünen Kranze«, »Am Brunnen vor dem Tore«, »Das Wandern ist des Müllers Lust«). Von seinen Liederzyklen wurden »Die schöne Müllerin« und »Die Winterreise« vertont (F. Schubert). Mit den »Liedern der Griechen« (5 Bde., 1821–24) wurde er in Dtl. Hauptvertreter der literar. Philhellenen (»Griechen-Müller«).

Alfred Müller-Armack

Müller-Armack, Alfred, Volkswirtschaftler und Soziologe, *Essen 28. 6. 1901, †Köln 16. 3. 1978; seit 1934 Prof., u.a. in Münster und Köln, 1952–63 im Bundeswirtschaftsministerium bei L. Erhard tätig, seit 1958 als Staatssekretär; Vertreter der Freiburger Schule, prägte den Begriff →soziale Marktwirtschaft, deren theoret. Grundlagen er mitformulierte; u.a. »Studien zur sozialen Marktwirtschaft« (1960); »Genealogie der sozialen Marktwirtschaft« (1974).

Müller-Guttenbrunn, Adam, österr. Schriftsteller, *Guttenbrunn (heute Zăbrani, Banat) 22. 10. 1852, †Wien 5. 1. 1923; ebd. 1892–1903 Theaterleiter; schrieb zahlr. Dramen, Romane (»Der große Schwabenzug«, 1913), Erzählungen, auch Abhandlungen über das österr. Theaterleben und setzte sich für die Rechte der Banater Schwaben ein.

Müller-Schlösser, Hans, Schriftsteller, *Düsseldorf 14. 6. 1884, †ebd. 21. 3. 1956; schrieb rhein. Schnurren und Schwänke; war bes. erfolgreich mit der Komödie »Schneider Wibbel« (1914).

Robert S. Mulliken

Müller-Siemens, Detlev, Komponist, *Hamburg 30. 7. 1957; studierte bei G. Ligeti und O. Messiaen. Seine Musik, die in Auseinandersetzung mit der Tonalität bewusst an die Tradition anknüpft, ist durch intensive motiv. Arbeit gekennzeichnet; Opern (»Genoveva oder Die weiße Hirschkuh«, 1978; »Die Menschen«, 1990), Orchester-, Kammermusik, Klavier- und Vokalwerke.

Müller-Thurgau, von dem schweizer. Weinbauforscher Hermann Müller aus Thurgau (*1850, †1927) 1882 in Geisenheim aus Riesling und Silvaner gezüchtete Rebsorte; liefert blumige, früh reifende Weine.

Müller-Westernhagen, Marius, Schauspieler und Rocksänger, *Düsseldorf 6. 12. 1948; bluesbetonte, geradlinige Rockmusik; wirkte mit in zahlr. Fernseh- und Kinofilmen (u.a. »Theo gegen den Rest der Welt«, 1980; »Deshima«, 1987).

Wilhelm Müller: Kreidezeichnung des Malers Wilhelm Hensel (1818)

Müllheim, Stadt im Landkreis Breisgau-Hochschwarzwald, Bad.-Württ., in der Vorbergzone des Schwarzwalds, 16500 Ew.; Hauptort des Markgräfler Landes (Weinbaugebiet); Metall verarbeitende, Nahrungsmittel-, feinmechan. und opt. sowie Textilindustrie. – 744 erstmals erwähnt, 1810 Stadt.

Mulligan [ˈmʌlɪgən], Gerry (Gerald Joseph), amerikan. Jazzmusiker (Baritonsaxophon) und Arrangeur, *New York 6. 4. 1927, †Darien (Conn.) 20. 1. 1996; wurde bekannt durch sein »pianoloses« Quartett, das er 1952 u.a. mit C. Baker gründete (1955–57 in Sextettbesetzung); namhafter Baritonsaxophonist des Modernjazz.

Gerry Mulligan

Mulliken [ˈmʌlɪkən], Robert Sanderson, amerikan. Chemiker und Physiker, *Newburyport (Mass.) 7. 6. 1896, †Arlington (Va.) 31. 10. 1986; nach Arbeiten zur Isotopentrennung, über Bandenspektren (Isotopieeffekte, 1925), Dipolmomente und Elektronegativität bed. Forschungen zur chem. Bindung und Elektronenstruktur von

Molekülen; schuf ab 1930 mit F. Hund die Theorie der Molekülorbitale (Molekülorbitalmodell); er erhielt 1966 den Nobelpreis für Chemie.

Mullis [ˈmʌlɪs], Kary Banks, amerikan. Chemiker, *Lenoir (N. C.) 28. 12. 1944; entwickelte 1983 ein Verfahren zur Vermehrung von Desoxyribonucleinsäure (DNS), bei dem aus geringsten Mengen von genet. Material mithilfe des Enzyms Polymerase in einer Kettenreaktion (PCR, Abk. für engl. polymerase chain reaction) größere Mengen an DNS gewonnen werden, die sich für detaillierte Analysen u. a. in der mikrobiolog., genet. oder medizin. Forschung eignen; erhielt dafür 1993 zus. mit M. Smith den Nobelpreis für Chemie.

Müllkompostierung, Verfahren der Abfallbeseitigung, bei dem die in den Abfällen (bes. im Hausmüll) enthaltenen organ. Verbindungen bei ausreichender Luftzufuhr und Feuchtigkeit durch Einwirkung von Mikroorganismen in nährstoffreiche Komposterde umgewandelt werden, die v. a. der landwirtsch. Düngung dient. Die Kompostierung bewirkt neben einer Reduzierung des Abfallvolumens (bis zu 50 %) eine Entseuchung des Abfalls sowie eine Verkürzung der lang dauernden Mineralisierungsprozesse.

Müllverbrennung, therm. Verfahren der Abfallbeseitigung. In sog. **M.-Anlagen** (MVA) wird das brennbare unsortierte Material (Hausmüll, Sperrmüll, hausmüllähnl. Gewerbe- und Industrieabfall) zu rd. zwei Dritteln in gasförmige Produkte (Kohlendioxid, Wasserdampf) und zu etwa einem Drittel in feste Rückstände (Schlacke, Asche, Reaktionsprodukte aus der Abgasreinigung u. a.) umgewandelt. Die Schlacke besteht v. a. aus mineral. Anteilen, Eisenschrott sowie wenigen unvollständig verbrannten Bestandteilen und wird derzeit noch überwiegend auf →Mülldeponien abgelagert. Die bei der M. entstehenden Abgase müssen gereinigt werden (Entstaubung); der dabei anfallende Filterstaub enthält wasserlösl. Chloride, Sulfate, Schwermetalle, Dioxine sowie Furane und wird als Sonderabfall entsorgt. – Heutige MVA erreichen eine Reduzierung des Abfallvolumens bei Aufbereitung und Verwertung der Schlacke von rd. 95 %, ohne Verwertung der Schlacke von rd. 80 %. Die Massereduzierung beträgt 60–70 %. – Die M. ist nur ein Teil eines integrierten Entsorgungskonzepts, das durch die Rangfolge Abfallvermeidung, Schadstoffentfrachtung, →Recycling (einschließlich Kompostierung), therm. Behandlung der stoffl. nicht verwertbaren Abfälle sowie umweltschonende Ablagerung von vorbehandelten Abfällen gekennzeichnet ist.

📖 *Müllverbrennungsanlagen, bearb. v.* T. Löffler. *Neuausg. Stuttgart 1994. – Therm. Restabfallbehandlung, hg. v.* B. Bilitewski *u. a. Berlin 1996.* – Zimmermann, J.: *M. Was Sie schon immer über M. u. deren Alternativen wissen wollten. Düsseldorf 1996.*

Mulroney [mʌlˈrəʊnɪ], Brian, kanad. Politiker, *Baie Comeau (Prov. Québec) 20. 3. 1939; Rechtsanwalt, 1983–93 Vors. der Fortschrittl. Konservativen Partei und 1984–93 Premierminister.

Multan, Stadt in Pakistan, nahe dem Chenab, 730 000 Ew.; wichtiger Ind.standort im mittleren Industal; Univ.; Textil-, Leder-, Keramikind., Stahlverarbeitung, Düngemittelfabrik, Kraftwerk auf Erdgasbasis; zahlr. islam. Grabbauten.

Multatuli, eigtl. Eduard Douwes-Dekker, niederländ. Schriftsteller, *Amsterdam 2. 3. 1820, †Nieder-Ingelheim (heute zu Ingelheim am Rhein) 19. 2. 1887; arbeitete im niederländ. Kolonialdienst auf Java; wurde dort mit der Ausbeutung der Bevölkerung konfrontiert (»Max Havelaar ...«, R., 1860).

Kary B. Mullis

multi... [lat.], viel..., vielfach...

Multienzymkomplexe, Bez. für aus Einzelenzymen bestehende biolog. Reaktionsketten, z. B. die Atmungskette.

multikulturelle Gesellschaft, Begriff aus der Sprache der Politik und der Soziologie, der Bezug darauf nimmt, dass in jeder Gesellschaft Menschen unterschiedl. Sprachen, Traditionen, religiöser Bekenntnisse, Wertvorstellungen, Staatsangehörigkeit, Erziehung und Lebensstile zusammenleben. M. G. als Programm zielt auf den Abbau vorhandener Diskriminierung, lehnt die zwanghafte Anpassung unterschiedl. kultureller Auffassungen und Verhaltensweisen an eine vorherrschende Kultur ab und rückt die Vorstellung eines soziokulturellen Pluralismus in den Mittelpunkt. In der Bundesrep. Dtl. kam der Begriff v. a. seit Ende der 1980er-Jahre in der öffentl. Diskussion um die Ausländerpolitik in Gebrauch.

📖 Kessler, H.: *Die m. G. Eine polit. Abhandlung. Hildesheim 1992. – Interkulturelles Zusammenleben – aber wie?, hg. v.* G. Fuchs *u. a. Innsbruck 1994. – Die multikulturelle Herausforderung. Menschen über Grenzen – Grenzen über Menschen, hg. v.* K. J. Bade. *München 1996.*

multilateral [lat.], mehrseitig, mehr als zwei Seiten (Staaten) betreffend (z. B. Abkommen, Verträge); Ggs.: bilateral.

Multilaterale Investitions-Garantie-Agentur, Abk. **MIGA,** Tochterorganisation der Weltbank; gegr. 1988, Sitz: Washington (D. C.); soll durch Beratungsdienste und Investitionsgarantieprogramme das Klima für Direktinvestitionen in Entwicklungsländern verbessern.

Multimedia [lat.] *das* (meist ohne Artikel verwendet), **1)** *elektron. Datenverarbeitung, Telekommunikation, Hörfunk* und *Fernsehen:* computergestützte Medienanwendungen, in die digitalisierte Bilder, Daten und Töne integriert werden, sodass sie gleichzeitig verfügbar sind. M. ermöglicht die Kombination von Text, Bild und Ton bzw. Daten, Video und Audio und einen interaktiven Dialog bei der Benutzung. »Audio«, »Video« und »Daten« sind als drei Einzelmedien zu betrachten; bei ihrer Kombination spricht man von M. Zugehörig sind weitere Bestandteile: Transportkanäle, Vermittlungssysteme und Endgeräte, die zumindest prinzipiell für Audio, Video und Daten geeignet sind. Diese Bedingung ist erfüllt, wenn alle Informationen in digitaler Form vorliegen und alle Geräte, in denen solche Informationen umgesetzt oder verarbeitet werden, im erforderl. Umfang EDV-Geräte (Computer) sind.

Multimedia 3): Videoinstallation »Anthro/Socio« von Bruce Nauman auf der documenta 9, Kassel (1992)

Bei M.-Anwendungen sind alle Informationen binär digitalisiert. Bei der funktionsorientierten Betrachtung der M.-Angebote wird zw. lokalen oder nicht verteilten M.-Systemen (Offline-Anwendung) und netzgestützten oder verteilten M.-Systemen (Online- oder Stand-by-Anwendungen) unterschieden. Das wichtigste Offline-Produkt ist die multimediale CD-ROM. Beim Online-Markt wird unterschieden zw. Distributions-M. und Kommunikations-M.; Letzteres ermöglicht Interaktion (z.B. Bildtelefon, Video- und Computerkonferenzen), Ersteres nur eine begrenzte Rückkoppelung. Hierher gehören z.B. Teleshopping, Video-on-Demand, Pay-per-View oder die Bereitstellung von Lernprogrammen, Sachinformationen und Spielen über das Telefonnetz.

📖 NEGROPONTE, N.: *Total digital. Die Welt zw. 0 u. 1 oder die Zukunft der Kommunikation. A.d. Amerikan. Tb.-Ausg. München 1997. – Zukunft M. Grundlagen, Märkte u. Perspektiven in Dtl., hg. v. Booz, Allen & Hamilton u.a. Frankfurt am Main* [4]*1997.*

2) *Informatik:* Integration verschiedener digitaler Medien wie Text, Grafik, Foto, Video und Audio in einem Computer, der für den Anschluss weiterer →Peripheriegeräte offen sein muss. Bei M. hat der Anwender auf die einzelnen Medien einen wahlfreien Zugriff.

3) *Kunst:* (Mixedmedia) zeitgenöss. Äußerungsformen, die unter Einbeziehung verschiedenster techn. Medien durch Verbindung mehrerer Kunstbereiche (bildende Kunst, Rauminstallation, Theater, Performance, Tanz, Musik, Ton, Aktionskunst) das Aufbrechen festgefahrener Gattungsvorstellungen und damit einen unmittelbaren Zugang zum Publikum erreichen wollen. Als künstler. Ausdrucksform zielt M. auf eine neue Einheit im Sinne eines Gesamtkunstwerks, im Unterschied etwa zur M.-Show, die eine suggestive Unterhaltung oder Untermalung anstrebt. Hinter der Aufhebung der Kunstgattungen steht der künstler. Wille zur Aufhebung der Diskrepanz zw. Leben und Kunst. Eingesetzt werden Mittel der Fotografie und des Films, Video, Tonband, Text- und Musikcollage, Sound, Laser, Lichtorgel, Bildprojektionen u.a. Vorläufer sind u.a. der russ. Komponist A. Skrjabin mit seiner Vorstellung einer Einheit von Musik und Farbe (»Prométhée«, 1909/10; Verwendung eines Farbenklaviers), ferner experimentelle Darstellungen dadaist. Kreise. Seit dem Ende der 1950er-Jahre gewannen diese Ansätze eine neue Bedeutung. (→Fluxus, →Environment, →Happening, →Performance)

Multimeter *das,* analog oder digital anzeigendes elektr. Vielfachmessgerät.

multinationale Unternehmen (transnationale Unternehmen), in mehreren Staaten (oft weltweit) operierende (und auch produzierende) Konzerne, wobei die in einem Staat angesiedelte Muttergesellschaft über i.d.R. rechtlich selbstständige Tochtergesellschaften in anderen Staaten Umsätze tätigt und global strateg. Unternehmensplanung betreibt. Die umgangssprachlich auch als **Multis** bezeichneten Unternehmen entstehen durch internat. Kapitaltransaktionen (→Direktinvestition). Obwohl auch mittelständ. Unternehmen international tätig sind, werden m. U. meist im Sinne von Großunternehmen mit entsprechender Wirtschafts- und Finanzkraft verstanden. Die internat. Tätigkeit erschließt den m. U. neue und gegebenenfalls auch größere Absatzmärkte sowie Kostenvorteile (Arbeits-, Rohstoff-, Energie- und Transportkostenersparnis) und vermindert die Abhängigkeit von nat. Wirtschaftspolitik und nat. Konjunkturschwankungen. Trotz ihres Beitrags zur Verbesserung der internat. Arbeitsteilung, zur Verbreitung von techn. und betriebswirtsch. Know-how, zur Ausweitung des Welthandels und somit auch zu Fortschritt, Wohlstand und Wettbewerbsfähigkeit ist ihre Wirkung auch umstritten. Bedenken werden u.a. wegen wirtsch. Machtkonzentration und möglicher polit. Einflussnahme, Wettbewerbsverzerrung, Steuerflucht und der bisher unzureichenden öffentl. Kontrolle (z.B. durch eine internat. Wettbewerbsbehörde) erhoben.

Hb. der internat. Unternehmenstätigkeit, hg. v. B. N. KUMAR *u.* H. HAUSSMANN. *München 1992. – Die Internationalisierung von Unternehmungen. Strategien u. Probleme ihrer Umsetzung, hg. v.* E. PAUSENBERGER. *Stuttgart 1994. – Globalisierung der Wirtschaft. Konsequenzen für Arbeit, Technik u. Umwelt, hg. v.* U. STEGER. *Berlin u. a. 1996.*

multipel [lat.], mehrfach, vielfältig, an vielen Stellen auftretend.

Multiple-Choice-Verfahren ['mʌltɪpl 'tʃɔɪs -; engl. »mehrfache Auswahl«], Fragebogen- und Testtechnik, bei der zw. mehreren vorgegebenen Antworten gewählt werden muss; v.a. in der Meinungsforschung, Psychodiagnostik wie auch allg. zu Prüfungszwecken gebräuchliche Methode.

Multiple Mirror Telescope ['mʌltɪpl 'mɪrə 'telɪskəʊp; engl. »Mehrspiegelteleskop«], Abk. **MMT,** 1979 im Whipple-Observatorium auf dem Mount Hopkins bei Tucson (Ariz., USA) in Betrieb genommenes opt. Syntheseteleskop.

Multiples ['mʌltɪplz, engl.], in serienmäßiger Auflage hergestellte Objekte der →Ars multiplicata, die den Massenkonsum von Kunst ermöglichen sollen.

multiple Sklerose [lat.-grch.], Abk. **MS** (Polysklerose, Encephalomyelitis disseminata), organ. Erkrankung des Rückenmarks und des Gehirns, bei der scharf abgegrenzte Entzündungsherde (mit Zerfall von Markscheidengewebe und nachfolgender Gewebsverhärtung) entstehen; bevorzugt zw. dem 20. und 40. Lebensjahr in unterschiedl. Schweregraden auftretend, meist in Schüben, oft von langen beschwerdefreien Intervallen unterbrochen, mit langsam fortschreitendem Verlauf. Frauen erkranken etwa doppelt so häufig wie Männer. Die mittlere Krankheitsdauer beträgt inzwischen mehr als 25 Jahre. Unter vielen Theorien zur Ursache wird v.a. von Virusinfektion (sog. Slow-Virus-Formen) oder einer Autoimmunkrankheit ausgegangen, wobei sich bei Letzterer der Verdacht auf T-Lymphozyten konzentriert, die über die Blut-Hirn-Schranke in das Markscheidengewebe eindringen und einen Zerfall bewirken. Zu den häufigsten, unterschiedlich stark ausgeprägten und selten gleichzeitig auftretenden Symptomen zählen reversible Lähmungserscheinungen an den Gliedmaßen, Gefühlsstörungen (v.a. Taubheitsgefühl), Zittererscheinungen bei beabsichtigten Bewegungen sowie Sehstörungen. – *Behandlung:* Körperl. Training (u.a. Krankengymnastik) und psych. Betreuung (u.a. Selbsthilfegruppen) sind von großer therapeut. Bedeutung. Medikamentös stehen Cortisonderivate und Betainterferon im Vordergrund. Als Hilfsgemeinschaft der von MS Betroffenen wurde die Dt. MS-Ges. mit Sitz in München gegründet.

HECKL, R. W.: *M. S. Klinik, Differentialdiagnose, Behandlung. Stuttgart u. a. 1994.* – BAUER, H. J. *u.* SEIDEL, D.: *MS-Ratgeber. Prakt. Probleme der m. S. Stuttgart u. a. [5]1996.* – KRÄMER, G.: *M. S. von A–Z. Stuttgart 1997.*

Multiplett *das, Atomphysik* und *Spektroskopie:* Gruppe physikalisch zusammengehöriger Energieniveaus oder Spektrallinien bei Atomen und Atomkernen. Die Aufspaltung der Energieniveaus (und damit der Spektrallinien) liefert die M. der →Feinstruktur infolge der Wechselwirkung von Bahndrehimpuls und Spin der Elektronen bzw. der →Hyperfeinstruktur aufgrund der Wechselwirkung der Hüllenelektronen mit den Kernmomenten. M. mit 2, 3, 4, 5 ... Energieniveaus heißen **Dubletts, Tripletts, Quartetts, Quintetts** usw.; **Singuletts** bestehen aus einem einzigen Niveau. Die Anzahl der zu einem M. gehörenden Niveaus nennt man **Multiplizität.**

Multiplexverfahren (Multiplextechnik, Vielfachtechnik), *Nachrichtentechnik:* Gesamtheit der Geräte und Verfahren zur mehrfachen Ausnutzung eines Übertragungswegs durch mehrere Kanäle. Beim **Frequenz-M.** werden die einzelnen Kanäle in verschiedenen, nebeneinander liegenden Frequenzbereichen gleichzeitig übertragen. Zur techn. Realisierung des Frequenz-M. werden Amplituden-, Frequenz- und Phasenmodulation angewandt (→Modulation). Beim **Zeit-M.** werden die einzelnen Kanäle periodisch abgetastet und zeitlich nacheinander übertragen. Die einmalige Folge der zeitlich aneinander gereihten Kanäle wird als Rahmen (Impulsrahmen), seine zeitl. Ausdehnung als Rahmendauer bezeichnet. Kennzeichnend für den Kanal ist dabei die zeitl. Lage innerhalb des Impulsrahmens. Zur techn. Realisierung des Zeit-M. werden Pulsamplituden-, Pulsphasen- und Pulsdauermodulation angewandt. Die M. haben große Bedeutung für die Fernsprech- sowie Datenübertragung und finden bei der Mehrfachausnutzung des →Transponders eines Nachrichtensatelliten Anwendung.

Multiplikation [lat., zu multiplex »vielfach«] *die,* eine der vier Grundrechenarten. Die M. ist eine durch das Zeichen · oder × symbolisierte Verknüpfung zweier Zahlen a und b (den **Faktoren**), denen das **Produkt** $c = a \cdot b$ zugeordnet wird; der erste Faktor ist der **Multiplikand,** der zweite der **Multiplikator.** Die M. natürlicher Zahlen lässt sich als fortgesetzte Addition verstehen, etwa $3 \cdot 8 = 8 + 8 + 8 = 24$. Die M. lässt sich auch auf Brüche, Funktionen u.a. mathemat. Objekte wie Matrizen, Vektoren, Mengen übertragen.

Hans Multscher: Kopf des heiligen Florian vom »Sterzinger Altar« (1456–58)

Multiplikator [lat.] *der,* **1)** *Mathematik:* →Multiplikation.

2) *Soziologie:* Person, Gegenstand oder Einrichtung, die eine Verbreitung von Kenntnissen oder Meinungen anstrebt, bewirkt oder an ihr beteiligt ist (z.B. Lehrer, »Meinungsführer«, Massenmedien, Bibliotheken).

3) *Wirtschaftstheorie:* eine Zahl in makroökonom. Modellen, die die von einer Änderung einer Variablen (Primäreffekt) ausgehenden Sekundärwirkungen auf das Volkseinkommen zum Ausdruck bringt. So beschreibt der **Investitions-M.** die Wirkung verminderter oder erhöhter autonomer Investitionen auf das Volkseinkommen (Einkommenseffekt der Investitionen). Die multiplikative Wirkung einer Investition hängt ab von dem Verhältnis, in dem das aus der zusätzl. Güternachfrage entstandene Mehreinkommen verbraucht oder gespart wird. Der M. ist um so größer, je mehr Einkommen für Konsumgüter ausgegeben und je weniger gespart wird und umgekehrt. Daneben unterscheidet man den **Außenhandels-M.** (z.B. **Export-M.**), den **Staatsausgaben-M.** und den **Steuer-M.** (z.B. im Zusammenhang mit dem Haavelmo-Theorem).

Multipol *der,* symmetr. Anordnung von positiven und negativen elektr. Ladungen (elektr. Monopolen), auch Magnetpolen, auf engstem Raum. Nach dem →Dipol (2-Pol) sind der **Quadrupol** (4-Pol) und der **Oktupol** (8-Pol) die wichtigsten Multipole.

Multiprogramming [ˈmʌltɪprəʊgræmɪŋ, engl.] *das* (Mehrprogrammbetrieb), *Datenverarbeitung:* Betriebsart von Computern, bei der gleichzeitig mehrere Programme im Hauptspeicher gehalten und deren Ausführung zeitlich verzahnt abläuft. Voraussetzung für das M. ist ein Betriebssystem, das nach dem Start eines Ein-/Ausgabebefehls dem gerade laufenden Prozess die Kontrolle entzieht und sie einem anderen lauffähigen Prozess übergibt. Beim M. werden den Programmen i. Allg. Prioritäten zugeteilt. Gibt ein Programm einen Prozessor frei, weil es die Leistung eines Peripheriegeräts benötigt, so wird der Prozessor einem rechenbereiten Programm niedrigerer Priorität zugeteilt, bis das Programm höherer Priorität erneut den Prozessor beansprucht. Das Programm niedrigerer Priorität wird dann wieder unterbrochen.

Mumie: Mumienporträt eines Mädchens (2./3. Jh. n.Chr.; Frankfurt am Main, Liebieghaus)

Multiprozessorsystem (Mehrprozessorsystem), Rechnerarchitektur, die mehr als eine Zentraleinheit (Prozessor) enthält. Man unterscheidet symmetr. M., bei denen die Rollen der einzelnen Prozessoren gleich und austauschbar sind, und asymmetr. M., bei denen sie versch. sind. In beiden Fällen gibt es einen gemeinsamen Speicher, zu dem alle Prozessoren Zugriff haben, sowie eine zentrale Systemaufsicht.

Multivibrator, elektronische →Kippschaltung, deren Ausgang stets einen von zwei mögl. Signalzuständen hat; die meisten M. besitzen einen zweiten Ausgang mit dem jeweils umgekehrten Signalzustand. Je nach dem Stabilitätsverhalten der Zustände unterscheidet man zw. bistabilen (→Flipflop, Schmitt-Trigger), monostabilen (Univibrator, Monoflop) und astabilen M. (manchmal auch kurz nur als M. bezeichnet).

Multscher, Hans, Bildhauer und Maler, *Reichenhofen (heute zu Leutkirch im Allgäu) um 1400, †Ulm vor dem 13. 3. 1467; seit 1427 Bürger in Ulm, inschriftlich bezeugt als Meister der Tafeln des Wurzacher Altars (1437; Berlin-Dahlem, Gemäldegalerie), deren Wirklichkeitsnähe ihn als Realisten ausweisen. Das bedeutendste Werk der Reifezeit ist der Sterzinger Altar (1456–58; Sterzing, Frauenkirche und Museum). M. gehört zu den bedeutendsten dt. Künstlern an der Wende zum spätgot. Realismus.

Mumbai, Stadt in Indien, →Bombay.

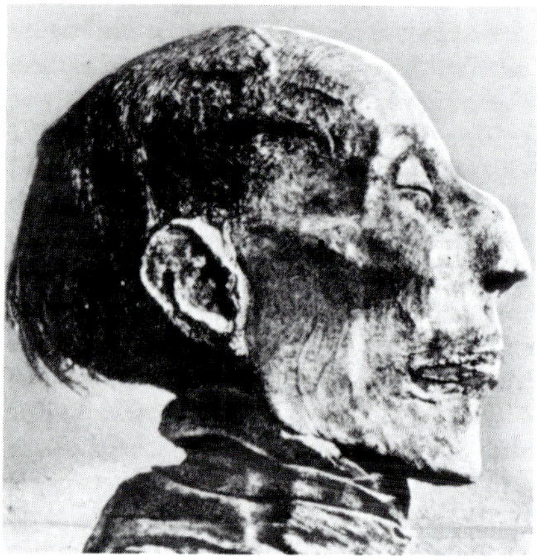

Mumie: Kopf der Mumie des ägyptischen Königs Ramses II. nach Entfernung der Mumienumhüllung (Kairo, Ägyptisches Museum)

Mumie [arab. mumiya^{h}, zu pers. mum »Wachs«] *die,* auf natürl. Weise (z.B. durch Austrocknung im Wüstensand, Luftabschluss in Mooren) oder durch künstl. Verfahren (z.B. Einbalsamierung) vor Verwesung geschützte Leiche. Im alten Ägypten wurde der Körper (vornehmer) Toter durch Behandlung mit Natron, Asphalt und Ausfüllen der Körperhöhlen mit harzgetränktem Leinen oder Sägemehl (bevorzugt Zedernprodukte) vor dem Zerfall bewahrt (bezeugt seit Beginn des 3. Jt. v.Chr.). Gehirn und Eingeweide wurden vorher entfernt und in →Kanopen gesondert beigesetzt; das Herz blieb meist in der M., die dann mit Tüchern umwickelt und in einen der menschl. Gestalt ähnl. Sarg gelegt wurde. Ägypt. **M.-Porträts** (M.-Bildnisse), die, meist mit Wachsfarben (→Enkaustik) auf Holz gemalt, das Gesicht der M. bedeckten, wurden in großer Zahl in Faijum gefunden.

📖 GERMER, R.: *Das Geheimnis der M. Tb-Ausg. Reinbek 1994.*

Mumifikation [lat.] *die, Medizin:* trockener →Brand.

Mümling *die* (im Unterlauf Mömling), linker Nebenfluss des Mains, 60 km lang, aus dem hinteren Odenwald, mündet bei Elserfeld.

Mummel, die Pflanzengattung →Teichrose.

Mummelsee, sagenumwobener Karsee, 1029 m ü.M., am S-Abhang der Hornisgrinde, Nordschwarzwald.

Mumps [engl.] *der,* landschaftlich auch *die* (Ziegenpeter, Parotitis epidemica), weltweit verbreitete, hochansteckende Viruserkrankung der Speicheldrüsen, bes. der Ohrspeicheldrüsen. Erreger ist das M.-Virus, die Übertragung erfolgt durch Tröpfchen- oder Kontaktinfektion, die Inkubationszeit beträgt etwa 18 Tage. Etwa 60% der Erkrankungen verlaufen symptomlos. Kennzeichen sind leichte Temperaturerhöhung, Kopf- und Gliederschmerzen, druckempfindl. Schwellung vor und hinter dem Ohr, Kaubeschwerden und häufig Mundschleimhautentzündung. M. hinterlässt lebenslängl. Immunität. – Die *Behandlung* wird symptomatisch mit Wärmeanwendung und Bettruhe durchgeführt; vorbeugende Kombinationsschutzimpfung (Masern, Röteln) vom 12. bis zum 18. Lebensmonat.

Mun [mʌn], Thomas, engl. Nationalökonom und Kaufmann, *London 1571, †ebd. 1641; Hauptvertreter des Merkantilismus in England, Direktor der Ostind. Kompanie. M. begründete in seinem Hauptwerk »Englands Schatz durch den Außenhandel« (1664), dass die Ausfuhr von Geld (Edelmetallen) ein Mittel zur Belebung des Warenhandels und damit zur Steigerung des Reichtums sei, und trat für die Freiheit des Handels ein.

Munari, Bruno, italien. Maler und Plastiker, *Mailand 24. 10. 1907, †ebd. 29. 9. 1998; einer der Vorreiter der kinet. Plastik; bezog v.a. durch Lichtbrechung erzeugte Effekte ein.

Munch [mʊŋk], Edvard, norweg. Maler und Grafiker, *Løten (Hedmark) 12. 12. 1863, †Hof Ekely (bei Oslo) 23. 1. 1944; hielt sich ab 1885 häufig in Paris auf, wo er die Werke V. van Goghs und P. Gauguins sowie die Kunst der Symbolisten kennen lernte, aber auch Anregungen des Jugendstils aufnahm; lebte dann lange in Dtl. und kehrte 1909 nach Norwegen zurück. Als Wegbereiter des Expressionismus hat M. v.a. die dt. Kunst beeinflusst. In seinen Werken behandelte er das Thema der Weltangst, die er als Grunderfahrung menschl. Seins in expressiv verdichteten Metaphern von Einsamkeit, Eifersucht, Liebe und Tod wiedergab. Sein graf. Werk zählt zu den bedeutendsten Leistungen der europäischen Druckgrafik des 20. Jahrhunderts.

Edvard Munch: »Pubertät« (1895; Oslo, Nasjonalgalleriet)

📖 BJØRNSTAD, K.: *E. M. Die Geschichte seines Lebens. A. d. Norweg. Frankfurt am Main 1995.*

Münch, 1) Charles, frz. Dirigent, *Straßburg 26. 9. 1891, †Richmond (Va.) 6. 11. 1968; wurde 1923 Konzertmeister des Leipziger Gewandhausorchesters; leitete ab 1938 das Orchester der Société des Concerts du Conservatoire de Paris, 1949–62 das Boston Symphony Orchestra und seit 1967 das Orchestre de Paris.

2) Werner, Politiker, *Kirchhellen (heute zu Bottrop) 25. 9. 1940; Politikwissenschaftler; 1984–90 MdEP; 1991–93 MinPräs. von Sa.-Anh. und Landesvors. der CDU; trat im Streit um die Bezüge der aus den alten Bundesländern stammenden Reg.-Mitgl. (»Gehaltsaffäre«) im Nov. 1993 als MinPräs. zurück.

Münchberg, Stadt im Landkr. Hof, Bayern, im S des Frankenwalds, 12000 Ew.; Fachhochschule für Textiltechnik; Textil-, Bekleidungsindustrie.

Müncheberg, Stadt im Landkr. Märkisch-Oderland, Brandenburg, östlich von Berlin, 6000 Ew.; Zentrum für Agrarlandschafts- und Landnutzungsforschung.

München, Hptst. Bayerns, an der Isar, 530 m ü.M., 1,324 Mio. Ew.; kreisfreie Stadt und Verw.sitz des Landkr. M. und des RegBez. Oberbayern. M. liegt auf der Schotterebene, die sich von der Moränenlandschaft im S gegen das Tertiärhügelland im N abdacht, am Austritt der Isar aus ihrem Engtal in das Erdinger Moos. M. ist Sitz des

München Stadtwappen

Erzbischofs von M. und Freising. Die Ludwig-Maximilians-Univ. M. (so seit 1802) wurde 1472 in Ingolstadt gegründet, 1800 nach Landshut, 1826 nach M. verlegt. Weitere Bildungseinrichtungen sind:

München: Stadtansicht mit der spätgotischen Frauenkirche (1468–88) und dem Neuen Rathaus (1867–1908) am Marienplatz rechts daneben, im Hintergrund (links) ist die barocke Theatinerkirche Sankt Kajetan (1663–75) sowie die auf das 16. Jh. zurückgehende, 1826–42 von Leo von Klenze vollendete Residenz mit dem Hofgarten (rechts) zu erkennen

TU, Ukrain. Univ., Hochschule der Bundeswehr (z. T. in Neubiberg), Hochschule für Philosophie und für Politik, FH M., Staatl. Hochschule für Musik, Akademie der bildenden Künste, Schauspielschule, Kath. Stiftungs-FH (für Sozialberufe), Dt. Journalistenschule, Hochschule für Fernsehen und Film, private Fachhochschulen, Bayer. Beamten-FH, Bundesbahn-Zentralschulen, Wirtschaftsakademie u. a. Fachakademien, Fachschulen. M. ist Sitz der Max-Planck-Ges. und des Goethe-Inst. sowie der Dt. Akademie für Städtebau und Landesplanung, der Bayer. Akademie der Wissenschaften, der Bayer. Akademie der Schönen Künste u. a. wiss. Gesellschaften, versch. Behörden und Institutionen des Bundes (Dt. und Europ. Patentamt, Bundespatentgericht, Bundesfinanzhof); Bayer. Oberstes Landesger., Oberlandes-, Landger., Bayer. Verf.gerichtshof, Bayer. Verw.gerichtshof. Wichtige kulturelle Institutionen sind die zahlr. Museen (u. a. Bayer. Staatsgemäldesammlungen in der Alten und der Neuen Pinakothek, Bayer. Nationalmuseum, Dt. Museum, Prähistor. Staatssamml., Völkerkunde-, Stadtmuseum, Städt. Galerie im Lenbachhaus, Glyptothek, Antikensamml., Alpines Museum); Bayer. Staatsbibliothek u. a. Bibliotheken; Dt. Bucharchiv M.; Bayer. Staatsoper, Bayer. Staatsschauspiel, zahlr. Theater; Bayer. Rundfunk, mehrere private Rundfunk- und Fernsehanstalten, Filmstudios, botan. Garten, Tierpark Hellabrunn. Höhepunkte der in M. stattfindenden Veranstaltungen sind die Opernfestspiele (Sommerfestspiele, begr. 1875), die Schlosskonzerte und das Filmfest M. (seit 1983). Bed. Wirtschaftszentrum. Vorherrschende Industriezweige sind die elektron. Ind., Elektrotechnik, Maschinen- und Fahrzeugbau, feinmechan., opt., Nahrungs- und Genussmittelind. (Großbrauereien), ferner chem. und Textilind. sowie Verlagswesen, daneben Papier-, Kautschuk- sowie Lederind. und Holzverarbeitung; bed. Handels- und Bankenzentrum (Börse); wichtigstes Zentrum der dt. Versicherungswirtschaft. Bed. Fremdenverkehr; eine große Rolle spielt neben Kongressen und Messen das →Oktoberfest. Bed. Verkehrsknoten: internat. Großflughafen (M. II) im Erdinger Moos.

Stadtbild: Der Kern innerhalb des ersten Mauerrings (um 1175), die Welfenstadt mit der Kaufingerstraße, dem Rathaus (Altes Rathaus, 1310, 1470–80 neu gebaut; Neues Rathaus, neugotisch, 1867–1908) am Marienplatz, der Pfarrkirche Sankt Peter (Mitte 11. Jh., wiederholt umgebaut) und der Frauenkirche (1271, Neubau 1468–88; größte Hallenkirche Süd-Dtl.s), ist Citykern geworden. Zur Geschäftsstadt entwickelte sich auch die um 1300 mit dem zweiten Mauerring umgebene Altstadt, in der der alte herzogl. Burgsitz lag (»Alte Veste«, heute Finanzbehörde). Erste große Maßnahme der verstärkten Bautätigkeit des 16. Jh. wurde der Ausbau der Residenz (1560 begonnen, unter Maximilian I. ab 1601 und unter Ludwig I. 1826–42 durch L. von Klenze erweitert). Danach entstanden die Jesuitenkirche St. Michael (1583–97) und das Jesuitenkolleg (1585–97), später die barocke Theatinerkirche St. Kajetan (1663–75), die Johann-Nepomuk-Kirche der Brüder Asam (1733–46) und Adelspaläste, darunter das Erzbischöfliche Palais (1733–37). Der Fall der Befestigung (1792) schuf Platz für eine neue große Bautätigkeit. 1789 war an der Isar der Engl. Garten, einer der frühesten und größten Landschaftsgärten in Dtl., entstanden, darauf folgten die Prachtstraßen im N und O. Am Königsplatz entstanden die Glyptothek (1816–30, L. von Klenze), die Staatl. Antikensammlung (1838–48) und die Propyläen (1846–62, Klenze), nördlich davon die Alte Pinakothek (1826–36, Klenze) und die Neue Pinakothek (Neubau 1981 eröffnet). Nordwestlich vom Königsplatz das Lenbachhaus (Wohnsitz und Atelier des Malers F. Lenbach 1836–1904; Städt. Galerie). Die Ludwigstraße wurde von Klenze und F. von Gärtner (Staatsbibliothek, Ludwigskirche, Univ. u. a.) ab 1817 angelegt. Den nördl. Abschluss bildet das Siegestor (1843–50), den südl. die →Feldherrnhalle. 1853–75 entstand die Maximilianstraße, die von dem durch die Südfassade der Residenz, dem Residenz- und dem Nationaltheater (1811–18, nach Brand von Klenze 1823–25 wieder aufgebaut) sowie Klenzes Arkaden am ehem. Palais Törring (1747–58, 1836–39 von Klenze zur Hauptpost umgebaut) begrenzten Max-Joseph-Platz zum Maximilianeum (1857–74) führt. An der Prinzregentenstraße liegen das Bayer. Nationalmuseum (1894–99), die Schack-Galerie (1907–09), das Haus der Kunst (1933–37), die Villa Stuck (1897–98 nach Entwürfen des Malers F. von Stuck, Jugendstilmuseum) und das Prinzregententheater (1900/01). Seit 1854 wurden zahlr. Gemeinden eingegliedert, darunter →Nymphenburg mit dem Schloss. Stärkste Bauverdichtung brachten die Jahre 1880–1910. Zu den architektonisch wichtigsten Bauten nach dem 2. Weltkrieg gehören u.a.: die Rekonstruktion der Maxburg an der Pacellistraße (1956/57); Anlage und Sportbauten für die Olymp. Sommerspiele 1972 von G. Behnisch (1967–72, mit F. Otto); BMW-Verw.gebäude (1970–73); Hypobankgebäude am Arabellapark (1975–81); Kultur-, Bildungs- und Tagungszentrum Gasteig (1985).

Geschichte: Herzog Heinrich der Löwe von Bayern und Sachsen zerstörte 1157/58 den bischöflich-freising. Marktort Oberföhring, v.a. die dortige Zollbrücke, und verlegte den Isarübergang nach der 1158 als **Munichen** (»bei den Mönchen«) erwähnten Siedlung; sie wurde nach 1180 bischöflich-freisingisch; seit 1214/17 Stadt, fiel 1240 an die Wittelsbacher (1255–1918 deren Residenz); 1294 erstes Stadtrecht. In Reformation und Gegenreformation (16./17. Jh.) ein Zentrum des Katholizismus in Dtl.; im Span. Erbfolgekrieg 1705–15, im Österr. Erbfolgekrieg fast durchgehend 1742–44 österr. besetzt. Seit dem 16. Jh. eines der Zentren der dt. und europ. Kunstpflege und der Wiss. (Blüte im 19. Jh.). Im Nov. 1918 Proklamation des republikan. Freistaates Bayern durch K. Eisner; nach dessen Ermordung wurde am 7. 4. 1919 in M. die Räterepublik ausgerufen. Aus der 1919 in M. gegr. »Dt. Arbeiterpartei« ging die NSDAP hervor. Am 9. 11. 1923 scheiterte vor der Feldherrnhalle der →Hitlerputsch. 1938 wurde das →Münchener Abkommen abgeschlossen. Im 2. Weltkrieg wurde M. zur Hälfte zerstört. 1972 war M. Austragungsort der Olymp. Sommerspiele. Weitere BILDER Behnisch, Gärtner, Klenze, Nymphenburg

📖 *M. Geschichte einer Stadt, bearb. v.* R. BAUER *u.* E. PIPER. *Lizenzausg. München 1996.*

Münchener Abkommen, nach zwei Treffen A. Hitlers mit A. N. Chamberlain (Berchtesgaden 15. 9., Bad Godesberg 22.–24. 9. 1938) am 29. 9. 1938 in München zw. dem Dt. Reich, Großbritannien, Italien und Frankreich abgeschlossener, am 30. 9. von A. Hitler, A. N. Chamberlain, É. Daladier und B. Mussolini unterzeichneter Vertrag. Er beendete die Sudetenkrise und beseitigte zunächst die durch Hitlers ultimative Forderungen an die ČSR entstandene Kriegsgefahr. Das M. A. verfügte (ohne Beteiligung der ČSR) insbesondere, dass die überwiegend von Deutschen bewohnten Grenzgebiete Böhmens (Sudetengebiete) an das Dt. Reich abgetreten wurden (28643 km^2 mit 3,63 Mio. Ew. = $^1/_5$ der Gesamtfläche und $^1/_4$ der Bev. der ČSR) und sah eine – von Hitler sabotierte – Garantie der Unterzeichnerstaaten für den Bestand und die Sicherheit der Rest-ČSR vor. Mit dem M. A. waren die territoriale Revision des Versailler Vertrags abgeschlossen und die großdt.-nationalstaatl. Forderungen vollständig erfüllt. Dabei betrachtete Hitler die Angliederung der Sudetengebiete lediglich als eine Etappe auf dem Weg zur Zerschlagung der ČSR (März 1939 durchgesetzt) und zu einer expansiven Raumpolitik im O. Das M. A. hatte die Kriegsgefahr in Europa nicht gebannt; es wurde zum Inbegriff falscher Nachgiebigkeit gegenüber der Aggression eines Diktators. Am 5. 8. 1942 erklärten der brit. Außenmin. A. Eden und der Führer der tschechoslowak. Exilregierung E. Beneš das M. A. in einem Briefwechsel für aufgehoben. (→Runciman-Bericht)

📖 *München 1938. Das Ende des alten Europa, hg. v.* P. GLOTZ *u. a. Essen 1990.*

Münchener Rückversicherungs-Gesellschaft AG, München, gegr. 1880, größtes international tätiges Rückversicherungsunternehmen der Erde; ist mit 60% am 1997 gegr. Erstversicherungskonzern **Ergo Versicherungsgruppe AG** beteiligt, zu der die Victoria Holding AG, die Hamburg-Mannheimer Versicherungs-AG und die Dt. Krankenversicherung AG gehören.

Münchhausen, niedersächsisches Uradelsgeschlecht; 1183 erstmals urkundlich erwähnt. – Bed. Vertreter:

1) Börries Freiherr von, Schriftsteller, *Hildesheim 20. 3. 1874, †(Selbstmord) Schloss Windischleuba bei Altenburg 16. 3. 1945; Erneuerer der dt. Balladendichtung; gestaltete v.a. Themen aus der mittelalterlichen Ritterwelt, Sagen und Märchen.

Karl Friedrich Hieronymus von Münchhausen (Ausschnitt aus einem zeitgenössischen Gemälde)

2) Karl Friedrich Hieronymus Freiherr von, gen. der Lügenbaron, Offizier und Gutsbesitzer, *Bodenwerder 11. 5. 1720, †ebd. 22. 2. 1797. Nach einem abenteuerl. Leben in fremden Ländern trug er im Freundeskreis die unglaublichsten Kriegs-, Jagd- und Reiseabenteuer zur Unterhaltung vor. Wie beim »Eulenspiegel« oder bei den »Schildbürgern« wurden dann auch andere Schwankerzählungen dieser Art auf Namen und Gestalt M. vereinigt; erste Samml. angeblich von M. stammender

Abenteuer- und Lügengeschichten im »Vademecum für lustige Leute«, 1781–83. R. E. Raspe verarbeitete und erweiterte die Samml. zu »Baron M.'s narrative of his marvellous travels and campaigns in Russia« (Oxford 1786), deren 2. Aufl. G. A. Bürger ins Dt. zurückübertrug und, um acht eigene Geschichten erweitert, als »Wunderbare Reisen zu Wasser und zu Lande, Feldzüge und lustige Abenteuer des Freyherrn von M.« veröffentlichte (London 1786; erweitert 1788). Zahlreiche Nachahmungen und Bearbeitungen des M.-Stoffes folgten. Weiteres Bild Bodenwerder

Münchner Dichterkreis, von König Maximilian II. von Bayern ab 1852 initiierter Kreis von meist norddt. Dichtern (E. Geibel, P. Heyse, F. Dahn, J.V. von Scheffel, F. von Pocci, H. von Lingg, A. Graf von Schack, F. Dingelstedt, F. M. Bodenstedt, W. Hertz, M. Greif u.a.); nach dem Tod des Königs und Geibels Fortgang (1868) verlor der Kreis an Elan; seine literar. Bedeutung liegt in der Pflege nichtpolit. klassizist. Dichtung.

Mund (Os, Stoma), Eingang in den Verdauungskanal der Tiere und des Menschen.

Mund|art (Dialekt), örtlich bedingte Sprachform innerhalb einer Sprachgemeinschaft. M. ist wesentlich gesprochene Sprache, ist nicht an die Norm der Standardsprache (Hochsprache), die immer auch Schriftsprache ist, gebunden und kann ein von dieser phonetisch, grammatisch und lexikalisch stark unterschiedenes Sprachsystem sein. M. ist nicht an eine soziale Schicht, aber an bestimmte (regionale und lokale) Gruppen und Sprechsituationen gebunden. M. stehen der Umgangs- und Hochsprache jeweils sehr unterschiedlich nahe, eine ständige, enge Wechselbeziehung untereinander ist immer vorhanden.

Die dt. Mundarten: Das dt. Sprachgebiet ist in viele kleine und größere M.-Räume untergliedert. Die Ursprünge der heutigen M.-Landschaften sind in der Völkerwanderungszeit zu suchen, als sich die großen Stämme der Franken, Alemannen, Sachsen, Thüringer und Baiern herausbildeten. Die alten Stammeslandschaften stimmen aber mit den heutigen M.-Landschaften nicht mehr überein. Die wichtigste Grenze zw. den dt. M. entstand durch die 2. oder hochdt. →Lautverschiebung. Sie ist das wichtigste Einteilungsprinzip der dt. M.: Die niederdt. M. vollzogen die Lautverschiebung nicht, die mitteldt. wurden nur z. T. von ihr betroffen, die oberdt. haben sie vollständig durchgeführt. Die Grenze zw. Niederdeutsch und Mitteldeutsch verläuft nördlich von Aachen, Köln, Kassel, Nordhausen, Dessau, Wittenberg, Frankfurt (Oder). Mitteldeutsch und Oberdeutsch werden durch die Linie nördlich von Zabern, Karlsruhe, Heilbronn, südlich von Heidelberg, Würzburg, Meiningen, Coburg, Plauen, Eger getrennt. Das Mitteldeutsche und das Oberdeutsche werden auch als hochdt. M. zusammengefasst.

Eine weitere großräumige Erscheinung, die die dt. Dialektlandschaft gestaltet hat, ist die binnenhochdt. (oder binnendt.) Konsonantenschwächung, durch die p und b, t und d, k und g zusammengefallen sind. Sie ist v.a. im Ostmitteldeutschen verbreitet und kennzeichnet das Obersächsische und Schlesische.

Die neuhochdt. Diphthongierung nahm im äußersten SO des dt. Sprachraums ihren Anfang und erfasste die ober- und mitteldt. Mundarten mit Ausnahme des Alemannischen. Die mittelhochdt. Langvokale i, u und iu (ü) werden zu ei, au und äu. – Die heutigen dt. M.-Landschaften reichen über die Staatsgrenzen hinaus, das Niederfränkische wird in N-Dtl. und den Niederlanden, Alemannisch in SW-Dtl., der Schweiz und W-Österreich, das Bairische in Bayern, Österreich und Südtirol gesprochen. Ein großer Teil der ostdt. Mundarten ist seit 1945 verschwunden.

Niederdeutsch: Es lässt sich in Westniederdeutsch (Niederfränkisch und Niedersächsisch) und Ostniederdeutsch unterteilen. Das **Niederfränkische** wird am Niederrhein gesprochen und hat sich vom 13. bis 16. Jh. zu einer eigenen Schriftsprache entwickelt. Das **Niedersächsische** wird in Westfälisch, Ostfälisch und Nordniedersächsisch unterteilt. Kennzeichnend für das Westfälische sind die Diphthonge (z.B. haun »Huhn«) und die Aussprache von sch als sk oder s-ch. Das Ostfälische wurde stark vom angrenzenden Ostmitteldeutschen beeinflusst. Zum Nordniedersächsischen gehören die friesisch-nordniedersächs. Mischsprache in Ostfriesland, Holsteinisch und Schleswigisch, wobei sich das Holsteinische u.a. durch stimmhaft gesprochenes b, d, g für p, t, k klarer abhebt. Beim **Ostniederdeutschen** zeigt das Märkisch-Brandenburgische sehr viele sprachl. Bezüge zur Heimat der Siedler, die im 12. Jh. aus dem niederländ. Raum, bes. S-Brabant, kamen. Das westlich der Oder gesprochene Mittelpommersche geht ins Märkisch-Brandenburgische über. Das Mecklenburgische mit dem Vorpommerschen bildet einen relativ scharf abgegrenzten M.-Raum (Zusammenhänge mit dem Westfälischen durch Siedlungsbewegungen erklärbar). Das Pommersche (Ostpommersche) östlich der Oder hat im nördl. Teil die Formen heff »habe« und brauder »Bruder«, im südl. Teil hebb und brooder. Ost- und Westpreußen gehören (mit Ausnahme des Hochpreußischen) zum Niederpreußischen, wobei der östl. Teil starke schriftsprachl. Einflüsse zeigt.

Niederdeutsch sprachen auch die seit etwa 1200 in das Baltikum eingewanderten Deutschen (Baltendeutsch). Nach 1600 wurde bei den Deutschbalten als Kanzleisprache das Hochdeutsche eingeführt, das dann in den mündlichen Gebrauch überging.

Mitteldeutsch: Es enthält sowohl nieder- als auch oberdt. Merkmale, stellt aber einen selbstständigen Sprachraum mit auch eigenen Merkmalen dar, z.B. Entwicklung von -nd- zu -ng- (hingen »hinten«). Beim **Westmitteldeutschen** hat das Mittelfränkische mit dem Ripuarischen um Köln und dem Moselfränkischen um Trier-Koblenz und in Luxemburg die Lautverschiebung am wenigsten mitgemacht; das Rheinfränkische hat sie weiter durchgeführt (*dat* statt *das,* unverschoben *pund* und *appel*). Das Rheinfränkische lässt sich in Rheinpfälzisch und Hessisch gliedern, die st/scht-Grenze trennt beide voneinander (rheinpfälzisch *fescht* für hessisch und hochdt. *fest*). Vom Rheinpfälzischen, das die Rheinpfalz, das Saarland, den Mainzer Raum und den Odenwald umfasst, unterscheidet sich das Hessische östlich des Mainzer Raums (bis zum niederdt. Bereich) auch dadurch, dass es die neuhochdt. Diphthongierung nicht durchgeführt hat. Die westmitteldt. Landschaften sind im Wesentlichen altes Siedlungsland, während das **Ostmitteldeutsche** durch die ostdt. Kolonisation entstanden ist; Ausnahme ist Thüringisch (mit dem Obersächsischen fast zu einer Einheit zusammengewachsen). Gemeinsam mit dem Obersächsischen hat es z.B. das anlautende f- statt pf- (z.B. *fund* »Pfund«), zugleich eines der wichtigsten Kennzeichen des Ostmitteldeutschen. Stärker ausgeprägte Landschaften innerhalb des Obersächsischen sind das Osterländische und das Erzgebirgische. Östlich an das Obersächsische schloss

sich das Schlesische und Lausitzische an. In zentraler Lage in Schlesien (im südl. Warthebogen bis fast nach Breslau) wurde das Neiderländische mit zahlreichen Diphthongierungen gesprochen. Zum Schlesischen gehörte als eine Sprachinsel auch das Hochpreußische.

Oberdeutsch: Beim Oberdeutschen unterscheidet die Verschiebung des p zu pf das **Südfränkische** (oder Südrheinfränkische) um Karlsruhe-Heilbronn vom mitteldt. Rheinfränkischen; dies gilt auch für das **Ostfränkische** (oder Mainfränkische) um Würzburg, Bayreuth, Nürnberg und Bamberg. Das **Bairische** nimmt den gesamten SO des dt. Sprachraums ein und erstreckt sich über Bayern (ohne Franken und Schwaben), Österreich (ohne Vorarlberg), Südtirol sowie einige Sprachinseln. Gemeinsame Merkmale des in Süd-, Mittel- und Nordbairisch untergliederten Bairischen sind z.B. alte, über das Gotische aus dem Griechischen kommende Wörter wie Ergetag »Dienstag« und Pfinztag »Donnerstag«. Das Südbairische hat als einzige dt. M. die hochdt. Lautverschiebung vollständig durchgeführt, sodass k als Affrikata kch gesprochen wird. Die im Südbairischen nicht durchgeführte Konsonantenschwächung erscheint im Mittelbairischen und im Nordbairischen. **Schwäbisch** und **Alemannisch** werden in Schwaben, Württemberg, S-Baden, im Elsass, der dt.sprachigen Schweiz, in Liechtenstein und Vorarlberg gesprochen. Das Schwäbische gliederte sich im 13. Jh. aus dem Alemannischen aus. Kennzeichnend für das Schwäbische sind die starke Näselung und die nur halb diphthongierten Zwielaute, für das Niederalemannische die Monophthonge. Das Hochalemannische wird im dt.sprachigen Teil der Schweiz und in Vorarlberg gesprochen; charakteristisch ist die Aussprache des anlautenden k als ch (z.B. chind »Kind«). Die M. der S-Schweiz, insbesondere des Kt. Wallis, bezeichnet man als Höchstalemannisch. Es ist die altertümlichste dt. M. Durch die Siedlungsbewegungen (»Walserwanderungen«) verbreitete sich diese M. in versch. Gegenden der Schweiz (bes. Graubünden), N-Italiens und ins österr. Vorarlberg.

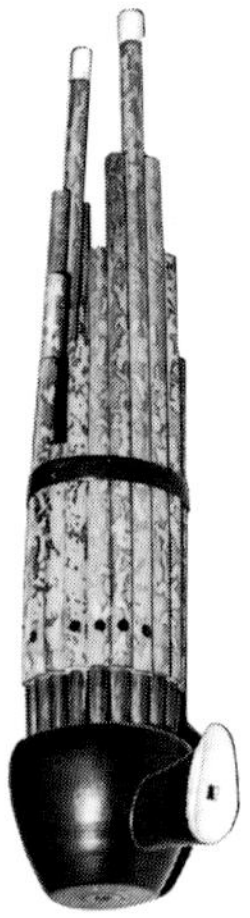

Mundorgel aus China

📖 KÖNIG, W.: *dtv-Atlas zur dt. Sprache. Tafeln u. Texte. Graphik:* H.-J. PAUL. *München 181.–196. Tsd.,* [10]*1994.*

GERHART HAUPTMANN.

De Waber.

(Die Weber.)

Schauspiel aus den vierziger Jahren.

Dialekt-Ausgabe.

Berlin.
S. Fischer, Verlag
1892

Mundartdichtung: Titelblatt der Dialektausgabe »De Waber« von Gerhart Hauptmann (1892)

Mund|artdichtung (Dialektdichtung), Dichtung in der Mundart einer bestimmten Landschaft. Erst in der Barockdichtung bedienen sich in Dtl. Dichter der Mundart in bewusstem Ggs. zur allg. Hoch- und Schriftsprache. Eines der frühesten Beispiele ist A. Gryphius' Lustspiel »Die gelibte Dornrose« (1660) in schles. Mundart. Die moderne M. setzt u.a. mit J. P. Hebels »Alemann. Gedichten« (1803) ein. Auf eine ununterbrochene Tradition kann das mundartliche österr. (J. A. Stranitzky bis L. Anzengruber) und bayer. Volkstheater (J. Ruederer, L. Thoma) zurückblicken. Das naturalist. Drama gebrauchte die Mundart zur Erzielung realist. Wirkungen (G. und C. Hauptmann), eine Tendenz, die sich auch im 20. Jh. fortsetzte (O. M. Graf, Ö. von Horváth, F. X. Kroetz). Anhaltende konservativ-restaurative Funktionen erhielt die M. dagegen im Rahmen der Heimatkunstbewegung und im nat.-soz. Literaturbetrieb. In den 1950er-Jahren erlangte die M. eine neue Dimension als Experimentierfeld sprachkritisch orientierter Autoren (→konkrete Poesie, →Wiener Gruppe). Soziale Solidarität und Gruppenidentität verdeutlicht Mundart in der Kinder- und Jugendliteratur; die Übergänge zw. M. und literar. Umsetzung der Jugendsprache des 20. Jh. sind fließend. – Vergleichbare Entwicklungen gibt es auch in anderen Literaturen. (→niederdeutsche Literatur)

📖 HOFFMANN, F. *u.* BERLINGER, J.: *Die neue dt. Mundartdichtung. Hildesheim u.a. 1978.* – *Dialekte u. Fremdsprachen in der Literatur, hg. v.* P. GOETSCH. *Tübingen 1987.* – SCHMUTZER, D.: *Wienerisch g'redt. Geschichte der Wiener M. Wien 1993.*

Mundasprachen, zu den austroasiat. Sprachen gehörende Sprachgruppe in Vorderindien. Die früher über ganz Indien verbreiteten M. sind von den tibetobirman., indogerman. und dravid. Sprachen zurückgedrängt worden.

Mundavölker, Mundasprachen sprechende Völker in Vorderindien, weisen mongolide und weddide Merkmale auf; etwa 12 Mio. Die M. betreiben Feldbau, auch Jagd und Sammelwirtschaft. Von der heute in den Waldgebieten von W-Bengalen, Bihar, Madhya Pradesh und Orissa (Rajmahalberge, Chota-Nagpur-Plateau) lebenden Hauptgruppe, der Kherwarigruppe, zu der auch das Volk der Munda i.e.S. gehört, werden eine südl. und eine westl. Gruppe abgetrennt.

Mündel [zu Munt], unter →Vormundschaft stehender Minderjähriger.

Mündelgeld, das vom Vormund verwaltete Geldvermögen eines Mündels; muss nach §§ 1806 ff. BGB bes. sicher **(mündelsicher)** verzinslich angelegt werden, soweit es nicht zur Bestreitung von Ausgaben bereitzuhalten ist. – Ähnl. Grundsätze kennt das *österr. Recht* (§§ 187 ff., 230 ff. ABGB). In der *Schweiz* gelten Art. 368 ff. ZGB und das internat. Abkommen zur Regelung der Vormundschaft Minderjähriger.

Münden, seit 1. 1. 1991 amtlich →Hann. Münden.

Münder am Deister, Bad, →Bad Münder am Deister.

Mundfäule, →Stomatitis.

Mundflora, mikrobielle Besiedlung der Mundhöhle; verändert sich abhängig von der Mundhygiene, Kariesdisposition und Erkrankungen qualitativ und quantitativ.

Mundgeruch (Foetor ex ore, Halitose), unangenehmer Geruch aus dem Mund; entsteht durch kariöse Zähne, mangelhafte Mundpflege, Entzündung der Mundschleimhaut, der Mandeln, der Nase und ihrer Nebenhöhlen, nach Eingriffen in der Mundhöhle sowie fallweise bei Magen- oder Stoffwechselerkrankungen.

Mundgliedmaßen (Mundwerkzeuge), für Nahrungserwerb und -aufnahme umgebildete Gliedmaßen am Kopf der Gliederfüßer.

Mundharmonika, volkstüml. Blasinstrument von länglich-rechteckiger Form, mit Luftkanälen (Kanzellen), in denen einseitig befestigte Metallzungen aus Messing durch Ausstoßen (Anblasen) oder Einziehen des Atems in Schwingungen versetzt und dadurch zum Klingen gebracht werden; 1821 von Friedrich Ludwig Buschmann (*1805, †1864) erfunden.

Mundhöhle (Cavum oris), vorderster Abschnitt des Verdauungskanals; er wird beim Menschen und den Säugetieren vorn von den Lippen, unten vom M.-Boden und der Zunge, oben vom harten Gaumen, oben hinten vom weichen Gaumen und seitlich von den Wangen begrenzt. Durch die Zahnreihen wird die M. in einen Vorhof und die eigentl. M. untergliedert. In der M. wird die aufgenommene Nahrung mechanisch zerkleinert und so für den Weitertransport vorbereitet. Die Gleitfähigkeit wird durch das Sekret der in die M. mündenden Speicheldrüsen erreicht. Durch zahlr. Sinnesorgane (für Geschmack, Druck, Temperatur und Schmerz) in der M.-Schleimhaut dient die M. auch der Nahrungsprüfung.

Mündigkeit, *Recht:* →Volljährigkeit.

Mündlichkeit, *Recht:* der in den meisten Verfahrensordnungen vorgesehene Grundsatz, dass vor Gericht mündlich verhandelt werden muss und nur das Verhandelte der Entscheidung zugrunde gelegt wird. Die meisten Verfahrensordnungen lassen jedoch für bestimmte Fälle ein →schriftliches Verfahren zu. Am strengsten wird der Grundsatz der M. in der Hauptverhandlung des Strafprozesses gehandhabt. – M. gilt ähnlich auch im Prozessrecht *Österreichs* und der *Schweiz.*

Mund|orgel, in O- und SO-Asien heim. Blasinstrument, bestehend aus 1 bis 36 Bambus- oder Holzrohren versch. Länge, die in einem Windbehälter sitzen, durch dessen Mundstück der Spieler Luft ausstößt bzw. einsaugt. Es erklingen nur die Rohre, deren seitlich zugängl. Löcher der Spieler mit den Fingern deckt. In Hinterindien hat die M. eine oder mehrere Bordunsaiten.

Mund|raub, die Entwendung oder Unterschlagung von Nahrungs- oder Genussmitteln in geringer Menge. Nach Fortfall des § 370 StGB wird der frühere M. jetzt als Diebstahl oder Unterschlagung geringwertiger Sachen nach § 248a StGB verfolgt.

Mund|stück, Anblasvorrichtung bei Blasinstrumenten. Bei Blechblasinstrumenten ist das M. ein kleines Ansatzstück in Form eines Kessels (Trompete) oder Trichters (Waldhorn); bei Blockflöte und Klarinette hat das M. Schnabelform; bei Doppelrohrblattinstrumenten (Oboe) ist das Rohr selbst Mundstück.

Mundt, Theodor, Schriftsteller, *Potsdam 19. 9. 1808, †Berlin 30. 11. 1861; Hg. von Zeitschriften, Erzähler, Literarhistoriker, einer der bedeutendsten Vertreter des »Jungen Deutschland«.

Theodor Mundt (Ausschnitt einer Lithographie, 1844)

Mündung, 1) *Geographie:* die Stelle, an der sich ein Fluss in einen anderen Fluss, in einen See oder ins Meer ergießt. (→Ästuar, →Delta)

2) *Waffenwesen:* das offene Ende des Laufs (Rohrs) einer Feuerwaffe.

Mund-zu-Mund-Beatmung, →erste Hilfe (ÜBERSICHT).

Mund-zu-Nase-Beatmung, →erste Hilfe (ÜBERSICHT).

Munggenast (Mungenast), Joseph (Josef), österr. Baumeister, *Schnann (heute zu Pettneu am Arlberg, Tirol) um den 5. 3. 1680, begraben St. Pölten 3. 3. 1741; Vetter und Schüler von J. Prandtauer, dessen Bauten er z. T. vollendete. 1722–35 war er für das Zisterzienserkloster Zwettl tätig; 1730–38 war er u. a. Bauleiter des Stifts Melk (v. a. Turmabschlüsse). Sein Stil steht an der Wende vom Spätbarock zum Rokoko.

Mungobohne [Hindi], →Bohne.

Mungos (Mangusten, Herpestinae), Unterfamilie kurzbeiniger Schleichkatzen mit nicht rückziehbaren Krallen. Der bis 45 cm lange **Indische Mungo** (Herpestes edwardsi) mit körperlangem Schwanz vertilgt Ratten und Giftschlangen.

Municipio [span. muni'sipjo] *das* (portugies. und brasilian. Município), Verwaltungseinheit in Lateinamerika und Portugal von sehr unterschiedl. Größe und Funktion.

Municipium [lat.] *das* (Munizipium), urspr. autonome Stadtgemeinde in Latium; in der röm. Republik seit 338 v. Chr. die in den röm. Staatsverband aufgenommene ital. Landstadt.

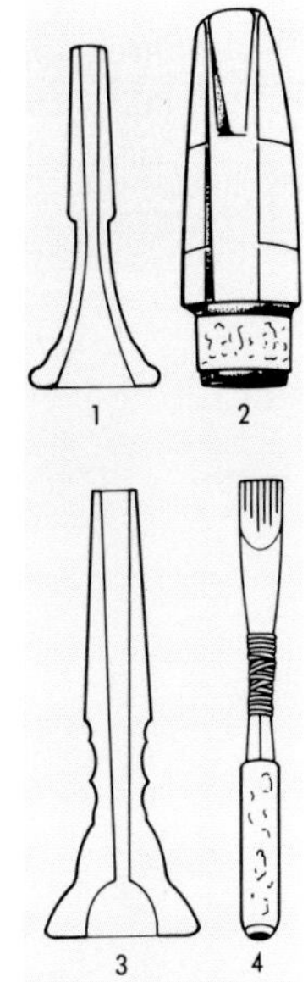

Mundstück: 1 Waldhorn, 2 Klarinette, 3 Trompete, 4 Oboe

Munition [frz., von lat. munitio »Befestigung«, »Schanzwerk«] *die,* Sammelbez. für das gesamte, aus Geschossen, Sprengladungen und deren Treibladungen, Zünd- und Leuchtsätzen bestehende Schießmaterial für Feuerwaffen zu militär., Sport-, Jagd- oder sonstigen Zwecken; i. w. S. auch Handgranaten, Bomben, Sprengladungen von Torpedos und Sprengbooten, Treib- und Sprengladungen von Raketen, Minen und pyrotechn. Signalmittel. –

Nach der Legaldefinition des § 2 Waffen-Ges. vom 19. 9. 1972: 1) Hülsen mit Ladungen, die das Geschoss enthalten (Patronen-M.); 2) Hülsen mit Ladungen, die ein Geschoss nicht enthalten (Kartuschen-M.); 3) Geschosse mit Ladungen, die nach dem Abschuss durch die mitgeführte Ladung angetrieben werden (Raketen-M.).

Bei der **Patronen-M. (patronierte M.)** sind das Geschoss bzw. die Granate und die Hülse mit der Treibladung zu einem Ganzen verbunden, wobei der vordere Hülsenmund in das Geschoss eingepresst ist. Patronen-M. für Hand- und Faustfeuerwaffen, Maschinengewehre und -kanonen hat am Bodenende der aus Messing oder Stahl gefertigten Hülse die Zündpille, die beim Auftreffen des Schlagbolzens die Treibladung entzündet. M. für Geschütze größeren Kalibers hat statt dessen eine für elektr. Zündung oder Schlagbolzenzündung eingerichtete Zündschraube. Bei der **getrennten M. (Kartuschen-M.)** ist das Geschoss nicht mit der Treibladung verbunden; erst durch das Laden werden beide Teile zu einem Schuss zusammengefügt. Dadurch kann die Masse der Treibladung so dosiert werden, dass nur die nötige Energie im Rohr entsteht, was die Lebensdauer des Rohres erhöht. Getrennte M. wird von Geschützen mit einem Kaliber von über 120 mm verschossen.

Munizipium, das → Municipium.

Munk, 1) Andrzej, poln. Filmregisseur, * Krakau 16. 10. 1921, † (Autounfall) zw. Zowicz und Sochaczew 20. 9. 1961; drehte zunächst Dokumentarfilme, dann Spielfilme mit krit. Ansatz (»Ein Mann auf den Schienen«, 1956; »Eroica«, 1957; »Schielendes Glück«, 1960).

2) [moŋg], Kaj Harald Leininger, dän. Schriftsteller, * Maribo 13. 1. 1898, † (von der Gestapo ermordet) bei Silkeborg 4. 1. 1944; Pfarrer, beeinflusst von S. Kierkegaard, versuchte mit politisch-philosoph. und religiösen Themen das dän. Drama zu erneuern.

Munkács ['muŋka:tʃ], ungar. Name der ukrain. Stadt → Mukatschewo.

Munkácsy ['muŋka:tʃi], Mihály von (seit 1878), eigtl. Michael Lieb, ungar. Maler, * Munkács (heute Mukatschewo, Ukraine) 20. 2. 1844, † Endenich (heute zu Bonn) 1. 5. 1900; schuf großformatige Bilder mit sozialkrit. Tendenz sowie Szenen aus dem gesellschaftl. Leben des gehobenen Bürgertums und gestaltete ferner religiöse und histor. Themen; bed. v. a. seine von der Schule von Barbizon beeinflussten Landschaftsbilder.

Mun-Kirche, Kurzbez. für die → Vereinigungskirche.

Münnerstadt, Stadt im Landkr. Bad Kissingen, Bayern, in der südl. Vorderrhön, 8 200 Ew.; Fachschule für Sozialpädagogik, volkskundl. Museum; Glaswarenfabrik, Maschinenbau, Jagdwaffenherstellung. – Bed. Kunstschätze in der Stadtpfarrkirche St. Maria Magdalena (15.–17. Jh.), v. a. Teile des in den neugot. Hochaltar übernommenen Flügelaltars von T. Riemenschneider, Tafelgemälde von V. Stoß (1503) und Glasgemälde in den Chorfenstern (um 1420–50). – 770 erstmals erwähnt, um 1220 Stadtrecht.

Muñoz Molina [mu'ɲɔθ mo'lina], Antonio, span. Schriftsteller, * Úbeda 12. 1. 1956; Verfasser von Romanen, in denen sich spannende Kriminalgeschichten mit der Aufarbeitung des Bürgerkriegs und der Francozeit verbinden, u. a. »Deckname Beltenebros« (1989), »Der poln. Reiter« (1991), »Die Geheimnisse von Madrid« (1992), »Plenilunio« (1997).

Münsingen, Stadt im Landkreis Reutlingen, Bad.-Württ., auf der Schwäb. Alb, 13 700 Ew.; bei M. Truppenübungsplatz; Eisenwarenherstellung, Maschinen- und Apparatebau, chem., Holz verarbeitende Industrie. – 770 erstmals erwähnt, 1263 Stadtrecht.

Munster, Stadt im Landkr. Soltau-Fallingbostel, Ndsachs., in der Lüneburger Heide, 18 200 Ew.; Panzermuseum; Truppenübungsplatz »Munsterlager«. – Seit 1967 Stadt.

Munster ['mʌnstə] (irisch Cúige Mumhan), histor. Provinz im SW der Rep. Irland, 24 127 km², (1991) 1,01 Mio. Einwohner.

Münster [ahd., von lat. monasterium »Kloster«], urspr. das gesamte Kloster, seit dem MA. die Kirche eines Klosters oder Kapitels (Stiftskirche); auch eine große Pfarrkirche (Hauptkirche einer Stadt); im dt. Sprachgebiet neben »Dom« auch Bez. der Bischofskirche.

Münster, 1) RegBez. in NRW, 6 903 km², (1997) 2,587 Mio. Ew., umfasst die kreisfreien Städte Bottrop, Gelsenkirchen, M. und die Kr. Borken, Coesfeld, Recklinghausen, Steinfurt, Warendorf.

2) kreisfreie Stadt, Verw.sitz des RegBez. M., NRW, in der Mitte des Münsterlandes an der Aa (zum Aasee gestaut), 265 700 Ew.; Kulturzentrum eines weiten Umlands: Westfäl. Wilhelms-Univ., Fachhochschulen, Polizei-Führungsakademie (in Hiltrup), Verw.akademie, Staatsarchiv, Westfäl. Landesmuseum für Kunst- und Kulturgesch., für Vor- und Frühgesch., für Naturkunde, Geolog., Archäolog. und Mineralog. Museum, Bibelmuseum, Mühlenhof-Freilichtmuseum (Volkskunde), Theater, zoolog. und botan. Garten; Bundesanstalten für Fettforschung und für den Güterfernverkehr, Inst. der Biolog. Landesanstalt für Land- und Forstwirtschaft, Wasser- und Schifffahrtsdirektion; Maschinenbau, chem., pharmazeut., Möbelind., Kraftfutterherstellung, Druckereien und Verlage; Hafen am Dortmund-Ems-Kanal.

Die maler. Altstadt wurde im 2. Weltkrieg zu mehr als 90 % zerstört, aber zum großen Teil stil-

Münster 2)
Stadtwappen

gerecht, an traditionellen Formen orientiert, wieder aufgebaut; Lauben- und Giebelhäuser der Gotik und Renaissance am Prinzipalmarkt, darunter got. Rathaus (14. Jh.), Stadtweinhaus (1615); doppeltürmiger Dom (1225–64), die Hallenkirchen St. Ludgeri (um 1200, got. Turm), St. Servatii (um 1225–50), St. Lamberti (1375–1450, mit den Wiedertäuferkäfigen am Turm) und Liebfrauen (in Überwasser, »Überwasserkirche«, 1340–46), Kapuzinerkirche St. Ägidii (1724–29); barocke Adelshöfe, darunter der Erbdrostenhof (1753–57, von J. C. Schlaun); ehem. fürstbischöfliches Schloss (1767–87 von J. C. Schlaun).

M. entstand um 782; seit Anfang des 9. Jh. Mittelpunkt eines Bistums und nach dem »monasterium« (»Kloster«) um die Kirche benannt. Die Marktsiedlung war bereits unter Kaiser Otto III. Münzstätte; sie kann seit der 2. Hälfte des 12. Jh. als Stadt gelten (kodifiziertes Stadtrecht um 1214). Ab 1246 war M. Mitgl. der rheinisch-westfäl. Städtebündnisse, seit dem 14. Jh. führendes Mitgl. der Hanse (ab 1494 Vorort von Westfalen). Seit 1524 Hinwendung zur Reformation; 1534/35 unter Johann von Leiden »Tausendjähriges Reich« der Täufer (blutig niedergeworfen); ab 1585/88 wurde M. rekatholisiert; 1645–48 einer der beiden Konferenzorte der Verhandlungen über den Westfäl. Frieden; 1661 Verlust der Privilegien; verstärkter wirtsch. Niedergang nach Verlegung der bischöfl. Residenz nach Köln bzw. Bonn (1723). 1802/03 fiel M. an Preußen, 1807 an das Großherzogtum Berg, 1810 an Frankreich, 1815 abermals an Preußen (1816–1946 Hptst. der Prov. Westfalen). Weiteres Bild Installation

3) Bistum, 804 von Karl d. Gr. gegr. und der Kirchenprovinz Köln zugeordnet. Es umfasste das Gebiet zw. Lippe und dem Oberlauf der Ems, dazu bis ins 16. Jh. Teile Frieslands. Die Machtkämpfe im rheinisch-westfäl. Raum führten 1450–57 zur **Münsterschen Stiftsfehde.** 1667 kamen Teile der Diözese Osnabrück an M. 1815 fiel das Oberstift (etwa der heutige RegBez. M.) größtenteils an Preußen, das Niederstift (Meppen, Cloppenburg, Vechta) an Hannover und Oldenburg. – 1821 wurde das Bistum als Suffragan von Köln neu errichtet; 1958 fiel ein Teil an das neue Bistum Essen.

4) Bezirkshauptort im schweizer. Kanton Bern, →Moutier.

5) (frz. Munster) Stadt im Oberelsass im frz. Dép. Haut-Rhin, im Münstertal der S-Vogesen, 4700 Ew.; Fremdenverkehr; Textilind. – Die Benediktinerabtei M., im 7. Jh. gegr., bestand bis zur Frz. Revolution (1802 zerstört). – Die Stadt M. wurde im 13. Jh. Reichsstadt; 1536 Einführung der Reformation.

6) (bündnerroman. Müstair) →Münstertal 1).

Münster, Sebastian, Hebraist und Kosmograph, *Ingelheim am Rhein 20. 1. 1488, †Basel 26. 5. 1552; seit 1529 Prof. in Basel; gab die erste christl. Ausgabe der hebr. Bibel heraus (2 Bde., 1534/35), beschrieb in der »Cosmographia« (1544; mit 471 Holzschnitten und 26 Karten; bis 1628 21 dt., insgesamt 36 Ausgaben) bes. die Länder und Städte Deutschlands. Weiteres Bild Melanchthon

Sebastian Münster (Ausschnitt eines Gemäldes von Christoph Amberger)

Münster am Stein-Ebernburg, Bad, →Bad Münster am Stein-Ebernburg.

Münstereifel, Bad, →Bad Münstereifel.

Münsterland, das nordwestl. Westfalen zw. Teutoburger Wald und Lippe, der nördl. Teil der →Westfälischen Bucht.

Münstermann, Ludwig, Bildhauer, *Hamburg um 1560, †ebd. 1637/38; führender Meister in der Übergangszeit vom Manierismus zum Frühbarock in Nord-Dtl.; schuf für oldenburg. Landkirchen Altäre, Kanzeln und Orgelprospekte; auch Holz- und Alabasterfiguren.

Münster 2): die nach dem Zweiten Weltkrieg wieder aufgebaute Altstadt mit dem doppeltürmigen Dom aus dem 13. Jh.; rechts im Bild kann man die Giebelhäuser am Prinzipialmarkt sowie die 1375–1450 erbaute Kirche Sankt Lamberti erkennen

Münstersche Bucht, →Westfälische Bucht.

Münstertal, 1) (bündnerroman., seit 1992 amtl. Val Müstair, italien. Val Monastero) Tal des Rombach (vom Ofenpass zur Etsch) im Kt. Graubünden, Schweiz (als Bez. 199 km²), und in Südtirol, Italien, 18 km lang. Hauptorte sind Santa Maria im M. und Müstair (dt. Münster; 750 Ew.); in Müstair Benediktinerinnenkloster (gegr. um 780/790 von Karl d. Gr. als Männerkonvent; Weltkulturerbe der UNESCO), in der Dreikonchenkirche (Ende 8. Jh.) karoling. Bilderzyklus (wohl um 800); Statue Karls d. Gr. (wohl 12. Jh.). In Taufers im M. (italien. Tubre) ehem. Kirche des 13. Jh. mit Fresken.

2) Tal in den Vogesen, Frankreich, erstreckt sich von Türkheim und Winzenheim bei Colmar bis zu den Hochweiden der Vogesen mit ihren Molkereien (Münsterkäse). Wald- und Landwirtschaft, Textil-, Papierind.; größter Ort ist →Münster 5).

Munt

Die häufigste Form der Ehe im Mittelalter war die »Muntehe«, bei der der Vater der Braut dem Bräutigam die volle Gewalt über seine Tochter übertrug. Die »Friedelehe«, oft in adligen Familien geschlossen, beruhte auf freier Entscheidung von Mann und Frau.
Ein Franke durfte nur eine einzige Muntehe führen, daneben aber beliebig viele Friedelfrauen heiraten. Die Frauen konnten eine Friedelehe jederzeit aufkündigen und die Kinder behalten; sie wurden zur Familie der Mutter gezählt.
Die Versuche der Kirche, gegen die fröhlich praktizierte Polygamie vorzugehen, blieben fruchtlos.
*Der Merowingerkönig Chlotar I. (*um 499, †561) beispielsweise scharte gleich sieben Ehefrauen um sich!*

Munt [ahd. »Schutz«] (Mundschaft, latinisiert Mundium), im german. Recht ein personenrechtl. Schutz- und Vertretungsverhältnis, das v.a. in der Hausgewalt (Vormundschaft) und Schutzfunktion des Sippen- bzw. Familienoberhaupts gegenüber Sippen- bzw. Familienmitgl. bestand; auch Bez. für versch. Herrenrechte (mit gleichzeitigem Schutz, z.B. die M. des Grundherrn oder die Königs-M., in der die Kaufleute standen).

Müntefering, Franz, Politiker (SPD), *Neheim-Hüsten (heute zu Arnsberg) 16. 1. 1940; 1975–92 MdB, 1992–95 Min. für Arbeit, Gesundheit und Soziales in NRW; 1995–98 Bundesgeschäftsführer der SPD. Seit Okt. 1998 Bundesverkehrsminister.

Münter, Gabriele, Malerin, *Berlin 19. 2. 1877, †Murnau a. Staffelsee 19. 5. 1962; Mitgl. des →Blauen Reiters, nachhaltig vom Werk ihres langjährigen Lebensgefährten W. Kandinsky beeinflusst. Ihr gegenständlich orientiertes Werk (Stillleben, Interieurs, Landschaftsbilder) ist gekennzeichnet durch leuchtende Farben und eine flächige Malweise mit breitem, sicherem Pinselauftrag; auch Hinterglasbilder, Aquarelle, Zeichnungen.

Gabriele Münter: »Staffelsee im Herbst« (1923; Washington, D.C., National Museum of Women in the Arts)

📖 WINDECKER, S.: *G. M. Eine Künstlerin aus dem Kreis des »Blauen Reiters«. Berlin 1991.*

Munthe, Axel, schwed. Arzt und Schriftsteller, *Oskarshamn 31. 10. 1857, †Stockholm 11. 2. 1949; bekannt wurde seine Autobiographie »Das Buch von San Michele« (1929).

Muntjak *der* (Muntiacus muntjak), südostasiat., bis 65 cm hohe Art der Muntjakhirsche, oberseits braun, unterseits weiß, mit kleinem Geweih und verlängerten oberen Eckzähnen.

Müntzer (Münzer), Thomas, evang. Theologe, *Stolberg (Harz) um 1490, †(hingerichtet) bei Mühlhausen/Thüringen 27. 5. 1525; studierte in Leipzig und Frankfurt (Oder); 1519 Begegnung mit M. Luther und Anschluss an die Reformation, 1520 Prediger in Zwickau; hier Kontakt mit den sozialrevolutionären Tuchmachergesellen um Nikolaus Storch (*vor 1500, †nach 1536 [?]) **(Zwickauer Propheten),** zunehmende Entfremdung von Luther und Hinwendung zu gesellschaftspolitisch radikalen Vorstellungen; musste deshalb im April 1521 aus Zwickau fliehen; ging nach Böhmen (Kontakt zu den Böhm. Brüdern), wo er das »Prager Manifest« verfasste, das erstmals die Grundlage seiner Theologie enthielt: die Vorstellung von der unmittelbaren Wirkung des göttl. Wortes durch den Hl. Geist und von der prakt. Realisierbarkeit des Evangeliums in einem Reich Gottes auf Erden. Seit 1523 Pfarrer in Allstedt, führte er den Gottesdienst in dt. Sprache ein (»Dt. evang. Messe«, 1524) und gründete den »Bund getreul. und göttl. Willens«; forderte die Fürsten zum Eintritt auf (»Fürstenpredigt« am 13. 7. 1524). Nachdem sich diese – von Luther gewarnt – gegen ihn entschieden, Vertreibung aus Allstedt. Flucht über Mühlhausen und Nürnberg (endgültiger Bruch mit Luther, »Hochverursachte Schutzrede und Antwort wider das geistlose sanftlebende Fleisch zu Wittenberg«); Verbindungsaufnahme zu den aufständ. Bauern Ober-Dtl.s; 1525 Rückkehr nach Mühlhausen. Dort zum Pfarrer gewählt, setzte er eine radikaldemokrat. Verfassung durch und wurde (v.a. geistiger) Anführer eines Bauernheeres; nach dessen Niederlage bei Bad Frankenhausen gefangen genommen (15. 5. 1525), gefoltert und hingerichtet. – In der Geschichtsschreibung ist M. äußerst umstritten. V.a. frühe marxist. Historiker betonten die Rolle M.s als Politiker und Revolutionär, neuere Forschungen untersuchen seine Bedeutung als Reformator und Theologe differenzierter. Die prot. Kirchengeschichtsschreibung, die ihm über

Jh. polemisch-abwertend gegenüberstand (»Fanatiker«, »Schwärmer«), arbeitet erst in jüngster Zeit an einer sachlich-krit. Wertung seiner Person.

📖 GOERTZ, H.-J.: *T. M. München 1989. – T. M. im Urteil der Geschichte, hg. v.* K. EBERT. *Wuppertal 1990.*

Münzbuchstaben, Einzelbuchstaben auf Münzen zur Kennzeichnung der Münzstätte; in Dtl. heute A (Berlin), D (München), F (Stuttgart), G (Karlsruhe), J (Hamburg).

Thomas Müntzer: Ausschnitt aus einem Kupferstich (1606) nach einem zeitgenössischen Holzschnitt

Münze [von lat. moneta], **1)** Kurzbez. für →Münzstätte.

2) geprägtes, aus Münzmetall bestehendes Zahlungsmittel (Metallgeld), dessen Gewicht, Güte und Nennwert vom Staat kraft Münzhoheit durch Bild oder Schrift garantiert wird. – In modernen Währungssystemen existieren nur noch aus unedlen Metallen oder Metalllegierungen bestehende Scheide-M.; Edelmetalle werden nur noch für **Gedenk-M.** verwendet, die nicht zirkulieren, aber als offizielles Zahlungsmittel anerkannt werden, da ihr Wert den Nennwert häufig übersteigt.

Nach der Verkehrsbedeutung werden **Kurs-M.** (für den gewöhnl. Umlauf im Inland) und **Handels-M.** (für den überterritorialen und internat. Handelsverkehr) unterschieden, bei den Kurs-M. darüber hinaus **Kurant-M.** (Nennwert wird durch den Edelmetallgehalt repräsentiert) und **Scheide-M.** (M. kleinen Nennwerts für den tägl. Kleinverkehr; der Metallwert ist geringer als der festgelegte Nominalwert). **Rechnungs-M.** waren Werteinheiten, die als Münze nicht oder nicht mehr existierten, sondern durch umlaufendes Geld dargestellt wurden.

Die meisten M. sind rund. Im Allg. zeigt die Vorderseite **(Avers)** Hoheitszeichen (Wappen, Herrscherporträt oder andere Embleme), die Rückseite **(Revers)** die Wertangabe. Einseitig ausgeprägte M., z. B. **Brakteaten,** eckige M. oder M. mit welligem Rand sind Ausnahmen. Unter überseeischem Einfluss entstanden für die europ. Kolonien M. mit einem Loch in der Mitte (in China unabhängig vom europ. Einfluss). Die Legende verläuft bei der Mehrzahl der M. am Rand.

Münznamen entstanden u. a. nach der Farbe, z. B. Albus; nach dem Münzbild, z. B. Mariengroschen; nach dem Metall, z. B. Aureus, Gulden; nach dem Münzherrn, z. B. Louisdor; nach dem Herkunftsort, z. B. Taler, Turnose; nach einem Gewichts- oder Zählmaß, z. B. Mark.

Geschichte: Gegossene M. aus Bronze sind wahrscheinlich schon im 12. Jh. v. Chr. in China hergestellt worden. Im kleinasiatisch-grch. Kulturkreis wurden im 7. Jh. v. Chr. in Lydien die ersten M. aus Elektrum, einer natürlich vorkommenden Legierung von Gold und Silber, geprägt. Wichtigste Handels-M. der grch. Antike war die silberne Tetradrachme. Im antiken Röm. Reich war der silberne Denar die wichtigste M.; Rechnungs-M. war jedoch der →Sesterz, der aber im Unterschied zu den Rechnungs-M. des MA. und der Neuzeit auch als M. vorhanden war. Im Byzantin. Reich wurde der Solidus geprägt. Im Fränk. Reich trat an seine Stelle dessen Drittelstück (Triens, Tremissis) aus Gold. Unter den Karolingern wurde im 8. Jh. der silberne Denar (Pfennig) zur dominierenden M. und blieb bis in das 13. Jh. im christl. Europa die einzige geprägte M. Der Grundtyp der →Groschen entstand 1266 in Frankreich. Der Ursprung der bed. spätmittelalterl. Gold-M. liegt in Italien (z. B. Dukat), von wo sie sich über ganz Europa ausbreiteten. 1500 begann die Massenproduktion des Talers als Silberäquivalent des Guldens im sächs. und 1520 auch im böhm. Erzgebirge (Joachimstaler). Diese große Silber-M. wurde von den europ. Staaten übernommen (→Écu, →Crown) und als Peso und Dollar auch zur wichtigsten M. der Neuen Welt. In Dtl. wurde der Taler erst nach der Reichsgründung durch die Mark verdrängt (1871).

📖 SPRENGER, B.: *Das Geld der Deutschen. Geldgeschichte Dtl.s von den Anfängen bis zur Gegenwart. Paderborn u. a. ²1995.*

Münzenberg, Willi, Politiker (KPD) und Publizist, *Erfurt 14. 8. 1889, †bei Saint-Marcellin (Dép. Isère) vermutlich Juni 1940; gründete 1921 die Internat. Arbeiterhilfe; Propagandist und Organisator kommunist. Verlage und Filmunternehmen (Aufbau des sog. M.-Konzerns); seit 1924 MdR; ab 1927 Mitgl. des ZK der KPD; emigrierte 1933 nach Frankreich; bei wachsender Abkehr vom stalinschen Kurs 1937 aus der KPD ausgeschlossen; 1940 interniert; kam auf der Flucht vor den dt. Truppen unter ungeklärten Umständen ums Leben (am 21. 10. 1940 tot aufgefunden).

Willi Münzenberg

Münzensteine, Fossilien, →Nummuliten.

Münzer, Thomas, →Müntzer, Thomas.

Münzfälschung, →Geld- und Wertzeichenfälschung.

Münzfernsehen, →Pay-TV.

Münzfernsprecher, öffentl. Fernsprecher, der erst nach Einwurf von Münzen benutzt werden kann. M. werden zunehmend durch bargeldlos betriebene Fernsprecher ersetzt, die mit **Telefonkarte** (mit einem auf Chips gespeicherten Guthaben von 12 oder 50 DM) und **T-Card** (mit persönl. Geheimnummer gekoppelte Karte; Gebühren u. a. werden über das Fernmeldekonto des Besitzers abgebucht) zu benutzen sind.

Muralismo: Ausschnitt aus dem 1929–45 geschaffenen Wandgemälde »Maishandel« von Diego Rivera im Palacio Nacional in der Stadt Mexiko

Münzfuß, die gesetzlichen Vorschriften über das **Münzgewicht** (Raugewicht, tatsächliches Gewicht) und das **Feingewicht** (Anteil des enthaltenen Edelmetalls) einer Münze; früher meist ausgedrückt durch die Zahl der aus einer Gewichtseinheit Münzmetall auszuprägenden Exemplare einer Wertstufe (z. B. Dreißigtalerfuß).

Münzgewinn, → Schlagschatz.

Münzhoheit (Münzregal), Gesamtheit der auf das Münzwesen (z. B. Währung, Prägung, Schlagschatz, Scheidemünzen, Außerkurssetzung) bezügl. Hoheitsrechte, urspr. dem König vorbehalten, im Hl. Röm. Reich später von den Kurfürsten (Goldene Bulle) und den übrigen Reichsständen ausgeübt; heute ist i. d. R. der Staat Träger der M. In Dtl. liegt die M. nach Art. 73 GG beim Bund, ebenso in *Österreich* und in der *Schweiz.*

Muppets: Frosch Kermit

Munzinger-Archiv GmbH, Archiv- und Dokumentationsdienst für publizist. Arbeit, gegr. 1913 in Berlin von Ludwig Munzinger sen. (*1877, †1957), seit 1946 in Ravensburg, seit 1979 GmbH.

Münzkabinett, Sammlung von Münzen und Medaillen.

Münzkunde (Numismatik), die Wiss., die sich mit Münzen und Medaillen (Medaillenkunde) beschäftigt; geht zurück auf die im 15. Jh. erwachende Begeisterung für die Antike. Im 19. Jh. wurde sie zu einer wichtigen histor. Hilfswissenschaft.

📖 FENGLER, H. *u. a.: Numismatik. Berlin* [4]*1988.*

Münzmetalle, jeweils gesetzlich festgelegte Metalle oder Metalllegierungen, die zur Prägung von Münzen verwendet werden. Urspr. wurden Gold, Silber, Elektrum (Gold-Silber-Legierung), Kupfer, Messing und Bronze verwendet. Heute werden Münzen v. a. aus Kupfer-, Nickel-, Aluminium- und Stahllegierungen gefertigt, die verschleißfest und korrosionsbeständig sind und aufgrund von elektr. und magnet. Eigenschaften in Automaten verwendet werden können.

Münzregal, → Münzhoheit.

Münzstätte (Münze), Fabrik, in der Münzen geprägt werden. Der Ort, an dem sich die M. befindet, ist auf der Münze meist durch → Münzbuchstaben bezeichnet.

Münztechnik, Verfahrensschritte und techn. Mittel, die zur Herstellung von Münzen notwendig sind. Dabei wird das in Metallstreifen **(Zainen)** vorliegende Münzmetall in mehreren Schritten auf die für das jeweilige Münznominal vorgesehene Dicke ausgewalzt. Zwischen den Walzwerksdurchgängen werden eine Oberflächenbehandlung (Beizen, Sandstrahlen) und eine Wärmebehandlung (Glühen) durchgeführt, um Oxid- und Zunderschichten zu entfernen sowie Gussspannungen zu beseitigen. Danach werden die Zaine durch ein Stanzwerk geführt und die **Ronden (Schrötlinge, Platten)** ausgestanzt. Diese werden in Trommeln entgratet, gereinigt und anschließend justiert. Bei höheren Münznominalen werden die Ronden gerändelt (→ Rändeln). Danach erfolgt die Prägung der Münzen.

Müon *das* (engl. Muon), das → Myon.

Muonioälv *der* (finn. Muonionjoki), 387 km langer schwedisch-finn. Grenzfluss, kommt aus dem Kilpisjärvi und mündet in den Torneälv.

Muotatal, 20 km langes Tal im schweizer. Kanton Schwyz; Hauptort ist Muotathal (3100 Ew.); bed. Karsthöhlensystem (Hölloch).

Muppets ['mʌpets], von James (»Jim«) Henson (*1936, †1990) geschaffene, frech, lautstark und heftig agierende Handpuppen (u. a. der Frosch Kermit, Miss Piggy) im Fernsehen der USA (seit 1955); sie wurden durch die Serien Sesamstraße (ab 1969) und M.-Show auch in Europa bekannt.

Mur *die* (slowen. Mura), linker Nebenfluss der Drau, 444 km lang (davon 348 km in Österreich), entspringt in den Niederen Tauern, fließt durch die Obersteiermark (Teil der für Verkehr und Ind. bedeutsamen Mur-Mürz-Furche) und das mittelsteir. Hügelland, bildet zw. Spielfeld und Bad Radkersburg die österreichisch-slowen. Grenze, fließt durch N-Slowenien, mündet bei Legrad, Kroatien.

Murad [arab.] (türk. Murat), Sultane des Osman. Reichs: **1) M. I.** (1360–89), *1326 (?), †auf dem Amselfeld nach dem 28. 6. 1389; eroberte 1361 Adrianopel, erhielt Tribut von Bulgarien und Byzanz, siegte 1389 auf dem Amselfeld über die Serben, nach der Legende von M. Obilić ermordet.

2) M. II. (1421–51), *Amasya August 1404, †Adrianopel (heute Edirne) 5. 2. 1451; vergrößerte das Osman. Reich in Kleinasien und auf dem Balkan (Eroberung von Saloniki 1430, Serbien 1440, Ungarn 1444 und 1448; →Amselfeld).

Muralismo [span.] *der,* sozial und politisch engagierte künstler. Bewegung der Wandmalerei in Mexiko, die sich nach der Revolution von 1910 herauszubilden begann. Bei stilistisch und ikonographisch sehr gegensätzl. Tendenzen widmeten sich die Künstler gemeinsamen Themen: dem Kampf gegen die Conquista, gegen Klerus und Kapitalismus, der Auseinandersetzung mit der mexikan. Revolution, dem Alltag des Volkes sowie dem Ringen um nat. Identität. Elemente der europ., präkolumbischen und kolonialen Kunst wurden zu einer Synthese verarbeitet. Hauptvertreter sind J. C. Orozco, D. Rivera, D. A. Siqueiros, R. Tamayo und J. O'Gorman.

Muralt, Leonhard von, schweizer. Historiker, *Zürich 17. 5. 1900, †Cavalaire-sur-Mer (Dép. Var) 2. 10. 1970; Mithg. der Werke U. Zwinglis im »Corpus reformatorum«; außerdem verfasste er »Macchiavellis Staatsgedanke« (1945), »Züricher Geist von Zwingli bis G. Keller« (1951), »Bismarcks Politik der europ. Mitte« (1954).

Muränen [lat.-grch.] (Muraenidae), Familie der Aalartigen Fische, die die Küstengebiete der trop. und subtrop. Meere bewohnen; aalartig, räuberisch lebend, mit großem Maul; Biss giftig.

Murano, Stadtteil von Venedig auf einer Insel in der Lagune, rd. 8000 Ew.; Zentrum der venezian. Kunstglaserzeugung (seit dem 13. Jh.).

Murano, Tōgo, japan. Architekt, *Saga 15. 5. 1891, †Takarazuka (bei Ōsaka) 26. 11. 1984; schuf funktionelle Baukörper mit ornamentaler Ummantelung (Warenhäuser, Hotels, Theater), die bahnbrechend wirkten.

Murasaki, Shikibu, japan. Dichterin, *um 978, †etwa 1016; kaiserl. Hofdame. Ihr höf. Roman »Genji-monogatari« (zw. 1004 und 1011, dt. »Die Geschichte vom Prinzen Genji«) und ihr »Tagebuch« zeugen von meisterhafter Sprachbeherrschung und lebensnaher Darstellung.

Murat [my'ra], Joachim, frz. Marschall (seit 1804), König von Neapel (1808–15), *Labastide-Fortunière (heute Labastide-Murat, Dép. Lot) 25. 3. 1767, †Pizzo (Prov. Catanzaro) 13. 10. 1815; stieg in den Revolutionskriegen zum Reitergeneral auf und heiratete 1800 die jüngste Schwester Napoléon Bonapartes, Caroline. 1806 wurde M. Großherzog von Kleve und Berg, 1808 König von Neapel, wo er ein beispielhaft geordnetes Staatswesen schuf. 1814 verbündete er sich mit Österreich, schloss sich während der Hundert Tage 1815 aber wieder Napoleon an und wurde bei dem Versuch, das seit 1815 wieder bourbon. Königreich Neapel zurückzuerobern, gefangen genommen und standrechtlich erschossen.

Joachim Murat

Muratori, Ludovico Antonio, italien. Historiker, *Vignola (bei Modena) 21. 10. 1672, †Modena 23. 1. 1750; kath. Geistlicher, wurde 1695 Bibliothekar in Mailand, 1700 Archivar in Modena; gab drei bed. Quellenwerke zur italien. Geschichte heraus (»Rerum italicarum scriptores«, 25 Bde., 1723–51, teilw. Nachdruck 1965 ff.; »Antiquates italicae medii aevi«, 6 Bde., 1738–42; »Annali d'Italia ...«, 12 Bde., 1744–49).

Murawjow, russ. Adelsfamilie. Mehrere Mitgl. waren am Aufstand der →Dekabristen beteiligt, darunter Sergei Iwanowitsch **M.-Apostol** (*1796, hingerichtet 1826) und Nikita Michailowitsch **M.** (*1796, †1843). Unter den zahlr. hohen Staatsbeamten sind bes. bed.: Nikolai Nikolajewitsch Graf **M.-Amurski** (*1809, †1881), der als Generalgouv. von O-Sibirien (1847–61) das Amurgebiet für Russland gewann, Michail Nikolajewitsch Graf (seit 1865) **M.** (*1796, †1866), der sich durch besondere Härte bei der Unterdrückung des poln. Aufstands 1863 auszeichnete, sowie Michail Nikolajewitsch Graf **M.** (*1845, †1900), der als russ. Außenmin. (1897–1900) die Erste Haager Friedenskonferenz (1899) anregte.

Tomiichi Murayama

Murayama, Tomiichi, japan. Politiker, *Präfektur Ōita 3. 3. 1924; Mitgl. der Sozialist. Partei Japans, seit 1972 Abg. im Unterhaus, seit 1993 Vors. seiner Partei; war 1994–95 MinPräs. an der Spitze einer Koalitionsregierung.

Murbach [frz. myr'bak], Gemeinde im Dép. Haut-Rhin (Oberelsass), Frankreich, 120 Ew. – Von der ehem. Abteikirche (Abtei 728 gegr., 1789 aufgehoben), einem der bedeutendsten roman. Bauwerke des Elsass, sind nur der Chor und das Querschiff (Mitte 12. Jh.) erhalten.

Murcia 2) Stadtwappen

Murcia ['murθia], **1)** Region Spaniens, umfasst die Prov. M., 11317 km^2, (1991) 1,032 Mio. Einwohner.

2) Hauptstadt von 1), am Segura, in einer Vega, 322900 Ew.; Bischofssitz; Univ., Museen; Textil-, Leder-, Papier-, chem. u.a. Ind., Mühlen. – Gotische Kathedrale (14./15. Jh.) mit Rokokofassade. – M. war 1224–43 Hauptort des selbstständigen maur. Königreichs Murcia.

Murdoch ['mə:dɔk], **1)** Dame (seit 1987) Jean Iris, engl. Schriftstellerin irischer Herkunft, *Dublin 15. 7. 1919; schreibt grotesk-komische, von philosoph. und psycholog. Problemen durchzogene Romane: »Flucht vor dem Zauberer« (1956), »Mas-

Iris Murdoch

Bartolomé Esteban Murillo: »Buben beim Würfelspiel« (um 1670–75; München, Alte Pinakothek)

kenspiel« (1961), »Lauter feine Leute« (1968), »Ein Mann unter vielen« (1971), »Uhrwerk der Liebe« (1974), »Das Meer, das Meer« (1978), »Das Buch und die Bruderschaft« (1987), »The message to the planet« (1989).

Rupert K. Murdoch

2) Rupert Keith, amerikan. (seit 1985) Medienunternehmer austral. Herkunft, *Melbourne 11. 3. 1931. Zu dem von ihm 1952 gegründeten Medienkonzern »News Corp.«, an dem die Familie Murdoch noch zu einem Drittel beteiligt ist, gehören u. a. in Australien rd. 150 Tageszeitungen, in Großbritannien »The Times«, »Sunday Times«, »News of the World«, »The Sun«, außerdem Zeitschriften, Buchverlage und Beteiligungen an Film- und Fernsehgesellschaften (z. B. Twentieth Century Fox Film, BSkyB, VOX).

Mure (Murbruch, Murgang), Schlamm- und Gesteinsstrom in Gebirgen. Er entsteht, wenn Gehängeschutt bei der Schneeschmelze oder nach Regen ins Rutschen gerät oder bei Hochwasser durch Überflutung des Flussbettes Gesteinsblöcke, Schotter und Erde mitgerissen werden; oft von verheerender Wirkung für Kulturland und Siedlungen.

Henri Murger

Murein [lat.] *das,* Peptid-Polysaccharid-Komplex (mit N-Acetylglucosamin und N-Acetylmuraminsäure als Polysaccharideinheiten) in der inneren Zellwandschicht aller Bakterien.

Mureș ['murɛʃ] *die,* rumän. Name des Flusses →Maros.

Murg *die,* rechter Nebenfluss des Rheins, 96 km lang, entsteht am Schliffkopf im Schwarzwald, mündet bei Rastatt. Oberhalb von Forbach mündet der Schwarzenbach (Schwarzenbach-Talsperre: 14,3 Mio. m³ Stauinhalt; 0,7 km² Wasserfläche).

Murgab *der* (Murghab), Fluss in Afghanistan und Turkmenistan, 978 km lang; durchfließt die Karakum und versickert dort.

Murger [myr'ʒɛ:r], Henri, frz. Schriftsteller, *Paris 24. 3. 1822, *ebd. 28. 1. 1861; schilderte in seinen ab 1845 in der Zeitschrift »Corsaire«, 1851 als Roman veröffentlichten »Scènes de la vie de bohème« (1849 dramatisiert; dt. u. d. T. »Die Bohème«) die Welt der Pariser Studenten, Dichter, Künstler und ihrer Freundinnen; der danach verfasste Operntext wurde von G. Puccini vertont (»La Bohème«, 1896).

Muri (AG), Bezirkshauptort im Kt. Aargau, Schweiz, 6 000 Ew.; barocke Klosterkirche, Kreuzgang mit Glasmalereien (16. Jahrhundert).

muriatisch [lat.], kochsalzhaltig (Quellen).

Murillo [mu'riʎo], Bartolomé Esteban, eigtl. B. E. Pérez, span. Maler, getauft Sevilla 1. 1. 1618, †ebd. 3. 4. 1682; malte neben den z. T. großformatigen religiösen Darstellungen, unter denen die Madonnenbilder eine besondere Stellung einnehmen, Genreszenen aus dem Leben des Volkes, auch Porträts und Landschaften. Charakterist. Merkmale seines Stils sind weiche Nuancierungen der Tonwerte.

Werke: 11 Bilder mit Szenen aus Heiligenlegenden für den Kreuzgang des Klosters San Francisco in Sevilla (1645/46); Trauben- und Melonenesser (1645/46; München, Alte Pinakothek); Der Betteljunge (1645–55; Paris, Louvre); Verkündigung an Maria (um 1655; Madrid, Prado); Buben beim Würfelspiel (um 1670–75; München, Alte Pinakothek).

📖 *B. E. M. Der span. Meister des 17. Jh., bearb. v.* L. KAGANÉ. *Bournemouth 1995.*

Müritz, 1) *die,* von der oberen Elde durchflossener, größter See (110,3 km²) der Mecklenburg. Seenplatte, bis 31 m tief; am O-Ufer Naturschutzgebiet.

2) Landkreis in Meckl.-Vorp., 1714 km², (1997) 87 500 Ew.; Krst. ist Waren (Müritz).

Murmansk, Gebietshauptstadt an der Murmanküste im N der Halbinsel Kola, Russland, 468 000 Ew.; Seefahrthochschule, Inst. für Fischerei und Ozeanographie; ganzjährig eisfreier Hochseehafen, Stützpunkt der Fischerei mit Fischverarbeitung; Reparaturwerft, Metallind.; Endpunkt der von Sankt Petersburg kommenden, 1451 km langen **Murmanbahn;** Flughafen. Nahebei in der Kislaja Guba Gezeitenkraftwerk.

Murmeltiere (Marmota), zu den Erdhörnchen gestellte Gattung gedrungener, häufig aufrecht auf den Hinterbeinen sitzender Nagetiere; tagaktive, umfangreiche Erdbauten anlegende Bodenbewohner mit kurzem, buschigem Schwanz und rundl. Kopf. M. halten einen bis acht Monate dauernden Winterschlaf. Das **Alpen-M.** (Marmota marmota), bis 70 cm körperlang, lebt in Kolonien an sonnigen Hängen der Alpen, Pyrenäen und Karpaten (z.T. neu angesiedelt, z.B. im Schwarzwald); bei Gefahr lässt es schrille Warnschreie hören. Das **Steppen-M.** (**Bobak,** Marmota bobak), etwa 50–60 cm körperlang, lebt v.a. in Steppen Osteuropas bis Zentralasiens. Das bis 50 cm körperlange **Wald-M.** (Marmota monax) lebt in Wäldern Nordamerikas.

Murmeltiere: Alpenmurmeltier (Länge bis zu 70 cm)

Murnau, Friedrich Wilhelm, eigtl. F. W. Plumpe, Filmregisseur, *Bielefeld 28. 12. 1888, †(Autounfall) Santa Barbara (Calif.) 11. 3. 1931; drehte expressionist. Stummfilme, u.a. »Nosferatu« (1921), »Der letzte Mann« (1924), »Tartuffe« (1925), »Faust« (1926), »Sunrise« (1927), »Tabu« (1931).

Friedrich Wilhelm Murnau

Murnau a. Staffelsee, Marktgemeinde im Landkr. Garmisch-Partenkirchen, Oberbayern, am Staffelsee, 688 m ü.M., 11 500 Ew.; Luftkurort mit Moorbad; Pfarrkirche (18. Jh.). Das größte bayer. Moorgebiet, das **Murnauer Moos,** ist Naturschutzgebiet (23 km²).

Murner, Thomas, Theologe, Volksprediger, Schriftsteller, *Oberehnheim (frz. Obernai, bei Straßburg) 24. 12. 1475, †ebd. vor dem 23. 8. 1537; hielt in seinen Moralsatiren der Zeit einen schonungslosen Spiegel vor, wobei er sich des Narrenmotivs bediente und sich selbst als Beschwörer, Zunftmeister und Kanzler der Narren einführte. Gegen Luther, der ihn schroff ablehnte, richtete er die bissige Satire »Von dem großen Lutherischen Narren, wie ihn Dr. Murner beschworen hat« (1522). M. übersetzte auch Vergil.

Thomas Murner: Holzschnitt mit seinem Bildnis aus der 1519 in Basel gedruckten Satire »Geuchmatt«

Weitere Werke: Narrenbeschwörung (1512); Schelmenzunft (1512); Ein andechtig geistl. Badenfart (1514); Die Mühle zu Schwindelsheim (1515); Geuchmatt (1519).

Murom, Stadt im Gebiet Wladimir, Russland, an der Oka, 124 000 Ew.; Bau von Lokomotiven, Rundfunkgeräten, Kühlschränken; Holz- und Leinenindustrie. – M. ist eine der ältesten russ. Städte (für 826 erstmals erwähnt).

Muroran, Hafen- und Industriestadt auf einer Halbinsel an der S-Küste Hokkaidōs, Japan, 136 200 Ew.; TH, Inst. zur Erforschung von Seetang; Meeresaquarium; Eisen-, Nahrungsmittel-, Papierind.; Erdölraffinerie.

Murphy ['mə:fɪ], **1)** Robert Daniel, amerikan. Diplomat, *Milwaukee (Wis.) 28. 10. 1894, †New York 9. 1. 1978; war führend an der diplomat. Vorbereitung der alliierten Landung in N-Afrika (1942) und des Waffenstillstands mit Italien beteiligt; 1944–49 Berater General D. D. Eisenhowers und der US-Militärregierung in Deutschland; 1949–52 Botschafter in Brüssel; schrieb »Diplomat unter Kriegern« (1964).

2) William Parry, amerikan. Arzt, *Stoughton (Wis.) 6. 2. 1892, †Brookline (Mass.) 9. 10. 1987; erforschte die Wirkung des Insulins bei Diabetes mellitus. Mit G. R. Minot und G. Whipple führte er die Leberdiät bei perniziöser Anämie ein und erhielt 1934 mit ihnen dafür den Nobelpreis für Physiologie oder Medizin.

William P. Murphy

Murray ['mʌrɪ] *der,* größter Fluss Australiens, 2 589 km lang, Einzugsgebiet 1,1 Mio. km², entspringt in den Snowy Mountains der Austral. Alpen, mündet durch den Lake Alexandrina in den Osten der Großen Austral. Bucht des Ind. Ozeans; Hauptnebenflüsse sind Darling und Murrumbidgee River.

Murray ['mʌrɪ], Joseph Edward, amerikan. Chirurg, *Milford (Mass.) 1. 4. 1919; erhielt für seine Arbeiten zur Überwindung der Immunabwehr bei Organ- und Zelltransplantationen 1990 (mit E. D. Thomas) den Nobelpreis für Physiologie oder Medizin.

Joseph E. Murray

Mürren, Fremdenverkehrsort im Kt. Bern, Ortsteil von Lauterbrunnen, Schweiz, 430 Ew.; 1640 m ü.M., auf einer Terrasse 800 m über dem Lauterbrunner Tal; von hier Standseilbahn (anschließend Eisenbahn nach M.) und Seilschwebebahn.

Murrhardt, Stadt im Rems-Murr-Kreis, Bad.-Württ., an der Murr, am Murrhardter Wald, 289 m ü.M., 14 400 Ew.; Luftkurort; feinmechan., elektrotechn., Leder- u.a. Ind. – Ehem. Benediktinerklosterkirche (v.a. 15. Jh.) mit roman. Bauteilen (12. Jh.). – Um das Anfang des 9. Jh. gegründete Kloster entstand die 1288 erstmals als Stadt bezeugte Siedlung.

Murrumbidgee River [mʌrəm'bɪdʒɪ: 'rɪvə] *der,* rechter Nebenfluss des Murray, im südl. New South Wales, 2 541 km lang, entspringt in den Austral. Alpen, mündet bei Balranald.

Murten (frz. Morat), Hauptort des Bez. See im Kt. Freiburg, Schweiz, am **Murtensee** (frz. Lac de Morat, 430 m ü.M., 23 km², bis 46 m tief), 4 800

Ew.; Elektrogerätebau, Nahrungsmittel-, Uhrenind.; Fremdenverkehr. – Vollständig erhaltenes Stadtbild; Schloss (13. Jh.). – Bei M. siegten die schweizer. Eidgenossen am 22. 6. 1476 über Karl den Kühnen von Burgund.

Mururọa, Atoll der südöstl. Tuamotuinseln, Frz.-Polynesien, Durchmesser etwa 10 km; seit 1966 frz. Testgebiet für Kernwaffen, seit 1975 nur noch unterirdisch (in 600–1200 m Tiefe).

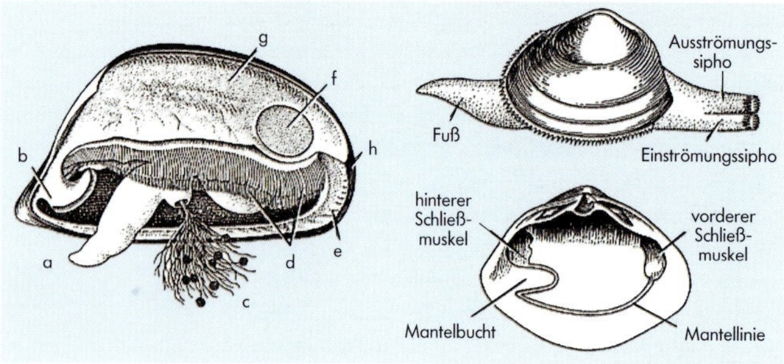

Muscheln: Schnittzeichnung einer Miesmuschel (links); a Fuß, b Mundlappen, c Byssusfäden, d vordere und hintere Kieme, e Mantel, f durchschnittener Schließmuskel, g Eingeweidesack, h rechte Schalenklappe; daneben Habitus (oben) und linke Schalenklappe einer Gattung (Spisula) der zu den Blattkiemern gehörenden Trogmuscheln

Mụ̈rz *die,* linker Nebenfluss der Mur in der Steiermark, Österreich, 85 km lang, entspringt in zwei Quellflüssen an der Schneealpe, mündet bei Bruck an der Mur; Teil der für Verkehr und Industrie bedeutenden Mur-Mürz-Furche.

Mürzzụschlag, Bezirkshauptstadt an der Mürz, Steiermark, Österreich, 10 000 Ew.; Wintersportmuseum; Stahlwerk, Apparatebau; Wintersportplatz.

Adolf Muschg

Walter Muschg

Musạ̈us (grch. Musaios), grch. Dichter, verfasste Ende des 5. Jh. n. Chr. ein anmutiges Liebesepos »Hero und Leander« (→Hero).

Musạ̈us, Johann Karl August, Schriftsteller, *Jena 29. 3. 1735, †Weimar 28. 10. 1787; Gymnasiallehrer, schrieb die satir. Romane »Grandison der Zweite« (3 Bde., 1760–62; Neubearbeitung u. d. T. »Der dt. Grandison«, 2 Bde., 1781/82), »Physiognom. Reisen« (4 Hefte, 1778/79), ferner im Geist der Aufklärung »Volksmährchen der Deutschen« (5 Bde., 1782–86).

Mụsca [lat.] (Fliege), Sternbild am Südhimmel.

Muscarịn [lat.] *das* (Muskarin), Alkaloid aus dem Fliegenpilz u. a. Giftpilzen, wirkt auf den Parasympathikus; verlangsamt die Herztätigkeit, hemmt die Atmung, regt die Peristaltik und die Sekretion des Verdauungstrakts an, bewirkt Schweißausbrüche und Pupillenverengung.

Muschelgold, →Goldpräparate.

Muschelkalk, die mittlere Abteilung der german. Trias; in Dtl. bestehend aus Kalken, Mergeln und Dolomiten, in der mittleren Stufe aus Anhydrit, Gips und Steinsalz. Man teilt den M. ein in den **unteren M.** oder **Wellenkalk,** den **mittleren M.** oder die **Anhydritgruppe** und den **oberen M.** oder **Hauptmuschelkalk.**

Muschelkrebse (Ostracoda), Unterklasse der niederen Krebse, mit einer den gesamten Körper umschließenden zweiklappigen Schale; lebt im Meer und im Süßwasser.

Muscheln [lat. musculus »Mäuschen«] (Bivalvia, Lamellibranchiata), Klasse der Weichtiere mit seitlich zusammengedrücktem Körper, der von einem Mantel und zwei von diesem abgeschiedenen Kalkschalen umhüllt ist. Die beiden Schalenklappen sind am Rücken gelenkartig durch Zähne und ein elast. Schlossband miteinander verbunden und können meist durch einen oder zwei kräftige Schließmuskeln verschlossen werden. Jede Schale besteht aus mehreren Schichten mit einer inneren Perlmutterschicht. Die M. haben zwei röhrenförmige Öffnungen (Siphonen); durch den unteren Sipho werden Atemwasser und Nahrungsteilchen eingestrudelt, durch den oberen verbrauchtes Wasser, Kot und Geschlechtsprodukte ausgestoßen. Der Kopf ist auf die vor dem Fuß liegende Mundöffnung und die sie umgebenden Mundlappen reduziert. In der Mittelebene der M. liegt unten der schwellbare muskulöse Fuß zur Fortbewegung (fehlt fest sitzenden M., z. B. Austern). Zwischen Mantel und Fuß liegen als Atmungsorgane die Kiemen, die auch dem Nahrungserwerb durch Ausfiltern von Kleinlebewesen aus dem Wasser dienen. Viele Muscheln verankern sich mithilfe von erstarrenden Fäden (Muschelseide oder Byssusfäden). Die meisten M. sind getrenntgeschlechtlich. Die Einteilung der M. erfolgt nach dem Bau der Kiemen: **Urkiemer (Fiederkiemer), Fadenkiemer, Blattkiemer.** – Manche M. sind als Nahrungsmittel (z. B. Mies-M., Herz-M., Austern) andere für die Schmuckind. (v. a. Fluss- und Seeperl-M.) von wirtsch. Bedeutung.

Muschelseide, →Byssus.

Muschelvergiftung, akute Erkrankung nach dem Genuss von Muscheln, mit ähnl. Anzeichen wie bei einer →Fischvergiftung. Ursache sind von den Muscheln aufgenommene, Saxitoxin bildende Giftalgen oder (bakterielle) Fäulnisprodukte.

Mụschg, 1) Adolf, schweizer. Schriftsteller, Literaturhistoriker, *Zollikon 13. 5. 1934, Halbbruder von 2). Seine vielschichtigen Romane und Erzählungen stellen Symptome der Entfremdung und Sprachlosigkeit dar und sind z. T. von Ironie und schwarzem Humor bestimmt (»Im Sommer des Hasen«, R., 1965; »Albissers Grund«, R., 1974; »Entfernte Bekannte«, Erz., 1976; »Baiyun oder die Freundschaftsgesellschaft«, R., 1980; »Der Turmhahn und andere Liebesgeschichten«, Erz.,

1987); schrieb auch Dramen, Hör- und Fernsehspiele sowie Essays (»Goethe als Emigrant«, 1986; »Die Schweiz am Ende – Am Ende die Schweiz. Erinnerungen an mein Land vor 1991«, 1990), ferner den Roman »Der rote Ritter. Eine Geschichte von Parzivâl« (1993). M. erhielt 1994 den Georg-Büchner-Preis.

2) Walter, Literaturhistoriker, *Witikon (heute zu Zürich) 21. 5. 1898, †Basel 6. 12. 1965, Halbbruder von 1); ab 1936 Prof. in Basel; verfasste zahlreiche literaturhistor. Arbeiten, so die stark polem. »Tragische Literaturgeschichte« (1948).

Musen, *grch. Mythos:* die Töchter des Zeus und der Mnemosyne, Göttinnen der Künste und der Wissenschaften, Hüterinnen einer harmon. Ordnung. Als ihr Sitz galt der Helikon, später auch der Parnass. Apoll führte sie als Musagetes an. Neun M. sind bei Hesiod genannt (Tätigkeitsbereiche samt Attributen wurden erst in hellenist. Zeit zugeordnet): **Klio:** Geschichte; **Kalliope:** Epos, Elegie; **Melpomene:** Tragödie; **Thalia:** Komödie; **Urania:** Astronomie; **Erato:** Liebeslied, Tanz; **Euterpe:** Musik, Lyrik; **Terpsichore:** Chorische Lyrik, Tanz; **Polyhymnia:** Tanz, Pantomime, ernstes Lied.

Musen|almanach, seit der Mitte des 18. bis ins 19. Jh. beim gebildeten Bürgertum beliebtes belletrist. Publikationsorgan; jährlich erscheinende Anthologie meist noch unveröffentlichter Dichtungen, vorwiegend Lyrik und andere poet. Kleinformen, aber auch Dramen- und Epen(auszüge), Übersetzungen, Kompositionen, oft auch mit Kalendarium und Illustrationen. Bed. waren u. a. der »Göttinger M.« (1770–1802) sowie »Schillers M.« (1796–1800), in dem u. a. die »Xenien« (Jahrgang 1797) erschienen.

Musette [myˈzɛt, frz.] *die,* **1)** Sackpfeife (Dudelsack) mit 4–5 Bordun- und einer, später zwei Spielpfeifen. Der Sack wurde durch einen an den Arm geschnallten Blasebalg mit Luft gefüllt; im 17. und 18. Jh. Modeinstrument der frz. Gesellschaft.

2) ruhiger, ländlicher frz. Tanz im $^6/_8$-, $^3/_4$- oder $^2/_4$-Takt, war zur Zeit Ludwigs XIV. und Ludwigs XV. sehr beliebt; im 18. Jh. auch Bestandteil der Suite, des frz. Balletts und der Oper. Aus der M. entwickelte sich später der **Musettewalzer.**

Museum [grch. mouseĩon »Musensitz«] *das,* seit dem 18. Jh. Bez. sowohl für die Institution als auch für die Gebäude, in denen Sammlungen künstler., wiss. u. a. Gegenstände untergebracht sind. M. dienen der Sammlung, Bewahrung, Erforschung und Wiederherstellung von Kulturgut, v. a. aber dessen sinnvoller Präsentation und Erläuterung. Das (Kunst-)M. als öffentl. Institution wurde im 18. Jh. geschaffen; es ging aus den Sammlungen (»Kunstkammern«) fürstl. (weltl. und geistl.) Kunstliebhaber hervor. Vereinzelt waren solche Sammlungen

Museen (Auswahl)

Abkürzungen: A = Antike Kunst, AaK = Altamerikan. Kunst, AäK = Altägypt. Kunst, AK = Afrikan. Kunst, AM = Alte Malerei/Grafik, E = Völkerkunde, G = Geschichte, IK = Ind. Kunst, IsK = Islam. Kunst, Kh = Kunsthandwerk, N = Naturkunde, NM = Neuere und neueste Malerei/Grafik, MI = Musikinstrumente, OK = Ostasiat. Kunst, P = Plastik, PK = Präkolumbian. Kunst, S = Spezialmuseum, T = Technik, V = Volkskunde

Ort	*Museum (Schwerpunkt der Sammlung)*
Bundesrepublik Deutschland	
Altenburg	Lindenau-Museum (A, AM, NM, P)
Berlin*)	Ägypt. Museum und Papyrussammlung (AäK)
Berlin*)	Antikensammlung (A)
Berlin*)	Museum für Völkerkunde (E)
Berlin*)	Museum für Volkskunde (V)
Berlin*)	Museum für Ind. Kunst (IK)
Berlin*)	Museum für Islam. Kunst (IsK)
Berlin*)	Museum für Ostasiat. Kunst (OK)
Berlin*)	Kunstgewerbemuseum (Kh)
Bochum	Dt. Bergbau-Museum (T)
Bonn	Rhein. Landesmuseum (A, AM, S, Kh)
Braunschweig	Herzog Anton Ulrich-Museum (Am, Kh)
Bremen	Kunsthalle (AM, NM, S)
Bremerhaven	Dt. Schifffahrtsmuseum (T)
Darmstadt	Hess. Landesmuseum (N, AM, NM, S, Kh, A, P)
Dortmund	Museum am Ostwall (NM, P)
Dresden	Dt. Hygiene-Museum (S)
Dresden	Staatl. Kunstsammlungen (AM, NM, P, Kh)
Dresden	Verkehrsmuseum (T)
Duisburg	Wilhelm-Lehmbruck-Museum (NM, P)
Düsseldorf	Kunstmuseum (AM, NM, Kh)
Düsseldorf	Kunstsammlung Nordrhein-Westfalen (NM)
Essen	Museum Folkwang (NM, P, Kh, OK, AaK)
Frankfurt am Main	Naturmuseum und Forschungsinstitut Senckenberg (N)
Frankfurt am Main	Museum für Kunsthandwerk (Kh)
Frankfurt am Main	Liebieghaus – Museum alter Plastik (P, A, OA, AäK)
Frankfurt am Main	Städelsches Kunstinstitut (AM, NM)
Freiburg im Breisgau	Städt. Museen – Augustinermuseum (AM, NM, P)
Halle	Staatl. Galerie Moritzburg (NM, P, Kh)
Hamburg	Kunsthalle (AM, NM, P)
Hamburg	Museum für Kunst und Gewerbe (Kh, S, AäK, OK)
Hannover	Niedersächs. Landesmuseum (AM, NM, S)
Hannover	Kestner-Museum (A, AäK, Kh)
Hannover	Sprengel-Museum (NM)
Hildesheim	Roemer-Museum (E, N)
Hildesheim	Pelizaeus-Museum (AäK)
Karlsruhe	Bad. Landesmuseum (A, AäK, Kh, P, V)
Karlsruhe	Staatl. Kunsthalle (AM, NM)
Kassel	Dt. Tapetenmuseum (S)
Kassel	Staatl. Kunstsammlungen (AM)
Köln	Röm.-German. Museum (A, Kh)
Köln	Wallraf-Richartz-Museum (AM, NM)
Köln	Rautenstrauch-Joest-Museum (E)
Köln	Museum für Ostasiat. Kunst (OK)
Leipzig	Ägypt. Museum der Univ. Leipzig (AäK)
Leipzig	Dt. Buch- und Schriftmuseum der Dt. Bücherei (Dt. Bibliothek)
Leipzig	Grassimuseum (Kh)
Leipzig	Museum der Bildenden Künste (AM, NM, P)
Magdeburg	Kloster »Unsere Lieben Frauen« (P)
Mainz	Gutenberg-Museum (S)
Mainz	Röm.-German. Zentralmuseum (A)
Mannheim	Städt. Kunsthalle (NM, P)
Mannheim	Landesmuseum für Technik und Arbeit (T)

*) in Berlin werden zur Zeit die Museumsbestände neu geordnet

Museen (Auswahl; Fortsetzung)

Ort	*Museum (Schwerpunkt der Sammlung)*
Mannheim	Städt. Reiß-Museum (E)
München	Bayer. Nationalmuseum (Kh)
München	Alte Pinakothek (AM)
München	Neue Pinakothek (NM, P)
München	Dt. Museum (von Meisterwerken der Naturwiss. und Technik) (S)
München	Prähistor. Staatssammlung (S)
München	Glyptothek (S)
Nürnberg	German. Nationalmuseum (AM, S, Kh, V)
Radebeul	Karl-May-Museum (S, E)
Recklinghausen	Ikonenmuseum (S)
Rostock	Kunsthalle (NM, P)
Rostock	Schiffahrtsmuseum (T)
Schwerin	Staatl. Museum (NM, AM, Kh)
Stuttgart	Staatsgalerie (AM, NM, P)
Stuttgart	Linden-Museum (E)
Weimar	Staatl. Kunstsammlungen (AM, NM, Kh)
Weimar	Goethe Nationalmuseum (S)
Wuppertal	Von der Heydt-Museum (NM, P)
Übriges Europa und außereuropäische Länder	
Amsterdam	Rijksmuseum (AM, P, IsK, IK, OK, Kh)
Amsterdam	Stedelijk Museum (NM, P)
Athen	Archäologisches Museum (A, P)
Bagdad	Irak-Museum (IsK, A)
Basel	Kunstmuseum (AM, NM, P, MI)
Bern	Kunstmuseum (AM, NM, P)
Boston	Museum of Fine Arts (A, AäK, IK, MI, OK, AM, NM, P, Kh)
Brüssel	Musées Royaux d'Art et d'Histoire (A, AäK, IsK, OK, AM, S, Kh)
Brüssel	Musées Royaux des Beaux-Arts de Belgique (AM, NM, P)
Budapest	Museum der bildenden Künste (A, AäK, AM, NM, P)
Cardiff	National Museum of Wales (AM, N, V)
Chicago	Art Institute (AM, NM, A, PK, P, Kh)
Cleveland	Museum of Art (A, AäK, IsK, IK, OK, AM, NM, P, Kh, V)
Colmar	Musée d'Unterlinden (AM)
Den Haag	Mauritshuis (AM, NM)
Den Haag	Gemeentemuseum (G, MI, Kh, NK)
Dublin	National Gallery (AM)
Ede-Otterlo	Rijksmuseum Kröller-Müller (NM, AM, P, Kh, A, AäK, OK)
Edinburgh	National Museum of Scotland (AM, S)
Florenz	Galleria dell'Accademia (AM)
Florenz	Uffizien (AM, P, A)
Florenz	Museo Nazionale del Bargello (P)
Florenz	Palazzo Pitti (AM, NM)
Fredensborg-Humblebaek (bei Kopenhagen)	Lousiana (NM)
Haarlem	Frans Halsmuseum (NM)
Istanbul	Topkapı-Serail (IsK, G)
Kairo	Ägyptisches Museum (AäK)
Kopenhagen	Ny Carlsberg Glyptotek (NM, P, A, AäK, IsK)
Kopenhagen	Nationalmuseet (E, V, S)
Lissabon	Museu Nacional de Arte Antiga (AM, P, Kh, IsK)
London	Britisches Museum (A, AäK, IsK, IK, Kh)
London	National Gallery (Am, NM)
London	Victoria and Albert Museum (OK, IK, Kh, MI, S)
Luzern	Verkehrshaus der Schweiz – Schweizer Verkehrsmuseum (S)
Madrid	Prado (AM, NM, P, A, Kh)

schon im 16./17. Jh. dem Publikum zugänglich gemacht worden, v.a. in Florenz (Uffizien 1580, Palazzo Pitti 1640); in Basel ging zum ersten Mal eine private Sammlung in öffentl. Besitz über (1662). Als erste staatl. Gründung entstand das Brit. Museum in London (1753), in Dtl. das Kasseler Museum Fridericianum (erbaut 1769–76). Eine Welle von M.-Gründungen erfolgte im 19. Jh.; Vorläufer war die Öffnung des Louvre (1793) in Paris. Die M. spezialisierten sich in der Folgezeit mehr und mehr auf Einzelgebiete; daneben entstanden naturwiss. und techn. M. (meist thematisch begrenzt), Heimat- und Regional-M., Ende des 20. Jh. auch Industriemuseen. Weiteres BILD S. 434

📖 STURM, E.: *Konservierte Welt. M. u. Musealisierung. Berlin 1991.* – KOMIAN, K.: *Der Ursprung des M. Vom Sammeln. A. d. Frz. Neuausg. Berlin 1993.* – *Die Erfindung des M. Anfänge der bürgerl. Museumsidee in der Frz. Revolution, hg. v.* G. FLIEDL *u. a. Wien 1996.*

Museumskäfer (Anthrenus museorum), Art der Speckkäfer, 2–3 mm lang, die gelblich braunen Flügeldecken sind schwarz gefleckt; Larven fressen an Pelzwaren, Wollstoffen, Tierbälgen u.a. zoolog. Präparaten. BILD S. 434

Museveni, Yoweri Kaguta, ugand. Politiker, *Ntungamo (bei Mbara, Ankole) 1944; zunächst im Staatsdienst tätig, ging nach dem Staatsstreich Idi Amins 1971 ins Exil nach Tansania und organisierte hier die Nationale Befreiungsfront Ugandas, die dann die tansan. Truppen beim Sturz Idi Amins 1979 unterstützten; 1979–80 Verteidigungsminister. An der Spitze des »National Resistance Movement« gegen M. Obote (seit 1981) gewann er 1986 die Macht in Uganda. Als Staatspräs. (seit 1986; in Direktwahl 1996 wieder gewählt) gelang es M. nach vielen Jahren des Bürgerkriegs, Uganda zu befrieden.

Musical ['mju:zɪkəl, engl.] *das* (eigtl. Musical Comedy, Musical Play), musikalisch-theatral. Mischgattung, ein i.d.R. aus zwei Akten bestehendes Bühnenstück mit gesprochenem Dialog, Gesang (Song, Ensemble, Chöre) und Tanz, das seit 1900 in den Unterhaltungstheatern am New Yorker Broadway aus der Verbindung von Minstrel-Show, Vaudeville, Operette, Ballett und Revue hervorgegangen ist. Musikalisch zu einem eigenen Stil gelangte es bei G. Gershwin (»Of thee I sing«, 1930; »Porgy and Bess«, 1935), V. Youmans (»No, No, Nanette«, 1925), J. Kern (»Show boat«, 1927), C. Porter (»Anything goes«, 1934) und R. Rodgers (»The boys from Syracuse«, 1938; »Oklahoma«, 1943). Die Stücke behandeln eine gegenwartsnahe, dem Alltag des Publikums entnommene Thematik in realist. Darstellung. Vielfach werden Stoffe aus der Weltliteratur aktualisiert. So geht die Handlung von C. Porters »Kiss me, Kate« (1948) auf

Shakespeares »Der Widerspenstigen Zähmung«, F. Loewes »My fair lady« (1956) auf G. B. Shaws »Pygmalion« und L. Bernsteins »West side story« (1957) auf Shakespeares »Romeo und Julia« zurück. Als Produkt des Showbusiness neigt das M. zum Aufwendigen und Sensationellen. Bes. erfolgreich waren nach dem 2. Weltkrieg die M. von R. Rodgers (»South Pacific«, 1949), I. Berlin (»Annie get your gun«, 1946), J. Herman (»Hello Dolly«, 1964), J. Bock (»Fiddler on the roof«, 1964, dt. »Anatevka«) und M. Hamlisch (»A chorus line«, 1975). Zum Rock-M. mit Elementen der Rockmusik gehören G. McDermots »Hair« (1968) und A. Lloyd Webbers »Jesus Christ Superstar« (1971), »Evita« (1978), »Cats« (1981) und »Starlight express« (1984). Weitere Erfolge Lloyd Webbers sind die M. »Das Phantom der Oper« (1986) und »Miss Saigon« (1989). BILD S. 434, weiteres BILD Lloyd Webber

📖 SONDERHOFF, A. *u.* WECK, P.: *M. Geschichte, Produktionen, Erfolge. Neuausg. Augsburg 1995.* – AXTON, C. B. *u.* ZEHNDER, O.: *Reclams Musicalführer. Stuttgart* [5]*1996.* – RICHMOND, K.: *Die M.s von Andrew Lloyd Webber. A. d. Engl. Hamburg 1996.*

Musik [lat. musica, von grch. mousikḗ téchnē »Kunst der Musen«] *die,* bei den Griechen die Geist und Gemüt bildende Betätigung im Unterschied zur Gymnastik; erst in nachklass. Zeit Name für die M. im Sinne von Tonkunst. – Die M. (Tonkunst) beruht auf Tonbeziehungen, d.h. auf der Aufeinanderfolge und/oder dem Zusammenklang mehrerer Töne. Ihre Beziehungen hinsichtlich der Tonhöhe (Schwingungsfrequenz) entsprechen Zahlenrelationen, z.B. 3:2 (Quinte), die bereits in archaischen M.-Theorien Beachtung fanden. Im Unterschied zu den bildenden Künsten hat das musikal. Geschehen eine zeitl. Ausdehnung, deren rhythm. Gliederung wieder auf Zahlenrelationen beruht, z.B. Halb-, Viertelton.

Die wichtigsten, je nach musikal. Tradition, Gattung oder Epoche unterschiedlich ausgefüllten Gestaltungsprinzipien (Parameter) sind →Rhythmus, →Melodie und →Harmonie. Hinzu kommt die Charakterisierung des Klanges durch die jeweiligen M.-Instrumente. Es liegt nahe, die Herkunft der primär **einstimmigen M.** im Singen zu sehen, die der vorzugsweise auf Zusammenklang beruhenden im klanglich-instrumentalen Musizieren. Aus der gegenseitigen Durchdringung des einstimmigen und des klangl. Prinzips entstand die **mehrstimmige** abendländ. Musik. In ihr war bis um 1600 die melodisch-lineare Führung der Einzel-

Museen (Auswahl; Fortsetzung)

Ort	*Museum (Schwerpunkt der Sammlung)*
Mailand	Pinacoteca di Brera (AM, NM, P, A, Kh)
Moskau	Tretjakow-Galerie (S, NM, AM)
Neapel	Museo e Gallerie Nazionali di Capodimonte (AM, P, Kh)
New York	Metropolitan Museum of Art (A, AäK, IsK, IK, OK, PK, AM, NM, P, Kh, MI)
New York	Museum of Modern Art (NM, P)
New York	Guggenheim Museum (NM, P)
Olympia	Archäologisches Museum (A, P)
Oslo	Nasjonalgalleriet (NM, AM, P, A, Kh)
Paris	Louvre (A, AäK, IsK, OK, IK, AM, P, Kh)
Paris	Centre National d'Art et de Culture Georges Pompidou (NM, P)
Paris	Musée d'Orsay (P, NM, Kh, des 19. Jh.)
Philadelphia	Museum of Art (AM, NM, P, IsK, IK, OK, PK, Kh, V)
Prag	Nationalgalerie (AM, NM, P, AäK, IsK, Kh)
Rom	Galleria Borghese (A, AM, P)
Rom	Galleria dell'Accademia Nazionale di San Lucca (AM)
Rom	Galleria Nazionale d'Arte Moderna (NM, P)
Rom	Vatikanische Sammlungen (AM, Kh)
Rotterdam	Museum Bymans-van Beuningen (AM, NM, P)
Sankt Petersburg	Eremitage (A, AäK, IsK, AM, P, Kh, V)
Stockholm	Nationalmuseum (AM, NM, S, Kh)
Sydney	Australian Museum (S)
Tokio	Nationalmuseum für Moderne Kunst (OK, S)
Venedig	Galleria dell'Accademia (AM)
Warschau	Nationalmuseum (A, AäK, AM, NM, P, Kh)
Washington	National Gallery of Art (AM, NM, OK, Kh)
Wien	Graphische Sammlung Albertina (AM, NM, OK)
Wien	Kunsthistorisches Museum (A, AäK, IsK, AM, Kh)
Zürich	Kunsthaus (A, AM, NM, P)

Yoweri Musevini

Museum: Die 1826–36 nach Plänen von Leo von Klenze erbaute Alte Pinakothek in München ist ein lang gestreckter zweigeschossiger Bau mit Oberlichtsälen und Seitenkabinetten

Museum: Hubert Robert, »Ansicht der Großen Galerie des Louvre« (1796; Paris, Louvre)

stimmen, die im kontrapunkt. Satz (→Kontrapunkt) zur polyphonen Einheit verbunden werden, die eigentl. formbildende Kraft; die tonale Grundlage bildeten die Kirchentöne (→Kirchentonarten). Dagegen wurde in der homophon gerichteten, akkordisch gebundenen M. seit 1600 (→Generalbass) und v.a. seit 1750 die Melodik stark von der Harmonie bestimmt, bei der im Sinne der Kadenz alle Töne und Zusammenklänge eines M.-Stücks auf den Dur- oder Moll-Dreiklang eines Grundtons bezogen werden (→Tonart, →Stimmung). Im 20. Jh. und bes. seit dem 2. Weltkrieg verstärkt sich die Tendenz, von dem die europ. M. seit ihren Anfängen bestimmenden System der Tonalität wegzukommen (→Neue Musik).

Museumskäfer
(Länge 2-3 mm)

Der große Sammelbegriff M. lässt eine Einteilung nach versch. Gesichtspunkten zu. Neben der **Volks-M.** steht die von einzelnen Komponisten geschaffene **Kunst-M.** Der Kunst-M. (ernste M., E-M.) steht die **Unterhaltungs-M.** (U-M.) einschließlich Tanz-M. und →Jazz gegenüber. Der mehrstimmigen M. (Abendland) steht die einstimmige (Antike, Orient) gegenüber, der geistl. die weltl., der absoluten M. (ohne begrifflich fassbaren Inhalt) die Programmmusik. Nach den zur Ausführung der M. erforderl. Klangkörpern unterscheidet man die beiden Hauptgruppen **Instrumental-** und **Vokalmusik.** Die Instrumental-M. gliedert sich in Orchester-, Kammer- und Salon-M., die Vokal-M. in die reine (A-cappella-M.) und die von Instrumenten begleitete Gesangs-M., in Chor- und Sologesangsmusik. – Die wichtigsten musikal. Gattungen sind: Lied, Tanz, Fuge, Kanon, Sonate, Sinfonie, Arie, Rezitativ, Oper, Oratorium, Motette und Messe. Der nachschaffende, ausübende Musiker (Interpret) ist der Mittler zw. Komponist und Hörer. In dem Maße, wie die Komponisten neuerer M. von der traditionellen Notation und damit der völligen Reglementierung der M.-Wiedergabe abkommen, nähert sich die Bedeutung des Interpreten der des Komponisten.

Die Anfänge der M. liegen im Kultischen. Die musikal. Entwicklung jenseits des europäisch-geschichtl. Bereichs kann grundsätzlich nicht isoliert, sondern nur im Zusammenhang mit ihren ganzheitlich-menschl. Bindungen gesehen werden. Leben und Musik bildeten beim mythisch denkenden Menschen der Vorzeit eine untrennbare Einheit. Mit Beginn des abendländ. Denkens war bei den Griechen die M. zunächst noch eine der Komponenten der »musikḗ« (die anderen waren die Sprache als Vers und der Tanz). Erst danach, v.a. im Verlauf der christl. Zeit, bahnte sich die M. den Weg zur autonomen Kunst. (→frühchristliche Musik, →byzantinische Musik)

📖 NESTLER, G.: *Geschichte der M. Die großen Zeiträume der M. von den Anfängen bis zur elektron. Komposition.* Mainz u. a. ^{3}1988. – DAHLHAUS, C. *u.*

Musical (von links): Szene aus der 1957 uraufgeführten »West side story« von Leonard Bernstein in einer Verfilmung der amerikanischen Regisseure Robert Wise und Jerome Robbins (1961); Szene aus dem 1981 uraufgeführten Musical »Cats« von Andrew Lloyd Webber in der Inszenierung des Hamburger Operettenhauses (1986 ff.)

EGGEBRECHT, H. H.: *Was ist M.? Wilhelmshaven* [2]*1987.* – EGGEBRECHT, H. H.: *M. verstehen. München u. a. 1995.* – HEMPEL, C.: *Neue allg. Musiklehre. Mainz 1997.*

Musikalilen, gedruckte oder geschriebene Musikwerke, heute v. a. für gedruckte Noten, die im M.-Handel vertrieben werden.

musikalische Aufführungspraxis, im Allg. die Art und Weise, wie ein vom Komponisten festgelegter Notentext durch den Interpreten klanglich realisiert wird, im Besonderen die Erforschung und Rekonstruktion der Aufführungsformen älterer Musikwerke in der Epoche ihrer Entstehung (histor. Aufführungspraxis).

musikalische Grafik, Notationsform →Neuer Musik, die statt der traditionellen Notenschrift graf. Zeichen verwendet, die den Spieler inspirieren und zur Umsetzung in musikal. Formen anregen soll. Die m. G. wurde seit 1952 von E. Brown, J. Cage, S. Bussotti, A. Logothetis u. a. entwickelt und wird v. a. in der Aleatorik verwendet. Die Bez. prägte R. Haubenstock-Ramati.

Musikalisches Opfer, Komposition von J. S. Bach (BWV 1079, 1747) über ein Thema (»königl. Thema«) Friedrichs d. Gr.; ein Zyklus von 12 Kanons, Fugen und Ricercari sowie einer Triosonate.

Musikalität (musikalische Begabung), die angeborene oder erworbene Fähigkeit, Musik aufzunehmen und auszuüben. Zu den wesentl. Komponenten der M. zählen das Erkennen von Tonhöhen-, Tondauer- und Tonstärkeunterschieden, das Auffassen und Behalten von Melodien, Rhythmen, Akkorden usw. sowie für die Musikausübung die Fähigkeit der musikal. Gestaltung und der Geschicklichkeit im Umgang mit Musikinstrumenten.

Musiklästhetik, Disziplin der systemat. Musikwiss. und zugleich Teil der allg. Ästhetik; untersucht u. a. das Wesen der Musik, die Beziehungen des Menschen zur Musik sowie deren Verhältnis zur Wirklichkeit, die Methoden der musikalisch-künstler. Gestaltung und das Beziehungsgefüge zw. Komposition, Interpretation und Rezeption von Musik.

Musiklautomaten, →mechanische Musikinstrumente.

Musikbibliothek, Sammlung von Musikhandschriften und -drucken, Musikliteratur und -zeitschriften, Dokumenten (Briefe), Bildern und Tonträgern. Bed. M. bestehen u. a. in Berlin, München, Paris, London, Washington.

Musikbogen, urtüml. Saiteninstrument aus der Familie der Zither, meist mit einer Saite, die an den Enden eines elast., gebogenen Stabes befestigt ist und mit einem Stäbchen angeschlagen, gestrichen oder mit den Fingern angerissen wird; v. a. in Schwarzafrika, Asien, Ozeanien noch verwendet.

Musikdirektor, Abk. **MD,** urspr. Titel des leitenden Musikbeauftragten einer Stadt (z. B. J. S. Bach in Leipzig); seit dem 19. Jh. verliehen an die Leiter musikal. Institutionen (Städt. M., Kirchen-M.). In größeren Städten erhält der M. vielfach den Titel **Generalmusikdirektor** (Abk. **GMD**).

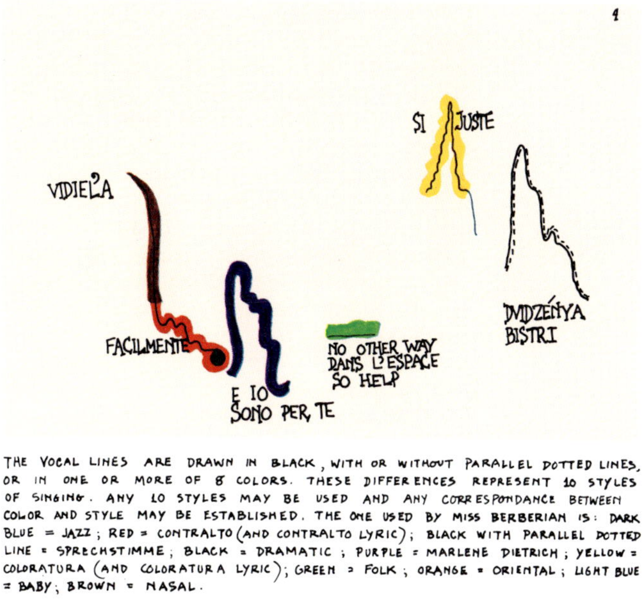

musikalische Grafik: Seite aus »Aria« für Singstimme von John Cage (oben) und Ausschnitt aus dessen Anweisungen für die Interpretation der Grafik von 1958

Musikdrama, musikal. Bühnenwerk, bei dem sich die Musik den Anforderungen des Dramas fügt und mit Wort und Szene eine Einheit bildet. Die Bez. M. wird v. a. auf die Werke R. Wagners seit dem »Ring des Nibelungen« angewendet.

Musiker, als Komponist, Interpret oder Musiklehrer Tätiger; i. e. S. heute der berufsmäßige Instrumentalist oder Vokalist **(Berufs-M.),** bes. das Orchestermitglied.

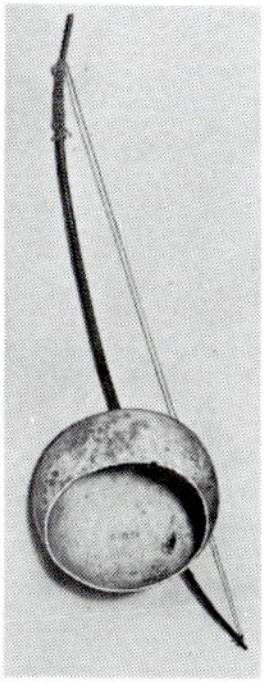

Musikbogen

Musikerverbände, Berufsorganisationen, die sich der sozialen und wirtsch. Belange der Musiker annehmen sowie musikalisch-künstler. und kulturpolit. Aufgaben und Ziele verfolgen. In Dtl. v. a. der »Verband Dt. Schulmusikerzieher e. V.« (seit 1949; Sitz: Mainz), die »Dt. Orchestervereinigung e. V. in der DAG« (seit 1952; Sitz: Hamburg) und der »Verband Dt. Musikerzieher und konzertierender Künstler e. V.« (seit 1964; Sitz: München), Nachfolgeorganisation des 1844 gegr. »Berliner Tonkünstlervereins«.

Musiklerziehung (Musikpädagogik), die Pflege und Förderung musikal. Anlagen; findet an Schulen des öffentl. Bildungswesens im Musikunterricht sowie an Musikschulen (beginnend mit der musikal. Früh- und Grunderziehung für Vorschulkinder) oder bei Privatmusiklehrern sowie an →Musikhochschulen und Konservatorien statt.

Musik|ethnologie (vergleichende Musikwissenschaft, Ethnomusikologie, musikalische Volks- und Völkerkunde, in den USA auch World Music), Teilgebiet der Musikwiss., beschäftigt sich mit der außereurop. Stammes-, Volks- und Kunstmusik sowie der europ. Volksmusik und bezieht die Völkerkunde, Anthropologie, Soziologie, Psychologie, Religions- und Sprachwissenschaft mit ein. Ihre Forschung stützt sich auf vorgeschichtl. Funde (Musikarchäologie), Studien an Bildquellen (Musikikonographie) und bei schriftlosen Völkern auf bei der Feldforschung erfragte allgemeine kulturelle Fakten sowie Tondokumente, die dem Gehör nach transkribiert und mit elektron. Apparaturen untersucht werden. Für die Kunstmusik der Hochkulturen erschließt sie zusätzlich die schriftl. Aufzeichnungsweisen von Musik und die theoret. Quellen.

Musikgeschichte, Bez. sowohl für den Ablauf allen auf die Musik bezogenen Geschehens in der Vergangenheit, wie es sich in der Entwicklung von Komposition (Stile, Gattungen, Satztechniken), Tonsystemen, Notenschrift und Instrumenten offenbart, als auch für die Erforschung und Darstellung dieses Geschehens. Den wissenschaftlich-literar. Niederschlag finden die musikhistor. Betrachtung und deren Gegenstand in der Musikgeschichtsschreibung, die auf der Basis der musikwiss. Detailforschung eine Zusammenschau anstrebt. Das spätantike (Pseudo-Plutarch, 2./3. Jh.) und mittelalterl. Schrifttum (z. B. Guido von Arezzo, »Micrologus«) enthält frühe Beispiele histor. Betrachtung. Während im MA. die Herausbildung musikal. Neuerungen in einem ungebrochenen, das jeweils Neue aus dem Alten ableitenden Traditionsprozess erfolgt (→Ars antiqua, →Ars nova), wird im Humanismus und in der Renaissance mit der Ausrichtung an antiken Vorbildern der Boden bereitet für das moderne Bewusstsein von Geschichte als Gegenstand einer Wiederentdeckung und geistigen Durchdringung der musikal. Vergangenheit mittels Sammelns und krit. Auswertung der Quellen, wie es im 17. Jh. ansatzweise in Arbeiten von M. Praetorius, A. Kircher, W. C. Printz und G. A. Bontempi zu beobachten ist. Die musikal. Universalgeschichten des 18. Jh., u. a. von C.-H. de Blainville, J.-B. de Laborde, G. B. Martini, J. Hawkins, C. Burney, J. N. Forkel, vertreten die aufklärer. Auffassung eines stufenweisen Fortschritts zur Vervollkommnung, die i. d. R. mit der Kanonisierung eines bestimmten Epochenteils oder eines herausragenden Komponisten verbunden ist. Im 19. Jh. dringt bei F.-J. Fétis und R. G. Kiesewetter der Gedanke des organ. Wachstums und der Eigenwertigkeit jeder musikgeschichtl. Epoche durch, dem A. W. Ambros noch die kulturhistor. Perspektive hinzufügt. Zugleich verlagert sich das Interesse im Gefolge histor. Wiedererweckungsbemühungen (Neuausgaben alter Musik und nat. Denkmäler, Komponistengesamtausgaben) auf die Spezialforschung. Einen Schwerpunkt bildet die Musikerbiographie. Das 20. Jh. bringt ein neues Verständnis der M. als Problemgeschichte (H. Riemann), als Stilgeschichte (G. Adler), als Formen- und Gattungsgeschichte (H. Kretzschmar) und als Geistesgeschichte (W. Gurlitt, H. Besseler, J. Chailley, J. S. Handschin). Die neuere Forschung ist durch die fortschreitende Spezialisierung und die Ausbildung neuer Teildisziplinen (z. B. Musikterminologie, Musikikonographie) gekennzeichnet sowie durch den Versuch, die in anderen Wissenschaften erarbeiteten Methoden und Erkenntnisse für die Interpretation musikgeschichtl. Phänomene zu nutzen.

📖 Handschin, J.: *M. im Überblick. Wilhelmshaven ⁶1990.* – Schaper, H.-C.: *M. kompakt. Grundwissen u. Beispiele, 2 Bde. Mainz 1993–96.* – Dietel, G.: *M. in Daten. München 1994.* – Hoetzl, E.: *M. heute? Versuch einer Perspektive. Wien u. a. 1995.*

Musikhochschulen (Hochschulen für Musik), staatl. Lehrinstitute für die musikal. Berufsausbildung mit v. a. folgenden Berufszielen: a) Orchestermusiker, Instrumentalsolist, Dirigent, Komponist, Opern- und Konzertsänger, Tänzer; b) freiberufl. Musiklehrer und Lehrer an Musikschulen; c) Schulmusiker, Kirchenmusiker. Als Erste trug die 1869 gegründete Königl. Hochschule für Musik in Berlin diese Bezeichnung. Heute gibt es in Dtl. 21 M. (z. T. Hochschulen für Musik und Theater/Darstellende Kunst), die nach und nach aus Konservatorien, Akademien u. Ä. hervorgegangen sind, und zwar in Berlin, Detmold (mit Dortmund und Münster), Dresden, Düsseldorf, Essen (mit Duisburg), Frankfurt am Main, Freiburg im Breisgau, Hamburg, Hannover, Karlsruhe, Köln (mit Aachen und Wuppertal), Leipzig, Lübeck, Mannheim (mit Heidelberg), München, Rostock, Saarbrücken, Stuttgart, Trossingen, Weimar und Würzburg. Außerdem bestehen fünf landeskirchl. Hochschulen für Kirchenmusik.

Musik|instrumente, Geräte zum Hervorbringen musikalisch verwertbaren Schalls (Töne, Klänge und Geräusche). Die Einteilung in **Saiteninstrumente** (Streich-, Zupf-, Saiteninstrumente mit Klaviatur), **Blasinstrumente** (Holz-, Blechblasinstrumente, mit Tastatur, mit Zungen) und **Schlaginstrumente** ist ungenau und durch eine von E. M. von Hornbostel und C. Sachs entwickelte Systematik ersetzt: **Idiophone** (Selbstklinger), **Membranophone** (Fellklinger), **Chordophone** (Saitenklinger), **Aerophone** (Luftklinger), **Elektrophone** (elektron. M.).

Geschichte: Die lückenhafte Überlieferung durch Funde erlaubt es nicht, die Entstehung der M. im Einzelnen zu datieren. Nach der (nicht mehr vorbehaltlos anerkannten) Theorie von C. Sachs entstanden in prähistor. Zeit Schlagidiophone, in der Altsteinzeit Schwirrholz, Flöte, Schnecken- und Tubushorn, in der Jungsteinzeit Grifflochflöte, einfellige Trommel, Panflöte, Musikbogen, Xylophon, Maultrommel und Rohrblattpfeife, in der »Metallzeit« Zither und Glocke. Seit der Jungsteinzeit verfügten die M. über wechselnde Tonhöhen. – Rekonstruierbare Funde, Abbildungen und schriftl. Zeugnisse lassen für das 3. Jt. v. Chr. in Mesopotamien den Schluss auf den Gebrauch von Harfe, Leier und zweifelliger Trommel zu. Ein Jahrtausend später sind in Ägypten Laute, Becken, Trompete und Doppelrohrblattpfeife bezeugt. Das grch. Instrumentarium im 1. Jt. v. Chr. wurde aus dem Vorderen Orient übernommen und brachte an Neuerungen Sackpfeife, Kastagnetten und Hydraulis. Wahrscheinlich über die Etrusker und Kelten gelangten Harfen, Leiern und Hörner ins mittelalterl. Europa; aus dem Orient kamen weitere für die Folgezeit wichtige M. wie Orgel, Psalterium, Fiedel, Rebec, Laute, Schalmei und Trompete. Eine bed. Neuerung des MA. war die Einführung von Tasten bei Saiteninstrumenten, wodurch spätestens im 14. Jh. über das Monochord die Frühformen von Klavichord und Cembalo entstanden. In der Renaissance wurde das Instrumentarium stark ausgeweitet; der Tonraum erweiterte sich um zwei Oktaven nach unten, es entstanden viele Instrumentenfamilien (d. h. Bau des gleichen M. in Diskant-, Alt-, Tenor- und Basslage). Neue Typen wurden entwickelt, bes. bei den Blasinstrumenten (z. B. Rackett, Sordun, Rausch- und Schreierpfeife, Dulzian, Krummhorn, Pommer, Zink). Aus Fiedel und Rebec entstanden die drei Gruppen der Streichinstrumente, die Liren, Violen und die Violinfamilie. Das 16. Jh. unterschied die akkordfähigen »Fundamentinstrumente« wie Orgel, Cembalo und Laute von den i. d. R. einstimmigen »Ornamentinstrumenten«. Im 17./18. Jh. bildete sich das Orchester mit dem Streicherchor als Kern heraus. Bedeutsam waren im 18. Jh. die Entwicklung des Hammerklaviers und die Einführung der temperierten Stimmung. Die allgemeine Technisierung führte im 19. Jh. im Instrumentenbau zur Verbesserung vorhandener M. (z. B. Einführung der ausgereiften Klappenmechanik bei Flöten und Rohrblattinstrumenten, von Ventilen bei Blechblasinstrumenten, der Repetitionsmechanik beim Klavier). Daneben entstanden neue M. wie Saxophon, Harmonium, Mund- und Handharmonika. Neue Klangmöglichkeiten erschlossen im 20. Jh. die Elektrophone.

📖 *Lexikon M.,* *hg. v.* W. Ruf *u. a. Mannheim u. a. 1991.* – Dickreiter, M.: *M. Kassel u. a.* ^{4}*1994.* – Baines, A.: *Lexikon der M. Aus dem Engl. Stuttgart u. a. 1996.*

Musikinstrumente

Als ältestes erhaltenes Musikinstrument gilt eine Knochenflöte, die aus einem Röhrenknochen – wahrscheinlich vom Oberschenkel eines Bären – besteht. Sie wurde in einer Höhle Sloweniens gefunden und weist vier Löcher auf. Eigentlich sind es nur zwei, aber die internationale Forschergruppe um Ivan Turk von der slowenischen Akademie der Wissenschaften wertet Spuren an beiden Enden des Knochens als Überreste weiterer Bohrungen. Wenn es denn nun wirklich mehr als ein löchriger Bärenknochen sein sollte, so wurde darauf vor mehr als 43 000 Jahren (manche sprechen gar von 82 000 Jahren) von Neandertalern geflötet.

Musikkritik, die publizist. Darstellung, Analyse und Beurteilung von Musikwerken, Aufführungen und Veranstaltungen; bei neueren Werken mit dem Akzent auf Werkkritik, während bei bekannten Werken die Qualität der Aufführung bzw. Interpretation betrachtet wird. Hinzu kommen Rezensionen von Platteneinspielungen, Buchpublikationen, Warentests von Musikinstrumenten und Geräten der Unterhaltungselektronik. Die Anfänge der M. liegen im frühen 18. Jh. Bed. deutsch schreibende Musikkritiker sind J. Mattheson, J. A. Scheibe (*1708, †1776), J. F. Reichardt, E. T. A. Hoffmann, R. Schumann, E. Hanslick, H. Wolf, A. Seidl (*1863, †1928), A. Einstein, T. W. Adorno, H. H. Stuckenschmidt, J. Kaiser (*1928) u. a.

Musik|leistung (engl. Dynamic Power), *Elektroakustik:* bei kurzfristiger Vollaussteuerung erreichbare, zahlenmäßig nicht genau definierte Ausgangsleistung, die ein Verstärker unter Einhaltung eines festgelegten →Klirrfaktors abgeben kann.

Musikpsychologie, Teilgebiet der systemat. Musikwissenschaft, untersucht u. a. die psych. Vorgänge bei der musikal. Produktion, Interpretation und Rezeption, die Beziehungen zw. Mensch, Musik und Umwelt sowie die emotionale Wirkung der Musik.

Musiksoziologie, Teilgebiet der systemat. Musikwissenschaft, das die Beziehungen zw. Musik und Gesellschaft untersucht, insbes. die Schichtenzugehörigkeit, Arbeitsverhältnisse und Organisationsformen von Musikern und Musikvermittlern (Kritiker, Agenten), die Struktur und Funktion von Institutionen (z. B. Oper, Konzert, Massenmedien), die soziale Zusammensetzung, Verhaltensweise und den Geschmack des Publikums sowie die Funktionen von Musik in unterschiedl. Sozialgruppen, Zeiten und Gesellschaftsformen.

🕮 Blaukopf, K.: *Musik im Wandel der Gesellschaft. Grundzüge der M. Darmstadt* ²*1996.*

Musiktheater, in Dtl. im 20. Jh. aufgekommene Bezeichnung für die über die Gattungsbezeichnung Oper hinausgehenden Verbindungen von gesprochenem und gesungenem Wort, Szene (Spiel, Tanz) und Musik seit 1918. Von der Gattung her umfasst der Begriff M. Opern wie A. Bergs »Wozzek« (1925), auf Gesang verzichtendes episches Theater wie I. Strawinskys »Geschichte vom Soldaten« (1918), Verbindungen von Oper und Oratorium wie Strawinskys »Oedipus rex« (szen. Uraufführung 1928) und D. Milhauds »Christophe Colombe« (1930) und von Oper und Ballett wie H. W. Henzes »Boulevard Solitude« (1952). Neben zeitbezogenen Werken, z. B. E. Kreneks »Jonny spielt auf« (1927), P. Hindemiths »Neues vom Tage« (1929), B. Brechts und K. Weills »Die Dreigroschenoper« (1928) sowie »Aufstieg und Fall der Stadt Mahagonny« (1930), stehen u. a. Versuche mit Kurzopern (Milhaud, »L'enlèvement d'Europe«, 1927) und Werke, in denen instrumentale Formen vorherrschen (z. B. F. Busoni, »Doktor Faust«, 1916–24). Nach 1945 wandten sich viele Komponisten (B. Britten, Henze, G. C. Menotti, Strawinsky) wieder der Oper zu, freilich unter Anwendung der musikal. wie dramaturg. Mittel des M. der ersten Jahrzehnte des Jahrhunderts. Das Fehlen geeigneter Libretti ließ einige Komponisten wieder auf Dramen der großen Literatur zurückgreifen (Literaturoper): G. von Einem »Dantons Tod« (1947, nach G. Büchner), W. Egk »Der Revisor« (1957, nach N. Gogol), Henze »Der Prinz von Homburg« (1960, nach H. von Kleist), W. Fortner »Die Bluthochzeit« (1957, nach F. García Lorca). Das avantgardist. Theater der 60er- und 70er-Jahre deutete die Idee des Gesamtkunstwerks zum Entwurf eines »totalen Theaters« um (J. Cage, P. Schat, D. Schönbach). Zum »musikal. Theater« werden Stücke gezählt, bei denen die affektiven und gestischen Momente klangl. und stimml. Aktionen visualisiert (G. Ligeti, D. Schnebel) oder strukturelle Gegebenheiten der Musik auf szen. Aktionen übertragen werden (K. Stockhausen, »Inori«, 1974; »Harlekin«, 1975). Seit den späten 70er-Jahren sind erneut Tendenzen einer Rückwendung zur literarisch gebundenen Opernform zu beobachten, z. B. bei Ligeti (»Le grand macabre«, 1978, nach M. de Ghelderode), W. Rihm (»Jakob Lenz«, 1979, nach Büchner), F. Cerha (»Baal«, 1981, nach Brecht), K. Penderecki (»Die schwarze Maske«, 1986, nach G. Hauptmann), D. Müller-Siemens (»Die Menschen«, 1990, nach W. Hasenclever) und W. Steffens (»Die Judenbuche«, 1993, nach A. von Droste-Hülshoff). Eigenwillige Konzeptionen liegen den

Staats-Theater
Opernhaus

Berlin, Montag, den 14. Dezember 1925

14. Karten-Reservesatz.
(Außer Abonnement.)

Uraufführung:
Georg Büchners
Wozzeck

Oper in drei Akten (15 Szenen) von Alban Berg.
Musikalische Leitung: General-Musikdirektor Erich Kleiber.
In Szene gesetzt von Franz Ludwig Hörth.

Wozzeck . . . . Leo Schützendorf
Tambourmajor . . . . Fritz Soot
Andres . . . . Gerhard Witting
Hauptmann . . . . Waldemar Henke
Doktor . . . . Martin Abendroth
1. Handwerksbursch . . . . Ernst Osterkamp
2. Handwerksbursch . . . . Alfred Borchardt
Der Narr . . . . Marcel Noë

Marie . . . . Sigrid Johanson
Margret . . . . Jessyka Koettrik
Mariens Knabe . . . . Ruth Iris Witting
Soldat . . . . Leonhard Kern
Soldaten und Burschen, Mägde und Dirnen, Kinder.

Gesamtausstattung: P. Aravantinos.

Technische Einrichtung: Georg Linnebach.

Nach dem 2. Akt findet eine längere Pause statt.

Kein Vorspiel.

Den Besuchern der heutigen Vorstellung wird das neu erschienene Heft der „Blätter der Staatsoper“ unentgeltlich verabfolgt.

Musiktheater: Programmzettel zur Uraufführung von Alban Bergs »Wozzeck« 1925 in Berlin

Werken von M. Kagel (»Die Erschöpfung der Welt«, 1980), Stockhausen (Zyklus »Licht«, 1981 ff.) und Cage (»Europeras 1 & 2«, 1987) zugrunde. Dem Pluralismus der angewendeten Kompositionstechniken entspricht die Mannigfaltigkeit der verarbeiteten Stoffe: Das Spektrum reicht von der Heiligenlegende (O. Messiaen, »Saint François d'Assise«, 1983) und Bibelhistorie (V. D. Kirchner, »Belshazar«, 1986) über Antikendrama (A. Reimann, »Troades«, 1986), Tierparabel (Henze, »Die engl. Katze«, 1983) und Sciencefiction (P. Glass, »Planet 8«, 1988) bis zum psychologisierenden Zeitstück (Rihm, »Die Hamletmaschine«, 1987; Henze, »Das verratene Meer«, 1990).

🕮 Dahlhaus, C.: *Vom Musikdrama zur Literaturoper. München 1983. – Neues M., hg. v.* H. W. Henze. *München 1988.* – Eckert, N.: *Von der Oper zum M. Wegbereiter u. Regisseure. Berlin 1995.* – Büchter-Römer, U.: *Aspekte des Neuen M. u. Strategien seiner Vermittlung. Augsburg 1996.*

Musiktherapie, Methode der angewandten Psychologie, Musik (Ton, Harmonik, Rhythmus) als spannungslösend und kontaktbildend einzusetzen.

Musikwissenschaft, Wissenschaft von der Musik, ihrem Wesen, ihrer Geschichte und ihren versch. Erscheinungsformen. Als Hauptzweige der M. unterscheidet man traditionell **histor. M.** und **systemat. M.** sowie die →Musikethnologie. Zwischen ihnen bestehen zahlr. Verbindungen und Übergänge. Im Mittelpunkt der histor. M. steht die europ. Kunstmusik vom MA. bis heute; Volks-, Pop- und Rockmusik sowie Jazz werden zunehmend einbezogen. Teilgebiete der systemat. M. sind u.a. musikal. Akustik, Physiologie der Tonerzeugung und -wahrnehmung, Musikpsychologie, Musikästhetik und Musiksoziologie. – M. wurde vom 12. bis 16. Jh. an den Univ. als eine der sieben →freien Künste gelehrt. Zur Wiss. im neuzeitl. Sinne wurde die M. v.a. mit der Musikgeschichtsschreibung der Aufklärung; als Univ.fach etablierte sie sich dann in der 2. Hälfte des 19. Jh. Erste Vertreter waren u.a. 1861 E. Hanslick in Wien, 1875 P. Spitta in Berlin, 1898 G. Adler in Wien, 1900 A. Sandberger in München, 1905 H. Riemann in Leipzig und 1911 F. Ludwig in Straßburg (zuvor A. B. Marx 1830 in Berlin und A. W. Ambros 1869 in Prag als Prof. der Musik).

📖 HUSMANN, H.: *Einführung in die Musikwissenschaft. Wilhelmshaven ⁴1991.*

Musil, Robert Edler von (seit 1917), österr. Schriftsteller, *Klagenfurt 6. 11. 1880, †Genf 15. 4. 1942; 1921–22 im österr. Staatsdienst, lebte bis 1933 in Berlin, bis 1938 in Wien, emigrierte dann in die Schweiz. Sein Werk, das während des Nationalsozialismus verboten war, umfasst mehrere Novellen, den Roman »Die Verwirrungen des Zöglings Törleß« (1906), der seinen Ruf als psychologisch exakt analysierender Erzähler begründete, und sein Hauptwerk, den fragmentar. Roman »Der Mann ohne Eigenschaften« (Buch 1 und Buch 2, Teil 1, 1930–33; Buch 2, Teil 2 aus dem Nachlass, hg. 1943); Zeit des Geschehens ist die Wende der Jahre 1913/14; Österreich wird dabei zum Spiegel

Robert Musil (1935)

für alle geistigen und kulturellen Strömungen dieser Zeit und des modernen Lebens. M. schrieb ferner Essays (»Der dt. Mensch als Symptom«, hg. 1967), Dramen (»Die Schwärmer«, 1921; »Vinzenz und die Freundin bed. Männer«, Kom., 1924) und gab einen »Nachlass zu Lebzeiten« (1936) heraus.

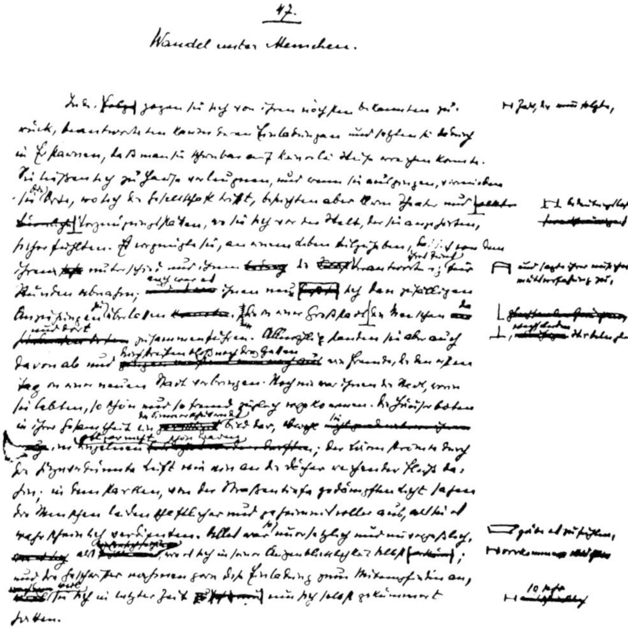

Robert Musil: Entwurf zum 47. Kapitel »Wandel unter Menschen« aus dem Nachlass (2. Teil des 2. Buches) seines Romanwerks »Der Mann ohne Eigenschaften«

📖 LUSERKE, M.: *R. M. Stuttgart u. a. 1995.* – PEKAR, T.: *R. M. zur Einführung. Hamburg 1997.*

Musique concrète [myzikkɔ̃ˈkrɛt, frz.] *die,* →konkrete Musik.

musische Erziehung, Erziehung auf der Grundlage der Künste, d.h. von Dichtkunst, bildender Kunst, Musik, aber auch Laienspiel, Tanz u.a.; ging aus den pädagog. Reformbestrebungen der Jahrhundertwende hervor und war gegen den »Intellektualismus« der herkömml. Schulbildung gerichtet.

musivisch, *bildende Kunst:* mosaikartig.

Muskarin, →Muscarin.

Muskat *der,* →Muskatnussbaum.

Muskateller [italien.] *der* (frz. Muscat, italien. Moscato), Gruppe von Rebsorten mit ausgeprägtem Muskatgeschmack; M. wird zu Weißweinen, gespriteten Rotweinen und Likörweinen verarbeitet.

Muskatfink (Lonchura punctulata), bis 12 cm (einschließlich Schwanz) langer Prachtfink in S-Asien; oberseits rotbraun, unterseits weißlich.

Muskatnussbaum (Myristica), Gattung der Muskatnussgewächse, vom trop. Asien bis Australien beheimatet. Die wirtschaftlich bedeutendste Art ist der **Echte M.** (Myristica fragans), ein immergrüner, bis zu 15 m hoher Baum. Die Frucht, eine fleischige Kapsel mit nur einem, von der Mazis (Samenmantel) umhüllten Samen **(Muskatnuss),** wird getrocknet, gegen Insektenfraß in

Muskatnussbaum: fruchtender und blühender Zweig (oben) sowie eine angeschnittene Muskatnuss des Echten Muskatnussbaums

Kalkmilch getaucht und zerrieben als Gewürz **(Muskat)** verwendet.

Muskau, Bad, → Bad Muskau.

Muskel|atrophie (Muskelschwund), Schwund der Skelettmuskulatur, altersbedingt oder infolge von Unterernährung, Inaktivität, Störung des Muskelstoffwechsels, Ausfall der die Muskeln versorgenden Nerven.

Muskel|elektrizität, die elektr. Erscheinungen (→ Aktionspotenzial) an den Muskeln.

Muskel|entzündung (Myositis), Entzündungserscheinungen im Muskel; z. T. als generalisierte Erkrankung der Muskulatur mit Zerstörung der Muskelfasern auftretend; auch bei frühzeitiger Übungsbehandlung nach Verletzungen mit nachfolgender Muskelverknöcherung.

muskel|erschlaffende Mittel (Muskelrelaxantien), Arzneimittel, die die Skelettmuskulatur entspannen, d. h. erschlaffen lassen (z. B. Curare); u. a. Anwendung bei chirurg. Eingriffen mit Anästhesie.

Muskelhärte, der → Hartspann.

Muskelkater, vorübergehende Muskelschmerzen nach Überbeanspruchung; verursacht vermutlich durch feinste Muskelfaserrisse.

Muskelkrampf (Myospasmus), auf eine Muskelgruppe beschränkter unwillkürlich schmerzhafter Krampf, z. B. an Wade **(Wadenkrampf)** oder Zehen.

Muskeln [lat. musculus »Mäuschen«] (Musculi), aus **Muskelgewebe** (Muskelzellen, -fasern, Bindegewebe) bestehende Organe mit der Fähigkeit zum Zusammenziehen (Kontraktion) und zum Erschlaffen (Relaxation) sowie der damit verbundenen Verkürzung oder Spannungsentwicklung; beruht auf den besonderen Eigenschaften von innerhalb der Muskelzelle liegenden kontraktilen Fasern **(Myofibrillen).** Als Muskelfaser wird üblicherweise die ganze Muskelzelle bezeichnet. M. dienen der Bewegung von Körperteilen und Organen, der Gestaltveränderung und der Fortbewegung. Jeder Muskel (bzw. jede Muskelgruppe) wird durch eine **Muskelbinde (Faszie)** zusammengehalten und läuft beiderseits in eine Sehne aus. Nach dem Feinbau und der Funktion unterscheidet man glatte M., quer gestreifte M. und die Herzmuskulatur. Die nicht dem Willen unterworfenen **glatten M.** bauen die **Eingeweide-M.** auf und bestehen aus lang gestreckten, spindelförmigen, räumlich-netzförmig angeordneten, locker gebündelten oder in Schichten gepackt liegenden Muskelzellen. Glatte M. arbeiten meist langsam und können die Kontraktion ohne großen Energieverbrauch oft längere Zeit aufrechterhalten. Grundelemente der dem Willen unterworfenen **quer gestreiften M.** (Ausnahme Herzmuskel) sind immer die quer gestreiften Muskelfasern. Sie sind zylindrisch geformt, etwa 2–30 cm lang (längste Faser beim Menschen etwa 12 cm) und stellen das Baumaterial für die **Skelett-M.** dar. Quer gestreifte M. arbeiten sehr rasch und sind äußerst leistungsfähig. Eine Sonderform des quer gestreiften Muskelgewebes (unterliegt nicht dem Willen) ist die **Herzmuskulatur,** die in besonderem Maße zu Dauerleistungen befähigt ist. Alle M. beziehen ihre Energie aus den Nährstoffen, die mit dem Blut an sie herangeführt werden. – M. können sich nur zusammenziehen und erschlaffen (entspannen), nicht jedoch selbstständig aktiv dehnen. Die der Muskelkontraktion entgegengesetzte Bewegung erfolgt deshalb durch einen als Gegenspieler fungierenden anderen M. (z. B. Beuger und Strecker des Oberarms), durch elast. Bänder oder durch Flüssigkeiten (bei den Blutgefäßen).

Muskelriss (Muskelruptur), durch äußere Gewalteinwirkung oder plötzl. übermäßige Anspannung sehr schmerzhafter Riss eines Muskels. – *Behandlung* durch Ruhigstellung, kalte Umschläge, bei ausgedehntem M. Muskelnaht.

Muskelschwäche, → Myasthenie.

Muskelschwund, → Muskelatrophie.

Muskelzerrung, durch ruckartige Überdehnung hervorgerufene Zerreißung einzelner Muskelfasern. – *Behandlung* durch Ruhigstellung, feuchte Umschläge, heparinhaltige Salben.

Muskete [von frz. mousquet] *die,* Infanteriegewehr mit Luntenschloss (→ Schloss), später auch mit Rad- und Steinschloss (→ Gewehr).

Musketier *der,* urspr. der mit einer Muskete bewaffnete Soldat, im dt. Heer bis 1919 der (einfache) Infanterist.

Muskogee [mʌsˈkɔʊgɪ] (Maskoki), i. w. S. Bez. für eine indian. Sprachfamilie im SO der USA, i. e. S. ein zu den Creek gehörender Indianerstamm.

Muskovit *der,* heller → Glimmer.

Muskulatur *die,* Gesamtheit der → Muskeln des Körpers.

Muslim [arab. »der sich Gott unterwirft«] *der* (Moslem, veraltet Muselman), Selbstbez. der Anhänger des Islam. Nach der Lehre des Koran sind M. »die Gläubigen«; alle Nicht-M. sind »Ungläubige« (Kafir), unter denen nur die Juden und Christen, die »Schriftbesitzer« (Ahl al-Kitab), eine Sonderstellung einnehmen.

Muslimbruderschaft (Moslembruderschaft), islam. Erneuerungsbewegung und politisch-religiöse Organisation, gegr. 1928 in Ismailia (Ägypten) mit dem Ziel, die traditionellen Ordnungsvorstellungen des Islam in Staat und Gesellschaft durchzusetzen und den westl. Einfluss zurückzudrängen; wurde mit ihrem Eintreten für die Muslime Palästinas nach 1945 zur führenden panislam. und panarab. Bewegung in Ägypten. 1954 in fast allen arab. Ländern verboten. Mit dem Erstarken des islam. Fundamentalismus (nach 1979; Iran) wurde eine Neuetablierung versucht (u.a. in Syrien). Aus der M. im israelisch besetzten Gazastreifen ging 1987 die Widerstandsbewegung »Hamas« hervor.

Muslimliga (Moslemliga), polit. Organisation ind. Muslime, gegr. 1906 als All India Muslim League, forderte, v.a. unter Führung von M.A. Jinnah, für die muslim. Minderheit in Britisch-Indien die Beteiligung an den nach Mehrheitswahlrecht gebildeten polit. Körperschaften in den britisch-indischen Provinzen, einen autonomen muslim. Bundesstaat, seit 1940 die Teilung Indiens (Pakistan-Resolution). Nach der Gründung Pakistans wurde sie dort als **Pakistan Muslim League** (PML) zunächst die staatstragende Partei (1954 trennte sich von ihr in Ostpakistan die Awami-Liga ab), trat aber ab 1958 in den Hintergrund. 1965–70 war sie wieder stärkste Partei in Pakistan. 1988 schloss sie sich mit anderen oppositionellen Parteien zum Wahlbündnis »Islam. Demokrat. Allianz« zusammen, das die Parlamentswahlen 1990 gewann. 1997 errang die M. einen hohen Wahlsieg.

Muspilli, wohl im 9. Jh. im bair. Sprachraum entstandenes, als Fragment (103 Zeilen, Anfang und Ende fehlen) erhaltenes geistl. Gedicht vom Weltuntergang, geprägt durch starke Ausdruckskraft und Bilderreichtum; zeigt noch german. Stabreimform, aber auch einzelne Endreime. Dargestellt sind das Schicksal der Seele nach dem Tod, der Weltuntergang und das Jüngste Gericht.

Mussala *die* (Musala), höchster Berg Bulgariens, im Rilagebirge, 2925 m ü.M.

Muße, spezif. Form schöpfer. Verwendung von Freizeit; Möglichkeit und zugleich Grundbedingung der Selbstfindung, der (kreativen) Selbstverwirklichung wie auch der Partizipation und Verwirklichung von Kultur und Kunst.

Musselin [italien.-frz., nach der Stadt Mosul] *der,* leichter, bedruckter Kammgarnstoff in Tuchbindung; heute meist Baumwoll- und Viskose-M. mit Glanz und weichem Griff.

Musset [my'sɛ], Alfred de, frz. Dichter, *Paris 11. 12. 1810, †ebd. 2. 5. 1857; einer der bedeutendsten Vertreter der frz. Romantik; gehörte (bis 1831) zum Kreis (»Cénacle«) um V. Hugo. Seine Versdichtungen (u.a. »Rolla«, 1833), Novellen (u.a. »Der Sohn des Tizian«, 1838; »Die Geschichte einer weißen Amsel«, 1842) und Theaterstücke (u.a. »Die laun. Marianne«, 1833; »Man spielt nicht mit der Liebe«, 1834; »Lorenzaccio«, 1834) weisen ihn als Protagonisten einer Generation aus, die Weltschmerz und Resignation mit Sarkasmus und Frivolität elegant überspielte. 1833–35 war er mit G. Sand verbunden. Das Scheitern der Beziehung schildert er in dem Roman »Beichte eines Kindes seiner Zeit« (1836).

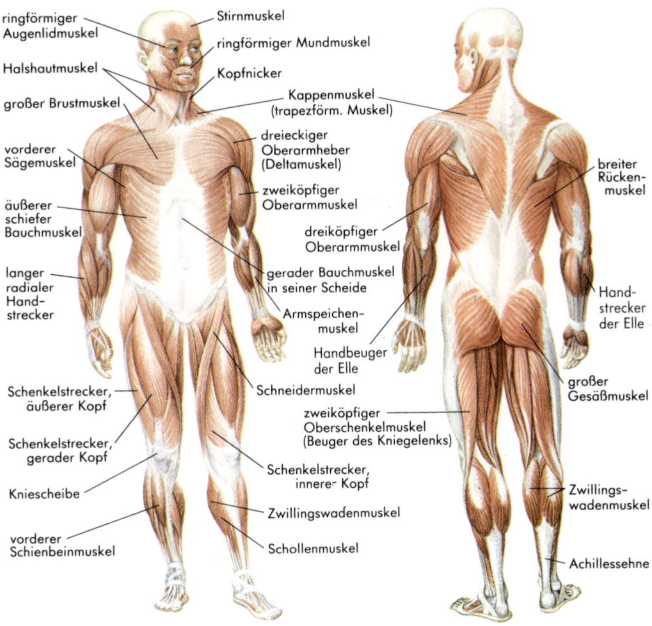

Muskeln: Skelettmuskulatur des Menschen, sichtbar ist nur die äußere (oberflächliche) Schicht der Skelettmuskeln

Mussolini, Benito, Gründer und Führer des Faschismus in Italien, *Predappio (Prov. Forlì-Cesena) 29. 7. 1883, †(erschossen) Giulino di Mezzegra (Prov. Como) 28. 4. 1945; Volksschullehrer, trat 1901 in die Sozialist. Partei ein, schuf sich als Prov.-Sekretär eine eigene Machtbasis, wurde 1912 Chefredakteur des »Avanti« in Mailand. 1914 schloss ihn die Sozialist. Partei aus, weil er den Eintritt Italiens in den Krieg forderte. Er wechselte ins nationalist. Lager und gründete für die Verbreitung seiner Ideen die Zeitung »Popolo d'Italia«. Am 23. 3. 1919 gründete er in Mailand die Bewegung Fascio di combattimento (→Faschismus), die im Nov. 1921 in eine Partei (PNF) umgewandelt wurde; M. gelangte ins Parlament, gleichzeitig verbreiteten seine Terrorgruppen in N-Italien Gewalt. Der Faschismus mit seinem Mythos vom »Duce« versprach eine Lösung der Krise, in der sich Italien seit dem Ende des 1. Weltkriegs befand. Durch den Marsch auf Rom am 28. 10. 1922 riss M., unterstützt von den konservativen Führungsgruppen in Wirtschaft, Heer, Verwaltung und Kirche, die Macht an sich; König Viktor Emmanuel III. ernannte ihn zum MinPräs. Nach der Ermordung des sozialist. Abgeordneten Matteotti und dem Auszug der Opposition aus dem Parlament begann M. mit dem Aufbau einer Einparteiendiktatur und der Verwirklichung seiner Vorstellung eines »totalen Staates« (→Italien, Geschichte). Außenpolitisch verfolgte er Expansionsziele: 1935/36 Eroberung Äthiopiens, Intervention im Span. Bürgerkrieg

Alfred de Musset (Ausschnitt eines Pastells, 1853)

und Anlehnung an das nat.-soz. Dtl. (→Achse Berlin–Rom), an dessen Seite Italien am 10. 6. 1940 in den 2. Weltkrieg eintrat. In Verbindung mit den militär. Misserfolgen an der Seite Hitlers führten innere Krisen am 25. 7. 1943 zum Misstrauensvotum des Faschist. Großrats gegen M., der auf Befehl des Königs gefangen gesetzt wurde. Aus der Haft auf dem Campo Imperatore (Gran Sasso d'Italia) am 12. 9. 1943 von dt. Fallschirmtruppen befreit, geriet M. völlig in Abhängigkeit von Hitler, in dessen italien. Machtbereich er die »Repubblica Sociale Italiana« in Salò am Gardasee ausrief, deren »Staatschef« er bis zur Kapitulation der dt. Italienfront war. Bei dem Versuch, mit dt. Unterstützung in die Schweiz zu fliehen, wurde er von italien. Widerstandskämpfern ergriffen und ohne Gerichtsverfahren erschossen. BILDER Faschismus, Italien

Kara Mustafa (Ausschnitt eines zeitgenössischen Kupferstichs)

📖 SCHEUER, G.: *Genosse M.? Wurzeln u. Wege des Ur-Faschismus. Wien 1985.* – COLLIER, R.: *M. Aufstieg u. Fall des Duce. A. d. Engl. München 1995.* – MITTERMAIER, K.: *M.s Ende. Die Republik von Salò 1943–1945. München 1995.*

Modest Mussorgski: Ausschnitt eines Gemäldes von Ilja Repin (1881)

Mụssorgski, Modest Petrowitsch, russ. Komponist, *Gut Karewo (Gebiet Twer) 21. 3. 1839, †Sankt Petersburg 28. 3. 1881; 1856–58 Gardeoffizier, bildete sich autodidaktisch in Komposition aus, nahm nach dem Verlust seines Vermögens 1863 eine untergeordnete Beamtenstellung an und trat auch als Konzertpianist auf. M. gehörte zur nationalruss. Schule (→Gruppe der 5), griff aber über deren folklorist. Tendenzen weit hinaus. In seinem Hauptwerk, der Volksoper »Boris Godunow« (nach A. Puschkin, 1. Fassung 1868/69, 2. Fassung 1871/72), verbinden sich Elementar-Rituelles (z.B. Bittchor des Volkes) und schonungsloser Realismus mit einer zuweilen an Shakespeare erinnernden Hintergründigkeit (Schlusslied des Gottesnarren); dabei erfährt die Sprache in der Synthese mit Musik eine für das 19. Jh. neuartige Aufwertung.

Weitere Werke: Opern: Chowanschtschina (1873–80; vollendet von N. Rimski-Korsakow); Der Jahrmarkt von Sorotschinzy (nach N. Gogol, Fragment, 1876–81). – Sinfonische Dichtung: Eine Nacht auf dem Kahlen Berge (1867; bearbeitet von N. Rimski-Korsakow 1886). – Klavierstücke: Bilder einer Ausstellung (1874; orchestriert von M. Ravel 1922). – Klavierlieder: Lieder und Tänze des Todes (1874–77).

📖 *M. Mussorgsky. Zugänge zu Leben u. Werk, Beiträge v.* W. KARATYGIN *u. a. A. d. Russ. Berlin 1995.* – WORBS, H. C.: *M. P. Mussorgsky. Reinbek 23.–24. Tsd., ^{5}1995.*

Mụstafa, 1) M. II., türk. Sultan (1695–1703), *Konstantinopel 2. 6. 1664, †(vergiftet) ebd. 29. 12. 1703; verlor den Großen Türkenkrieg (1683–99; Frieden von Karlowitz); durch einen Aufstand der Janitscharen gestürzt.

2) Kara M. [»der schwarze M.«], türk. Großwesir (1676–83), *bei Merzifon (Prov. Amasya) 1634, †Belgrad 25. 12. 1683; nach vergebl. Belagerung Wiens (1683) und Niederlage am Kahlenberg (12. 9. 1683) auf Befehl des Sultans erdrosselt.

Müstair [myʃ'taɪr], Ort in der Schweiz, →Münstertal.

Mụstang [span.] *der,* verwildertes Hauspferd der nordamerikan. Prärien; heute geschützt.

Mụstang, Talschaft des oberen Kaligandaki in N-Nepal, an der chines. Grenze, 3000–4000 m ü. M., Fürstentum (auch Lho oder Lo gen.), ehem. unter tibet. Oberherrschaft, Hauptort M. (Lo Mantang). Die etwa 30000 Ew. (buddhist. Tibeter) leben von Ackerbau (mit Bewässerung; Getreide, Obst), Viehhaltung (u. a. Yaks) und Handel.

Muster, 1) *allg:* a) (Arbeits-)Vorlage, Modell, wonach etwas hergestellt wird; b) etwas in seiner Art Vollkommenes, Vorbild.

2) *Kunst:* regelmäßig wiederkehrender Flächendekor, der auf der Kombination eines einzelnen oder mehrer Elemente (Figuren) beruht.

3) *Verhaltens-* und *Sozialwissenschaften:* →Pattern.

4) *Wirtschaft:* Warenprobe.

Musterprüfung (Eignungsprüfung), Prüfung (z.B. durch den TÜV) von einzelnen Mustern eines techn. Produkts zum Nachweis der Betriebstüchtigkeit, Leistungsfähigkeit und Brauchbarkeit; im sicherheitstechn. Bereich **Baumuster-** oder **Typenprüfung** genannt.

Musterrolle, vom Seemannsamt ausgefertigtes Verzeichnis, das Daten über die Schiffsmannschaft, den Kapitän, Heimathafen u. a. enthält; ist an Bord mitzuführen.

Musterschutz, der rechtl. Schutz, den gewerbl. Muster und Modelle genießen (→Geschmacksmuster, →Gebrauchsmuster).

Musterung, 1) *Arbeitsrecht:* Abschluss eines Arbeitsvertrages für Angehörige der Seeschiffsbesatzung (→Heuerverhältnis).

2) *Wehrrecht:* Verfahren zur Feststellung der Wehrdienstfähigkeit ungedienter Wehrpflichtiger, bei dem die geistige und körperl. Tauglichkeit untersucht, das Fehlen von Wehrpflicht- und Wehrdienstausnahmen geprüft sowie die Art des zu leistenden Wehrdienstes festgestellt wird. In Dtl. geschieht die M. durch die **M.-Ausschüsse;** der von ihnen getroffene **M.-Bescheid** kann mit dem Widerspruch angefochten werden.

Mut, psych. Gestimmtheit, die zu unerschrockenem, überlegtem Verhalten in gefährl. Situationen, insbesondere bei Bedrohung, führt; entspringt u.a. den Bereichen des Selbstbehauptungs- und Selbstwertgefühls (auch dem Geltungsbedürfnis) und des Kraft- und Machtgefühls (auch der Ohnmacht als M. der Verzweiflung).

Muta [lat. »Stumme«] *die, Sprachwiss.:* →Verschlusslaut.

Mutagene [lat./grch.], natürliche und synthet. Substanzen **(chem. M.)** sowie Strahlen **(physikal. M.),** die Mutationen hervorrufen können; M. sind häufig zugleich karzinogen. Als physikal. M. wirken Röntgen-, Höhen-, Gamma- und Ultraviolettstrahlen. Chem. M. (Nitrite, Aflatoxine, Benzpyren, Methylierungsmittel u.a.) verändern meist die DNS im Bereich der Nucleotidbasen.

Mutankiang, chines. Stadt, →Mudanjiang.

Mutare (bis 1982 Umtali), Provinzhauptstadt in Simbabwe, 1080 m ü.M., an der Grenze zu Moçambique, 70000 Ew.; wichtiger Ind.standort (Maschinenbau, Kfz-Montage, Nahrungsmittel-, Papier- u.a. Ind.); westlich in Feruka Erdölraffinerie (Pipeline von Beira, Moçambique); Eisenbahnstation, Flugplatz.

Mutarotation, Veränderung des opt. Drehwerts eines Zuckers oder einer anderen optisch aktiven Substanz, die eintritt, wenn diese gelöst werden.

Mutation [lat. »Veränderung«] *die,* **1)** *Genetik:* (Erbänderung) plötzlich auftretende und dann konstant weitergegebene, also erbl. Veränderung der genet. Information der DNS in Bezug auf Informationsgehalt, Struktur oder Quantität. Eine M. kann spontan (ohne erkennbare Ursache) entstehen **(Spontan-M.)** oder durch Einwirkung von →Mutagenen induziert werden **(induzierte M.).** Aufgrund molekularbiolog. Analysen kann man unterscheiden: **Genom-M.** verändern die Anzahl einzelner Chromosomen oder ganzer Chromosomensätze. **Chromosomen-M.** führen zu Umbauten im Chromosom (→Chromosomenanomalien). **Gen-M.** oder **Punkt-M.** betreffen einzelne Gene; am DNS-Molekül werden nur wenige (oder nur ein) Basenpaare verändert. – M. ist ein grundlegender Evolutionsfaktor, der durch Auslese und in Zusammenwirken mit anderen Evolutionsmechanismen zur Artbildung beiträgt.

2) *Medizin:* Stimmwechsel (Stimmbruch) bei Eintritt der Pubertät.

mutatis mutandis [lat.], mit den nötigen Abänderungen.

Müthel, Lothar, Regisseur und Schauspieler, *Berlin 18.2.1896, †Frankfurt am Main 5.9.1964; war 1920–39 an verschiedenen Berliner Theatern engagiert, wurde 1935 Leiter der Staatl. Schauspielschule, war 1939–45 Direktor des Wiener Burgtheaters, 1951–56 Schauspieldirektor in Frankfurt am Main.

Muthesius, Hermann, Architekt und Kunstschriftsteller, *Großneuhausen (Kr. Sömmerda) 20.4.1861, †Berlin 26.10.1927; baute, ausgehend vom Jugendstil und angeregt von engl. Vorbildern, v.a. große Landhäuser; Mitbegründer des Dt. Werkbundes und der Gartenstadt Hellerau in Dresden.

Ornella Muti

Muti, 1) Ornella, eigtl. Francesca Romana Rovelli, italien. Schauspielerin, *Rom 5.3.1956; seit Mitte der 1970er-Jahre eine der führenden Schauspielerinnen Italiens; spielte u.a. in »Die schönste Frau« (1971), »Das Leben ist schön« (1980), »Der gezähmte Widerspenstige« (1980), »Eine Liebe von Swann« (1984), »Chronik eines angekündigten Todes« (1987), »Warte bis zum Frühling, Bandini« (1990), »Jahreszeiten der Liebe« (1992).

Riccardo Muti

2) Riccardo, italien. Dirigent, *Neapel 28.7.1941; war 1973–82 Direktor des Maggio Musicale in Florenz und Chefdirigent des New Philharmonia Orchestra in London, 1980–90 Chefdirigent des Philadelphia Orchestra (bis 1992 dessen Gastdirigent), seit 1986 Musikal. Direktor der Mailänder Scala.

Muting ['mju:tɪŋ, engl.] *das* (Stillabstimmung, Stummschaltung), *Elektroakustik:* elektron. Filterschaltung zur Unterdrückung von Störgeräuschen z.B. beim Abstimmen im UKW-Bereich eines Rundfunkempfängers, beim Wechsel der Programmquelle bei Niederfrequenzverstärkern und innerhalb der Tonpausen bei Magnetbandgeräten.

Mutismus [lat.] *der,* Stummheit trotz vorhandener Sprechfähigkeit und intakter Sprechorgane; bei Taubstummheit oder neurotisch bedingt.

Mutsuhito, Kaiser von Japan (1867–1912), *Kyōto 3.11.1852, †Tokio 30.7.1912; Sohn des Kaisers Komei, wurde durch Abschaffung des Shogunats (→Shogun) zum eigentlichen polit. Herrscher; führte die Meijireformen durch. Unter seiner Reg. wurde Japan zum modernen Rechtsstaat und zur Großmacht.

Muttenz, Stadt im Kanton Basel-Landschaft, Schweiz, 17200 Ew.; Bauernhausmuseum; Weinbau; chem., Metallwaren- u.a. Ind.; Rheinhafen. – Einzige Kirchenburg der Schweiz (Kirche 1359, Befestigung 1420–30; spätgot. Wandmalereien, Beinhaus).

Mutter, die Frau im Verhältnis zu ihrem Kind; im biolog. Sinn eine Frau, die geboren hat, im rechtl. Sinn auch die Adoptivmutter. Eine emotional sichere Beziehung zw. Kind und Mutter (oder einer anderen Bezugsperson) ist von wesentl. Bedeutung für die Entwicklung des Kindes. Ähnlich wie im Tierreich wird auch beim Menschen ein M.- bzw. Pflegeinstinkt angenommen, der durch die Geburt ausgelöst wird, nachdem die Frau in der Schwangerschaft bereits durch körperl. und emotionale Veränderungen auf das erwartete Kind eingestimmt wurde.

Mutter (Schraubenmutter), Maschinenelement mit Innengewinde, Teil einer Schraubenverbindung. Die häufigste Form ist die **Sechskant-M.** mit sechs Schlüsselflächen zum Anziehen. **Vierkant-M.** werden meist zus. mit Schlossschrauben verwendet. **Hut-M.** sind zum Schutz des Gewindes einseitig geschlossen. **Flügel-M.** und **Rädel-M.** können von Hand angezogen werden. **Kreuzloch-M.** mit vier Sacklöchern am Rand und **Zweiloch-M.** mit zwei Löchern auf der Stirnseite werden mit Spezialschlüsseln angezogen. **Selbstsichernde M.** mit gewindelosem Kunststoffring in einer Innenringnut ersetzen zunehmend **Kronen-M.** mit Schlitzen zur Sicherung mit einem Splint.

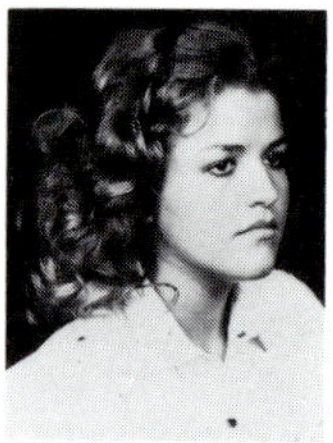

Anne-Sophie Mutter

Mutter, Anne-Sophie, Violinistin, * Rheinfelden (Baden) 29. 6. 1963; debütierte 1977 bei den Berliner Philharmonikern. Zu ihrem Repertoire gehören klassisch-romant. Violinkonzerte sowie seit Ende der 1980er-Jahre auch Werke zeitgenöss. Komponisten (W. Lutosławski, W. Rihm); seit 1986 Lehrstuhl für Solovioline an der Royal Academy of Music in London.

Mutterboden (Muttererde), humushaltige, fruchtbare oberste Schicht eines Bodens mit reicher Mikroflora und -fauna; bei Kulturflächen →Ackerkrume genannt.

Müttergenesungswerk

Müttergenesungswerk, Kurzbez. für Elly-Heuss-Knapp-Stiftung Deutsches Müttergenesungswerk, 1950 von Elly Heuss-Knapp gegr. gemeinnützige Stiftung, Sitz: Stein. Träger sind Evang. sowie Kath. Arbeitsgemeinschaft für Müttergenesung, Arbeiterwohlfahrt, Dt. Rotes Kreuz und Dt. Parität. Wohlfahrtsverband. Das M. unterhält Kurheime und führt Mütterkuren durch.

Muttergesellschaft (Obergesellschaft), Kapital- oder Personengesellschaft, die aufgrund einer Kapital- oder Stimmrechtsmehrheit oder anderer Umstände einen beherrschenden Einfluss auf ein oder mehrere abhängige Unternehmen (Tochtergesellschaften) ausübt. (→Konzern)

Muttergestein, an organ. Material reiche feinkörnige Sedimente, in denen sich Erdöl bilden kann.

Mutter Gottes, →Maria, die Mutter Jesu.

Mutterhaus, 1) *evang. Diakonie:* Einrichtung, in der weibl. Pflegekräfte ausgebildet, zum Dienst ausgesandt und am Lebensabend versorgt werden.

2) *kath. Ordenswesen:* ein Kloster, von dem aus andere begründet wurden; auch die leitende Niederlassung einer Ordensprovinz.

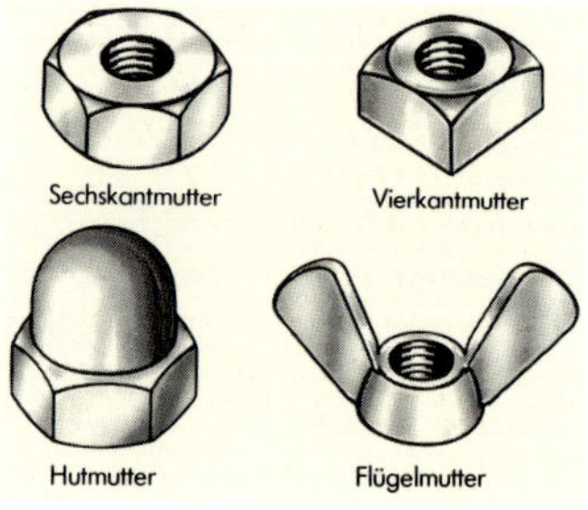

Mutter: verschiedene Formen

Mutterkirche, *kath. Kirchenrecht:* die Hauptpfarrkirche eines Gebietes im Verhältnis zu ihren »Tochterkirchen«; auch die Bischofskirche im Verhältnis zur Diözese und zu anderen, von diesem Bischofssitz aus gegr. Diözesen.

Mutterkorn (Secale cornutum), hartes, bis zu 2,5 cm großes, schwarzviolettes, hornartig aus der Ähre herausragendes Dauermyzelgeflecht (Sklerotium) des M.-Pilzes (Claviceps purpurea) im Fruchtknoten bzw. im Getreidekorn (bes. Roggen); bewirkt die Absonderung von zuckerhaltigen Ausscheidungen (Honigtau). Das M. enthält biogene Amine und die pharmakologisch stark wirksamen M.-Alkaloide. – Bes. im MA., aber auch noch im 19. Jh. traten infolge Verunreinigung des Mehls mit M. schwere Vergiftungskrankheiten (**Ergotismus,** M.-Vergiftung, Kribbelkrankheit) auf.

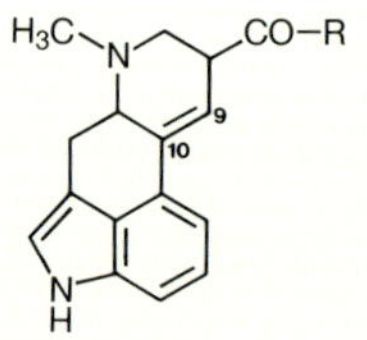

Lysergsäure R = $-OH$
Ergometrin R = $-NH-CH(CH_3)-CH_2OH$
Ergotamin R = $-NH-$Tripeptid

Mutterkorn-alkaloide

Mutterkorn|alkaloide (Secalealkaloide, Clavicepsalkaloide, Ergotalkaloide), im Mutterkorn enthaltene Wirkstoffe, die Polypeptidderivate der Lysergsäure und deren Isomere enthalten. Die typ. Wirkungen der M. werden durch den Lysergsäureeinbau bestimmt, wobei die Lysergsäure beim **Ergometrin** (Ergobasin) mit 2-Amino-1-propanol, bei der **Ergotamin-** und **Ergotoxingruppe** mit versch. Tripeptiden verbunden ist. Ergotamin und Ergotoxin haben v.a. alphasympatholytische und gebärmutterkontrahierende Wirkungen, d.h., die

Arteriolen werden verengt, der Muskeltonus verstärkt und die Nachgeburtsblutungen vermindert. Halbsynthet. Präparate werden bei zerebralen und peripheren Durchblutungsstörungen, Migräne und Hochdruckkrankheit angewandt.

Mutterkuchen (Fruchtkuchen, Plazenta), vom Embryo und der Gebärmutter der höheren Säugetiere und des Menschen gebildetes Organ, in dem der mütterl. und der kindl. Blutkreislauf in engem Kontakt stehen, ohne direkt ineinander überzugehen. Der M. dient dem Nährstoff- und Gasaustausch zw. Mutter und Embryo. Er ist auch eine Drüse mit innerer Sekretion, deren Hormone (Follikel-, Gelbkörperhormon, Choriongonadotropin) die Schwangerschaftsveränderungen des mütterl. Körpers steuern. Der mütterl. Teil des M. **(Decidua)** bildet sich aus der Gebärmutterschleimhaut, der kindl. Teil aus den den Embryo als Fruchtblase umgebenden Eihäuten, der **Zottenhaut (Chorion)** und der die innere Schicht der Fruchtblase bildenden **Schafshaut (Amnion).** Der M. ist durch die → Nabelschnur mit der Frucht verbunden; er wird nach der Geburt ausgestoßen (Nachgeburt).

Mutterlauge, die nach der Kristallisation chem. Verbindungen aus Lösungen zurückbleibende Flüssigkeit.

Muttermal (Naevus, Nävus), zusammenfassende Bez. für flecken-, knoten- oder streifenförmige, meist nicht erbl. Fehlbildungen der Haut. Sie beruhen auf embryonalen Entwicklungsstörungen. Die Ursache ist ein falsches Mischungsverhältnis normaler Gewebebestandteile, z. B. → Blutgefäßmal, → Leberfleck.

Muttermilch (Frauenmilch), das von den weibl. Brustdrüsen nach der Geburt abgesonderte Sekret. Die M. ist die ideale Säuglingsnahrung; sie sichert Gedeihen, Wohlbefinden und fördert durch Immunstoffe die Abwehr gegen Infektionen. In den ersten vier bis fünf Tagen nach der Geburt wird das → Kolostrum gebildet. Nach der transitor. oder Zwischenmilch produziert die Brustdrüse von der zweiten bis dritten Woche an die reife M. (Menge der abgesonderten M. acht bis zehn Tage nach der Entbindung etwa 500 cm^3 täglich). Die Proteine der M. hemmen das Wachstum pathogener Darmbakterien (weniger Durchfallerkrankungen), der hohe Anteil an weißen Blutkörperchen schützt wahrscheinlich vor grippeähnl. Virusinfektionen.

Muttermund, → Gebärmutter.

Mutterpass, Ausweis für werdende Mütter, in den Ergebnisse der regelmäßigen ärztl. Untersuchungen sowie Blutgruppe, Rhesusfaktor u. a. eingetragen werden.

Mutterrecht, von J. J. Bachofen angenommene, von der neueren Forschung abgelehnte These einer frühgeschichtl. Familienform, die der vaterrechtl. vorangegangen sein soll, mit einer durchweg dominierenden Stellung der Frau (nicht jedoch polit. Vorherrschaft, Matriarchat).

Der *Völkerkunde* dient der Begriff M. zur Bez. der Abstammung und Erbfolge in Sozialverbänden, in denen die Kinder der Verwandtschaftsgruppe der Mutter zugerechnet werden und mit ihrem biolog. Vater als nicht verwandt gelten (matrilineare Abstammung). Solche mutterrechtl. Organisationsformen sind unter den Naturvölkern Ozeaniens, Afrikas und Amerikas verbreitet.

📖 Wesel, U.: *Der Mythos vom Matriarchat. Über Bachofens M. u. die Stellung von Frauen in frühen Gesellschaften vor der Entstehung staatl. Herrschaft. Frankfurt am Main* [7]*1994.*

Mütterschulen, ältere Bez. der heute meist **Familienbildungsstätten** gen. Einrichtungen, die sich mit Kursen über Säuglings- und Kinderpflege sowie in Ehe-, Familienlebens- und Erziehungsfragen an Mütter bzw. beide Eltern wenden. Träger sind Kirchen und freie Wohlfahrtsverbände.

Mutterschutz, Maßnahmen zum Schutz der in einem Arbeitsverhältnis stehenden Frauen (einschließlich Heimarbeiterinnen, Hausangestellte und Teilzeitbeschäftigte) während der Schwangerschaft und nach der Entbindung vor Überforderung und Gesundheitsschädigung am Arbeitsplatz, vor Kündigung und finanziellen Nachteilen. In Dtl. enthält das M.-Gesetz i. d. F. v. 17. 1. 1997 ein Beschäftigungsverbot für sechs Wochen vor bis acht (bei Früh- und Mehrlingsgeburten zwölf) Wochen nach der Entbindung. Während dieser Zeit wird von der gesetzl. Krankenversicherung **Mutterschaftsgeld** gezahlt, anschließend können → Erziehungsurlaub und → Erziehungsgeld in Anspruch genommen werden. Während der Schwangerschaft und bis vier Monate nach der Geburt ist eine Kündigung durch den Arbeitgeber verboten (besonderer Kündigungsschutz). Außerdem sind grundsätzlich schwere körperl. Arbeiten, Mehr- und Nachtarbeit, Sonn- oder Feiertagsarbeit untersagt, und der Arbeitgeber hat bei der Gestaltung des Arbeitsplatzes Maßnahmen zu ergreifen, die Leben und Gesundheit werdender oder stillender Mütter bes. schützen. Die werdende Mutter muss dem Arbeitgeber ihre Schwangerschaft und den voraussichtl. Entbindungstermin mitteilen. Zum M. können weitere Leistungen der Krankenkassen wie die **Mutterschaftshilfe** gezählt werden (→ Krankenversicherung). – In *Österreich* enthält das M.-Ges. von 1957 Kündigungs- sowie Nacht-, Feiertags- und Mehrarbeitsverbote. Für ein Jahr besteht Anspruch auf Karenzgeld. In der *Schweiz* ist der M. nur z. T. bundesrechtlich geregelt: Beschäftigungsverbot acht Wochen vor und nach der Entbindung sowie Kündigungsschutz.

Mutterkorn: Roggenähre mit herausragenden Sklerotien des Mutterkornpilzes

📖 MEISEL, P. G. *u.* SOWKA, H.-H.: *M. u. Erziehungsurlaub. Kommentar zum Mutterschutzgesetz, zu den Leistungen bei Schwangerschaft nach der RVO u. zum Bundeserziehungsgesetz. München* [4]*1995.*

Eadweard Muybridge: Phasenfotografien aus der Serie »16 frames of race horse galloping« (1883–87)

Muttersprache, die beim primären Spracherwerb des Kindes gelernte Sprache im Unterschied zur später erlernten Fremdsprache. – Im Niederdeutschen kommt das Wort als Kompositum seit 1424 vor, als Verbindung von Substantiv und Adjektiv seit dem 12. Jh. in mittellat. Quellen (»lingua materna«). Es drückte den Ggs. zum Latein als Kirchensprache aus.

Muttertag

Warum ist der zweite Sonntag im Mai Muttertag?

*Weil 1907 der zweite Todestag der Mutter von Ann Jarvis auf diesen Sonntag fiel. Ann Jarvis (*1864, †1948) war eine amerikanische Methodistenpredigerstochter und propagierte diesen Tag als Ehrentag aller Mütter. 1914 wurde er vom amerikanischen Kongress in einer eigenen »Mother's Day Bill« zum Staatsfeiertag erklärt. In Deutschland wurde er erstmals 1923 gefeiert.*

Muttertag, Festtag zu Ehren der Mütter am 2. Sonntag im Mai; in den USA 1907 entstandener Brauch und dort seit 1914 Staatsfeiertag; in Dtl. 1923 erstmals gefeiert.

Mutter und Kind – Schutz des ungeborenen Lebens, Name einer 1984 errichteten Bundesstiftung, deren Ziel es ist, schwangeren Frauen, die sich wegen einer Notlage an eine anerkannte Beratungsstelle wenden, zu helfen und ihnen die Fortsetzung der Schwangerschaft zu erleichtern, soweit dies mit finanziellen Mitteln möglich ist.

Mutterwurz: Alpenmutterwurz (Höhe bis zu 20 cm)

Mutterwurz (Ligusticum), Gattung der Doldengewächse, v. a. auf der N-Halbkugel; ausdauernde, kahle Kräuter. Eine gute Futterpflanze ist die bis zu 20 cm hohe **Alpen-M.** (Ligusticum mutellina) mit weißen oder rosa- bis purpurfarbenen Blüten.

Muttra ['mʌtra], Stadt in Indien, → Mathura.

Mutual Balanced Forces Reductions ['mjuːtjʊəl 'bælənst fɔːsɪz rɪ'dʌkʃnz; engl. »beiderseitige ausgewogene Truppenreduzierung«], → MBFR.

Mutualismus [lat. mutuus »wechselseitig«] *der, Biologie:* Form der → Symbiose.

Mutung [mhd. muotunge »Begehren«], nach altem Bergrecht formelles Gesuch an die Bergbehörde um Verleihung des Bergwerkseigentums.

Mützenrobbe, Art der → Seehunde.

Muybridge ['maɪbrɪdʒ], Eadweard, eigtl. Edward James Muggeridge, brit. Fotograf, *Kingston upon Thames (heute zu London) 9. 4. 1830, † ebd. 8. 5. 1904; einer der Wegbereiter der Kinematographie, wanderte 1852 nach Amerika aus. Ab 1872 machte er Phasenfotografien schneller Bewegungsabläufe; 1879 stellte er das von ihm entwickelte »Zoopraxiskop« vor, einen Vorläufer des Filmprojektors.

Mužakow [-ʒ-], sorbisch für → Bad Muskau.

Muzine, → Mucine.

MW, 1) Einheitenzeichen für → Megawatt, 1 MW = 1 000 000 W.

2) Abk. für → **M**ittel**w**ellen.

Mwanza (Muansa), Regionshauptstadt in Tansania, am S-Ufer des Victoriasees, 223 000 Ew.; anglikan. und kath. Bischofssitz; Forschungsinst. für Tropenkrankheiten; Lebensmittel-, Textilind., Hafen; Eisenbahnfähre nach Kenia und Uganda, internat. Flughafen.

Mwerusee (Merusee), See im S von Zentralafrika, an der Grenze zw. der Demokrat. Rep. Kongo und Sambia, 4 920 km² groß, bis 14 m tief, sehr fischreich. Zufluss ist der Luapula, Abfluss der Luvua.

Mwinyi, Ali Hasan, tansan. Politiker, *Kivure (bei Daressalam) 8. 5. 1925, Lehrer, ging 1970 als Mitgl. der tansan. Zentralregierung nach Daressalam. 1984–85 war er Präs. von Sansibar (damit Vizepräs. von Tansania) und 1985–95 Präs. von Tansania.

MX, Abk. für engl. **M**issile E**x**perimental, landgestützte amerikan. ballistische Interkontinentalrakete (11 000 km Reichweite) mit zehn unabhängig voneinander gelenkten Nuklearsprengköpfen (→ MIRV); Erststationierung 1986.

My *das,* **1)** der 12. Buchstabe des grch. Alphabets (Μ, μ).

2) μ, physikal. Symbol für das → Myon.

3) μ, Vorsatzzeichen für → Mikro.

my..., → myo...

Myalgie [grch.] *die,* Muskelschmerz mit krampfhaften Verspannungen, bes. bei rheumat. Erkrankungen und Reizzuständen.

Myanmar, amtl. Name von → Birma.

Myasthenie [grch.] *die,* krankhaft verminderte Leistungsfähigkeit oder gesteigerte Ermüdbarkeit der Skelettmuskulatur **(Muskelschwäche).** Bei

Myasthenia gravis pseudoparalytica ist bes. die von den Gehirnnerven versorgte Augen-, Schluck- und Sprachmuskulatur betroffen.

Mydriasis [grch.] *die,* Pupillenerweiterung, z. B. durch Verdunklung, Vergiftungen, Arzneimittel.

Myelitis [grch.] *die,* → Rückenmarkentzündung.

myel(o)... [grch. myelós »Mark«], knochenmark..., nervenmark..., rückenmark...

Myelom [grch.] *das,* vom Knochenmark ausgehende Geschwulst, i. e. S. das → Plasmozytom.

My house is my castle [maɪ 'haʊs ɪz maɪ 'kɑːsl; engl. »mein Haus ist meine Burg«], eines der engl. Grundrechte (aus dem 17. Jh.), nach dem Beamte nicht ohne richterl. Erlaubnis in Privatwohnungen eindringen dürfen.

Mykale, altgrch. Name des Gebirges Samsun Dağı (bis 1229 m ü. M.) in Kleinasien, zw. Ephesos und Milet; bekannt durch den See- und Landsieg der Griechen 479 v. Chr. über die Perser.

Mykene, bronzezeitl. Burg und Stadt im NO der Peloponnes (Argolis), im grch. Mythos Königssitz des Atreus und Agamemnons. Die von H. Schliemann begonnenen Ausgrabungen (1874–76) führten Griechen und Engländer fort. Die kyklop. Burgmauer mit dem **Löwentor** und der größte Teil des Palastes auf dem Gipfel des Burgberges wurden Ende des 14. Jh. v. Chr. von Achaiern erbaut. Ein am westl. Fuß des Berges gelegener Plattenring mit sechs fürstlich ausgestatteten (Goldarbeiten u. a.) Schachtgräbern wurde in die Ummauerung einbezogen. Ein zweites Gräberrund grub man 1951 westlich des Löwentores aus. Außerhalb der Mauern wurden weitere Teile der Stadt sowie neun monumentale Kuppelgräber aus dem 15.–14. Jh. v. Chr. entdeckt, u. a. das sog. **Schatzhaus des Atreus.** – Bis zur Zerstörung der Burg um 1100 v. Chr. beherrschten die Könige von M. die nordöstl. Peloponnes. Die bronzezeitliche Kultur Griechenlands (außer Kreta) nennt man daher die **mykenische Kultur.** (→ ägäische Kultur). INFOKASTEN S. 448

📖 SCHLIEMANN, H.: *Mykenae. Bericht über meine Forschungen u. Entdeckungen in Mykenae u. Tiryns. Leipzig 1878,* Nachdr. *Darmstadt 1991.* – WACE, A. J.: *Mycenae. An archaeological history and guide. Princeton, N. J., 1949,* Nachdr. *New York 1964.* – KEHNSCHERPER, G.: *Kreta, M., Santorin. Leipzig u. a.* [6]*1986.*

Mykerinos (ägypt. Menkaure), ägypt. König der 4. Dynastie (um 2500 v. Chr.), Sohn und Nachfolger des Chephren, Erbauer der drittgrößten Pyramide bei Giseh.

myk(o)... [grch. mýkēs »Pilz«], pilz...

Mykobakteri|en [grch.] (Mycobakterien), Gruppe verschiedengestaltiger Stäbchenbakterien, meist Saprophyten, aber auch Parasiten, z. B. die Erreger der Tuberkulose und der Lepra.

Mykolajiw [meko'lajɪv], Stadt in der Ukraine, → Nikolajew.

Mykologie [grch.] *die,* Pilzkunde (→ Pilze).

Mykonos, Insel der Kykladen, Griechenland, 85,5 km², 5500 Ew., bis 372 m ü. M.; Hauptort (an der W-Küste) ist M.; Webwaren, Stickereien; reger Fremdenverkehr.

Mykene: Die kyklopische Mauer mit dem Löwentor wurde Ende des 14. Jh. v. Chr. erbaut

Mykonosprozess, Strafverfahren, eingeleitet im Okt. 1993 gegen fünf Angeklagte wegen Mordes an vier iranisch-kurd. Oppositionellen im Berliner Restaurant »Mykonos«. Im April 1997 verurteilte das Gericht vier Angeklagte zu Haftstrafen. Ferner sah es das Gericht als erwiesen an, dass die oberste iran. Führung diese Morde in Auftrag gegeben hatte. Im Anschluss kam es zu diplomat. Verwicklungen zw. den EU-Staaten und dem Iran.

Mykoplasmen [grch.], Gruppe vielgestaltiger Bakterien ohne starre Zellwand; verursachen In-

Mykene - Lageplan der Burg

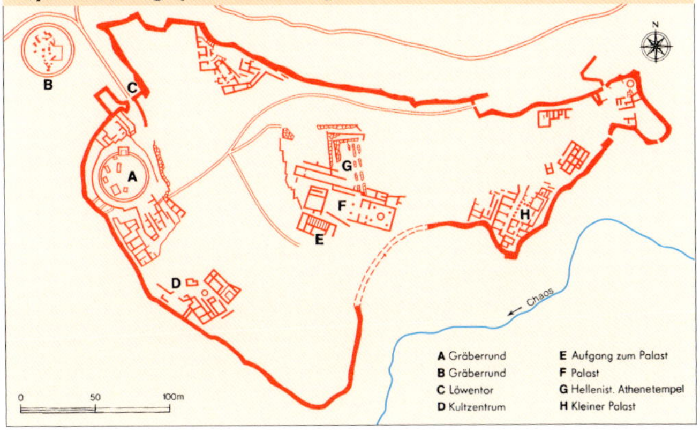

fektionen der Atemwege und des Urogenitalsystems, Resistenz gegenüber bestimmten Antibiotika (nicht: Tetracycline, Makrolide).

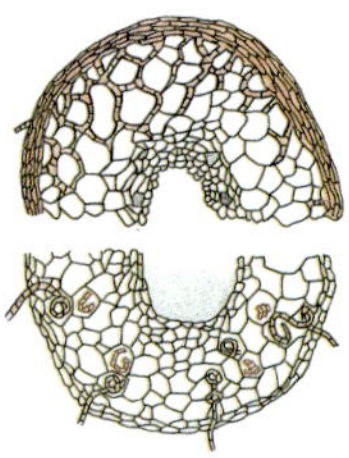

Mykorrhiza: ektotrophe Mikorrhiza (oben) und endotrophe Mikorrhiza

Mykorrhiza [grch.] *die,* Symbiose zw. den Wurzeln höherer Pflanzen und Pilzen. Der Pilz liefert der Pflanze Wasser und Mineralsalze, die Pflanzen versorgen den Pilz v.a. mit Kohlenhydraten. Bei der **endotrophen M.** (z.B. bei Orchideen oder Farnen) dringen die Pilzhyphen in das Innere der Wurzelzellen ein; bei der **ektotrophen M.** (verbreitet bei Waldbäumen) sind die Saugwurzeln von Pilzfäden umgeben.

Mykosen [grch.] (Pilzerkrankungen), durch versch. Pilze hervorgerufene Infektionskrankheiten bei Mensch, Tieren und Pflanzen; befallen werden bei Ersteren Haut (→Hautpilzkrankheiten), Haare, Nägel, Schleimhäute oder innere Organe.

Mykotoxine (Pilzgifte), Stoffwechselprodukte sowohl von Großpilzen, z.B. Knollenblätterpilzen (v.a. Phalloidin) als auch von niederen Pilzen, z.B. Schimmelpilzen (bes. →Aflatoxine), die auf Warmblüter stark toxisch wirken.

Alva Myrdal

Mylady [mɪˈleɪdɪ, engl.], Anrede an eine Trägerin des brit. Titels Lady.

My Lai, Dorf in S-Vietnam, in dem während des Vietnamkrieges am 16. 3. 1968 mehr als 300 Bewohner von amerikan. Soldaten getötet wurden. Gegen die Verantwortlichen dieses Massakers wurde 1970/71 in den USA ein Militärgerichtsprozess durchgeführt.

Mylonit [grch.] *der,* durch Gebirgsdruck an tekton. Bewegungsflächen zerriebenes und dann wieder verfestigtes Gestein.

Mylord [mɪˈlɔːd, engl.], Anrede an einen Träger des Titels Lord sowie einen Richter (durch den Anwalt).

Mykene

Die Herrscher von Mykene

Als Gründer Mykenes galt Perseus, der Sohn des Zeus und der Danae. Seine Nachkommen wurden von dem fluchbeladenen Geschlecht der Atriden abgelöst: Tantalos tötete seinen Sohn Pelops und setzte ihn den Göttern zum Mahl vor, um ihre Allwissenheit zu erproben. Streit und Mord setzten sich unter seinen Söhnen Atreus und Thyestes fort. Atreus' Sohn Agamemnon, der Heerführer der Griechen vor Troja, wurde nach der Rückkehr von seiner Gemahlin Klytämnestra und ihrem Liebhaber Ägisth erschlagen; Orest rächte den Vater, indem er die eigene Mutter und ihren Liebhaber tötete. Erst mit ihm löste sich der Fluch: Wegen des Muttermordes von den Erinnyen verfolgt, floh er nach Delphi und später nach Athen, wo ihn der Areopag, der höchste Gerichtshof im antiken Athen, freisprach.

Der Dichter Aischylos brachte im 5. Jahrhundert v. Chr. die tragische Verstrickung Orests in seiner großen Trilogie, der Orestie, in gültige Form und setzte zugleich den Institutionen des demokratischen Athen seiner Zeit ein unvergängliches Denkmal.

my(o)... [grch. mȳs »Maus«, »Muskel«], muskel...

Myofibrillen, Bestandteile der →Muskeln.

Myogelose [zu lat. gelare »gefrieren machen«] *die,* der →Hartspann.

Myoglobin [zu lat. globus »Kugel«] *das,* Sauerstoff bindendes Muskelprotein, das aus einer Peptidkette mit 153 Aminosäuren und einer Häm-Gruppe besteht. M. hat höhere Affinität zum Sauerstoff als Hämoglobin und ist daher ein guter Sauerstoffspeicher.

Myokard [zu grch. kardía »Herz«] *das,* der Herzmuskel (→Herz).

Myokard|infarkt, der →Herzinfarkt.

Myokard|insuffizi|enz, die →Herzinsuffizienz.

Myokarditis *die,* →Herzmuskelentzündung.

Myom [grch.] *das,* gutartige Geschwulst aus Muskelgewebe. Am häufigsten ist das **Gebärmutter-M.,** bis mannskopfgroß, häufig zu mehreren, mit unterschiedl. Lokalisation in der Gebärmutter; entsteht unter dem Einfluss von Östrogen.

Myon [Kw. aus μ »Mikro« und Meson] *das* (engl. Muon, früher μ-Meson), instabiles geladenes →Elementarteilchen aus der Gruppe der →Leptonen, das sich wie ein Elektron verhält, aber eine rd. 207-mal so große Masse hat (»schweres Elektron«). Es gibt elektrisch negativ geladene M. (μ^-) und deren positiv geladene Antiteilchen (Anti-M., μ^+). Die M. entstehen v.a. beim Zerfall der Pionen u.a. Mesonen und zerfallen mit einer Lebensdauer von rd. $2 \cdot 10^{-6}$ s, das μ^- in ein Elektron, ein e-Antineutrino und ein μ-Neutrino, das μ^+ in ein Positron, ein e-Neutrino und ein μ-Antineutrino. Die M. wurden 1937 von C.D. Anderson und O. Neddermeyer in der kosm. Strahlung entdeckt.

myonische Atome, →exotische Atome.

Myonium [grch.-lat.] *das,* ein →exotisches Atom.

Myopie [zu grch. mýops »kurzsichtig«] *die,* die Kurzsichtigkeit, ein →Brechungsfehler des Auges.

Myosin [grch.] *das,* hochmolekulares Eiweiß des Muskels, das aus zwei schraubenförmig umeinander gewundenen Polypeptidketten und einem globulären »Kopfteil« besteht.

Myra, lykische Ruinenstätte nahe der südanatol. Küste, 120 km südwestlich von Antalya, Türkei; fast 100 in Felswände eingearbeitete Kammergräber mit architekton. Fassade (5./4. Jh.). In frühchristl. Zeit war M. Bischofssitz.

Myrdal, 1) Alva, schwed. Politikerin (Sozialdemokratin) und Gesellschaftswissenschaftlerin, *Uppsala 31. 1. 1902, †Stockholm 1. 2. 1986, ⚭ mit 3), Mutter von 2); 1962–73 schwed. Chefdelegierte bei der Genfer Abrüstungskonferenz, 1966–73 Staatsmin. für Abrüstungsfragen; hatte mit ihren Publikationen großen Einfluss auf die Friedensbewegung; erhielt 1970 mit ihrem Mann den Friedenspreis des Börsenvereins des Dt. Buchhandels, 1982 zus. mit A. García Robles den Friedensnobelpreis.

2) Jan, schwed. Schriftsteller, * Stockholm 19. 7. 1927, Sohn von 1) und 3); schreibt politisch-satir. Romane (»Kindheit in Schweden«, 1982; »Eine andere Welt«, 1984; »Pubertet ...«, 1988), Reiseberichte (»Bericht aus einem chines. Dorf«, 1963) und dokumentar. Prosa; auch bed. als gesellschaftskrit. Journalist und Essayist (»Wort und Absicht«, 1986).

3) Karl Gunnar, schwed. Volkswirtschaftler und Politiker, * Gustafs (Verw.Bez. Kopparberg) 6. 12. 1898, † Stockholm 17. 5. 1987, ⚭ mit 1), Vater von 2); 1933–50 Prof. an der Handelshochschule, 1960–67 an der Univ. in Stockholm; 1947–57 Leiter der Europ. Wirtschaftskommission der UNO; Mitbegründer und ab 1966 Präs. des Friedensforschungsinst. SIPRI; erhielt mit seiner Frau 1970 den Friedenspreis des Börsenvereins des Dt. Buchhandels, 1974 für seine Beiträge zur Geld- und Konjunkturtheorie gemeinsam mit F. A. von Hayek den Nobelpreis für Wirtschaftswissenschaften.

myria... [grch.], 10 000fach.

Myriade *die,* Anzahl von Zehntausend, meist Pl.: Unzahl, unzählige Menge.

Myriapoda [grch.], *Zoologie:* → Tausendfüßer.

Myristinsäure [grch.], gesättigte Fettsäure, die als Glycerinester u. a. im Milchfett und Kokosöl (bis 20 %) vorkommt.

Myrmekophagen [grch.], Bez. für Tiere, die sich von Ameisen ernähren, z. B. Ameisenbären, Ameisenigel.

Myrmekophilen [grch.], die → Ameisengäste.

Myrmekophyten [grch.] (myrmekophile Pflanzen), die → Ameisenpflanzen.

Myrmidonen, altgrch. südthessal. Volksstamm. In der »Ilias« sind die M. Gefolgsleute des Achill; als ihr Herrscher erscheint Aiakos.

Myrobalane [grch. myrobálanos »Salbeneichel«] *die,* pflaumenähnliche Frucht des Baumes **Terminalia chebula** im trop. Asien und auf den Malaiischen Inseln; als Gerbmittel verwendet.

Myron, attischer Bildhauer aus Eleutherai, um 460 bis 430 v. Chr. tätig. Von seinen Bronzestatuen sind Marmorkopien aus der röm. Kaiserzeit erhalten: der Diskuswerfer (um 450 v. Chr., Rom) und die Gruppe Athene und Marsyas (um 440 v. Chr., Frankfurt am Main).

Myrrhe [grch.] *die,* aus mehreren Myrrhenstraucharten gewonnenes Gummiharz; enthält 6–8 % äther. Öle, ferner Bitterstoffe u. a.; es wird v. a. als Räuchermittel verwendet. In der Medizin dient ein alkohol. Auszug **(M.-Tinktur)** zur Behandlung von Entzündungen im Bereich der Mundhöhle.

Myra: Blick auf einen Teil der rund 100 Felskammergräber

Myrte [grch.] *die* (Myrtus), Gattung der Myrtengewächse v. a. im außertrop. Südamerika, in Australien und Neuseeland, einige Arten im Mittelmeerraum; immergrüne Sträucher oder kleine Bäume mit ledrigen Blättern, weißen Blüten und meist schwarzen Beeren; z. T. Zierpflanzen. Die bekannteste Art ist die im Mittelmeergebiet vorkommende **M.** i. e. S. **(Braut-M.,** Myrtus communis), deren Zweige als Braut- und Grabschmuck beliebt sind. – Die M. war bei den alten Griechen Symbol der Liebe und der Schönheit. Bei Persern, Babyloniern und Juden (bes. beim Laubhüttenfest) diente bzw. dient M. kult. Zwecken.

Gunnar Myrdal

Mysilen, im Altertum Name einer von Thrakern bewohnten Landschaft in NW-Kleinasien, zw. Ägäischem Meer, Hellespont, Propontis (Marmarameer), Bithynien, Lydien und Phrygien. In M. gründete 280 v. Chr. Philetairos des Reich von Pergamon.

Myslbek ['misl-], Josef Václav, tschech. Bildhauer, * Prag 20. 6. 1848, † ebd. 2. 6. 1922. Seine Plastiken waren zunächst vom historisierenden Stil der Spätromantik geprägt, dann vom Impressionismus und Symbolismus. Sein Hauptwerk ist das Reiterdenkmal des hl. Wenzel in Prag (vollendet 1922).

Myślibórz [mi'ɕlibuʃ] (dt. Soldin), Stadt in der Wwschaft Gorzów (Landsberg an der Warthe), Polen, am **Soldiner See** (6,2 km², bis 22 m tief), 12 500 Ew.; Maschinenbau, Nahrungsmittel-, Bekleidungs-, Holzindustrie. – Stadtpfarrkirche (13.–16. Jh.), Gertraudenkapelle (15. Jh.), Heilig-Geist-Kapelle (um 1400), Neuenburger und Pyritzer Tor der alten Stadtbefestigung. – 1271 erstmals urkundlich erwähnt.

Mysłowice [misu̯ɔ'vitsɛ] (dt. Myslowitz), Stadt in der Wwschaft Katowice (Kattowitz), Polen, im Oberschles. Ind.gebiet, 93 600 Ew.; Steinkohlenbergbau, Metall-, elektrotechn., Holzind., Berbaugeräteherstellung.

Myrte: Brautmyrte

Mysophobie [grch.] *die,* krankhafte Furcht vor Beschmutzung; i. w. S. auch Furcht vor jegl. Berührung von Personen oder Gegenständen, im Glauben, dass diese schmutzig sein oder (ansteckende) Krankheiten übertragen könnten.

Mysore [maɪˈsɔː] (Maisur), Stadt in Karnataka, S-Indien, 770 m ü. M.; 480 000 Ew.; Univ., Zentralinstitut für ind. Sprachen; Sandelholz-, Textil-, Lackind., Stahlwerk. – Früherer Sommersitz des Maharadscha (Lalita-Mahal-Palast, 1897). – M. war bis 1610 und 1799–1831 Hptst. des Fürstentums Mysore.

Mysore: Der östlich der Stadt gelegene Lalita-Mahal-Palast stammt aus dem ausgehenden 19. Jahrhundert

Mysteri|en [grch.] (Orgia), in der Antike geheime religiöse Feiern. Sie waren dem Werden und Vergehen in der Natur, symbolisiert in einer Gottheit (z. B. →Attis), gewidmet und versprachen den Eingeweihten (Mysten) Erlösung. Oft hatten die Feiern orgiast. Charakter. M.-Kulte verbreiteten sich seit dem 7. Jh. v. Chr. in Griechenland; in hellenist. Zeit standen sie unter oriental. und ägypt. Einfluss. Berühmt waren die M. von →Eleusis für Demeter und Persephone; auch der Kybele, dem Orpheus, Isis und Osiris waren M. geweiht, im Röm. Reich v. a. →Mithras.

Mysteri|enspiele, Bez. für das →geistliche Drama des MA. in England und Frankreich. Die Spieldauer der M. betrug z. T. Tage oder Wochen.

Mysterium [lat.-grch.] *das,* **1)** *allg.:* Geheimnis, unergründbares Geschehen.

2) *christl. Theologie* und *Liturgie:* die Offenbarung Gottes in Jesus Christus als zentrales Geheimnis des christl. Glaubens; die Sakramente; in der kath. und in den orth. Kirchen der liturg. Nachvollzug der Heilsgeschichte Jesu Christi in der Feier der Messe und Göttl. Liturgie.

3) *Religionsgeschichte:* das dem Menschen gegenübertretende, von ihm als →heilig erfahrene, nicht eigentlich erklärbare »ganz Andere«.

Mystik [grch.] *die,* in der Religionsgeschichte eine in unterschiedl. Ausprägung den Religionen gemeinsame Form religiösen Erlebens, die Erkenntnis Gottes aus Erfahrung **(Cognitio Dei experimentalis),** die Vereinigung **(Unio mystica)** mit ihm oder die Erkenntnis des Wesens der transzendenten Wirklichkeit sucht. Askese, →Kontemplation und →Meditation dienen der Vorbereitung auf dieses Ziel. In ihren Ausdrucksformen durch den **Mystiker** kann sie gefühlsbetont, sinnlich-rauschhaft oder intellektuell-spekulativ sein. Bedeutende Ausprägungen der M. sind in China der Daoismus, in Indien die Erlösungslehre des Vedanta (Shankara), in Japan der Zen-Buddhismus, im antiken Griechenland die Mysterienkulte, in der Spätantike der Neuplatonismus, im Judentum der Chassidismus und die Kabbala sowie im Islam der Sufismus. Im Christentum erscheint M. bereits im N. T. v. a. bei Paulus und Johannes als **Christus-M.,** deren Ziel die unmittelbare Einheit mit Jesus Christus ist; seit dem MA. oft in der Form der **Passions-M.,** als Mitleiden mit Jesus. Die dt. M. erlebte in der Frauen-M. des 12./13. Jh. (Hildegard von Bingen, Mechthild von Magdeburg, Gertrud von Helfta) und der philosophisch-spekulativen M. des 13./14. Jh. (Meister Eckart, H. Seuse, J. Tauler) ihren Höhepunkt. – Heute kann v. a. das zunehmende Interesse für Esoterik und versch. Formen östl. Religiosität in den modernen Ind.gesellschaften als M. im Sinne von Verlangen nach Transzendenz gedeutet werden.

📖 Bock, E.: *Die M. in den Religionen der Welt. Hinduismus – Buddhismus – Judaismus – Islam – Christentum. Tb.-Ausg. München 1993.* – Albert, K.: *Einführung in die philosoph. M. Darmstadt 1996.*

Mystizismus *der,* intuitiv-irrationale Geisteshaltung, die Erkenntnisse sucht, die weder in den Bereich religiösen Erlebens gehören noch verstandesmäßiger Prüfung standhalten.

Mythen [ˈmiːtən], Kreidekalkberge im schweizer. Kanton Schwyz; **Großer M.** 1899 m ü. M., **Kleiner M.** 1811 m ü. M.

Mythologie *die,* urspr. Bez. für Erzählungen vom Handeln der Götter (Göttersagen), später erweitert auf die Gesamtheit der myth. Überlieferungen eines Volkes (→Mythos); auch die wiss. Darstellung und krit. Erforschung von Mythen.

Mythos (Mythus) [grch. »Wort«, »Rede«, »Erzählung«] *der,* **1)** Erzählung (Sage) über Götter, Heroen und Ereignisse aus vorgeschichtl. Zeit und die sich darin ausdrückende Weltdeutung. So verstanden, artikulieren M. die Suche des Menschen nach dem Verständnis seiner selbst und der Welt aus ihren Ursprüngen heraus. Nach ihrem Inhalt kann man im Wesentlichen unterscheiden: M. vom Anfang der Welt **(kosmogon. M.),** von ihrem Ende **(eschatolog. M.),** meist damit verknüpft M. von der Entstehung der Götter **(theogon. M.),** M. vom Wechsel der Tages- und Jahreszeiten **(kosmolog. M.),** von der Entstehung des Menschen **(anthropogon. M.),** von den Lebensbedingungen des

Menschen **(Urstands-M.)**, von den Ursprüngen der Völker, Stiftung religiöser Kulte und Begründung gesellschaftl. Ordnung **(ätiolog. M.)**. Diese ursprüngl., orientierende Funktion (die eng mit dem religiösen Kult zusammenhängt), konnte den M. nur zukommen, solange das ident. myth. Verstehen innerhalb der gesellschaftl. Gruppe gewährleistet war. Mit der Weiterentwicklung der Kulturen und der erweiterten Kenntnis der bewohnten Welt schwanden Autorität und bindende Kraft des M. Sowohl seitens der Religion als auch des rationalen, insbes. naturphilosoph. Denkens (→Vorsokratiker, →Sophisten) wurde der M. der Kritik unterworfen. Es ist nicht mehr zu klären, zu welchem Zeitpunkt dieser Entwicklung die künstler. Ausformung der M. zu Dichtung stattfand, doch ist ihre Überlieferung eng an die Dichtung gebunden: Die ältesten literar. Texte der Menschheit sind meist zugleich M.-Darstellungen (im Alten Orient das Atrachasis- und das Gilgameschepos, in Europa die Epen von Homer und Hesiod). Das aus dem Dionysoskult hervorgegangene grch. Drama ist unmittelbar mit dem M. verknüpft. Für die frühe christl. Theologie waren die antiken M. heidn. Fabelei, doch wurden sie in der christl. Gesellschaft des MA. als Bildungsgut tradiert. Das Interesse an ihnen ist seit der Renaissance ungebrochen; v.a. als Stoffe und Motive in Literatur und bildender Kunst werden sie immer wieder aufgenommen und neu gedeutet.

Der M.-Begriff der modernen Wiss. geht auf das Ende des 18. Jh. zurück (C. G. Heyne, J. G. Herder). Im 19. Jh. erweiterte sich das Blickfeld: Die ind. M. wurden in Europa bekannt, J. und W. Grimm entdeckten die »dt. Mythologie«. Im 20. Jh. ist der M. zum Forschungsgegenstand vieler Disziplinen geworden (bes. im Schnittbereich von Soziologie, Ethnologie, Anthropologie und Religionswiss.); sowohl Psychoanalyse und analyt. Psychologie als auch Strukturalismus widmeten sich der Deutung der M. 1941 löste R. Bultmann mit seinem Ansatz der →Entmythologisierung eine bis in die Gegenwart wirkende Diskussion um den M. innerhalb der christl. Theologie aus.

📖 Horstmann, A.: *Der M.-Begriff vom frühen Christentum bis zur Gegenwart, in: Archiv für Begriffsgeschichte, Jg. 23, Bonn 1979.* – Grabner-Haider, A.: *Strukturen des M. Würzburg* [2]*1993.* – *Die Eröffnung des Zugangs zum M. Ein Lesebuch, hg. v.* K. Kerényi. *Darmstadt* [5]*1996.*

2) das Resultat einer sich auch noch in der Gegenwart vollziehenden Verklärung von Personen, Gegenständen (z.B. Kunstwerken), Ereignissen oder Ideen. Diese »neuen M.« spiegeln v.a. die Suche nach Sinn in einer von techn. und bürokrat. Zwängen beherrschten Welt und bieten Identität und Integration im kulturell-sozialen Kontext.

Mytilene (ngrch. Mytilini), Haupt- und Hafenstadt der Insel und des Nomos Lesbos, Griechenland, 25 000 Ew.; archäolog., Ikonenmuseum; Leder-, Textilind., Konservenfabrik; Hafen.

Myx|ödem [grch.], durch Unterfunktion der Schilddrüse **(Hypothyreose)** bedingte Krankheit, die sich in gedunsener (ödemartiger), trockener, gelbl. Haut, auffälliger Trägheit, Müdigkeit, rauer Stimme, Kälteempfindlichkeit, verlangsamter Herzschlagfolge, niedrigem Blutdruck u.a. äußert. Sie wird behandelt durch medikamentösen Ersatz der fehlenden Schilddrüsenhormone.

Myxomatose [grch.] *die,* meldepflichtige, seuchenhafte, unheilbare Viruskrankheit der Wild- und Hauskaninchen, mit Fieber, eitriger Bindehautentzündung und Schwellungen an Kopf, Gliedmaßen sowie After.

Myxomyzeten [grch.], die →Schleimpilze.

Myxoviren [grch.-lat.], große, komplex gebaute RNS-Viren, u.a. die →Influenzaviren.

Myzel [grch.] *das* (Myzelium, Mycelium), die Gesamtheit der Hyphen eines Pilzes; bildet das Pilzgeflecht oder den Thallus.

Mzab: Blick auf die an einen Hang gebaute Oasenstadt Ghardaïa, die von einem 22 m hohen konischen Minarett überragt wird

Mzab *der,* Oasenregion in der mittleren Sahara, Algerien, etwa 120 000 Ew. (→Mozabiten); umfasst fünf im 11. Jh. angelegte Oasenstädte (»Pentapolis«) mit dem Hauptort **Ghardaïa** und der hl. Stadt **Beni Isguen.** Das Tal wurde von der UNESCO zum Welterbe erklärt. Dattelpalmenanbau; Wirtschaftszentrum mit Kunsthandwerk, Ind.ansiedlungen. Durch den M. führt die Transsaharastraße, im S Flugplatz.

Mzabiten, Berberstamm, →Mozabiten.

Altsemitisch Altgriechisch Römische Kapitalschrift Unziale und karoling. Minuskel

n, N [ɛn] *das,* **1)** der 14. Buchstabe des dt. Alphabets; Zahnlaut, bei dem die Atemluft durch die Nase entweicht. Es bezeichnet den dentalen, vor g und k meist den Gaumennasal. Im Spanischen bezeichnet ñ den mouillierten n-Laut, ebenso polnisch ń, tschechisch ň.

2) N, Abk. für **N**orden.

3) *Chemie:* 1) **N,** chem. Symbol für →Stickstoff; 2) **n,** Abk. für normal, d.h. unverzweigt, in der chem. Nomenklatur der →Alkane; 3) **n** oder *n,* in chem. Formeln Angabe für eine unbestimmte Anzahl von Atomen.

4) *Einheitenzeichen:* **N** für →Newton.

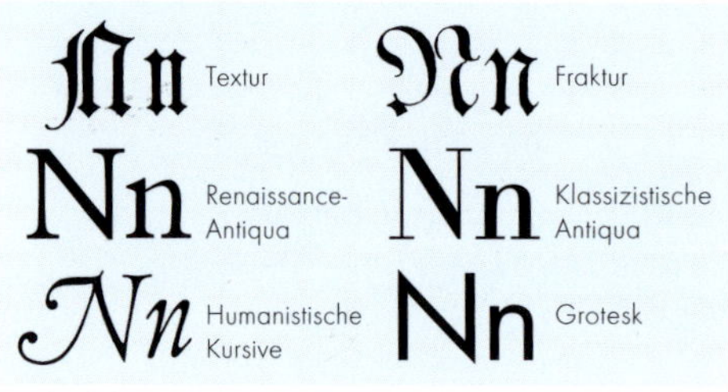

Druckschriftenvarianten des Buchstabens **N**

5) *Formelzeichen:* n für Brechzahl, Drehzahl, Stoffmenge, Teilchenzahldichte; N für die Neutronenzahl eines Kerns oder Nuklids; N_A für die →Avogadro-Konstante.

6) *Mathematik:* N, ℕ für die Menge der natürl. Zahlen; $n!$ für →Fakultät.

7) *Physik:* n, Symbol für →Neutron.

8) *Vorsatzzeichen:* **n** für Nano.

Na, chem. Symbol für →**Na**trium.

Naab *die,* linker Nebenfluss der Donau, 165 km lang, entsteht aus **Fichtel-** und **Haidenaab** (vom Fichtelgebirge) und **Waldnaab** (aus dem Oberpfälzer Wald); mündet westlich von Regensburg.

NAACP, Abk. für →**N**ational **A**ssociation for the **A**dvancement of **C**olored **P**eople.

Nabatäer, im Altertum ein nordwestarab. Volksstamm, der im 5./4. Jh. v. Chr. im Gebiet der Edomiter (→Edom) siedelte. Die Hptst. des N.-Reiches, →Petra, war ein wichtiges Zentrum des Karawanenhandels. 312 v. Chr. wurden die N. von Antigonos erfolglos bekämpft und dehnten bald danach ihre Macht bis Syrien aus. 106 n. Chr. wurde ihr Königreich von Trajan zur röm. Provinz **Arabia Petraea** umgewandelt. Die N. schrieben ihre aramäische, arabisch beeinflusste Sprache in einer Konsonantenschrift. Ihre Kunst war hellenistisch beeinflusst. Sie hinterließen nur z.T. ausgegrabene Tempelruinen und viele Felsengräber im heutigen Jordanien und Saudi-Arabien.

🕮 LEVY, U.: *Die N. Versunkene Kultur am Rande des heiligen Landes. Stuttgart 1996.*

Nabburg, Stadt im Landkreis Schwandorf, Bayern, 6300 Ew., an der Naab; Bauernmuseum; Metall verarbeitende, Konservenindustrie. – Teile der ehem. Stadtbefestigung und zahlreiche ältere Wohnhäuser mit hohen Giebeln blieben erhalten.

Nabe, der Teil des Rades, mit dem es auf der Welle oder auf dem Zapfen sitzt. Die Verbindung und die Kraftübertragung zw. beiden kann entweder durch einen Reibungswiderstand (z.B. durch Aufpressen, Aufklemmen, besondere Spannelemente) oder Formschluss (z.B. Kegel- oder Stirnverzahnung) erfolgen.

Nabel, bei Säugetier und Mensch eine meist rundl. Vertiefung in der vorderen Bauchwand, entspricht der Anheftungs- bzw. Durchtrittsstelle der →Nabelschnur. – In den Mythen und Religionen hatte der N. eine symbolhafte und mag. Bedeutung (»N. der Erde« als Mittelpunkt des Kosmos, →Omphalos).

Nabelbruch (Nabelhernie), durch den Nabelring hindurchtretender Eingeweidebruch; ist an der Vorwölbung des Nabels erkennbar.

Nabel|orange [-ɔrɑ̃:ʒə], →Navelorange.

Nabelschnur (Nabelstrang, Funiculus umbilicalis), strangartige Verbindung zw. dem Embryo und dem Mutterkuchen beim Menschen und bei allen plazentalen Säugetieren. Die N. umhüllt Gefäße, die einerseits den Embryo mit sauerstoff- und nährstoffreichem Blut versorgen, andererseits sauerstoffarmes und schlackenbeladenes Blut abführen. Beim Menschen ist die vom Amnion (eine Embryonalhülle) umhüllte N. zum Zeitpunkt der Geburt etwa 50–60 cm lang und bis 2 cm dick. Nach der Geburt, dem Abnabeln und dem Abfallen des N.-Restes bleibt an der Bauchseite des Neugeborenen der Nabel (Bauchnabel) zurück.

Nabelschnurknoten, beim Hindurchschlüpfen des Kindes durch eine Nabelschnurschlinge entstehende lockere Verknotung. Der N. stellt bes. bei kurzer Nabelschnur eine Gefahr für das kindl. Leben dar, wenn durch Gefäßabschnürung die Ernährung des Kindes unterbrochen wird. Bei der **Nabelschnurumschlingung** ist die Nabelschnur um den Hals des Kindes oder andere Körperteile (Arm, Schulter, Beine) gelegt; kann durch Komprimierung zu Komplikationen während der Schwangerschaft und bei der Geburt führen.

Nabelschnurvorfall, Herausfallen der Nabelschnur aus dem Muttermund beim Blasensprung oder später; gefährl. Geburtskomplikation, da das nachfolgende Kind die Nabelschnur abquetschen kann und damit seine Versorgung unterbindet.

Nabelschweine (Pekaris, Tayassuidae), Familie etwa 0,7–1 m langer Paarhufer mit zwei Arten: **Halsbandpekari** mit blassgelbem Halsband und **Weißbartpekari** mit leuchtend weißer Kehle; v. a. in Wäldern und offenen Landschaften Mexikos, Zentral- und Südamerikas; eine Rückendrüse (»Nabel«) sondert ein stark riechendes Sekret ab.

Nabereschnyje Tschelny (1982–88 Breschnew), Stadt in Tatarstan, Russ. Föderation, an der unteren Kama, 513 100 Ew.; Autowerk (Lkw, Motoren, Panzer). Bei N. T. Wasserkraftwerk Nischnekamsk (1248 MW).

Nabelschweine: Halsbandpekari (Kopf-Rumpf-Länge bis zu 1 m)

Nabeul [na'bœl], Gouv.-Hptst. am Golf von Hammamet, in N-Tunesien, 39 500 Ew.; Marktort und Seebad; bed. Kunsthandwerk (Keramik-, Steinmetz-, Schmiede-, Stickereiarbeiten), Parfümherstellung; Obst- und Gemüsebau.

Nabis [na'bi; hebr. »Propheten«], eine Gruppe überwiegend frz. Maler, die sich 1888 unter Führung von Paul Sérusier (*1864, †1927) in Paris zusammenschlossen. Ihren stilistisch uneinheitl. Bildern (auch Grafiken, Glasmalereien, Bildteppiche, Theaterdekorationen) ist eine großzügige Erfassung von Formzusammenhängen und v. a. eine stark ausgeprägte dekorative Tendenz gemeinsam; ihre Arbeiten waren u. a. von P. Gauguin, der Schule von Pont-Aven und der japan. Holzschnittkunst beeinflusst. Zu den N. gehörten u. a. P. Bonnard, M. Denis, J. Rippl-Rónai, É. Vuillard, F. Vallotton.

Nabatäer: Fassaden von Felsengräbern in Hegra, einer alten Karawanenstation der Nabatäer im Nordwesten Saudi-Arabiens (1. Jh. v. Chr./1. Jh. n. Chr.)

📖 *Die N. Propheten der Moderne, hg. v.* C. Frèches-Tory *u.* U. Perucchi-Petri, *Ausst.-Kat. Kunsthaus Zürich. München 1993.*

Nablus (Nabulus), Stadt im Westjordanland, 570 m ü. M. im Bergland von Samaria; 70 000 Ew.; Mittelpunkt eines Landwirtschaftsgebietes; Konserven- und Baustoffindustrie, Zündholzfabrik.

Nabob [ind., aus arab. nuwwāb »Statthalter«] *der,* seit dem 18. Jh. in Europa gebräuchl. Bez. für den Angehörigen des in Indien reich gewordenen Geldadels.

Nabokov [nə'bɔːkəf], Vladimir, russisch-amerikan. Schriftsteller, *Sankt Petersburg 23. 4. 1899, †Montreux 2. 7. 1977; emigrierte 1919 nach Großbritannien, lebte einige Jahre in Berlin, dann in Paris und ging 1940 in die USA (1945 Einbürgerung); 1948–59 Prof. für russ. Literatur an der Cornell University (Ithaca, N. Y.), dann freier Schriftsteller in der Schweiz. N. schrieb v. a. stilistisch brillante psycholog. Romane (zunächst unter dem Pseud.

Vladimir Nabokov

V. Sirin), zuerst in russ., später auch in engl. Sprache (»Maschenka«, 1926; »Gelächter im Dunkel«, 1934; »Einladung zur Enthauptung«, 1938; »Pnin«, 1957; »Ada oder das Verlangen«, 1969; »Sieh doch die Harlekins!«, 1974). Seinen größten Erfolg hatte er mit dem Roman »Lolita« (1955), der sexuelle Normen und Verhaltensweisen in den USA satirisch durchleuchtet.

📖 *V. N., hg. v.* M. LÜDKE *u. a. Reinbek 1997.*

Nabonid, letzter König von Babylon (555–539 v. Chr.), wurde durch den Perserkönig Kyros II. entthront.

Nabopolassar, König von Babylon (626–606 v. Chr.); vernichtete 612 v. Chr. durch die Eroberung Ninives gemeinsam mit den Medern das neuassyr. Reich und schuf nach dem Sieg über die Ägypter bei Karkemisch (605 v. Chr.) das neubabylon. Reich.

Nach|ahmung, 1) *Ästhetik:* →Mimesis.

2) *Musik:* (Imitation) Kompositionsweise, bei der eine melod. Wendung der einen Stimme in einer anderen Stimme in gleicher oder ähnl. Weise aufgegriffen wird; sie ist ein wichtiges Mittel polyphoner Mehrstimmigkeit. N. in allen Stimmen kennzeichnet den **durchimitierenden Stil.** Man unterscheidet strenge und freie N. (mit geringen Veränderungen), daneben auch N. in Gegenbewegung (Umkehrung), in Vergrößerung oder Verkleinerung.

3) *Psychologie* und *Verhaltensforschung:* Verhalten, bei dem wahrgenommene Verhaltensweisen (Bewegungen, Lautäußerungen) von Mensch oder Tier von einem anderen Lebewesen mit angestrebter Ähnlichkeit hervorgebracht werden. Die N. ist eine Grundlage für viele Lernprozesse (z. B. des kindl. Spracherwerbs).

4) *Recht des geistigen Eigentums:* Herstellung von künstler. Werken oder gewerbl. Gegenständen in einer solchen Weise, dass diese Produkte mit urheberrechtlich oder durch gewerbl. Schutzrechte (Patent, Geschmacksmuster, Gebrauchsmuster) geschützten Produkten verwechselt werden können; auch die N. fremder Arbeitsergebnisse. Stellt letzteres eine sittenwidrige Ausbeutung fremder Leistung dar, kann es als →unlauterer Wettbewerb untersagt werden und verpflichtet zum Schadensersatz. Von **Nachbildungen** spricht man bes. in der bildenden oder der angewandten Kunst; sie sind rechtlich Vervielfältigungen des nachgebildeten Werkes und bedürfen, wenn dieses geschützt ist, der Genehmigung des Urhebers.

Nachbar|recht, die Rechtssätze, die das Verfügungsrecht eines Eigentümers über sein Grundstück im Interesse benachbarter Grundstückseigentümer beschränken (§§ 906 ff. BGB, Landesrecht), bes. die Bestimmungen über Immission, Überbau, Notweg und Grenzen. Ein Grundstückseigentümer kann verlangen, dass ein benachbarter Eigentümer auf seinem Grundstück keine Anlage herstellt, von der vorauszusehen ist, dass ihr Bestand oder ihre Benutzung eine unzulässige Einwirkung auf das Grundstück zur Folge hat. Im öffentl. Recht enthält bes. das Bauordnungsrecht nachbarschützende Normen. Nach Landesrecht müssen i. d. R. den Eigentümern benachbarter Grundstücke Baupläne vorgelegt werden, um ihnen Einwendungen im Baugenehmigungsverfahren zu ermöglichen. – Ähnl. Bestimmungen gelten in *Österreich* (§§ 340–343, 364 ff. ABGB) und der *Schweiz* (Art. 679, 684–698 ZGB).

📖 MACHUNSKY, J.: *Krieg der Gartenzwerge. Ein unterhaltsames Nachbarrechts-Lexikon. Neuausg. Frankfurt am Main u. a. 1992.* – ALHEIT, H.: *N. von A–Z. München [6]1997.*

Nachbeben, *Geologie:* Erdstöße, die starken Erdbeben mit abnehmender Stärke über längere Zeit folgen können.

Nachbesserung, beim →Werkvertrag und →Kauf die Beseitigung der Mängel einer gelieferten Sache durch den Schuldner.

Nachbild, opt. Erscheinung infolge nachklingender Erregung der Netzhautsinneszellen, meist in Kontrastfarben (negatives N.). Das N. ist Folge herabgesetzter Lichtempfindlichkeit der gereizten Netzhautzone.

Nachbildung, *Recht:* →Nachahmung.

Nachbörse, Wertpapiergeschäfte oder Kursschätzungen nach Ende der offiziellen Börsenzeit.

Nachbürge, *Recht:* ein 2. Bürge, der dem Gläubiger dafür einsteht, dass der 1. Bürge die ihm obliegende Verpflichtung erfüllt. (→Bürgschaft)

Nachdruck, 1) *Buchwesen:* 1) Druck einer unveränderten Nachauflage eines Werkes **(Reprint)** mithilfe photomechan. Verfahren; 2) Erhöhung der Anzahl der Druckexemplare eines Werkes derselben Auflage.

2) *Recht:* 1) unberechtigter Druck **(Raubdruck)** eines Werkes, dessen Rechte andere haben; 2) Bez. für den zulässigen Druck eines Werkes, dessen Schutzfrist abgelaufen ist.

Nach|eile, 1) *Strafprozessrecht:* das Recht der Polizei, die Verfolgung eines Flüchtenden auf dem Gebiet eines anderen dt. Landes fortzusetzen (§ 167 Gerichtsverfassungs-Ges.). Die N. über die Grenzen der Staaten der EU ist im Schengener Abkommen geregelt.

2) *Völkerrecht:* das Recht eines Küstenstaates, ein fremdes Schiff wegen Gesetzesverletzungen bis in die hohe See zu verfolgen, sofern die N. noch innerhalb der eigenen Küstengewässer beginnt und ohne Unterbrechung fortgesetzt wird.

Nach|entgelt (früher: Nachgebühr), Gebühr für nicht oder unzureichend freigemachte Postsendungen, die sich aus dem fehlenden Leistungsentgelt und einem zusätzl. Einziehungsentgelt zusammensetzt.

Nach|erbe, Erbe, der kraft Verfügung von Todes wegen nach einem anderen **(Vorerbe)** mit dem Eintritt eines bestimmten Ereignisses (z. B. Tod des Vorerben) zum Erben berufen ist (§§ 2100 ff. BGB). Um dem N. die Substanz des Nachlasses zu erhalten, unterliegt der Vorerbe bestimmten Verfügungsbeschränkungen, wovon ihn der Erblasser aber befreien kann (»befreite Vorerbschaft«). Von der Nacherbschaft zu unterscheiden ist die Regelung durch das →Berliner Testament.

Auch das *österr.* ABGB (§§ 604 ff., gemeine und fideikommissar. Substitution) sowie das *schweizer.* Recht (Art. 488 ff.) kennen die Nacherbschaft.

Nachfolge Christi (lat. Imitatio Christi), im N. T. (z. B. Mk. 1,17; 8,34 f.) die Berufung der Jünger durch Jesus zum das ganze Leben umfassenden Dienst für das Reich Gottes; in den verschiedenen christl. Reform- und Armutsbewegungen das Ideal einer am Auftrag und Vorbild Jesu ausgerichteten Lebensführung; im MA. Titel eines →Thomas von Kempen zugeschriebenen, aus dem Geist der →Devotio moderna entstandenen Werkes.

Nachfolgestaaten, im Völkerrecht Bez. für Staaten, die unter Übernahme der Folgelasten auf dem Territorium eines früheren Staates entstanden sind oder Teile von diesem übernommen haben; z. B. die N. auf dem Gebiet Österreich-Ungarns nach dem 1. Weltkrieg (Österreich, Tschechoslowakei, Ungarn) sowie die Staaten auf dem Gebiet der ehem. UdSSR.

nachformen (kopieren), ein Werkstück nach Modell, Schablone oder Musterstück spanend bearbeiten; das Modell wird durch einen Fühler abgetastet, von dem die Leitwerte zum Vorschub des Werkzeugträgers der Dreh-, Fräs- oder Hobelmaschine übertragen werden.

Nachfrage, Gesamtmenge der Güter, Dienstleistungen oder Faktorleistungen (z. B. Arbeits-N., Kapital-N.), die die Käufer (Nachfrager) auf einem Markt abnehmen wollen. Die N.-Menge ändert sich theoretisch gegenläufig zum Preis: Steigenden Preisen sind sinkende N.-Mengen zugeordnet und umgekehrt; nur bei anormaler N.-Reaktion (wie beim Veblen-Effekt) ändert sich die N.-Menge gleichläufig mit dem Preis. Der funktionale Zusammenhang zw. N.-Menge und Preis wird in der Wirtschaftstheorie als **N.-Funktion** bezeichnet und grafisch mithilfe der **N.-Kurve** dargestellt. **N.-Elastizität** ist das Verhältnis der prozentualen Mengenveränderung der N. zu einer prozentualen Preisänderung.

Nachfrist, die Frist, die bei einem gegenseitigen Vertrag der eine Vertragsteil dem anderen setzen kann, wenn dieser die ihm obliegende Leistung nicht rechtzeitig bewirkt. Die Fristsetzung, verbunden mit der Erklärung, die Annahme der Leistung nach Fristablauf abzulehnen, ist beim Schuldnerverzug Voraussetzung für das Recht auf Rücktritt vom Vertrag und Schadensersatz wegen Nichterfüllung (§ 326 BGB).

Nachgründung, Vertrag, durch den eine AG innerhalb der ersten zwei Jahre seit ihrer Eintragung im Handelsregister Anlagen oder sonstige Vermögensgegenstände erwirbt, deren Wert 10 % des Grundkapitals übersteigt. Auf N. gerichtete Verträge werden nur mit Zustimmung der Hauptversammlung und Eintragung ins Handelsregister wirksam.

Nachhall, Nachklingen von Schall in einem Raum nach Ende der Schallanregung. Die **N.-Zeit,** eine wichtige Kenngröße der Raumakustik, ist definiert als das Zeitintervall, in dessen Verlauf die Schallenergiedichte im Raum auf den zehnmillionsten Teil abnimmt.

nachhaltige Entwicklung (engl. sustainable development), eine ökonom., soziale und ökolog. Entwicklung, die weltweit die Bedürfnisse der gegenwärtigen Generation befriedigt, ohne die Lebenschancen künftiger Generationen zu gefährden. Der Grundgedanke geht zurück auf den Bericht »Our common future« (1987; dt. »Unsere gemeinsame Zukunft«) der World Commission on Environment and Development (»Brundtland-Kommission«). Seit der UN-Konferenz über Umwelt und Entwicklung in Rio de Janeiro 1992 spielt die n. E. in der entwicklungs- und umweltpolit. Diskussion eine herausragende Rolle. Sie soll die wechselseitigen Abhängigkeiten der ökonom., sozialen und ökolog. Entwicklungen einbeziehen **(dauerhaft umweltgerechte Entwicklung).** Wesentlich ist die besondere Bedeutung der Natur (natürl. Ressourcen, ökolog. Systeme) für den Entwicklungsprozess **(ökologisch tragfähige Entwicklung).** N. E. betont qualitatives Wachstum. Da quantitatives Wachstum (z. B. im Sinne des Anstiegs einer Sozialproduktgröße) auf lange Sicht nicht möglich ist (z. B. endl. Ressourcen, begrenzte Aufnahmekapazität der Natur), wird eine Entwicklung im Sinne einer qualitativen Verbesserung von Lebensbedingungen, Produktionspotenzialen und Strukturen gefordert. Entwicklung bedeutet nicht nur Erhöhung des Pro-Kopf-Einkommens, sondern auch Verbesserung einer Vielfalt von Entwicklungsindikatoren. Hier bestehen enge Verbindungen zur Messung von Lebensqualität und Wohlstand. Aktuelle Versuche der Berechnung eines Gesamtindikators beruhen auf dem →Human Development Index und dem neuen Wohlstandskonzept der Weltbank. Letztlich umfasst n. E. einen gesellschaftl. Wandlungsprozess, der zu neuen Wertvorstellungen und Konsumgewohnheiten führen soll.

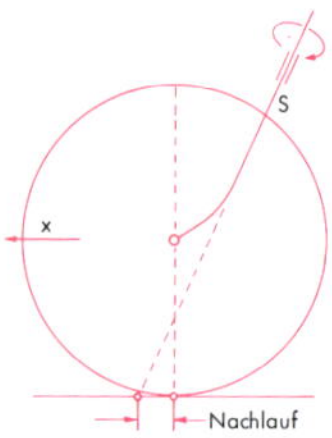

Nachlauf 2) eines Rades (x Fahrtrichtung, S Schwenkachse)

🕮 HARBORTH, H.-J.: *Dauerhafte Entwicklung statt globaler Selbstzerstörung.* Berlin 1991. – WEIZSÄCKER, E. U. VON *u.a.: Faktor Vier. Doppelter Wohlstand – halbierter Naturverbrauch.* München 1995. – *WSI Mitteilungen, Jg. 48,* Köln 1995, *Nr. 4: Schwerpunktheft »N. E. Bedingungen eines langfristig orientierten, ökologisch u. sozial verträgl. Wirtschaftswachstums«.* – *Umweltgutachten 1996,* hg. vom Rat von Sachverständigen für Umweltfragen. Stuttgart 1996. – *Zukunftsfähiges Deutschland. Ein Beitrag zu einer global n. E.,* Beiträge v. R. LOSKE *u. a.* Basel 1996.

Nachhaltigkeit, *Forstwirtschaft:* ein Bewirtschaftungsprinzip, das dadurch charakterisiert ist, dass nicht mehr Holz geerntet wird, als jeweils nachwachsen kann.

Nachitschewan, Teilrep. in Aserbaidschan, →Naxçıvan.

Nachkalkulation, →Kostenrechnung.

Nachkomme, →Abkomme.

Nachladetechnik, *Medizin:* die →After-Loading-Technik.

Nachlass, die →Erbschaft.

Nachlassgericht, das zur gerichtl. Fürsorge für einen Nachlass zuständige Amtsgericht am letzten Wohnsitz des Erblassers.

Nachlassgläubiger, die Gläubiger, denen ein Recht auf Befriedigung aus einem Nachlass zusteht (→Erbenhaftung).

Nachlass|inventar, das Verzeichnis der Bestandteile eines Nachlasses (§§ 1993 ff. BGB). Die rechtzeitige und richtige Errichtung des N. erhält dem Erben die Möglichkeit, seine Haftung gegenüber allen Gläubigern zu beschränken.

Nachlasskonkurs, bei Überschuldung des Nachlasses u. a. auf Antrag von Erben oder Gläubigern eröffneter Konkurs, der die Erbenhaftung beschränkt und der Absonderung des Nachlasses vom Eigenvermögen des Erben dient. In der Insolvenzordnung als einheitl. **Nachlassinsolvenzverfahren** geregelt.

Nachlassschulden (Nachlassverbindlichkeiten), ererbte (Erblasserschulden) und mit dem Erbfall entstandene Schulden (Erbfallschulden, z. B. Begräbniskosten; →Erbenhaftung).

Nachlassvergleichsverfahren, das →Vergleichsverfahren zur Vermeidung des Nachlasskonkurses; mit In-Kraft-Treten der Insolvenzordnung (1. 1. 1999) entfallen.

Nachlassverwaltung, eine zum Zweck der Befriedigung der Nachlassgläubiger angeordnete Nachlasspflegschaft mit der Folge, dass sich die Haftung des Erben für Nachlassverbindlichkeiten auf den Nachlass beschränkt (§ 1975 BGB). Die N. wird vom Nachlassgericht auf Antrag des Erben oder eines Nachlassgläubigers angeordnet. Mit der Anordnung der N. verliert der Erbe die Befugnis, den Nachlass zu verwalten und über ihn zu verfügen (diese Rechte gehen auf den Nachlassverwalter über). Wird die Anordnung der N. abgelehnt, da der Nachlass die Kosten der N. nicht decken würde, kann der Erbe die Einrede der Dürftigkeit (des Nachlasses) erheben.

Nachlauf, 1) *Chemie:* das letzte bei der fraktionierenden →Destillation von Flüssigkeitsgemischen übergehende Destillat.

2) *Fahrzeugtechnik:* Bez. für die Schrägstellung der Schwenkachse bzw. des Achsenschenkelbolzens in Richtung der Fahrzeuglängsachse gegenüber einer Senkrechten zur Fahrbahn. Beim positiven N., der u. a. die Rückstellung der geschwenkten Räder nach der Kurvenfahrt bewirkt, läuft der Radaufstandpunkt dem Aufstandpunkt der Schwenkachse nach, bei negativen N. vor.

Nachnahme, postal. Versendungsform, bei der die Sendung (Briefe, Postkarten, Päckchen, Pakete) dem Empfänger gegen Einziehung eines vom Absender bestimmten Geldbetrages ausgehändigt wird. Der N.-Betrag ist auf 3000 DM je Sendung begrenzt. Für die Einlösung der N. wird dem Empfänger eine Frist von sieben Werktagen gewährt. Es wird eine besondere N.-Gebühr erhoben. – Im Auslandsdienst ist N. nur im Verkehr mit bestimmten Ländern zulässig.

Nachodka, Stadt in der Region Primorje, Russland, am Japan. Meer, 165 000 Ew.; Seefahrtschule; Schiffsreparatur, Fischverarbeitung; Hochsee- und Fischereihafen, ergänzt durch den Hochseehafen **Wostotschny.** Beide Häfen haben Anschluss an die Transsibir. Eisenbahn.

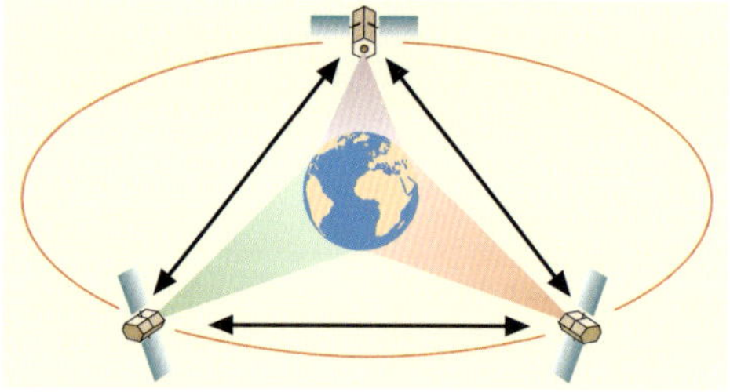

Nachrichtensatellit: 3 Synchronsatelliten auf ihrer Umlaufbahn um die Erde

Nachricht [von frühnhd. nachrichtung »Mitteilung, nach der man sich richtet«], *Informations- und Nachrichtentechnik:* eine Folge von Zeichen oder Zuständen, die zur Übermittlung von Informationen dient. Zur Übertragung der N. dienen Signale, physikal. Tatbestände wie elektromagnet. Felder, Spannungen oder Ströme, durch deren Verknüpfung am Empfangsort die N. rekonstruiert werden kann. Dazu vermitteln die übertragenen Signale dem Empfänger die Information, welche Begriffe er dem Speicher entnehmen muss.

Nachrichten|agentur (Nachrichtenbüro), publizist. Unternehmen, das Nachrichten sammelt und gegen Entgelt oder Beteiligung (Genossenschaftsprinzip) an Presse-, Film- oder Rundfunkeinrichtungen sowie auch Unternehmen, Verbände, Reg.stellen vermittelt. Es gibt N. als Staatsunternehmen, von Medienunternehmen getragene, genossenschaftl. und private N. (z.B. dpa, ddp, ADN, AFP).

Nachrichtendienst, Bez. für staatl. Geheimdienste zur Beschaffung vorwiegend geheimer Informationen militär., polit., wirtsch. und wiss. Natur im Rahmen der Spionage, zur Sabotage sowie zur Spionage- und Sabotageabwehr. Es werden polit. und militär. N. unterschieden. Großbritannien besitzt den N. mit der ältesten Tradition (14. Jh.), den Secret Intelligence Service. In Frankreich gibt es das Deuxième Bureau und die Sûreté Nationale, in den USA die Central Intelligence Agency (CIA). In der Sowjetunion arbeitete das KGB, in der DDR der Staatssicherheitsdienst. In Dtl. bestehen der Bundesnachrichtendienst (BND), der Verfassungsschutz und der Militär. Abschirmdienst (MAD). – Die N. in Dtl. unterliegen parlamentar. Kontrolle.

📖 *Der perfekte Spion. Die Welt der Geheimdienste, bearb. v.* H. K. Melton. *A. d. Engl. München 1996.*

Nachrichtenmagazin (engl. newsmagazine), Typ einer polit. Wochenzeitschrift mit Wort- und Bildbeiträgen; zuerst 1923 in den USA (»Time«, »Newsweek«), seit 1946 auch in Dtl. (»Der Spiegel«, »Focus«).

Nachrichtensatellit (Kommunikationssatellit, Relaissatellit), unbemannter künstl. Erdsatellit, der der Herstellung drahtloser Telekommunikationsverbindungen über große Entfernungen dient. N. für Funkverbindungen zw. fest installierten Erdefunkstellen werden auch **Fernmeldesatelliten** genannt. Die meisten N. befinden sich auf geostationären Umlaufbahnen, auf denen sie von der Erde aus gesehen sozusagen stets an der gleichen Stelle »sichtbar« sind (synchroner Umlauf mit der Erdoberfläche; daher auch Synchron- oder Stationärsatelliten genannt). Durch den Einsatz dreier entsprechender, jeweils um 120° gegeneinander versetzter N. lassen sich alle Punkte der Erdoberfläche erreichen, mit Ausnahme der polnahen Gebiete. Für diese werden (asynchrone) polare, stärker ellipt. Umlaufbahnen genutzt.

Nachrichtentechnik, Verfahren und Einrichtungen zur Aufnahme, Zwischenspeicherung und Aus- bzw. Wiedergabe sowie zur Vermittlung und Übertragung von Nachrichten (Sprache, Text, Musik, Bilder). Die Nachrichtenübertragung erfolgt durch elektr. Leitungen, über Funkwellen oder mit Lichtleitern. Die Nachrichtenverarbeitung sorgt für die dem Übertragungsmedium gemäße Umwandlung (Modulation bzw. Demodulation) des Signals zw. Sender und Empfänger. Zur N. gehören u.a. Fernmeldetechnik, Telegrafie, Rundfunk, Fernsehen, Datenübertragung.

📖 Benda, D.: *Basiswissen Elektronik, Bd. 8: N. Berlin u. a. ²1993.* – Herter, E. *u.* Lörcher, W.: *N. Übertragung, Vermittlung u. Verarbeitung. München u. a. ⁷1994.*

Nachrichtenagenturen (Auswahl)

AFP	Agence France-Presse, Paris
Akajans	Akajans – Akdeniz Haber, Ankara
ANA	Athenagence – Athens News Agency, Athen
Anadolu	Anatolian News Agency, Istanbul
ANP	Algemeen Nederlands Persbureau, Den Haag
ANSA	Agenzia Nazionale Stampa Associata, Rom
AP	Associated Press, New York
APA	Austria Presse Agentur, Wien
Belga	Agence Télégraphique Belge de Presse/ Belgisch Pers-telegraafagentschap, Brüssel
Bernama	Malaysian National News Agency, Kuala Lumpur
BNS	Baltic News Service, Riga
ČTK	Četeka – Česká tisková kancelář, Prag
ddp/ADN	Deutscher Depeschen-Dienst/ Allgemeiner Deutscher Nachrichtendienst, Berlin
dpa	Deutsche Presse-Agentur, Hamburg
EFE	Agencia EFE, Madrid
ELTA	Lithuanian Telegraphic Agency, Wilna
HINA	Hrvatska izvjestiteljska novinska agencija, Zagreb
Interfax	Interfax, Moskau
IRNA	Islamic Republic News Agency, Teheran
ITAR-TASS	Informatsionnoje Telegrafnoje Agenstwo Rossii/ Telegrafnoje Agenstwo Suwerennych Stran, Moskau
KYODO	Kyōdo Tsūshinsha, Tokio
LUSA	Agência Lusa de Informação, Lissabon
PANA	Pan-African News Agency, Dakar
RB	Ritzaus Bureau, Kopenhagen
Reuters	Reuters Ltd., London
SDA/ATS	Schweizerische Depeschenagentur/ Agence Télégraphique Suisse, Bern
STT/FNB	Oy Suomen Tietoimisto/Finska Notisbyrå Ab, Helsinki
Tanjug	Telegrafska Agencija Nova Jugoslavija, Belgrad
TT	Tidningarnas Telegrambyrå, Stockholm
UPI	United Press International, New York
Xinhua	Nachrichtenagentur Neues China, Peking

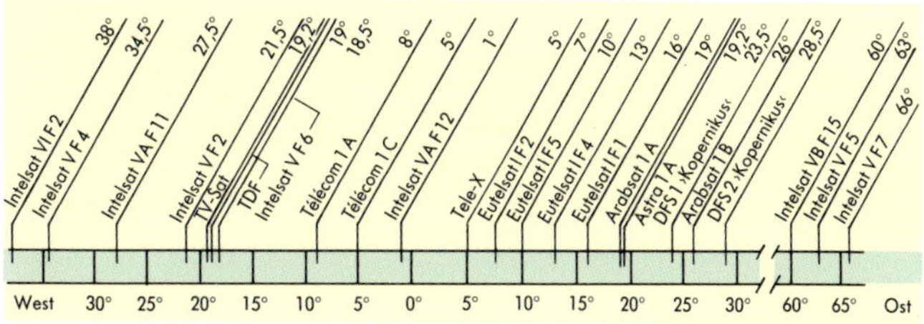

Nachrichtensatellit: Umlaufbahnpositionen (Längengrade) verschiedener Nachrichtensatelliten

Nachschlag, *Musik:* der Abschluss eines →Trillers, der aus der flüchtigen einmaligen Berührung des tieferen Nachbartons und sofortigen Rückkehr zum Hauptton besteht; kommt auch ohne Triller als Anhängsel an einen Hauptton vor **(freier Nachschlag)**.

Nachschusspflicht, Pflicht der Gesellschafter einer GmbH, über ihre Stammeinlagen hinaus Einzahlungen an die Gesellschaft zu leisten; besteht nur, wenn die Satzung es bestimmt; Befreiung durch →Abandon möglich. Bei einer Genossenschaft besteht eine N., sofern sie im Statut nicht ausgeschlossen ist, nur im Falle des Konkurses.

Gustav Nachtigal

Nächstenliebe, religiös oder ethisch begründete, dem Wohl des Mitmenschen zugewandte aktive, uneigennützige Gefühls-, Willens- und Tathaltung. Im N.T. ist die N. mit den Geboten der Gottes- und Feindesliebe verknüpft (Mt. 5,43–48; 25, 40). In der Ethik E. Levinas' entspringt sie der Begegnung mit dem Anderen als Anderem.

Nacht, die Zeit zw. Sonnenuntergang und Sonnenaufgang; ihre Dauer hängt von der geograph. Breite des Beobachtungsortes und von der Jahreszeit ab. Am Äquator ist die N. während des ganzen Jahres 12 Std. lang, an allen anderen Orten nur zu den Zeiten der Tagundnachtgleiche (um den 21. März und 23. Sept.). Auf der nördl. Halbkugel sind (etwa) vom 22. März bis 22. Sept. die Tage länger als die N., vom 24. Sept. bis 20. März kürzer, auf der südl. Halbkugel umgekehrt; zur Zeit der Wintersonnenwende (um den 21. Dez.) ist die N. auf der N-Halbkugel am längsten, zur Zeit der Sommersonnenwende (um den 21. Juni) am kürzesten.

nacht|aktive Tiere, die →Nachttiere.

Nachtigall (Größe etwa 17 cm)

Nacht|arbeit, die Arbeit zw. 23 Uhr und 6 Uhr, in Bäckereien u.Ä. zw. 22 Uhr und 5 Uhr; für Jugendliche unter 16 Jahren beginnt N. bereits ab 20 Uhr und ist nur in engen Ausnahmen erlaubt. Begrenzt zulässig ist N. für ältere Jugendliche (→Jugendschutz). Das N.-Verbot für Frauen ist für vefassungswidrig erklärt worden und im Arbeitszeit-Ges. (AZG) von 1994 nicht mehr enthalten. Die Arbeitszeit der Nacht- und Schichtarbeitnehmer ist nach den gesicherten arbeitswissenschaftl. Erkenntnissen über die menschengerechte Gestaltung der Arbeit festzulegen (§6 AZG). Nachtarbeitnehmer sind berechtigt, sich vor Beginn der Beschäftigung und danach in regelmäßigen Zeitabständen von nicht weniger als drei Jahren arbeitsmedizinisch untersuchen zu lassen. Arbeitnehmer, die älter als 50 Jahre sind, können dieses Recht jährlich für sich beanspruchen. Die hierbei anfallenden Kosten hat der Arbeitgeber zu tragen. Die werktägl. Arbeitszeit der Nachtarbeitnehmer darf acht Stunden nicht überschreiten. Eine Verlängerung auf bis zu zehn Stunden ist dann möglich, wenn innerhalb eines Kalendermonats oder vier Wochen durchschnittlich acht Stunden werktäglich nicht überschritten werden. Tarifverträge sehen bei N. erhebl. Zuschläge vor. Ihre Steuervorteile sind umstritten.

Nachtblindheit (Hemeralopie), vermindertes Sehvermögen in der Dämmerung und in der Nacht; kann bei Vitamin-A-Mangel auftreten und beruht auf Störungen im System der Dämmerungsrezeptoren (Stäbchen) der Netzhaut.

Nachtbogen, der unter dem Horizont liegende Teil der scheinbaren Bahn eines Gestirns am →Himmel.

Nacht|effekt, der →Dämmerungseffekt.

Nachtfalter (Nachtschmetterlinge, Heterocera), veraltete Bez. für eine Gruppe nachtaktiver Schmetterlinge ohne natürl. Verwandtschaftsverhältnisse (z.B. Spanner, Bären, Eulen, Schwärmer).

Nachthimmelslicht, das Eigenleuchten der hohen Atmosphäre (etwa in Höhen zw. 70 km und 500 km) in klaren mondlosen Nächten. Das N. ist zu etwa 30% auf außerird. Quellen (kosm. Lichtquellen, Ausläufer des Zodiakallichts u.a.) zurückzuführen. Der Hauptanteil wird durch Leuchtvorgänge von atomarem Sauerstoff, Natrium sowie einigen Stickstoffradikalen hervorgerufen. Quellen dieser Strahlung sind Rekombinationsprozesse von tagsüber durch die ultraviolette Sonnenstrahlung ionisierten und dissoziierten Molekülen.

Nạchtigal, Gustav, Afrikaforscher, *Eichstedt (bei Stendal) 23.2.1834, † (an Bord) bei Kap Palmas 20.4.1885; bereiste 1869–74 die mittlere Sahara und den Sudan, erforschte 1872–74 Bagirmi, Wadai und Darfur. 1884 leitete er die Schutzherrschaft des Dt. Reiches über Togo und Kamerun ein.

Werk: Sahârâ und Sûdân, 2 Bde. (1879–81), Bd. 3 hg. von E. Groddeck (1889).

Nachtigall (Luscinia megarhynchos), mit Schwanz etwa 17 cm langer, oberseits brauner, unterseits bräunlich weißer, versteckt lebender Singvogel (Gattung Erdsänger) in Laubwäldern und dichten Büschen S-, W- und Mitteleuropas sowie NW-Afrikas und W-Asiens; wohltönender Gesang (auch nachts). (→Sprosser)

Nachtkerze (Oenothera), v.a. in den temperierten Regionen Amerikas verbreitete Pflanzengattung; in vielen Gebieten eingebürgert und verwildert. Aus Nordamerika stammt die früher in Europa als Wurzelgemüse angebaute, dann verwilderte **Gemeine N. (Zweijährige N., Rapontikawurzel,** Oenothera biennis) mit gelben Blüten.

Nach|tragshaushalt, → Haushaltsplan.

Nachtschatten (Solanum), Gattung der N.-Gewächse, weltweit verbreitet, v.a. in den Tropen und Subtropen Südamerikas; teilweise mit großen, verschieden gefärbten, glockenförmigen Blüten und fleischigen Beeren. Viele Arten enthalten das giftige Solanin. Zur Gattung N. gehören mehrere wichtige Kulturpflanzen (z.B. Aubergine, Kartoffel). In Dtl. heimisch oder eingebürgert sind u.a. die Giftpflanzen **Bittersüß (Bittersüßer N.,** Solanum dulcamara) mit violetten Blüten und roten Beeren sowie **Schwarzer N.** (Solanum nigrum) mit weißen Blüten und schwarzen Beeren.

Nachtschattengewächse (Solanaceae), Pflanzenfamilie mit rd. 2600 Arten, v.a. in Südamerika. Zu den N. gehören Nutzpflanzen (Kartoffel, Tomate, Paprika, Tabak), Heil- und/oder Giftpflanzen (Tollkirsche, Bilsenkraut) und Zierpflanzen (u.a. Blasenkirsche, Petunie).

Nachtschmetterlinge, → Nachtfalter.

Nachtsichtgeräte, Geräte bes. für den militär. Gebrauch. N. bestehen aus einem lichtstarken Objektiv und einem hochempfindl. → Bildwandler und -verstärker für sichtbares oder infrarotes Licht. Bei **aktiven N.** werden die zu beobachtenden Gegenstände künstlich beleuchtet, z.B. in Nachtfahrgeräten mit Infrarotscheinwerfern. Bei den heute vielfach verwendeten **passiven N.** gibt es Restlichtverstärker, die den Helligkeitswert durch Photozellen intensivieren, und Wärmebildgeräte, die durch Infrarotdetektoren eine Darstellung in Form eines Wärmebildes ermöglichen.

Nachtstück, 1) *Malerei:* Gemälde, das eine Szene im nächtl. Innen- oder Freiraum darstellt, mit überird. oder verborgenen Lichtquellen oder mit Mondlicht. Erste Beispiele gibt es im 15. Jh., seit dem 17. Jh. sind N. eine eigene Bildgattung. (→ Helldunkel)

2) *Musik:* das → Notturno.

Nachttiere (nachtaktive Tiere), Tiere, deren Lebensaktivitäten v.a. in der Nachtzeit liegen, während sie tagsüber ruhen oder schlafen (z.B. Leuchtkäfer, Nachtschmetterlinge, Geckos, Schlangen, fast alle Eulenvögel und Flattertiere). N. haben entweder sehr lichtstarke oder sehr kleine Augen. Im letzteren Fall sind Geruchssinn und Ultraschall Orientierungshilfen.

Nachtviole (Hesperis), europ.-asiat. Kreuzblütlergattung mit 30–80 cm hohen Kräutern. Die **Gemeine N.** (Hesperis matronalis) ist in lichten

Nachtstück 1): Adam Elsheimer, »Flucht nach Ägypten« (1609; München, Alte Pinakothek)

Wäldern Mitteleuropas, West- und Mittelasiens heimisch, hat kurz gestielte, eiförmige Blätter und purpurviolette Blüten; Gartenzierpflanze.

Nachtwache, im 19. Jh. entstandene Bez. für das 1642 von Rembrandt gemalte Gruppenbildnis »Kompagnie des Kapitäns Frans Banning Cocq«. Es zeigt den Aufbruch einer Schützengilde in eigenwillig konzentrierter Beleuchtung vor verdunkeltem Hintergrund (Amsterdam, Rijksmuseum). BILD Rembrandt

nach uns die Sintflut (frz. après nous le déluge), angebl. Ausspruch der Marquise von Pompadour angesichts der frz. Niederlage bei Roßbach (5. 11. 1757).

Nachverbrennung, 1) *Luftfahrt:* Maßnahme zur kurzzeitigen Schubsteigerung (um 50%) von Turbinenluftstrahltriebwerken, durch Einspritzen von zusätzl. Brennstoff in den noch sauerstoffhaltigen Abgasstrom zu abermaliger Verbrennung. Nachteilig hierbei sind hoher Kraftstoffverbrauch und starke Lärmentwicklung.

2) *Umwelttechnik:* Maßnahmen zur Verringerung der im Abgas enthaltenen brennbaren Luftschadstoffe (z.B. Kohlenmonoxid, Kohlenwasserstoff). Die N. erfolgt heute meist durch einen → Katalysator.

Nachverfahren, *Recht:* 1) das im Zivilprozess an ein Vorbehaltsurteil im selben Rechtszug anschließende weitere Verfahren (§§ 302, 600 ZPO, z.B. im Urkunden-, Wechsel- und Scheckprozess); 2) im Strafprozess (§ 439 StPO) nach der Einziehung von Gegenständen vorgesehen, um Rechte an diesen geltend zu machen.

nachwachsende Rohstoffe, Rohstoffe, die aus Pflanzen gewonnen werden, z.B. pflanzl. Öle, Fette, Stärke, sowie Pflanzen, die während einer

Nachtkerze: Gemeine Nachtkerze (Höhe 0,5–1 m)

relativ kurzen Wachstumszeit sehr viel Biomasse erzeugen, z. B. Chinaschilf, schnell wachsende Hölzer. Werden sie zur Energieerzeugung verbrannt, so belasten sie die Gashülle des Planeten nur mit so viel Kohlendioxid, wie sie vorher durch Photosynthese entnommen haben.

Nadar in der Gondel eines Ballons, Selbstporträt (um 1860)

Nachwirkung, 1) *Arbeitsrecht:* die abdingbare Fortgeltung kollektivvertragl. Normierungen (Betriebsvereinbarung, Tarifvertrag) über ihre regelmäßige Beendigung (bes. nach Kündigung oder Fristablauf) bis zum Abschluss eines neuen Vertrages hinaus.

2) *Physik:* langsames sich Weiterverändern eines physikal. Systems nach Einwirkung äußerer Einflüsse (magnet. N., elastische N., Alterung), eine Form der Relaxation.

Nacken (Genick), der nach dem Rücken zu gelegene Halsabschnitt des Menschen und der Wirbeltiere.

Nackenhebel, *Ringen:* Griff mit Hebelansatz im Nacken, auch Nelson (Doppel- und Halbnelson) genannt.

Nacktfarne, die ausgestorbenen →Urfarnpflanzen.

Nacktkultur, die →Freikörperkultur.

Nacktsamer (Gymnospermen, Gymnospermae), Abteilung der Samenpflanzen mit den Unterabteilungen **gabel- und nadelblättrige N.** (Coniferophytina) und **fiederblättrige N.** (Cycadophytina). Unter fiederblättrigen N. versteht man Samenpflanzen mit fiedrigen Laubblättern, mehreren Pollensackgruppen je Staubblatt und mehreren Samenanlagen je Samenblatt. Sie umfassen u. a. die Samenfarne, Palmfarne, Gnetumpflanzen. Die gabel- und nadelblättrigen N. sind gekennzeichnet durch gabelige Laubblätter, Staubblätter mit einzelnen Pollensackgruppen und einfache Samenanlagenträger. Sie werden in Ginkgopflanzen und Nadelhölzer unterteilt.

Nacktschnecken, Landlungenschnecken mit rückgebildeter Schale, z. B. Egel-, Wegschnecken.

Nadar, eigtl. Gaspard Félix Tournachon, frz. Schriftsteller, Karikaturist und Fotograf, * Paris 6. 4. 1820, † ebd. 21. 3. 1910; urspr. Karikaturist; gründete um 1853/54 ein fotograf. Atelier (Porträtaufnahmen u. a. von C. Baudelaire, G. de Nerval, A. Dumas d. Ä., G. Rossini). 1858 machte er erste Luftaufnahmen von Paris vom Ballon aus; später folgten Aufnahmen des Pariser Kanalisationssystems und der Katakomben bei künstl. Licht. 1874 fand in seinem Atelier die erste Impressionistenausstellung statt. Weitere BILDER Baudelaire, Liszt

Nadel, 1) *allg.:* spitzes, meist gerades Werkzeug zum Verbinden von Geweben, Leder, Haut, Filz u. a. durch Fäden (Näh-, Stopf-N., chirurg. N.; jeweils mit einem Öhr zum Halten des Fadens), zum Verschlingen oder Bilden von Maschen bei Gewirken und Gestricken (Strick-, Häkel-N., in der Textiltechnik Zungen- oder Spitzen-N.), zum Zusammen- oder Feststecken mehrerer Teile (Steck-N., Sicherheits-N. mit einer federnden Drahtschlaufe und Schutzkappe zur Aufnahme der Spitze, Hut-N., Haar-N.) oder auch als Schmuck (z. B. Krawattennadel).

2) *Botanik:* →Nadelhölzer.

Nadel, Arno, Schriftsteller, Musiker, Maler, * Vilnius 3. 10. 1878, † KZ Auschwitz nach dem 12. 3. 1943; schöpfte aus östl. und antiker Mysterienweisheit, hielt die religiösen Überlieferungen des Ostjudentums lebendig (»Der Ton«, 1921; mit Begleitwort 1926).

Nadelbäume, *Botanik:* →Nadelhölzer.

Nadeldrucker, *Datenverarbeitung:* →Drucker, der einen horizontal verschiebbaren Druckkopf mit vertikal übereinander angeordneten beweglichen Nadeln besitzt. Bei der Querbewegung des Druckkopfes und geeigneter Aktivierung der Nadeln entstehen mithilfe eines Farbbandes gerasterte Zeichen.

Nadel|eisenerz, der →Goethit.

Nadelhölzer (Koniferen, Coniferae, Pinopsida), die artenreichste, weltweit verbreitete Klasse der gabel- und nadelblättrigen Nacktsamer, vorwiegend immergrüne, reich verzweigte, oft harzreiche (Nadel-)Bäume mit Nadeln oder Schuppen als Blätter und zu Zapfen vereinigten weibl. Blüten (Ggs.: Laubhölzer). Lärche, Sumpfzypresse u. a. werfen die Nadeln im Herbst ab. N. sind z. B. Fichte, Kiefer, Lärche, Lebensbaum, Tanne, Zypresse.

Nadelkap, Kap →Agulhas.

Nadeln der Kleopatra, zwei von Thutmosis III. im 15. Jh. v. Chr. in Heliopolis (Ägypten) errichtete Obelisken, die seit 23 v. Chr. in Alexandria standen. Als Geschenk der ägypt. Regierung kam der 20 m hohe Obelisk 1878 nach London, der 22 m hohe 1880 nach New York.

Nadelwald, Pflanzengemeinschaft, in der Nadelhölzer vorherrschen.

NADGE [nædʒ], Abk. für engl. **N**ATO **A**ir **D**efense **G**round **E**nvironment System, bodengebundenes Luftwarnsystem der NATO mit geringerer Reichweite als →AWACS; besteht aus stationären Großraumradaranlagen von N-Norwegen bis zur O-Türkei und Gefechtsständen.

Nadir [arab. (dem Zenit) »gegenüberliegend«] *der* (Fußpunkt), der dem Zenit genau gegenüberliegende, nicht sichtbare Punkt der Himmelskugel. (→Himmel)

Nadir, pers. Schah (1736–47), *Chorasan 22. 10. 1668, †(ermordet) Fathabad (bei Firdaus) 20. 6. 1747; unterwarf Aserbaidschan, Georgien und den größten Teil Armeniens, besiegte das Reich des Großmoguls, Buchara und Chiwa, dehnte die Grenzen seines Reiches bis an den Indus, Oxus und den Euphrat aus.

Nadler, Josef, österr. Literarhistoriker, *Neudörfl (heute Nová Ves, bei Varnsdorf, Nordböhm. Gebiet) 23. 5. 1884, †Wien 14. 1. 1963; untersuchte, angeregt von A. Sauer, die dt. Literatur auf stammesgeschichtlicher Grundlage (»Lit.-Gesch. der dt. Stämme und Landschaften«, 4 Bde., 1912–28; umgearbeitete Ausg. u. d. T. »Lit.-Gesch. des dt. Volkes«, ^{4}1938–41, mit nat.-soz. Akzent).

Nadschibullah (Najibollah), Mohammed, afghan. Politiker, *in der Prov. Paktia 1947, †(ermordet) Kabul 27. 9. 1996; Arzt; baute nach dem sowjet. Einmarsch (Dez. 1979) den Geheimdienst Khad auf. 1981 Mitgl. des Politbüros und 1986 Gen.-Sekr. der Demokrat. Volkspartei (1990 umbenannt in Heimatlandpartei), wurde N. 1987 Vors. des Revolutionsrats und Staatspräs. Er vertrat eine Politik der »nat. Aussöhnung« und leitete nach dem Abzug der sowjet. Truppen (1988/89) Reformen ein. Im April 1992 wurde er gestürzt.

Naevius ['nɛ:-], Gnaeus, röm. Dichter, *in Kampanien (Capua?) um 270 v. Chr., †Utika (Afrika) um 201 v. Chr.; schrieb seit 235 v. Chr. Tragödien und Komödien mit vorwiegend grch. Stoffen für die röm. Bühne. In seinem Alters- und Hauptwerk »Bellum Poenicum«, dem ersten röm. Nationalepos, stellte er den 1. Pun. Krieg dar, an dem er teilgenommen hatte.

Naevus ['nɛ-, lat.] *der,* das →Muttermal.

Näf, Werner, schweizer. Historiker, *St. Gallen 7. 6. 1894, †Gümligen (heute zu Muri bei Bern) 19. 3. 1959; schrieb »Staat und Staatsgedanke« (1935), »Die Epochen der neueren Gesch.« (2 Bde., 1945–46).

Näfels, Gemeinde im Kt. Glarus, Schweiz, an der Linth, 4000 Ew.; Maschinenbau, Textilfabrik, Sportzentrum; Freulerpalast (1642–47). – Bei N. besiegten 1388 die Glarner ein österr. Ritterheer und sicherten damit ihre Zugehörigkeit zur Eidgenossenschaft.

NAFTA, Abk. für engl. **N**orth **A**merican **F**ree-**T**rade **A**rea (Nordamerikanische Freihandelszone), durch das Nordamerikan. Freihandelsabkommen (**North American Free-Trade Agreement**, unterzeichnet am 18. 12. 1992) geschaffene und 1994 in Kraft getretene Freihandelszone zw. den USA, Kanada und Mexiko. Die NAFTA ersetzt das amerikanisch-kanad. Freihandelsabkommen von 1988 (Free-Trade Agreement, FTA) und bezieht Mexiko ein. Durch die Abschaffung von Handelshemmnissen für Waren und Dienstleistungen (z. B. Zölle, Quoten, Einfuhrlizenzen) soll die Freihandelszone für gewerbl. Güter und Dienstleistungen sowie den Kapitalverkehr innerhalb von 15 Jahren verwirklicht werden. Besonderheit ist ein asymmetr. Zollabbau zw. Mexiko und den beiden nordamerikan. Staaten wegen des starken Wirtschaftsgefälles zw. beiden Regionen.

Naga, Gruppe mongolider, tibetobirmanisch sprechender Bergstämme in NO-Indien sowie im angrenzenden Birma; 820000 N., davon 40000 in Birma.

Nagaland, Bundesstaat im NO von →Indien, an der Grenze zu Birma; die Bev. des Gebirgslandes bilden Stämme der →Naga, Hptst. ist Kohima. Aus dem bis 1957 zu Assam gehörenden, dann direkt der ind. Zentralverwaltung unterstellten Verw.geb. wurde 1962 ein Staat der Ind. Union mit gewissen Sonderrechten.

Mohammed Nadschibullah

Nagano, Hptst. der japan. Präfektur N., auf Honshū, 352400 Ew.; Holz-, Seidenind., Maschinenbau; bei N. Reis- und Apfelkulturen. Austragungsort der XVIII. Olymp. Winterspiele 1998. – Die Haupthalle (1707) des 624 gegründeten buddhist. Tempels Zenkōji gehört zu den größten Holzbauten Japans.

Nagaoka, Stadt im W der Insel Honshū, Japan, 188700 Ew.; chem. Ind., Maschinenbau; Mittelpunkt eines Erdöl- und Erdgasgebietes; Wintersport.

Nagarjuna [-'dʒu:na], buddhist. Gelehrter des 2. Jh. v. Chr.; der Legende nach Gründer des Mahajana-Buddhismus, insbesondere der philosoph. Schule des Madhyamikas (→Buddhismus), deren Lehre von der »Leere« (shungata) als wahrer Wirklichkeit und Ermöglichungsgrund alles Seienden in den Mahajana-Buddhismus eingegangen ist. In dem ihm zugeschriebenen Werk »Prajnaparamita« (»Von der Vollkommenheit der Weisheit«) beschreibt N. die Weisheit als das Erkennen der »Leerheit« aller Dinge.

Nagasaki
Stadtwappen

Nagasaki, Hauptstadt der japan. Präfektur N., wichtigster Hafen der W-Küste von Kyūshū, 441 300 Ew.; Erzbischofssitz, Univ.; Schiffbau (Mitsubishi-Werft), Stahl-, Textilind., Maschinenbau, Fischverarbeitung. – Im Heiwa- oder Friedenspark befinden sich eine Kolossalstatue (1955 von Kitamaru Seibō) und das Atombombenmuseum. Bed. historische Anlagen sind u.a. Suwa-Schrein (16. Jh.), Sōfokuji (»Roter Tempel«, 17. Jh.), Kōfukuji (17. Jh.), Japans älteste Steinbogenbrücke Megane-Bashi (17. Jh.). – N., als Fischerdorf **Fukaeno-ura** gegr., kam Ende des 12. Jh. als Lehen an die Familie Nagasaki, entwickelte sich zu einer blühenden Hafenstadt und war 1641–1854 die einzige japan. Hafenstadt, die dem niederländ. und chines. Handel geöffnet war. Später war es Kriegshafen. Nach Hiroshima war N. am 9. 8. 1945 Ziel eines amerikan. Atombombenabwurfs, dem etwa 75 000 Menschen zum Opfer fielen.

Nagasaki: Blick über Stadt und Hafen

Nagekäfer, der → Klopfkäfer.

Nagel, **1)** *Anatomie:* flache Hornplatte **(N.-Platte)** auf Finger- und Zehenendgliedern des Menschen und der Affen; ruht auf dem **N.-Bett;** von dem hinteren Abschnitt, der **N.-Wurzel,** geht das Wachstum aus; die Ränder des N. stecken im **N.-Falz** (seitlich) bzw. in der **N.-Tasche** (hinten).

Hans Georg Nägeli

2) *Technik:* Drahtstift aus einem zugespitzten Schaft und flachem Kopf zur Verbindung von Teilen. Aus Blechstreifen oder Bandeisen werden geschnittene N. hergestellt. Im Eisenbahnoberbau gebraucht man geschmiedete N., bei der Schuhherstellung auch Holznägel.

Nagel, **1)** Ivan, Theaterkritiker und Intendant, * Budapest 28. 6. 1931; 1972–79 Intendant des Dt. Schauspielhauses Hamburg, Kulturkorrespondent der »Frankfurter Allgemeinen Zeitung« in New York, 1985–88 Intendant des Schauspiels in Stuttgart; 1988–96 Prof. an der Berliner Hochschule der Künste; ab 1997 Leiter des Schauspiels bei den Salzburger Festspielen.

2) Otto, Maler, * Berlin 27. 9. 1894, † ebd. 12. 7. 1967; knüpfte als Autodidakt an H. Zille und Käthe Kollwitz an und malte v.a. Arbeiterporträts sowie Berliner Stadtansichten (bes. Arbeiterviertel). 1933 erteilten ihm die Nationalsozialisten Arbeitsverbot. N. war Mitbegründer und 1956–62 Präs. der Akademie der Künste in Berlin (Ost).

3) Peter, Maler und Grafiker, * Kiel 6. 4. 1941; Mitbegründer der Gruppe → Zebra. Seine figürl. Kompositionen wirken durch die Betonung der plast. Werte und die Art der Farbgebung, der Perspektive und des Bildausschnitts kühl und distanziert.

Nagelfluh [ahd. fluoh »Felswand«] *die,* verkittetes Konglomerat der alpinen Molasse, dessen Gerölle an der Felsoberfläche nagelkopfartig herauswittern; unterschieden werden Kalk-N. und bunte N. (aus Kristallingeröllen).

Nägeli, Hans Georg, schweizer. Musikpädagoge und Komponist, * Wetzikon (ZH) 26. 5. 1773, † Zürich 26. 12. 1836; gründete 1805 das Zürcher Singinstitut; bedeutend v.a. auf dem Gebiet der musikal. Volkserziehung; komponierte Lieder u.a. »Lobt froh den Herrn« und schrieb »Vorlesungen über Musik« (1826).

Nagelkalk, *Geologie:* → Tutenmergel.

Nagetiere (Nager, Rodentia), Ordnung der Säugetiere mit rd. 3000 Arten. Die mittleren Schneidezähne sind zu großen, ständig wachsenden **Nagezähnen** umgebildet. Das Kiefergelenk der N. gestattet reibende Kaubewegungen; sie sind vorwiegend Pflanzenfresser. Weltweit verbreitet besiedeln sie fast alle Lebensräume. Die meisten N. sind relativ wenig spezialisiert und äußerst anpassungsfähig. Zu den N. zählen u.a. Hörnchen, Mäuse, Stachelschweine und Meerschweinchen.

Nag Hammadi, Stadt in Oberägypten, am linken Nilufer, 23 400 Ew.; Zuckerraffinerie, Baumwollverarbeitung; Eisenbahnbrücke über den Nil; Bewässerungsstaudamm (1928–30 erbaut). – Berühmt wurde N. H. 1945/46 durch den Fund einer gnost. Bibliothek aus dem 4. Jh., bestehend aus 13 Papyrus-Codices in kopt. Sprache. Diese enthalten u.a. apokryphe Evangelien und Apokalypsen; bed. v.a. für die Erforschung der → Gnosis.

Nagib, Ali Mohammed, ägypt. General und Politiker, * Khartum 20. 2. 1901, † Kairo 28. 8. 1984; führte 1952 einen Staatsstreich gegen König Faruk, wurde 1952 MinPräs., 1953 auch Staatspräs., 1954 von Nasser zum Rücktritt gezwungen (zehn Jahre Hausarrest); 1971 von Präs. Sadat rehabilitiert.

Nagold, 1) *die,* rechter Nebenfluss der Enz, 92 km lang, entspringt im nordöstl. Schwarzwald und mündet bei Pforzheim.

2) Stadt im Landkr. Calw, Bad.-Württ., im oberen N.tal, 22200 Ew.; Luftkurort am Ostrand des Schwarzwalds; Textil-, Holzindustrie. – Fachwerkhäuser (15.–18. Jh.); über der Stadt die Burgruine Hohen-N. – 768 erstmals erwähnt, erhielt N. um 1330 Stadtrecht.

Nagorny-Karabach, →Bergkarabach.

Nagoya, Hauptstadt der japan. Präfektur Aichi, auf Honshū, an der Isebucht, 2,16 Mio. Ew.; mehrere Univ. u.a. Hochschulen, Planetarium, meteorolog. Observatorium; Maschinen- und Fahrzeugbau, Stahl-, Textil-, Porzellan- u.a. Ind., Werften; drittgrößter Hafen Japans, U-Bahn, Flughafen. – Ehem. Burgstadt; die Burg (1612–14, nach Zerstörung im 2. Weltkrieg 1959 wieder aufgebaut) ist heute Museum.

Nagpur, Stadt im Bundesstaat Maharashtra, Indien, auf dem Dekhan, 1,62 Mio. Ew.; kath. Erzbischofssitz, Univ., veterinärmedizin. Hochschule; Ferromanganhütte, Baumwollverarbeitung, Papierwerke. – Am Anfang des 18. Jh. gegr., 1740–1853 Hptst. eines Marathenstaates, kam 1853 unter brit. Verwaltung.

Nagy [nɔdj], **1)** Ferenc, ungar. Politiker, *Bisse (Bez. Baranya) 8. 10. 1903, †Fairfax (Va.) 12. 6. 1979; kleinbäuerl. Herkunft, wurde 1930 Gen.-Sekr. der Partei der Kleinen Landwirte (1939–42 Abg. im Reichstag). 1945 war er Präs. des Parlaments und 1946–47 MinPräs. 1947 emigrierte er, der Verschwörung beschuldigt, in die USA.

2) Imre, ungar. Politiker, *Kaposvár 7. 6. 1896, †(hingerichtet) Budapest 16. 6. 1958; Kommunist, führte als Landwirtschaftsmin. (1944–45) eine Bodenreform durch. Als MinPräs. (Juli 1953–April 1955) vertrat er einen »neuen Kurs«. Ende 1955 wurde er durch M. Rákosi aus seinen Parteiämtern verdrängt. Nach dem Sturz des stalinist. Parteiflügels am 23. 10. 1956 erneut MinPräs., war er einer der Führer des ungar. Volksaufstands. Nach dessen Niederschlagung durch sowjet. Truppen im Nov. 1956 wurde er von diesen verschleppt, 1958 jedoch nach Ungarn zurückgebracht und nach einem Geheimverfahren hingerichtet; im Zuge der Demokratisierung Ungarns 1989 am 16. 6. 1989 durch einen Staatsakt rehabilitiert.

Nagykanizsa ['nɔtjkɔniʒɔ] (dt. Großkanizsa), Stadt im Bezirk Zala, SW-Ungarn, 55300 Ew.; Maschinenbau, Möbel-, Glasind.; in der Umgebung Erdöl-, Erdgasförderung.

Nah., Abk. für **Nah**um (A.T.).

Naha, Hauptstadt der japan. Präfektur Okinawa, Haupthafen der Ryūkyūinseln auf Okinawa, 301700 Ew.; Univ.; traditionelle Herstellung von Tonwaren, Lack-, Perlmuttarbeiten und Panamahüten, Textilind., Zuckerraffinerie; internat. Flughafen.

Nagoya: Die 1612–14 gebaute, im Zweiten Weltkrieg zerstörte Burg wurde 1959 im ursprünglichen Zustand wieder hergestellt

Nahanni National Park [nəˈhænɪ næʃnl pɑːk], Nationalpark im Mackenzie District, Northwest Territories, Kanada, rd. 4800 km² groß; umfasst rd. 390 km des South Nahanni River mit den Virginia Falls (Fallhöhe 96 m); 1972 eingerichtet.

Nahe *die,* linker Nebenfluss des Rheins, 116 km lang, entspringt im südl. Hunsrück, durchfließt das Saar-N.-Bergland, mündet in Bingen am Rhein; am Unterlauf Weinbau (→Naheweine).

Naher Osten (Nahost, Vorderer Orient), politisch-geograph. Sammelbegriff für die (außereurop.) Länder am östl. Mittelmeer. Ursprünglich verstand man unter N. O. die Länder des Osman. Reiches, heute meist die arab. Staaten in Vorderasien und Israel, oft einschl. Ägypten, Türkei und Iran.

Imre Nagy

Näherung (Approximation), *Mathematik:* angenäherte Berechnung oder Konstruktion einer Größe, die sich der exakten Berechnung entzieht (z.B. irrationale Zahl, Wurzel einer Gleichung höheren Grades). Die numer. Mathematik befasst sich mit der Konstruktion von (computergestützten) N.-Verfahren, mit deren Hilfe die Lösungen mathemat. Probleme in endlich vielen Schritten mit definierter Genauigkeit angenähert werden.

Naheweine, Weine aus dem Weinbaugebiet Nahe an Nahe, Glan und Alsenz; angebaut werden v.a. die Rebsorten Müller-Thurgau, Silvaner und Riesling.

Nahkampf, 1) *Boxen:* der Kampf auf kurze Distanz, bes. mit Hakenserien.

2) *Militärwesen:* der Kampf Mann gegen Mann, bis zum 1. Weltkrieg mit blanker Waffe und Pistole, seitdem auch mit Handgranaten, Flammenwerfern u.a. Nahkampfmitteln.

Nahl, Johann August d.Ä., Bildhauer und Innenarchitekt, *Berlin 22. 8. 1710, †Kassel 22. 10.

1781; wurde 1741 als Direktor der königl. Schlösser nach Berlin berufen, wo er zum bedeutendsten Dekorateur des friderizian. Rokoko wurde; er gestaltete u.a. die Bibliothek im Schloss Sanssouci; seit 1753 in Kassel tätig, dort 1777 zum Direktor der Akademie ernannt.

Johann August Nahl d.Ä.: Bibliothek im Schloss Sanssouci in Potsdam (1745–47)

Nähmaschine, Maschine zum Zusammennähen von Textilien, Leder u.a., meist mit elektr. Antrieb. Die Nähte können mithilfe eines oder mehrerer Fäden gebildet werden. Bei der u.a. im Haushalt weit verbreiteten **Doppelsteppstich-N.** durchsticht die N.-Nadel, deren Öhr sich unmittelbar hinter der Nadelspitze befindet, das Gewebe und nimmt dabei den Oberfaden mit. Die bei der anschließenden Aufwärtsbewegung sich bildende Schlinge wird vom Schlingenfänger (Schiffchen oder Greifer) erfasst und der Unterfaden durch die Schlinge hindurchgezogen. Beim Zurückfahren von Schiffchen und Nadel in die Ausgangsstellung wird die lose Schlinge zugezogen und die Fäden verketten sich in der Mitte des Gewebes. Gleichzeitig sorgt der Transporteur für die Verschiebung des Stoffes um die einstellbare Stichweite. Zur Herstellung von elast. Nähten verwendet man **Kettenstich-N.;** sie arbeiten mit nur einem Faden, der an der Unterseite des Stoffs durch einen hakenförmigen Greifer verkettet wird. Moderne N. ermöglichen neben Nutz- und Geradstichen viele Zierstiche, Annähen von Knöpfen und Nähen von Knopflöchern.

Geschichte: Die erste mechan. Einrichtung zum Nähen baute um 1775 der in England lebende Deutsche C. F. Weisenthal. B. Krems entwickelte um 1800 die erste Kettenstich-N. Weitere Versuche führten 1829/30 der Wiener Schneidermeister J. Madersberger und der frz. Schneider B. Thimonnier durch. Die Urform der Doppelstich-N. schuf 1845 der Amerikaner E. Howe; sie wurde von A. B. Wilson, M. Gritzner, M. Pfaff, I. M. Singer u.a. weiter verbessert.

Nähmaschine

*Nach jahrelangem vergeblichem Suchen kam dem amerikanischen Erfinder Elias Howe (*1819, †1867) die Kernidee zur ersten brauchbaren Nähmaschine der Welt in einem Traum. Darin wurde er von Wilden gefangen, die ihn mit ihren Speeren bedrohten. Howe fiel auf, dass sich in allen Speerspitzen ein Loch befand. Er erwachte und erkannte die einzig brauchbare Lösung für sein Problem: eine Nähmaschine mit einer Nadel, in deren Spitze sich zum Führen des Fadens ein Loch befand.*

Nahordnung, geordnete Aneinanderreihung der Atome in kleinsten Bereichen bei Flüssigkeiten und amorphen Festkörpern; Ggs.: →Fernordnung.

Nahost, →Naher Osten.

Nahostkonflikt, Konflikt zw. Israel und seinen arab. Nachbarstaaten sowie der →Palästinensischen Befreiungsorganisation (PLO) um die staatl. Gestaltung des früheren brit. Mandatsgebietes →Palästina, verbunden mit regionalen und weltpolit. Interessenverflechtungen; entstand mit dem Rückzug Großbritanniens aus Palästina (15. 5. 1948) und der Proklamation des Staates Israel (14. 5. 1948). Mit unterschiedl. Intensität sind alle arab. Staaten im N. engagiert.

Geschichte: Erste blutige Konflikte zw. arab. Palästinensern und der jüd. Bev. entstanden mit der im Zeichen des →Zionismus zunehmenden Einwanderung von zunächst v.a. russ. Juden in das zum Osman. Reich gehörende Palästina seit den 1880er-Jahren und der gleichzeitigen Zunahme der ansässigen arabisch-palästinens. Bev. bis zum Ausbruch des 1. Weltkrieges; Bev.zunahme und blutige Auseinandersetzungen hielten auch nach der Bildung des brit. Mandatsgebietes Palästina nach dem Sykes-Picot-Abkommen vom 16. 5. 1916 an (Höhepunkt »arab. Aufstand« 1936–39). Am 29. 11. 1947 beschlossen die UN die Teilung des Mandatsgebietes in einen jüd. und einen palästinensisch-arab. Staat. Wegen ihrer Ablehnung dieses Teilungsplanes wollten die Palästinenser die 1948 erfolgte Gründung des Staates Israel nicht hinnehmen. Im **Palästinakrieg (1. Israelisch-Arab. Krieg,** 15. 5. 1948–15. 1. 1949; aus israel. Sicht Unabhängigkeitskrieg) setzten sich die israel. Streitkräfte gegen die arab. Armeen aus Ägypten, Transjordanien, Irak, Syrien und Libanon durch und behaupteten etwa 77% des früheren Mandatsgebietes als ihr Staatsgebiet, das damit über das im Teilungsplan von 1947 den Juden zugedachte Gebiet hinausging. Ostpalästina (einschl. Ostjerusalem) wurde von Transjordanien annektiert, der Gazastreifen kam unter ägypt. Verwaltung. Die palästinens. Araber wurden aus dem israel. Staatsgebiet vertrieben oder flohen. Ihre Situation in den Palästinenserlagern in den arab. Aufnahmeländern (bes. Ägypten, Jordanien, Libanon, Syrien) wurde zunehmend zu einem polit. und sozialen Problem. Der israelisch-arab. Konflikt verschärfte sich in den 1950er-Jahren ständig. In Verhandlungen mit Israel setzten die UN, gestützt von den USA und der UdSSR, nach dem **Sinaifeldzug (2. Israelisch-Arab. Krieg,** 29. 10.–8. 11. 1956) den Rückzug der israel. Truppen aus den eroberten Gebieten und die Stationierung einer UN-Friedenstruppe am Golf von Akaba durch (1956/57). – Die arab. Staaten unter Führung Ägyptens verschärften ihren Kampf gegen die staatl. Existenz Israels. Die UdSSR, um den Aufbau einer polit. Einflusssphäre im Nahen Osten bemüht, unterstützte bes. Ägypten und Syrien mit Waffen; die USA suchten mit gleichen Mitteln die Sicherheit Israels zu fördern. Schon bei Beginn des N. hatten sich palästinens. Guerillaorganisationen (Fedajin) gebildet, die sich 1964 unter dem Patronat der arab. Staaten in der PLO einen gemeinsamen Rahmen gaben. Seitdem betrachtet sich die PLO als einzige legitime Vertreterin des palästinens. Volkes. – Im Mai 1967 erzwang der ägypt. Präs. G. Abd el-Nasser den Abzug der UN-Friedenstruppe. Im **Sechstagekrieg (3. Israelisch-Arab. Krieg,** 5.–10. 6. 1967) konnte Israel den Gazastreifen, die Halbinsel Sinai (bis zum Sueskanal), Westjordanien (einschl. der Altstadt von Jerusalem) und Teile Syriens (Golanhöhen) besetzen.

Nach 1967 verschärfte sich der N.; palästinens. Guerillaorganisationen (u. a. Al-Fatah) weiteten ihre Aktionen gegen Israel auch auf dessen Einrichtungen im Ausland aus. Mit dem Angriff Ägyptens und Syriens auf Israel erfuhr der N. eine neue militärische Zuspitzung (**Jom-Kippur-** oder **4. Israelisch-Arab. Krieg,** 6.–22./25. 10. 1973). Er weckte jedoch auch die Bereitschaft, den Konflikt zu lösen. Der amerikan. Außenmin. H. A. Kissinger regte den Zusammentritt (1973) einer **Genfer Nahostkonferenz** an und vermittelte Truppenentflechtungsabkommen (1974) zw. Israel und Syrien. Dennoch kam es im Nov. 1975 zur Verurteilung des Zionismus durch die UN (Dez. 1991 zurückgenommen). 1977 bemühte sich der ägypt. Präs. A. As-Sadat mit einer Reise zu M. Begin nach Jerusalem um einen Durchbruch zu Friedensverhandlungen. Unter Vermittlung des amerikan. Präs. J. Carter verständigten sich beide auf der Konferenz von Camp David (Sept. 1978) über Rahmenbedingungen einer Lösung des N. und eines ägyptisch-israel. Friedensvertrages (am 26. 3. 1979 unterzeichnet; Verzicht Israels auf Sinai zugunsten Ägyptens). Die Erklärung ganz Jerusalems zur Hauptstadt Israels (1980), die Annexion von Teilen der Golanhöhen und die Besiedlung der Westbank (Westjordanland) durch Israel stießen

Nahostkonflikt: Während des »Jom-Kippur-Krieges« im Oktober 1973 nimmt israelische Artillerie syrische Stellungen auf den Golanhöhen unter Feuer

auf den wachsenden Widerspruch der arab. Staaten und auf Kritik in der Weltöffentlichkeit. Mit dem Einmarsch seiner Truppen in den Libanon (**Libanonfeldzug** oder **5. Israelisch-Arab. Krieg,** Juni 1982) suchte Israel v. a. seine durch starke Guerillatätigkeit gefährdete Nordgrenze zu sichern. 1985 räumte Israel Libanon (bis auf eine Sicherheitszone im S). Am 9. 12. 1987 brach im Gazastreifen und im Westjordanland ein Aufstand (v. a. jugendl.) palästinens. Araber (Intifada) aus. Am 15. 11. 1988 rief die PLO in Algier (Algerien) einen unabhängigen Palästinenserstaat in den von Israel besetzten Gebieten aus (Präs.: J. Arafat), nachdem

Nahostkonflikt: Unterzeichnung des ägyptisch-israelischen Friedensvertrages im März 1979 im amerikanischen Camp David; am Tisch der ägyptische Präsident Sadat, US-Präsident Carter und der israelische Präsident Begin (von links)

Jordanien im Juli 1988 zugunsten der PLO auf das Westjordanland verzichtet hatte.

Der N. wurde von innerarab. Konflikten überlagert. In Jordanien (1967–70) und in Libanon (1967–82) entwickelte sich die PLO zu einem Staat im Staate. Jordanien, dessen Herrscherhaus der palästinens. Bev. 1921 von der brit. Kolonialmacht aufgezwungen worden war, wird zudem von den Palästinensern als Teil des Palästinenserstaates betrachtet; König Husain II. bemühte sich in Abwägung seiner dynast. Interessen und des Willens der mehrheitlich palästinens. Bev. um vermittelnde diplomat. Aktionen, z.B. beim Abschluss des israelisch-ägypt. Separatfriedens von 1979 sowie im Konflikt am Pers. Golf 1990/91. Syrien versuchte im Konflikt mit Israel seine nat. Interessenpolitik im Libanon durchzusetzen; Irak wollte mit seiner Palästinapolitik – neben Ägypten und Syrien – seine Ansprüche als regionale Führungsmacht verwirklichen, deutlich z.B. ab Aug. 1990 durch Verknüpfung des Golfkonfliktes mit dem N. (bes. nach Ausbruch des 2. Golfkrieges). Nach dem 2. Golfkrieg (1991) und der Schwächung der PLO verstärkten sich die v.a. von den USA seit 1989 forcierten Bemühungen um eine Lösung des N.; Kernproblem der im Okt. 1991 eingeleiteten **Nahostfriedenskonferenz** (seit 1992 z.T. bilateral; erstmals direkte Gespräche zw. Israel und arab. Staaten sowie Vertretern der Palästinenser/PLO) bleibt der Ausgleich zw. Israel und Palästinensern/PLO. Israel strebte dabei vorrangig eine Vereinbarung über den Status der besetzten Gebiete (Gazastreifen, Westjordanland) an. Weiteres Ziel der Reg. Rabin (seit Juli 1992) war eine umfassende Friedensregelung v.a. mit Syrien und Jordanien.

Nahostkonflikt

Mit dem Stopp staatl. und der Unterbindung privater Siedlungsprogramme (1992) legte die Reg. Rabin unter dem Leitgedanken »Land gegen Frieden« die Grundlage für ein besseres israelisch-arab. Gesprächsklima, bes. zw. ihr und der PLO. In Geheimverhandlungen vereinbarten beide unter norweg. Vermittlung die gegenseitige Anerkennung und ein Rahmenabkommen über die Teilautonomie der palästinens. Araber im Gazastreifen und im Gebiet von Jericho (»Gaza-Jericho-Abkommen« vom 13. 9. 1993). In weiteren Abkommen (vom 4. 5. 1994 und vom 28. 9. 1995) legten Israel und die PLO den (als vorläufig aufgefassten) territorialen Umfang und den stufenweisen Rückzug der israel. Streitkräfte bis 1999 fest. Im Rahmen des Aufbaus einer palästinens. Staatlichkeit fanden im Jan. 1996 in den vereinbarten Autonomiegebieten Wahlen statt. Am 17. 10. 1994 schloss Jordanien mit Israel einen Friedensvertrag.

Die palästinensisch-israel. Ausgleichsbemühungen wurden ständig begleitet von Versuchen extremist. Palästinenser (v.a. Hamas) und radikaler Israelis, den Friedensprozess zu torpedieren. Während MinPräs. S. Peres nach der Ermordung Rabins (Nov. 1995) die mit der PLO geschlossenen Vereinbarungen Zug um Zug realisieren wollte, suchte sein Nachfolger B. Netanjahu (1996–99) diese zu modifizieren, schloss aber das Hebron-Abkommen (1997) und das Wye-Abkommen (1998). Nach Auslaufen der Interimsverträge (4. 5. 1999) sind Verhandlungen über den Endstatus der Autonomiegebiete überfällig. Als Kern des N. erweist sich daneben auch die Jerusalem-Frage. Weiteres BILD Israel

📖 NIEMETZ, A.: *Brennpunkt Nahost. Geschichte u. Hintergründe polit. u. religiöser Konfrontationen. Neuausg. München 1993.* – BECKER, H. *u.a.: Der schwierige Weg zum Frieden. Der israelisch-arabisch-palästinens. Konflikt. Hintergründe, Positionen u. Perspektiven. Gütersloh 1994.* – KOCHER, V.: *Der neue Nahe Osten. Die arab. Welt im Friedensprozeß. Zürich 1996.* – LERCH, W. G.: *Brennpunkt Naher Osten. Der lange Weg zum Frieden. München 1996.* – SCHREIBER, F. *u.* WOLFFSOHN, M.: *Nahost. Geschichte u. Struktur des Konflikts. Opladen [4]1996.*

Nahostpakt, → CENTO.

Nahpunkt, der dem Auge am nächsten liegende Punkt, der bei maximaler Akkommodation noch scharf gesehen werden kann. Die Lage des N. hängt von der Fähigkeit der Linse ab, ihre Brech-

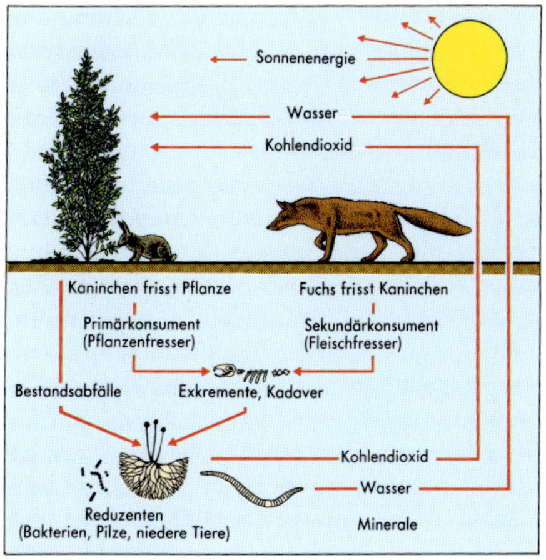

Nahrungskette: Beispiel einer Reihe

kraft zu steigern; beim Kind beträgt die N.-Entfernung 6–7 cm, beim 60-Jährigen meist mehr als 50 cm.

Nährböden, organ. oder anorgan. Nährstoffe in Agar-Agar oder Gelatine gelöst bzw. suspendiert zur Kultivierung von Mikroorganismen (z. B. von Bakterien, Pilzen).

Nährgewebe, Gewebe im →Samen der Pflanzen.

Nährlösung, wässrige Mineralsalzlösung, die alle für das Pflanzenwachstum notwendigen Nährstoffe enthält; zum Anbau von Pflanzen in →Hydrokultur, mit besonderen Zusätzen versehen auch zur Kultur von Mikroorganismen.

Nährmittel, Produkte, die aus Getreide gewonnen werden (außer Mehl), z. B. Graupen, Grieß; Haferflocken, Teigwaren, Puddingpulver.

Nährstoffe, der →Ernährung dienende Eiweiße, Fette und Kohlenhydrate.

Nahrungskette, durch Nahrungsbeziehungen voneinander abhängige Organismen, in einer Reihe bestehend aus grünen Pflanzen (Produzenten), Pflanzenfressern (Primärkonsumenten) und Fleischfressern (Sekundärkonsumenten). N. werden geschlossen durch Zersetzer (Reduzenten; v. a. Bakterien und Pilze), die die Abbauprodukte den Anfangsgliedern der N. zur Verfügung stellen. Beispiel: Planktonalge – Algen fressender Wasserfloh – räuber. Wasserfloh – Friedfisch (Rotauge) – Raubfisch (Hecht) – Mensch. N. können zu →Nahrungsnetzen verknüpft sein. Pestizidanwendung kann N. unterbrechen und zur Massenvermehrung einzelner Glieder führen. – Ein großes Problem stellt die über die N. fortschreitende Anreicherung biologisch nicht oder schwer abbaubarer Substanzen, z. B. Schwermetalle, radioaktive Stoffe oder chlorierte Kohlenwasserstoffe, bis hin zu schädigenden Konzentrationen dar. Dies erweist sich auch für den Menschen, der häufig am Ende der jeweiligen N. steht, als gefährlich.

Nahrungsmittel, Lebensmittel, die so viel Eiweiß, Fett, Kohlenhydrate oder Mineralstoffe enthalten, dass sie dem Körper als Energiespender oder Aufbaustoffe (→Ernährung) dienen können. (→Genussmittel)

Nahrungsmittelvergiftung, die →Lebensmittelvergiftung.

Nahrungsnetze, verflochtene →Nahrungsketten einer Lebensgemeinschaft. Beim Ausfall einer Art dieser Lebensgemeinschaft können deren Stelle und Funktion andere Arten ausgleichen oder übernehmen.

Nahrungs- und Genussmittelgewerbe, zum verarbeitenden Gewerbe gehörender, in **Ernährungsgewerbe** und **Tabakverarbeitung** unterteilter Wirtschaftszweig, in dem v. a. Erzeugnisse aus der Landwirtschaft und der Fischerei verarbeitet werden. Zum Ernährungsgewerbe gehören u. a.: Nährmittel-, Stärke-, Backwaren-, Margarine-, Getränke-, Süßwaren- und Futtermittelherstellung, Molkereien mit Milch- und Milchprodukterzeugung, Obst- und Gemüse-, Fleisch-, Fisch-, Kaffee-, Zucker-, Teeverarbeitung, Brauereien und Spirituosengewerbe. Die Struktur des N.- u. G. ist überwiegend mittelständisch geprägt. 1995 erwirtschafteten in Dtl. 561 000 Beschäftigte in 4 449 Unternehmen des Ernährungsgewerbes einen Umsatz von 247,48 Mrd. DM. In der Tabakverarbeitung waren in 28 Unternehmen 15 000 Personen beschäftigt, die einen Umsatz von 29,44 Mrd. DM erzielten.

Nährwert, ernährungsphysiolog. Wert der Nahrung, d. h. der Gehalt an verwertbaren Nährstoffen, durch deren Zufuhr die Voraussetzungen für die Aufrechterhaltung aller Körperfunktionen eines Organismus gegeben werden. Der chem. N. wird nach Joule (früher Kalorie) gemessen und bewertet. So beträgt z. B. die bei Verbrennung eines Grammes der verdaul. Fette eines Nahrungsmittels produzierte Energie (Wärmemenge) 38,9 Kilojoule (kJ).

Naht, 1) *allg.:* Verbindung oder Verbindungslinie zweier zusammengefügter Teile, z. B. bei Textilien; auch die genietete (Niet-N.) oder geschweißte (Schweiß-N.) Zusammenfügung.

2) *Anatomie:* (Sutura) die Verwachsungslinie von Organ- und Gewebeteilen, bes. der Knochen am Schädel.

3) *Chirurgie:* operative Vereinigung durchtrennter Gewebe, z. B. mit Katgut.

Nahua (Naua), größte indian. Bev.gruppe im Hochland von Mexiko, deren Sprache, das **Nahuatl,** von rd. 1,4 Mio. Menschen gesprochen wird. Zu ihnen gehörten in vorspan. Zeit die Tolteken und Azteken.

Nahuel Huapí, Lago [- na'u̯el u̯a'pi], viel verzweigter eiszeitl. Randsee der argentin. Kordilleren, 764 m ü. M., 544 km² groß, mehr als 400 m tief. Der **N.-H.-Nationalpark** (7385 km²; seit 1934), auch »Argentinische Schweiz« genannt, ist das wichtigste Fremdenverkehrsgebiet der südl. Anden.

naive Kunst: Henri Rousseau, »Der Wagen von Vater Juniet« (1908; Paris, Louvre)

Nahum [hebr. »Trost«], Prophet des A. T.; das **Buch N.** gehört zu den →Kleinen Propheten; nach 626 v. Chr. entstanden.

Nahwirkung, *Physik:* physikal. Wirkung, die sich nur mit endl. Geschwindigkeit in Form eines Feldes räumlich ausbreitet; Ggs.: →Fernwirkung.

Naila, Stadt im Landkreis Hof, Bayern, im Frankenwald, an der Selbnitz, 9 000 Ew.; Staatl. Fachschule für Bekleidungsind.; Textil- und Bekleidungsind., Maschinenbau. – 1566 als Stadt bezeichnet; seit dem 18. Jh. Sitz von Textil-, Bekleidungs- und Porzellanmanufakturen.

Naipaul ['neɪpɔ:l], V. S. (Vidiadhar Surajprasad), trinidad. Schriftsteller ind. Herkunft, *Chaguanas (bei Port of Spain) 17. 8. 1932; lebt seit 1950 v. a. in England, schildert in Romanen die karib. Inselwelt (»Ein Haus für Mr. Biwas«, 1961; »Herr und Sklave«, 1967; »The enigma of arrival«, 1987); Erzählungen (»In den alten Sklavenstaaten«, 1989).

Nairobi Stadtwappen

Nairobi, Hauptstadt von Kenia, im Hochland östlich des Ostafrikan. Grabens, 1670 m ü. M., 1,5 Mio. Ew.; Kultur-, Wirtschafts- und Handelszentrum des Landes, internat. Messe- und Konferenzort; kath. und anglikan. Erzbischofssitz; Univ., Polytechnikum, Konservatorium, Forschungsinstitute, Nationalarchiv, -bibliothek, -theater, -museum, Goethe-Inst., Verlage und Druckereien; bed. Ind.standort, u. a. Nahrungsmittel-, keram., Textilind., chem. und pharmazeut. Ind., Kfz-Montagewerk, Metallverarbeitung; Verkehrsknotenpunkt, zwei Flughäfen. – Südlich von N. liegt der **N.-Nationalpark** (115 km²), Schutzgebiet afrikan. Wildtiere. – 1899 als Eisenbahndepot gegr., wurde N. 1905 Hptst. des brit. Protektorats Ostafrika.

naive Kunst, als Laienkunst außerhalb der kunstgeschichtl. Stilrichtungen stehende Kunst. Im Unterschied zur Volkskunst und der vom Kult getragenen Kunst der Naturvölker ist sie durch die Individualität des Künstlers geprägt, der sie ohne akadem. Vorbildung, z. T. auch ohne jede techn. Vorkenntnisse und Verbindungen zu zeitgenöss. und vergangenem Kunstschaffen ausübt. N. K. ist detailfreudig exakt und harmonisch bunt, oft von einer instinktiven Sicherheit in Komposition und Farbklang; ihre Themen reichen von der Umwelt des Künstlers bis zu fantast. Traumbildern. – Am weitesten lässt sich die n. K. in den USA zurückverfolgen, wo sie sich im 18. Jh. aus der volkstüml. Gebrauchsmalerei von Wanderkünstlern herausbildete und sich mit Porträt, Pionierleben und bibl. Motiven (E. Hicks) beschäftigte. Der europ. n. K. näher verwandt waren die Bilder der Farmersfrau Anna Mary Moses und die erotischen Szenen von M. Hirshfield. In Frankreich erhob der Zöllner H. Rousseau die n. K. zu einem gültigen Beitrag zur modernen Kunst; außerdem wurden L. Vivin, Séraphine, A. Bauchant, C. Bombois bekannt. In Dtl. traten als naive Künstler u. a. J. A. Trillhase, M. Raffler, F. Gerlach, J. Wittlich, in der Schweiz A. Dietrich, in Italien O. Metelli und A. Ligabue hervor. Bed. für die Entwicklung der n. K. in Osteuropa wurden Kroatien (bäuerl. Schule von Hlebine mit I. Generalić u. a.) und Polen (Nikifor). Zu einem Zentrum n. K. entwickelte sich die Schule von Port-au-Prince auf Haiti; internat. namhaft sind u. a. H. Hyppolite, P. Obin, A. Pierre, G. Valein, P. Duffaut, S. Philippe-Auguste.

📖 Bihalji-Merin, O.: *Die Naiven der Welt. Neuausg. Eltville am Rhein 1986.*

Najaden, *grch. Mythos:* →Nymphen.

Najibollah [-dʒ-], Mohammed, →Nadschibullah, Mohammed.

Nakasone, Yasuhiro, japan. Politiker, *Takasaki 27. 5. 1918; Mitgl. der Liberaldemokrat. Partei, 1967–74 mehrfach Min. (u. a. für Außenhandel und Ind.), 1982–87 MinPräs. und Parteivorsitzender.

Nakhon Pathom, Stadt in Thailand, 60 km westlich von Bangkok, im Menamdelta, 45 700 Ew.; Univ.campus; buddhist. Wallfahrtsort. – Der über älteren Ruinen errichtete, 40 m hohe verfallene Chedi (Stupa) Phra Pathom wurde in der 2. Hälfte des 19. Jh. mit einer riesigen Kuppel überbaut, die mit der spiralförmigen Spitze 127 m misst; der Bau mit riesiger Kuppel (19. Jh.) gilt als das höchste buddhist. Bauwerk der Erde.

Nakhon Si Thammarat, Stadt in S-Thailand, auf der Malaiischen Halbinsel, 72 100 Ew.; Herstellung von Metallarbeiten; Garnison. – Tempelbezirk (8.–19. Jh.) mit reicher Innenausstattung, vergoldeten Stupas. – Bis zum 13. Jh. als **Ligor** Hptst. eines Königreiches.

Naksch-e Rostam, Felsengräber nahe Persepolis, S-Iran, in einer senkrechten Felswand. Bereits um 1300 v. Chr. bestand hier ein elam. Heiligtum. König Dareios I. ließ vor der eigentlichen Grabkammer eine 20 m hohe kreuzförmige Fassade herausarbeiten, Vorbild auch für die folgenden Anlagen Xerxes I., Artaxerxes I. und Dareios II.; Reliefs aus achaimenid. und sassanid. Zeit.

Nakskov ['nagsgɔu̯], Stadt in Dänemark, 16 900 Ew., am N.-Fjord auf der Insel Lolland; Zuckerfabrik, Werft.

Nakuru, Provinz-Hptst. in Kenia, im Ostafrikanischen Graben, 101 000 Ew.; an der Ugandabahn; Zentrum eines Agrargebiets (Mais, Weizen, Sisal) mit Verarbeitungsindustrie. Südlich von N. in 1760 m ü. M. liegt der **N.-See,** 47 km², abflussloser Salzsee; Nationalpark (Flamingos).

Naltschik, Hauptstadt der Rep. Kabardino-Balkarien, innerhalb der Russ. Föderation, im nördl. Kaukasusvorland, 235 000 Ew.; Univ.; Buntmetallerzhütte, Maschinenbau, elektrotechn., Nahrungsmittel-, Holzindustrie.

Nama, Volk in Namibia, Zweig der → Hottentotten; die etwa 62 000 N. leben im Namaland.

Namaland, Gebiet im südwestl. Afrika, erstreckt sich im Innern des südl. Namibia bis zum Oranje (**Groß-N.,** Wohngebiet der Nama) und als Namaqualand bis in die Rep. Südafrika.

Namangan, Stadt in Usbekistan, im Ferganabecken, 319 200 Ew.; Baumwollentkernung, Naturseidenweberei, Chemiefaser-, Nahrungsmittelindustrie.

Nam Co [tibet.] (chines. Namuhu, mongol. Tengri Nur), größter See Tibets, 2207 km², liegt 4627 m ü. M., ein abflussloser Salzsee.

Name, Bez. für eine einzelne, als Individuum oder individuelles Kollektiv gedachte Person oder Sache zum Zweck der eindeutigen Identifizierung und Benennung **(Eigen-N., Nomen proprium).** In der Grammatik zählen daneben auch Substantive zu den N., dann meist genauer **Allgemein-N.** oder **Gattungs-N. (Nomen appellativum, Appellativ)** gen.; dabei handelt es sich nicht um benennende, sondern um unterscheidende sprachl. Ausdrücke. Eigen-N. bezeichnen ein Objekt unabhängig von der Bedeutung des Wortes, nur aufgrund des Lautkomplexes; sie benennen und identifizieren, die Appellative dagegen unterscheiden und charakterisieren. Die Abgrenzung zw. beiden ist oft nicht eindeutig geklärt, z. B. bei N. von Jahreszeiten, Monaten und Festen. Da N. etymologisch gesehen nicht (immer) frei von Bedeutung sind, kann diese, sofern das Wort auch als Appellativum vorkommt, mitschwingen. N. können den Träger charakterisieren oder landschaftlich und sozial zuordnen oder unabhängig von der Bedeutung positive oder negative Assoziationen hervorrufen (z. B. die »suggestiven Personen-N.« in der Literatur). Orts-N. (nicht aber Personen-N.) mit durchsichtiger Bedeutung können auch übersetzt werden (z. B. Schwarzwald, engl. Black Forest, frz. Forêt Noire), obwohl sonst Unübersetzbarkeit ein Merkmal der N. ist. Einteilung der N.: 1) **Personen-N. (Anthroponyme):** Familien-N. (Zu-N.) und Ruf-N. (Vor-N., Tauf-N.); 2) **geograph. N.:** Orts-N. (Städte, Dörfer usw.), Länder-N., Gewässer-N. und die Flur-N. (Toponymikon); 3) **Pflanzen- und Tier-N.** sind streng genommen keine Eigen-N., gehören aber zu den ältesten überlieferten Wörtern und sind daher für die Sprachwiss. bes. interessant.

Rechtliches: Das Recht, einen bestimmten N. zu führen (N.-Recht), steht zu: Einzelpersonen hinsichtlich ihres bürgerl. N. und des Künstler-N. (Pseudonym) oder Deck-N., Personenvereinigungen und jurist. Personen bezüglich ihres Gesamt-N., Kaufleuten hinsichtlich ihrer Firma. Der N. wird gegen Verletzungen und gegen unbefugten Gebrauch geschützt (§ 12 BGB, § 37 HGB). Auch Adelsprädikate sind als N.-Bestandteil geschützt. Gemäß § 12 BGB hat der N.-Träger gegen den Verletzer einen Unterlassungsanspruch, bei Wiederholungsgefahr auch für die Zukunft (Unterlassungsklage), sowie bei schuldhafter Verletzung einen Anspruch auf Schadenersatz. Für die Firma bestehen Sondervorschriften.

Der Familien-N. wird durch Geburt, Heirat, Adoption oder Legitimation erworben. Das nichtehel. Kind erhält den Familien-N. der Mutter. Das N.-Recht ist durch das Familiennamensrechts-Ges. vom 16. 12. 1993 neu geordnet worden. Bestimmen die Ehegatten keinen gemeinsamen Ehenamen, so behalten sie ihre zurzeit der Eheschließung geführten N. Die Bestimmung des Ehe-N. kann auch noch fünf Jahre nach der Eheschließung erfolgen. Ein Ehegatte, dessen Geburts-N. nicht Ehe-N. wird, kann seinen bisherigen oder den Geburts-N. dem Ehe-N. voranstellen oder hinzufügen. Dies gilt nicht, wenn der Ehe-N. aus mehreren N. besteht. Das ehel. Kind führt den Ehe-N. seiner Eltern als Geburts-N. Ist kein Ehe-N. (bes. bei nichtehel. Gemeinschaften) vorhanden und treffen die Eltern binnen eines Monats keine Entscheidung, welchen Geburts-N. das Kind führen soll, überträgt das Familiengericht das Bestimmungsrecht auf einen Elternteil (§ 1617 BGB). Bei Ehescheidung kann der frühere N. wieder angenommen werden (§ 1355 BGB). Ein Adoptierter erhält den

Namibia

Fläche: 824 292 km^2
Einwohner: (1995) 1,54 Mio.
Hauptstadt: Windhuk
Verwaltungsgliederung: 13 Regionen
Amtssprache: Englisch
Nationalfeiertag: 21. 3.
Währung: 1 Namibia-Dollar (N$) = 100 Cents (c)
Zeitzone: OEZ

Staatswappen

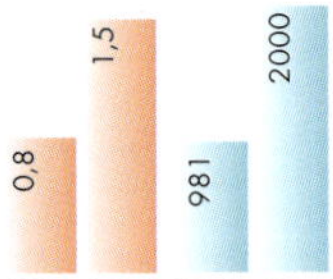

Bevölkerung (in Mio.) Bruttosozialprodukt je Ew. (in US-$)

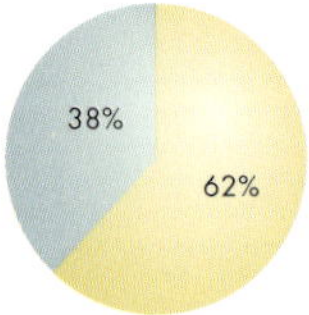

Bevölkerungsverteilung 1995

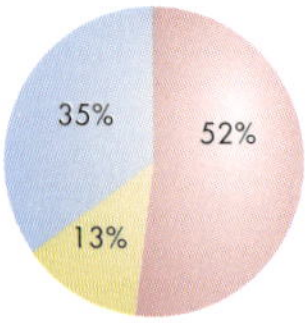

Bruttoinlandsprodukt 1995

N. des Annehmenden; er kann seinen früheren N. nur bei Vorliegen schwerwiegender Gründe hinzufügen (§ 1757 BGB). Den Vor-N. bestimmen die Eltern. N.-Änderungen bedürfen der behördl. Genehmigung.

In *Österreich* ist das N.-Recht durch das N.-Rechtsänderungs-Ges. mit Wirkung vom 1. 5. 1995 neu geordnet worden. Auch ein aus einer geschiedenen oder aufgelösten Ehe abgeleiteter Familien-N. kann nun zum gemeinsamen Ehe-N. bestimmt werden. Beide Ehegatten können gleichermaßen ihren vor der Ehe geführten Familien-N. dem gemeinsamen Ehe-N. voran- oder nachstellen. Gleichzeitig entfällt die Pflicht beider Ehegatten, einen gemeinsamen Familien-N. zu wählen (Art. 93 Abs. 3 ABGB). Entscheiden sie sich gegen einen gemeinsamen N., so bestimmen sie bei der Eheschließung, welcher ihrer beiden N. als Familien-N. auf die Kinder übergehen soll. Ohne eine solche Bestimmung erhalten die Kinder den N. des Vaters (Art. 139 Abs. 3 ABGB). Im Fall einer Scheidung darf ein Familien-N., der aus einer geschiedenen oder aufgehobenen Ehe abgeleitet wird, nur dann wieder angenommen werden, wenn aus dieser früheren Ehe Nachkommenschaft vorhanden ist (Art. 93 a ABGB). Ein nichtehel. Kind erhält den Familien-N., den die Mutter bei seiner Geburt führt (Art. 165 ABGB).

In der *Schweiz* ist auf Urteil des Europ. Gerichtshofs für Menschenrechte hin das N.-Recht mit Wirkung vom 1. 7. 1994 geändert worden. Nach der neuen Zivilstandsverordnung kann, wenn die Ehegatten den Geburts-N. der Frau als gemeinsamen Ehe-N. gewählt haben, auch der Mann seinen vor der Ehe geführten Familien-N. voran- oder nachstellen.

Namenkunde (Namenforschung, Onomastik), sprachwiss. Disziplin zur Erforschung der Namen, die sich mit philolog., histor. (Alter, Entstehung), geograph. (Verbreitung), soziolog. (Anteil der sozialen Gruppen) und psycholog. Fragen befasst.

Namens|akti|e, auf den Namen des Berechtigten ausgestellte Aktie. Bei der **vinkulierten N.** ist die Übertragung der Aktie an die Zustimmung der AG geknüpft.

Namenspapier, das → Rektapapier.

Namenstag, Kalendertag des Heiligen, dessen Namen jemand trägt. Im kath. und orthodoxen Brauchtum oft von bes. Bedeutung.

Namib *die,* ausgedehnte Wüste entlang der Küste Namibias, etwa 1500 km lang, 80–130 km breit. Ursache der hohen Aridität (nur 10 20 mm Niederschlag im Jahr) ist der kalte Benguelastrom; häufig Nebel. Förderung von Diamanten (Oranjemund) und Uranerz (Rössing).

Namibia (amtlich engl. Republic of N.), Staat in Südwestafrika, grenzt im N an Angola, im NO an Sambia (mit dem → Caprivizipfel weit hineinreichend), im O an Botswana, im SO und S an die Rep. Südafrika, im W an den Atlantik; die einstige südafrikan. Enklave → Walfischbai (1124 km^2) gehört seit 1994 zu Namibia.

Staat und Recht: Nach der Verf. von 1990 ist N. eine präsidiale Rep.; Staatsoberhaupt, Oberbefehlshaber der Streitkräfte und oberster Inhaber der Exekutive (Reg.chef) ist der auf fünf Jahre direkt gewählte Präs. Die Legislative liegt bei der Verfassunggebenden Versammlung (72 Abg., auf fünf Jahre gewählt). Einflussreichste Parteien: Südwestafrikan. Volksunion (SWAPO) und Demokrat. Turnhallenallianz (DTA).

Landesnatur: N. gliedert sich in drei küstenparallele Großräume. An der Küste erstreckt sich die Wüste Namib, im O begrenzt durch die Große Randstufe, d. h. den Steilanstieg zu den zentralen Hochländern (1000–2000 m ü. M.), die von Bergländern überragt werden; höchste Erhebung ist der Brandberg mit 2610 m ü. M. Die Hochländer dachen sich im O zur abflusslosen Beckenlandschaft der Kalahari mit der Etoschapfanne ab. Das Klima ist trocken-randtropisch mit großen tages- und jahreszeitl. Temperaturschwankungen. Nur der äußerste NO erhält ausreichende Niederschläge (600 mm pro Jahr). Dornstrauchsavanne überwiegt im O und im Zentrum, im N und NO

Trockensavanne, z.T. mit Trockenwald, im äußersten S und an der verkehrsfeindl. Küste Wüsten und Halbwüsten. Die einzigartige Flora und Fauna wird in mehreren Nationalparks (gesamt 99616 km²) geschützt; eines der reichsten Wildschutzgebiete Afrikas ist der Etoscha-Nationalpark.

Bevölkerung: Sie setzt sich aus elf verschiedenartigen ethn. Gruppen zusammen; den größten Anteil haben Bantuvölker, bes. die im N lebenden Ambo (Ovambo) mit 49%, daneben Kavango, Herero, Tswana, Bergdama, Hottentotten und Buschmänner, die als Ureinwohner des Landes gelten. Im Raum →Rehoboth leben die Rehobother →Baster. Etwa 6% sind Weiße (davon 30% dt. Abstammung). Die Mehrzahl der Bewohner sind Christen. Schulpflicht besteht vom 7. bis 16. Lebensjahr. Eine Univ. wurde 1990 in Windhuk gegründet.

Wirtschaft, Verkehr: Die Wirtschaft ist auch nach der Unabhängigkeit des Landes weitgehend von der Rep. Südafrika abhängig (Zoll- und Währungsunion), stark exportorientiert und beruht auf Bergbau und Landwirtschaft. Hauptwirtschaftszweig ist der Bergbau; Förderung von Diamanten v.a. in der südl. Namib, Gold bei Karibib, Uran bei Swakopmund; in der Mine Tsumeb werden v.a. Kupfer, Blei, Zink und Silber gewonnen. Von der Landwirtschaft leben über 30% der Erwerbstätigen; Ackerbau ist nur auf 1% der Landesfläche möglich und dient v.a. der Eigenversorgung (Weizen, Mais, Sonnenblumen, Hirse, Gemüse); bed. sind Viehzucht (Rinder, Schafe, Ziegen) und Fischerei (200-Seemeilen-Zone). Die Ind. ist noch wenig entwickelt, neben Erzverhüttung u.a. Fisch- und Fleischverarbeitung, Metall-, Textil- und Lederindustrie, Salzgewinnung. Hauptindustriestandort ist Windhuk. Exportiert werden v.a. Diamanten, Uran, Kupfer, Blei u.a. Bergbauprodukte, Lebendvieh (Rinder), Rindfleisch, Karakulfelle,

Fisch und Fischprodukte. Wichtigste Handelspartner sind neben der Rep. Südafrika Großbritannien, Dtl. und die USA. – N. ist verkehrsmäßig gut erschlossen; das Eisenbahnnetz umfasst 2382 km, das Straßennetz rd. 42000 km, davon 4600 km asphaltiert. Walfischbai verfügt über einen Tiefwasserhafen; internat. Flughafen Windhuk.

Namibia: Teil der Großen Randstufe, von der Wüste Namib aus gesehen

Geschichte: Ende des 15. Jh. landeten erstmals Portugiesen an der Küste; im 17./18. Jh. wanderten von N Herero ein, die in Konflikt mit den im S ansässigen Nama gerieten. Großbritannien annektierte 1878 die Walfischbai, 1883 erwarb der dt. Kaufmann F. A. Lüderitz den Küstenstreifen zw. Oranjemündung und 22° s. Br., der 1884 dt. Schutzgebiet **(Dt.-Südwestafrika)** wurde. Verträge mit Portugal (1886) und Großbritannien (1890) legten die Grenzen fest. Gegen die dt. Herrschaft kam es 1903–07 zu Aufständen der Herero und Nama, die u.a. in der Schlacht am Waterberg niedergeschlagen wurden. 1920 erhielt die Südafrikan. Union das bis dahin dt. Gebiet vom Völkerbund als C-Mandat zugesprochen. 1966 entzog die UN-Vollversammlung Südafrika das Mandat, 1968 gab sie dem Land den Namen Namibia. Der Internat. Gerichtshof erklärte 1971 die fortgesetzte Präsenz Südafrikas in N. für illegal. Als nat. Befreiungsbewegung der mehrheitlich schwarzen Bevölkerung von N. wurde die Südwestafrikan. Volksunion (SWAPO) 1963 durch die OAU anerkannt, 1976 von der UN-Vollversammlung zur »Vertretung des namib. Volkes« erklärt.

Südafrika lockerte die Apartheidpolitik und stimmte einer Verfassungskonferenz aller elf ethn. Gruppen zu (nach ihrem Tagungslokal in Windhuk »Turnhallenkonferenz« gen.). Die SWAPO lehnte den von der Turnhallenkonferenz 1977 beschlossenen Verfassungsplan ab, beteiligte sich nicht an den im Dez. 1978 durchgeführten Wahlen zu einer Verfassunggebenden Versammlung und verstärkte (unterstützt von kuban. Truppen aus Angola) den bewaffneten Kampf. Die von Südafrika eingesetzte Regierung konnte die angespannte Lage nicht unter Kontrolle bringen. Unter internat. Druck kam 1988 der Unabhängigkeitsprozess wieder in Gang, nachdem dieser mit dem Abzug der kuban. Truppen aus Angola verknüpft werden konnte. 1988 vereinbarten die Rep. Südafrika, Angola und Kuba internat. überwachte freie Wahlen zu einer Verfassunggebenden Versammlung. Diese fanden im Nov. 1989 statt; die SWAPO errang dabei 57%, die DTA rd. 29% der Stimmen. Am 21. 3. 1990 wurde N. unabhängig. S. Nujoma (SWAPO), im Febr. 1990 von der Verfassunggebenden Versammlung zum Staatspräs. gewählt, wurde im Dez. 1994 (zum ersten Mal in direkter Wahl) von der Bev. wieder gewählt. Gestützt auf die bei den gleichzeitig im Dez. 1994 abgehaltenen Parlamentswahlen bestätigte absolute Mehrheit der SWAPO, forcierte die Reg. Nujoma die Aussöhnungspolitik.

Am 1. 3. 1994 wurde das bis dahin zur Rep. Südafrika gehörende Gebiet → Walfischbai Teil Namibias. Weiteres BILD Afrika

📖 PYCK, F. *u.* SCHWARTZE, A.: *N. – der lange Weg in die Unabhängigkeit. Bochum 1991.* – SCHNEIDER, K.-G. *u.* WIESE, B.: *N. u. Botswana. Köln* ^{3}*1992.* – BRUGGER, E. M.: *N. Reiseführer mit Landeskunde. Frankfurt am Main 1993.* – *Das südl. Afrika, Beiträge v.* E. KLIMM *u. a. Bd. 2: N. – Botswana. Darmstadt 1994.*

Namib-Naukluft-Nationalpark, Natur- und Wildschutzgebiet in W-Namibia, etwa 50 000 km^2, 1978 eingerichtet. Tierbestand: Bergzebras, Spießböcke, Springböcke, Strauße, Kudus, Klippspringer, Geparde u. a.

Nancy
Stadtwappen

Namora, Fernando, portugies. Schriftsteller, *Condeixa (bei Coimbra) 15. 4. 1919, †Lissabon 31. 1. 1989; war Landarzt; schrieb psychologisch-realist. Romane (»Gold aus schwarzen Steinen«, 1946; »Spreu und Weizen«, 1954; »Sonntagnachmittag«, 1961; »Der traurige Fluß«, 1982) und Erzählungen (»Landarzt in Portugal«, 1949); auch Lyriker.

Namp'o, Stadt mit Prov.-Rang in Nord-Korea, 753 km^2, 715 000 Ew.; Schiffbau, Buntmetallhütte, Glas-, Elektro-, chem. Ind.; Hafen.

Namur 2)
Stadtwappen

Nampula, Prov.hauptstadt in NO-Moçambique, 202 600 Ew.; landwirtsch. Handelszentrum mit Tabakverarbeitung und Schälanlage für Cashewnüsse. – N., ein arab. Handelsplatz, wurde 1507 von den Portugiesen erobert.

Namuhu [chines.], größter See Tibets, → Nam Co.

Namur [na'my:r] (fläm. Namen), **1)** Provinz in Belgien, 3 666 km^2, (1995) 434 400 Einwohner.

2) Hptst. von 1), an der Mündung der Sambre in die Maas, 105 000 Ew.; Teiluniv.; Regionalplanungsbehörde für die Region Wallonien; Stahl- und Brückenbau, Glas-, Porzellan-, Papier- und Laborbedarfsindustrie. – Klassizist. Kathedrale (1751–63) mit got. Turm des Vorgängerbaus; barocke ehem. Jesuitenkirche Saint-Loup (1621–45). – Die Grafschaft N. kam 1262 an die Grafen von Flandern, 1429 an Philipp von Burgund und fiel 1477 an das Haus Habsburg. 1794–1815 war N. frz., 1815–30/31 wieder niederländisch, seitdem belgisch.

Nanga Parbat

Nanai (in China Hezhen, früher Golden), Volk von Jägern und Fischern mit tungus. Sprache in Sibirien, v. a. beiderseits des Amur in der Region Chabarowsk; etwa 10 500 Menschen; kleine Gruppen auch im NO der chines. Prov. Heilongjiang (rd. 1 500). Die religiösen Vorstellungen sind durch animistisch-schamanist. und christl.-orth. Praktiken sowie chines. Einflüsse geprägt.

Nanchang [-dʒaŋ] (Nantschang), Hauptstadt der Prov. Jiangxi, S-China, am Gan Jiang, 1,09 Mio. Ew.; Fachhochschulen; Baumwoll-, Nahrungsmittel-, Holz-, Papierind., Motoren-, Lkw-, Flugzeugbau; Binnenhafen.

Nancy [nã'si], Hauptstadt des Dép. Meurthe-et-Moselle und der Region Lothringen, Frankreich, an der Meurthe und am Rhein-Marne-Kanal, 99 000 Ew.; zwei Univ., Hochschulen (u. a. für Bergbau), Konservatorium, Akademie der Schönen Künste und Architektur, Forschungsinstitute; Museen; Theaterfestival; Börse, Messe und Musterschau; Maschinen- und Motorenbau, Brauereien, Textil-, Nahrungsmittel-, Leder-, Glas-, pharmazeut. u. a. Industrie. – Kathedrale (18. Jh.), ehem. Herzogspalast (14.–16. Jh.), Regierungspalast (1753); berühmt sind die im Rokokostil ausgeführten Plätze; die Place Stanislas, Place de la Carrière sowie Place d'Alliance wurden zum UNESCO-Weltkulturerbe erklärt. – N. war bis 1702 die Hptst. Lothringens, 1738–66 Residenz von Stanislaus I. Leszczyński. – In der **Schlacht bei N.** wurde Herzog Karl der Kühne von Burgund 1477 von den Schweizern und den Lothringern besiegt.

Nandi, nilot. Volk in Kenia (550 000 Menschen); Hirten und Hackbauern; sprechen das **Nandi,** eine dialektreiche südnilot. Sprache.

Nandus [span., aus Tupi] (Rheidae), Familie bis 1,7 m scheitelhoher, flugunfähiger, straußenähnl. Laufvögel in Südamerika; meist in kleinen Trupps lebende, schnell laufende Vögel, bei denen das Männchen brütet und die Jungen führt. Zwei Arten: **Gewöhnl. N. (Pampasstrauß,** Rhea americana) und **Darwin-N. (Darwinstrauß,** Pterocnemia pennata), kleiner als die vorige Art.

Nanga Parbat *der,* höchster Gipfel des westl. Himalaja, im unter pakistan. Verw. stehenden Teil von Kaschmir, 8 126 m ü. M., Erstbesteigung am 3. 7. 1953 durch H. Buhl. Der N. P. gehört zu den am besten erforschten Gebieten des Himalaja.

Nänie [nach »Nenia«, der röm. Göttin der Totenklage] *die,* die Totenklage im antiken Rom; bei Schiller Titel eines Klagegedichts (als Chorwerk vertont u. a. von J. Brahms, 1881, und C. Orff, 1956).

Nanking (Nanjing), Hauptstadt der Prov. Jiangsu, China, 2,09 Mio. Ew., am rechten Ufer des Jangtsekiang, 300 km oberhalb seiner Mündung; Univ., TU, mehrere Fachhochschulen, Kunstakademie, wiss. Forschungsanstalten, astronom. Observatorium, Museen, zoolog. und botan. Garten; bed. Handelsstadt; Seiden-, Brokat-, Baumwollweberei; Maschinen-, Stahl-, Textil-, Nahrungsmittel-, chem., Elektronikind.; Hafen- und Handelszentrum Siakwan; doppelstöckige Straßen- und Eisenbahnbrücke (etwa 7 km lang; 1960–68 erbaut) über den Jangtsekiang. – N. war ab dem 3. Jh. unter wechselndem Namen Hptst. versch. Reiche in China, 1368–1421 Reg.sitz der Ming-Dynastie; blieb auch nach Verlegung der Residenz nach Peking zweite Hptst. (»südl. Hptst.«) und regionales Zentrum. Der zur Beendigung des britisch-chines. Opiumkrieges 1842 geschlossene **Vertrag von N.** leitete die Periode der »ungleichen Verträge« ein (→Vertragshäfen). 1853–64 war N. Hptst. der Taipingbewegung, 1928–49 Reichshauptstadt. – Innerhalb und außerhalb der gut erhaltenen Stadtmauer zahlr. histor. Bauten, v. a. Paläste, Tempel und Gräber der Ming-Dynastie, aber auch Reste (u. a. Grabwächterfiguren) aus der Liang-Dynastie (502–557).

Nankou, Engpass in einer Schlucht im Nankougebirge, sperrt, von einem Teil der Chines. Mauer verstärkt, das Nordchines. Tiefland gegen die mongol. Steppentafel ab. Die Bahn Peking–Zhangjiakou untertunnelt den 633 m hohen Pass.

Nannen, Henri, Publizist, *Emden 25. 12. 1913, †Hannover 13. 10. 1996; 1948 Gründer und bis 1980 Chefredakteur der Illustrierten »Stern« und Kunstmäzen (Kunsthalle in Emden).

Nanning, Hauptstadt der Autonomen Region Guangxi Zhuang, China, am Yong Jiang, 721 900 Ew.; Handel mit Anis, Anisöl, Erdnüssen; Maschinenbau, Zucker-, Düngemittel- u. a. Ind.; Flusshafen, Flughafen.

Nano... [lat. nanus »Zwerg«], Vorsatzzeichen **n,** Vorsatz vor Einheiten für den Faktor 10^{-9} (Milliardstel); z. B.: 1 Nanosekunde = 1 ns = 10^{-9} s.

Nanometer, Längeneinheit, Einheitenzeichen **nm;** 1 nm = 10^{-9} m.

Nanotechnologie (Nanotechnik), modernes Gebiet der physikal. Grundlagenforschung und Halbleitertechnik, das die Manipulation von Materie im atomaren Maßstab erlaubt. Ziel der N. sind präzise Strukturierungen in der Größenordnung von Nanometern (1 nm = 10^{-9} m) zur Herstellung extrem kleiner Bauelemente oder Strukturen nach vorgegebenen Eigenschaften. Ein Beispiel ist die lithograph. Herstellung fresnelscher Zonenplatten, die als Linsen für Röntgenstrahlen wirken, mithilfe von Elektronenstrahlen (Nanolithographie).

Nansen, 1) Fridtjof, norweg. Polarforscher, Zoologe, Ozeanograph und Diplomat, *Gut Mellom-Frøen (bei Oslo) 10. 10. 1861, †Lysaker (bei Oslo) 13. 5. 1930, Vater von 2); durchquerte 1888 Grönland von O nach W, begann 1893 auf der »Fram« eine Driftfahrt ins Nordpolarmeer und erreichte 1895 mit F. H. Johansen bei einem Schlittenvorstoß zum Pol eine nördl. Br. von 86° 14'. War 1906–08 norweg. Gesandter in London, leitete nach dem 1. Weltkrieg die Heimführung der Kriegsgefangenen aus Russland. 1921–23 organisierte er als Hochkommissar des Völkerbundes Hilfsaktionen für das hungernde Sowjetrussland; 1922 erhielt er den Friedensnobelpreis.

Henri Nannen

Fridtjof Nansen

Fridtjof Nansen: Die »Fram«, mit der Nansen 1893 ins Nordpolarmeer vorstieß (heute Oslo, Framhaus im Stadtteil Bygdøy)

Werke: Auf Schneeschuhen durch Grönland, 2 Bde. (1891); Eskimoleben (1891); In Nacht und Eis, 2 Bde. (1897); Nebelheim. Entdeckung und Erforschung der nördl. Länder und Meere, 2 Bde. (1911); Rußland und der Friede (1923).

📖 BRENNECKE, D.: *F. N. Reinbek 1990.*

2) Odd, norweg. Philanthrop, *Kristiania (heute Oslo) 6. 12. 1901, †Oslo 27. 6. 1973, Sohn von 1); Architekt, gründete 1936 die **N.-Hilfe** für Flüchtlinge und Staatenlose, 1946 den **Internat. Kinderhilfsfonds** (→UNICEF); 1941–45 in Dtl. interniert.

Nansenpass, nach dem 1. Weltkrieg auf Anregung von F. Nansen von den Behörden des Aufenthaltsstaates ausgestelltes Reisedokument für staatenlose russ. Flüchtlinge; später auf andere Flüchtlinge ausgedehnt; durch das London Travel Document von 1946 und das Reisedokument der Genfer Flüchtlingskonvention von 1951 weitergeführt.

Napfschnecken 2): Gemeine Napfschnecke, von oben und von der Seite gesehen (Größe bis zu 5 cm)

Nan Shan [-ʃan] (Nanschan), Gebirge im äußersten NO des Hochlandes von Tibet (China), zw. Qaidambecken im S und der Gobi im N; besteht aus mehreren bis über 6000 m hohen Bergketten.

Nanterre [nãˈtɛːr], Hauptstadt des Dép. Hauts-de-Seine, Frankreich, westlich von Paris, an der Seine, 86 600 Ew.; Fakultät für Literatur und Humanwissenschaften; Kfz-, Flugzeug-, Werkzeugmaschinen-, Kesselbau, Elektro-, Lebensmittel-, Parfümindustrie.

Nantes [nãːt], Hauptstadt des Dép. Loire-Atlantique und der Region Pays de la Loire, Frankreich, an der Loire oberhalb ihrer Mündung, 251 100 Ew.; Univ. (seit 1962), Hochschulen, Handelsmarineakademie, bed. Museen, Theater; Effektenbörse, Messe; Schiff- und Maschinenbau, Luftfahrt-, chem., Lebensmittel-, Textil- u. a. Ind., Großkraftwerk; Fischerei; Hafen für ein weites Hinterland, Flughafen. – Herzogl. Schloss (Château Ducal, 15./16. Jh.), spätgotische Kathedrale (1434–1892; Wiederaufbau nach Brand, 1972), Stadthaus, Reste der mittelalterlichen Befestigung (15. Jh.), zahlr. Patrizierhäuser des 18. Jh. – N. war als **Condivincum** die Hptst. der gall. Namneten, im MA. Sitz der Herzöge der Bretagne. König Heinrich IV. erließ am 13. 4. 1598 das **Edikt von N.,** das den →Hugenotten Religionsfreiheit zugestand. Seit dem 14. Jh. wichtiger Seehafen; v. a. im 18. Jh. durch den Sklavenhandel mit Amerika.

Nantes Stadtwappen

Nantong (Nantung), Stadt im Deltagebiet des Jangtsekiang, in der Prov. Jiangsu, China, 403 000 Ew.; Nahrungsmittelind., Baumwollverarbeitung.

Nantschang, chines. Stadt, →Nanchang.

Naogeorgus, Thomas, eigtl. Kirchmeyer, nlat. Dramatiker, prot. Pfarrer, *Straubing 1511, †Wiesloch 29. 12. 1563; nach seinem Bruch mit Luther Prediger u. a. in Zürich, Bern, Basel; Superintendent in Esslingen am Neckar; schrieb lat. Tendenzstücke gegen das Papsttum (bes. »Pammachius«, 1538). Sein Werk stellt einen der Höhepunkte des nlat. Reformationsdramas dar.

Napalm [Kw. aus **Na**phthensäuren und **Palmi**tinsäure] *das,* gelartiges, leicht entzündl., praktisch nicht löschbares militär. Brandmittel; besteht überwiegend aus Kohlenwasserstoffen (z. B. Benzin) und Eindickern (z. B. Aluminiumsalze von Naphthensäuren und Palmitinsäure), kann aber auch Polymere zur Erhöhung der Klebrigkeit enthalten. Erstmals im 2. Weltkrieg und in großem Umfang im Vietnamkrieg von den USA eingesetzt.

Napfpilze, →Nestpilze.

Napfschnecken, 1) (Flussnapfschnecken, Ancylidae) Wasserlungenschnecken mit mützenförmiger Schale in Binnengewässern.

2) (Patellidae) brandungsbewohnende Familie der Vorderkiemer mit napfförmiger Schale, z. B. die bis zu 5 cm große **Gemeine Napfschnecke.**

Naphtha [pers.-grch.] *das* oder *die,* früher Bez. für leicht flüchtiges Roherdöl **(schwarzes N.)** und die daraus gewonnenen Destillate **(weißes N.).** Heute Bez. für Benzinfraktionen, die als Einsatzmaterial für Steamcracker oder katalyt. Reformer verwendet werden (→Petrochemie).

Naphthalin *das,* fester aromat. Kohlenwasserstoff, der aus Steinkohlenteer oder Crackgasöl gewonnen wird. Die farblosen, nach Mottenkugeln riechenden Kristalle dienen v. a. zur Herstellung von Phthalsäureanhydrid und als Ausgangsstoff für die Synthese von Farbstoffen, Gerbstoffen, Insektiziden und Lösungsmitteln.

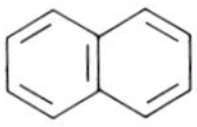

Naphthalin

Naphthene, die im Erdöl vorkommenden zykl. gesättigten Kohlenwasserstoffe; die wichtigsten sind Cyclopentan und Cyclohexan.

Naphthensäuren, alizykl. Carbonsäuren, die in naphthenbas. Erdölen vorkommen. Ihre Salze **(Naphthenate)** werden als →Trockenstoffe für Lacke, Holzschutzmittel und Schmieröladditive verwendet.

Naphthole (Hydroxynaphthaline), Derivate des →Naphthalins, bei denen ein Wasserstoffatom durch eine Hydroxylgruppe ersetzt ist. N. sind kristalline Stoffe, die in geringen Mengen im Steinkohlenteer enthalten sind und bes. als Kupplungskomponenten für →Azofarbstoffe verwendet werden.

Naphthyl..., Bez. der chem. Nomenklatur für die vom Naphthalin abgeleitete einbindige Kohlenwasserstoffgruppe $-C_{10}H_7$.

Napier ['neɪpɪə], Hafenstadt an der O-Küste der Nordinsel Neuseelands, an der Hawkesbay, 52 500 Ew., als städt. Agglomeration **N.-Hastings** 110 000 Ew.; Ind.standort, Weinkellereien, Fischerei; Flugplatz; Seebad im Vorort **Westshore.**

Napier ['neɪpɪə] (Neper), John, Laird of Merchiston, schott. Mathematiker, * Merchiston Castle (bei Edinburgh) 1550, † ebd. 3. 4. 1617; führte unabhängig von Jobst Bürgi (* 1552, † 1632) die Logarithmen ein. **Napiersche Logarithmen,** die Logarithmen zur Basis 10.

Napo *der,* linker Nebenfluss des Amazonas, rd. 750 km lang, entspringt am Cotopaxi (Ecuador), mündet unterhalb von Iquito (Peru).

Napoleon (frz. Napoléon), frz. Herrscher aus der kors. Familie → Bonaparte:

1) N. I., Kaiser der Franzosen (1804–14/15), urspr. Napoleone Buonaparte, * Ajaccio 15. 8. 1769, † Longwood (auf Sankt Helena) 5. 5. 1821, Vater von 2), Onkel von 3); Artillerieleutnant, wurde nach der Rückeroberung von Toulon zum Brigadegeneral (1794) ernannt, nach der Niederwerfung des royalist. Aufstandes in Paris (1795) Oberbefehlshaber der Italienarmee (1796). 1796 heiratete er → Joséphine de Beauharnais. – Mit dem oberitalien. Feldzug (1796/97, → Französische Revolutionskriege) begann N.s Aufstieg zur Macht. Vorzeitig von der »Ägypt. Expedition« (1798–1801; Sieg bei den Pyramiden, 21. 7. 1798) zurückgekehrt (Landung bei Fréjus, 9. 10. 1799), stürzte er am 18./19. Brumaire VIII (9./10. 11. 1799) das Direktorium. Als Erster Konsul sicherte er sich eine starke persönl. Macht, durch das Konkordat mit Papst Pius VII. (1801) auch die Verfügung über die vom Staat besoldete Kirche. 1804 erließ er den Code civil, der das bürgerliche Recht in Frankreich bis heute bestimmt. Damit hatte N. im Inneren eine stabile Ordnung geschaffen, nach außen beendete er erfolgreich den 2. Koalitionskrieg. Gestützt auf Volksabstimmungen machte sich N. 1802 zum Konsul auf Lebenszeit und krönte sich am 2. 12. 1804 in Paris selbst zum »Kaiser der Franzosen«, worauf ihn der Papst weihte. 1805 krönte er sich in Mailand zum »König von Italien«. Seine Brüder Joseph, Louis, Jérôme wie auch seinen Schwager J. Murat erhob N. zu Königen in den von Frankreich abhängigen Territorien. Die durch den Reichsdeputationshauptschluss 1803 eingeleitete Neuordnung Dtl.s wurde fortgesetzt durch den unter N.s Protektorat gebildeten → Rheinbund (12. 7. 1806), der zur Auflösung des Hl. Röm. Reiches führte.

Der Ggs. zw. brit. Interessen und frz. Hegemonialanspruch ließ schon 1803 den Krieg erneut ausbrechen (→ Napoleonische Kriege). Durch die → Kontinentalsperre blockierte N. die Wirtschaft Großbritanniens, das seit der Schlacht bei Trafalgar die See beherrschte; mit Alexander I. von Russland schloss er ein Bündnis. Um 1807/08 hatte N. den Gipfel seiner Macht erreicht. Nach der Scheidung seiner kinderlosen Ehe mit Joséphine heiratete er 1810 die österr. Kaisertochter Marie Louise, die ihm einen Sohn (N. II.) gebar. Ab 1807 erhoben sich die europ. Völker – zuerst in Spanien – gegen die napoleon. Herrschaft. Mit dem verlustreichen Feldzug gegen Russland 1812 begann ihr Verfall, in den → Befreiungskriegen erreichte das Kriegsgeschehen frz. Boden. Am 31. 3. 1814 besetzten die verbündeten Gegner Paris und zwangen N. zur Abdankung (6. 4. 1814). Als Souverän von Elba be-

Napoleon I. als Erster Konsul auf einem Gemälde von Jean Auguste Dominique Ingres (1803/04; Lüttich, Museum voor Schone Kunsten)

Napoleon I.

Welche Reliquien standen und stehen seinen Verehrern zur Verfügung?

Haare, Gedärme, ein Weisheitszahn, Herz und Magen sowie ... (doch davon später). Da Napoleon Bonaparte nach seinem Ableben auf St. Helena kahl geschoren wurde, konnten Hunderte von Erinnerungsstücken gefertigt werden. Gedärme wurden bis zu einem Luftangriff 1941 im Royal College of Surgeons in London bewahrt. Ein 1817 gezogener Weisheitszahn ist inzwischen verschwunden. Herz und Magen wurden in Silbergefäßen aufbewahrt. Ja, und dann bot das Auktionshaus Christie's 1972 ein Körperteil an, das angeblich des Kaisers Beichtvater an sich gebracht haben soll: Napoleons Penis. Das 2,5 cm lange Ding wurde im Katalog beschrieben als »kleiner, vertrockneter Gegenstand von der Form eines Seepferdchens«.

Napoleon I.: Gegen den »Glücksritter zu Paris« gerichtetes Pamphlet aus Deutschland aus dem Jahr 1814, das den soeben entmachteten Kaiser über den Galgen in die Hölle wünscht

hielt er den Kaisertitel. – Die fehlende Begeisterung des frz. Volkes für die bourbon. Restauration, auch die Überschätzung der Differenzen zw. den Siegern ermöglichten N., noch einmal nach der Macht zu greifen: Er landete am 1. 3. 1815 bei Cannes, doch endeten die »Hundert Tage« mit der endgültigen Niederlage bei Waterloo am 18. 6. 1815. Er wurde auf Lebenszeit auf die brit. Insel Sankt Helena verbannt. Sein Leichnam wurde 1840 im Pariser Invalidendom beigesetzt. N.s Wirken, in dem sich die Ideen der Frz. Revolution mit absolutist. Herrscherwillen verbanden, zerstörte die feudalen Strukturen Europas und verhalf dem modernen Staats- und Nationalgedanken zum Durchbruch. Seine Begabung als Feldherr war überragend; er nutzte erstmals die Möglichkeit der Kriegführung mit wirtsch. Mitteln in großem Stil. Die Verwaltungs-, Finanz- und Rechtsorganisation in Frankreich prägt er bis in die Gegenwart. Weiteres BILD Frankreich

📖 PRESSER, J.: *N. Das Leben u. die Legende. A. d. Niederländ. Zürich 1990.* – VENOHR, W.: *N. in Dtl. Tyrann u. Reformator. Erlangen u. a. 1991.* – *N. Bonaparte u. das frz. Volk unter seinem Konsulate, hg. v.* W. GREILING. *Leipzig 1993.* – DUFRAISSE, R.: *N. Revolutionär u. Monarch. A. d. Frz. München 1994.* – BLACKBURN, J.: *Des Kaisers letzte Insel. A. d. Engl. Berlin 1996.* – MARKOV, W.: *N. u. seine Zeit. Leipzig ²1996.*

2) N. (II.), König von Rom, einziger legitimer Sohn von 1), Herzog von →Reichstadt.

Napoleon III., Kaiser der Franzosen (anonyme Lithographie, um 1855)

3) N. III., Kaiser der Franzosen (1852–70), eigtl. Charles Louis Napoléon Bonaparte, *Paris 20. 4. 1808, †Chislehurst (heute zu London) 9. 1. 1873; Sohn des Louis Bonaparte, König von Holland, und seiner Gemahlin Hortense, Neffe von 1); lebte seit 1815 im schweizer. und dt. Exil. Nach dem Tod des Herzogs von Reichstadt 1832 war er Haupt der Familie Bonaparte, unternahm Putschversuche gegen die Julimonarchie (30. 10. 1836 Straßburg, 6. 8. 1840 Boulogne) und wurde zu lebenslängl. Festungshaft verurteilt, aus der er 1846 nach London floh. Nach der Februarrevolution von 1848 nach Frankreich zurückgekehrt, errang er 74% der Stimmen bei der Präsidentschaftswahl vom Dez. 1848. Der Staatsstreich vom 2. 12. 1851 brachte dem »Prince Président« umfassende Reg.vollmachten. Gestützt auf ein Plebiszit, ließ er sich am 2. 12. 1852 zum erbl. »Kaiser der Franzosen« ausrufen. In der Außenpolitik betrieb er die Umgestaltung der europ. Ordnung zum Vorteil Frankreichs: Mit Großbritannien verbündet, unterstützte er 1854–56 die Türkei gegen Russland im →Krimkrieg. Aufseiten der von Cavour geleiteten italien. Freiheitsbewegung führte er 1859 Krieg gegen Österreich (Siege bei Magenta und Solferino) und gewann Savoyen und Nizza für Frankreich. Der Einfluss von Kaiserin →Eugénie auf die Außenpolitik führte in der Folgezeit zu schweren Fehlschlägen, bes. in der →Römischen Frage und 1861–67 bei der Intervention in Mexiko. Bismarcks Politik der nat. Einigung Dtl.s stand er ablehnend gegenüber, die →hohenzollernsche Thronkandidatur in Spanien wurde zur frz. Prestigefrage, die in den →Deutsch-Französischen Krieg 1870/71 mündete. Als N. bei Sedan am 2. 9. 1870 in preuß. Kriegsgefangenschaft geriet, wurde in Paris die Rep. ausgerufen. Nach seiner Entlassung ging er nach Großbritannien. –

N.s Regierung war, bes. bis 1860, autoritär, der wirtsch. Aufschwung kam dem wohlhabenden Bürgertum zugute. Die Lage der unteren Schichten suchte er durch Arbeitsbeschaffung zu verbessern, v.a. bei der Umgestaltung von Paris durch Baron → Haussmann.

HERRE, F.: *N. III. Glanz u. Elend des Zweiten Kaiserreiches. München 1990.*

Napoleonische Kriege, die von Napoleon I. geführten Kriege, die 1803 den → Französischen Revolutionskriegen folgten.

Die Erneuerung des Krieges zw. Frankreich und Großbritannien (seit 1803): Der britisch-frz. Friede von Amiens (1802) hatte nur ein Jahr gehalten. Am 18. 5. 1803 nahm Großbritannien den Krieg wieder auf, worauf die Franzosen das mit der brit. Krone in Personalunion verbundene Kurfürstentum Hannover besetzten. Die brit. Seeüberlegenheit verhinderte frz. Landungspläne; nach Nelsons Sieg bei → Trafalgar (1805), der die frz.-span. Flotte vernichtete, konnten sich die Briten der meisten frz. und holländ. Kolonien bemächtigen.

Der Krieg der 3. Koalition gegen Frankreich (1805–07): Großbritannien brachte 1805 durch Bündnisse mit Schweden, Russland und Österreich eine 3. europ. Koalition gegen Frankreich zusammen.

Der Feldzug von 1805: Napoleon wandte sich gegen die Österreicher und zwang sie in Ulm zur Kapitulation (17. 10.), besetzte am 13./14. 11. Wien und siegte am 2. 12. über die Österreicher und Russen in der »Dreikaiserschlacht« bei Austerlitz. Daraufhin schloss Österreich am 26. 12. den Frieden von Preßburg, durch den es den Rest seiner italien. Besitzungen, Dalmatien, Tirol und Vorderösterreich verlor. Im Königreich Neapel erklärte Napoleon die Bourbonen für abgesetzt; sein Bruder Joseph wurde 1806, sein Schwager J. Murat 1808 König.

Der Krieg der 4. Koalition gegen Frankreich (1806/07): Durch seine rücksichtslose Politik führte Napoleon im Herbst 1806 den Bruch mit Preußen, dem sich Kursachsen anschloss, herbei. Nach einem Gefecht bei Saalfeld (10. 10.) erlitten die Preußen am 14. 10. in den Schlachten bei Jena und Auerstedt vernichtende Niederlagen. Die preuß. Hauptfestungen ergaben sich fast widerstandslos. Am 27. 10. zog Napoleon in Berlin ein. Von hier aus verfügte er gegen Großbritannien die → Kontinentalsperre. Sachsen schloss einen Sonderfrieden (11. 12.). – Der nach Ostpreußen geflohene König Friedrich Wilhelm III. setzte mit russ. Hilfe den Krieg fort (7./8. 2. 1807 Schlacht bei Preußisch Eylau). Nachdem die Russen nach der Niederlage bei Friedland (14. 6.) den Rückzug hinter die Memel antraten, musste Preußen den Frieden von → Tilsit (7. und 9. 7.) hinnehmen; Russland schloss mit Napoleon ein Bündnis.

Der Krieg auf der Pyrenäenhalbinsel (1808–14): Da Portugal den Anschluss an die Kontinentalsperre verweigerte, ließ Napoleon im Nov. 1807 das Land besetzen; die Königsfamilie flüchtete nach Brasilien. 1808 zwang Napoleon den span. König Karl IV. und den Kronprinzen Ferdinand zur Abdankung und setzte hier am 6. 6. 1808 seinen Bruder Joseph auf den Thron. Spanien erhob sich gegen die Fremdherrschaft, unterstützt von brit. Truppen unter Wellington. Durch persönl. Eingreifen im Nov./Dez. 1808 führte Napoleon zwar seinen aus Madrid vertriebenen Bruder in die Hauptstadt zurück, doch flammte der Volkskrieg bald von neuem auf. Die wechselvollen Kämpfe der nächsten Jahre banden hier ständig einen großen Teil der frz. Armee. Durch den Sieg bei Vitoria (21. 6. 1813) zwang Wellington die Franzosen zur Räumung Spaniens.

Der Krieg Österreichs gegen Frankreich (1809): Ermutigt durch den span. Aufstand, erklärte Österreich am 9. 4. 1809 Frankreich den Krieg. Die Hauptmacht unter Erzherzog Karl, die in Bayern eingedrungen war, wurde von Napoleon bei Abensberg, Landshut und Eggmühl (20.–22. 4.) geschlagen, und bereits am 13. 5. konnte Napoleon wieder in Wien einziehen. In der Schlacht bei → Aspern (21./22. 5.) errang Österreich einen Sieg, wurde jedoch bei Wagram (5./6. 7.) entscheidend geschlagen. Die Hoffnung Österreichs, im übrigen Dtl. Bundesgenossen zu finden, war fehlgeschlagen; es kam nur zu einzelnen Aufstandsversuchen, u.a. durch F. von Schill. Auch die Volkserhebung in Tirol unter A. Hofer blieb erfolglos. Österreich musste den Frieden von Schönbrunn (14. 10.) schließen, durch den es Salzburg, das Innviertel, W-Galizien, einen Teil O-Galiziens und seine adriat. Küstenländer verlor.

Der Russische Feldzug von 1812: Der Streit über die Verschärfung der Kontinentalsperre führte schließlich zum Bruch Napoleons mit Russland. Er sammelte die Große Armee, die mit ihren 600 000 Mann den russ. Truppen mehr als zweifach überlegen war; Österreich und Preußen stellten Hilfskorps. Am 24. 6. überschritt Napoleon ohne Kriegserklärung die russ. Grenze. Nach der verlustreichen Schlacht bei Borodino (7. 9.), die auf russ. Seite von M. I. Kutusow geführt wurde, zog Napoleon am 14. 9. in Moskau ein. Der große Brand der Stadt, die schlechte Versorgung seiner Truppen und die unnachgiebige Haltung des russ. Kaisers zwangen ihn jedoch am 19. 10. zum Rückzug. Hunger, Kälte und partisanenähnl. Widerstand der gesamten Bevölkerung zerrieben die Große Armee völlig. Ihr gelang noch unter schwersten Verlusten der Übergang über die Beresina (26.–28. 11.), dann löste sie sich auf; Napoleon kehrte allein nach Paris zurück. Für das preuß.

Hilfskorps schloss General Yorck von Wartenburg mit dem russ. General Diebitsch die Konvention von Tauroggen (30. 12. 1812), die den Anstoß zur Erhebung Preußens gegen Napoleon gab.

Die Kriege der 4. Koalition gegen Frankreich (1813–15): →Befreiungskriege.

Napoleonshut, frz. Form des Zweispitzes.

Napoli, italien. Name von →Neapel.

Nappaleder [italien.], chromgegerbtes, durch Nachgerbung waschbar gemachtes, weiches, durchgefärbtes Leder für Handschuhe, Täschnerwaren, Bekleidung.

Nara, Hauptstadt der Präfektur N., auf Honshū, Japan, 355 900 Ew.; Univ., Hochschule für Medizin; Textil- und Nahrungsmittelind.; Fremdenverkehr. – Auf schachbrettartigem Grundriss große Tempelanlagen aus dem 8. Jahrhundert. – N. war 710–784 **(N.-Periode)** die Hptst. von Japan.

Naraspflanze (Acanthosicyos horridus), Wüstenstrauch SW-Afrikas, ein Kürbisgewächs mit Sprossdornen, Schuppenblättchen, sehr langen Wurzeln. Die orangenähnlichen essbaren, bis 1,5 kg schweren Früchte enthalten ölreiche Samen.

Narayan, 1) Jayaprakash, ind. Politiker, *im Distr. Saran (Bihar) 11. 10. 1902, †Patna 8. 10. 1979; schloss sich der ind. Nationalbewegung an. Innerhalb des Ind. Nationalkongresses gründete er 1934 eine sozialist. Gruppe, die sich 1948 als eigenständige »Socialist Party« konstituierte. Mit V. Bhave arbeitete er seit 1951 in der Bhudan-(Landschenkungs-)Bewegung. Nach der Teilung Indiens bemühte er sich um die Versöhnung zw. Hindus und Moslems. Seit 1972 geriet N. in Ggs. zu MinPräs. Indira Gandhi und wurde bald zum Kern der Opposition gegen die zunehmend autoritären Herrschaftsformen. Nach Verhängung des Ausnahmezustandes war er zeitweilig in Haft. 1977 trug er maßgeblich zum Sieg der Janata-Partei über die Kongresspartei Indira Gandhis bei.

2) [nɑːˈrɑːjən], R. K. (Rasipuram Krishnaswami), ind. Schriftsteller, *Madras 10. 10. 1906; gehört zu den Mitbegründern der modernen indoengl. Literatur; schreibt Romane (»Der Menschenfresser von Malgudi«, 1961) und Erzählungen.

Narayanganj [-gændʒ], Stadt in Bangladesh, im Tiefland von Bengalen, bildet mit Dhaka eine Industrieregion. 288 000 Ew.; Juteverarbeitung, Baumwoll-, Glas-, chem., Leder-, Zuckerind.; Reparaturwerften; wichtiger Flusshafen für Dhaka.

Narbonne
Stadtwappen

Narbe, 1) *Botanik:* Teil des →Fruchtknotens.

2) *Medizin:* das bei der Heilung eines Gewebedefektes aus Granulatsgewebe entstehende gefäßarme Bindegewebe.

Narbonne [-ˈbɔn], Stadt im Dép. Aude, Frankreich, in der Küstenebene des Languedoc, 47 100 Ew.; Weinhandelszentrum, Ölmühlen, Konfektionsind., Brennereien, chem. Ind.; 14 km östlich das Seebad **N.-Plage.** – Ehem. erzbischöfl. Palast (13./14. Jh.), Kathedrale Saint-Just (um 1300), Basilika Saint-Paul-Serge (12./13. Jh.). – N., das antike **Narbo Martius,** war Hptst. der röm. Prov. Gallia Narbonensis, wurde 413 westgotisch, 720 arabisch, 759 fränkisch; 1507 kam N. an die frz. Krone.

Narcissus, Kanzleichef (»ab epistulis«) des röm. Kaisers Claudius, †Okt. 54 n. Chr.; Freigelassener; betrieb die Verstoßung und Hinrichtung der Messalina, widersetzte sich der Heirat des Kaisers mit dessen Nichte Agrippina d. J. und wurde auf deren Veranlassung nach der Ermordung des Claudius getötet.

Narcotin [lat.] *das,* das →Noscapin.

Narde [semit.-grch.] *die,* wohlriechende Pflanzen, seit dem Altertum für Salben, Arznei u. a. verwendet (Großer Speik und N.-Baldrian).

Nardini, Pietro, italien. Geiger und Komponist, *Livorno 12. 4. 1722, †Florenz 7. 5. 1793; Konzertmeister in Stuttgart und Florenz; bed. Vertreter der italien. frühklass. Violinmusik (u. a. Violinkonzerte und -sonaten, Triosonaten, Streichquartette).

Narew *der,* rechter Nebenfluss der Weichsel, in Polen, 484 km, entspringt in Weißrussland, mündet nordwestlich von Warschau; am Zusammenfluss mit dem Bug Stausee (33 km^2).

Narita, internat. Flughafen von Tokio.

Narjan-Mar, Hauptstadt des Autonomen Kreises der Nenzen, innerhalb des Gebietes Archangelsk, Russ. Föderation, an der Petschora, 20 200 Ew.; Seehafen; Fisch- und Holzverarbeitung.

narko... [grch. nárke »Erstarrung«], starr...

Narkolepsie *die,* anfallsweise auftretendes Einschlafen am Tage von meist nur kurzer Dauer (etwa 15 Minuten), verbunden mit einem vorübergehenden Verlust des Muskeltonus für eine aufrechte Körperhaltung. Die Ursache ist unbekannt, mitunter nach Entzündungen im Hirnstammbereich bzw. als Folge von Hirnverletzungen.

Narkose *die,* Allgemeinbetäubung durch Ausschalten höherer Gehirnfunktionen mit narkotischen Mitteln zur Ausführung operativer Eingriffe. Die N. hat Bewusstlosigkeit, Schmerzlosigkeit, Verminderung oder Ausschaltung der Reflexaktivität und Muskelerschlaffung zur Folge. Die narkot. Mittel können eingeatmet **(Inhalations-N.)** oder in die Vene eingespritzt **(Injektions-N.)** werden; oft werden beide Wege kombiniert. Eine Sonderform ist die **Intubations-N.,** bei der nach dem Einschlafen des Patienten ein Tubus in die Luftröhre eingeführt und durch diesen ein genau dosiertes Gemisch von Sauerstoff und N.-Gas (z. B. Lachgas, Cyclopropan) zugeführt wird. Durch den Tubus ist das Offenhalten der Atemwege und das Absaugen von Sekret und Blut möglich. (→Anästhesie)

Narr: Tellerboden des Ambraser Narrentellers, eines hölzernen Ziertellers aus dem Jahr 1528 (Innsbruck, Schloss Ambras)

Narkọsegewehr, das → Betäubungsgewehr.

Narmada [neə'mædə] (Narbada) *die,* einer der heiligen Flüsse Indiens, im nördl. Dekhan, 1310 km lang, fließt in westl. Richtung und mündet in den Golf von Khambhat. Im Unterlauf ist seit 1985 ein 136 m hoher Staudamm mit Wasserkraftwerk (1250 MW) im Bau, der zum ökologisch stark umstrittenen **Sardar-Sarovar-Bewässerungsprojekt** (30 große, über 100 kleinere Dämme) gehört.

Nạrmer, einer der letzten ägypt. Könige der prädynast. Zeit, vollendete vermutlich um 2900 v. Chr. die Einigung des Reiches. Auf einer 1894 in Hierakonpolis gefundenen Prunkschminkpalette, die seinen Namen trägt, ist sein Sieg über einen unterägypt. König dargestellt. In späteren Königslisten ist N. nicht enthalten.

Nạrni, Stadt in der Prov. Terni, Italien, 240 m ü. M., in Umbrien, auf einem Bergsporn über dem Eintritt der Nera in ihre Durchbruchstalschlucht, 20 700 Ew.; Bischofssitz; Gemäldegalerie; elektron. Industrie, Linoleumherstellung. – N. wird von einer Burg (Rocca, 14.–15. Jh.) überragt. Dom (12. Jh., Vorhalle 15. Jh.) mit frühchristl. Cassianskapelle (6. Jh.); Loggia dei Priori (Mitte 14. Jh.); Palazzo del Podestà (urspr. 13. Jh.; heute Pinakothek). Außerhalb von N. die Ruine der röm. Augustusbrücke (30 m hoher Bogen der urspr. 128 m langen Brücke. BILD Brücken

Narọdnaja, mit 1895 m ü. M. höchster Berg des Urals im nördl. Teil des Gebirges, Russland.

Narọdniki [russ. »Volkstümler«], die Anhänger einer in Russland von den 1860er-Jahren bis um die Jh.wende verbreiteten literar. und polit. Richtung (A. I. Herzen, N. G. Tschernyschewski, P. L. Lawrow). Die N. forderten eine neue Gesellschaftsordnung in der Tradition des russ. Landvolks (unabhängig vom westl. Kapitalismus), ausgehend vom Agrarkommunismus des → Mir.

Narr, törichter Mensch, Spaßmacher und Spötter oder Gestalt mit hintergründigem Witz und versteckter Weisheit. Im MA. lebte das Narrentum in vielfältigen Formen; eine wichtige Rolle spielten die Hofnarren, frühmittelalterl. Narrenfeste parodierten kirchl. Riten. Versch. Brauchformen, etwa die Fastnacht, sind bis heute lebendig. Volkstüml. Narrenfiguren sind u. a. Till Eulenspiegel und die Schildbürger. (→ Narrenliteratur)

narrati̱v [spätlat., zu lat. narrare »erzählen«], erzählend, in erzählender Form darstellend.

Narrative Art ['nærətɪv 'ɑːt, engl.], Richtung der zeitgenöss. Kunst, die in Form von Fotosequenzen, oft mit Kurztexten, pointierte Geschichten erzählt. Die Grenzen zu Spurensicherung und Conceptart sind fließend. Vertreter: J. Baldessari, C. Boltanski, J. Gerz, D. Michals.

narratọrisch, den Erzähler, die Erzählung betreffend, erzählerisch.

Narrenliteratur, satir. Literatur, in der Narrenfiguren Träger von Zeit- und Moralkritik sind. Typisch für die N. ist die Darstellung des Widersinnigen als des Normalen mit den Stilmitteln der Polemik und Karikatur. In diesem Sinne findet sich die N. in den verschiedensten Epochen internat. verbreitet. Bes. im späten MA. wurde der Narr zu einer beliebten Figur moralisch-didakt. Dichtung (Fastnachtsspiel, Schwank). S. Brants Verssatire »Das Narrenschiff« (1494) gilt als einflussreichstes Werk der N. der frühen Neuzeit.

Narr

Im Mittelalter lebte das Narrentum in vielfältigen Formen. Inwieweit es ein direktes Erbe der Antike (römische Saturnalien) oder der altgermanischen, vorchristlichen Zeit darstellt, ist nicht nachweisbar. Bereits früh wurden bei Narrenfesten kirchliche Riten parodiert. Als bunt gekleidete Spaßmacher gehörten Narren zum Gefolge der mittelalterlichen Ritter, auf Jahrmärkten erfreuten sie das Volk als Possenreißer. Eine wichtige Rolle spielte der Hofnarr. Die frühesten Narrendarstellungen in der bildenden Kunst stammen aus Psalterhandschriften des Hoch- und Spätmittelalters; durch das »Non est Deus« (»Es gibt keinen Gott«) des Psalm 52 wurde der Narr primär als Gottesleugner und -verächter verstanden. Im späten Mittelalter wuchs der Narr nach und nach in das Fastnachtsgeschehen hinein: Viele Bürger schlüpften ins Narrenkleid und stellten ihre Gemeinde zeitweise unter das Narrenzepter. Der Narr begegnet auch im Volksschauspiel und auf der Bühne, etwa als Hanswurst, Harlekin oder Pickelhering.

Nạrses, Feldherr des byzantin. Kaisers Justinian I., * im pers. Armenien um 480, † Rom 574; als Nachfolger Belisars Befehlshaber in Italien, schlug er die ostgot. Könige Totila und Teja (552) und reorganisierte bis zu seiner Abberufung durch Justinus II. (567) die Verwaltung Italiens.

Narte [russ.] *die,* Rentier- oder Hundeschlitten der sibirischen Völker.

Nartendichtung, im nördl. Kaukasus bei den iran. Osseten, den westkaukas. Tscherkessen, Abchasen und Ubychen, den ostkaukas. Tschetschenen und Inguschen sowie den türksprachigen Karatschaiern und Balkaren weit verbreitete Heldensagen. Ihre Hauptgestalt Sosruko (Sosryko, Soslan) verbindet Züge der Gestalt Siegfrieds (Unverwundbarkeit) mit solchen des iran. Sonnengottes Mithras. Wie dieser ist er aus einem Stein geboren und unternimmt Fahrten in die Unterwelt. Die weibl. Hauptgestalt Satanej (Satana) wird entsprechend der unabhängigen Stellung der Frau im vorislam. Kaukasien dargestellt. Die in Zyklen angelegte Nartenepik bildete sich wohl zw. dem 7. Jh. v. Chr. und dem 14. Jh. n. Chr. heraus.

Narzisse: Weiße Narzisse (Höhe 20–40 cm)

Narthex [grch.] *der,* Vorhalle der frühchristl. und byzantin. Kirchen; Teil des Kultraumes.

Naruszewicz [-ˈʃɛvitʃ], Adam, poln. Dichter und Historiograph, *bei Pińsk 20. 10. 1733, †Janów Podlaski (Wwschaft Lublin) 8. 7. 1796; Jesuit (seit 1748), Hofdichter und Historiograph des Königs Stanislaus II. August, wurde 1788 Bischof von Smolensk, 1790 von Luzk. Seine Dichtung, beeinflusst von Horaz und Anakreon (die er auch übersetzte) und im Geist der Aufklärung geschrieben, umfasst klassizist. Oden, Idyllen, Satiren (»Satyry«, 1778) und Fabeln in Anlehnung an J. de La Fontaine. Sein Hauptwerk ist die Darstellung der poln. Geschichte von der Christianisierung bis 1386.

Narva (dt. Narwa), Stadt im NO von Estland, 14 km oberhalb der Narwamündung, 79 100 Ew.; Baumwollverarbeitung, Maschinenbau, Möbelfabrik, bei N. Wasserkraftwerk und zwei Ölschiefer-Wärmekraftwerke (Leistungen 1624 und 1610 MW); histor. Museum. – N., um 1250 gegr., gehörte zunächst zu Dänemark, 1346–1558 dem Dt. Orden, 1581–1704 zu Schweden. 1700 besiegte hier Karl XII. die Russen, 1704 nahm Peter d. Gr. die Stadt ein. 1918–40 gehörte N. zur Rep. Estland.

Narzisse: Gelbe Narzisse, auch Osterglocke genannt (Höhe 20–40 cm)

Narváez [narˈβaəθ], Ramón María, Herzog **von Valencia** (seit 1844), span. Marschall und Politiker, *Loja (Andalusien) 5. 8. 1800, †Madrid 23. 4. 1868; besiegte 1836 die Karlisten, stürzte 1843 den Regenten B. Espartero; wurde Generalkapitän der Armee, war als Führer der Konservativen (»Moderados«) 1844–66 fünfmal MinPräs. Er setzte die autoritäre Verfassung von 1845 durch.

Narvik, Hafenstadt in N-Norwegen, 18 500 Ew., am Ofotenfjord; Endpunkt der Lapplandbahn, eisfreier Ausfuhrhafen für schwed. Eisenerze; Flugplatz. – 1940 von dt. Truppen zur Sicherung der Eisenerzlieferungen besetzt; wurde bei den anschließenden Kämpfen stark zerstört.

Narwa *die* (estn. Narva), Abfluss des Peipussees, 77 km lang; bildet im NO die Grenze zw. Estland und Russland, mündet in die N.-Bucht des Finn. Meerbusens; oberhalb der Stadt Narva ein Stausee (191 km^2).

Narwal [dän.], eine Art der →Gründelwale.

Naryn *der,* rechter Quellfluss des →Syrdarja, in Kirgistan und Usbekistan, 807 km lang; durchfließt den Tienschan; mehrere Wasserkraftwerke, darunter **Toktogul** (Leistung 1200 MW; 214 m hoher Staudamm), die Stauseen dienen auch der Bewässerung im Ferganabecken.

Narziss 2): Fresko aus dem Haus des Marcus Lucretius Fronto in Pompeji (um 70 n. Chr.)

Narziss [zu Narzisse], **1)** *der, allg.:* ganz auf sich selbst bezogener Mensch, der sich selbst bewundert und liebt (→Autoerotik).

2) *grch. Mythos:* (grch. Narkissos, lat. Narcissus) der schöne Sohn des Flussgottes Kephissos. N. verschmähte die Liebe der Bergnymphe Echo, woraufhin er von Aphrodite bestraft wurde: Sich über eine Quelle beugend, verliebte er sich in sein Spiegelbild. Seine Verwandlung in eine Narzisse (Blume der Unterwelt) erlöste N. von seinen Qualen. – Er wird bes. auf antiken Reliefs, Mosaiken und pompejan. Wandgemälden, am Wasser sitzend, dargestellt.

Narzisse [grch.] *die* (Narcissus), Gattung giftiger Amaryllisgewächse mit röhrig verwachsenen Blütenblättern mit sechs Zipfeln und Nebenkrone. Die duftende **Weiße N.** (Narcissus poeticus) hat eine kurze, rot berandete, die **Gelbe N. (Osterglocke,** Narcissus pseudonarcissus) eine lange, glockenförmige Nebenkrone; auf südwesteurop. Bergwiesen, als Gartenpflanze in vielen Sorten kultiviert.

Narzissmus *der,* die auf die eigene Person gerichtete Erotik (→Autoerotik).

J. RIZZI